GESCHICHTE DE

REMBRANDT, BILDNIS DER HENDRICKJE STOFFELS
BERLIN, KAISER-FRIEDRICH-MUSEUM. UM 1658–59

TAFEL I

GESCHICHTE DER KUNST

VON DER ALTCHRISTLICHEN ZEIT BIS ZUR GEGENWART

VON

RICHARD HAMANN

O. PROFESSOR DER KUNSTGESCHICHTE IN MARBURG

1110 ABBILDUNGEN

18 FARBIGE TAFELN

NEUE DURCHGESEHENE AUFLAGE

BERLIN 1935

VERLAG VON TH. KNAUR NACHF.

DRUCK DER SPAMER A.-G. IN LEIPZIG

INHALTSVERZEICHNIS

ERSTER TEIL

SPÄTE UND NACHLEBENDE ANTIKE

ZWEITER TEIL

MITTELALTER

DRITTER TEIL

NEUZEIT

VERZEICHNIS DER FARBIGEN TAFELN

VORWORT

Diese Geschichte der bildenden Kunst beabsichtigt, ein Gesamtbild der Entwicklung zu geben. Neu und grundlegend an ihr möchte sein, daß sie das, was in großen, vielbändigen Kunstgeschichten von verschiedenen Autoren bearbeitet ist und notwendig zu verschiedenen Standpunkten führt, aus einer einzigen Erfahrung und Überzeugung heraus zu gestalten versucht. Statt ermüdender Aufzählung vieler unzusammenhängender Tatsachen, die dem Laien nur totes Wissen vermittelt und nichts sagt, bestenfalls ein Nachschlagewerk bietet, soll hier in lesbarer Darstellung die Entwicklung der Kunst erfaßt werden als ein sinnvoller Verlauf geistigen Lebens. Da dieser Verlauf von den Aufgaben und Problemen der heutigen Zeit her gesehen wird, ist auch das Gesamtbild dieser Entwicklung, ihre Gliederung in Stilepochen, die Würdigung der Kunst der Zeiten und Länder neu und abweichend von bisher maßgeblicher Auffassung. Unser Standpunkt ist ein sachlicher. Wir können deshalb die Kunstgeschichte nicht mehr ansehen als eine Geschichte rein formaler Werte, d. h. als eine Entwicklung des von allen Zeitbedingtheiten unabhängigen künstlerischen Sehens. Alle Formen werden aus dem Lebensgehalt einer Zeit heraus geboren; beide sind unlöslich miteinander verbunden. Die in der Kunst einer Zeit dargestellten Inhalte sind deshalb ebenso wichtig wie die sichtbare Erscheinung und die künstlerische Ausdrucksweise, in der sie sich darbieten.

Ebenso empfinden wir es als eine Forderung moderner Sachlichkeit, jede Zeit aus sich heraus zu beurteilen und ihr historisches Eigenrecht um so mehr zu betonen, je mehr wir für die heutige Zeit das Recht auf eine eigene Kunst verfechten. Jede Zeit hat *ihre* Kunst, und jede Kunst hat ihre Zeit. Wir lehnen es ab, irgendeine Epoche als den vorbildlichen Höhepunkt der Kunst überhaupt zu betrachten und von der Kunst unserer Zeit zu verlangen, daß sie auf den Krücken der Vergangenheit in die Zukunft hineinschreite. Wohl aber liegt uns daran, aus der sinnvollen Entwicklung heraus ein Verständnis unserer Zeit zu gewinnen und sie als ein notwendiges Ergebnis des Gesamtverlaufes zu begreifen.

Unter sinnvoller Entwicklung verstehen wir nicht eine Konstruktion des geschichtlichen Ablaufs nach abstrakten Begriffen und vorgefaßten Meinungen, sondern das Ergebnis von Erfahrungen. Diese lehren, daß alles in der Einmaligkeit des historischen Verlaufes nach vorwärts und rückwärts unlöslich miteinander verkettet ist und daß alles Künftige ein anderes Gesicht haben muß als alles Vergangene, weil es mehr von Voraussetzungen als dieses Vergangene in sich aufgenommen und verarbeitet hat. Um diese Verkettung der Ereignisse im ganzen zu übersehen und ein Gesamtbild zu empfangen, müssen wir so weit von den einzelnen Ereignissen zurücktreten, daß, wie in einer Landschaft, nicht mehr die Einzelheiten der Vegetation, sondern die individuelle Physiognomie der ganzen Gegend erfaßt wird. Auf diese Überschau, auf das Gesamtbild kommt es uns an.

Dennoch sind die großen Meister so herausgehoben, daß sie — wie es nicht anders sein kann — als Repräsentanten ihrer Zeit und der Menschheit dastehen. Der kunstgeschichtlich weniger Vorgebildete wird deshalb guttun, mit der Lektüre der Kapitel zu beginnen, die ihm vertraute Künstler, wie etwa Dürer oder Rembrandt, behandeln, um von hier aus zum Verständnis des Ganzen vorzudringen. Ebenso wird auch die Einleitung, die eine Übersicht über die historischen Zusammenhänge gibt und dabei notwendigerweise schon einige Vertrautheit mit den Tatsachen voraussetzt, mit gleichem Gewinn erst als abschließende Zusammenfassung gelesen werden können. Durch ausführliche Analysen einzelner Kunstwerke soll dem Leser ein innigeres Verhältnis zur Kunst der einzelnen Meister

und der einzelnen Perioden gegeben werden, als es durch eine trockene Aufzählung möglichst vieler Tatsachen hätte geschehen können. Dabei ist die Auswahl die schwierigste und verantwortungsvollste Aufgabe gewesen. Das Fehlen bekannter und manchem vertrauter Namen bedeutet keine Kritik, sondern ist durch die Notwendigkeit bestimmt, die Beispiele heranzuziehen, durch die die Entwicklung am besten verdeutlicht wird. Diese Auswahl hat sich herauskristallisiert aus der Lebensarbeit eigenen Forschens und Nachdenkens über den Sinn der geschichtlichen Entwicklung. Für die Begründung eigener und vielleicht überraschender Ansichten muß auf eigene Arbeiten verwiesen werden.
Auch die photographischen Aufnahmen, die den Abbildungen zugrunde liegen, sind zum ganz überwiegenden Teile Resultate eigener Arbeit. Es ist großer Wert darauf gelegt, allbekannte Vorlagen durch neue und für das Wesen der Entwicklung sprechende zu ersetzen. Die langjährige Praxis des von mir geleiteten Kunstgeschichtlichen Instituts der Universität Marburg erlaubte es, die photographische Technik dem neuen Sehen der Gegenwart anzupassen und schon durch die Art der Aufnahme eine Aussage über das Kunstwerk zu geben. Ebenso war es dadurch möglich, die Abbildungen in so reicher Fülle dem Text beizugeben, daß fast alles, was im Text behauptet wird, dem Leser auch anschaulich werden kann. Soweit es nötig war, andere Photographien heranzuziehen, sind in einem besonderen Verzeichnis die Quellen für sie namhaft gemacht.
Einige praktische Hinweise auf die Anlage des Buches mögen noch folgen: eine *Chronologische Gesamtübersicht* faßt die zeitliche Entwicklung der ganzen Kunstgeschichte in einer Tabelle zusammen. In dem *Verzeichnis der wichtigsten Künstler und Werke* sind für den, der sich über die Fülle der Tatsachen, auch über solche, die nicht im Text berührt werden, eine Übersicht verschaffen will, die notwendigsten Tatsachen und Daten zusammengestellt. Eine kurzgefaßte *Erklärung der kunstgeschichtlichen Fachausdrücke* soll die Lektüre dem nicht vorgebildeten Leser erleichtern.
Bei der Redaktion des Werkes konnte ich mich auf die Hilfe meiner Mitarbeiter im Marburger Institut stützen. Ihnen allen sei hier gedankt, in erster Linie Herrn Dr. André, dem Assistenten des Preußischen Forschungsinstituts für Kunstgeschichte, und Herrn Dr. von Tieschowitz, Lektor für wissenschaftliche Photographie an der Universität Marburg. Der Verlag hat es dem Verfasser ermöglicht, auf Reisen durch ganz Europa seine Ansichten vor den Originalen noch einmal nachzuprüfen, so daß kaum ein Werk in dieser Kunstgeschichte besprochen ist, das der Verfasser nicht mit eigenen Augen gesehen hat.

Marburg, im Oktober 1932 — Richard Hamann

Vorwort zur neuen Auflage

In unerwartet kurzer Zeit ist trotz der sehr großen Auflagen eine neue Ausgabe notwendig geworden. Der Text ist durchgesehen und an einigen Stellen verbessert. Wesentlich erweitert ist das Verzeichnis der Künstler und Werke am Schluß. Für freundliche Ratschläge und Hinweise habe ich vielen deutschen und auswärtigen Kollegen zu danken. Das Abbildungsmaterial wurde verbessert, eine Reihe neuer Farbtafeln wurde hinzugefügt.

Marburg, im Oktober 1934 — Richard Hamann

EINLEITUNG

STANDPUNKT UND ÜBERSCHAU

Die Geschichte der Kunst zerfällt in zwei große Abschnitte, die Geschichte der *Kunst des Altertums,* womit man die Kunst der Ägypter und Assyrer, der Griechen und Römer meint, und die Geschichte der *neueren Kunst,* wie man die Kunst seit der christlichen Ära zu nennen pflegt. Jede von beiden hat man als ein Sondergebiet auch einer besonderen Wissenschaft überlassen, der *Archäologie* und der *Kunstgeschichte.* Die Geschichte der neueren Kunst soll in diesem Bande behandelt werden.

Eine Kunstgeschichte aber, die nicht die ganze Entwicklung von den frühesten Anfängen her behandelt, sondern von der Gegenwart aus gerechnet nur einen Abschnitt, wird von selbst auf die Frage geführt: wo soll sie beginnen? Ist der Schnitt, den wir machen, auch innerlich begründet?

Wäre die ganze Kunstentwicklung ein einheitlicher Verlauf, so würde ein solcher Einschnitt willkürlich und eine Sonderbetrachtung der neueren Kunstgeschichte kaum gerechtfertigt sein. Nur wenn sie als eine eigene und abgesonderte auch einen innerlich begründeten Anfang hat, ist es möglich, die Geschichte der neueren Kunst als eine Einheit und ein Ganzes mit eigener und geschlossener Entwicklung zu schildern, wie es uns vorschwebt.

ALTCHRISTLICHE KUNST

Nichts scheint leichter, als diese Frage nach dem Anfang zu beantworten, und die Antwort lautet meist: die große weltgeschichtliche Wendung, mit der wir eine neue Zeitrechnung beginnen, muß auch den Umschwung in der Kunst bedingt und eine neue Kunst im Gefolge gehabt haben. Die *christliche Ära* bezeichnet den Anfang einer neuen Epoche der Kunst. Die Wende von Heidentum zu Christentum führte ein neues Zeitalter herauf in der Religion wie in der Kunst. Die Christlichkeit der Kunst ist das Neue. Denken wir daran, daß die Kunst des Mittelalters und der Renaissance bis zum Barock im wesentlichen kirchliche, das ist aber christlich kirchliche, Kunst ist, dann scheint die Begründung des Anfanges der neueren Kunst mit den Anfängen der altchristlichen Kunst unumstößlich. Wir hätten also mit der christlichen Kunst zu beginnen.

Aber ist diese wirklich ein Anfang, beginnt mit ihr nach der antiken Kulturentwicklung etwas völlig Neues und Anderes? Die Unsicherheit in den Entscheidungen darüber, was das Besondere der frühen christlichen Kunst gegenüber der Antike sei, der immer wieder erneute Versuch, dieses Besondere gegen die, die es leugnen, zu begründen, zeigen die Schwierigkeiten des Problems. Wir erwägen es nach Form und Inhalt: ist eine neue, spezifisch christliche Form in der christlichen Kunst geschaffen, ist der Inhalt (die christliche Welthaltung, der Glaube) etwas gänzlich Unantikes, oder ist das Verhältnis des Inhaltes zur Form das spezifisch Neue und deshalb der Anfang?

Abb. 1. *Rom. Decke in einem Cubiculum der Lucinagruft. 2.–3. Jh.*

Daß die altchristliche Kunst in den Kunstmitteln, in der sichtbaren Ausdrucksweise ganz die antiken Formen verwertet und nirgends eine spezifisch neue, christliche Form geschaffen hat, darüber ist man sich allgemein einig. Die Malerei der Katakomben (Abb. 1, 2), der heitere Wandschmuck christlicher Grabstätten benutzt das zarte und heitere Rankenwerk der Stuckdekorationen antiker Grabkammern, christliche Sarkophage arbeiten in den Prozessionen ihrer ausgebreiteten Männerversammlungen, ihren gedrängten historischen Szenen, den würdigen Haltungen und konventionellen Draperien ihrer Gestalten ganz nach dem Schema gleichzeitiger antiker Sarkophage, und auch der altchristliche Kirchenbau, die Basilika, hält sich in der Raumentwicklung

Abb. 2. *Nîmes, Museum. Römisches Mosaik: Bacchus und Eros.*

an die Folge von Räumen im antiken Hause und benutzt Motive der Markt- und Gerichtsbasilika als Vorbilder für die Versammlungsräume der Gemeinde oder ihrer Vertreter. Die Bauformen bleiben die althergebrachten der antiken Säulen und Gebälke; als Wandschmuck oder Bodenbelag dienen Mosaiken wie in den heidnischen Anlagen.

Hier ist also nicht nur kein Anfang, sondern, was wichtiger ist, auch nichts Anfängliches.

Diese Kunst ist formal nicht früh, tastend, suchend, sondern reif, entwickelt, raffiniert, kunstvoll und geistreich, sie ist antike Spätkunst, hellenistische Verfeinerung und, von ihr abgeleitet, römische Schmuck- und Repräsentationskunst.

Wenn man mit fortschreitender Zeit eine Abkehr von dem sinnlichen Glanz der Kunst spürt und gerade in den christlichen Werken einen oft erschreckenden Mangel an Qualität, so führt auch das nicht auf etwas Neues. Wir mögen empfinden, daß die antike Welt und mit ihr die antike Kunst zu Ende geht. Aber selbst wenn das Christentum in diesem Untergang Symptom und Ursache ist, bedeutet auch das noch nicht einen Anfang, sondern nur ein Ende und ein Sterben.

Es wird aber durch den Verfall der spätantiken Kunst das Vorurteil begünstigt, als sei die christliche Kunst deshalb so gleichgültig gegen die äußere Form und deshalb so nachlässig in der künstlerischen Durchführung, weil ihr der Inhalt wesentlicher sei als sein Gewand. Nicht aus sich selbst heraus bekamen das Sichtbare, die äußere Form ihren Wert, sondern von der Eindringlichkeit, mit der ein geistiger Gehalt entschleiert wird. Der Wert der christlichen Kunst sei nur der einer gut lesbaren Bilderschrift, die Kunst sei nur Symbol des Geistes. Das aber sei etwas Neues.

Die bildnerische Gestaltung geistig bedeutsamer Inhalte kann zwei Voraussetzungen haben. Entweder die Freude an den sinnlichen Seiten des Bildes selber. Dieser unmittelbare Genuß des bildnerischen Eindrucks wird aber gerade der altchristlichen Kunst abgesprochen. Oder das Bedürfnis, das

Abb. 3. *Rom, Lateranmuseum. Sarkophag mit Darstellung der Jonasgeschichte. Ausschnitt. 4. Jh.*

Geistige sich sinnlich gegenwärtig vorzustellen. Ein solches Bedürfnis ist besonders stark, wenn — wie im hohen Mittelalter — die Menge nicht in der Lage ist, die bildlosen Schriftzeichen, die reinsten Symbole des Geistigen, zu lesen. In diesem Falle wird das Werk der bildenden Kunst ein Ersatz für Wort und Schrift.

Die Epoche des frühen Christentums aber ist, wie die der spätantiken Kultur überhaupt, gerade eine Epoche höchster Geistigkeit. Die Schrift, die Heilige Schrift, das Buch, ist die Quelle, aus der das Leben den Geist und der Geist das Leben schöpft. Im Anfang war das Wort, der Logos: der Geist in unbildhafter, logischer Form. Gewisse Strömungen im Christentum richteten sich jetzt und in der Folgezeit gerade gegen den Drang, sich ein Bild zu machen von etwas, was nur geistig verstanden werden kann. Das Bild, ein Symbol von etwas, das über alle Enge des Sichtbaren weit hinausragt wie die Vorstellung von Gott und göttlichen Kräften in der Welt, mußte für diese Zeit ein Bedeutungsverlust sein. Eine solche symbolische Kunst ist dagegen in höchstem Maße die mythische Verkörperung der antiken Götter. Gerade gegen die symbolische Kunst, gegen dieses Sich-ein-Bild-machen vom Geistigen, hätte sich diese Zeit wenden müssen. Aus ihrer geistigen Haltung heraus wäre gerade eine symbolische Kunst nie entstanden. Das schloß aber nicht aus, daß die rein künstlerischen Werte der Dekoration, des Schmuckes aufgegriffen und auf die Stätten christlicher Andacht, die Gräber, die Versammlungsstätten übertragen wurden. Es ist sehr bezeichnend, daß die aus diesem spätantiken Geiste geborene bilderfeindliche Religion des Islam gerade die dekorative Kunst des reinen Wandschmuckes zur höchsten Entfaltung gebracht hat.

Die Geringwertigkeit der Erzeugnisse christlicher Kunst ist technisch, nicht stilistisch bedingt, sie ist oft ein Zeugnis der sozial tiefen Stellung ihrer Besteller. Wenn man bildet und Bilder bestellt, so geschieht es noch immer aus antiker Bildfreude heraus, aus einer Tradition, in der man noch mitten darin steht, und aus einer Gesinnung, der es von alters her unwiderstehlicher Drang war, den Menschen mit Schmuck und Bild zu umgeben. Viele Themen der heidnischen antiken Kunst (Orpheus, Amor und Psyche) behalten ihre Geltung auch in der christlichen. Überall finden wir dasselbe Verhältnis von Inhalt

Abb. 4. *München, Glyptothek. Relief: Landmann mit Kuh. 1. Jh. n. Chr.*

und Form wie in der Antike, wie dort ist die Kunst dekorativ schmückend, mythisch verkörpernd, historisch schildernd, porträthaft abbildend und — etwas dem spätantiken Geist besonders Eigenes — allegorisch andeutend oder geistreich spielend. So bleibt als Neues schließlich nur der Inhalt selber, die christliche Weltanschauung und die Personen, die sie vertreten.

Es ist kein Zweifel, daß im Ablauf der antiken Kultur das Christentum etwas Neues bedeutet, verglichen mit dem, was wir als Wesen der Antike, als höchste Blüte griechischen Geistes empfinden und zu bezeichnen uns gewöhnt haben. Diesem Geiste wird auch die Vollkommenheit und Einzigartigkeit der griechischen Kunst verdankt. Wir wissen heute, daß der schöne Mensch der griechischen Kunst und das heroisch aristokratische Menschheitsideal Ausfluß derselben Geisteshaltung sind, eins so wenig absolut wie das andere und eins zum andern gehörend. Diesem heroisch aristokratischen Weltbild steht das — wenn wir es so nennen dürfen — proletarische des Christentums entgegen. Die Letzten werden die Ersten sein. Den Helden der Antike war der Kampf der Vater aller Dinge, in der Palästra bewährte sich der Mann, im Wettstreit wurde alle Tugend geboren. An ihre Stelle setzt der Christ die alles duldende, alles verzeihende Liebe. Der in Kampf und Waffenübung gestählte Körper zeichnete den Helden vor Sklaven und Arbeitern aus, auf seine Darstellung und Idealisierung war alle Kunst bedacht. Dem Christen aber wird die menschliche Seele der einzige Wert in der Welt; die Liebe, die er predigt, löst sich vom Körperlichen, sie verbindet die Menschen im Geiste. Den antiken Heros, der sich auszeichnet, der sich abhebt aus der Menge und von den anderen, isolieren auch die Kunst und das Schrifttum und vergotten ihn, indem sie ihn preisen. Die neue Lehre aber stellt umgekehrt gerade die Menschwerdung Gottes in den Vordergrund, eine Vermenschlichung, die vor Gott keine Kasten und Scheidungen kennt. Nicht der Einzelne, sondern die Gemeinde wird das Ideal, ein Zusammenleben der Menschen in gegenseitiger Anerkennung, in gegenseitigem Dienst und in Nächstenliebe. Die Anerkennung aber und Verklärung, die diese neue Lehre den Enterbten des Lebens bringt, um deren Erlösung willen sich selbst Gott ans Kreuz schlagen und demütigen läßt, ist nicht Umsturz und Auflehnung gegen diesseitige Ordnungen, sondern Hoffnung auf ein Jenseits, ist eschatologisch, wie der theologische Ausdruck für diese Erwartung der letzten Dinge lautet, größter Gegensatz gegen die Formung und Gestaltung irdischen Lebens in der vorausgehenden Antike und gegen die Verklärung dieses Lebens durch die Kunst. Gott aber, der im Zeitalter des heroischen Ideals selbst im Wettstreit dargestellt und voller Herrschsucht und Ehrgeiz gedacht wird — im Kampf gegen die Titanen gewinnen die olympischen Götter den Sieg, und den Neid der Götter fürchtet auch der Heros —, ist jetzt erfüllt vom Willen und der Fähigkeit zur Gnade. Eine vermenschlichte Gnadenreligion löst die übermenschliche Zornes- und Herrschaftsreligion der Antike ab.

Aber diese neuen Werte und Anschauungen sind doch nicht so neu, wie sie unsere zugespitzte Kontrastierung und der Radikalismus der christlichen Bewegung erscheinen läßt. Vorbereitet durch die Verinnerlichung der sittlichen

Probleme in der sokratischen Lebenshaltung und in der Philosophie Platos, in der Geringschätzung der irdischen Güter und der sozialen Geltung bei den Zynikern, in der Resignation und Weltverachtung der Stoiker, in den Erlösungsgedanken der Mysterienkulte, ist das Geistigste und Menschlichste des Christentums selbst wieder nur ein Teil spezifisch spätantiker Geistesverfassung, nicht einfach, sondern geistig hoch entwickelt, nicht anfänglich, sondern kultiviert. Denn auch im Leben des Einzelnen geht das heldische Bedürfnis dem menschlichen Verstehen voraus, der Egoismus der Nächstenliebe, das Leben des Körpers der Versenkung im Geiste.

Das Verhältnis dieser Weltanschauung zur spätantiken Kunst aber ist derart, daß vieles von dieser Stimmung und allgemeinen Geisteshaltung gerade in der Kunst sich vorbereitet und ausgedrückt hat. Die Anerkennung der nichtheroischen Menschlichkeit, des einfachen Mannes, des Arbeiters, Bauern, Bettlers, ist ein Grundzug des spätantiken Naturalismus (Abb. 3, 4). Fischer mit der Angel und Hirten, die ihre Ware zu Markt tragen, alte Frauen und Bettlerkinder in Lumpen, finden jetzt in der Kunst Eingang. Sie verschafft ihnen auf Erden jene Ansehnlichkeit, die ihnen die Religion im Jenseits oder im Leben in Gott verheißt. Ist es ein Zufall, daß für die frühen Christen das Bild des Erlösers im Bilde des Guten Hirten mythische Gestalt annimmt? Selbst in den römischen Schlachtenbildern auf den Triumphsäulen verdrängt die Tätigkeit des gemeinen Mannes, das Brückenbauen und das Leben im Lager, die heroische Pose des Streiters und findet ihre Anerkennung. Das Vorbild wird zum Genrebild.

Abb. 5. *Toulouse, Museum. Büste eines Römers. 1. Hälfte 1. Jh. n. Chr.*

Eine gleiche Anerkennung des Gewöhnlichen an Stelle des Erhabenen und typisch Schönen bedeutet die spätantike Wendung zum Porträt, zur Versenkung in die verarbeitete Physiognomie (Abb. 5). Auch das ist ein Abstieg von der Ehrfurcht heischenden, gottähnlichen Heldenverklärung zur Vertraulichkeit und Verbundenheit mit dem Nächsten — eine Vermenschlichung.

Nirgends aber zeigt sich die Vergeistigung des Menschen, die Entdeckung der Seele so deutlich wie im spätantiken Bildnis, im spätgriechischen (hellenistischen) noch mehr als im römischen. Die Statue des heroischen Typus, seine vollendete Körperform und Körperhaltung, kann des Kopfes entbehren, auch als Fragment bleibt sie schön und wirksam. In der Spätzeit, in den Jahrhunderten um Christi Geburt, wurden Köpfe geschaffen — man denke an die Büste des sogenannten Seneca, des Homer —, die des Körpers nicht nur entbehren können, sondern ihn sogar verneinen. Im Typus des Philosophen, des Redners, des Beamten wird nicht selten der Kontrast spürbar zwischen bedeutender Geistigkeit ausgeprägter Physiognomien und angemaßter, heldischer Pose im Körper und Gewand. Dieser Zwiespalt führt einen neuen, spezifisch römischen Typ in die Kunst ein, den bürokratischen, der im Bilde christlicher Bürokraten seine Fortsetzung findet.

Der Gemeinschaftsgedanke gibt der christlichen Nächstenliebe eine soziale Bedeutung und bietet der christlichen Kirche eine Form des Kultes, die auf dem Gemeindegedanken, auf dem Liebesmahle sich aufbaut. Aber auch dieses Kollektive ist künstlerisch vorgebildet in Darstellungen, in denen eine Menge im gemeinsamen Tun zu wirklicher Einheit — ohne Protagonisten — zusammengefaßt ist. Selbst das spätantike Schlachtenbild läßt den Zweikampf, den Heldenkampf vor der Gesamtaktion zurücktreten. Daneben sieht man vor allem in Opferhandlungen eine Familie oder eine Bürgerschaft zum Altar schreiten, ein Vorspiel christlicher Gemeinden. Mit der Gruppen- und Massendarstellung treten neue künstlerische Probleme — vor allem der Raumbildung und Tiefenschichtung — in den Gesichtskreis der Künstler und führen mit sich alle immateriellen Werte der Darstellung von Luft, Licht und Stimmung, eine malerische Behandlung selbst in der Skulptur, das Gefühl für den freien Raum der Landschaft und die Teilnahme am Leben der Natur. Auch diese wird beseelter, die Welt wird verinnerlicht (Abb. 6). Das wirkt in die Architektur hinüber und rückt in den Vordergrund das Problem des Raumes als eine Kunst, die Menschen zu einen, die Form ihres Beisammen zu symbolisieren, mit der Raumform auch die Raumstimmung als Gleichklang der im Raum geeinten Menschen zum Ausdruck zu bringen. Wie im Pantheon in Rom werden große Rundräume für das religiöse Bedürfnis geschaffen, die Gemeinde zur Andacht zusammenzuführen. In der Konzen-

Abb. 6. *München, Antiquarium. Hellenistisches Relief: Jüngling vor einem Tempel mit heiligem Baum opfernd.*

tration feierlicher Zentralbauten erfüllt sich schon architektonisch die Entrückung aus der Alltäglichkeit des Daseins in die Jenseitigkeit eines die Seele erhöhenden Lebens in Gott. Aber auch die leibliche Entrückung in das Jenseits, die Entführung zu Gott als letzte und höchste Ehrung kennt gerade diese Spätkunst, die römische Kunst in den Apotheosen, den Darstellungen, in denen ein Mensch von einem Genius oder Adler zum Himmel emporgetragen wird. Es sind nicht die Armen und Erniedrigten, denen diese Verhimmelung zuteil wird, es sind Angehörige des Kaiserhauses, vornehme Würdenträger. Aber die Häufigkeit der Darstellung zeigt, wie der Erlösungsgedanke, das eschatologische Element in dieser Zeit Bedeutung gewinnt. Die Himmelfahrt Christi selbst stellt die christliche Kunst nicht anders dar wie die dieser Imperatoren (Abb. 7). Und wenn dieses Jenseits in der Phantasie der Christen greifbare Gestalt annahm, dann war auch dieses christliche Paradies und dieses Bei-Gott-Sein eine Form des schönen Lebens, geschmückt mit den Reizen des heidnischen Diesseits und in den Formen, die spätantike Dekorationskunst den Christen bot.

Abb. 7. *München, Bayr. Nat.-Museum. Elfenbeintäfelchen: Himmelfahrt Christi und die Frauen am Grabe. 4. Jh.*

So drückt zwar das Christentum als die Religionswerdung dieser neuen weltanschaulichen Einstellung der späten Antike die Wandlungen in der antiken Kultur am stärksten und radikalsten aus; die große Wertverschiebung zwischen früher und später Antike gelangt mit ihr zum Siege und läßt die Gegensätze in der Formulierung — Heidentum und Christentum — mit aller Macht gegeneinanderprallen. Aber die Einsicht, daß dieses Neue innerhalb der Entwicklung des Alten liegt, eine Spätphase und ein Ende ist und deshalb in der Kunst ebenfalls der Spätphase antiker Kunst zugehört, bewahrt uns davor, mit der altchristlichen Kunst die Entwicklung der neuen Kunst zu beginnen. Daß eine christliche Archäologie sich zwischen die eigentliche Archäologie — Archäologie als Wissenschaft der antiken Kunst verstanden — und die neuere Kunstgeschichte einschiebt und die altchristliche Kunst als eine abgeschlossene, also endende, als ihr Sondergebiet betrachtet, ist der äußere Ausdruck für diese Erkenntnis. Ein bedeutender Vertreter der christlichen Archäologie, *von Sybel*, hat deshalb diese Kunst als *christliche Antike* charakterisiert.

MITTELALTER

Wir müssen also ein Neubeginnen hinter dieser altchristlichen Phase der antiken Kunst suchen und fragen, ob es hier den Anfang eines in sich geschlossenen Entwicklungsablaufes gibt, der von dem Ablauf der antiken Kunst durch eine unüberbrückbare Kluft getrennt ist. Gibt es einen solchen, dann müssen wir verstehen, wodurch die historische Kontinuität unterbrochen wurde, und mehr noch, wie sich das Neue zu dem schon Gewesenen und Voraufgehenden verhält. Das Verhältnis der neueren Kunst zur Antike wird somit von selbst ein Hauptproblem dieser neueren Kunstgeschichte.

Diesen Anfang, den wir suchen, gibt es. Es ist die Kunst der *Völkerwanderungszeit*. Die Entwicklungslinien, die wir im Mittelalter verfolgen können, führen auf sie zurück. *Worringer* hat in einem geistvollen Buch über die Formprobleme der Gotik den gotischen Geist des Mittelalters schon im Band- und Riemengeflecht dieser nordischen Frühkunst wirksam gesehen. So sehr man sich dagegen sträuben mag, Wort und Begriff der Gotik, die eine fest umgrenzte Epoche dieser neueren Kunstgeschichte bezeichnen, dadurch verflüchtigt zu sehen, daß sie auf das Ganze dieses Ablaufes angewendet werden, der Einsicht wird sich niemand verschließen, daß diese frühen Band- und Spiralornamente und diese Linienphantasien ihre Weiterbildung in romanischer Rankenornamentik und gotischem Maß- und Schnörkelwerk finden, und daß diese Entwicklung ihre entscheidende und wesentliche Ausprägung im Norden erfahren hat. Daß wir ein Recht haben, hier den Anfang zu sehen, dafür ist wichtiger vielleicht die Erkenntnis, daß diese „nordische Frühkunst", oder besser noch die Kunst, die mit der Völkerwanderung zusammenhängt (d. h. im wesentlichen die des 5. bis 7. Jahrhunderts), ihre Parallele in den Anfängen der Kunst überhaupt findet. Auch wenn man überzeugt ist, wie gänzlich andersgeartet diese nordische Frühkunst gegenüber der antiken, der sogenannten Mittelmeerkunst, ist, in ihrem Charakter als Frühkunst werden sich mannigfache Analogien zur frühen Kunst des Altertums, der mykenischen

Abb. 8. *Paris, Louvre. Krater, korinthisch. 6. Jh. v. Chr.*

oder kretischen oder frühest-archaischen Kunst Griechenlands finden (man vergleiche eine frühkorinthische Vase mit einer Buchseite einer mit Fisch-Vogel-Ornamentik geschmückten vorkarolingischen Miniatur [Abb. 8, 9]). Das wichtigste Resultat solcher Vergleiche ist, daß diese Völkerwanderungskunst nicht nur ein neuer Anfang, sondern wirklich eine primitive, d. h. anfängliche Kunst ist, und daß sie nicht besser als mit diesem Worte primitiv zu bezeichnen ist, sofern man sich nur gewöhnt, Primitivität als eine bestimmt charakterisierte Art von Kunst — ähnlich wie archaisch — anzusehen und nicht als ein Werturteil zu formulieren. Wir sind ja heute genugsam geschult, die Kunst der Primitiven nicht zu unterschätzen.

Abb. 9. *Rom, Vatikan. Sakramentarium Gelasianum: Kreuz und Initial I. Um 750.*

Wodurch es kam, daß nach einer so reichen Entwicklung wie die der antiken Kunst und nach einer so hoch entwickelten Phase, wie die des Hellenismus und der antiken Spätkunst überhaupt, ein solcher neuer Anfang möglich war, darüber muß uns die politische Geschichte belehren. Die Kunstgeschichte muß sich mit dem Faktum begnügen, daß in diesen Jahrhunderten eine der größten Umwälzungen der Weltgeschichte stattgefunden hat: der Einbruch neuer, jugendlicher Völker in die alte Welt — die Völker der alten Kulturen nannten diese jungen Völker Barbaren —, mit anderen Worten, die Völkerwanderung. Sie zerstören die alte Welt mit Feuer und Schwert, sie erobern und unterwerfen sich den Boden und die Reiche der alten Welt, sie zwingen der alten Welt ihre Herrschaft, ihr Gesetz und ihre Kultur auf. Der Ausdruck dieser Umwertung ist die Kunst und Kultur der Völkerwanderungszeit. Sie findet in kontinuierlicher Entwicklung ihre Fortsetzung in jener Kultur, die wir die mittelalterliche nennen. So ist zunächst die Kunst des Mittelalters der große Gegenstand der neueren Kunst. Die erste und größte Frage wird sofort die, wie verhält sich diese mittelalterliche Kunst zur antiken, wie dieser neue Ablauf zu dem schon einmal abgerollten einer Menschheitsgeschichte.

Die Zeiten sind vorbei, in denen man ungestraft von einem finsteren Mittelalter reden durfte und diese Zeit als ein großes Vakuum zwischen der klassischen Kunst der Antike und dem Wiederaufblühen dieser antiken Kultur in der

Renaissance betrachtete. Indem man an eine absolute Geltung der antiken Kunst glaubte, übersah man, daß auch die antike Kunst nicht eine war und nicht immer dieselbe, daß auch sie ihre Frühkunst, ihr Mittelalter gleichsam hatte. Wir aber wissen, daß eine Zeit wie das Mittelalter, die die großen Kathedralen und ihren Statuenschmuck hervorgebracht hat, zu Leistungen fähig war, die uns heute in dieser Größe und Vollkommenheit nicht möglich sind, daß sie ihre Kunst hatte, eine unnachahmliche und unausschöpfliche. Eine solche Zeit konnte nicht finster sein. Wir haben uns gewöhnt, darauf zu verzichten, die Entwicklung der Kunst unter dem Gesichtspunkte des Fortschrittes und der technischen Vervollkommnung zu betrachten. Jede Kunst ist für uns Ausdruck des Kunstwollens einer Zeit (man könnte auch sagen des Kunstbedürfens). Sie gilt für diese Zeit und kann nur von dieser Zeit vollkommen gestaltet werden. Denn in der Kunst kann Stil, d. h. Vollkommenheit der anschaulichen Beziehungen, nur erreicht werden durch einen unmittelbaren Lebensgehalt, der sich seine Form schafft. Deshalb ist jede Kunst einer Zeit (wie auch eines produktiven Künstlers) nur von dieser gekonnt.

Wir sehen heute, daß die mittelalterliche Kunst in ihrer Art und in all ihren Phasen der frühen und hohen Antike verwandt ist. Mit Leichtigkeit können wir bezeichnende Beispiele aus der Völkerwanderungszeit aufzeigen, die in

Abb. 10. *Paris, Louvre. Vasenmalerei: Totenklage, Böotisch-geometrisch, 7. Jh. v. Chr.*

der frühesten griechischen Kunst, wir nannten sie schon, der mykenischen Kunst, dem geometrischen Stil, Parallelen haben (Abb. 10, 11). Der archaischen antiken Kunst entspricht in gleicher Blockhaftigkeit, Strenge des Stils und Monumentalität der Auffassung die romanische Epoche des Mittelalters; gleichzeitig ergeben sich Parallelen zur ägyptischen und assyrischen Kunst (Abb. 12, 13). Der klassischen griechischen Kunst entspricht die Gotik mit dem körperlichen Ideal einer edlen Haltung und schönen Gebärde, einer körperlichen Gliederung, die selbst in der Architektur ihren Ausdruck findet (Abb. 14, 15, 16, 17), und für die gleichen Spätphasen haben wir in der Antike wie in der neueren Kunst denselben

Abb. 11. *Bonn, Provinzialmuseum. Fränk. Grabstein aus Niederdollendorf. 5.—8. Jh. n. Chr.*

Abb. 12. *Paris, Louvre, Hera von Samos. Weihgeschenk des Cheramyes. Anf. 6. Jh. v. Chr.*

Abb. 13. *Chartres, Kathedrale. Säulenfiguren am mittleren Westportal. Um 1140.*

Abb. 14. *Konstantinopel, Museum. Klagefrau von einem Sarkophag von Sidon. 4. Jh. v. Chr.*

Abb. 15. *Marburg, Elisabethkirche. Leidtragende vom Grabmal Johanns und Ottos I. Nach 1311.*

charakterisierenden Namen Barock. Nicht nur einzelne Phasen des alten und neuen Ablaufes entsprechen sich, auch die Folge, der Verlauf der Entwicklung ist in beiden Fällen derselbe. Es ist, als ob die Menschheit — ähnlich wie das einzelne Individuum — sich nach immanenten Gesetzen geistiger Entwicklung im gleichen Sinne entfalten muß, wenn sie durch eine solche Umwälzung wie die Völkerwanderung auf ihre früheste Stufe zurückgeworfen wird und durch den Ersatz alter Völker und Kulturen durch neu in die Geschichte eintretende — barbarische, primitive — Völkerschaften eine neue Jugend erlebt.

Die neueste These *Worringers,* daß Gotik und Griechentum gleichwertige und gleichartige Blüten am Baume menschlicher Kultur seien, würde dieser Erkenntnis gerecht werden, wenn nicht diese Verwandtschaft aus ursächlichen Zusammenhängen abgeleitet würde, aus dem Weiterleben der griechischen Kunst und aus ihrer Einwirkung auf die mittelalterliche vermittels der byzantinischen. Wesentlich ist aber gerade, daß die Menschheitsverjüngung, die in der Entwicklung des Mittelalters die Phasen bestimmt, durch kein Nachleben der Antike zu verstehen ist, und daß die Griechenähnlichkeit, d. h. aber nichts anderes als die Frische und Unmittelbarkeit, die künstlerische Fülle und Höhe der mittelalterlichen Kunst, gerade einen von jeder Einwirkung unabhängigen

Abb. 16. *Olympia, Zeustempel. Apollo. Um 460 v. Chr.*

schöpferischen Geist, eine neue Produktivität voraussetzt, wie sie in diesem, das ganze Leben durchdringenden Gestaltungswillen und dieser Entwicklungsfähigkeit bisher nur einmal, bei den Griechen, in der Menschheitsentwicklung aufgetreten war. Diese jungen Völker, unter denen für das mittelalterliche Weltbild in Religion und Kunst Kelten und Germanen das Hauptkontingent stellen, sind in ihrer schöpferischen Fülle und Höhe weder Nachkommen noch Nachahmer und Kostgänger der Griechen, sondern Neubürtige und Ebenbürtige. Ein hinreißendes Schauspiel der Menschheitsentwicklung wiederholt sich noch einmal in der Kunst. So gesehen, ist auch die mittelalterliche Kunst sinnenfreudig, diesseitsverklärend, wie nur je die heidnische gewesen war: sie ist eine Rückkehr zur Formung von Körper und Welt — und insofern unchristlich. Dieses Parallelverhältnis der mittelalterlichen Kunst zur antiken Kunst aufzuzeigen, ist also eine der ersten Aufgaben einer Geschichte der neueren Kunst von der Völkerwanderung bis zum Ausgang des Mittelalters. Wäre die Griechenähnlichkeit der hochmittelalterlichen Kunst (Gotik) nur eine Folge des Einflusses der greisenhaften und stagnierenden byzantinischen Kunst, also nur ein Nachleben der Antike, so würde man die produktive Neuschöpfung und die produktive Entwicklung im Mittelalter überhaupt nicht verstehen können.

Dennoch gibt es ein Nachleben und Weiterleben der spätantiken Kunst. Die Entwicklung dieser jungen Kunst und Kultur bewegt sich auf dem Boden der antiken Entwicklung oder in der Nähe dieses Bodens, sie vollzieht sich auch in unmittelbarer politischer, religiöser und künstlerischer Wechselwirkung mit den Zentren der antiken Kultur (Rom, Byzanz), Stätten, in denen Schriften, Denkmäler, Institutionen bewahrt wurden und in denen vielleicht noch der alten Kunst kundige Menschen lebten. Es versteht sich, daß diese Reste des Altertums, vor allem die, die als religiöse, literarische und technische Bildung in Personen und Einrichtungen weiterlebten, Hinterlassenschaften der spätantiken Kultur waren, einer Kultur also, die, wie wir gesehen haben, in ihrem innersten Charakter zu den Frühstadien der antiken Kultur, also auch zu den mittelalterlichen Parallelphasen im Gegensatz stand. Die neue Menschheitsjugend tritt das Erbe dieser späten antiken Kultur an. Beweis dafür, daß sie es tut, ist das Christentum. Die mittelalterliche Kunst, so reich und körpergestaltend, so heroisch und vornehm sie ist, ist doch zugleich christliche Kunst. Sie ist also Jugend, die das Erbe einer Spätkultur antritt, ein Neugeborenes, das — primitiv im eigenen Bewußtseinsstande — in eine Atmosphäre von Reife und Alter hineingerät. Und das wird die Eigentümlichkeit der mittelalterlichen Kunst, die sie von der griechischen scheidet, daß sie Jugend und Erbe des Reifen zugleich ist, Neubeginn und Fortsetzung, Ursprung und Ablauf.

Abb. 17. *Reims, Kathedrale. König an einem Strebepfeiler. Um 1220.*

Ein Gleichnis möge es erläutern. Ein Arbeiterkind und ein Bankierssohn werden sich menschlich in ähnlichen Formen entwickeln. Dem Säugling wird man die Herkunft überhaupt kaum anmerken, und die Phasen von Kindheit, Jünglingsstadium, Mannheit, Alter und Greisenhaftigkeit werden beiden eine gleichartige physische Entwicklung mitteilen. Und dennoch, wie anders verläuft geistig dieser gleichartige Rhythmus in einem und im anderen Falle. Und noch größer wird der Unterschied dieser gleichartigen Entwicklungsstufen bei einem Negerkind und einem Engländer sein. Wie sich die Entwicklung dieser allgemeinen Menschheitsphasen, dieser Parallelvorgang im Mittelalter anders abspielt, als er sich in der Antike abgespielt hat (und zwar deshalb, weil das Mittelalter das Erbe der spätesten und reifsten Phase der Antike antritt, unter anderem auch das Erbe des Christentums), dieses zu erfassen ist das eigentlichste und interessanteste, aber auch das schwierigste Problem des Mittelalters. Man hat entweder nur das eine, den Neubeginn, den sogenannten Rückfall in Primitivität und Barbarisierung gesehen und als solchen verkannt, oder nur das andere, das Erbe, das Nachleben der Antike. Und warum ist es so schwierig, dieses Problem zu sehen und in seiner ganzen Auswirkung zu erfassen? Weil diese beiden Tendenzen — Parallelentwicklung zur frühen Antike und Erbe der antiken Spätkultur — nicht greifbar nebeneinander liegen, sondern weil das eine, das eigene, die neue Jugend, das andere völlig absorbiert und verarbeitet hat. Es ist nicht so, wie es hätte sein können, daß diese jungen Völker das Erbe sich einfach aneignen, daß sie, wie früh-

Abb. 18. *Pästum. Sogenannter Poseidontempel. 6. Jh. v. Chr.*

reife Kinder, das Tun der Erwachsenen nachahmen und ihre eigene Jugend überspringen und, was man aus dem Leben des Individuums genugsam kennt, schon als Kinder im Schatten einer Greisenhaftigkeit einherwandeln. Sondern nirgends offenbart sich die ungeheure schöpferische Kraft dieser neuen weltgeschichtlichen Bewegung so sehr als in der Tatsache, daß sie sich nach eigenen Gesetzen entwickelt, ihre Kunst und Kultur neu erzeugt und dennoch das Erbe der Spätkultur der vorausgehenden Entwicklung ganz in sich einbezieht. Diese wird der Grund, auf dem sie das Eigene aufbaut.

Jetzt verstehen wir, warum mit demselben Atemzug, mit dem wir die Gleichartigkeit eines antiken Tempels und eines gotischen Domes (Abb. 18, 19) aufweisen (ihre Monumentalität, ihre Religiosität, ihre Körper- und Gliedhaftigkeit, ihre organische Belebung aller architektonischen Formen), wir den großen Gegensatz zwischen beiden feststellen können: die Bedrücktheit durch Last, die Breite, das Gelagerte, die Massenhaftigkeit dort — die Leichtigkeit, das Strebende, die Entkörperung, das Durchbrochene hier. Es genügt, daran zu denken, daß auf dem Grunde einer leichtsinnigen, vergeistigten, verfeinerten und komplizierten Spätkunst diese dem Tempel der hohen Antike verwandten Kathedralen so anders werden mußten, so immateriell aufgelöst wie die spielenden Durchbrüche pompejanischer Wände (Abb. 20, 21) und doch so körperhaft

Abb. 19. *Reims, Kathedrale. Westfassade. 13. u. 14. Jh.*

Abb. 20. *Amiens, Kathedrale. Querschiff und Langhaus. 13. Jh.*

fest wie der Steinbau eines Tempels, so reich und vielfältig wie jene Wanddekorationen und doch streng und gesetzmäßig, so frei in der Überwindung der Materie und doch so männlich ernst und religiös. So wird diese mittelalterliche Kunst in ihrem innersten Wesen mehrsinnig, mehrdeutig, ja zwei-deutig. Sie zwingt das Gegensätzliche zu neuer, reicherer Einheit zusammen und findet dort, wo die unmittelbare Anschauung des Auges beides nicht in eins zu binden vermag, noch in der gedanklichen Deutung ein Mittel, das späte Erbe — z. B. die christliche Überlieferung — in ihre heidnischen Kulte, die reife Gesinnung in ihre frühe Form und die Jenseitshoffnungen der Seele in diesseitige körperliche Gestalt hineinzuzwingen. Träger dieser Bewegung wird der Westen Europas, die französische Kultur. Auf französischem Boden feiert diese Kunst der Vereinigung des Gegensätzlichen und der Schöpfung des Mehrsinnigen ihre Triumphe. Hier bildet sich auf der Grundlage dieser neuen geschichtlichen Konstellation, durch die sie Neubeginn und Erbe zugleich ist, die Feinheit des französischen Geistes, seine Kunst der Andeutung und Mehrdeutigkeit, seine geistige Freiheit in der Bejahung des Sinnlichen und seiner Verneinung im Moralischen.

Das Neue, das die mittelalterliche Entwicklung gegenüber der antiken charakterisiert, ist damit nicht schon beschrieben, aber angedeutet und erklärt. Es bedarf also nicht mehr der Erklärung, die von neueren Historikern für dieses Phänomen gegeben worden ist und zu deren Organ sich unter den Kunsthistorikern in erster Linie wieder *Worringer* gemacht hat, und die etwa so lautet: das Entwickelte und oft Überreiche, die Unendlichkeit, das ewig Verschlungene, die rastlose Bewegtheit, das Flammende und Strebende, das Erregende der aufgelösten Form, alles das sei Ausdruck eines spezifisch nordischen Geistes, nordischer Rasse, einer Seele, die faustisch alle Schranken des Endlichen strebend durchbricht und überall in ewiger Unruhe den Ausdruck dem Eindruck, das Streben der befriedigenden Harmonie, das Werden dem Sein vorzieht.

Denn so, wie wir aus unserer Kenntnis der mittelalterlichen Kunst die historische Situation kennzeichnen, vermeiden wir zunächst, Ausartungen und Nebentriebe oder späte Ableger der mittelalterlichen Kunst für ihr Wesen zu halten, für das Wesen einer Kunst, deren Logik und Formenstrenge auf ihrem Höhepunkt niemand übersehen kann. Denn umgekehrt, wie man die Dinge besonders seit *Worringers* und *Spenglers* verführerischer Popularisierung dieser Theorie vom faustischen Menschen des Nordens sieht, lehren es die Tatsachen. Alles was einfach, streng, von neuem primitiv, archaisch und klassisch, von neuem geformte Kunst und geformtes Leben, von neuem heroische Gesinnung und religiöser Kult ist, ist eigen erzeugt, ist aus der jugendlichen Anlage dieser nordischen Menschheit geworden, alles aber, was diese Einfachheit und Einfalt vervielfältigt, diese Gesetzmäßigkeit verwirrt, diese Körperform vergeistigt und die erdhafte Materie verflüchtigt, ist antikes Erbe oder besser auf Grund des Erbes einer antiken Spätkultur so geworden, wie es ist. Wir vermeiden aber vor allem die groteske Ansicht, als sei die Gotik in der logischen und formvollendeten Gestalt, in der sie auf ihrer Höhe auftritt, als sei die Gotik in Frankreich nicht Gotik und nicht nordisch, als sei sie nicht das Neue und Schöpferische, womit zunächst die französische Kultur richtunggebend und vorbildlich, stilschaffend und stilverbreitend im Mittelalter wird. So ist es die Hauptaufgabe der Geschichte der mittelalterlichen Kunst, das Wesen, das Werden und den Ablauf dieser Kunst in Frankreich als Parallele zur frühen antiken Kunst und als Erbe der späten zu durchschauen und zu verfolgen. Man muß sich freilich dabei an die Kunst in den Kernlanden der Gotik halten, d. h. an die großen Schöpfungen im Norden Frankreichs, deren eigentlicher Träger die fränkische Herrenschicht war. Wir sind nicht die ersten, die die vollkommenen Werke dieser Kunst aus dem 13. Jahrhundert mit der klassischen Kunst des Griechentums vergleichen. In diesem Sinne hat Deutschland nur in einem besonderen Sinne ein Mittelalter, eine Sonderromanik und Sondergotik, Italien aber bis zu einem gewissen Grade überhaupt kein Mittelalter oder, paradox gesprochen, ein unmittelalterliches Mittelalter seiner Kunst.

Abb. 21. *Pompeji. Wandmalerei aus der Casa della Caccia antica. 3. Viertel 1. Jh. n. Chr.*

Das aber kommt so. Es gibt noch ein anderes Verhältnis zur Antike als das der Parallelität und des Erbes zur gleichen Zeit. Wir meinen das der Nachahmung und Nacheiferung, mit einem Worte — der *Renaissance.*

Unschöpferische Nachahmungen und Wiederholungen von sichtbaren Denkmälern oder überlieferten Taten der Vergangenheit hat es von je gegeben. Auch die Geschichte der antiken Kunst ist voll davon. Wir nennen solche Wiedererweckungen vergangener Stadien der Entwicklung *Restaurationen*, mit einem Ausdruck, der in der politischen Geschichte für die Rückkehr zu alten Zuständen nach Revolutionen geprägt ist. Charakteristisch für solche Restaurationen pflegt zu sein, daß die inneren Triebkräfte, die einen Stil schaffen, fehlen und daß schon deshalb eine solche reaktionäre Zeit auf Nachahmung angewiesen ist. Aus demselben Grunde wird die Nachahmung eine äußerliche, eine Nachahmung eben dessen, was abgesehen werden kann. Wenn in einer Zeit religiöser Skepsis Bestrebungen, die die Menschheit wieder zu einer religiösen Vertiefung zurückführen möchten, sich auf die Feierlichkeit archaischer Kunst besinnen und diese wiederzuerwecken versuchen, dann pflegt eine innerlich unernste, spielerische und dekorative und mit äußeren Formeln arbeitende Kunst zu entstehen; Archaismus, aber nicht archaische Kunst. Denn wahre archaische Kunst ist natürlich wie wahre Religiosität aus einer Gesamtgebundenheit des Geistes und einem Gesamtzustand archaischer Kultur herausgeboren. Ähnlich ist es, wenn ein heroischer Stil, die klassische, körperformende und Haltung gebende Kunst des athletischen (d. h. im Wettkampf körperlich sich betätigenden) Menschen in einer Zeit nachgeahmt wird, in der Herrschaft und Überlegenheit auf geistiger Betätigung beruht, wo also Herrschaft Verwaltung ist. Auch da entsteht eine innerlich hohle, äußerlich nachgeahmte, klassische Haltung, der Klassizismus der Bürokratie.

Etwas anderes aber ist es mit jenen Wiedererweckungen und Nachahmungen alter Werke und Kulturerzeugnisse der Vergangenheit, die für die Nachahmenden auch innerlich nicht Vergangenheit, sondern Zukunft bedeuten. Jedes Kind entwickelt sich im Kreise der Eltern und Älteren durch solche Nachahmungen. Diese Wiedererweckungen und Wiederholungen, die ein Neugeborener vollzieht, nennen wir Wiedergeburten, Renaissancen, nicht Restaurationen und Reaktionen. Nicht das innerlich Überwundene, sondern das gleichsam nur äußerlich Versunkene wird aus seiner Versenkung wieder heraufgeholt und nicht, um ein Vergangenes, das seine Zeit gehabt hat, wieder zu Ehren zu bringen, sondern um sich selbst an reifen Vorbildern zu seiner eigenen Zukunft sprunghaft emporzuschwingen.

Auch vor diese Möglichkeit war die in der Völkerwanderung neu geborene Menschheit gestellt. Es ist ein Zeugnis ihrer geistigen Regsamkeit und Produktivität, daß sie — Sieger mit der Faust, Eroberer und Herrscher mit körperlicher Gewalt und ungebrochener Willensstärke — die Überlegenheit der vorgefundenen Kultur erkannte und anerkannte. Je stärker die eigene Kultur, je kräftiger der Kulturwille war (und von der Höhe und Bedeutsamkeit der primitiven Kultur dieser jugendlichen Völker sind wir heute überzeugt), um so mehr mußte der Drang entstehen, es den Unterworfenen an Bildung gleichzutun und sich auf den Stand ihrer Kultur durch Nachahmung emporzuschwingen.

Es ist verständlich und kein Zufall, daß ein solches Bestreben am stärksten die Kreise ergreifen mußte, die die Herrschaft der jungen Völker über die

Alte Welt repräsentierten und Kraft ihres Amtes tatsächlich ausübten, die also um Geltung und Anerkennung bei den Untertanen bemüht sein mußten. Die Renaissance der Antike wird deshalb die Leistung des Herrschaftszentrums der neuen Kultur, sie wird die Hofkunst Karls des Großen, die Leistung eines außerordentlichen Menschen, der zur Herrschaft berufen war und diesen Herrschaftsgedanken in der Nachahmung der antiken Welt zum Romgedanken erhob. Dieser Romgedanke ist Zentrum und Inbegriff aller *karolingischen Renaissance,* der ersten großen und grundlegenden Renaissance der neueren Menschheitsentwicklung. (Da wir Geschichte nur aus lebendiger Gegenwart verstehen können, erinnern wir daran, wie auch heute dort, wo bei Revolutionen eine sozial und in der Bildung tieferstehende Schicht zur Herrschaft gelangt, sie nicht umhin kann, sich vieles von den Formen und Lebensgewohnheiten der unterworfenen Schicht zu eigen zu machen, und zwar um so mehr, je geistig regsamer sie ist und je mehr sie Herrschaft und Anerkennung verlangen muß.) Es ist eine Leistung von ungeheurem Ausmaß (bewundernswert wie die jedes Wunderkindes, das Stufen der Entwicklung überspringt), denn hier ist der Versuch gemacht, von unterster Stufe der Menschheitsentwicklung sofort zu der bisher erreichten höchsten zu springen. Diese grundlegende Leistung bestimmt die deutsche Entwicklung in der Kunst und Kultur mehr als Rasse und Lebensraum. Sie wirkt sich im engeren Herrschaftsbereich dieses Weltherrschers und seiner Nachfolger, d. h. in Deutschland stärker aus als in den ihnen lockerer angegliederten Reichen. Die Kaiser des Römischen Reiches Deutscher Nation sind zugleich die deutschen Könige.

Aber diese Leistung ist zugleich eine tragische. Die Tatsache, daß eine imperiale Kunst, eine Hofkunst, eine „Palastschule" entsteht, schafft einen Riß im Volkstum, einen Gegensatz von Hof- und Volkskunst, und von Romsehnsucht (Ultramontanismus) und protestierender Selbstbehauptung, die in keinem Lande so stark ist wie in Deutschland. Bis heute ist dieser Riß nicht zugewachsen. Schon zur Zeit Karls des Großen gab es immer Werke echter Primitivität neben denen der karolingischen Renaissance.

Was nachgeahmt wird, ist in erster Linie römische Spätkunst und die Kunst der Folgezeit, die ihr am meisten entsprach, die altchristliche Kunst, und innerhalb dieser die Kunst, die als eine offizielle dem Herrschaftsbedürfnis am meisten entgegenkam. Es liegt im Wesen dieser imperialen Kunst, daß sie den römischen Formalismus als sich konform erkannte — erstaunlich, daß sie es erkannte —, also eine selber schon nachahmende Kunst, griechische Kunst zweiter Hand. Daß das schon äußerlich Nachgeahmte leichter nachzuahmen ist als das Originale, kommt hinzu. Daß es gelang, den ganzen Umkreis römischer Bildung von der Verwaltung bis zur Literatur und Kunst sich anzueignen, ist fast unbegreiflich, um so begreiflicher aber, daß der Sinn dieser Dinge nicht oder nur halb verstanden wurde, daß Verzerrungen und Mißdeutungen unausbleiblich waren. Noch begreiflicher, daß man qualitativ hochstehende nicht von geringwertiger Kunst, den Kitsch nicht von Kunst zu scheiden wußte. (Wie gläubig nehmen auch heute die Wilden den europäischen Kitsch auf!) Da man durch eigene Kunstübung für die Darstellungsaufgaben nicht gerüstet war, in denen auch das Geringwertige der nach-

Abb. 22. *Bordeaux, Museum. Römische Gewandfigur. 3. Jh. n. Chr.*

Abb. 23. *Rom, Vatikan. Elfenbeinbuchdeckel aus Lorsch: Christus. 9. Jh.*

geahmten Kunst sich präsentierte, Aufgaben der Perspektive, der skizzierten Andeutung, der Lichtführung, so mußte das Schludrige noch schludriger, das Grobe noch gröber herauskommen.

Dabei ist das Verhängnisvollste, daß man mit ungeheurem Ernst und Eifer an Dinge heranging, die zu ihrer Zeit gar nicht wichtig genommen wurden, bestenfalls eine öffentliche Konvention waren, daß man unterstrich, was ursprünglich nur leichthin angedeutet war und so dem Gemeinen und Gewöhnlichen eine Bedeutung gab, die es zur Grimasse verzerrte, daß man die Massenware mit Ehrfurcht betrachtete und das Frivole mit Andacht aufnahm und kultisch verwendete (Abb. 22, 23). Würde man in jedem Falle die Vorbilder und Nachahmungen vergleichen können, so würde man sehen, wie gleichgültig die ersteren, als Kunst genommen, meist waren, und wie sie in ungeübten Händen noch eine Stufe tiefer sanken. Würden wir aber einen Einblick in die Seelen dieser karolingischen Kunstförderer und -schöpfer tun können, wir würden erschrocken und betroffen sein von der Intensität, mit der man an die Nichtigkeiten einer in der Entwicklung weit vorgeschrittenen, deshalb überlegen wirkenden Geistigkeit wie an Heiligtümer glaubte, man würde — mit Respekt — zurückprallen vor dem heiligen Eifer, mit dem man sich auf diese Dinge stürzte. Schaudernd steht man vor der Einsicht, wie hier eine

große Seele und ein erhabener Kulturwille gleichsam um ihr Eigenes betrogen und mit dem Ausschuß der Vergangenheit geprellt wurden.
Die nächste Stufe ist, daß, nachdem man einmal in der karolingischen Kunst auf allen Gebieten den Grund gelegt hatte, auf diesem Grunde auch ohne Nachahmung eine selbständige Kunst entstehen konnte. Daß sie entstand, beweist die starke, die ursprüngliche Schöpferkraft auch in der deutschen Entwicklung, die neben der französischen im Mittelalter die fruchtbarste, selbständigste und bedeutendste war. Noch immer hat es etwas Tragisches, daß diese Entwicklung zunächst Rückentwicklung ist. Was man *ottonische Renaissance* genannt hat, die auf die karolingische folgende Phase der Entwicklung, ist gar nicht Renaissance in demselben Sinne wie die karolingische, sondern Rückbewegung von der Renaissance weg und im Abstreifen der angelernten Freiheiten und überreifen Darstellungsmöglichkeiten ein Weg hin zu der eigenen eingeborenen Haltung, hin zum Mittelalter und seiner archaischen Stufe, zum Romanischen. Was die Gesinnung längst war, wird nun auch die Kunst: streng, kultisch und hieratisch, einfach, fest und ornamental. Aber indem sie nicht von diesen einfacheren und strengen Formen ausgeht, sondern von dem reichen und bewegten Bild entwickelter Menschlichkeit und natürlichen Lebens, bekommt dies alles eine neue Haltung. Die kühle und klassizistische Haltung übernommener Repräsentation (das Imperiale und Bürokratische) wird in der Gebundenheit archaischer Sprache umgeschmolzen zu einem Ansichhalten, das wie schüchterne Befangenheit und jugendliche Scheu wirkt, die physiognomische Lebendigkeit wird in der feierlichen Starrheit eines kultischen Stiles zu innerlichem Bohren und innerlicher Verbohrtheit, die freie, gebietende Gebärde wandelt sich in der neuen monumentalen Versteifung zu großartiger Ekstase, und die Naturnähe, das Physiognomische und Erzählende wird in der Formelhaftigkeit der vereinfachten Darstellung zu rührend ungelenker, aber packender und drastischer Volkstümlichkeit (Abb. 24). Wenn man noch von Tragik reden darf, dann ist es dieses, daß von beiden Seiten, dem Reifen und dem Primitiven, Abstriche gemacht werden, daß man in keiner Hinsicht etwas Entschiedenes und Gebieterisches

Abb. 24. *Köln, St. Maria im Kapitol. Relief von der Holztür: Christus sendet Petrus und Johannes zur Bereitung des Osterlammes aus. Um 1050.*

Abb. 25. *Naumburg, Dom. Westchor, Dietrich. Um 1250—60.*

äußert, daß man keinen Stil schafft, daß man Deutscher sein muß, um die Wärme und Echtheit dieser darstellerisch ganz großen und reinen Kunst zu spüren.

Auch dies ist tragisch, daß das, was man selbst unbewußt erstrebte, nur im Westen, in Frankreich, rein und restlos verwirklicht wurde, während man selbst in diesem Zurückbilden nur einen Teil dieses Erstrebten verwirklichen konnte. Dadurch wird in den großen Stilphasen der *romanischen* und *gotischen* Epoche der im Westen rein verwirklichte Stil in seiner Ungebrochenheit und Entschiedenheit Gesetz für Europa und Vorbild auch für Deutschland. Die deutsche Kunst wird den westlichen Einflüssen preisgegeben, und die Geschichte ihres romanischen und gotischen Stiles wird eine Geschichte der Invasionen, der Ausbreitung der mittelalterlichen Stile von westlichen Zentren her. Für die deutsche Gotik ist das allgemein begriffen und anerkannt. Daß auch der romanische Stil ein französischer ist und in seiner Reinheit in Deutschland importiert, muß noch begriffen werden, obwohl die These schon verfochten und begründet ist. Dabei erkennt man, wie sehr der deutsche Charakter in der Kunst einer geschichtlichen Konstellation, der Renaissance Karls des Großen, seine Formation verdankt. Denn was auch jetzt spezifisch deutsche Züge der Kunst in Deutschland sind und eine *deutsche Sonderromanik* und *Sondergotik* bedingen, ist noch immer die durch die karolingische Renaissance vermittelte Freiheit, die bis zum Protest gegen strenge Form und reinen Stil geht, die physiognomische Verschärfung bis zum Porträt und Genre, die historische Fabulierkunst und der Trotz der auf sich selber gestellten Persönlichkeit (Abb. 25). So kommt es, daß die deutsche Kunst — in der spezifischen Stilentwicklung des Mittelalters rückständig, verspätet — in allem, was vom Mittelalter zu einer neuen, freieren und naturhafteren Kunst sich weiterentwickelt, besser gerüstet ist als der Westen. In der Auflösung des Mittelalters im 14. Jahrhundert spielt die deutsche Gotik eine besondere Rolle. Diese Auflösung macht den Weg frei für die Kunst des 15. und 16. Jahrhunderts, die wir Renaissance schlechthin zu nennen pflegen. Ehe wir sie aber zu verstehen suchen, muß ein ähnliches Phänomen wie die karolingische Renaissance, aber von geringerem Ausmaß und geringerer Bedeutung, erwähnt werden.

Die Entwicklung vom romanischen zum gotischen Stil ist im Mittelalter dieselbe wie von der archaischen zur klassischen Kunst in Griechenland. Die in die strenge Form des Blockes oder der Reliefmasse gebundene Gestalt, die mehr Architektur oder Bauglied ist als organischer Körper, löst sich aus dieser Blockstarre und wird ein frei die Glieder bewegender Organismus, der sich selbst von innen her im Gleichgewicht hält. Daß das Ebenmaß der körperlichen Form in der romanischen und das Gleichmaß der körperlichen Haltung in der gotischen Kunst den Sinn der Figuren bestimmen, verbindet diese beiden aufeinanderfolgenden Phasen. Der Übergang ist ein allmählicher, und es ist ein langer Weg von der regungslosen Blockform bis zur frei sich haltenden, gleichgewichtigen Gestalt. In der spätantiken Kunst ist diese Freiheit der Gestalt längst erreicht, in den Statuen des antiken Barock ist sie gesteigert bis zur Illusion exaltiertester Bewegungen und zum Triumph der Darstellung über die Materie, in der sie sich offenbart. Stein scheint Fleisch geworden zu sein.

Im Süden Frankreichs, in der denkmälerreichen Provence, traf die Entwicklung des romanischen Stils auf eine Fülle von Vorbildern, die das Ziel der eigenen Entwicklung in reifster Form vorweg nahmen. Man ahmte nicht, wie in der karolingischen Kunst, einfach wahllos nach, was eine glanzvoll erscheinende Vorgängerschaft hinterlassen hatte und der eigenen Geisteshaltung fremd und fern war, sondern man fühlte sich reif für eigene Aufgaben, man hatte in sich schon ein Ideal von Typen und Formen, für die man in solchen barocken und überreifen Erzeugnissen die Vorbilder suchte. Diese lagen in der Richtung des eigenen Schaffens. An die Stelle der kopierenden und imitierenden Renaissance Karls des Großen tritt eine verständnisvollere, eine reproduzierende. Dies ist die südfranzösische *Proto-Renaissance*, die besonders nach Italien hinübergewirkt hat (Abb. 26, 27). Das Resultat ist ähnlich wie in der ottonischen Kunst: eine Unsicherheit und Unentschiedenheit des Stilempfindens, ein Nebeneinander von Frühem und Reifem, beides weniger in gegenseitiger Durchdringung als Zersetzung; es ist keine reine Entscheidung. Auch dieser barock überstürzten Proto-Renaissance folgt eine Rückentwicklung. Bei einer Abwanderung nach Norden, von St. Gilles nach Chartres (Abb. 13, S. 24), gelöst aus der verführerischen Umklammerung der antiken Denkmäler, findet sich diese Kunst zu ihren Anfängen, der strengen Blockform, zurück. Aber unverlierbar bleibt, durch diese Proto-Renaissance gefördert und beschleunigt, der neu gewonnene Ausdruck organischer Haltung und Gliederung in Körper und Gewand. Der Block wird zur gerichteten, stehenden Säule, es entstehen Säulenstatuen, aus denen in feinster Andeutung Muskeln und Gelenke herausschwellen und auf denen strenge Linien — einstmals reines Ornament — jetzt den Fall und Verlauf des Gewandes und das stoffliche Gekräusel der Oberfläche darstellen (Abb. 13). Im Süden Frankreichs selbst verkümmert die zu schnell an der Sonne gereifte Kunst im strengen Frühling der Gesamtentwicklung.

Neben diesen Renaissancen antiker Kunst im Mittelalter muß noch einer letzten Möglichkeit des Verhältnisses zur Antike in dieser Zeit gedacht werden, die geschichtlich bedeutsam geworden ist und das Bild der mittelalterlichen Kunstentwicklung mit bestimmt. Es ist das Nachleben der Antike in der *byzantinischen Kunst*. In ihr leben weiter der Stil der großen Historienbilder, der Triumphbögen und Triumphsäulen, die naturalistisch räumliche Darstellung von Massen und Gruppen und psychologisch reichem Geschehen, das Monarchische, Zeremonielle kaiserlicher Amtshandlungen und die Haltung des bürokratischen Klassizismus, vor allem auch die spätantike Verfeinerung, ein seelischer und äußerer Luxus, und eine Stimmungskunst und Mystik mit raumschaffender und raumschmückender Fähigkeit. Das Dekorative erfährt in ihr die höchste Steigerung. Und der Kunst um der Kunst willen ist im Mittelalter keine näher als die byzantinische. Darin ist sie die eigentliche Erbin des Hellenismus und der griechischen Kunst überhaupt. Ihre Ausbildung und Entwicklung vollzieht sich im wesentlichen

Abb. 26. *St. Gilles, Abteikirche. Relief an der Westfassade: Petrus, Malchus und die Häscher bei der Gefangennahme Christi. Um 1120.*

Abb. 27. *Arles, Museum. Hippolytos-Sarkophag: Tod des Hippolytos. 1. Jh. n. Chr.*

auf griechischem Boden und seinen Annexen, in Byzanz. Wie in den wiedererweckten antikischen Kunstbestrebungen, gibt es auch in dieser konservierten Antike eine Entwicklung nur durch Rückbildung. Unter dem Druck der neuen primitiven Welt — der schon lange vor der Völkerwanderung beginnt und den Randstaaten des römischen Reiches einen Einfluß auf die Kulturentwicklung in demselben Maße zugesteht, wie die Stoßkraft der antiken Kultur nachläßt —, unter diesem Druck findet in der byzantinischen Kultur die Restauration eines feierlicheren und strengeren Griechentums statt (*Neogräzismus*), das der byzantinischen Kunst neben ihrer kirchlichen Haltung auch eine besondere griechische Formenreinheit verschafft.
Aber diese Anpassung an die mittelalterliche Strenge und Monumentalität und an die Primitivität ihrer Gesinnung und Form ist Erstarrung, nicht Umbildung. Diese Kultur gibt nichts von ihrer Reife, Höhe und ihrem Raffinement auf. Sie drückt es nur in einer dem mittelalterlichen Geiste angepaßten, strengeren und steiferen Sprache aus. Sie wird nicht monumental, sondern zeremoniell, sie offenbart nicht ihr Wesen, sondern verbirgt sich hinter der Form, sie herrscht und begnadet nicht, sondern hält die Andringenden durch eine kühle Reserve zurück und schafft zwischen der Kunst und den Beschauern, den Heiligen und den Gläubigen eine unüberbrückbare Distanz (Abb. 28). Ihre Teilnahme am Mittelalter ist ein Archaismus größten Stiles. Die Geschichte der byzantinischen Kunst ist die einer fortschreitenden Erstarrung. Im innersten Wesen bleibt sie ewig dieselbe. Sie wird herrschend im Osten, in Rußland, als Ausdruck der Herrschaft einer das Erbe von Byzanz antretenden Oberschicht über Völker, denen die eigene und freie Entwicklung verwehrt wird.

Abb. 28. *Hosios Lukas, Große Kirche. Mosaik: Engel bei der Taufe Christi. Anfang 11. Jh.*

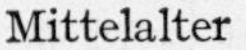

Historisch wirksam und wichtig aber ist diese byzantinische Kunst dadurch geworden, daß sie die italienische Kunst einleitet und ihr im Mittelalter entscheidende Richtungen gibt. Drei Zentren byzantinischer Kunstentfaltung gibt es, die die Anfänge einer italienischen Kunst im Mittelalter befruchten und ihre Eigenart wesentlich mitbegründet haben — in *Sizilien*, dem alten Boden hochentwickelter griechischer Kolonistenkultur (Abb. 29), in *Ravenna*, der westlichen Enklave byzantinischer Herrschaft, der Residenz Justinians, und in *Venedig*, dem Umschlagplatz östlicher Handelsbeziehungen und Kulturvermittlungen. Befördernd kommt hinzu, daß, wie in Byzanz spätgriechische Kunst erstarrend weiterlebt, in Italien spätrömische Verwaltungsform und Weltherrschaft im Papsttum ihre Fortsetzung finden. In der Umbildung der weltlichen Herrschaft in eine priesterliche nimmt auch sie eine der neuen, primitiven Welt angepaßte Haltung ein, der die byzantinischen Kunstformen innerlich entgegenkamen. Stärker mit dem Westen verbunden als Byzanz und der Osten überhaupt, stärker dem Einfluß der neuen Entwicklung und ihrer Stilphasen ausgesetzt, also romanisch und gotisch beeinflußt, übernimmt die italienische Kunst diese Stile nicht, um sich ihnen auszuliefern und ihre ererbte spätantike oder spätrömische Kultur preiszugeben, sondern die Auffrischungen vom Westen her werden eine Hilfe und Stütze gegen die Stagnation und Erstarrung der byzantinischen Geisteshaltung und ihrer reaktionären Kult- und Bildformen, ein Sprungbrett zur Renaissance der römischen Antike, und zwar ihrer naturalistischen Freiheit sowohl wie auch ihrer cäsarisch repräsentativen Formen, ihres Klassizismus. So hat auch Italien im 12. und 13. Jahrhundert seine Proto-Renaissance — Niccolo Pisano und die apulische Kultur unter Friedrich II. — und eine Sondergotik, deren Wesen viel stärker noch als in Deutschland in einer Befreiung vom byzantinischen Archaismus und in einer Annäherung an die Natur, einem Hineilen auf die malerische Schilderung des Menschen und seiner Umgebung, einer Steigerung und Verinnerlichung des Ausdruckes beschlossen ist (Abb. 30). Mit anderen Worten: der

Abb. 29. *Monreale, Dom. Mosaik: Wilhelm II. übergibt der Madonna die Kathedrale. 2. Hälfte 12. Jh.*

Abb. 30. *Giotto, Joachim bei den Hirten. Padua, Arenakapelle. Um 1305.*

mittelalterliche Einfluß vom Westen her, die Gotik, die die Starre des Byzantinismus löst, befreit und treibt schon sehr früh die Elemente hervor, die Jakob Burckhardt die Kultur der Renaissance genannt hat.

NEUZEIT

Die Epoche, die um 1400 beginnt, wenn wir von Vorstufen, Übergängen, Anbahnungen des Neuen in der Spätzeit des Mittelalters, im 14. Jahrhundert, absehen, heißt noch immer *Renaissance*. Wollen wir das Neue und den unleugbar gewaltigen Umschwung in der Kulturentwicklung zur Renaissance verstehen, dessen Bedeutung nicht übertrieben ist, wenn man ihn als Umschwung vom Mittelalter zur Neuzeit, einer neuen Zeit bezeichnet hat, so müssen wir uns klar machen, daß es sich nicht um eine Nachahmung der Antike handelt, höchstens hier und da um ein Aufgreifen wesensverwandter Motive und Ausdrucksformen. Worum also handelt es sich in dieser Erneuerung? Um nichts anderes, als was *Jakob Burckhardt* in seinem ewig jungen Buch über die Kultur der Renaissance die Entdeckung der Welt und die Befreiung des Individuums genannt hat. Das Individuum wird befreit aus seiner Bindung in einer kirchlichen oder höfischen Gesellschaft, in der alles gesetzmäßig geregelt ist: das äußere Aussehen durch die Uniform des Mönches oder des Ritters (bis auf den Haarschnitt und den Faltenwurf) und das innere Wesen durch Formeln der Sprache, konventionellen Ausdruck, ein vorgeschriebenes Benehmen. Es hatte alles seine vorbestimmte Form, und je näher der Einzelne dem idealen Typus kam, um so höher stand sein Leben. Leben hieß: Leben in der Gemeinschaft, in der Gesellschaft, über allem stand Ordo, d. h. die Ordnung und der Orden.

Die Befreiung des Individuums bedeutet, daß der Mensch wieder sein eigenes Gesicht, eine Physiognomie haben darf, innerlich und äußerlich. Die Kunst, die dem Rechnung trägt, ist die neue, weit ausgreifende Kunst des Porträts (Jan van Eyck). Es bedeutet, daß der Mensch sich aus der Gesellschaft, in der er sich nach den anderen oder nach einer Gesellschaftsordnung richten muß, in sein Eigenleben zurückzieht: er wird Privatmann. Das hat für die Kunst die höchste Bedeutung. Sie stellt den Menschen jetzt in seinem eigenen Raume, seiner Behausung, seinem Heim dar, die Kunst wird heimlich, intim, hört auf, öffentlich zu sein (eine Epoche der *Intimität* folgt der der *Publizität*), und das kann sie nur, indem sie auch dem Raum, der im Mittelalter ein allgemeiner war (eine Nische, ein Kirchenportal), eine bestimmte Physiognomie schafft, ihn ausstattet mit eigenem Hausrat und so zum heimlichen Innenraum (*Interieur*) umgestaltet mit vielen eigentümlichen, das Leben des Bewohners spiegelnden Dingen (*Stilleben*). Im Mittelalter, dem Zeitalter der großen öffentlichen Gemeinschaftsformen, nahm auch im Bilde der Dargestellte am Leben der Öffentlichkeit teil (und, weil durch Kunst in seiner Idee gesteigert, mehr als Vorbild denn als Abbild). Deshalb rückte die mittelalterliche Kunst, in ihrem Wesen vorwiegend plastische Kunst, den Dargestellten von der Wand in den wirklichen Raum hinein, sie trieb ihn von der Wand nach vorn. Die neue Kunst aber macht ihn unabhängig von der Wand und dem wirklichen Raum (deshalb wird jetzt das von der Wand unabhängige Tafelbild Träger der Darstellung), sie entrückt ihn aus diesem Gemeinschaftsraum und schafft ihm durch Vertiefung in die Wand hinein jenseits des Rahmens einen neuen, eigenen Raum (Abb. 31). So entsteht das Problem der Perspektive mit all ihren Konsequenzen als ein Stilproblem (nicht als ein Problem des Könnens), wie es *Panofsky* neuerdings formuliert hat.

In diesem Raum lebt der Mensch ein Leben mit den Seinen, den Nächsten. An die Stelle der Gesellschaft tritt die Familie, die Kunst hört auf, monumental zu sein, sie wird familiär. Diese Menschen verbinden Gefühle der Vertraulichkeit, sie werden nicht mehr durch Schranken der Vornehmheit getrennt, die Beziehungen sind die natürlichen des Geburtszusammenhanges und des Wissens und Verstehens aus engem Zusammenleben heraus. Aus diesem

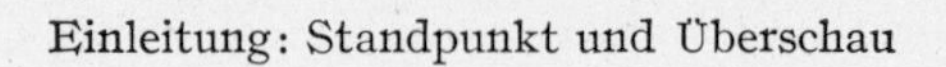

Abb. 31. *Jan van Eyck, Das Ehepaar Arnolfini. London, National Gallery. 1434.*

Horchen auf das Eigene und der Versenkung in das Innere des Nächsten entsteht eine allgemeine Welthaltung des Mitfühlens und Mitlebens, die auch der Kunst eine neue Haltung vermittelt. An die Stelle der Verehrung des Heiligenbildes, das sich den Gläubigen im Kultus darbietet, tritt ein Mitleben des neuen und intimen Lebens im Bilde. Eine Ästhetik der Einfühlung ist nötig, um den neuen Kunstwerken gerecht zu werden. Wie anders aber kann dieses Eigene und Besondere, dieses von den Regeln der Konvention Befreite zum Ausdruck kommen, als durch ein Absehen von der Form und Bindung, ein Sichgehenlassen und die-anderen-Gewährenlassen, durch eine neue Freiheit des Handelns und eine Absichtslosigkeit, für die bildnerisch die betonte Formlosigkeit ein Kennzeichen ist? Dies aber heißt jetzt Natürlichkeit und Natur. Solche Natur aber scheint mehr als unter Menschen, die sich voreinander Zwang antun, in der Landschaft, bei Tieren, bei Pflanzen verwirklicht, wo alles von selber, zwang- und absichtslos, nach seinem eigenen Gesetz gewachsen ist. Unter diesen Geschöpfen ist auch der Mensch frei, freier selbst als in der Enge und Gebautheit des Innenraumes, der — mag er noch so individuell staffiert sein — doch immer noch Architektur und geformt bleibt. So wird die Landschaft geboren und mit ihr ein Teilnehmen, ein Sicheinfühlen auch in Tier und Strauch und Blume, ein Mitfühlen, das, wenn sonst nichts Bestimmtes, doch wenigstens eines mit all diesen stummen Wesen fühlt: die Freiheit, die Zwanglosigkeit, die Natur (Abb. 32). Natur ist also nicht einfach das Gegebene, ein Darstellungsproblem des Abmalens, sondern ein neuer Idealzustand der Freiheit.

Daß in dieser neuen naturalistischen Kunst und Kultur manches wiedergeboren ist, was die antike Welt am Ende ihrer Entwicklung erreicht hatte, das leuchtet ein. Wir erinnern an das hellenistisch-römische Porträt und Genrebild, an die Empfindsamkeit der Menschen und den Stimmungszauber der Landschaft, an Perspektiven und luftige Fernen der Marmorreliefs und an die christliche Ethik mit all ihren Verfeinerungen menschlicher Beziehungen in der Nächstenliebe. Alles dies war zwar im Mittelalter nicht versunken, aber in einer fruchtbaren und dem normativen Geist der Epoche entsprechend konsequenten, unerbittlichen Weise dem Stil, der Form, der Gebundenheit einverleibt und auf seltsame, höchst schöpferische Art mit ihnen verschmolzen. Um nur eins zu erwähnen, so denke man daran, wie Mönchs- und Ritterorden trotz der strengen, feudalen Rangordnungen und Sonderungen, die sie unter den Menschen aufstellten, nicht selten die Betätigung menschlicher Hilfsbereitschaft als ein die Menschen auszeichnendes Tun von ihren Mitgliedern forderten; man denke daran, wie Konventionen, die die Menschen formten und typisierten, das Zusammenleben im Hause regelten (im Kloster, im Schloß, bei Hofe, nicht wie in der Antike auf dem Forum oder in der Palästra) und daß selbst der Gottesdienst ein Zusammensein mit Gott in seinem Hause, der Kirche, war. Daher wird das Problem des Innenraumes, der Vereinigung von Gemeindehaus und Gotteshaus, das eigentliche Problem des mittelalterlichen Kirchenbaues, während der antike Tempel immer mehr oder minder ein körperhaftes, unzugängliches Denkmal bleibt und die Gemeinde draußen läßt. Aber dieser Innenraum erhält eine zwingende Form durch seine Richtungsstrenge und die

Abb. 32. *Konrad Witz, Petri Fischzug. Genf, Museum. 1444.*

körperlich straffe Haltung seiner Stützen, und er wird zum öffentlichen Bau durch die Bogenöffnungen, die ihn allseitig mit der Welt in Beziehung setzen. Die nachmittelalterliche Kultur befreit seit dem 15. Jahrhundert diese Werte der Heimlichkeit, Innerlichkeit, Menschlichkeit und Freiheit von den bindenden und formenden Gesetzen des Mittelalters und erlöst sie damit von der großen und erhabenen Zwei-deutigkeit, in der sie bisher steckten; sie überläßt dem Individuum die Teilnahme am Nächsten, das Leben im Raum, kurz das, was vorher Form des Gemeinschaftslebens war. Aber sie tut es auf einem Boden, auf dem diese Werte in religiöser Bindung in das ganze Leben eingedrungen waren und diesem eine Richtung gegeben hatten, es verchristlicht und damit zugleich vermenschlicht hatten. Daher wirken jetzt diese neue Humanität und das neue Naturgefühl viel entschiedener und reiner in die neue Zeit hinein als in der Spätzeit des Altertums und bedürfen nicht der Nachahmung der Antike. Vor allem bedarf es nicht mehr der Jenseitshoffnungen des frühen Christentums, um sich diese Werte verwirklicht zu denken. Die neue und ganz starke Richtung auf das Diesseits, die Verklärung der Natur als eines neuen

Ideales ist nicht einfach Abkehr vom Christentum, sondern ein Beweis dafür, daß die im Christentum erstrebte Rechtfertigung der Armen und Enterbten des Lebens und die erhofften menschlichen Ordnungen gemeinsamen Lebens dank dem Mittelalter sich die Welt und die Gesinnung der Menschen auf der Welt erobert hatten. So hört das Leben in Gott auf, den Menschen von der Erde abzuziehen, und beginnt, den Alltag zu heiligen, indem man Gott wie einen lieben Vater in allen täglichen Angelegenheiten zu Rate zieht. Ja, es fehlen nicht die Stimmen, die nicht nur Gott in der Natur allgegenwärtig sehen, sondern die Natur selbst als Gott. So schreitet das Bewußtsein hin zur Reformation auch des Glaubens und der Kirche und zu einem Pantheismus.

Wenn wir so die große Wende vom Mittelalter zur Neuzeit auffassen, dann müssen wir viele der Vorstellungen, die unsere Väter von dieser Epoche gehabt haben, revidieren. Für sie war Renaissance das, was das Wort schon als Ziel und Blüte dieser Entwicklung bezeichnete, die sogenannte *Hochrenaissance:* eine Zeit, für die *Wölfflin* in seinem schönen Buche über die klassische Kunst als Gesinnung die neue Vornehmheit, als Form den strengen Aufbau nach geometrisch-stereometrischen Gesetzen und als neue Schönheit den der hohen Antike abgesehenen idealen Körperbau und seine abgewogene Haltung und Bewegung hinstellt. Das aber sind alles Merkmale, die die Seiten des Mittelalters und speziell der Gotik betreffen, von denen sich der Naturalismus des 15. Jahrhunderts soeben gelöst hatte. Nach einer solchen Lösung war die Hochrenaissance eine Rückkehr zur Form, nicht eine Weiterentwicklung dessen, was eine ganz große, reformatorische Generation in der ersten Hälfte des 15. Jahrhunderts begonnen hatte, die Generation, in der sich Namen wie Masaccio, Piero della Francesca, Donatello; Claus Sluter, Jan van Eyck, Roger van der Weyden; Konrad Witz, Lukas Moser, Multscher finden, und deren Kunstcharakter wir als *Frühnaturalismus* bezeichnen können.

Wohl konnten sich, besonders in Italien, diese reformatorischen Bewegungen auf Zeugnisse des Altertums, vor allem des späten naturalistischen Altertums, stützen, in Wissenschaft und Weltanschauung vielleicht stärker noch als in der bildenden Kunst. Vor allem in der Befreiung von der Welt- (besser Natur-) Verneinung konnten sie Helfer werden und — weil im Sinne des Werdens, der Zukunft dieser neuen Kultur — etwas wie eine Wiedergeburt der Menschheit herbeiführen. Aber dieser neue Naturalismus ist in seiner Betonung des Individuums, seiner Innigkeit und Tiefe im intimen Leben der Familie und eng verbundener Menschen untereinander, in seiner Hingabe an die Dinge der Umgebung und die Geschöpfe der Welt etwas Neues und Eigenes. Ein Naturgefühl in dem Sinne, wie es jetzt Kunst, Leben und Weltanschauung bestimmt, hat auch das späte Altertum nicht gehabt. Deshalb ist der Ausdruck Renaissance als Renaissance der Antike für dieses Neue irreführend. Im Norden, bei Jan van Eyck, bei Konrad Witz ist der Ausdruck auch niemals angewendet worden.

Es geht deshalb auch nicht an, in dieser Bewegung des 15. Jahrhunderts nur die Vorbereitung zur neuen Formenkunst und zum neuen geformten Leben der Hochrenaissance zu sehen, also eine noch ungeschickte Nachahmung der klassischen oder klassizistischen antiken Kunst. Die Entwicklung dieses neuen Naturalismus geht vielmehr an der Hochrenaissance vorbei. Da diese eine spezifisch italienische Angelegenheit ist, so muß daneben die andere Erkenntnis treten, daß der Naturalismus des 15. Jahrhunderts und die Kunst der großen Erneuerer in der ersten Hälfte des 15. Jahrhunderts eine europäische Angelegenheit sind. Die Kunst der Niederlande und die deutsche Kultur spielen darin dieselbe Rolle, wenn nicht sogar eine entscheidendere wie Italien. Für die Befreiung von der Gotik und den spezifisch mittelalterlichen Formen ist Italien Schrittmacher und geht es zeitlich voran. Aber für die eigentliche Hinwendung zur Natur und allen damit verbundenen Werten hat es nicht die gleiche Bedeutung, gerade weil in ihm mehr von der Antike nachlebt als im Norden, und es nicht in gleichem Maße durch die mittelalterliche Entwicklung

Abb. 33. *Piero della Francesca, Anbetung des Kindes. London, National Gallery. Um 1478.*

hindurchgegangen war wie der Norden. Die Intimität ist in Italien nicht so stark wie im Norden, weil das auf dem Markte, in öffentlicheren Formen sich abspielende Leben nachwirkt und die Pose begünstigt. So kann man in der Kunst des Masaccio oder des Piero della Francesca, wenn man sie im allgemeinen Entwicklungsverlauf betrachtet, alle Neuerungen des Natur- und Menschheitsgefühles der nachmittelalterlichen Bewegung sehen (Abb. 33). Verglichen aber mit der nordischen Kunst eines Jan van Eyck wird man das Mehr an großer Haltung, an Monumentalität, an Tendenzen, die später in der Hochrenaissance sich erfüllen, feststellen.

Abb. 34. *Antonello da Messina, Hieronymus im Studierzimmer. London, National Gallery. Um 1476.*

Deshalb wird es verständlich, daß diese Bewegung des 15. Jahrhunderts, eines *Frühnaturalismus,* ihre Fortsetzung im *Naturalismus* der holländischen Malerei zur Zeit des Rembrandt findet, daß Masaccio also in seiner Raumdarstellung ebenso gut wie Jan van Eyck ein Vorläufer Rembrandts, nicht Raffaels oder Michelangelos ist. Dies ganz zu fassen, müssen wir uns auf die besondere Art dieses Naturalismus des 15. Jahrhunderts besinnen.

So wie es Stufen der heroischen oder kirchlichen Kunst gibt, archaisch (romanisch), klassisch (gotisch), barock, so gibt es Stufen des Naturalismus. Sie zu erfassen und zu benennen, war die Kunstgeschichte bisher nicht fähig; die einseitige Einstellung auf die Hochrenaissance war schuld daran. Die erste Stufe, die des 15. und frühen 16. Jahrhunderts, ist inhaltlich wie formal dadurch bestimmt, daß sie von der Gotik des Mittelalters herkommt, daß sie kirchliche Kunst ist. Ihre Leistung können wir die Verweltlichung (Säkularisierung) des Kirchen- oder Heiligenbildes nennen. Indem sie Themen und Bildabsichten des Mittelalters weiterführt, bildet sie diese um. So wird sie eine stark reformatorische Kunst. Indem sie den überlieferten Geist des Heiligenbildes negiert, trägt sie, besonders in der ersten Phase, noch den Charakter des Protestes (einer protestantischen Kunst). Die Heiligen werden zu Privatleuten. Daß der Heilige auch nur ein Mensch ist und wie ein gewöhnlicher Mensch in seinem Privatleben gezeigt wird, die Madonna das Kind stillend, der Heilige lesend, schreibend, holzhackend, der Heilige im Gehäuse, das ist die neue Entdeckung von Welt und Individuum im Heiligenbilde (Abb. 34). Wäre nicht diese Neueinstellung im 14. Jahrhundert allmählich vorbereitet, so würden wir in der nicht selten gewaltsamen und absichtlichen Verweltlichung der Heiligen im Bilde die ungeheure Revolution leichter erfassen und uns vorstellen können, wie kraß die Wirkung auf die Anhänger des Alten war. Wir können die Wirkung dieser Protestkunst auf die Zeitgenossen nicht mehr nachkontrollieren. Immerhin — einen kirchlichen Reformator wie Hus hat man auf dem Scheiterhaufen verbrannt.

Darstellerisch kam diese Zeit her von einer plastischen Kunst, die den Menschen in seiner Haltung isolierte und streng als Körper gegen den Raum absetzte. Deshalb zeichnet man ihn auch jetzt noch hart abgegrenzt, körperhaft fest, aber nicht edel und stolz, sondern absichtlich formlos, verwittert gleichsam wie Gestein. Wir finden Porträts, in denen die Züge des Individuums wie Furchen eines Ackers behandelt sind. Man stellt die Einzeldinge zum Raum zusammen, sieht sie noch nicht im Raum und in der Atmosphäre oder fühlt sie noch nicht in der Stimmung des Ganzen. Es ist noch ein körperlicher Naturalismus, der diese frühe protestantische Kunst schafft.

Die zweite Stufe ist die der holländischen Malerei des 17. Jahrhunderts, Rembrandts und seiner Zeitgenossen. Die Verweltlichung ist weiter vorgeschritten, die Einheit des Bildes, der künstlerische Zusammenhang von Mensch und Raum hat sich stärker erfüllt. Denn diese Kunst richtet sich nicht mehr gegen die Heiligkeit des Kirchenbildes und bekommt von ihm die Inhalte seines Protestes, sondern gegen die Überheblichkeit des Fürstenbildes, die Festlichkeit und den Absolutismus weltlicher Herrscherkunst. Dessen Inhalte zieht sie herab auf die Stufe niederen, charakteristischen Menschentums, macht aus dem den Feldherrn feiernden Schlachtenbild eine Bauernkeilerei, aus bacchischen Festen Kneipereien einer Lumpengesellschaft, aus mythischen Gestalten Sauf- und Raufbolde, aus Helden Landsknechte (Abb. 35). Auch diese Kunst knüpft an das Vorhergehende an, an die Prachtliebe weltlicher Herrscher und gießt die Farbenglut üppiger Kostüme einer genießenden Gesellschaft über die Dinge des Heims, läßt den Glanz der Marmorpaläste und festlicher Glorien im freien Lichte der Natur, in Mittags- und Nachtstunden, in Sonnen- und Mondschein leuchten und eint die Dinge mit Raum und Natur durch dieselbe weiche Atmosphäre, mit der das frohe, sinnliche Genießen der weltlichen Herren sich die Stimmungen der Weltlust schuf. Es ist ein *sensualistischer*, ein sinnenfroher *Naturalismus* und eine malerische Kunst, in denen sich dieser holländische Protestantismus des 17. Jahrhunderts äußert.

Er findet seine Fortsetzung im 19. Jahrhundert in einer Bewegung, die in der zweiten Hälfte des 18. Jahrhunderts — im Zeitalter Goethes — aus einem Kampf gegen die Unnatur einer geistreichen Gesellschaftskultur herauswächst. Der Kampf gegen den Rationalismus ist die Auflehnung des Gemütes gegen die Regeln des Verstandes. Die Rechte des Herzens werden verfochten gegen die Anmaßungen des Geistes. Ein Schweizer, J. J. Rousseau, wird der Verkünder eines neuen „Zurück zur Natur". Das Unverbildete, das man bei Wilden und Bauern sieht, wird das Ideal. Ausgehend von den Bedürfnissen der Seele

Abb. 35. *Adriaen Brouwer, Bauernschlägerei beim Kartenspiel. Dresden, Galerie. Um 1630.*

— Seele als Inbegriff alles Ungestalteten, Schweifenden, Ahnenden im Bewußtsein des Menschen verstanden — wird der Naturalismus des 19. Jahrhunderts ein *sentimentaler*. Wie in der Entwicklung der griechischen Plastik der Weg von der Gestaltung der Materie (der äußeren Form) zur Belebung der körperlichen Funktion (der inneren Form der Bewegung) geht, so führt auch im Naturalismus die Entwicklung vom Äußeren zum Inneren. Deshalb tritt im 19. Jahrhundert die Kunst der Gestaltgebung des Äußeren, die bildende Kunst, vor den Künsten zurück, die die Seele tönen lassen, Literatur und Musik. Auch das Äußere, das Leblose, die nichtmenschliche Natur muß sprechen lernen. So werden auch in der Landschaft Ausdruck und Stimmung das Wichtigste. Der Mensch muß sich in seine Umgebung einfühlen, und die Fähigkeit dazu wird Zeichen des höheren Menschen. Die Naturwissenschaft ergänzt sich durch eine Seelenkunde, und das Unbewußte, das die Philosophie als seelisches Faktum zu erklären sucht, scheint dasselbe wie die Seele der Landschaft, die die Malerei andeutet. Die Freiheit, die der Mensch in der Natur sucht, ist die Möglichkeit, seine Gefühle ausströmen zu lassen, sich auszufühlen. Man flieht in die Landschaft vor den Hemmungen, die Menschen und Beruf und aller Zwang des Tages der Seele auferlegen (Abb. 36). Die Teilnahme für die eigenen Gefühle findet man nur dort, wo man sie selbst erst hineingelegt hat, in der Natur. So wird dieser sentimentale Naturalismus

Abb. 36. *Caspar David Friedrich, Zwei Jünglinge in Betrachtung des Mondes. Dresden, Galerie. Um 1820.*

romantisch, Projektion des Nichtzuverwirklichenden in die Natur. Diese ist ein Idealzustand und ein Produkt der Bildung.

Dieser sentimentale Naturalismus hat seine reinste Ausprägung in Deutschland erlebt. In Frankreich blieb die Natur hinter der Güte der Kunst, die Innerlichkeit hinter dem schönen Schein zurück. Der sensualistische Naturalismus des 17. Jahrhunderts ist fast ganz auf Holland beschränkt. Die Zeiten dieser naturalistischen Entwicklung sind das 15., 17., 19. Jahrhundert, d. h. Zeitläufte, die durch weite Strecken voneinander getrennt sind. Wo bleibt dabei die historische Kontinuität? Was geht dazwischen und was geht daneben vor? Diese Frage enthält das eigentliche Barockproblem und das Problem des Manierismus.

Jede dieser naturalistischen Bewegungen setzt sich durch mit Hilfe von revolutionären Akten oder wird begleitet von Gewaltsamkeiten. Das 15. Jahrhundert schließt mit der Reformation und Bauernerhebungen, nachdem es mit Erhebungen der Bürger gegen die Adligen begonnen hatte. Der holländische Naturalismus des 17. Jahrhunderts entwickelt sich im Gefolge des Freiheitskampfes der Nordniederländer gegen die spanische Herrschaft. Am Anfang des 19. Jahrhunderts steht die französische Revolution, die in Rousseau ihren Propheten sieht. Aber keiner dieser Siege ist ein vollständiger. Nie tritt das Alte, Überwundene vollständig von der Bühne der Geschichte ab. So gibt es neben dem werdenden Neuen stets ein nachlebendes Altes. Wo es innerlich abgelebt ist, wo das Neue das Fruchtbare und Zeugende ist, ist das Alte zur Nachahmung der schon geprägten Form, zur Stagnation verurteilt. Ein Klassizismus oder Archaismus wird das künstlerische Ausdrucksmittel ihrer

Abb. 37. *Sandro Botticelli, Geburt der Venus. Florenz, Uffizien. Um 1485.*

unfruchtbaren Lebensform. Zugleich kommt es zu Gegenstößen, Rückeroberungen des dem Neuen abgetretenen Terrains, es kommt zu Restaurationen alter Zustände auch in der Kunst, zu Überwindung und Ablösung der Natur durch eine neue Form, der Intimität durch neue Öffentlichkeit, der Menschlichkeit durch neue Vornehmheit.

Eine erste solche Gegenbewegung, mehr eine Episode als eine folgenreiche Bewegung, ist die Kunst des dritten und letzten Viertels im 15. Jahrhundert, die man, soweit sie Italien betrifft, im besonderen Sinne *Frührenaissance* genannt hat, womit man ein frühes, vorbereitendes Stadium der eigentlichen Renaissance, der Hochrenaissance, meinte. Der Name Botticelli ist der bekannteste in dieser Bewegung (Abb. 37). Auch auf die Kunst der Botticellizeit angewandt, ist dieser Ausdruck Frührenaissance in vielfacher Hinsicht irreführend, und das Urteil über diese Epoche muß vom Standpunkt des Gesamtverlaufes der Entwicklung in jeder Hinsicht berichtigt werden. Zunächst ist entscheidend für sie nicht das Frühe einer neuen Entwicklung, sondern eine Umkehr zum Alten, eine Rückkehr zum Mittelalter. Sodann wird eine neue Formkunst nicht wieder gewonnen durch Nachahmung der Antike, durch eine Renaissance, sondern durch Nachahmung der Gotik. Es ist die erste Neogotik, die die Neuzeit erlebt. Es ist auch nicht eine spezifisch italienische Bewegung, eine Bewegung, von der dann die nordischen Länder die Renaissance bekommen hätten, es ist wieder eine europäische. Es ist dasselbe, was in Deutschland *Spätgotik* genannt wird, aber mit demselben Recht *Neogotik* genannt werden müßte. Denn auch diese nordische Spätgotik eines Schongauer z. B. ist wiederauflebende Gotik, nicht einfach Folge (Abb. 38). Auch ihr geht im Norden ein

Abb. 38. *Martin Schongauer, Versuchung des Hl. Antonius. Kupferstich. Um 1470.*

Erwachen des Naturgefühles, eine Zerstörung der Gotik voran. Von der Hochrenaissance, die mit ihr allein durch die Rückkehr zur Form, der antiken statt der gotischen, verwandt ist, ist sie durch eine Phase getrennt, in der sich diese Rückbewegung wieder verläuft und die vorwärtstreibenden Kräfte des Jahrhunderts wieder die Oberhand gewinnen. Denn erst nach dieser Neogotik fällt der protestantische Naturalismus des 15. Jahrhunderts in den ersten Jahrzehnten des 16. Jahrhunderts seine letzte Entscheidung. Diese wird jetzt im wesentlichen die Leistung der deutschen Kultur und mehr eine weltanschauliche als künstlerische. Dürer steht durch und durch erfüllt von Problemen der ringenden inneren Persönlichkeit neben Luther. Die Reformation schließt nach der Episode einer Rückkehr zum Mittelalter, die große naturalistische Freiheitsbewegung des 15. Jahrhunderts ab.

Der eigentliche Gegenstoß gegen diese Bewegung, stärker und unendlich folgenreicher als das Zwischenspiel der Neogotik, ist die *Hochrenaissance*. Sie ist also zunächst auch eine Restaurationsbewegung, eine Gegenbewegung, die am stärksten durch die Tatsache der Gegenreformation belegt wird, in die sie hineinführt. Künstlerisch ist sie schon Gegenreformation, ehe wir geistesgeschichtlich von einer solchen reden. Das erstarkende Papsttum und die den Protestantismus zurückdrängende katholische Kirche werden die Träger dieser neuen Kunst und Kultur, ihr Zentrum wird Rom (Abb. 39). Damit ist aber schon erklärt, warum diese Wiedererweckung der kirchlichen, also scheinbar mittelalterlichen Kultur nicht eine Nachahmung der Gotik, sondern der Antike ist, d. h. zunächst des antiken Klassizismus. Wir haben ja gesehen, daß Italien, vor allem Rom, nie ein Mittelalter und nie eine Gotik gehabt hat wie die nordischen Länder, voran Frankreich. Die Organisation der römischen Kirche, der gegenüber die französischen Äbte und Bischöfe immer eine große Selbständigkeit behaupteten, ist ja im wesentlichen ein Nachleben der römischen Weltherrschaft und des römischen Verwaltungsapparates. Das Papsttum ist Erbe und Fortsetzer des römischen Cäsarentums, und deshalb konnte auch künstlerisch die römische Hierarchie Bewahrerin des byzantinischen Griechentums oder des bürokratischen Formalismus spätantiker Cäsarenverherrlichung

Abb. 39. *Raffael, La Disputa del Sacramento. Rom, Vatikan, Stanza della Segnatura. 1509—11.*

werden. Insofern ist auch in dieser Kunst der Hochrenaissance viel Klassizismus und sterile Nachahmung der Antike.

Dennoch ist damit noch sehr wenig gesagt. Es ist noch nicht erklärt, warum diese Hochrenaissance am Anfang einer Bewegung steht, des Barock, bei der man überall neue, hinreißende Kräfte einer treibenden Entwicklung spürt, keine Erstarrung wie in der byzantinischen Kunst. Es ist, mit einem Worte, nicht erklärt, warum diese Nachahmung der Antike nicht nur Restauration, Rückkehr, sondern Renaissance, d. h. Wiedergeburt, Neugeburt und Neubeginn ist, Nachahmung also eines ihr selbst noch bevorstehenden Zustandes. Dieser aber ist kein anderer als der des *Barock*, in dem etwas Neues und Zukünftiges sich als entwicklungsfähig erweist. Weniger im Inhalt. Dieser ist durch die Kirchlichkeit und die antiken Vorbilder als ein Altes, Dagewesenes bestimmt. Aber in der Form. Der mittelalterlichen Entwicklung fehlt die barocke Phase, eine Phase stärkster Bewegung, des Ausfahrens und der Ausschweifung, die die antike Entwicklung erreicht hatte, bevor sie in die Entwicklung zum römischen Naturalismus umbog. Vergebens wird man in der Gotik eine wirkliche barocke Stufe finden, höchstens Ansätze dazu im reich verwebenden, aufzüngelnden Maßwerk der Spätzeit, dem Flamboyantstil. Im ganzen ist die späte Gotik in Frankreich, die Kunst des 14. Jahrhunderts, eine lahm, formelhaft gewordene klassische Gotik, keine Übersteigerung der Bewegung zu entschiedenem Barock. In Deutschland entartet im 14. Jahrhundert die müde gewordene Gotik zu schwächlicher Dekorationskunst. Ein letztes Aufflammen der gotischen Formkraft in stürmischer Bewegung stand noch bevor. Die Hochrenaissance ist der erste Schritt in sie hinein. Es ist deshalb unzutreffend, von Hochrenaissance und Barock als Folgezuständen zu reden, denn beide Ausdrücke bezeichnen etwas Ungleichartiges, Barock die Stufe einer Entwicklung, das Nachklassische einer übersteigerten Bewegung, Renaissance aber die besondere Art des schöpferischen Verhaltens, die zu alten, in der eigenen Entwicklung nicht gegebenen Vorbildern zurückgreift. Barock war als Endstufe griechischer Plastik schon einmal da und konnte deshalb eine Renaissance erleben, die in der Neuzeit etwas Neues herbeiführte. So muß es heißen Renaissance des Barock.

Ist aber hier der Anfang einer neuen Bewegung, war das Mittelalter noch nicht tot, sondern konnte es sich, durch die Bewegung der Reformation aufgerüttelt (Luther rettete dem Papsttum das Leben), zu so kräftigen Gegenstößen aufraffen, daß eine neue Entwicklung daraus folgen konnte, dann muß es noch einen anderen Grund haben als bloß den, daß die neue Bewegung von Rom ausging, wenn diese Rückkehr zum Mittelalter sich als eine Nachahmung des antiken Barock darstellt. Dieser Grund ist folgender: Der Naturalismus des 15. Jahrhunderts hatte mit der Zerstörung der spezifisch gotischen Formen auch die sehr verfeinerte und künstliche Geistigkeit des Mittelalters zerstört, die wir als Mehrsinnigkeit und Zwei-deutigkeit bezeichneten. Daß man, wenn man das Nackte mit sinnlicher und künstlerischer Freude zeigte, es gleichzeitig als Laster deuten und moralisch verwerfen mußte, daß man den schönen Körper mit Gewand verhüllte, aber im Gewand die körperliche Schönheit, seine Haltung auszudrücken versuchte, das waren solche Verwicklungen und Verkünstelungen des Mittelalters, Versuche, christliche Weltfeindschaft mit mittelalterlicher Weltgestaltung zu vereinen, von denen man sich jetzt abkehrte, um sich der Weltfreudigkeit und Eindeutigkeit des Diesseitigen resolut zuzuwenden. Die antiken Formen, das Nackte, die ungebrochene Leidenschaft von Kampf und Frauenraub, alles das war der Natur näher als das höfische System der konventionellen Respektbezeugungen, der gewollten Demut vor dem anderen, der Höflichkeit. Der Naturalismus des 15. Jahrhunderts, den zugunsten neuer Bindungen und Formen zu zerstören diese gegenreformatorische Kunst, zugleich eine neue Fürsten- und Hofkunst, bemüht war, hatte eine neue Basis für diese Gegenbewegung geschaffen, eine natürlichere, sinnlichere, impulsivere und persönlichere. So wird sie Renaissance des antiken Barock. Aber zugleich bleibt sie eine Restauration der Kirche und der Höfe, der Heiligen und des Adels, d. h. aber mittelalterlicher Lebens- und Gesellschaftsformen. So konnte es nicht ausbleiben, daß selbst in Rom, mehr noch im Norden, in ihr eine geheime oder offene Gotik mit wirksam ist. (In Deutschland entspricht — zeitlich etwas später — der italienischen Hochrenaissance eine *barocke Gotik*.) Die Entwicklung des Barock wird deshalb nicht nur durch die Wiederherstellung eines großen Stiles kirchlicher und fürstlicher Kunst und den damit verbundenen Kampf gegen die Intimität, die natürliche Menschlichkeit und die Formlosigkeit des Naturalismus bestimmt, sondern auch durch das immer offenere Hervortreten der geheimen Gotik. So entstehen drei Phasen der Barockentwicklung.

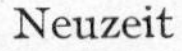

Abb. 40. *Raffael, Die Schule von Athen. Rom, Vatikan, Stanza della Segnatura. 1509—11.*

Die frühste ist in der ersten Hälfte des 16. Jahrhunderts die sogenannte Hochrenaissance, die wir fortan *klassizistischen Frühbarock* nennen wollen. Ihr Vorort ist Rom, ihr Wesen ist italienisch. Für die Renaissance der Antike im Barock bringt Italien die stärksten Voraussetzungen mit. Aber es ist ein vom Naturalismus zum Barock führender Übergangsstil. Die alten Themen des 15. Jahrhunderts, die humanen und naturalistischen, der Heilige im Gehäuse, eine heilige Familie, das Leben der Landschaft, verschwinden nicht mit einem Schlage, sie werden umgestaltet und umgedeutet. Wenn Raffael jetzt eine Versammlung von Gelehrten, von innerlich bewegten Menschen schildert (Schule von Athen), dann in einer großen, streng geordneten Architektur, in der von einem Bogen umrahmt zwei Persönlichkeiten (Plato und Aristoteles) das gebietende Zentrum bilden mit Gebärden wie Christus in einem Jüngsten Gericht, begleitet von einer Schar symmetrisch verteilter Denkerpersönlichkeiten wie Christus von den Aposteln (Abb. 40). Die Gebärden innerhalb einer ein Problem lösenden Gelehrtengruppe vollziehen sich in einem körperlichen Gleichmaß, einer Abgewogenheit wie bei Reigentänzen in einer Palästra. Michelangelo aber erhebt das Naturgefühl des 15. Jahrhunderts zu einer neuen mythischen Form, indem er Gottvater wolkenhaft am Himmel schweben läßt. Er macht das Himmlische glaubhaft und natürlich, indem er mit der neu gewonnenen Kunst der Perspektive Bewegung und Gebärde der übernatürlichen Mächte in der Luft so darstellt, daß sie geballt wie eine schwere Gewitterwolke und doch ganz als göttliche Gestalt mit barocker, herrscherlicher Gebärde über der Erde schweben. Ähnlich überwindet er den Kontrast von innerlicher Erregung und äußerer Körperform und Haltung, indem er die seelische Stimmung ausdeutet als Tragik des Geistes, in die Schwere des eigenen Körpers gebannt zu sein. In den Mediceergräbern ist die Ruhe der Hochrenaissance nur noch gegeben in der Unbewegtheit schwerer Körpermassen, denen sich der Willen mit barocker Anstrengung zu entwinden versucht (Abb. 41).

Die zweite Stufe, der *sensualistische,* d. h. mit allen Sinnen genießende *Hochbarock,* kennt diese Dissonanz und Tragik nicht mehr, er bejaht den Körper und die Sinne. Barocke Form und Bewegung wird rauschende Lebenslust bacchischer Feste oder kraftstrotzende Leidenschaft von Jagden und Schlachten, bestrahlt von allem Glanz und Prunk der Farben und Lichter. Um das zu werden, mußte die Kunst sich von der Würde und geistigen Haltung des

Abb. 41. *Michelangelo, Die Morgendämmerung. Vom Grabmal des Lorenzo de' Medici. Florenz, San Lorenzo, Sagrestia nuova. 1524—33.*

römischen, priesterlichen Amtsstiles lösen und dorthin wandern, wo auch der Naturalismus die stärkste, unreflektierteste Diesseitsbejahung gefunden hatte, nach dem Norden. Der sensualistische Hochbarock erhält seine höchste Entfaltung in den Niederlanden, in der flämischen Kunst des Rubens (Abb. 42). Diese Kunst ist der barocken Antike wieder innerlich näher als alle Kunst vor und nach ihr und überbietet sie an Sinnenfrohheit und Leidenschaft. Zugleich ist sie volkstümlicher und derber. Sie trägt schließlich in die festlichen Situationen so viel Zärtlichkeit und menschliche Verbundenheit hinein, zumal wenn Rubens sein eigenes Liebesglück zu öffentlichen Szenen von Werbung und Huldigungen erweitert, daß die geheime Gotik stärker hervortritt und in Venusfesten und Liebesgärten das Vorspiel zum Rokoko erklingen läßt.

Abb. 42. *Peter Paul Rubens, Der Raub der Töchter des Leukippos durch Kastor und Pollux. München, Alte Pinakothek. 1619—20.*

Um ganz *Rokoko* zu werden, mußte der Barockstil noch einmal seinen Ort wechseln und von Belgien nach Frankreich, von Rom nach Paris hinüberwechseln. Barocke Bewegtheit verliert ihre Körperlichkeit, wird schwebend wie gotische Gestalten (Abb. 43). Das Nackte umhüllt sich wieder mit Gewand, und die Künstlichkeit der Mode läßt die barocken Bauschungen im leichten Spitzendekor verflattern. Die Reize des Körpers werden nur angedeutet wie in der Gotik, und alle Gebärden und Physiognomien werden lebhaft, geistvoll und vielsagend, kokett bei den Frauen, galant bei den Männern, sie werden geistreiche Konversation und konventionelles Spiel wie in der späten Gotik. Rokoko ist also nicht letzte Steigerung barocker Bewegtheit, sondern letzte Steigerung der gotischen Elemente im Barock, Erlösung, Herauslösung aller höfischen mittelalterlichen Elemente und eine höchste Vergeistigung. Erst mit dem Rokoko geht das Mittelalter ganz zu Ende und findet der Barock das Ziel seiner Bestimmung, die naturalistische Bewegung noch einmal rückgängig zu machen und zum Mittelalter zurückzukehren, wofür die Renaissance des Barock nur ein Umweg war. Aber nur in Frankreich, im Lande der Gotik, war das Rokoko möglich.

Abb. 43. *Nicolas Lancret, Die Tänzerin Camargo. (Ausschnitt.) Potsdam, Neues Palais. Um 1732.*

Auch die Hochrenaissance (erste Hälfte des 16. Jahrhunderts), sensualistischer Hochbarock (erste Hälfte des 17. Jahrhunderts) und Rokoko (erste Hälfte des 18. Jahrhunderts) folgen nicht aufeinander. Sie schieben sich zum Teil in die zeitlichen und örtlichen Lücken ein, die die Entwicklung des Naturalismus bietet. Aber zwischen diesen Phasen ist so wenig Kontinuität wie zwischen jenen. Beide Entwicklungen gehen nebeneinander her, wenn auch nicht immer zeitlich parallel, und sind örtlich getrennt. Was aber füllt die Zeiträume und Erdräume zwischen ihnen und neben ihnen aus und stellt die Kontinuität her? Dies ist die Aufgabe des *Manierismus*, die nur so dringend in dieser neueren Entwicklung hat werden können, weil es beide Entwicklungsreihen gab, die naturalistische und die barocke. Der Manierismus gehört beiden an und versucht sie zu vereinen. Er ist immer dort am stärksten, wo er auf der Grundlage des formlosen Naturalismus eine körperliche Form zu adoptieren sucht, die nicht innerlich erzeugt, sondern angenommen ist und deshalb zur Manier wird. In der Spannung zwischen beiden liegt Reiz und Tragik des Manierismus beschlossen.

Manierismus im höchsten Maße ist schon die Neogotik des 15. Jahrhunderts, die Kunst des Botticelli (Abb. 37, S. 53). Die Typen sind die physiognomisch charakteristischen, die Räume die intimen, die Hintergründe die landschaftlichen und blumenreichen des Naturalismus. Ja, dessen Entwicklung wird durch eingehende Naturbeobachtung ein gutes Stück gefördert. Aber durch Bemühen um Haltung wird die sprechende Gebärde geziert, werden die Blumen dekorativ stilisiert zu künstlichen Blumen, werden die Umrisse zeichnerisch ornamental. Eine herangetragene Gotik wird, um sich dem naturalistischen Reichtum anzupassen, zum Schnörkel. Die Zwiespältigkeit dieses Manierismus der Neogotik leitet durch ein Übergangsstadium (Leonardo) in Italien zur Hochrenaissance, in Deutschland zum Naturalismus der Reformation über. Auf Leonardo folgen Raffael und Michelangelo, auf Schongauer Dürer und Altdorfer.

Manierismus ist schließlich auch jede körperliche, einer durchaus geistigen Haltung aufgezwungene Form und Würde, also jeder Klassizismus, von dem auch die Hochrenaissance sich nicht hat freihalten können. Deshalb ist Michelangelo nicht nur Vater des Barock, sondern auch eines bestimmten Manierismus. Indem aber dieser italienische Klassizismus, der die ganze italienische Kunst des 17. Jahrhunderts nie ganz verläßt, der ihr immer theatralische Züge beimischt und sie nie zu einem reinen, unverfälschten Barock gelangen läßt, sich nach Norden, in die Länder des starken und tiefgreifenden Naturalismus und der gotischen Tradition ausbreitet, entsteht der Manierismus der nordischen, speziell der niederländischen und deutschen Renaissance, ein Manierismus, in dem ein untilgbares Naturgefühl, gotische Formentradition und barocke Antike zu einem geradezu faszinierenden Dissonanzenreichtum zusammenprallen. Volksszenen, Bauern- und Jahrmarktschilderungen geben sich heldisch und priesterlich mit großen Gebärden, teils barock geschwollen, teils aber auch wieder in gotischer Flächenzeichnung mit gotischen Faltenschnörkeln und mittelalterlicher Sprichwörtlichkeit, vieldeutig und moralisierend. So in der Kunst Brueghels, die heute wieder in den Mittelpunkt des historischen Interesses tritt (Abb. 44). Durch diesen Stilreichtum in der Stilvermischung wird dieser niederländische Manierismus die Brücke sowohl zum echten Barock eines Rubens wie zum echten Naturalismus der holländischen Malerei.

Auch diese holländische Malerei hat am Ende des 17. Jahrhunderts ihre Umkehr, eine Restauration der feinen Manieren in Lebenshaltung und künstlerischen Ausdrucksweisen, auch sie hat ihren Manierismus. Indem sie die ihrer

Abb. 44. *Pieter Brueghel d. Ä., Bauerntanz. Wien, Kunsthist. Museum. Um 1565.*

Abb. 45. *Carlo Crivelli, Die Schlüsselübergabe. Berlin, Kaiser-Friedrich-Museum. 1488.*

sehr materiellen Kultur aufgepfropften Formen der Spätzeit des Rubens (van Dyck) und der französischen Hofkultur erborgt, wird dieser Manierismus der holländischen Spätzeit sowohl eine Brücke zum französischen Rokoko, dem die niederländische Kunst einen Watteau schenkt, wie zum Naturalismus des 19. Jahrhunderts, der, besonders in Deutschland, an die holländische Spätkunst anknüpft.

Allen diesen Manierismen sind gewisse Züge gemeinsam, von denen wir zunächst hervorheben die Selbständigkeit der formalen Werte. Da ja diese nicht aus dem Gehalt heraus geboren, sondern an ihn als widerstreitenden herangetragen werden, so werden die Formen zu selbständigen Gebilden (die architektonische Form wird zum Beschlag), sie werden zu Linien-, Flächen- oder Raumkonstruktionen, geometrisch und stereometrisch, die man durch Komplikation und Übersteigerung interessanter und wirksamer zu gestalten sucht. Das ergibt die verrenkten Gebärden und die ausgesponnenen ornamentalen Verschnörkelungen der Gewandfalten, Baumwindungen und Wolkenstreifen und macht sie ausgeklügelt und verstandesmäßig. Zugleich aber wird damit auch die Kunst im handwerklichen Sinne selbständig. Der Manierismus pflegt auf technische Verfeinerung und Vervollkommnung großen Wert zu legen. Die Kunst um der Kunst willen, *l'art pour l'art,* und das Virtuosentum haben in ihm ihre Heimat (Crivelli, Mabuse, A. van der Werff [Abb. 45]). Alle die Dissonanzen aber, die im Manierismus aus der Gegensätzlichkeit von Inhalt und Form und von Formen verschiedener Herkunft und Bestimmung entstehen müssen, alle Verbiegungen und Verrenkungen tragen in sich Hinweise auf seelischen Ausdruck besonders heftiger Art. Verrenkt und verzerrt sich doch auch der Schmerz und jede heftige Anstrengung und macht die Physiognomie zur Grimasse. Deshalb wird der Ausdruck im Manierismus künstlerisch besonders stark. Die großen Künstler des Manierismus sind die, die bewußt aus den in ihm liegenden Dissonanzen und aus seinen Ausdrucksfaktoren ein Prinzip tragischer Darstellungen gewinnen. Deshalb ist Michelangelo der größte. Das Konstruktive aber und das Verstandesmäßige (das Rationale), die Betonung der künstlerischen Arbeit und die Selbständigkeit der künstlerischen Gestaltungsmittel (der Faktur), machen den Manierismus der heutigen Zeit besonders wertvoll. Die Gegenstöße einer manieristischen Restaurationskultur aber, die auch im 19. Jahrhundert in der Entwicklung des sentimentalen Naturalismus erfolgen (die Kunst der Nazarener in der Zeit der politischen Restauration und die Kunst der deutschen Renaissance in der Gründerzeit), sind nicht gleichgültig geblieben für die Entwicklung der reinen Formenkunst der Gegenwart (Abb. 46). So wird der Manierismus auch historisch bedeutsam für die Epoche der Kunstgeschichte, in der wir uns mitten drin befinden. Von dieser können wir bisher nur einen kurzen Weg übersehen und mehr zusehen als übersehen. Aber soviel ergibt sich schon jetzt, daß dieser Weg der ist zu einer neuen Sachlichkeit, d. h. eine Abwendung sowohl vom Naturalismus mit seinen Gemütswerten als auch von der Formenkultur der Persönlichkeitsdarstellung im mittelalterlichen und antiken Sinne. Was bedeutet das?

Abb. 46. *Friedrich Overbeck, Vittoria Caldoni. München, Neue Pinakothek. 1822.*

Eine der merkwürdigsten Seiten des Naturalismus und der Einfühlungskultur des 19. Jahrhunderts ist, daß sie, obwohl sie dem Diesseits und der Natur, also allen Realitäten besonders hingegeben sind, dennoch zugleich eine Abkehr vom Leben mit sich bringen, stärker vielleicht sogar, als es im Mittelalter der Verkehr mit Gott und seinen Heiligen tat. Je tiefer und inhaltsstärker das naturalistische Bild dem Beschauer entgegentritt, um so stärker zwingt es ihn, sich und sein eigenes Leben zu vergessen und in ein fremdes Leben einzutauchen. Die theoretische Ergänzung zum sentimentalen Naturalismus in der Kunst ist die Lehre, daß dieses von der Kunst gebotene, nachgefühlte Leben dem Menschen überhaupt erst Leben schenkt, daß er hier erst ganz Mensch wird (ästhetische Erziehung des Menschengeschlechtes). Wo wir hinblicken, immer werden wir zur Selbstentäußerung verpflichtet; ein Porträt, ein Genrebild zwingt uns, in ein fremdes Dasein einzutauchen, ein Interieur, uns in ein fremdes Heim einzunisten, selbst eine Landschaft regt uns an, in einem fremden Garten spazierenzugehen. So sehr deshalb dieser Inhalt ein natürlicher ist, irdisch, menschlich, diesseitig, wir flüchten doch immer in ein Scheinleben hinein, es ist immer ein romantisches Leben des Geistes und darin dem Jenseitshoffen des Christentums nicht so fern, wie es erst schien, und vielleicht durch die christliche Kultur des Mittelalters mit bedingt. Denn dieser Bevorzugung der Kunst, die immer eine Art Dichtung ist, vor der Wirklichkeit des Lebens liegt zugleich eine Abkehr von diesem Leben zugrunde, eine Abkehr von dem alltäglichen Dasein tätiger Verwirklichung der Pflichten, Aufgaben und Lebensnotwendigkeiten. Gegen diese Kunst als Lebenssurrogat für den Bildungsmenschen wehrt sich jetzt eine tat- und weltfreudige Jugend, ganz gleich, ob ihr Aktivismus nach links oder rechts ausschlägt.

Dem 19. Jahrhundert mit seiner auf Freiheit von der Form und auf Naturgefühl hinzielenden Einstellung liegt eine Anschauung ganz fern, die die Kunstwerke in die Gebrauchsgegenstände des täglichen Lebens einreihen oder sie wie unser tägliches Brot als eine tägliche Nahrung und als Genußmittel gebrauchen möchte, als angenehme Beschäftigung und Vergnügen des Auges und als geschmackvolle Ausgestaltung unserer Umgebung wie das Gewürz in unseren Speisen. Sie würde ihm als Profanation der Kunst und der Künstler erscheinen. Deshalb war ja der Naturalismus unfähig, aus eigener Kraft eine Architektur zu gestalten und mit ihm das tägliche Leben zu formen. Das 19. Jahrhundert vermochte nur aus Vorlagewerken seine Architektur zu schöpfen, ohne Gefühl dafür, daß ein Stil in der Architektur geformtes Leben seiner Zeit war. Und ebensowenig vermochte es das Bild als einen Teil der Architektur zu empfinden. Die Wände wurden mit Bildern behängt, nicht gegliedert, mit Bildern, die transportabel waren und den Menschen wie Reisegepäck auf seiner Fahrt ins Land romantischer Sentimentalität begleiteten.

Am allerwenigsten aber hatte der Naturalismus eine Beziehung zu öffentlichen Aufgaben der Kunst. Als intime Kunst suchte er nur eine Steigerung und Reinigung des privaten Lebens durch menschliche Vertiefung. Der Liberalismus in diesem Naturgefühl, d. h. aber der Drang zur Formlosigkeit und Freiheit, haßte alle Bindungen, alles Rationale, alles Berechnete, alles Künstliche,

Abb. 47. *Georges Seurat, Die Brücke von Courbevoie. London, Privatsammlung. 1886—87.*

alles Gemachte, nicht Gewordene, alles, was als öffentliche Aufgabe des Menschen, nachdem die Form kirchlichen oder höfischen Gemeinschaftsdienstes, des Kultus, abgewirtschaftet hatte, nur in der Betätigung im Beruf, in der Arbeit, in der Produktion der Sachgüter bestehen konnte.

Indem diese beiden Seiten, Kunst als Genußgegenstand und Kunst als Gegenstand einer menschlichen Tätigkeit, eines Berufes oder mit anderen Worten Kunst als Gegenstand des Konsums und der Produktion, Bedeutung gewinnen, beginnt eine neue Epoche der Kunstgeschichte. Das Kunstwerk wird zur Sache. Es ist die Zeit um 1880, in der wir die ersten deutlichen Spuren dieser Wende vom Naturalismus zur Sachlichkeit spüren. Wir können eine impressionistische und eine expressionistische Seite dieser Bewegung verfolgen, je nachdem wir die Kunst mehr als Genußgegenstand, als Mittel des Konsums betrachten oder mehr als Produkt, als Ausdruck, in dem sich menschliche Arbeit und Schöpferkraft kundgibt. Beiden gemeinsam ist negativ der Kampf gegen Natur als Gegenstand einer Einfühlung und Selbstentäußerung und gegen Natur als Resultat eines Werdens, das aller menschlichen Tätigkeit nach Regeln und damit aller Formung spottet. Der *Impressionismus* geht gegen diese Natur an, indem er der Natur das Genußbietende an der Oberfläche absieht und zu raffiniertesten Farbzusammenstellungen und Farbbereicherungen ausnutzt, die Natur aber, den wesenhaften Gegenstand verundeutlicht, den Inhalt verwischt und gleichgültig macht (Abb. 47); der *Expressionismus*, indem er die produktive Selbstkundgebung, die Kunst des künstlerischen Ausdrucks pflegt und die Natur verzerrt, zerstört, zerstückelt und zu selbständigen Formkörpern und Farbflächen neu aufbaut, im betonten Konstruktivismus das Produkt

Abb. 48. *Karl Hofer, Stilleben. Marburg, Museum.*

als solches zu Ehren bringt und mit ihm alles, was zur Produktivität gehört, Material, Technik, Aufbau (Abb. 48). Beide führen gleichermaßen zu einer neuen Sachlichkeit, zum Kunstwerk als Gebilde und als Schöpfung.

Indem so schon in Stimmung und Gesinnung das Einzelkunstwerk, das Bild, sich dem Umkreis der Umgebung einfügt, in der der heutige Mensch sich bewegt, indem es sich einreiht unter Sachen, die der Mensch verbraucht, und unter Produkte, die die Industrie schafft, indem es also ein Teil des tätigen und täglichen Lebens wird, der Arbeit und der Mahlzeiten, wird es auch wieder ein Teil derjenigen künstlerischen Betätigung, mit der die Kunst heute wieder eine öffentliche Angelegenheit wird, der Architektur. Das bedeutet, daß die Kunst als Dekoration, als Schmuck des Daseins eine neue Aufgabe geworden ist, bedeutet aber nicht, daß man unter Dekoration die Füllung von Räumen und Gebrauchsgegenständen mit Bildern versteht, die diese Sachen unbrauchbar machen (z. B. Teller mit Landschaften). Sachliche Dekoration schmückt Räume und Gegenstände mit Gebilden, die ihre Gebräuchlichkeit steigern, anpreisen und ausdrücken. Deshalb wird die neue Formung des Lebens durch Architektur eine Architektur der großen Einheitsschöpfungen menschlicher Arbeit, der Industriebauten, der Bauten des Verkehrs, der Warenhäuser, der Staudämme und Schleusen (Abb. 49). Von dieser großen öffentlichen Kunst der Zweckbauten her wird auch der Wohnbau neu angefaßt, auch er wird rationalisiert, nüchtern konstruktiv wie eine Fabrik, weit geöffnet und durchsichtig wie Schalter eines Büros, in dem öffentliche Arbeit für jeden sichtbar ist, und so möbliert, daß im Privatraum die Gemütlichkeit aufhört wie im Bilde die Sentimentalität der Naturvermittlung. Alle Möbel und Geräte werden des naturhaften Schmuckes, der Blumen und der sentimentalen Erinnerungssprüche entkleidet und apparatehaft ausgestaltet. Das Zimmer wird Teil einer Wohnmaschine. Und mehr noch, es bekommt den Charakter eines Ateliers, d. h. eines

Raumes werktätigen und schöpferischen Lebens seiner Bewohner. Es schön zu finden, setzt voraus, daß eine völlige Umkehrung der Werte stattgefunden hat, daß man nicht mehr die Feier von der Arbeit, die Entbundenheit des menschlichen Gefühles in der Natur als höchste Stunden des Menschen schätzt, sondern die schöpferische Arbeit und Tätigkeit am Produkt als Glück und Erfüllung der Persönlichkeit empfindet. Auch diese Kunst ist nicht nur Form ohne Inhalt. Ihr Inhalt ist eine neue Gesinnung und Kultur der Produktivität. Diesen bisher gering geschätzten Seiten des Lebens Anerkennung zu verschaffen, sie von der Zivilisation zur Kultur zu erheben, wird eine Aufgabe des heutigen Künstlers.

Dank der großartigen Entwicklung der Industrie und der in ihr waltenden organisatorischen Kräfte ging Deutschland in dieser Sach- und Produktionskultur bisher voran und ist es auch heute noch führend. Zum ersten Male hat Deutschland nicht nur große Künstler und Kunstwerke und einen eigenen Ausdruck für westlich oder südlich bedingte Stilbewegungen hervorgebracht, sondern einen eigenen Stil geschaffen, den die Italiener „stilo tedesco" (deutscher Stil) nennen und dem sich das Kunstschaffen anderer Völker beugt. In der ganzen Welt wird dieser Stil nachgeahmt. Auch die geschichtlichen Voraussetzungen liegen in Deutschland, in der deutschen Spätgotik, als der kühn in die Welt vordringende Hansegeist die großartig einfachen Speicherbauten und die Fassaden der Zunft- und Tuchhallen schuf, und dann wieder im friderizianischen Klassizismus und seinen Kasernenbauten, in denen soldatische

Abb. 49. *Europa-Haus, Berlin, Hochbau am Anhalter Bahnhof, 1930—31. Architekt Otto Firle.*

Straffheit und Schlichtheit die Strenge geometrischen Schnittes, sparsamste Einfachheit und die Einheit der Unterordnung eines Einzelnen unter ein vernunftbeherrschtes Ganze betonte. Nicht umsonst hat gerade der italienische Faschismus in diesem Stil preußischen Gepräges die Grundlagen seiner neuen Form erkannt. Wenn heute von einer militärisch-politischen Haltung aus dem deutschen Leben Kraft, Strenge, Größe und Einheit wiedergegeben werden soll, so trifft sich das mit den aus der produktiven Arbeit herauswachsenden Kräften der Präzision, der Hingabe an die Sache, der Leistung und der umfassenden Organisation. Denn das größte an diesem neuen Stil ist, daß er mit der Unterordnung des Einzelnen unter das Ganze und der scheinbaren Ernüchterung das Pathos einer neuen Monumentalität der Gemeinschaftsbauten, der Straßen und Plätze, der Städte im ganzen erfaßt und verwirklicht hat. Wir glauben nicht, daß, ohne an diese neuen Formen und ihre inneren Triebkräfte anzuknüpfen, ein neuer Stil entstehen wird. So wie die Jugend erkannt hat, daß nur in der Verbindung von Soldat und Arbeiter, von Macht und Geist, von Autorität und Arbeit die neue Weltanschauung sich der Reaktion, der romantischen Flucht in die Vergangenheit erwehren kann, so wird auch in der Kunst eine Flucht in die Vergangenheit nicht möglich sein, soll ein neuer großer und eigener Stil entstehen. Denn nicht, wenn wir das Alte nachahmen und als Epigonen rückwärts blicken, denken wir geschichtlich. Geschichte kann nur der schauen, der seinen Standpunkt in der Zukunft hat und deshalb überzeugt ist, daß alles Vergangene gewesen und deshalb Geschichte ist. Wer sich mit seiner eigenen fadenscheinigen Existenz auf die Vergangenheit, d. h. aber auf einen g e w e s e n e n deutschen Menschen berufen muß, um Zukunftsideen zu vertreten, ist in Wirklichkeit auch der unhistorische Mensch.

ERSTER TEIL

SPÄTE UND NACHLEBENDE ANTIKE

ERSTE ABTEILUNG
DIE ALTCHRISTLICHE KUNST

In der Darstellung des Gesamtverlaufes der neueren Kunst kann die altchristliche Kunst nicht Selbstzweck sein, sondern nur Bedeutung haben, soweit sie für die Entwicklung der mittelalterlichen Kunst, ohne deren Anfang darzustellen, eine Grundlage abgibt. Was sie in dem Erbe, das die späte Antike der jungen werdenden Kunst hinterläßt, was der Greis dem Kinde bedeutet, das steht zunächst in Frage; dann, welche Elemente der neuen werdenden Kunst in ihr sich ankündigen; ob sie es tun, und wann sie es tun, und inwiefern die altchristliche Kunst eine Brücke schlägt zwischen den beiden, einen Gesamtverlauf darstellenden Entwicklungen der alten und neueren Kunst.

HELLENISTISCHE WANDGESTALTUNG UND DEKORATION

Ausbreitung der christlichen Religion im Römischen Reich. Christenverfolgungen unter Nero (54—68), Domitian (81—96), Diokletian (284—305). Philosophisch-systematische Darlegung der christlichen Lehre durch die Kirchenväter.

Die ältesten Denkmäler der christlichen Kunst haben wir in den Malereien der *Katakomben*. Sie sind uns hauptsächlich in den römischen Katakomben erhalten, neben denen, weniger für die Geschichte der altchristlichen Malerei als für die Anlage der Katakomben, die Gräber Neapels, Sardiniens, Siziliens, Ägyptens und Kleinasiens in Betracht kommen. Entschlagen muß man sich bei diesen Katakomben, diesen unterirdischen Grüften für die verstorbenen Christen, des Gedankens, als seien sie Zufluchtsstätten für die verfolgten ersten Christen gewesen, die das Licht zu scheuen hatten. Man muß ohne sentimentale Vorstellungen von unheimlichen, angsterfüllten Dunkelräumen, von tiefen Verstecken und labyrinthischen Gängen in sie hineingehen. Die Bestattung in unterirdischen Räumen war auch bei Heiden gebräuchlich, sie wurde nur gefördert durch die jüdische Sitte der Körperbestattung, die ähnlich wie die ägyptische Mumienbestattung im Gegensatz zur heidnischen Körperverbrennung steht. Die Triebfeder zu dieser Bestattungsart waren die Vorstellungen von Auferstehung und körperlichem Eingehen in ein Jenseits.
Diese unterirdischen Grabstätten waren größere, zimmerartige Räume und Verbindungsschächte. Zunächst waren sie Familiengräber, in denen der Tote eine durch eine rechteckige oder runde Nische (Arkosol) ausgezeichnete Stätte finden konnte. Der Sarg war wie ein Trog aus dem steinigen Boden ausgehauen. Dann erweiterten sich die Anlagen zum Gemeindegrab, in dem außer den

Familiengliedern Freunde, Klienten, Personal und Gemeindegenossen des Besitzers aufgenommen wurden. In der Grabkammer wurden für diese Plätze geschaffen durch Gräber, die übereinander in der Wand und zu ihr parallel eingelassen wurden, Fachgräber wie Gefache in einem Schrank. Vorn wurden sie mit einer Marmorplatte geschlossen. Oder man folgte einer jüdischen Sitte, wodurch noch mehr Platz wurde, und legte senkrecht zur Wand Gräber an, die sich mit der Schmalseite in den Raum öffneten. In diese wurde der Tote mit den Füßen nach vorn hineingeschoben. Als sich die Zahl zu bestattender Christen mehrte, wurden auch die Wände der Gänge mit Fach- und Schiebegräbern gefüllt. Bei beschränktem Terrain wurde die Anlage durch tieferes Heruntergehen in den Boden erweitert, so daß sich mehrere Stockwerke solcher Kammern und Gänge ergaben.

Diese Kammern denke man sich von dem Licht vieler kleiner Lämpchen erhellt, in das sich der bleiche Schimmer des durch die Lichtschächte einfallenden Tageslichtes mischt, und von einer Dekoration erfüllt, die mit lichten Farben auf weißem Grund von vornherein den Eindruck eines heiteren, froh stimmenden Raumes bedingte. Die Kunstformen der Dekoration taten das übrige, diesen Eindruck des Lichten, Heitern, Paradiesischen zu bestärken.

An den Wänden war durch die sie durchsetzenden Gräber für eine wandgliedernde Dekoration wenig Platz. Immerhin sind Aufteilungen in sockel- oder friesartige Horizontalstreifen und in schmale Vertikalstreifen angedeutet, durch die Felder für dekorative Malereien entstanden. Den eigentlichen Geist der dekorativen Malereien lernen wir nur aus den Decken kennen, die ungeteilte Flächen für die Ausmalung boten. Diese Flächen wurden von der Malerei zu einer durchsichtigen Laubenarchitektur umgestaltet, in der die geometrischen Linien das Stangengerüst der Lauben bedeuten (Abb. 1, S. 12). In diese ranken sich feine Zweige mit Blättern und Blüten graziös herein. Der Eindruck einer luftigen, durchsichtigen Bedeckung, durch die man den Himmel, die Sonne und die Sterne hindurchscheinen sehen müßte, wird so erzielt. Der Wechsel von runden und eckigen, sphärischen und ebenen Flächen, von konvergierenden und parallelen Linien, von Kreisen und Segmenten, von geometrischen Linien und krausen Ranken ist ein prickelnd reicher. Dabei ist das System des Ganzen so klar und übersichtlich durch die Beziehung von umfassenden Kreisen und eingeschriebenen Segmenten, von stützenden Achsenflächen und radialen Kreuzen, daß hier ein Äußerstes von Freiheit und architektonischer Bindung, von Auflösung und Harmonie, von Zerteilung und Zusammenfassung erreicht ist. Es ist einfach die späteste Frucht einer Architekturentwicklung, in der die Auflösung der Seitenwände durch ein Gerüst architektonischer Glieder, durch Säulen und Balken sich auch der Decke bemächtigt hatte. Diese Deckendekoration ist die Fortsetzung der griechischen Kassettendecken, jener Gliederung mit Hilfe sich durchkreuzender Steinbalken. Aus den Balken sind dünne Stäbe, aus den Quadraten ist ein reich kombiniertes System rationaler und irrationaler Flächen geworden.

In die Architektur ist die Landschaft, die Natur mit ihren Laubenformen und Ranken hineingedrungen, um dem spätantiken Bedürfnis nach ländlichem

Abb. 50. *Rom, Stuckdekoration im Grab der Valerier an der Via Latina. 2. Jh. n. Chr.*

Idyll und heiterer Freiheit zu genügen. Den architektonischen Charakter dieser Stab- und Laubenillusion versteht man besser aus der im Geist ganz verwandten Dekoration einer heidnischen Grabkammer in der Via Latina in Rom, wo die Linien noch plastische Stabprofile aus Stuck sind, und deshalb nicht ganz die Freiheit im Wechsel der Linien und Flächen zeigen wie die gemalten Decken der Katakomben (Abb. 50). Daß aber tatsächlich in diesen eine architektonische Phantasie das System entworfen hat, zeigt die Anspielung auf eine Kuppelarchitektur, eine Wölbung. Die Decke ist nicht nur mit Hilfe der Durchsichtigkeit der Dekoration um ihre Schwere gebracht, sondern auch dadurch, daß sie sich zu heben und leicht nach oben zu schwellen scheint. Man sehe, wie in der *Lucinakrypta* (Abb. 1, S. 12) die große Kreisfläche der Mitte die Vorstellung einer Wölbung suggeriert, die an den Ecken von pfeilerartigen Flächen gestützt wird, wie die Segmentlinien im Mittelkreis wie die Ränder eines geblähten Segels wirken und durch Trompen (kleine Wölbungssegmente) vom Quadrat des Grundrisses her vorbereitet sind. Gerade dieses Andeutende, diese Mischung von Faden und Balken, Linie und Stab, gewachsener Ranke und Konstruktion macht das unsagbar Schwebende und Leichte der Dekoration aus.

In den Feldern zwischen diesen Stäben und Ranken sind Figuren eingemalt, die dem leichten Bau und der halb landschaftlichen, halb architektonischen Andeutung in wundervoller Harmonie entsprechen; sie stehen nicht, sie schweben, sie wiegen sich; Tauben auf den äußersten Enden des Querbalkens, wie auf einer Schaukel, Papageien, Pfauen mit buntem Gefieder, Köpfe, die wie Blumen aus Blattkelchen herauswachsen, Eroten, die wie Schmetterlinge im leeren Raum flattern, Menschen, die auf Blumenstengeln wippen. Sie erheben die Arme wie in anbetender Verzückung (Orant und Orantin) oder

greifen empor zu dem Lamm, das auf den Schultern ruht (der Gute Hirte, ein wundervolles Bild ländlicher Empfindsamkeit und ausgewogener menschlicher Haltung). Immer entfalten sich menschliche Figuren nach oben. Sie sind selber schlank und fein, dem Körper und den Gliedern fehlt alle Schwere, eine leichte Drehung, ein Vor- und Rückgreifen der flügelähnlich ausgespannten Arme erzeugt ein leichtes Sich-Wiegen und Drehen der Figur um ihre Achse. So ist alles hauchartig bewegt, aber gerade immer an die Stelle hin bewegt und dort für einen Augenblick dem Blick eröffnet, wo eine architektonische Achse Betonung oder eine leere Fläche Füllung heischte. Nirgends klemmt es oder stößt es sich. Unbeschreiblich ist es, mit welcher Feinheit, mit welcher Freiheit leichtbeschwingte Bewegung und architektonische Bindung, räumliche Durchsichtigkeit und füllende Figur in Einklang gebracht sind.
Ein malerischer Stil sorgt dafür, daß diese Figuren nicht ihrer Bestimmung entfremdet werden, als schön bewegte Einzelfigur nur die Leeren des architektonischen Gerüstes zu füllen. Sie sollen nie durch ein besonderes Tun oder durch bedeutendere Charakteristik das Auge vom Sinn des Ganzen auf die Gewichtigkeit des einzelnen lenken. Eine konturenlose Malerei mit breiten Flecken, ein malerisches Ausrunden der Figuren wie im freien Raum, ein Absehen von aller zeichnerischen Bestimmtheit charakterisiert auch die Fläche hinter ihnen als Luftraum und deutet die laubenhafte Durchbrechung der Wand an. Sie sind wie in Atmosphäre gesehen. Dennoch ist alles vermieden, was über diese Andeutung hinaus die Illusion eines über die Wand hinausführenden wirklichen Freiraumes bedingen könnte, sowohl in den Figuren, deren Hauptausdehnung in der Wand liegt, wie in dem Hintergrund selbst, der weiße Fläche geblieben ist. Auch dieses Schweben zwischen Raumandeutung und Flächenschmuck, zwischen Illusion und Dekoration gehört zu den Feinheiten dieses das Dasein verschönernden, dekorativen Stiles. Es ist ähnlich wie in pompejanischen Wandmalereien.
Hier hat nun die Interpretation angeknüpft und auf die berechtigte Frage, was an diesem leichtsinnigen, weltverklärenden Stil spezifisch christlich, d. h. jenseitsgerichtet und weltverachtend sei, geantwortet, daß gerade der Mangel an perspektivisch räumlicher Hintergrundsszenerie ein neues Element gegenüber den früheren römischen Gemälden brächte, eine Raumabstraktion, ein mehr begrifflich als optisch faßbares Raumkontinuum, das aus dem Wirklichen etwas Metaphysisches, aus dem Sichtbaren etwas Transzendentes mache. Aber dasselbe System einer raumvoraussetzenden freien Bewegung realistisch modellierter Gestalten und einer flächebelassenden Leere des Hintergrundes haben wir auch in den Stuckdekorationen des heidnischen Grabes der Via Latina, und auch da ist es nur die Verbindung von menschlicher Freiheit und architektonischer Bindung, die deren Ursache ist. Das impressionistische Sehen, das Sehen der Figuren als Fleckenbild, das Sehen der Figuren im atmosphärischen Raum nach ihrer optischen Erscheinung hin, erklärt nicht allein die breite, tupfende Technik. Die Flüssigkeit und Flüchtigkeit der Malerei ist nicht nur ein Sehen von flüchtigen Gestalten, sondern ist selber ein flüchtiges Sehen, ein Darüberhinsehen, ein dekoratives Sehen. Es sind nicht

Flecken einer malerischen Illusion, sondern schmückende Tupfen auf einer farbig belebten Wand, es ist nicht Andeutung verschwimmender Ferne, sondern Andeutung eines mit der Stimmung des Raumes nur mitschwingenden Inhaltes. Die Figuren sind leicht faßbare Personifikationen eines im Raum selbst gestalteten paradiesischen Daseins.

Erwägt man, daß selbst in der groben und handwerklichen Ausführung der Katakombenmalerei der Duft und die Grazie dieser geistreichen, spielenden Dekoration noch zur Geltung kommt, dann ist eines ganz klar, daß dieser das Raumganze und das Dasein selber gestaltenden Architektonik und dieser alles der Gesamtstimmung einordnenden Dekoration der letzte und höchste Geschmack einer aufs äußerste verfeinerten Kultur zugrunde liegt. Eine solche Zuspitzung aller künstlerischen Lebenserhöhung und architektonischen Formung begreifen wir nur von hellenischer Kunst her. Innerhalb der massiveren und stilloseren römischen Umgebung und innerhalb einer mehr naturalistisch darstellenden als dekorativ andeutenden Kunst müssen diese Werke Äußerungen hellenistischer Spätkunst sein von einer letzten Reife und Mürbe.

Die Frage Orient oder Rom und das Problem der Herkunft dieser Kunst ist also nur: handelt es sich hier um die Erzeugnisse einer römischen Lokalkunst oder einer hellenistischen Reichskunst, deren Zentren in den das spätantike Leben konzentrierenden Städten des Ostens, vor allem Alexandria, gesucht werden müssen. Diese Frage gilt aber für die heidnischen Erzeugnisse dieses flüchtigen, verzärtelten Stiles, wie die Stuckdekorationen der Grabkammer an der Via Latina oder des Hauses in der Farnesina, genau so wie für diese christlichen Denkmäler. Die Frage der Herkunft des Stiles ist also unabhängig von der Frage nach der Herkunft der christlichen Themen in den Katakombenmalereien und der Entstehung einer spezifisch christlichen Kunst. In der Form und in dem spezifisch künstlerischen Ausdruck eine solche zu finden ist unmöglich.

Dagegen gibt es eine Reihe von Themen in den dekorativ die Felder füllenden Gestalten, die nur Juden und Christen zu beschäftigen vermochten, nicht aber Heiden, die antike Götter verehrten und mit dem Vorstellungskreis der antiken Mythologie vertraut waren. Es sind Szenen aus dem Alten und Neuen Testament, die sich auf Errettung aus Gefahren oder vom Tode und aus Todesnot beziehen. Es sind aus dem Alten Testament Daniel in der Löwengrube, die drei Männer im feurigen Ofen, Abraham Isaak opfernd, Noah in der Arche, Susanna zwischen den Alten, Jonas mit dem Walfisch, aus dem Neuen Testament die Heilung des Blinden, des Lahmen, des Gichtbrüchigen, der Blutflüssigen, die Erweckung des Lazarus. Dazu kommen Anspielungen auf Erfrischung und Erlösung der Seele durch Mahl und Trank; solche Themen sind das Abendmahl, das Quellwunder Mosis, Hirsche am See, Verwandlung von Wasser in Wein, das Brotwunder, Fische und Brot selbst. Ebenso war es leicht, von der Darstellung des Guten Hirten den Gedanken auf einen Führer und Fürsorger der Gemeinde, einen Erlöser der Menschheit zu lenken, also auf Christus, oder in der Orantin ein Bild der erlösten Seele und schließlich in der ganzen heiter paradiesischen Ausstattung des irdischen Totenlokales ein Bild des Auf-

enthaltes der Seele im Jenseits zu erblicken. Die Grabkammer wurde durch ihren Bilderschmuck selbst die metaphysische Heimat des Verstorbenen.
Der Geist aber, mit dem diese Szenen dargestellt sind, ist kein anderer als der der dekorativen Gesamtauffassung dieser ältesten Katakombenmalereien. Es sind keine ausführlichen Geschichten, die hier erzählt werden, keine Verherrlichungen von Propheten und heiligen Personen, sondern Einzelfiguren zwischen Löwen (Daniel), in Flammen (die drei Ebreer), in einem Holzkasten (Arche Noahs). Sie sind möglichst jugendlich, möglichst leicht und aufgerichtet wie der Gute Hirte und die Oranten, und sind, da sie dem Sinn der in den Räumen Weilenden vertraut waren, auch nur Andeutungen, Hinweise, passende und harmonisch stimmende Bezüge zu einem Ort, der durch seine Ausstattung den Geist hinlenkte auf die paradiesische Wohnung einer vom Leben, seinen Gefahren, seinen Nöten erlösten Seele. Das ist aber wiederum nichts anderes, als wenn in den heidnischen Gräbern und Häusern das selige Leben durch Nereïden auf Seeböcken, durch Elfen auf Blütenstengeln, durch Eroten und Amoretten angedeutet wurde, und wenn Niken mit Helm und Schwert auf Erlösung und Erhöhung des Rauminhabers hinweisen (Abb. 50). Auch hier vermittelt die mythologische Staffage eine andere, überirdische Welt. Auf keinen Fall kann man zugeben, daß die hinweisende, andeutende Beziehung dieser Darstellungen die Gestalten nur zu Symbolen, zu Abstrakten machte und daß deshalb die Ausführung so vernachlässigt sei. So verführerisch es ist, in der Flüchtigkeit der Zeichnung die Anfänge einer körperverachtenden, christlichen Kunst zu sehen, diese scheinbar flüchtige Zeichnung ist nur dekorative Vernachlässigung, sie ist geschmackvolle, dekorative Andeutung von Gestalten, deren Einfügung in das architektonische System einem übergeordneten Gesamtschönen, und deren Bedeutung einem äußerst antik empfundenen bukolischen und idyllischen Stimmungskreis entspricht.
Man sehe sich vor allem die Jonas-Szenen an, einen Lieblingsgegenstand dieser Katakombenmalerei (Abb. 51). Gleich viermal wird Jonas an demselben Ort dargestellt, wie er aus dem Schiffe geworfen, vom Fisch verschlungen wird, wie er wieder ausgespieen unter der Kürbislaube liegt, wie diese verdorrt ist und wie er Gottes Willen sich ergibt. Und warum so gern und so oft? Weil dieses Seeungeheuer wie ein chinesischer Drache so herrlich dem kapriziösen, dekorativen Stil der Deckenmalerei entspricht, weil der nackte Jonas selbst antike

Abb. 51. *Rom, Fresko in der Calixtus-Katakombe: Szenen aus der Jonasgeschichte. 2. Jh.*

Körperfreude vermittelt, ein in der Sonne ruhender Jüngling, ein Musterbild heiterer Idylle und ländlichen Genießens (vgl. auch den Jonassarkophag; Abb. 3, S. 14). Die Freude an märchenhaft novellistischen Beziehungen, an Verwandlung und Wundertaten mochte hinzukommen, um diese Jonaslegende wie eine ovidische Metamorphose zu empfinden. Vielleicht spielte auch bei allen diesen Errettungen die Freude der spätantiken Welt an Zauber- und Errettungsgeschichten mit. Wir dürfen nicht das Bemühen unserer theologischen Wissenschaft um die Bedeutung dieser Gestalten in die Seele der Benutzer und Genießer dieser Räume selbst hineinlegen, sondern müssen nach dem Eindruck fragen, den auf diese Gemüter bekannte Gestalten und bekannte Schmuckfiguren, d. h. aus jüdisch-christlicher Schrift und Lehre und aus heidnischer Darstellung bekannte Inhalte machten. Wir fragen nicht, was sie symbolisch bedeuteten, sondern wie sie sinnlich sichtbar wirkten.

Dann bleibt freilich in der Form und im Ausdruck so gut wie nichts von eigentlich christlicher Kunst. Aber auch das Wesentliche des Inhaltes, der Hinweis auf Erlösung, die damit verbundene Abkehr von dem Diesseits, die Hinwendung zum Jenseits, auch dieses ist nicht einmal spezifisch christlich in dem Sinne, daß es aus der allgemeinen Geisteshaltung der späten Antike herausfiele. Die orphischen Kulte enthielten bereits denselben Erlösungsgedanken. Auch Hinweise auf Reinigung und Aufnahme in die Kultgemeinde in der Darstellung der Taufe entsprachen einem allgemeinen Kultgebrauch. Und es war nicht heidnischer Götzendienst, wenn an Stelle des Guten Hirten zuweilen Orpheus selber dargestellt wurde, denn man schuf ja mit diesen Bildern nicht Götter- und Heroenbilder, sondern nur allgemein verständliche, schmückende Andeutungen von Erlösungen. Ein solcher Orpheus wog nicht schwerer als Amor und Psyche — auch diese schufen nur eine Atmosphäre von Liebe und Seele —, ja kaum schwerer als Taube, Pfau und Papagei.

Wir würden uns das christliche Verhältnis zur Kunst entweder überhaupt bilderfeindlich denken, gram diesen Dekorationen, die einem verfeinerten, vergeistigten Luxus entsprechen, oder als eine bildnerische Rechtfertigung und Verklärung des Häßlichen, Elenden, Verworfenen. Im Mittelpunkt aller Darstellungen würden wir die Kreuzigung suchen, dies tiefste und den sozialen Umschwung in der antiken Welt am stärksten charakterisierende Symbol der Umkehrung aller Werte. Denn es bedeutet, daß die Erhöhung zu Gott durch die tiefste Erniedrigung geht, daß nicht der Triumph, sondern das Leiden den Menschen rechtfertigt und daß der zürnende, rächende Gott, der nur durch Opfer zu versöhnen ist, das höchste Maß seiner Gnade darin zeigt, daß er sich selbst, in seinem Sohne Mensch geworden, opfert.

Von diesen Vorstellungen und ihrer spätantiken Haltung finden wir in der altchristlichen Kunst noch nichts. Sie konnten den jungen Völkern nur durch Lehre und Mission vermittelt werden. Eine leise Andeutung der Demut, die sich der Gnade unterwirft, mag man in dem Typ der mit ausgebreiteten Armen Betenden, der Oranten, finden. Doch ist auch da so viel allgemeine Verzükkungsgebärde, daß in den idyllischen Szenen der erotischen antiken Malerei, bei den Bacchantinnen und Nymphen, die nächsten Parallelen sich finden. Man

Abb. 52. *Rom, Lateranmuseum. Der Gute Hirte. 3. Jh.*

sehe das schwärmende Antlitz des jugendlichen Hirten im Lateran (Abb. 52). An dieser Gestalt ist alles von einer weich verzärtelten Antinousschönheit, das lässige Stehen, die runden, muskulösen Glieder, die lockigen Haare. Es ist ein Schwärmen, wie wir es in den paradiesisch-bukolischen Landschaften der spätantiken Malerei und in dieser Laubendekoration erwarten, ein freudiges Einatmen der Frühlingslüfte und ein allgemeines Verliebtsein.

Wichtig ist allein, sich einzuprägen, welche Elemente einer letzten Verfeinerung diese Katakombenmalereien den Schöpfern einer neuen jungen Kunst entgegenbrachten, wenn diese durch den christlichen Glauben und durch die Vermittlung christlich-jüdischer Bildinhalte gerade zu solchen Vorbildern geführt wurden. Dieselben Elemente traten auch in vielen heidnischen Äußerungen der nachhellenischen Kunst zutage, die dem aufnehmenden Bewußtsein der jungen, in die Kulturbewegung eintretenden Völker die Hinterlassenschaften der späten hellenischen Kunst, des Hellenismus, vermittelten. Wir nennen das Verflüchtigte, Faden- und Stabartige einer gar nicht mehr zu bauenden, nur noch mit Stuck und Farbe zu zeichnenden Architektur, das Aufgebrochene und Durchsichtige, ohne das die Gotik nicht denkbar ist. Man denke vor allen Dingen an den dekorativen Geschmack, mit dem die verschiedenartigsten Momente geistreich variiert und sicher verknüpft werden: Flächen verschiedener Form, verschiedener Richtung, verschiedener Krümmung, Systeme von Stäben, Linien, Ranken, Blüten, Menschen, Tieren, Hintergründe von Landschaft und Gebäuden, ein Geschmack, ohne den die Höhe dekorativer Kunst im Mittelalter und die Einordnung des Einzelkunstwerkes in die Architektur nicht möglich gewesen wäre. Wir erinnern an die Bukolik einer für feinen Lebensgenuß dekorativ verwendeten Landschaft und die Tierdarstellungen. Diese verraten ein Naturgefühl, das die Natur doch nur als Hintergrund, als Lebensstaffage benutzt und eine neue Naturmythologie in den Monatsbildern des Mittelalters erzeugt. Und schließlich verweisen wir auf die gesteigerte Innerlichkeit der Figuren, das Gelöste der äußeren Form, die Beseeltheit der Gebärde, in der sich die Entwicklung des antiken Ausdruckes vom barocken Pathos zum schwärmenden Genießen spiegelt. Auch dies bedingt, daß der „körperfrohe“ Stil des Mittelalters so immateriell ist, ein Stil, in dem die Funktion über die Masse triumphiert. Alle diese Seiten der künstlerischen Gestaltung wollen beachtet sein, wenn es gilt, die Sonderart der werdenden Kunst zu verstehen.

RÖMISCHER PRUNKSTIL. DIE BASILIKA

313 Edikt von Mailand zum Schutze der Christen. 323—37 Konstantin d. Gr. 325 Konzil zu Nicäa: Das Christentum wird als Reichsreligion anerkannt. Ausbildung der kirchlichen Hierarchie nach dem Vorbild des römischen Staates. Augustin 354—430.

Mit dem 3. Jahrhundert beginnt in den Katakombenmalereien ein Umschwung zu einer schwereren und würdevolleren Kunst. Inhalt und Form werden offizieller, man fühlt einen Wetteifer mit einer repräsentativen Kunst, die im Dienste des Reiches und seiner Würdenträger stand. Das Christentum selber wird offizieller, es formt einen Kultus und wird zur Staatsreligion. Die Darstellung Christi nähert sich mehr und mehr der römischer Cäsaren oder ihrer Vertreter. Das Reich Gottes wird ein Reich von dieser Welt, in die es seine Vertreter entsendet. Die Kunst gibt deutlich darüber Auskunft. Eine Kunst, die die Kammer der Toten schmückt und ihre Verwandten und Freunde in diese stimmungsvollen Räume zu stillem Gedenken und privaten Feiern in Gebeten und Opferhandlungen einlädt, genügt diesem Geiste nicht mehr. Es wird ihre Aufgabe, die Gestalten der sich formenden christlichen Kirche ansehungswürdig und bedeutend der Welt entgegenzuhalten. Der an sichtbarer Stelle über der Erde stehende Sarkophag löst das Katakombenfresko ab, und das Mosaik in allzugänglichen Prachträumen wird das letzte Ziel der christlichen Triumphalkunst. Diese verlangt die Kirche auch als Bau. So entsteht die Basilika.

In den Katakombenmalereien läßt sich an folgenden Erscheinungen die Wandlung beobachten. Das Gestänge der Lauben wird schwerer und breiter, verliert seine Verknüpfung zu einem einheitlichen Gerüst, die durchsichtigen Felder werden Bildflächen, und die stimmungsvollen Füllfiguren werden Hauptfiguren, die Geltung und Beachtung heischen (Abb. 53). Ihre Zeichnung verliert den

Abb. 53. *Rom, Coemeterium Majus. Orantin mit Kind. Mitte 4. Jh.*

Abb. 54. *Rom, Lateranmuseum. Sarkophag. 4. Jh.*

andeutenden, flüchtigen Charakter; sie wird deutlicher, eingehender, schwerer im Ton und dunkler in der Farbe. Porträts prunkvoll gekleideter Frauen zeigen sich als Oranten der Menge mit den feierlich groß geöffneten Augen der Mumienporträts von Fajum. Zuweilen schildert eine naturalistische Szene den Verstorbenen in seiner Tätigkeit, z. B. einen Maurer bei seinem Hausbau. In den Sarkophagen, von denen einige frühe aus den Katakombenmalereien die Füllung der Sarkophagwände mit idyllischen und stimmungsvollen Szenen übernehmen, und die Jonassarkophage am stärksten den graziös dekorativen und fabulierenden Ton der Jonas-Szenen der Malereien bewahren, werden die Porträts der Verstorbenen gern wie an den heidnisch-römischen Sarkophagen in einer Mittelplatte oder einem Medaillon angebracht (Abb. 54). Besonders beliebt ist das Bild eines Ehepaares, das die Hände ineinander gelegt hat. Sollen sie sich feierlich darstellen, wählt man den Augenblick der Eheschließung und bringt die Beteiligten in ganzer Figur. Der Stil ist immer der eines Gemisches von bürgerlicher Derbheit und Porträtähnlichkeit und offizieller Pose.

Jetzt erst gewinnt das Idealbild Christi als Denkmal eines Herrschers im Kreise der ihn Verehrenden oder inmitten seines Gefolges dieselbe Bedeutung wie die Herrscher- und Götterbilder der Antike. Wie die Kaiserstandbilder mit den Heroendarstellungen der klassischen Kunst wetteiferten und die lebensharten Porträtköpfe der Cäsaren auf idealen nackten und jugendlichen Körpern zeigten, so wird Christus in jugendlicher Schöne mit wallenden Locken dargestellt, die Toga würdevoll über die Schulter geworfen, die Schriftrolle in der Hand, das Bild eines Halbgottes und eines kaiserlichen Beamten zu gleicher Zeit. Nischen, die den Sarkophag gliedern und in die sich die Lauben durch gleichmäßige Reihung der Stämme verwandeln, geben einzelnen Gestalten den feierlichen Hintergrund und pressen auch die erzählenden Szenen zu standbild-

Nach Wilpert, Die röm. Mosaiken u. Malereien, Herder & Co. GmbH., Freiburg i. Br.

ROM, STA. MARIA MAGGIORE
MOSAIK: TRENNUNG LOTS VON ABRAHAM. 4. JH.

haften Gruppen zusammen, in denen eine Hauptfigur, meist Christus, den vorderen Platz einnimmt und sich repräsentativ nach außen wendet. Die ehemals nur sinnbildlich andeutenden, die nur Stimmung gebenden Errettungs- und Erlösungsszenen werden jetzt heilige Geschichte, Historienbilder, die dem neuen Herrn der Welt durch Geschichten des Alten und Neuen Testaments eine große Vergangenheit zuschreiben. Nicht der Hinweis auf die Erlösung, sondern die Bedeutung des Erlösers, des Wundertäters und Volksbeglückers steht im Vordergrunde. Mittelpunkt zu sein, wie die zentrale Gottheit im Giebel eines antiken Tempels, wird seine Aufgabe. Auf einem Sarkophag im Lateran (Abb. 55) sitzt Christus erhöht über einem zum Bogen aufschwingenden Gewand einer nackten Halbfigur, die in ganz antiker Weise eine Personifikation des Himmels (Coelus) bedeutet und den Himmelsbogen über sich trägt. Hinter ihm stehen zwei kräftige Jünglingsgestalten wie die Standartenträger hinter dem Thron des Kaisers oder seiner Vertreter. Zwei würdige Gestalten, Paulus und Petrus, verneigen sich verehrungsvoll vor ihm, während er Petrus eine Schriftrolle überreicht wie ein Kaiser eine Gesetzes- oder Belehnungsurkunde (Christus legem dat). Die hier ganz deutliche Mischung von kaiserlicher und himmlischer Majestät ist ganz die der spätantiken, hellenistischen Vergottung der Cäsaren, denen Tempel in Rom und in der Provinz gebaut wurden.

Das spezifisch Römische dieser Kunst und Lebensschilderung ist immer die charakteristische Mischung von historischer Erzählung und standbildhafter Vereinzelung, von Landschaft und Architektur, von Schauplatz charakterisierender Raumvertiefung und statuenhafter Raumverneinung, von geistiger Bedeutung der Personen und offizieller Haltung in einem formelhaft drapierten Idealgewand. Es ist der typische Klassizismus römischer Beamtenkunst, den wir deshalb als bürokratisch bezeichnen. Mag man die Einstellung von Einzelpersonen in Säulennischen aus griechischer Kunst ableiten (wie schließlich jede echte statuarische Form des Körpers) und die säulenlosen Sarkophage

Abb. 55. *Rom, Lateranmuseum. Sarkophag. 4. Jh.*

mit ihren wie an den Triumphsäulen durchlaufenden Erzählungen als spezifisch römisch ansehen (*Rodenwaldt*), die Mischung von Handlung und Pose ist in beiden dieselbe, denn auch in diesen letzteren verdichten sich die Handlungen zu repräsentativen Mittelpunktsgruppen und zentraler Komposition des Ganzen.

Am klarsten und imposantesten zeigt diese Stilmischung, bei der ein Element das andere eher abschwächt als bereichert und deshalb nie hohe Kunst, d. h. nie Stil entstehen kann, ein Thema, das wir geradezu das Thema dieser zweiten, offiziellen Phase, der römisch-offiziellen, und der Zeit des 4. Jahrhunderts nennen können: Christus als Lehrer im Kreise der Apostel, ein Lehrer, der zugleich ein Führer und Herrscher ist, eine Unterrichtsstunde mit der Feierlichkeit einer Gerichtsverhandlung. Denn die, zu denen Christus spricht, sitzen nicht vor ihm, sondern neben ihm und um ihn herum, es sind Beisitzer, die symmetrisch zu Seiten eines erhöht Thronenden der Rede das Gewicht einer Verkündung, eines Wahrspruches, und der Versammlung die Bedeutung einer Sitzung geben. Die Beschauer selbst sind das Volk, dem der Spruch verkündet wird. Die Gemeinde ist hinzuzudenken. In einem Fresko der *Domitillakatakombe* und in dem Mosaik von *S. Aquilino* in Mailand ist die Geistigkeit durch impulsive Gebärden, inspirierte Augen und wirres Haupthaar ganz im Sinne antiker Spätkunst zum Ausdruck gekommen. An einem Sarkophag in *Arles*, an dem mit vorspringenden Gebäudeteilen an den Ecken und rückspringender Nische in der Mitte und auch durch geschickte Anordnung der Apostel eine halbkreisförmige Raumsituation suggeriert wird, ist mehr das Zeremoniell betont (Abb. 56). Beides aber zu einer mächtigen und wirkungsvollen Darstellung zusammengezogen zu haben, ist die Bedeutung des großartigen Apsismosaiks von *Sta. Pudenziana* in Rom (Abb. 57). Hier ist durch den Hintergrund eine historische Situation mit realistisch perspektivischen Mitteln gekennzeichnet, ein Hof, hinter dem die Häuser der Stadt sich erheben, ein glühender, wolkenerfüllter Abendhimmel, Apostel, vom Gesims überschnitten, kräftig barocke Typen in lebhaften Diskussionsgebärden, und ein ganz reicher, malerischer Stil, räumlich und saftig wie in den Historienbildern des Rubens. Christus aber sitzt erhöht auf reich geschmücktem Thron, zwei weibliche Gestalten (Praxedis und Pudentiana) nahen ihm mit Kränzen wie Genien einem Triumphator, hinter Christus erhebt sich himmelragend das Kreuz wie ein

Abb. 56. *Arles, Museum. Sarkophag. 4. Jh.*

Abb. 57. *Rom, Sta. Pudenziana. Apsismosaik: Christus und die Apostel. Ende 4. Jh.*

Feldzeichen, und durch die Lüfte rauschen vier geflügelte Wesen heran (die Symbole der Evangelisten), Tiere und ein Mensch, Boten des Himmels, die wie der Adler des Zeus und Merkur, der Götterbote, den Menschensohn als Halbgott in den Himmel zu entführen bereit scheinen. Der Himmel selbst antwortet auf die Rede mit einer Apotheose. Die Darstellung aber ist so wirkungsvoll, weil Christus, das Zentrum der Kirche, im Halbkreis der Apostel in einem Raum gemalt ist, der selber halbkreisförmig gestaltet ist, so daß diese in der Halbkugel des Raumes schwebende Vision nur der himmlische Reflex einer Sitzung ist, die in diesem Raum unten stattfindet: der Bischof (Vorstand der Gemeinde), präsidierend inmitten einer Ratsversammlung bevollmächtigter Gemeindevertreter (Presbyter). Dieser Raum ist die Apsis einer altchristlichen Basilika.

Die altchristliche Basilika in Rom scheint die These zu widerlegen, daß die altchristliche Kunst nicht der Anfang der neuen, im Mittelalter sich entfaltenden Bewegung nordischer Kunst sei. Sieht es doch so aus, als ob der ganze mittelalterliche Kirchenbau, romanische Dome und gotische Kathedralen, in ihr ihre Wurzeln zu haben und von ihr aus sich weiter entwickeln. Denn in ihr finden wir scheinbar alles, was die mittelalterliche Kirche charakterisiert: das über Seitenschiffe erhobene Mittelschiff, den basilikalen Querschnitt im Gegensatz zur Halle, wo Mittelschiff und Seitenschiffe gleich hoch sind, ein Querschiff, das dem Mittelschiff vorgelagert ist und mit diesem im Grundriß ein Kreuz

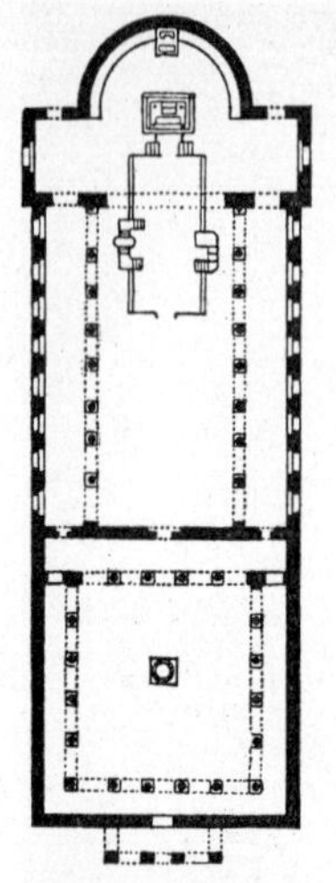

Abb. 58. *Grundriß einer frühchristlichen Basilika.*

ergibt, schließlich, wenn sich dem Mittelschiff gegenüber noch ein Raumteil aus dem Querschiff herausstreckt, den Chor. Um diese Fragen beantworten zu können, gilt es, zunächst die altchristliche Basilika in Rom in ihrem idealen Aufbau, ihrem inneren Wesen nach zu verstehen.

Es handelt sich um folgendes (Abb. 58). Im Gegensatz zum antiken Tempel, der als ein in sich geschlossener Körper, eine gegliederte, plastische Form denkmalsmäßig auf einem Sockel und möglichst in erhöhter Lage sich dem Blick bietet, ein Haus des Gottes und für den Laien unbetretbar, ist die altchristliche Basilika in Rom reiner Innenbau, nach außen ohne Fassade, unscheinbar und versteckt (Abb. 59). Diese Merkmale sind in dem grundlegenden Werk von *Dehio* und *v. Bezold*, „Die kirchliche Baukunst des Abendlandes", mit sicherem Instinkt herausgearbeitet.

Man gelangt zu ihr, indem man in einer Straße an einer Mauer, die wie die Mauer eines Privathauses den Garten den Blicken der Vorübergehenden verbirgt, einen kleinen, schützenden Portalvorbau trifft. Durch ihn tritt man in einen quadratischen Hof (Atrium) mit einem Brunnen in der Mitte. Dieser ist rings von Säulen umstanden, hinter denen ein Wandelgang den Hof umzieht und Kühlung an heißen Tagen verspricht. Gegenüber dem Eingang ragt, ohne architektonische Durchbildung, über den Säulengang eine schlichte Wand, eine Hauswand herüber. Tritt man hinein, wozu keine bevorzugte Achse oder Richtung des Hofes auffordert, so gelangt man in einen breiten Saal, den an beiden Seiten prächtige Säulen mit kräftigem Gebälk darüber abschließen. Beiderseits ziehen in der Richtung des Eintretenden wieder Gänge hin, dunkler, beschatteter als der von den Säulen begrenzte und sehr offen wirkende Mittelraum (Abb. 60, 61). Denn über diesem erheben sich auf

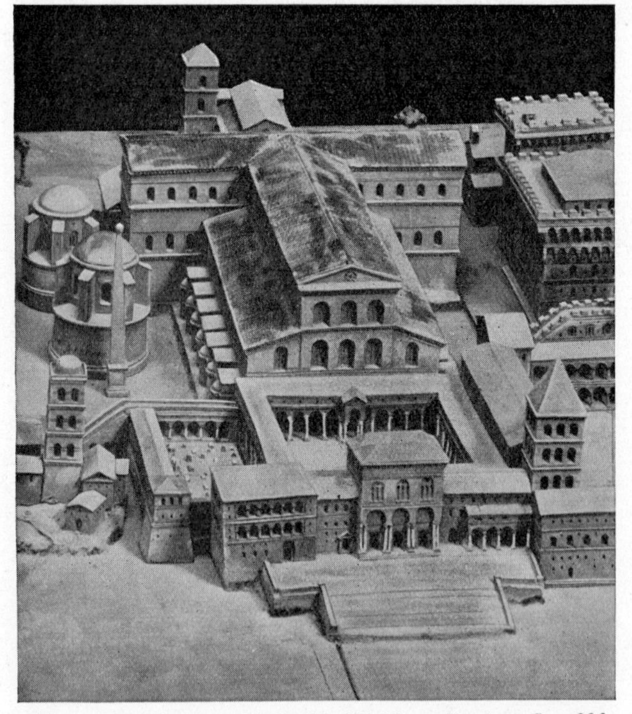

Abb. 59. *Rom, Alte Peterskirche. Modell. Museo Petriano. Gew. 326.*

Abb. 60. *Rom, S. Paolo fuori le mura. Ende 4. Jh. Im 19. Jh. wiederhergestellt.*

dem Gebälk der Säulen Wände mit Fenstern und führen ihm helles Licht zu. Die Flächen unter und zwischen den Fenstern sind mit farbenprächtigen Gemälden, Geschichten aus dem Alten und Neuen Testament, und Porträts von Aposteln, Märtyrern, Päpsten geschmückt. Eine flache, getäfelte Holzdecke schließt den Raum nach oben ab.

Man muß sich immer vorstellen, daß die ungegliederten Wände und die flache Decke nicht eigentlich mit den Säulen zusammen einen erhöhten Raum bilden, sondern daß durch das starke Gebälk über den Säulen der Raum hier schon einmal zu Ende ist, daß er für das unmittelbare Raumgefühl niedriger und breiter ist als für eine Rechnung, die den wirklich geschlossenen Raum als Einheit ausmißt. Das heißt, auch dieser Raum wirkt noch einmal nach oben offen, wie ein Hof, und die Seitengänge locken ähnlich wie die des Atriums zum Wandeln im Schatten, ebenso wie die Bilder an den Wänden darauf berechnet waren, daß die in diesem weiten Saal Umhergehenden sich den Seitenwänden oft und gern zuwendeten.

Das muß gesagt werden, um die immer zu stark hervorgehobene Wirkung der Längsausdehnung und der Richtung auf die in der Mitte des Querschiffes sichtbare Apsis hin auf ihr rechtes Maß einzuschränken. Beide werden durch die Photographie übertrieben. Für einen Römer, der die befreiende, luftige Wirkung solcher Räume in den Peristylen der großen Privathäuser (Haus des Epidius Sabinus in Pompeji) oder in den öffentlichen Hallen, den Marktbasiliken, kennengelernt hatte, muß diese Wirkung eines breiten, offenen,

lichten Raumes und schattenspendender Wandelgänge noch stärker gewesen sein. Die Längsrichtung des Raumes zwischen den Säulen, ihre vom Eingang zum Querschiff hinfluchtende Folge und der Blick auf die Apsis bedeuteten so wenig, daß man in diesem heiteren Festsaal sich mit Freunden begrüßte, vor den Gemälden der Wand staunend stehenblieb, hinüber und herüber wandelte, um sich erst nach der Apsis hin zu wenden, wenn irgendein Festakt, eine Ansprache, eine Aufführung, die Aufmerksamkeit der Menschen zu gemeinsamer Feier auf einen Punkt lenkte. Diese Richtung des Mittelraumes orientierte, aber sie zwang nicht, den Raum in einer und nur dieser Richtung zu durchschreiten; dem wirkte schon entgegen, daß dieser Festsaal von dem Querschiff durch eine torartige Einziehung mit Säulen abgetrennt war, und sich das Querschiff als ein entgegengesetzt gerichteter, quergelagerter Raum vom Mittelschiff schied.
Je näher man vom Mittelschiff der Apsis zu trat, desto mehr spürte man, daß diese selber breit und geräumig nicht als Zielpunkt und Abschluß des Mittelschiffes gemeint war, auch nicht als selbständiger Raum, sondern nur als eine Nische im breitgelagerten Querschiff, ein bevorzugter und durch seine Rundung architektonisch ausgezeichneter, eine Mitte betonender Platz (Abb. 58). In ihm stand genau in der Mitte, nach beiden Seiten in Bänken sich fortsetzend, ein Ehrenstuhl, der Bischofsthron, vor diesem ein Tisch, der zum Altar wurde. Denkt man sich nun diese Gesellschaft in der breiten Apsis sitzend, ähnlich wie es die Mosaiken in der Halbkuppel in *Sta. Pudenziana* (Abb. 57) und in *S. Aquilino* in Mailand zeigten, dann liegt es nahe, sich das Querschiff mit diesem Ehrenplatz, dieser Tribüne, als einen Sitzungssaal vorzustellen, an dessen langgestrecktem Tisch die Mitte herausgebuchtet war und dem Vorsitzenden der Feier, dem Leiter und Sprecher der Versammlung einen Ehrenplatz verschaffte. Im Gegensatz zu dem geöffneteren, Wandel und Verkehr von Festgenossen nahelegenden Mittelschiff sind das Querschiff und die Apsis ohne Säulen, rings von Wänden geschlossen.
Von den drei großen Basiliken aus dem 4. Jahrhundert, *Sta. Maria Maggiore, S. Paolo fuori le mura, S. Peter,* von denen letztere nur aus Zeichnungen bekannt ist, S. Paolo im Neubau, Sta. Maria Maggiore nur unter barocken Veränderungen, vermag uns keine mehr den ursprünglichen Eindruck zu verschaffen. Wir müssen versuchen, ihn uns in der Vorstellung aus den verschiedenen überlieferten Bestandteilen zu rekonstruieren. Das Ganze wirkt — und das kommt als Erbe für die späteren Geschlechter in Betracht — als eine Folge von Räumen, die vom offenen zum geschlossenen, vom Hof zum Gemach fortschreitend, den Eindruck eines privaten Hauses steigern. Dieses aber scheint mit seinen großen Dimensionen, dem prächtigen Säulen- und Mosaikenschmuck, der feierlichen Heraushebung eines Ehrenplatzes ganz für festliche Gelegenheiten bereitet und entspricht in dieser Mischung von privater Innenräumlichkeit und öffentlicher Festlichkeit, von leitender Mitte und nebengeordneten Beisitzern ganz der Verbindung von Porträtindividualisierung und Wirkung auf die Öffentlichkeit, die wir in den Mosaiken fanden. Es ist noch nicht der kultische Zwang religiöser Feierlichkeit, aber auch nicht mehr echte Beschaulichkeit.
Eins ist jedenfalls klar: weder innen noch außen empfangen wir den Eindruck, daß hier Einer gebietet und wohnt, der sich über das Gewöhnliche erhebt und von der

Menge absondert, daß es ein Gotteshaus ist. Für Gott ist in diesen Räumen kein Platz. Es ist in allen Teilen ein Gemeindehaus. Und suchen wir das spezifisch Christliche, so dürfen wir sagen: so sehr wir in der Gestaltung des Querschiffes mit der Apsis und dem Tisch in ihm an christliche Abendmahlsfeier, an ein Gedenkmahl erinnert werden mögen, das Prunkvolle der Situation, die Folge von offenen, zu bewegter Festlichkeit stimmenden Räumen, die Öffnung des Sitzungsraumes in dieses, die zuschauende Menge bergende Mittelschiff hinein, hat den rauschenden Charakter, mit dem wir uns eher große Festmähler der antiken Bürgerschaft denken, Siegesfeiern mit Festreden und prunkendem Aufwand in Rede, Tracht und Tafelschmuck, als ein christliches Abendmahl. Aber auch in dieser triumphalen Form der großen Festbasiliken ist eins als späte, letzte Form des dem religiösen Kultus dienenden Hauses anzusehen: weil Gott im Geist und in der Wahrheit angebetet wird und nur einmal rein als Mensch in Gottes Sohn sich offenbart hatte, weil er also durch kein Bild zu ersetzen, durch keine realen Gaben auf dem Altar zu bestimmen ist (die Christen rühmten sich, weder Götterbilder noch Altäre zu haben), deshalb ist auch kein Gotteshaus, kein Tempel mehr notwendig, ja nicht einmal möglich. Es bedarf nur einer Stätte für die Gemeinde.

Von dem Stil der Wandbilder an den Wänden über den Säulen der Basiliken geben die erhaltenen *Mosaiken* von *Sta. Maria Maggiore* eine gute Vorstellung (Tafel II). Es ist die große Historie der christlichen Kirche: figuren-, szenen-, ausstattungsreich. Alles, was das Volk gern sah und bewunderte, ist da, Getümmel von Aufruhr und Schlachten, Berufungen und Hochzeiten. Räumlich illusionistisch ballen sich die Massen zusammen, aber geführt von einem Helden, der in großer Pose von dem Haufen sich abhebt. So trennen sich Lot und Abraham mit ihrem Volke voneinander, sehr natürlich in Körperlichkeit und Gebärden, aber symmetrisch gegenübergestellt und feierlich wie in einer schick-

Abb. 61. *Rom, Sta. Maria Maggiore. 4. Jh.*

Abb. 62. *Rom, S. Stefano Rotondo. 5. Jh.*

Abb. 63. *Rom, Sta. Costanza. 4. Jh.*

salgebietenden Amtshandlung. Es sind Haupt- und Staatsaktionen wie auf den Triumphsäulen und -bögen der Cäsaren.
Auch die Grabeskunst schreitet mit der Verkirchlichung des Glaubens und mit der Monumentalisierung der Kunst zu neuen architektonischen Formen über die schlichte unterirdische Grabkammer hinweg. Das *Mausoleum,* der denkmalshafte Rundbau der Grabstätten öffentlich bedeutsamer Personen, wird jetzt auch die Grabform hervorragender christlicher Persönlichkeiten. Die Grabstätte wird zur Grabeskirche. Daß der Zentralbau, besonders der kuppelgewölbte, mit seiner Richtungslosigkeit am stärksten die Stimmung der Totenruhe suggeriert, und daß, je enger (d. h. also auch je steiler) er ist, um so mehr nur eine Person, ein Mittelpunkt in ihn hineinpaßt und durch Ausschluß der anderen ihm seine Ruhe belassen wird, das hat die Grabbaukunst seit der ältesten Zeit erkannt. Im Grabe der *Hl. Konstanza* in *Rom* und in *S. Stefano Rotondo* ist deshalb in sehr schöner Weise das Totenhaus mit einem Wandelgang für die Gemeinde so verbunden, daß die runde Grabeskirche mit einer Säulenstellung sich gegen einen Umgang öffnet, von dem aus die Menge dem Grabe ihre Andacht bezeugen kann (Abb. 62, 63).
In einem solchen Mausoleum dachte man sich auch Christus beigesetzt. Elfenbeinplatten der Auferstehung Christi oder der Himmelfahrt zeigen uns die Frauen, wie sie zum Grabe wandeln und den Engel am Grabe sitzend finden, der ihnen verkündet, daß Christus auferstanden ist (Abb. 7, S. 19). Die Wächter schlafen oder sind gerade erwacht und erfahren staunend das Wunder. Das Mausoleum

Abb. 64. *Rom, Sta. Costanza. Mosaik. 4. Jh.*

Abb. 65. *Rom, Sta. Costanza. Mosaik. 4. Jh.*

ist ein quadratischer Zentralbau, der in der Höhe durch einen steilen, kuppelgedeckten Tambour in einen Rundbau übergeführt wird. Bronzetüren und Nischen mit Statuenschmuck, Säulenstellungen mit Medaillons in den Zwickeln machen den Bau so prächtig wie möglich. In der malerischen Darstellung dieser schönen Reliefs gehen wieder sehr deutlich naturalistisch perspektivische Raumvertiefung und charakteristische Beseelung mit reliefmäßiger Vorrükkung der Figuren und mit edlen Gebärden zusammen. In der Grabkirche *Sta. Costanza* ist der Mosaikschmuck der Tonnengewölbe des Umganges erhalten. Die feinen architektonischen Laubendekorationen sind zu einem prunkvolleren, aber auch naturalistischeren Weinrankengeflecht geworden, an den Ecken sind Felder für realistische Szenen der Weinernte ausgespart (Abb. 64). In noch stärkerer Mischung von Naturelementen und aufdringlichem Gelegenheitsschmuck ist an anderer Stelle eine Fußbodendekoration an die Decke projiziert, Zweige, Prunkgeräte und Tafelgeschirr regellos durcheinander wie nach einer wüsten Zecherei (Abb. 65). Das Offiziellwerden von Religion und Kunst bedeutet nicht Verfeinerung.

ZWEITE ABTEILUNG

NEUGRIECHISCHE UND BYZANTINISCHE KUNST

RÜCKKEHR ZU ANTIKEN KULT- UND KUNSTFORMEN

Konstantin d. Gr. macht 330 Byzanz zur Residenz. 395 Reichsteilung in das oströmische und weströmische Reich. 402 wird Ravenna kaiserliche Residenz für das weströmische Reich.

Die altchristliche Kunst ist nicht bei dem allgemeinen Charakter festlicher Räume stehen geblieben, in deren Bildern große Persönlichkeiten und große Geschicke triumphal geschildert und gesteigert wurden. Der Tisch verwandelte sich bald in den Altar, an dem Gott vom Priester Speise und Trank und Weihrauch geopfert wurde; ein Baldachin mit Pyramidendach auf vier Säulen schuf in der tempelfeindlichen Basilika, im Gemeindehaus, ein Tempelchen. Wo die Basilika sich auf dem Grabe eines Märtyrers aufbaute, wurden Altar, Baldachin und Märtyrergrab zu einer Kultstätte zusammengezogen, Grabmonument und Kultmittelpunkt vereint; Heroisierung und mehr, Vergottung der Märtyrer, setzte ein. Der Tisch wurde zugleich Sarkophag, eine Öffnung ließ einen Einblick in die Grabstätte frei (Confessio). Damit wurde auch die Stätte, an der der Altar sich befand, eine heilige. Schranken mußten erzwingen, was sonst der der Gemeinde unzugängliche Tempel bewirkte, das Gefühl des Adyton, der unbetretbaren heiligen Stätte (Abb. 66). Die Bischöfe und Presbyter, die Gemeindevorsteher und Ältesten wurden zu Priestern, auch sie durch Schranken von der Gemeinde abgesondert, für Gottes Dienst bestimmt. Indem sich diese Schranken in das Mittelschiff hineinschoben, wurde die Gleichgültigkeit dieses Festsaales gegen das Querschiff und die Apsis aufgehoben; der Triumphbogen wurde gleichsam gesprengt und der Gemeinderaum stärker mit dem Gotteshaus verbunden. Kanzeln (Ambonen) an den Schranken wurden Plätze, von denen aus die Welt des Überirdischen durch Priester sich im Wort den Irdischen kundgab.

Unter dem Einfluß dieses neuen theokratischen Geistes erleidet der historische Stil, in dem die heilige Geschichte dargestellt wurde, eine völlige Umbildung, wofür die unter Sixtus III. geschaffenen Mosaiken in *Sta. Maria Maggiore* das hervorragendste Zeugnis sind. Hier ist die Jugendgeschichte Christi dargestellt nicht als ein Idyll mit Ruinenromantik und Nachtbeleuchtung, nicht als große Geschichte mit viel Geschehen und großer Szenerie, mit Landschaften und Stadtbildern, sondern wie eine Götterversammlung in den Giebeln der antiken Tempel. Eine Reihe von aufrechten Personen steht in der Verkündigung nebeneinander, vor Goldgrund, ohne Raumtiefe und mit nur geringen illusionistischen Andeutungen einer realen Szene (Abb. 67). Sie alle

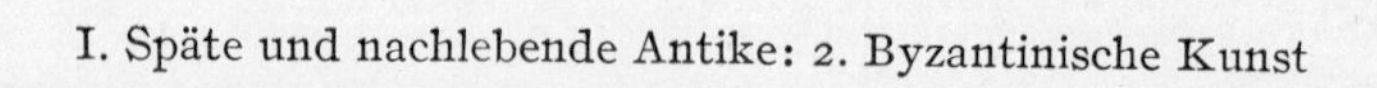

Abb. 66. *Rom, Sta. Sabina. Zwischen 422 und 440.*

Abb. 67. *Rom, Sta. Maria Maggiore. Mosaik: Verkündigung und Aufklärung der Zweifel des Joseph. 5. Jh.*

wollen wie in griechischen Reliefs als Personen wirken, nicht als Statisten in einer Erzählung. Mit dieser Steigerung der Person verbindet sich eine ungeheure Standeserhöhung der Personen und der heiligen Geschichte. Drei Engel assistieren bei der Verkündigung, während die Taube des Heiligen Geistes und der Verkündigungsengel aus Wolken herabschweben. Zwei Engel klären Joseph auf — ein gewaltiger Apparat. Maria ist in goldene Prachtgewänder gehüllt, und die Engel stehen ihr bei wie ein Gefolge, ohne das sie fortan nicht mehr erscheint. Und ist es nicht, wenn die Engel größer und stolzer als Maria dargestellt werden, als wollte man betonen, daß diese Engel, auf Heiligkeit angesehen, von älterem Adel sind als Maria, von Geburtsadel gleichsam, während Maria erst wegen ihrer Verdienste heilig wird?
Diese Abwendung von dem raumvertiefenden, mit reichen Hintergründen arbeitenden römischen Erzählungsstil, und die Rückkehr zu einem strengeren, griechischer Plastik der klassischen und barocken Zeit verwandteren Reliefstil, scheint die Tatsache zu spiegeln, daß sich auch der politische und religiöse Mittelpunkt des römischen Reiches nach dem Osten verschob, nach Byzanz, das seit der Verlegung der kaiserlichen Residenz von Rom nach dorthin den Namen Konstantinopel führte. Auf italienischem Boden ist Ravenna eine Zweigstelle dieser byzantinischen Kultur, und in Ravenna haben wir die reinsten und reichsten künstlerischen Schöpfungen dieser Kultur erhalten. Hier müssen wir die Äußerungen dieses neuen Geistes aufsuchen, von denen uns die Mosaiken in Sta. Maria Maggiore ein Reflex zu sein scheinen.
In der Grabkapelle der *Galla Placidia*, einem kreuzförmigen Zentralbau mit turmartigem Aufbau, ähnlich den heiligen Gräbern auf den Elfenbeinplatten, verrät uns die Innenausstattung, mit welcher Pracht wir uns das Innere auch dieser heiligen Gräber ausgestaltet zu denken haben. Außen ist der Bau schlicht aus Backstein und nur durch einfache Blendarkaden gegliedert. Innen aber empfängt uns wie ein betäubender Duft auf matt schimmerndem Marmorsockel die farbenprächtige Mosaikmalerei der Gewölbe, über die an den Seiten ein samtener Teppich von golddurchwirktem abendlichen Himmelsblau gespannt

Abb. 68. *Ravenna, Mausoleum der Galla Placidia. Mosaik: Christus als Guter Hirte. Mitte 5. Jh.*

ist. In einer der Kreuzesnischen ist der Gute Hirte dargestellt (Abb. 68), in jener feierlichen Weise wie schon in Katakombenmalereien des 4. Jahrhunderts, thronend auf einem Felsensitz, in der Mitte symmetrisch verteilte Schafe seiner Herde, die hier deutlicher denn je als Symbole der Untertanen des von diesem Hirtenkönig verwalteten Reiches empfunden werden. Das spätantike Idyll ist zu einer großen Repräsentationsszene emporgewachsen. Das Neue aber ist die Kunst, mit der auf beiden Seiten Landschaft und Tiere zu Gruppen zusammengefaßt und architektonisch geordnet sind und die Gebärde des königlich sich auf das Kreuz stützenden, prächtig gekleideten Hirten in reichen Gegenwendungen zu einer schönen und reichen Haltung entwickelt ist. Man spürt nicht nur gegenüber allem Römischen die griechischere Schönheit, sondern auch die echtere Hoheit. Es ist eine griechische Göttergestalt.

In *S. Giovanni in Fonte* (Baptisterium der Orthodoxen) in Ravenna (Abb. 69) ist die Kuppel nicht wie in S. Giovanni in Neapel in den oberen Partien illusionistisch als durchbrochene Architektur mit Durchblicken auf den Sternhimmel und mit Vorhängen und Vögeln auf Querbalken charakterisiert, auch nicht von Bändern geteilt, auf denen der ganze Reichtum der Natur in Fruchtgirlanden ausgeschüttet ist, sondern von Stäben mit stilisierten Blättern, zwischen denen hohe, mächtige Gestalten von Aposteln stehen oder schreiten und als feierliche Teilnehmer einer Zeremonie ein Mittelfeld umgeben, in dem Christus von Johannes getauft wird. Auch hier ist alles Figur, selbst das Wasser neben Christus ist griechisch heidnisch wieder zum Flußgott geworden. Ja selbst das Stilleben wird religiös und kultisch ausgestaltet und gewinnt eine

Abb. 69. *Ravenna, Baptisterium der Orthodoxen. Kuppelmosaik. 5. Jh.*

Abb. 70. *London, Britisches Museum. Engel. Elfenbeinrelief. 5.—6. Jh.*

personenhafte Bedeutung. In der Zone unter den Aposteln sind in jedem Feld in einer dreiteiligen Architektur, die dem Chor einer christlichen Basilika entspricht, Stühle und Tische aufgestellt, auf denen jedesmal ein durch Inschrift gekennzeichnetes Evangelium liegt. Hier wird ganz deutlich, wie diese Geräte, diese stillen Dinge Vertreter von Personen und durch deren Heiligkeit selbst heilig sind. In den Figuren bricht ein neues Ideal körperlicher Schönheit durch, ein Nachklang hoher griechischer Plastik wie in dem herrlichen Engel eines Londoner Elfenbeinreliefs (Abb. 70).
Zu solchen Werken geselle man eine Gruppe von Sarkophagen (die *Sidamaragruppe*) in Berlin, Rom, Konstantinopel (Abb. 71), in denen in bald gröberer, bald feinerer Arbeit die Figuren als Einzelfiguren stark hervorgehoben sind, selber schlank, erhaben, mit lockigem Idealhaupt bei Jünglingen, Männern, Frauen und in einer edlen Art des Stehens oder Sitzens. Mit leichten, lässigen, kontrapostischen Wendungen scheinen die Glieder durch ein Gewand hindurch, das selbst in lockeren Faltenzügen sanft fließt und weich fällt. Die Figuren wachsen über die ihnen bestimmten Nischen hinaus; diese selbst aber haben die reiche und vollständige Architektur einer Tempelfront mit Säulen, Kapitellen, verkröpftem Gebälk, Gesims, Giebel und Akroterien, so daß die Hauptfiguren vor ihnen wie ein Gott vor seinem Tempel stehen. Auch in dieser architektonischen Vollständigkeit spricht sich griechische Architekturtradition anders aus als in den schwächlichen Bogenarkaden römischer Sarkophage (auch im Baptisterium in Ravenna stehen in der Fensterzone die Apostel nicht einfach in den Bogenfeldern der Architektur, sondern in kleinen, besonderen Tempelchen). Diese Sarkophagreliefs stammen aus dem griechischen Osten. Wir erleben also eine religiöse und künstlerische Erhöhung der christlichen Kunst im Sinne einer feierlicheren, sakraleren Haltung, in der alles Figur, Mythos, Person wird im Gegensatz zum Naturalismus der voraufgehenden römischen Epoche und zu einer kultbilderfeindlichen Vergeistigung. Körperschönheit und edle Haltung werden stärker Selbstzweck. Der Stil wird zeichnerischer und plastischer, die Darstellung wird mehr Einzelfigur und Person als Naturobjekt in einem natürlichen Milieu.
Ganz freilich ist mit der geschilderten kultischen Haltung und dem wiedererweckten Ideal hellenischer Plastik der Geist dieser christlichen Kunst des 5. Jahrhunderts nicht erschöpft. In den Prunkgewändern der Mosaiken von *Sta. Maria Maggiore* (Abb. 67) und dem Teppichcharakter der Wände in den ravennatischen Bauten kommt eine dem figuralen Charakter dieser Malerei entgegengesetzte Tendenz, leise noch und verhalten, aber spürbar zum Ausdruck, eine Freude an Fläche und stofflichen Reizen und an fein gestimmter Farbigkeit

von weichen Wandbehängen, die auch dem römischen Naturalismus entgegengesetzt und von besonders feinem Geschmack, einer kultivierten Buntheit ist. Dieselbe Tendenz zum flächig Stofflichen scheint aber auch schon in der Architektur des *Baptisteriums der Orthodoxen* in der architektonischen Häufung von Bogen — drei kleine unter einem großen zusammengefaßt — sich auszudrücken, die der Architektur etwas Hängendes, Fadenhaftes gibt, und in der Zersetzung der Blattwellen oder der Ranken und Palmettenfriese an den Sarkophagen zu spitzig durchlöcherten Flächen, die eher einer gehäkelten Spitze ähnlich sehen als einem ausdrucksvollen architektonischen Profil.

Abb. 71. *Berlin, Kaiser-Friedrich-Museum. Sarkophag aus Konstantinopel. Ende 4. oder Anf. 5. Jh.*

Was hier aber nur angeschlagen ist, wird das richtung- und ausschlaggebende Moment in der Entwicklung der nächsten, der orientalisierenden Stufe dieser theokratisch gewordenen Kunst, der des 6. Jahrhunderts.

ERSTARRUNG VON KULT UND KUNST: ORIENT UND BARBAREN

Ostgotenreich: Theoderich d. Gr. 493—526 (Ravenna). Im 6. Jh. Erstarken des oströmischen Kaisertums. Justinian 527—565 (Corpus juris). Auseinandersetzung mit den Ostgoten. 553 wird Italien Provinz des Oströmischen Reiches: Exarchat von Ravenna.

Sieht man das Wesentlichste im Christentum in dem Gedanken der Menschwerdung Gottes, in der Gotteskindschaft und der geistigen Nachfolge Christi, dann läßt sich nicht verschweigen, daß die Entwicklung der christlichen Kunst den Weg zurückgeht zu einer Gottesanschauung und -darstellung, in der die Übermenschlichkeit und Hoheit der Gottesvorstellung eine immer größere Kluft zwischen Gott, Heilige und Menschen legt, daß der Kult immer mehr auf sichtbare Formen angewiesen ist, und daß das Bild Gottes als Gegenstand eines Kultes seine Verwirklichung in der Kunst fordert. Der Weg war deutlich: alles Dargestellte war zuerst nur Andeutung, Symbol menschlicher Hoffnungen und Gebete, dann wurden es irdisch weltliche Personen, durch überirdische Mächte verklärt, dann erschien die Welt des Überirdischen selber im Bilde. Der nächste Schritt aber führte noch weiter zurück aus der Gemeinschaft mit Gott in eine Gegensätzlichkeit von einer starren, unerbittlichen Gottesvorstellung eines unberührbaren Erhabenen zu einer devotionell

Abb. 72. *Ravenna, S. Apollinare in Classe. Etwa 535—49.*

ergebenen Schar von Gläubigen. Die Kunst des 6. Jahrhunderts in Ravenna überliefert uns im Bilde auch die Darstellung der Devotion in der Form der Prozession, der Anbetung, der Opferung. Diese Formen nähern sich den Gottesvorstellungen, die wir als orientalische und asiatische, persische und assyrische von altersher kennen. Der Hellenisierung der christlichen Kunst folgt eine Orientalisierung. Wir sind gewohnt, in dieser Devotion, dieser scheinbar mönchischen Haltung, eine spezifisch christliche Angelegenheit zu sehen. Tatsächlich führt sie sowohl von dem sozialen Geist, der in der Gemeinde herrscht, wie von dem ursprünglichen Verhältnis zu Christus als einem Führer dieser Gemeinde, einem Menschen unter Menschen, am weitesten ab.
Das hat zunächst Konsequenzen für den Kirchenbau. In der Basilika unterwirft sich die Apsis den Festsaal der Gemeinde. Das Querschiff fällt weg, und die Apsis wird unmittelbar Sammel- und Schlußpunkt des längsgerichteten Raumes wie in den ravennatischen Basiliken *S. Apollinare nuovo* und *S. Apollinare in Classe* (Abb. 72). Die Bögen zwischen den Säulen, die statt des geraden Gebälkes die Regel werden, leiten stärker als das gerade Gebälk eine Bewegung von Säule zu Säule, vom Eintritt bis hin zur Apsis. In dem Schiff der Basilika aber wird diese Richtung zum Altar hin zur Pflicht gemacht durch das neue System des Wandschmuckes, wie ihn die Mosaiken von S. Apollinare nuovo bringen (Abb. 73). Hier sind nicht mehr über den Bögen die unterhaltenden Geschichten, die kriegerischen Ereignisse wie in Sta. Maria Maggiore dargestellt

Abb. 73. *Ravenna, S. Apollinare nuovo. Südwand des Mittelschiffs. Um 500.*

(diese sind in einer trockenen, figurenarmen Darstellung unter die Decke verwiesen), sondern über den Bogen läuft vom Eingang zur Apsis auf beiden Seiten ein einheitlicher Figurenstreifen, eine Prozession, links von Frauen zu Maria, rechts von Männern zu Christus. Es sind vorbildliche Personen, Märtyrer, und die Gaben, die vor den Frauen die drei Weisen aus dem Morgenlande bringen, zeigen deutlich genug, wie dieser Zug in einem Opfer enden soll (Abb. 74). Fast kniefällig nahen sich mit devoter Gebärde die Weisen dem Thron der Maria. Maria und Christus sitzen jetzt in strenger Frontalität, starr und mumienhaft, auf ihrem Thron; die Engel, je zwei auf jeder Seite, stehen einer wie der andere kerzengerade neben ihnen. Nur einer streckt, ohne sich sonst zu rühren, die Hand nach den Weisen aus. Alles an ihnen ist starrer geworden, die Haltung, die Gesichtszüge mit den maskenhaft großen Augen. Die Linien der Falten des noch immer in antiker Weise umgeschlagenen Mantels sind ganz streng gezogen, die Vertikalen herrschen vor, nur wenige, aber strenge Kurven umschreiben das Spielbein. Eine hoheitsvolle Kälte strengen Zeremoniells umgibt alle Gestalten.

Sehr aufschlußreich ist in bezug auf diese Erstarrung des theokratischen

Abb. 74. *Ravenna, S. Apollinare nuovo. Mosaik: Anbetung der Könige. 6. Jh.*

Elementes der Vergleich des späteren Kuppelmosaiks des *Baptisteriums der Arianer* (Abb. 75) mit dem der Orthodoxen (Abb. 69, S. 95). Christus ist in die Mitte gerückt, senkrecht schießt die Taube auf ihn herab. Die Fülle und Rundung der Modellierung ist einer trockenen Zeichnung der knapperen Körperform gewichen. Der Flußgott aber sitzt, fast ein Spiegelbild, dem Johannes gegenüber auf einem Felsen. Beide neigen sich in geknickter Gebärde devotionell vor Christus. Auch bei ihnen und bei den Aposteln im Kreis ist die Zeichnung härter, linearer und steifer. Nicht die Schönheit der Einzelperson, sondern das Gesetz ihrer Reihung, die feierliche Prozession macht sie bedeutend.

Abb. 75. *Ravenna, Baptisterium der Arianer. Kuppelmosaik: Taufe Christi. 1. Hälfte 6. Jh.*

Im Apsismosaik von S. Apollinare in Classe (Abb. 76) ist aus dem Idyll des Hirten zwischen den Lämmern eine monotone Reihung von Schafen, Steinen, Sträuchern und Bäumen geworden, in deren Mitte ganz frontal mit symmetrisch

Abb. 76. *Ravenna, S. Apollinare in Classe. Apsismosaik. 6. Jh.*

erhobenen Armen der Hl. Apollinaris steht. Alles strebt zur reinen Fläche, ohne jede Tiefenandeutung. In den Lüften schwebt in einem Kreis das Kreuz, ein Himmel für sich, nicht mehr bloß ein Feldzeichen, eine starre, dinghafte Vertretung Christi. Es erscheint mit Gefolge von zwei Figuren, Moses und Elias, durch die klar wird, wie jetzt alles Historische und Szenische zur Zeremonie und zum Symbol erstarrt.
Die wichtigste Neuerung, die diese östlich orientierte Kunst in den Kirchenbau einführt, ist die Übernahme des Zentralbaues als einer die Basilika ersetzenden Kirche. Daß es ein Ersatz ist, die Übernahme eines bestimmten Bautyps für eine ihm nicht gemäße kultische Bestimmung, geht daraus hervor, daß man den Zentralbau in einen Längsraum verwandelt mit einem Chor, der die Gläubigen auf einen Punkt hin richtet. So wird das im Bau herrschende Zentrum durchbrochen; die um das Zentrum kreisende Stimmung wird abgelenkt auf ein jenseits dieser Mitte liegendes Ziel. Das grandioseste Beispiel hierfür ist die Sophienkirche in Konstantinopel (*Hagia Sophia*, Abb. 77, 78). Was es zu begreifen gilt, ist also der Zentralraum als Gemeindehaus, dieser neue Gedanke, der sich in den kultischen Richtungsbau einmischt und ihn mit fremden Elementen durchsetzt. Ihn glauben wir gerade in der Sophienkirche zu verstehen, wozu aber gehört, daß man den Raum selbst in seiner unendlich erscheinenden Größe erlebt hat. Diese absolute Größe, in der der Mensch klein wird wie unter einem Sternenhimmel, ist für die Wirkung mit entscheidend. Denn wie ein solcher Himmel wölbt sich über den Pfeilern eines Quadrates die ungeheuere Kuppel, die den Bau in seiner Mitte krönt. Diese Kuppel steigt nicht empor, sie fließt herab in die breiten Bögen der Fensterwände, in die Kuppelausschnitte der Zwickel, die vom Kreis der Kuppelgrundfläche in die des Quadrates der Pfeiler überführen, und in die Halbkuppeln der Ein- und Ausgangsnischen. Sie tropft gleichsam herunter in den fadenartigen Säulen, die keine Gebälke tragen, sondern

Abb. 77. *Konstantinopel, Hagia Sophia. 532—37.*

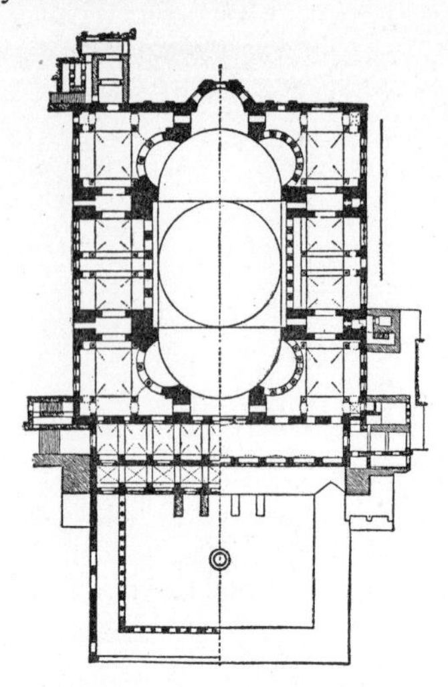

Abb. 78. *Konstantinopel, Hagia Sophia. Grundriß. 532—37.*

aus den Bogenausschnitten der Wände sich wie Fäden herablassen und die Wand wie ein fransenartiges Gespinst durchbrechen. Man fühlt sich auf den Boden gezwungen, hockend, entspannt, jedes Willens, jeder Entscheidung enthoben, in mystischer Andacht zerfließend in einem unendlichen All und Nichts. Es ist ein religiöser Quietismus, wie wir ihn noch heute in orientalischen Religionen kennen und in den orientalischen Mysterienkulten der späten Antike. Quietistisch wirken dieser abgleitende, richtungstötende Raum, diese hängenden Teppichwände.

Abb. 79. *Ravenna, S. Vitale. Kapitell. 1. Hälfte 6. Jh.*

Dieser Quietismus hat auch eine neue Dekoration und architektonische Formen für sie geschaffen: an Stelle vorspringender Gebälke bandartige Säume, an Stelle der wuchernden und plastischen Ranken ein spitzenhaft gezacktes Fadenmuster von feinster Durchbruchsarbeit, statt üppiger Blattkapitelle kastenförmige Blöcke und Körbe, die von Flechtwerk umwickelt und ausgezackt sind (Abb. 79). Der ganze Reichtum und die überspitzte Verfeinerung spätantiker Wanddekoration (vgl. die Ranken in Sta. Costanza, Abb. 64, S. 89) leben hier weiter, aber zu Stoffmustern verflacht, eine Kunst, die in den persischen Teppichen und im figurenlosen Dekor des Islam

Abb. 80. *Ravenna, S. Vitale. 1. Hälfte 6. Jh.*

zu einer Sonderart nachlebender Antike erstarrt. Erstarrt, denn ohne einen Einschuß von Strenge und primitiver Ornamentfreude, von geometrischer Gleichförmigkeit und anorganischer Leblosigkeit wäre diese Teppichkunst und die Geometrie der marmornen Pfeilerplatten nicht denkbar. Denn sie entspricht der religiösen Strenge des Raumes, der Bindung in der Unendlichkeit,

der Magie des Kreises, der Einförmigkeit der Kuppel. Über alle Weichheit und alle Pracht und Schwüle siegt der Bann der strengsten Form.
Dieses Neue also setzt sich mit dem Gedanken der römischen Basilika auseinander, indem sich von Westen nach Osten der Zentralraum der Länge nach ausweitet; aber — und das zeigt die sieghafte Stärke des Neuen — mit Formen, die noch einmal in sich den Zentralgedanken verwirklichen. Große Apsiden legen sich beiderseits heran, unten mit radial gestellten Nischen, zwei halbe Zentralbauten, die aneinandergerückt noch einmal einen Rundraum ergeben würden, der sich unten zwischen den Pfeilern ausbuchtet und mit Säulenstellungen gegen einen Umgang öffnet. Wäre nicht die Mittelnische im Westen durch geraden Abschluß einer Torwand, eines Einganges, im Osten durch eine stärker herausgerückte, polygonale Apside ersetzt, so würde das Richtungsmoment dadurch aufgehoben sein, daß die beiderseits gleichen Rundnischen den Eintretenden immer wieder in das Zentrum zurückwürfen.
Zentralbauten wie die, die aus der Zusammensetzung der von Nischen flankierten Apsiden der Hagia Sophia entstehen würden, gab es in Konstantinopel, auch sie mit herausgezogener Chornische, dem Längsbau angenähert, wie z. B. die Sergius- und Bacchuskirche. Der vollkommenste Bau dieser Art ist die Kirche *San Vitale* in Ravenna (Abb. 80, 81). In einer achtseitigen polygonalen Umfassungsmauer erhebt sich ein Zentralbau mit emporgeführtem Tambour der Kuppel. Die Seiten dieses Zentralbaues bilden eine zusammenhängende Folge von Nischen, die sich mit drei Bögen in den Umgang öffnen. Kein Eingang ist in diesem inneren Rundbau betont, nur die östliche Nische ist durch Verlängerung zum Chor erweitert und schneidet mit ihren geraden Chorwänden hier den Umgang ab. Dieses gleichmäßige Herausquellen aller Seiten des inneren Raumes gibt ihm einen wunderbaren Reichtum und eine unnachahmliche Nachgiebigkeit. Es ist, als ob die Wände jedem, der sich daran lehnte, auswichen. Die Öffnungen jeder Nische mit einem Vorhangmotiv von je zwei Säulen übereinander, die aus den Bögen herabhängen, machen alles leicht, zart, durchsichtig. Der Spitzendekor an Kapitellen (Abb. 79) und Schrankenplatten wetteifert mit den farbigen Maserungen der Marmorplatten an den Pfeilern und den flächenhaften Mosaiken, mit denen alle

Abb. 81. *Ravenna, S. Vitale. Durchblick zum Chor. 1. Hälfte 6. Jh.*

Abb. 82. *Ravenna, S. Vitale. Mosaik: Christus mit Engeln und Heiligen. 6. Jh.*

Wände in flimmernden Farben und dunklen Tönen glänzen. Blau und Gold — Himmel und Sterne — sind die Farben, die den Eindruck bestimmen. Der Stil der Figuren ist ein zeichnerischer, eine flächige Darstellung, die die Figuren und die tierischen und pflanzlichen Schmuckformen, die Tauben und Pfauen, die Fruchtkränze und Ranken in den Teppichcharakter des Ganzen einbezieht. Mit unbeschreiblicher Pracht sucht man dem Charakter des Reiches überirdischer Mächte gerecht zu werden. Sie selbst erscheinen überall im Bilde, Christus thronend zwischen Engeln (Abb. 82), Engel, die feierlich streng das Kuppelrund mit dem Lamm tragen, Evangelisten, denen ihre Symbole, die Tiere und der Engel, wie Bringer von Eingebungen erscheinen, Opferhandlungen (Abel, Melchisedek, Abraham) und Bewirtungen Gottes (Abraham und die Engel). Die höchsten Würdenträger selbst bringen Gott Geschenke; der Kaiser Justinian und die Kaiserin Theodora (Abb. 83) werden uns gezeigt, frontal, auch wo sie seitwärts schreitend gemeint sind, umgeben von Gefolge, das wie eine Wand, ohne Raumtiefe auf der Fläche ausgebreitet ist, und in Gewändern, die mehr mit kostbaren Stoffen und Edelsteinschmuck als im großen Wurf der Falten die Hoheit ausdrücken. Sie halten kostbare Schalen, das Geschenk an die Kirche, in der Hand. Die christliche Kirche nimmt die Opferhandlungen des heidnischen Kultus in sich auf. Und mehr noch. Diese Kirchen sind einem oder mehreren Heiligen geweiht, Märtyrern. die in der Kirche wie eine Gottheit verehrt werden; der Kultus paßt sich der Vielgötterei der überwundenen Religionen an. Wenn wir aber darauf achten, daß die Form dieser Kirchen die des Mausoleums ist, San Vitale die bereicherte, verfeinerte Form von Sta. Costanza in Rom, also eine Grabeskirche, müssen wir dann nicht aus der Tatsache, daß eine dem Märtyrer gebaute Grabeskirche zur Kirche schlechthin wird und die Basilika ersetzt, schließen, daß die Tatsache des Martyriums, des Todes im Mittelpunkt der

Andacht steht, daß also auch die Gottesverehrung in gewisser Hinsicht zu den Anfängen religiöser Kulte, den Totenkulten, zurückkehrt?
So sehen wir, wie schrittweise sich die neue Kirche und ihre Kunst in ältere Kultformen zurückfindet, einen neuen römischen und hellenischen Klassizismus erzeugt und schließlich auch archaische Elemente in sich aufnimmt. Wir verstehen, daß die zur Herrschaft gelangte Christenheit sich die (ihrem Wesen fremde) Herrscherlichkeit von den überwundenen Mächten borgt, daß auf die Revolution eine Restauration folgt. Aber damit ist noch nicht alles gesagt. Schon der starke Einbruch quietistischer Raum- und Dekorationsmotive, die wir als orientalisch empfinden, setzte eine politische Bewegung voraus, die Verlegung des Reichszentrums von Westen nach Osten, von Rom nach Konstantinopel. Die vielen archaischen Elemente aber, die Versteifung und Verflachung der Kunst, die Strenge des Zeremoniells und die konstruktive Bestimmtheit des Ornamentalen — soviel darin von hellenistischer Dekorationsfreude erhalten sein mag —, verrät doch den Einfluß primitiverer Gesinnung, deren Andrängen die römische Reichskultur nachgibt und, ohne zu erliegen, sich anpaßt. Die Randvölker treten in Erscheinung, der Angstruf der römischen Bürger: „Die Barbaren!“, er gewinnt auch für die Kunst Bedeutung. Das Zeitalter der Völkerwanderung beginnt.

Abb. 83. *Ravenna, S. Vitale. Mosaik: Die Kaiserin Theodora. 6. Jh.*

Abb. 84. *Wien, Nationalbibliothek. Miniatur aus der „Wiener Genesis": Joseph und das Weib des Potiphar. Um 500.*

Und während in Ravenna, Rom und Konstantinopel sich die antike Kultur in christlicher Verkleidung hält, treten jetzt die Randvölker selber mit einer verderbten und barbarisierten Reichskunst hervor, für die wir als wichtigste Erscheinungen auf die *syrische* (Abb. 84), *armenische, koptische* und *gallorömische* hinweisen.

SPÄTBYZANTINISCHE KUNST

Mitte des 9. Jh. Loslösung der griechisch-katholischen Kirche. 842 Konzil zu Nicäa zugunsten bildlicher Heiligendarstellung. Griechisch-katholisches Christentum in Bulgarien und Serbien eingeführt. 862 Zusammenfassung slawischer Stämme durch Normannen zum Russischen Reich, mit der Hauptstadt Nowgorod, später Kiew. Oströmischer Kultureinfluß, 988 Annahme der griechisch-katholischen Lehre.

Die byzantinische Kunst, die im 11. Jahrhundert ihren Höhepunkt erreicht, ist ein Beweis dafür, mit welcher Stärke die späte Antike und gerade die griechische Kunst des Hellenismus fortlebt und sich gegen die von allen Seiten andringende primitive Kultur behauptet. Nicht ohne Konzessionen. Die Strenge des Stiles, die Stilisiertheit, die in Anpassung an die neue Frühkunst der eindringenden jungen Völker nur Archaismus sein konnte, ist eine Konzession an die neue Welt. Was aber darunter liegt, ist der ganze Reichtum räumlicher Erzählungskunst, personenhafter Schönheit und eine farbig und zeichnerisch gleich raffinierte Dekoration. Daß alles dies in einem Lande noch im ganzen Mittelalter weiterlebte, macht uns verständlich, wieso es als Erbe dauernd in die gleichzeitige primitive Kunst eingehen konnte.

In der byzantinischen Kunst aber haben die durch Anpassung an die primitiven Mächte entstandenen archaischen Elemente eine in ihrer Weise selten reine religiöse Kunst hervorgebracht. In dieser Kunst haben die religiösen Gewalten die persönliche Gestalt griechischer Götterbilder, und deshalb nähert sich auch die Kirche, der Raum, in dem sie angebetet werden, wieder der geschlossenen Gestalt eines Denkmals. Die strenge Form aber ist wiederum verbunden mit dem Ausdruck so viel kultivierter, vergeistigter Menschlichkeit, daß in diesen Gottesdarstellungen der Wille zur Gottwerdung und die Angst vor der Menschlichkeit mit einer merkwürdigen Bewußtheit sich ausdrücken, nicht als ein Elementares, als eine Macht und ein Gesetz, nicht dämonisch, sondern als ein Zwang und Krampf, als eine Enthaltsamkeit und Ertötung fleischgeborener Regungen. Diese Mischung von zarter, sublimer Menschlichkeit und krampfiger Erhabenheit ergibt den besonderen Ausdruck, den das Byzantinische, wenn nicht geschaffen, so auf die reinste und klarste Formel gebracht hat, den der Heiligkeit.

Ähnlich ist es mit den Gotteshäusern (Abb. 86). Die Zusammenfassung des Baues zum Block, der von der Kuppel gekrönt wird, trägt etwas von der imponierenden Monumentalität ägyptischer Pyramiden in sie hinein; auf der anderen Seite sind die Wände flach und kraftlos wie die eines kastenförmigen, ungegliederten Hauses gestaltet, von einer Regungslosigkeit und Armut, die etwas Klösterliches hat. Ebenso ist es im Innern (Abb. 85). Die Kuppelräume sind mehr ein Altarhaus als ein Gemeindehaus, und dennoch hält sich in diesem Raum das Göttliche in einem durch eine Bilderwand verschlossenen Chor von jedem Verkehr mit der Gemeinde fern. Aber man hat das Gefühl: nicht als eine geheime Macht, die in Donner und Blitz jeden Augenblick ihren dämonischen Willen kundtun kann, sondern mehr wie ein Mönch in seiner Zelle, der die Berührung mit der Außenwelt scheut. Man sieht in den Raum über die trennende Wand hinein, hinter der sich das Heilige versteckt.

Verstärkt wird dies Gefühl durch den zeichnerischen Stil der Mosaiken und Miniaturen (Abb. 28, S. 40). Gestalten, die den ganzen Reichtum gewandeter bewegter Figuren, physiognomisch belebter und geistig vertiefter Köpfe und menschlich bedeutender Szenen haben, sind in einem strengen, auf der Fläche sich haltenden, zeichnerischen Umrißstil wiedergegeben, das Freieste und Lebendigste ist gebunden von Strichen, die eigentlich bestimmt sind, ein Ornament oder eine von der Linie selbst erzeugte Bewegung, einen Rhythmus darzustellen. In dieser Verbindung aber mit dem menschlich Ausgereiften wirkt es wieder wie bewußter Verzicht auf Körperlichkeit oder wie ein den Gestalten auferlegter Zwang. Die oft geradezu griechische Reinheit der Zeichnung wird ein moralisches Attribut der Figuren, eine Reinigung, ein Zeichen von Unberührtheit und Unberührbarkeit. Immer aber ist das das Wesentliche, daß der Ausgangspunkt für die Schöpfungen der byzantinischen Kunst nicht wie im Primitiven,

Abb. 85. *Hosios Lukas, Große Kirche. 1. Viertel 11. Jh.*

Abb. 86. *Mistra, Theodoros-Kirche. Ende 13. Jh.*

im archaisch Orientalischen, im Hellenischen ein ursprünglich Einfaches und Strenges, ein noch Unentwickeltes, Ungeistiges ist, nicht die Fläche, nicht der Körper, nicht die physische Kraft oder das elementare Ereignis, sondern die ganze reiche Fülle gesteigerten menschlichen Lebens, und daß alle Stilisierungen nur Einschränkungen, Verzichte sind, Erstarrungen und Askese, mit denen es sich verhält wie mit dem Eremitendasein eines Weltmannes. Daher das Greisenhafte, das Mürrische in dieser byzantinischen Kunst, daher auch das Kultivierte in gewollter Verödung.

Die reinsten und vollkommensten Beispiele des byzantinischen Stiles befinden sich auf griechischem Boden. Der typische Außenbau der Kirchen (Abb. 86) ist im oberen Geschoß ein Kreuz mit Kuppel im Schnittpunkte, unten ein langgestreckter, hausartiger Kasten, in dessen umfassende Wände eine Vorhalle einbezogen ist, durch die die Kuppel aus dem Zentrum herausgerückt wird. Am Rücken des Baues treten drei Apsiden heraus. Es ist nicht auf Gestaltung des Äußeren verzichtet wie bei den Wänden der römischen Basiliken, aber diese Gestaltung wird nicht durch Säulen oder Pfeiler, durch öffnende Formen besorgt, sondern durch Wechsel von großen Quadern mit kleinen Backsteinen, zu denen noch die farbige Wirkung der Fugen kommt, oder durch Bandmuster über Eck und gegenwendig gestellter Steine. Das Ganze hat die schlichte, ärmliche und doch edle Wirkung eines getönten, aus Streifen zusammengesetzten Teppichs. Auch die Fenster, deren Säulen aus von größeren Bogen umfaßten Dreibogen herauskommen und durch Überhöhung des mittleren Bogens noch stärker

Abb. 87. *Hosios Lukas, Kleine Kirche. Anfang 11. Jh.*

Abb. 88. *Mistra, Sophienkirche. 13.—14. Jh.*

abgleitend, noch fadenhafter geworden sind, sind ganz aus der Wandfläche herausgewonnen, nicht vor- oder hineingebaut. Ein Band umsäumt sie und läuft zum Nachbarfenster weiter. Die Kuppel, die den Bau übersteigt, hat nicht die Kraft, die Massen zu sich emporzuziehen, sondern gleitet selbst mit der weichen Rundung des Daches, den zart und bandhaft profilierten Bogen auf fadenhaften Säulen in die gelagerte Breite des Baues hinein. Es ist etwas Resigniertes in dieser Mischung von Haus und Monument, von gegliederter Form und ineinsfließender, monotoner Wand.

Im Innern (Abb. 85, 87, 88) haben wir einen quadratischen Raum, in dem durch vier Säulen oder Pfeiler, die mit den Seiten des Quadrates durch offene Bögen verbunden sind, ein Mittelraum gewonnen ist, dessen Kuppeldecke auf diesen Freipfeilern wie das Dach eines Baldachins schwebt. Zugleich werden die Kreuzarme zwischen den Pfeilern zu sehr schmalen und sehr steilen Aus- und Zugängen, die außen in den oberen Partien als Kreuzschiffe sichtbar sind. Außerdem bleiben ganz enge Räume in den Ecken hinter den Pfeilern übrig, die das Bild des Mittelraumes, zumal wenn sie von einer Kuppel bedeckt sind, wiederholen oder vorbereiten. Der Hauptraum ist dadurch ähnlich von Trabanten begleitet und umstellt wie in den Kultbildern Maria und Christus von zwei Engeln oder Heiligen. Es ist eine ganz einzigartige Verschmelzung, die hier das Schema der Basilika, der rechteckigen Gemeinderäume, mit dem Zentralraum, dem Kuppelraum, eingegangen ist. Sie wird dadurch erreicht, daß die Bögen, die die Kuppel tragen, nicht bis zu den äußeren Umfassungswänden des Raumquadrates herabgleiten und dadurch die Kuppel selbst mit breiten Kuppelausschnitten, den Pendentifs, in den Raum tief herabziehen, wodurch jener mystische große Ruheraum wie in der Hagia Sophia entsteht, sondern nur bis zu den eingestellten Pfeilern, wodurch sich ein eigentümlich schachtartiger Raum ergibt und sich überall schmale und hohe Nischen bilden. Man muß den Eindruck in diesen Räumen erlebt haben, das seltsam Gepreßte, Einschnürende, um die gepreßte, in starre Linien eingeschnürte Haltung auch der Madonna und der Heiligen zu verstehen. Man kann eigentlich nur allein in diesen Räumen sein und fühlt es dann wie eine Erstarrung zum Monument, mit der man in

Abb. 89. *Hosios Lukas, Große Kirche. Mosaik: Johannes, Ausschnitt aus der Fußwaschung Christi. Anf. 11. Jh.*

diese Raumform hineinwächst, ein Stillwerden, das zugleich ein Starrwerden ist. Denn auch die Kreuzarme, die eigentlichen Schiffe der Kirchen, sind ja keine befreienden Räume, weder Festsäle noch auch gestreckte An- und Ausläufer, nur gerade knappe Vorbereitungen auf den Hauptraum.
In den Bildern der Kirchen, für die *Hosios Lukas* in Phokien und *Daphni* bei Athen herrliche Beispiele bieten, hat sich der strenge Umrißstil vollendet, ein reiner, in festen Kurven geführter Kontur grenzt alle Formen ab (Abb. 28, S. 40). Sowohl in dieser Reinheit der Zeichnung wie in den schönen und reichen Wen-

Abb. 90. *Hosios Lukas, Große Kirche. Mosaik: Petrus, Ausschnitt aus der Fußwaschung Christi. Anf. 11. Jh.*

Abb. 91. *Daphni, Klosterkirche. Mosaik: Verklärung Christi. 11. Jh.*

Abb. 92. *Hosios Lukas, Große Kirche. Mosaik: Erzengel Gabriel. Anf. 11. Jh.*

Abb. 93. *Paris, Louvre. Elfenbein-Triptychon von Harbaville. Mittelteil: Deesis und Apostel. 10. oder 11. Jh.*

dungen der Figuren, besonders den herrlichen Engeln, wirkt die ganze plastische Fülle und Schönheit griechischer Kunst nach. Der Johannes in der Fußwaschung (Abb. 89), der den einen Fuß hochgesetzt hat und ihn mit den Händen zu stützen scheint, der Petrus (Abb. 90), der die Hand zum Kopf führt, das eine Bein erhebt, beide wundervoll ausgewogen, dazu die Engel mit dem leichten Schritt, den schwungvollen Flügeln späthellenischer Niken: das sind alles reife und entwickelte Formen. Aber nicht nur sind sie durch eine zeichnerische Flachheit, eine strenge Abhebung vom Grund erstarrt, wie Lots Weib auf der Flucht plötzlich zur Bildsäule geworden, sondern auch der Ausdruck ist durch eine leise Wendung der Hand des Petrus, die den Kopf beschattet, zur Demutgebärde — ich bin nicht würdig –, bei Johannes durch ein Herumpressen des Kopfes, ein Zusammenpressen des Körpers zu einem schmerzhaft dulderischen Ausdruck geworden. Eine Bewegung, gemischt aus Lebensüberschuß und Lässigkeit wie bei einem sitzenden Ares, ist in asketische Strenge gebannt. Christus, Moses, Elias, die Apostel in der Verklärung von Daphni (Abb. 91) sind jugendlich schöne oder philosophisch ausdrucksvolle Typen in reicher, lockerer Gewandung; aber auch hier ist Christus von den harten Umrissen, sind alle weichen Stoffe von den unerbittlichen Linien zusammengepreßt, zur Regungslosigkeit verurteilt. Rhetorische Gebärden werden fast allein durch die reine Profilzeichnung und die ängstliche Haltung in der Fläche zur demütigen Gebärde der Unterwerfung. Auch das orientalische Element des teppichhaften Schmuckes wird jetzt zu strengen Schachbrettmustern umgezeichnet, verliert das Betäubende des noch in S. Vitale flimmernden Schmuckes. Bei dem Engel in Hosios Lukas (Abb. 92) ist die Stola wie ein in farbige Rechtecke untergeteiltes Brett der schlanken, zarten Gestalt des Engels aufgeheftet, und das hintere Ende, das um den Leib gelegt und über den zur Seite gestreckten Arm geschwungen ist, ist an den Stellen, wo es umbiegt, wie ein Papier gefaltet und preßt noch einmal den Körper in Scheiben ein, wie einen Gefangenen in einen Stock. Das wirkt nicht wie ein einschmeichelnder Glanz, den die Figur um sich breitet, sondern wie die kostbaren Goldplatten an einem Altar, wie Gesetzestafeln, die die Gestalt gottergeben trägt.

Abb. 94. *Venedig, Bibliothek von San Marco. Buchdeckel. 11. Jh.*

Das Wesentliche aber ist immer: diese strengen, geometrisch klaren Umrisse sind nicht kraftvolle Linien, die ihr eigenes Spiel treiben oder die Kraft des dargestellten Körpers in die Energien ihrer Richtungen konzentrieren, vielmehr kommen körperliche Schwellungen, hervorgebracht mit den Mitteln einer vertreibenden, weichen Malerei, mit farbig zarten Abstufungen vom Hellen ins Dunkle, an diesen Grenzen plötzlich zum Stillstand; das Schwebende schwimmender Nebel wird in ein kantiges Felsenbett eingefangen. Auch diese Linie ist Erstarrung, Verzicht, und die Felshintergründe auf den Bildern, diese Gebirgseinöden, sind nur die entsprechende Staffage dazu. Damit hört auch der Himmel, in dem die Figuren schweben, auf, Luft und freier, entlastender Raum zu sein. Er wird aber auch nicht kraftvolle, architektonische Fläche, dazu sitzen die Figuren zu räumlich in diesem Goldgrund, nicht vor ihm. Es ist eine Negation, ein Leeres, Raum und Schranke zugleich, ein Himmel, aber nicht Bereich für ausströmende Kräfte, sondern ein magischer Bann für alle, die in ihm weilen, eine Eremitage und Einsamkeit.
Auch in der in Elfenbeintafeln erhaltenen byzantinischen Plastik (Abb. 93) zeigt sich diese Mischung eines ganz zarten, feinen, vergeistigten Menschheitstypus, leicht angedeuteter freier Bewegungen griechischen Kontrapostes, in große Falten gelegter weicher Stoffe und einer strengen, zur Frontalität strebenden

Abb. 95. *Hosios Lukas, Kleine Kirche. Rahmenwerk einer Ikone. Um 1100.*

Haltung und scharfkantiger, flachgeschichteter Falten. Auch hier ist das weiche, seelenvolle Gebilde in umschnürende Konturen hineingepreßt. Die Figuren sind nicht Säulen, nicht Blöcke, in denen Erde und Stein, ein verborgener Sitz magisch elementarer Kräfte zur menschenbindenden Form wird, sondern ein Mensch, der mehr an sich hält, als es seine eigene Menschlichkeit von selbst zugeben würde, der einem Gesetz, einem Zwang sich entsagend fügt, weil er nur so einem Anspruch auf Göttlichkeit unter seinesgleichen genügen kann, der ihm nicht angeboren und ererbt, sondern angenommen ist. Diese byzantinische Formenstarre ist nicht ein Stil, sondern ein Benehmen.

Eine wirkliche Linienzeichnung finden wir nur in den Flächenzeichnungen der byzantinischen Bronzetüren, in denen die Umrisse der Darstellungen auf der glatten Bronzeplatte der Türfelder in das Metall vertieft und mit Silber ausgefüllt sind — die sogenannte *Niello*-Technik. Auch in dieser linearen Zeichnung kommt noch so viel körperliche Modellierung reifer Menschendarstellung zur Geltung, daß man es als eine Zaghaftigkeit, eine Furcht vor Leben und plastischer Kraft empfindet, wenn sich die Figuren so in die Fläche verstecken.

In den Emails aber, den Zellenschmelzarbeiten (Abb. 94), wo zwischen erhöhten Goldstegen farbige Glasflüsse eingelassen sind, wirkt noch einmal alles zusammen, was an dem Aufbau der byzantinischen Kunst beteiligt war: ein raffinierter Geschmack in der graziösen Zeichnung, den farbigen Zusammenstellungen des kostbaren Materials, ein gesuchter Archaismus in der Flächenzeichnung, der einfachen Nebeneinanderstellung reiner Farbflächen, der hierarchisch-zeremoniellen Haltung der Dargestellten und ein orientalischer Ausdruck weich schimmernder Oberfläche wie von dunkelsamtenen Teppichen oder seidenen Geweben.

In der Ornamentik dieses reifen byzantinischen Stiles, etwa in einem der schönen Bogenfelder auf Doppelsäulen neben dem Chor der kleineren Kirche von Hosios Lukas (Abb. 95), ist gegenüber den herrschenden orientalischen Spitzenmustern an den Klotzkapitellen von S. Vitale in Ravenna (Abb. 79, S. 102) der hellenische Charakter von Laubkapitellen, Blattfriesen, Akanthusranken, Eierstab und profilierten Gebälken wieder reiner geworden. Aber auch diese Blätter sind magerer geworden, stachlig wie die Distelpflanzen auf sonnenversengten Felsen der steinigen Einöden Griechenlands, fest und scharf ineinandergefügt. Es wagt sich kein Blatt heraus an die Luft. Sie sind den flachen, sich verkriechenden Profilen der Rahmungen ohne Eigenwillen einer plastischen Erhebung eingefügt.

ZWEITER TEIL

MITTELALTER

ERSTE ABTEILUNG

VÖLKERWANDERUNG UND PRIMITIVE KUNST

Beginn der Völkerwanderung Ende des 4. Jh. 410 Alarich in Rom. 452 Attila in Italien. 449 Zug der Angeln, Sachsen und Jüten nach Britannien. 476 Ende des weströmischen Reiches. 493—533 Ostgotenreich in Italien. 568—774 Langobarden in Italien. 481—714 Merowinger- und Frankenreich. Einigung der Franken durch Chlodwig (481—511). Reichsteilung in Austrasien, Neustrien, Burgund. Nochmalige Einigung unter Chlotar II. (613—28).

Erstarken des Papsttums: Leo d. Gr. 440—61. Päpstlicher Primat über alle Bischöfe. Gregor d. Gr. 590—604. Klostergründungen (Benediktinerorden 529). Irische und fränkische Mission im 7. Jh.

Die Erstarrung in der byzantinischen Kunst würde unverständlich bleiben, wenn nicht dahinter ein neues produktives Element spürbar würde, das sich der nachlebenden antiken Kultur bemächtigte, nicht, um ihr zu unterliegen, sondern um ihrer Herr zu werden. Denn dieses Erstarren ist weder allein ein durch innere Entwicklung bedingtes Greisentum (dazu ist die byzantinische Kunst nicht trocken, nicht welk genug), noch auch ein spielender, rückwärts gewandter Archaismus, denn hinter ihr steht ein furchtbarer Ernst, steht die Angst. Nicht aus Rückschau, sondern aus Umschau ist dieser Archaismus, ist diese Strenge geboren. Rings um die Zentren breitet sich im Norden, im Osten das Land, in dem Völker auf tiefer Kulturstufe lebten, die jetzt von allen Seiten herandrängten und das Land der späten Hochkultur, des Hellenismus überfluteten. Völker tiefer Kulturstufe, das heißt nicht kulturlose Völker, sondern Völker einer frühen, einer anfänglichen Kultur. Kulturlos schon deshalb nicht, weil sonst nicht zu verstehen wäre, daß sie mit ihrer kindlichen, anfänglichen Kultur die alte Kultur überwältigten, verdrängten, ersetzten, daß sie voller Respekt vor der vorgefundenen Kultur sich diese aneigneten und verarbeiteten, sie in ihre eigene hineinarbeiteten. Denn neben der großen Leistung, einen neuen Anfang der Kulturwelt geschenkt und eine Entwicklung neu begonnen zu haben, steht die noch größere Leistung, mit der ganzen Fülle und dem ganzen Reichtum der alten Kultur die eigene Frühstufe durchtränkt und gerade dadurch der jeweiligen Entwicklungsstufe einen völlig neuartigen Charakter gegeben zu haben.

Abb. 96. *Leningrad, Eremitage. Südrussischer Schmuck. 4.—5. Jh.*

Die Kulturzentren verschieben sich zwar in die Gebiete, in denen das Eigene, von der antiken Spätkultur noch kaum Berührte sich freier

Abb. 97. *Worms, Museum. Fränk. Fibel. Anf. 7. Jh.*

entfalten konnte. Aber auch auf dem alten Kulturboden, in Italien, setzt es sich durch und trat den Nachkommen der Alten Welt unmittelbar vor Augen. Die Gefahr, den Lockungen dieser Alten Welt zu verfallen, war hier größer als im Norden, in Frankreich, Deutschland, Skandinavien, England und Irland. Aber die Tatsache der Erstarrung dieser Alten Welt, der Byzantinismus, ist trotzdem auch hier ein Zeichen des Sieges.

Die Anfänglichkeit dieser neuen Kunst, deren Denkmäler wir seit dem 6. Jahrhundert überall finden, ihr Primitivismus, sieht so aus (und jeder wird die Ähnlichkeit mit Kinderkunst sofort erkennen): die Zeichnung setzt sich aus einfachsten Elementen zusammen, Punkten, Strichen, einfachen geometrischen Figuren, Kreisen, Dreiecken, Haken, Schlangenlinien, Sternmustern (Abb. 96, 97, 98). Diese werden aneinander gereiht. Eine solche gleichförmige Reihe wie die einer Perlenschnur scheint das äußerste an Kombination, wozu diese Kunst gelangt. Sonst werden Formen und Figuren unverbunden nebeneinander gestellt. Es ist Addition, nicht Kombination, die den Reichtum schafft. Wo eine Gestalt mit Gliedern abgebildet wird, wird sie selbst in solche einfache, geometrische Gebilde verwandelt, Augen und Kopf in Kreise, Glieder in Rechtecke und Dreiecke. Der Organismus wird zerlegt, zerstückelt in Teile, die aneinander gesetzt sind. Oft hat man Mühe, die Teile so zusammen zu sehen, daß sie überhaupt nur die Erinnerung an eine sinnvolle Gestalt erwecken. Wie Buchstaben nur durch das, was sie bezeichnen, einen Sinn haben, kraft des Willens oder der Konvention, die ihnen die Bedeutung gibt, so sind auch diese Gebilde, auf das hin angesehen, was sie darstellen, mehr Zeichen als Bilder, bedeutsam wie bei Kindern nur für die, die sie geschaffen haben. Ein solcher Mangel an Gestaltungsfähigkeit im ganzen und an Gefühl für den Organismus erklärt von selbst, warum wir diese Kunstübung sich nur an kleinen Dingen betätigen sehen, an Spangen, Schwertgriffen, Kesseln, Riemenzungen, Panzern, Helmen und Kronen, warum sie Kleinkunst ist.

Sie ist es zugleich in einem noch tieferen Sinne. Diese Kunst ist durch und durch an die Materie gebunden, von der christlichen Anerkennung der Seele als des unendlichen Wertes himmelweit entfernt. Wie wir es noch heute bei primitiven Völkern finden, daß der Wert der Person kaum entwickelt ist, daß der Mensch einen Preis hat, daß man ihn mißt an Waren und Dingen, daß ein Menschenleben für ein kostbares Ding feil ist, so müssen wir auch in dieser primitiven Kultur voraussetzen, daß den Dingen ein Wert vor den Menschen gegeben wurde und daß man in Dingen leichter als in Menschen geheimnisvolle Kräfte und göttliche Gewalten vermutete und fürchtete. Die Magie der Dinge, die wir aus alten Sagen und Rechtsgebräuchen kennen, den Zauber von Schwertern und Mänteln und Edelsteinen müssen wir hinzudenken, um die Bedeutung dieser Kunst zu verstehen. Deshalb bedeutet ein Stein

(Menhir) mehr als das Bild eines Menschen für diese Stufe der Kultur, das Unpersönliche und Dinghafte mehr als die menschliche Person. Die Menschen kommen erst zuletzt, hinter Stein und Baum und Tier, wenn es gilt, etwas ganz Bedeutungsvolles zu schaffen.

Einer solchen geistigen Verfassung ist es gemäß — und deshalb nicht nur ein Nichtkönnen —, daß die Zeichnung von dem Material ausgeht, die Oberfläche des Steines respektiert und sich möglichst nur mit bloßer Ritzzeichnung begnügt, oder ein Relief so flach bildet, daß nur der Umriß gestaltbildend wirkt (Abb. 11, S. 23). Gleiche Gebundenheit an Material und Technik ist es, wenn man dem von der Hand gezeichneten Strich ein Eigenrecht vor dem Gegenstand der Darstellung zugesteht und Form in den regelmäßigen Figuren sieht, die sich aus diesen Strichen bilden lassen. Hierin Abstraktion und Geistigkeit zu sehen, wäre sehr bedenklich. Andere Muster gewinnt man aus den Stoffen, die verarbeitet werden, und der Technik, die ein bestimmter Stoff herausfordert: Punktreihen und Punktflächen aus aufgelöteten Kügelchen (Granulation) oder Perlen, Haken und Spiralen aus den Drähten, die gewellt oder zu Spiralen gerollt werden, Buckel aus dem Beulen des Metalles, Kerbschnitzvertiefungen und Sternmuster aus dem Schnitt des Messers ins Holz, Flechtmuster regelmäßiger Art aus Fäden gleichmäßiger Stärke und solche, die sich nach einer Richtung hin entwickeln, durch Riemen mit einem dicken und einem dünnen Ende. Sie denkt man sich gern als Schlange und bildet das dickere Ende als Tierkopf. Daß man nicht zu ungeschickt ist, eine Vorlage nachzubilden, daß man vielmehr die Materie und ihre Form höher schätzt als organische Gestalten, geht daraus hervor, daß man diese Muster nun auch auf andere Materien überträgt, die Kugelreihen und Drahtmuster aus Metallplatten gießt oder treibt, ganz besonders gern Bandmuster und Riemengeflecht, die in der Kleidung und Wohnung eine Rolle spielten, auf Stein, Holz, Metall bildet oder eigentlich darstellt.

Abb. 98. *Oviedo, S. Miguel de Lino. Türpfosten. 9. Jh.*

Diese Übertragung aus dem Material gewonnener Motive muß besonders die Architektur dieser Kulturstufe charakterisiert haben. Wir finden dieselben Merkmale wie in der Kleinkunst: Bauen aus einem Stück. So sind schon die *Dolmen*, die als einzige Steinarchitektur der primitiven Kunst erhalten geblieben sind. Große Steinbalken, auf die eine ungeheure Steinplatte gelegt wird, bilden die Wohnung des Toten, dem man ein Denkmal setzt. Der rohe, unbehauene Stein, das Material regiert. Von den Wohnungen der Menschen haben wir keine Beispiele mehr. Sie werden Holzarchitektur gewesen sein, die Fülle der Holzbaumotive in der Steinarchitektur der Folgezeit weist darauf hin. Auch hier bot die Natur die Formen, die man nur blockbaumäßig oder pfahlbau-

Abb. 99. *Oslo, Universitäts-Museum. Das Osebergschiff. 9. Jh.*

mäßig zusammenzusetzen brauchte, um einen Bau zu erzeugen. Oder vielleicht waren es Zelte wandernder Völker, aus denen sich die Übertragung von Flechtmustern auf Stein- und Holzbauten der Seßhaftgewordenen erklärt. Wir haben diese nicht. Aber wir haben einen Ersatz für sie, das *Osebergschiff* (Abb. 99) und die in ihm gefundenen Wagen und Schlitten, und wir finden hier als Randleisten dieselben Riemengeflechte wie an Spangen und Fibeln. Ein Deichselende ist als Drachenhals und Drachenkopf gebildet, mit einem aus Buckelreihen zusammengesetzten Halsband. Der tierische Kopf aber selbst besteht aus offenen und geschlossenen Geflechten. Nur Auge, Maul und Nüstern verraten die tierische Bildung.

Diese primitive Kultur, von deren Denkmälern wir niemals wissen, wie weit nicht schon ihr Reichtum und ihre Technik (Tauschierarbeit, Zellenverglasung, Granulation, Filigran) von den entwickelten Stadien der antiken Kunst beeinflußt sind, trifft zusammen mit den Spätphasen der antiken Kultur und muß sich mit all ihren Verfeinerungen auseinandersetzen. Das Wunder ist, daß sie sie nicht nachahmt, daß sie bleibt, was sie ist, nur hinzugewinnt eine unglaubliche Bereicherung, neue Ganzheiten und Ordnungsmöglichkeiten, die menschliche Gestalt, die Menschlichkeit des Verhaltens und die Geistigkeit des Sinnes. Denn sie erhält das Buch und die Schrift, und in ihr die geistigste Überlieferung des Christentums und der Väter seiner Kirche. Je primitiver, je weiter entfernt vom Zentrum der antiken Hinterlassenschaften, um so mehr ist es der neue Reichtum, die Fülle, der Überschwang, zu dem die Anschauung des Überlieferten hinführt. So entsteht die *irische Kunst* und sendet ihre insularen Errungenschaften aufs Festland. Je näher den Zentren, Rom, Ravenna, Griechenland, um so stärker wird die ordnende Kraft des Erbes, und die sogenannte *langobardische Kunst* schafft eine neue, formvolle Ornamentik, die den Weg nach Norden findet und sich mit der insularen Kunst trifft.

Die junge Kunst empfängt von der alten reiche, aber geordnete Gebilde, die um einen Mittelpunkt gruppiert sind und durch die Gruppierung sofort als

Abb. 100. *Dublin, Trinity College. Evangeliar aus Durrow. Schmuckseite. Um 700.*

Abb. 101. *Dublin, Trinity College. Evangeliar aus Durrow. Matthäus-Symbol. Um 700.*

Einheit erfaßt werden, auch wenn die Zahl der Formen eine ganz große ist und viele der Einzelformen Bilder organischer Gestalten sind, die unendlich reich sind wie alles Organische, aber erst recht als Einheit und Ganzheit von uns erfaßt werden. Wir sehen nicht die Einzelheiten, sondern die Physiognomie. Diese junge Kunst aber ersetzt die organischen Bestandteile durch einfache geometrische Figuren, wiederholt diese und gelangt durch diese Wiederholung der gleichen Form zu lauter gleich bedeutenden Blickpunkten, die nicht mehr mit den anderen zu einer Physiognomie zusammengehen, sondern für sich einzeln erfaßt werden müssen. Man vergleiche einen byzantinischen Buchdeckel (Abb. 94, S. 115) mit einer entsprechenden Seite des *Book of Durrow* (Abb. 100), die beide auf eine gleiche Vorlage zurückgehen könnten, und wird sofort erkennen, wie sehr die Medaillons mit den bedeutenden und reichen Physiognomien des byzantinischen Werkes nur als Trabanten gesehen werden, die um die Sonne Madonna kreisen, die Perlschnüre und Steinfalzen nur als Rahmen, wie hingegen das im einzelnen aus wenigen Formen — Streifen, Spiralen, Geflecht — zusammengesetzte irische Blatt unruhig, bewegt, ohne Ruhe- und Zielpunkt für den Blick wirkt, wie hier also ein Doppeltes da ist, größte Einfachheit, Primitivität, das Eigene, und verwirrendster Reichtum, ungebändigte Fülle, die Folge des Erbes einer reichen Komposition.

Werden die Mittelkreise durch eine Figur ersetzt (Abb. 101), dann wird diese ein mit Füßen und Kopf versehener Teppich, der wie zusammengenäht scheint aus schachbrettartig gemusterten Lappen, aus Motiven von einfachster Geometrie, und dennoch in ihrer Häufung bunt, reich, wirr, vielfältig gegenüber dem in jedem Strich komplizierten, aber ein Gewand bezeichnenden Lineament der byzantinischen Madonna.

Daß Schrift und Buch ebenso wie der Inhalt der Bücher, Evangelien, Psalter, Altes Testament, überliefert, nicht eigenes Produkt dieser Kultur sind, ist selbstverständlich. Hier gehen wir also sicher, wenn wir nach dem Erbe und der Überlieferung suchen, die bei der Schöpfung einer Initiale, wie der berühmten „XPI (Christi) autem generatio" des *Book of Kells* mitgewirkt haben (Abb. 102). Man wird sich einen Buchstaben mit barocken Schweifungen (wie in der arabischen Schrift) vorzustellen haben, eingebettet in Ornament von Blumenranken, die bei allem Reichtum von Zweigen, Blättern, Blüten doch wieder als Einheit erfaßt worden wären. Wir wissen nicht, ob es solche Rankenbuchstaben in antiker Buchkunst gegeben hat, aber eine Figur in Ranken auslaufen zu lassen, war der Spätantike geläufig, man denke an die Rankenweibchen und die Adler und Greifen an spätantiken Architekturstreifen (in der gleichzeitigen Buchkunst waren es die Architekturköpfe der Kanontafeln, die so von Ranken umspielt waren). In der irischen Miniatur wird schon der Buchstabe selbst in ein diesem Buchstaben fremdes Rhomboid verwandelt, an das die Arme als feste, scharf umrandete Streifen angesetzt und in sich wieder in Felder zerlegt werden. Die dem Anfangsbuchstaben folgenden Buchstaben werden in sich verflochten und in den großen Buchstaben wie Schmuckstücke hineingestellt, ohne Rücksicht auf Lesbarkeit und Sinn. Aus den Zierranken aber sind wieder Spiralen in Kreisen und wiederum in Kreisen geworden von unübersehbarer Fülle. Auch hier Vereinfachung, Sinnzerstörung und Vervielfältigung, Reichtum von betäubender Pracht.

Von dem antiken Vorbild aber war dem Künstler noch eine andere Aufgabe gegeben: das Schriftbild in die Ganzheit einer Buchseite einzuordnen. Daß dies trotz aller Wirrnis und Willkür, trotz aller Vereinzelung und Zerstückelung gelungen ist, zeigt, wie von der Spätantike her jetzt dieser jungen Kunst ein Sinn für Flächenfüllung und dekorativen Geschmack vermittelt wird, der trotz der Unübersehbarkeit in physiognomischer Beziehung die Einheit von Bildfläche und Bildfüllung schafft und die Voraussetzung für die im Mittelalter geübte Einordnung des Bildwerkes in das Architekturganze wird.

Und zuletzt empfängt diese junge Welt einen Sinn dieser Zeichen, Worte, Begriffe, Geschichten. Sie lernt lesen und eine fremde Sprache. Auch diesen Sinn freilich verwandelt sie in ein ihr Gemäßes, in ein Zeichen wie ein steinernes Mal am Wege. Ein Buchstabe füllt eine ganze Seite, er wird ein Ding für sich, dessen reicher und kostbarer Schmuck verrät, daß man ihn als etwas ganz besonders Bedeutungsvolles empfand, magisch, zauberhaft wie einen Fetisch. Wenn noch im späten Mittelalter das Buch als ein Heiliges so magische Wirkungen ausübte wie die, den Teufel zu beschwören, dann hat man eine Vorstellung von der Magie, die diesem Buchstaben innewohnte — auch er

Abb. 102. *Dublin, Trinity College. Evangeliar aus Kells, Initialseite zum Evangelium des Matthäus. Anf. 8. Jh.*

Abb. 103. *Dublin, Trinity College. Evangeliar aus Kells, Madonna. Anf. 8. Jh.*

ist Zauberding und Tiefsinn, primitiv und hochkultiviert zu gleicher Zeit.

Schließlich verpflichtet das Christentum und die ihr zugeordnete spätantike Überlieferung, menschliche Figuren darzustellen voll menschlicher Würde, erhaben, von menschlicher Geistigkeit und Innigkeit oder bedrückt von menschlicher Leidenslast, Apostel, eine Madonna mit Kind, einen Christus am Kreuz. Lag schon überhaupt die Bildung menschlicher Gestalt und Person dieser Primitivität so fern wie möglich, wieviel fremder mußte ihr noch sein, zu einer Zeit, wo die Frau noch Objekt des Raubes oder besseres Werkzeug war, einer Frau mit Kind die darstellerische Mühe zu schenken, mit der man einen kostbaren Schmuck formte. An der Bronzetür in Verona sieht man noch im 11. Jahrhundert eine Frau vor den Pflug gespannt. Und nun gar das Bild eines Verurteilten und Gemarterten, eines Besiegten und Verworfenen! Man hilft sich, indem man z. B. in der Madonna des *Book of Kells* (Abb. 103) den Ausdruck der Erhabenheit der Form des byzantinischen Engelsgeleites erborgt, aber zu flachem Liniengerüst umprägt und die persönliche Gestalt wieder zu einem Teppichmuster rückbildet. Daß die Madonna dabei häßlich wird wie ein Götze und befremdend, unmenschlich wie zauberische Zeichen, das mag nicht Ungeschick und Genügen am Unvollkommenen sein, sondern Bedürfnis der Gesinnung, die das Befremdende leichter anbetet und fürchtet und das Häßliche eher mit frommem Schauer beachtet wie das Erhabene und Vollkommene. Die Plastik der Primitiven zeigt eine ähnliche religiöse Vorstellungswelt. Wiederum liegen das Magische, Fetischhafte und Furchterregende und die Darstellung des menschlich Mütterlichen nebeneinander. Das Evangelistengewand aber wird zu reinem Geflecht, unpersönlich wie ein Schmuckstück (Abb. 104). Zwei gekreuzte Stäbe, der eine mit Haken wie ein Dreizack, wirken wie die Zauberstäbe eines Magiers. Das menschlichste des Christentums, das Bild des Gekreuzigten aber wird ganz zu einem Schmuckstück umgebildet, indem die Zeichnung vom Quadrat und seinen Diagonalen, der gegebenen Materie, ausgeht, alle Glieder zu Speichen eines Rades streckt und vereinfacht (Abb. 105). Ja, es geht so weit, daß die Gestalt

Christi in einem reinen Schmuckornament mit Spiralen ihren Mittelpunkt hat, dessen für irisches Ornament charakteristische Trompetenhälse sich zu Händen auswachsen. Die Körper selber sind nur Blechscheiben, ohne organische Form und Leben. Eigenwilliger und rücksichtsloser ist wohl selten ein überlieferter Gehalt, den man irgendwie mitdenken mußte, in das eigene Schmuckbedürfnis und die eigene Bedeutungssphäre eingeschmolzen.

Abb. 104. *Lichfield, Bibliothek der Kathedrale. Evangeliar aus St. Chad, Evangelist Lukas. 2. Viertel 8. Jh.*

Auf dem Festlande, auf dem die antiken Anregungen feste Formen, organische Bildungen und stärkere Zusammenfassungen vermittelten, entspricht dieser Primitivisierung die Fisch-Vogel-Ornamentik der *fränkischen Schule* (Abb. 9, S. 21). Aber die Zerlegung der von der Antike übernommenen Formen in gereihte Einzelornamente primitiver Kreise und Kreuze, die Verflachung der Tiere, die aus bunten Flecken zusammengesetzt werden, und der kindlich spielende Reichtum des sinnlos Gehäuften ist dem Irischen verwandt. Am klarsten und geordnetsten sind die Ornamentplatten der langobardischen Schule (Abb. 106, 107). Sie hatten orientalische und byzantinische Vorbilder in Fülle neben sich. Aber die Elemente sind auch hier die primitiven: einfache geometrische Muster, flache Formen, Geometrisierung und Deformierung des Organischen, Vorliebe für Flechtbänder und Ersatz des Persönlichen durch Dingliches. So wird das Kreuz, in Flechtband umgesetzt und dadurch in sich noch einmal verkleinert und zum Schmuckstück geworden, als Ersatz der Person Christi ein Lieblingsmotiv der Heiligendarstellung dieser primitiven Kultur. Es spricht sich darin dasselbe aus wie in dem jetzt aufblühenden Reliquienkult.

Abb. 105. *Dublin, Museum. Kreuzigung. 10. Jh.*

Die Reliquie, das ist einerseits das magische Ding, ein Stückchen Materie, aber voller Wunderkräfte, voller Zauber, heilkräftig wie die Hand

Abb. 106. *St. Guilhem-le-désert. Ornamentierte Steinplatte. 7.—8. Jh.*

eines Gottes, und andererseits zugleich ein Andenken, voller Menschlichkeit in dem Erinnerungswert an einen geliebten Toten, den Märtyrer. Mit dieser Doppelbedeutung tritt die Reliquie als ein Neues, ein Doppelsinniges in die religiöse Kultur der Folgezeit ein und wird selbst kunstfördernd. Denn die magische Bedeutung bedingt, daß man ihr ein Gehäuse kostbarster Art baut, das Reliquiar (Abb. 108, 109). Auch dies wird gegenüber dem zu reicher Architektur, dem Totenpalast, umgeformten antiken Sarkophag jetzt ein Gerät, eine Tasche, es wird verdinglicht. Mit Flecht- oder Filigranbändern geschmückt, spiegelt es den Geist der primitiven Kunst so vollkommen wie die Spangen der Völkerwanderungszeit. Die menschlichen Figuren in Arkaden werden zu fetischhaften Schmuckstücken in Perlschnüren, die wie auf eine Ledertasche aufgenäht wirken (*Reliquiar aus Enger*, Abb. 108, 109).

Die reichste und umfassendste Gestalt, die zu schaffen die primitive Kunst von sich aus nicht fähig gewesen wäre, und die sie als Erbe der Antike übernahm, ist der Kultbau, sei es in der Form der mit Umgängen versehenen und mit Nischen untergeteilten Rundbauten oder des sich vom Atrium zur Apsis in einer Rhythmik von Räumen entwickelnden Baues der Basilika. Wir ahnen, wie einfach der aus eigenen Mitteln erstellte Bau dieser Kultur ausgesehen haben würde, aus den vielen kleinen, zellenhaften (deshalb frühen griechischen Tempeln ähnlichen) einschiffigen Bauten, die in der Einschiffigkeit vieler bedeutender und großer Kirchen eine Nachwirkung erfahren haben. Den reichen Basilikabau mit Seitenschiffen und Querschiffen und Apsiden und auch die personenhaften Formen der kräftebegabten Säulen mit ihren funktionellen Beziehungen von Tragen und Lasten mußte man übernehmen. Die Primitivität und das neue religiöse Bedürfnis, das sich mit dem Erbe verbinden mußte, läßt sich aus der Umbildung erkennen, die die altchristliche Basilika

Abb. 107. *Cividale, Dom. Antependium mit Kreuz und Evangelistensymbolen. 8. Jh.*

Abb. 108. *Berlin, Schloßmuseum. Reliquiar aus Enger. Vorderseite. Um 800.*

erfährt. In voller Reinheit ist kaum eine dieser frühen Bauten erhalten. Aber die Tendenzen, die an der Umschmelzung des großartigen spätantiken Gemeindebaues mitgewirkt haben, lassen sich aus den erhaltenen Spuren deutlich erkennen.

Die Einformung der überlieferten Kunst in die eigene künstlerische Sprache, die Primitivisierung, besteht zunächst in einem Verdinglichen der personenhaften Formen antiker Baukunst. Der organisch schwellende, gestraffte, sich aufrecht haltende Säulenkörper wird zur Massenform des runden oder eckigen Pfeilers, die Basis (die ausquellende Fußplatte) und das Kapitell (das mit Blattwerk geschmückte, das Tragen der Last symbolisierende Haupt) werden zum Block (Abb. 110). Die Flächen dieser Pfeiler und Klötze bieten Platz für einen ohne Beziehung auf die dynamische Funktion des Architekturgliedes hinzugefügten Schmuck im Stil der Flechtbänder und Kerbschnitzmuster der primitiven Ornamentik. Gebälke verlieren ihre Profilierung und Dekoration, die sie als umlaufend, steigend oder fallend, lastend und wiederum tragend charakterisieren; sie werden roh zubehauenen Holzbalken gleich gestaltet. Selbst wo man antike Säulen und Kapitelle wieder verwendet, behandelt man sie wie Holzstämme oder große Steine, als jene Bauformen aus einem Stück, die man ohne Beziehung zum Ganzen und zueinander in jeder beliebigen Dicke und Größe aufeinandersetzen kann. Man empfindet sie nicht als Form, nur als Materie, wie in der zweiten Krypta aus dem 7. Jahrhundert in *Jouarre* (Abb. 111). Ähnlich ist es mit den Giebel- und Säulenmotiven der Fensterarkaden, in denen man nur das von Streifen begrenzte Viereck oder Dreieck sieht, nicht die bauliche Form des Fensters, die man deshalb auseinandernimmt, beziehungslos zwischen die Fenster als reinen Schmuck setzt und die Flächen dabei geometrisiert, die Fensterfläche zum Quadrat, den Giebel zum Dreieck verwandelt, das mit einer geometrischen Rosette gefüllt wird. Die im 7. Jahrhundert umgebauten Wände des Baptisteriums in *Poitiers* geben dafür sprechende Beispiele (Abb. 112). Säule und Kapitell werden in ein flaches Band zusammengefaßt, die Blattformen des Kapitells zu Fäden und Strichreihen. An Bauten des 9. Jahrhunderts in Frankreich (Cravant, St. Généroux) sind solche Drei-

Abb. 109. *Berlin, Schloßmuseum. Reliquiar aus Enger. Rückseite. Um 800.*

ecksmuster aus kleinen Steinreihen gebildet wie die Granulationsmuster des russischen Schmuckes (Abb. 113). Überhaupt sind solche aus der Steinreihung oder dem Steinbeschlag sich ergebende Muster (Fischgräten) einfacher Art noch lange in den folgenden Jahrhunderten beliebt. Übertragung von Materialmustern auf die Architektur gibt den westgotischen Bauten in Spanien ihren besonderen Charakter. Wieder sind es besonders Flechtmuster, die den architektonischen Sinn der Bauglieder zerstören, indem sie die materielle Form bereichern und schmücken. Die Säulen der ehemaligen Königshalle von *Naranco* (Abb. 114) werden zu geflochtenen Tauen; Klotzkapitelle und Sockelklötze werden mit Tauen umsäumt und unter den Gurten des Gewölbes hängen breite Bänder mit Scheiben wie ein Siegel oder eine Schnalle herab. Der Kleinkunstcharakter hat sich ganz der Architektur bemächtigt.

Das Genügen an zusammenhanglos nebeneinander stehenden Gebilden — die additive Formenreihung —, die auch in einem Kirchenganzen Räume einfach aneinanderstellt, erleichterte dem primitiven Sinn, in dem komplexen Gebäude der Basilika mit Vorhof, Hauptsaal, Querschiff, Apsis, einen Raum auszuscheiden, der diese Kirche über den bloßen Versammlungsraum einer Gemeinde zu einem Tempel, einem Gotteshaus erhob, einen Raum, der als unbetretbar der Gemeinde durch Schranken entrückt, durch Wände verschlossen, das Geheimnis des Magischen suggerierte, unzugänglich und unsichtbar wie der Gott im antiken, die Bundeslade im jüdischen Tempel und wie die Zauberkraft im leblosen Ding der Natur. Die westgotischen Kirchen in Spanien, z. B. *Sta. Cristina de Lena*, geben noch eine gute Vorstellung von dieser Entrückung und Verbergung des Allerheiligsten durch Schranken und Wände. Am meisten wird man in der Verbindung mit dem Reliquienkult dieses neue Kultbedürfnis nach einem Geheimraum und Gotteshaus in der Krypta wirksam sehen, der eigentlichsten Neuschöpfung dieser religiösen Stufe. Sie ist ein Raum, der der überkommenen Kirche einfach angehängt, hinzugefügt, nicht eingegliedert wird, aber die Reliquie des Heiligen barg und sich deshalb auch aus dem Reliquienbehälter im Altar (der Confessio, einem durch ein Fen-

Abb. 110. *Cravant, Kirche. Pfeiler. 9.—10. Jh.*

Abb. 111. *Jouarre, St. Ebrégisile, Krypta. 7. Jh.*

ster unter dem Altar sichtbaren Reliquienraum) entwickelt hat. Diese Krypta war zwar auch Gemeinderaum und Gotteshaus, Erinnerungsstätte für die Hinterbliebenen und Mausoleum zu gleicher Zeit. Aber der Kryptenraum ist in seiner Enge, Gedrücktheit, Düsternis und Abgeschiedenheit — durch einen engen Eingang stieg man aus der hellen Kirche zu ihm hinunter — von beklemmender Stimmung, ein Bereich des Magischen. Bedeutungsvoller für die Entwicklung war es, daß man zwischen Apsis und Kirchenschiff und, wenn ein Querschiff da war, an der Stelle, wo Querschiff und Schiff sich durchschnitten (der Vierung), einen Raum durch Herabziehen von Wänden oder durch Schranken nach allen Seiten aus der Kirche herauslöste (die ausgeschiedene Vierung), der durch seine Lage dazu bestimmt war, der künstlerische, und dadurch, daß er

Abb. 112. *Poitiers, Baptisterium St. Jean. Nordwand, Ausschnitt. Ende 7. Jh.*

Abb. 113. *St. Généroux, Kirche. 9. oder 10. Jh.*

den Kreuzesaltar und bald auch darüber das Bild des Gekreuzigten enthielt, der religiöse Mittelpunkt zu werden, ein Haus des Herrn, ein Haus Gottes in der Kirche, dem Haus der Gemeinde (Abb. 118). Da aber neben der Basilika auch der Rundbau des Mausoleums lebendig geblieben war, und da vielleicht gerade der Rundbau wegen dieses Mausoleumscharakters zur Kirche erhoben wurde, so bildete man die Stätte des Allerheiligsten, die Ostpartie der Kirche, mit der Apsis als ein halbes Mausoleum aus, mit einem Chorumgang, in dem die Gemeinde sich dem unzugänglichen Altarraum nähern durfte, um zwischen den Schranken von Säulen hindurch wie in einem Mausoleum einen Blick auf den Altar zu werfen.

Der erste Bau dieser primitiven Kultur ist ein Mausoleum, das *Grabmal Theoderichs* in *Ravenna* (Abb. 115), in der Form ganz angelehnt an Mausoleen, wie wir sie in dem Grabmal der Galla Placidia oder noch besser in den heiligen Gräbern der Elfenbeinplatten (Abb. 7, S. 19) erhalten haben, ein eckiger Unterbau von größerem Umfang unten, der innen einen Umgang zu geben erlaubt hätte um einen Rundbau, der sich über dem Vieleckbau oben als ein zweites Rundgeschoß erhob. Aber die schöne Raumkomposition eines hohen Rundraumes mit begleitendem tieferen Umgang wird vernichtet durch eine Decke, die

Abb. 114. *Oviedo, Sta. Maria de Naranco. Ausschnitt der inneren Längswand. 8. Jh.*

zwischen die Geschosse gelegt wird, und durch Nischen, die von außen die vorstehende untere Wand verengen und den Platz des Umganges für sich beanspruchen. So blieben zwei niedrige Kammern oben und unten, ohne Verbindung miteinander. An Stelle der schwierigen gebauten Wölbung bildet wie bei Dolmen ein einziger mächtiger Stein die Decke, mit henkelartigen Ansätzen ringsherum, die künstlerische Ausbildung der für das Aufziehen des Steines nötigen Zapfen; sie drücken den monumentalen Bau zu einem Gerät, einer Art Topf mit Deckel herab. Die antiken Bauformen der Säulenarkaden des oberen Teiles werden kleine Schmuckarkaden, deren Einzelausführung man sich nach dem Schmuck des Gebälkes unter dem Deckel vorstellen kann (Abb. 116). Es ist ein Balken ohne Profilierung und dynamischen Schwung, mit zweiteiligem Ornament, von dem der eine Teil unter Kreisen je zwei scherenartige gestrichelte Spreizen enthält, der andere an diese angehängte Drahtspiralen. Auch in ihnen wird man die antiken funktionellen Formen der Blattwelle oben, des umlaufenden Wellenbandes unten noch durchfühlen; geblieben sind primitive geometrische Strich- und Drahtmuster.

Abb. 115. *Ravenna, Grabmal Theoderichs d. Gr. Um 520.*

In den Krypten, den Gruftkirchen, scheint auch zuerst ein Umgang die Apsis zur Mausoleumshalbform umgebildet zu haben. Die *Wiperti-Krypta* in *Quedlinburg* ist ein schönes Beispiel dafür (Abb. 117); ein niedriger, enger, bedrückender Raum mit Umgang um den Altar, gebaut aus Steinbalken und steinernen Rundstämmen, auf denen wie aus Drechslerarbeit hervorgegangene, knaufartige Kapitelle (die Pilzkapitelle des 10. Jahrhunderts) sitzen.

Neben dieser Verwandlung des Gemeindehauses, die sich auf die Anwesenheit des Magischen (der Reliquie, das ist des Göttlichen) in der Kirche bezieht, findet eine Umformung statt, die das Verhalten der Gemeinde in ihrem Raum betrifft. Der Raum, das Kirchenschiff, wird zwingender durch Abschließung. Jene hofartige Lockerung und Freiheit des säulenumstandenen Basilikaraumes, in dem die Seitenschiffe als eigentliches Raumziel, als Zuflucht erscheinen, wird aufgehoben durch Vereinheitlichung der Wand. Die Wände werden zu einem den Menschen umfangenden Raum zusammengeschlossen, die Pfeiler oder

Abb. 116. *Ravenna, Ornamentdetail vom Grabmal Theoderichs d. Gr. Um 520.*

Abb. 117. *Quedlinburg, Wiperti-Krypta. 9. u. 10. Jh.*

Säulen werden Teile einer abschließenden Mauer. Die Zweistöckigkeit der Wände wird aufgehoben, der Raum wird einer, wird größer, erhabener und dadurch zugleich steiler und enger, er preßt den Menschen stärker in sich ein und zwingt ihn stärker in die Richtung zum Altarraum der Vierung oder Apsis. Den heiteren festlichen Formen der Säulen und Kapitelle und der offenen Arkaden folgt der dumpfe Ernst der schweren, massigen Pfeiler, die Regungslosigkeit des Bannes.

Es gibt noch eine Kirche des 11. Jahrhunderts, die die religiösernste, erhabene Wirkung dieser Raum- und Körpergestaltung nachzuerleben gestattet, die Kirche von *Vignory* (Abb. 118). Die reiche Gesamtform von Mittelschiff mit Seitenschiffen, Apsis und einem durch Bögen zugänglichen Querraum zwischen beiden ist ohne weiteres als antikes Erbe verständlich. Schwere Pfeiler in zwei Stockwerken schließen im Mittelschiff wuchtig die Wände. Für Wandmalereien ist kaum noch Platz

Abb. 118. *Vignory, Kirche. Geweiht 1052.*

Abb. 119. *Vignory, Kirche. Blick aus dem Chorumgang. 1. Hälfte 11. Jh.*

gelassen; Erdgeschoß-, Obergeschoßarkaden und Fenster sind zu einer einheitlichen vertikalen Folge zusammengefaßt. Ein großer Raum schließt den Gläubigen in sich. Hoch, eng und langgestreckt ist er von West nach Ost gerichtet. Vom Dachstuhl lassen sich im Osten Wände herab und grenzen mit eigenen Fenstern einen eigenen Raum ab, der mit diesen Wandflächen noch hart, hinzuaddiert gegen den Gemeinderaum stößt. Nach den Seiten durch Wände verschlossen, wird er ein gleichmäßiger, zentraler Raum, nach hinten durch das Rund der Apsis begrenzt, dessen schrankenhafte Wirkung sich von Osten her mit schweren Rund- und eckigen Pfeilern erschließt (Abb. 119). Die Kapitelle wirken reich, weil auch hier die Blockform durch Anlehnung an antike Blattkapitelle mit Gebälkstücken und Deckplatten aufgelockert ist, aber der Primitivismus jeder Einzelform in ihrem Blockcharakter, den scheibenhaften figürlichen Darstellungen und den geometrischen Flecht-, Linien- und Strichornamenten ist völlig überzeugend (Abb. 120). Noch scheint der Zentralraum, die Vierung, sich zu verkriechen vor dem Gemeinderaum, als strebte er zur Form der Krypta (die es hier nicht mehr gibt); auch die Apsis sinkt vor der Größe des Schiffes in sich zusammen. Noch fehlt es an Vereinheitlichung der aneinandergeschobenen Räume und an Heraushebung des Zentrums, um zur Monumentalität eines neuen, erhabenen Gotteshauses ganz reif zu sein. Aber in der Wandgestaltung kündigt sich diese Vereinheitlichung schon an, im Rhythmus der aufeinander zu einer Steilform bezogenen Öffnungen.

Abb. 120. *Vignory, Kirche. Kapitell. 1. Hälfte 11. Jh.*

Noch stärker fühlen wir das Werden einer neuen, der Masse abgewonnenen Monumentalität in den schweren, bis zur Decke (die ursprünglich eine Flachdecke war) emporgehen-

Abb. 121. *Tournus an der Saône. Abteikirche St. Philibert. Blick in das Langhaus. 11. u. 12. Jh.*

Abb. 122. *Nevers, St. Etienne. 2. Hälfte 11. Jh.*

den Rundpfeilern der Kirche von *Tournus* (Abb. 121). Schließlich treten — wie in *Nevers* (Abb. 122) — durch mannigfache Wege vorbereitet, runde und eckige Pfeiler zu einer Gruppe zusammen, in der der quadratische Kern die Verbindung mit der Wand herstellt, die Runddienste dagegen als Nerven des Pfeilers die Bogen der Seitenarkaden oder die Gurte der Tonnengewölbe tragen. Durch sie werden jetzt die Wände von beiden Seiten so verspannt, daß die Einzwängung des im Raume Schreitenden in die Richtung zum Altar hin unabweislich ist. Diese neue Kraft, dieser neue Ernst und diese religiöse Gebundenheit schaffen etwas völlig Neues gegenüber der altchristlichen Basilika. Das Fest ist zur Feier, die Festlichkeit zur Feierlichkeit geworden. Auch die Öffnungen zwischen den Pfeilerdiensten rücken nahe zu einer einzigen Vertikalform zusammen. Sobald die Gruppierung zur Einheit, die in diesen Öffnungen und in dieser Pfeilergliederung hier erreicht ist, den ganzen Bau umfaßt, ist die neue archaische Monumentalität, die Massenform eines Denkmals für das Göttliche erreicht und mit ihr der romanische Stil.

ZWEITE ABTEILUNG

DIE MITTELALTERLICHE KUNST IN FRANKREICH

DER ROMANISCHE STIL

843 endgültige Teilung des Fränkischen Reiches im Vertrag von Verdun. Im 10. Jh. machtlose Karolinger. — 987—1328 Capetinger. Erblichkeit des Königtums. Hoheitsrechte des Königs über die Bischöfe gegenüber dem Papst gewahrt. — Entstehung der großen Mönchsorden: Cluny (Cluniazenser) 910, Cîteaux (Zisterzienser) 1098, Prémontré (Prämonstratenser) 1120. — Ketzerbewegung in Südfrankreich seit dem 11. Jh. (Albigenser).

Die primitive Kunst und ihre Entwicklung hatten dahin geführt, die Kirche wieder als ein Haus Gottes zu empfinden, in dem das Magische, in Reliquien Substanz geworden, unmittelbar gegenwärtig gedacht wird. Dieses wie die ägyptische Pyramide oder wie den antiken Tempel auch nach außen hin als ein Denkmal eines Höchsten, eine Verkörperung und Vertretung des Göttlichen auszubauen, war die nächste Aufgabe, und diesem Gedanken alle bauliche Gestaltung zu unterwerfen das nächste Ziel der Entwicklung. Man erreicht es, indem man als entscheidendes Zentrum des Baues einen kräftigen, pyramidalen Turm emporführt, der mit seiner Stadt und Dorf überragenden Mächtigkeit nur ein Denkmal des Höchsten, ein Gottesmonument sein konnte (Abb. 123). Daß man nicht einfach den antiken Tempel, für den in Frankreich vielerorts Beispiele noch in den Städten standen, sondern die kubische und geschlossene Form einer einheitlichen Masse, einer Pyramide wählte, also eine noch unorganische, geometrisch abgegrenzte und aus der Formung der Masse heraus gewonnene Gestalt, beweist, wie selbständig diese Denkmalsform der Kirche sich aus der primitiven Kunst heraus entwickelt hat.

Mit dieser so ganz einheitlichen und auch einfachen Gestalt, die die Unverrückbarkeit und damit Ewigkeit, die Strenge und damit Feierlichkeit, die Größe und damit Erhabenheit und schließlich die einprägsame Klarheit und damit Allgemeingültigkeit des Monumentalen besitzt, sollten sich die ererbten Bau- und Raumformen der Kirche als Gemeindehaus und Erinnerungsstätte verbinden, und zwar in beiderlei Gestalt (Abb. 124). Einmal als jener Rundbau, der in den Ausnischungen der byzantinischen Bauten (*S. Vitale* in *Ravenna*, Abb. 80, S. 103) seine lässigste, reichste und kunstvollste Ausbildung erfahren hatte. Indem diese Ausbuchtungen aus dem inneren Rundraum herausgenommen und in die Außenwände des Umganges verlegt werden, werden im Innern des Umganges eine Reihe von apsidialen Nebenräumen für Sonderkulte mit Sonderaltären gewonnen, die man verschiedenen Heiligen widmet, außen aber eine Gruppe von halbzylindrischen Körpern, die sich um das Zentrum als eine Folge von vorbereitenden Türmchen herumlegen und in wohlabgewogener Abstufung von Kapellenkranz, Chorumgang und Vierungsturm so rhythmisch

Abb. 123. *Paray-le-Monial, Notre-Dame. Chor. Ende 11. u. 12. Jh.*

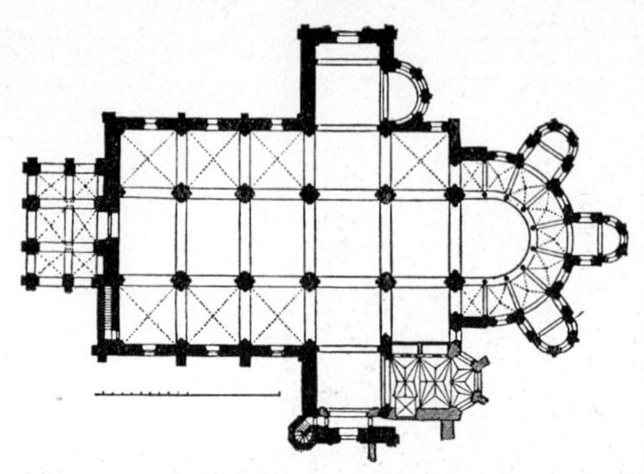

Abb. 124. *Paray-le-Monial, Notre-Dame. Grundriß. Ende 11. u. 12. Jh.*

aufgiebeln wie der Dreitakt der Öffnungen in den Jochen der Mittelschiffe (Abb. 125). Aus der einfachen Pyramide archaischer Formengestaltung wird durch die Verbindung mit der spätantiken reichen Zentralanlage die abgestufte und kapellenumkränzte Choranlage. Durch Umgestaltung der flächigen und nur für den Raumabschluß vorhandenen Wände der frühchristlichen Bauten wird eine kräftige, körperhafte Gesamtform geschaffen, die durch sorgfältigen Quaderbau zu kräftiger Wirkung gebracht wird. Es entsteht eine Denkmalsgruppe von großartiger Macht und Schönheit, wie sie in dieser Fülle, Geschlossenheit, Harmonie und Einheit noch nie dagewesen war. So bietet sich die Ostansicht dieser Kirchen als ein unzugänglicher fester Körper, der uns gleichsam den Rücken zukehrt und von uns sich zurückzieht auf seinen eigenen Mittelpunkt hin. Aber diese Kirche sollte zugleich Haus, Haus der Gemeinde sein. Auch mit dieser Bestimmung der Basilika mußte sich der Turmbau auseinandersetzen, der so gar nicht Haus, so ganz Körper ist. So rückt man denn Quer- und Langhäuser an dies Zentrum des Turmes heran, bildet ihn selbst so mächtig

Abb. 125. *St. Benoît-sur-Loire, Abteikirche. Chor. 11. u. Anf. 12. Jh.*

Abb. 126. *Poitiers, Notre-Dame-la-Grande. Ende 11. u. 1. Hälfte 12. Jh.*

in die Höhe, daß er diese Hausbauten wie Blöcke an sich heran- und mit emporzieht. Damit aber der Vierungsturm, das Zentrum, und die Baugruppe auch im ganzen eine zentralisierte, körperhafte Masse bleibt, müssen solche Hausblöcke an ihn von allen Seiten herangestellt werden. Deshalb greift diese Zeit zu dem Grundriß der Basilika mit Querschiff zurück, das die ravennatische Basilika aufgegeben hatte und wandelt ihn durch Hinzufügung eines Priesterhauses, des Vorchores, der das Mittelschiff zwischen Apsis und Vierung fortsetzt, zu einem kreuzförmigen Grundriß um (Abb. 124).
Die beherrschende Wirkung des Zentralturmes ist so stark, daß selbst das überlieferte Richtungsmoment des Langhauses und der ihm entgegenkommenden Apsis oder des kapellenreichen Chorrunds die zentrale, denkmalshafte Wirkung nicht aufheben kann. Die reichere Gestaltung der Ostpartie durch Apsis und Kapellenkranz hält der größeren Masse des Gemeindehauses im Westen die Waage. Zugleich aber wird durch die hausmäßigere Gestaltung im Westen, die monumentalere im Osten der Gegensatz und die Beziehung von Gemeinde- und Gotteshaus, von Laien- und Priesterhaus noch einmal zum Ausdruck gebracht (Abb. 126).
Die Umbildung des Kirchenbaues in einen monumentalen Baukörper verlangte gebieterisch auch die monumentale Ausgestaltung der Wände, verlangte die Fassade. Fassadenwirkung erzielte zunächst schon der durchgeführte Hausteinbau mit seinen großen Quadern, deren feine Fugen keine Stoffmuster

Abb. 127. *Aulnay, St. Pierre. Fassade des südlichen Querschiffs. 1. Hälfte 12. Jh.*

mehr schufen. Dann zerlegte man die toten, breiten Wände in schmale, dem Steilturm ähnlich proportionierte Flächen. Am Längsschiff entsteht eine prachtvolle Folge von steilen Mauerzonen, die zur Mitte des Baues hinschreiten und den Turm vorbereiten. Das System der Teilungsglieder empfing man wieder als ein Erbe von der Antike, von den Bogenöffnungen der Theater zwischen Säulen oder Pilastern, die die Gebälke der Stockwerke trugen. Indem diese Teilungssäulen ohne Unterbrechung vom Boden zum Dach aufsteigen, und indem an sie angelehnt, dünnere Säulen zu Bögen führen, die die Fenster umziehen, entsteht in einem zarten Relief die Andeutung eines alloffenen Raumes, aber doch nur die Andeutung. Denn diese Säulen sind mit der Mauer fest verhaftet, die wirklichen Öffnungen der Fenster sind so klein, daß die Gesamtmasse, der Block doch beherrschend hervortritt. Die Säulen sind gleichsam nur Adern in der Haut des Körpers. Sie sind so dünn und leicht, daß auch hier neben dem Charakter monumentaler Schwere und Festigkeit die spätantike Freiheit und Grazie steht.

An den Stirnwänden der Flügelbauten — Mittelschiff und Querschiff — wird die Aufgabe eine doppelte: die Zusammenfassung zu einem einheitlichen, straffen Körper, zum Monument, das repräsentativ nach außen gewandt ist, und die Kennzeichnung der Beziehung zum Haus, zum Eingang, zur Öffnung. An den Westfassaden bot die breite, durch Mittel- und Seitenschiffe bedingte Wand der einheitlichen, monumentalen Gestaltung Schwierigkeiten, die in den seltensten Fällen ganz überwunden sind. Die Dreiteilung durch dieselben kräftigen Zwischenglieder wie an den Seitenwänden traf auf die Schwierigkeiten, entweder mit drei Giebeln die Einheit zu zerstückeln (diese Lösung verschmähte man in Frankreich) oder mit e i n e m Giebel für die drei Felder die Dreiteilung und vertikale Straffung wieder aufzuheben (Abb. 128). Die vollkommenere Lösung der Zweiturmfassade widersprach der Zentralisierung und Pyramidenform des ganzen Baues. Erst mit dem Verschwinden des Vierungsturmes in der Gotik wird sie die maßgebende; sie ist auch an romanischen Kirchen vorgotisch.

Aber eine Querschiffsfassade wie die der Kirche von *Aulnay*, an der die Seitenschiffe nicht hineinsprachen, verrät, wohin man strebte (Abb. 127). Die Zweistöckigkeit der altchristlichen Basilikenwand (bei der die Oberwand über die Atriumsarkaden ohne Zusammenhang mit ihnen herüberragte) wird aufgehoben durch kräftige, noch an den Holzbau der Primitiven erinnernde Stabbündel aus Stein, die durch Bögen verbunden in den Giebel hineinwachsen und wieder die Straffheit und Einheitlichkeit eines Turmes zeigen, zugleich aber aus der festen, körperhaften Mauer die Andeutung einer einzigen riesenhaften Öffnung herausstellen. Diese ist der grandiose und monumentale Rahmen für das Portal, das mit den Maßen einer Tür zu rechnen hatte und sich mit einem unteren Geschoß begnügte, aber in einer pyramidenhaften Gruppe von Arkaden des oberen Geschosses eine Entsprechung erfährt und sich so in das Gesamtbild einordnet. So ist aller Reichtum wahrhaft gruppiert, zu einheitlicher Gestalt zusammengefaßt, gelockert und wieder gestrafft. Das Portal (Abb. 127) selber ist in parallelen Schichten in die Mauer vertieft, wie aus einem Steinblock herausgehauen (das mittelalterliche *Stufenportal*), die eigentliche Öffnung ist wieder sehr eng, das Körperhafte ist gewahrt. Reicher, nach außen gewendeter Schmuck macht es zur repräsentativsten Stelle des Baues. Aber die Stufen des Portales ergeben von außen nach innen eine Perspektive, eine Raumrichtung, die die nach außen gewendete Portalgestalt zur zwingenden Aufforderung, den Bau zu betreten, verwandelt. Nur die christliche Vorstellung des Gemeindehauses (des Zusammenseins mit dem Mensch gewordenen Gott) und die primitive der Verkörperung des Magischen im geschmückten Monument, konnte diese schönste aller Portalgestalten der Weltgeschichte zuwege bringen.

Abb. 128. *Châteauneuf sur Charente, Kirche. Westfassade. 1. Hälfte 12. Jh.*

Die Öffnung ist in den Bogenläufen (den *Archivolten*) heiter umkränzt, wie die Gebälke der späten antiken Architektur von Girlanden. Aber diese Kränze sind nicht naturalistisch über die Architektur gebreitet wie ein festlicher Gelegenheitsschmuck, sondern fest in den Mauerkörper eingefügt, deshalb trotz aller Pracht wieder ernst und streng. Aus den Laubbüscheln sind geometrische Ranken (oder auch Kerbschnitz, Stäbchen und Kugelmuster) geworden (wie nahe den primitiven Ornamenten!). Wie die Edelsteine auf Schmuckstücken der Völkerwanderungszeit sind menschliche Gestalten gereiht, jede zuerst ein

Abb. 129. *Angoulême, Kathedrale. Ausschnitt aus dem Giebel der Westfassade: Himmelfahrender Christus und die Evangelistensymbole. 1. Hälfte 12. Jh.*

Baustein, ehe sie Person sein darf. Die magisch bedeutsamen und schmuckhaften Dinge sind in diesem körperlichen Stil zu bedeutungsvollen, übermenschlichen Wesen geworden, zu Heiligen, Königen der Apokalypse und zu dämonischen Tieren im äußersten Rund. Himmlische und teuflische Wesen treten uns als erhabene und furchtbare Mächte in der Form dekorativer Bauglieder entgegen. Auch hier also ist die Doppelbedeutung geschmackvollen Zierrates, heiterer Festlichkeit und magisch-mythischer Gestalten, feierlichen Sinnes.

Das Denkmal des pyramidenhaften Baues (der monumentalste Grabstein für den gekreuzigten Herrn und Gott) wird ergänzt durch das Bild Christi selber, das an den Fassaden erscheint (Abb. 126, 129). Wie in den Giebeln der frühen antiken Tempel, tritt auch hier der Gott im Bilde aus seinem Hause heraus, der neue, plastische Sinn verlangt nach Verkörperung des Unsichtbaren. So erscheint er der Menge, monumental wie der ganze Bau, als fester, geschlossener Körper von stereometrischer Blockhaftigkeit, dessen strenger Umriß noch einmal strenger wird durch die *Mandorla* (die architektonische Mandelform), in die sich die spätantike Lichtglorie verwandelt hat. Die Evangelistensymbole oder Engel, die sie an den Ecken halten, ergänzen auch diese Rundform zur noch strengeren bausteinartigen, rechteckigen Platte. Diese festeste, in die Wand unverrückbar eingebaute Form aber bedeutet im christlichen, spätantiken Sinne das Leichteste und Ätherischste, den himmelfahrenden Christus. Unter ihm sind die Bilder der Apostel und der Mutter Gottes angebracht. Gemeint ist der Abschied Christi von den Seinen, eine tief menschliche Szene, die in

Abb. 130. *Autun, Kathedrale. Tympanon des Westportals, Ausschnitt: Christus in der Mandorla. 1. Viertel 12. Jh.*

altchristlichen Elfenbeinskulpturen mit starker innerer Beteiligung psychologisch reich und äußerlich barock bewegt dargestellt ist. Jetzt aber sitzen die Apostel nebeneinander oder in Arkaden in der gleichen steinernen Haltung wie Christus selber, wie dieser verkörpern auch sie göttliche Majestät (Abb. 126). Denn wie in der ägyptischen Kunst empfinden wir diesen architektonischen Blockcharakter der Figuren, ihre starre Symmetrie, die lineare Strenge jeder Einzelform (Gliederumriß oder Falte) nicht mehr als Verzerrung der Figur, sondern als formgewordene Verewigung des im Grabe Ruhenden, als Unnahbarkeit und Feierlichkeit. Wir fühlen die Monumentali-

Abb. 131. *Beaulieu, Kirche. Portaltympanon, Ausschnitt: Christus als Weltenrichter. 1. Hälfte 12. Jh.*

tät (die Grabdenkmalhaftigkeit) als Ausdruck der Gestalt selber, Monumentalität als Charakter. Aber, und das lehrt die Gestalt Christi von *Autun* (Abb. 130), das ist nur die eine Seite. In der festen Platte der steinernen Gestalt sind Andeutungen von Gliedern unter dem Gewande (wie bei antiker Skulptur unter dem durchscheinenden Gewande), aber so schlank und dünn und zerbrechlich wie die eines von Geist verzehrten Asketen. In den dünnen Parallelstreifen des Gewandes sind Hinweise auf eine zarte Stofflichkeit des Kleides, in den Kurven, am Saum über den Füßen Zeichen einer nervösen Erregung, und in den herabhängenden Händen ist so viel Entgegenkommen und Milde, daß auch hier christliche Gnade und Opfer dem Bilde eines strengen Herrschers sich zugesellen. Erst dadurch wird diese Monumentalität aus einer rein archaischen zu einer mittelalterlich doppelsinnigen. Diese Doppelbedeutung aber entfaltet ihre volle Konsequenz erst in dem Thema, das das eigentliche Thema des romanischen Fassadenschmukkes wird, der Darstellung des *Jüngsten Gerichtes* (Abb. 131). Der Herrscher wird zum Richter, die Apostel unter ihm werden zu Beisitzern

Abb. 132. *Beaulieu, Kirche. Portaltympanon, Ausschnitt: Die Hölle. 1. Hälfte 12. Jh.*

des Jüngsten Gerichtes, des Weltgerichtes. Die göttliche Herrschergewalt, die man mit diesem Bilde des Weltenrichters dem Bilde Christi zuerteilt, wird sichtbar und körperlich, ein Übermenschentum, wie das der Götter und Göttinnen, die in antiken Tempeln über Sieg und Niederlage entscheiden. Wie der Apoll des Olympiatempels, so reckt der Christus von Beaulieu seine Arme über die Parteien aus. Diese Gewalt wird verstärkt für diese archaische Welt durch das Bild der Hölle, der Unterwelt, die mit allen Schrecken der Peinigung der Verdammten und der Furchtbarkeit der tierischen Dämonen geschildert wird (Abb. 132, 133, 134). Sie sind die Vollstrecker des Urteilsspruches. Wir werden an die frühen griechischen Tempelgiebel mit Schlangen und dreileibigem Typhon und der Meduse erinnert, und denken bei dem Kampf der Engel gegen den Teufel um die Seelen der Verstorbenen an den Kampf der olympischen Götter mit den Giganten oder der Heroen mit den Zentauren. Aber auch hier treten die christlichen Ideen umdeutend zu der Verherrlichung der Macht und dem Schrecken des Ungeheuerlichen hinzu. Die monumentale Darstellung steigt vom Giebel der Fassade herunter in das Bogenfeld (*Tympanon*) des Portals, gewinnt eine Beziehung zum Eintritt in die Kirche und deutet das Jüngste Gericht als Scheidung der Guten von den Bösen, d. h. derer, die würdig sind, in die Kirche aufgenommen zu werden, von denen, die verstoßen werden. Mit diesem Herabsteigen zum Portal nähert sich die göttliche Gesellschaft den Menschen, sie läßt sich zu ihnen herab, und Christus und die Apostel werden eine Gemeinschaft, eine Gemeinde, in die aufgenommen zu werden der Sinn der christlichen Jenseitshoffnungen wird. Denn die Auferstehenden sind es, unter denen die Auswahl stattfindet. Diejenigen, die begnadet sind, werden von Engeln in die Höhe gehoben zur Himmelspforte oder von Aposteln Christus zugeführt, damit sie neben ihm Platz nehmen (Abb. 135, 136). Zugleich wird mit der richterlichen Entscheidung die Macht des Herrn aus einer körperlichen in eine geistige Sphäre gerückt.

Abb. 133. *Autun, Kathedrale. Tympanon des Westportals, Ausschnitt: Teufel. 1. Viertel 12. Jh.*

Im Tympanon von *Vézelay* (Abb. 137) ist Christus dargestellt — sehr sinnenfällig, körperlich, aber übersinnlich auszudeuten, wie er seinen Geist ausgießt über die Apostel, die berufen sind, alle Völker zur Gemeinschaft mit ihm herbeizurufen,

d. h. aber zum Eintritt in die Kirche aufzufordern. Im Türsturz sieht man, wie alle Stände und Völker der entferntesten Gegenden (Riesen und Pygmäen und solche mit Riesenohren) herbeieilen. So wird die repräsentative und monumentale Darstellung des Jüngsten Gerichtes und der Ausgießung des Heiligen Geistes ein Symbol des Eintrittes in die Kirche selber, die Fassade mündet im Portal und verheißt als eine Feier des Geistes den Eintritt in den Raum der Gemeinde und das Zusammensein mit Gott in der Kirche. Alles Äußere ist trotz oder vielmehr wegen seiner reichen Gestaltung ein Hinweis auf das Innere.

Im Innern aber wird das Zentrum, die Stätte des heiligen Grabes und der magischen Gegenwart des Göttlichen nicht mehr verborgen als *Krypta* (Krypta heißt „die Verborgene"), auch nicht abgetrennt durch die von oben herabgelassenen Mauervorhänge, sondern es wird voll gegen alle Gemeinderäume und auch gegen den Priesterraum ringsherum geöffnet. Es wird zum heiligen und zum Hauptraum einfach durch seine monumentale bauliche Form (Abb. 138). Was schon in der primitiven Kunst der vorhergehenden Jahrhunderte die feierliche Bedeutung des Altars kundgab, ein Baldachin über ihm als eigenes Gehäuse, ein Mausoleum im kleinen, das wird jetzt ganz große beherrschende, bauliche Form: eine schwere, dunkle, deshalb wie ein Grabmonument wirkende *Kuppel* unter dem Vierungsturm, eine Kuppel, die auf den schweren, mächtigen Vierungspfeilern aufruht. Die Raumöffnung aber zwischen diesen Pfeilern ist zugleich die Öffnung aller der um dieses Zentrum herumgelagerten Gemeinderäume, die Bogen, die die Kuppel tragen, sind zugleich der Anfang der diese Räume deckenden Gewölbe. So werden die Gemeinderäume dem Hauptraum unterworfen, sie werden die Träger der Kuppel. (Es ist, als ob die Führer der Gemeinde auf einem Schild ihr Oberhaupt mit eigenen Armen erheben.) Wenn dann diese Räume mit einem *Tonnengewölbe* versehen werden — dieses ist das normale und ideale Gewölbe der romanischen Baukunst —, dann ist allein das Zentrum vor allen angegliederten Räumen in sich geschlossen und beruhigt und vor allen anderen durch die emporsteigende Kuppel herausgehoben. Die anderen

Abb. 134. *Autun, Kathedrale. Tympanon des Westportals, Ausschnitt: Verdammter. 1. Viertel 12. Jh.*

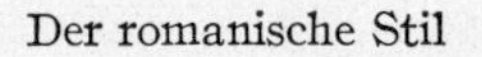

Abb. 135. *Autun, Kathedrale. Tympanon des Westportals, Ausschnitt: Die Seligen. 1. Viertel 12. Jh.*

Räume erhalten durch das Tonnengewölbe eine ganz strenge Richtung zur Kuppel hin; denn nach den Seiten verengen die absinkenden Tonnenhälften den Raum, sie umklammern den im Raum Weilenden, zwingen ihn nach innen, nur zur Kuppel hin ist ihm Raum und Bewegungsmöglichkeit gelassen. Die Steilheit und relative Enge des Raumes bewirkt dasselbe (Abb. 139). Also nur noch in der Richtung zur Kuppel hin haben diese Gemeinderäume einen Sinn, nicht mehr für sich wie der große Festsaal der altchristlichen Basiliken. Das christliche Zusammensein der Gemeinde im Andenken an Jesus wird schon durch den Raum ein Kult, eine Unterwerfung unter das Gotteshaus.

Abb. 136. *Autun, Kathedrale. Tympanon des Westportals, Ausschnitt: Engel und Auferstehende. 1. Viertel 12. Jh.*

Im Mittelschiff sorgen die über jedem Arkadenpfeiler hochgeführten *Dienste,* die sich in die Gurtbögen fortsetzen, nicht nur dafür, daß die Steilheit des Raumes noch straffer, der Mensch zwischen ihnen noch fester zusammengenommen wird, sie teilen auch den großen Längsraum in lauter kleine, wenig tiefe Kompartimente, in Durchgangsräume, so daß auch als Gesamtraum dieser Gemeinderaum dem Zentrum nicht durch seine Größe Konkurrenz machen kann. Die Seitenschiffarkaden aber sind so zwischen diesen Diensten in die Hochwand einbezogen, ihre Öffnung so in den Mittelraum emporgerissen, daß nur die Bewegung von den Seitenschiffen in den Mittelraum hinein, nicht aber aus ihm heraus in Frage kommt, daß sie mit anderen Worten nur diese Wirkung haben, den Mittelraum zu einem allzugänglichen, allöffentlichen zu machen. In den altchristlichen Basiliken war der eigentliche gebaute Raum hinter den Säulen, über denen die Gebälke und die Hauswände in den leeren Raum hineinsahen; die Seitenschiffe waren das Refugium aus der Offenheit und Öffentlichkeit eines Platzes. Wer aber in den Seitenschiffen der romanischen Kirchen (Abb. 140) deren eigener Richtung folgte, der wurde entweder ins Querschiff geführt, wo er den Zugang zum Zentrum gewann, oder weitergeleitet in den Chorumgang (Abb. 141), wo er auf der einen Seite die Chorkapellen hatte und von Altar zu Altar seine Andacht vor den Heiligen verrichten durfte, auf der andern Seite den Blick in den von Schranken umstandenen Hauptaltarraum, der ihn mahnte, die Gottesnähe, die er vor diesen Nebenchören spürte, nun auch im Zugang zu dem Hauptheiligtum zu suchen. So wird dieser romanische Kirchenbau zu einer nie vorher auch nur geahnten Einheit vielfältigster Motive, bei der die eigene archaische Entwicklungsstufe die Einfachheit, die Verkörperung, die Gegenwart des Gottes und damit den Kult, die Monumentalität hergab, die Tradition von der Spätantike her aber die Menschlichkeit der Gemeindeversammlung, der Gedächtnisfeier, die Ordnung von Haupt und Gliedern, von Lehrern und Aposteln, von Herrschern und von Mittlern, eine Vielfältigkeit und einen Beziehungsreichtum, der durch das Zusammentreffen

Abb. 137. *Vézelay, Ste. Madeleine. Mittelportal in der Vorhalle. Um 1130.*

von monumentaler Einfachheit und Strenge mit dieser Vielfalt noch reicher wird. Diese Gegensätze dennoch zu einer absoluten Einheit und Großheit geformt zu haben, ist die ungeheure, weltgeschichtliche Leistung dieser Kultur. Mit ihr ist es gelungen, aus der Menschlichkeit der christlichen Gottesvorstellung ein Zusammenwohnen mit dem magisch anwesend gedachten Gott zu entwickeln und ihm die strenge Form eines Kultus mitzuteilen.

Dieselbe geistige Verfassung und dieselben historischen Voraussetzungen, die diese herrlichen romanischen Kirchen geschaffen haben, haben auch eine neue Lebensform hervorgebracht, das mittelalterliche *Mönchstum*. Hier finden wir einerseits das Ideal des spätantiken zynischen und stoischen Philosophen, das von allen Verpflichtungen und Ansprüchen der Welt gelöste, deshalb geistig völlig freie Individuum. Es ist christlich gefärbt durch Askese und Selbsterniedrigung als frei gewählte Lebenshaltung. Christlich sozial ist dieses Individuum zur Liebesgemeinschaft mit anderen durch restlose Selbstaufopferung, Hingabe und Verzicht auf Eigenbesitz verbunden. Das alles aber vollzieht sich, und das ist das Archaische, in strengen Formen eines Gemeinschaftswesens, das jede Handlung und jeden Gedanken durch das Gesetz des Ordens, die Klosterregel, bestimmt und zum Inhalt dieser Regel den Kultus, zum Inhalt des Lebens die Gottesnähe in jedem Augenblick macht. Jeder Einzelne ist streng eingebunden in das Ganze wie der Stein und die Einzelfigur im romanischen Ornament. In der Form von Gesang und Gebärden wird der ganze Tag eingeteilt für Kulthandlungen, deren Feierlichkeit diesem Leben in Gott

Abb. 138. *Aulnay, St. Pierre. Die Vierung. 1. Hälfte 12. Jh.*

Ausdruck gibt und die Demut und die Armut zur höchsten Würde erhebt, wie die Kirche zum Monument erhoben ist. Die religiöse Steigerung des mönchischen Daseins, die sich auf der Grundlage des weltlichen Verzichtes vollzieht, ist es, die im Mönchstum die große Doppeldeutigkeit schafft, daß die Ärmsten der Welt zu den Vornehmsten und Würdigsten vor Gott und in der Welt emporgehoben werden. Die romanischen Kirchen sind in erster Linie die großen Klosterkirchen des 12. Jahrhunderts, allen voran die von Cluny mit einem doppelten Querschiff und doppelten Zentralturm. Der Armut des alltäglichen Lebens des Christenmenschen entspricht als Gegensinn der Reichtum des Kultischen, der Schlichtheit des Individuums die Pracht der Kirche und die Macht des Ordens, dem es zugehört. Alles das, was das Gefühl der Gottesgemeinschaft betrifft (und nur für eine frühe Stufe des religiösen Bewußtseins war dies möglich), wurde mit Schmuck und Kunst in verschwenderischer Pracht und mit überwältigendem Reichtum ausgestattet, mag es sich um Gesang und Tracht und Gebärden (Prozessionen, Liturgie) des Kultes handeln oder um die Stätten dieses Kultes, die Kirche. Deshalb ist Architektur und Skulptur des romanischen Kirchenbaues von unausschöpflicher Fülle.

Ein kurzer Hinweis möge einen Begriff geben von der Vielfältigkeit der Themen, aber auch von der Fähigkeit, in jedem Fall die Forderungen der eigenen Geistesstufe mit denen der Überlieferung zu vereinen. Wenn es nicht möglich ist, im künstlerischen Gehalt selbst den Doppelsinn auszudrücken, dann gelingt es durch die geistige Deutung, das dem eigenen Geiste Gemäße mit den Forderungen der Überlieferung und den Ansprüchen christlicher Gesinnung in Einklang zu bringen. Denn die Gegensätzlichkeit und nicht selten Unvereinbarkeit der beiden geistigen Ströme, archaischer Grundhaltung und spätantiker Tradition ist nicht nur der Grund, daß die Wissenschaft und Philosophie der Zeit die Deutung als eigenste Denkform, die Denkform des Doppelsinnes aller Werte dieser Zeit ausbildet, sondern es gibt auch eine Wissenschaft der Bedeutungen der Bildwerke dieser Zeit, die *Ikonographie*, deren Kenntnis notwendig ist, um die Beziehungsfülle dieser Werke zu verstehen.

Abb. 139. *Toulouse, St. Sernin. Ende 11. u. Anf. 12. Jh.*

Abb. 140. *Orcival, Kirche. Südliches Seitenschiff. 1. Hälfte 12. Jh.*

Wie das Bild Christi, des Gekreuzigten und Leidenden, zum Richter, zum König und jupiterartig herrscherlichen Gewaltmenschen erhoben wird, wurde schon gezeigt. Die menschliche Geschichte seiner Kindheit wird in einen sagenhaften Mythos verwandelt. Als Könige treten die Weisen aus dem Morgenlande vor die Maria, wie auf einem Altar liegt das Kind in der Krippe, wie eine feierliche Taufe vollzieht sich die Waschung des Kindes, und die Darbringung im Tempel wird eine großartige Prozession und Opferszene.

Als Gestalten der Verehrung empfing der Kult von der christlichen Überlieferung die Märtyrer, die Dulder und Leidenden. Aber der eigene Sinn verlangte nach dem Helden und Herrscher, dem Gott. Durch Darstellung der Wunder (Erweckungen), durch Engelsgeleit und Engelsbotschaft, durch Königsbesuch und Huldigung wird der Märtyrer zum Zauberer und Gott. Den Schlußakt seiner Legende bildet die Apotheose seiner Seele, die ganz körperlich gedacht als nacktes Kindlein von den Engeln zum Himmel geführt wird (Abb. 142). Den Krieger selbst zu zeigen, bot die christliche Legende Gelegenheit, in der der Krieger im Augenblick der Demut und des Verzichtes auf seine Macht dargestellt wird, der Heilige Hubertus, den das Kreuz auf dem Haupte des Hirsches von der Weltlust des Jägers befreit, der Heilige Martin, der seinen Mantel, das Zeichen der Würde des Mannes im Mittelalter, einem Bettler schenkt. Die Art, wie die Kunst der Zeit aus diesen Gestalten herrliche Reiterdenkmäler formt, zeigt, wie die geistige Deutung, die dargestellte Legende und der künstlerische Gehalt der plastischen Gestalt verschiedenen Sinnes sind. So wird ein wichtiges Thema der Fassaden das Denkmal eines gekrönten Reiters, der über eine unterworfene Gestalt unter den Hufen des Pferdes hinwegreitet und zuweilen einen Falken auf der Hand hält — Sieger, Held und Jäger zu gleicher Zeit (Abb. 143). Die Deutung sagt, daß es Konstantin ist, der für die christliche Kirche stritt und im Zeichen des Kreuzes siegte, und daß die unterworfene Figur den Unglauben bedeutet. Als Gegenstück finden wir zumeist Simson, den starken Mann, den Helden des jüdischen Altertums. Die christliche Ikonographie verlangt, ihn, das Bild der Leibesstärke, auf Christus, den Erlöser und Dulder zu beziehen.

Das Nackte und der mit ihm verbundene sinnliche Reiz war durch die christliche Askese und Verachtung des Körpers verpönt. Der archaische Geist, ein ähnlicher wie der, der die frühe griechische Kunst geschaffen hatte, und die plastische Gesinnung des Stiles konnten an ihm nicht vorübergehen. Unter dem Vorwand, vom Sinnlichen abzuschrecken, führte man das Nackte in die kirchliche Kunst ein, indem man seine Schönheit als Bild des Lasters deutete. Man begann mit Adam und Eva (Abb. 144) als den Urbildern alles Sündenfalles, deren sichtbare Anwesenheit die Erlösung durch Christi Geburt und Tod erst recht verdeutlichte, und man endete mit jenem großartigen Symbol der Wollust (Luxuria), der nackten Frau, der Schlangen und Kröten über den Leib kriechen, man weiß nicht, um sie zu strafen oder als Dämonen, die mit ihr im Bunde sind (Abb. 145) Und wenn der Künstler selber fühlte, daß die Darstellung an sich zu wertvoll, zu schön, zu lockend war, dann versteckte er sie an entlegenen Stellen oder im Dickicht eines Rankenornamentes, wo man ihrer erst habhaft wurde, wenn man zwischen den Zeilen las.

Jede frühe Kultur hat vor dem Tier, besonders dem wilden Tier, eine Scheu, die zur religiösen Verehrung, zum Tierkult führt. Die Tierornamentik der Völkerwanderungszeit ist bereits in diesem Sinne zu verstehen. Daraus erwächst jetzt eine neue *Tierplastik*, der der Ägypter ähnlich. Mit Tierdarstellungen werden die christlichen Kirchen an Basen, Kapitellen, Pfeilern, Friesen, Konsolen, Bogenfeldern, kurz allerorts bevölkert (Abb. 129, S. 144; 132, S. 146). Aber sie sind keineswegs nur Ornament und Schmuck der Architektur. Schon ihre wilde und monumentale Form zeugt von der Scheu, die auch in diesen Bildern zum Ausdruck kommt. Schon in ihnen spricht sich ein Tierkult aus. Mit der christlichen Welt vereinte man diesen, indem man auf alte Symbole wie die der Evangelisten zurückgriff und sie als göttliche Tiere wie in Ägypten darstellte. Unter den Heiligenwundern griff man solche heraus, in denen der Heilige das Tier sich unterwirft. So bändigt Daniel in der Löwengrube die wilden Tiere, bildnerisch aber schaffen sie wie Wappentiere erst die Hoheit des Heiligen (Abb. 146). In der Wüste schaufelt ein Löwe dem verstorbenen Heiligen Benedikt das Grab. Die Darstellung aber macht daraus ein Monument des Tieres.

Abb. 141. *Poitiers, St. Hilaire-le-Grand. Chorumgang. Ende 11. Jh.*

Abb. 142. *Arles, St. Trophime. Relief am Portal: Steinigung und Tod des Stephanus. Mitte 12. Jh.*

In dem künstlerischen Bilde triumphiert in solchen Fällen immer das Tier, nur in der Deutung der Heilige. Schließlich werden auch die Tiere zu Symbolen des Lasters, vor dem man durch die Furchtbarkeit des Tieres Abscheu einzuflößen sucht. Aber dieser Abscheu ist eine heilige Scheu, das Tier wird zum Dämon, der Teufel selbst wird zum Tier und zum Höllendrachen (Abb. 132, 133, S. 146, 147) — man fühlt sich in die Schrecken germanischer Drachenmythologie versetzt. Selbst der Raum, die Hölle, ist der Riesenschlund eines großen Höllentieres. Mit dem Bilde des Kampfes des Erzengels Michael gegen den Teufelsdrachen, der selber nur die erhabenste Steigerung des Kampfes von Tugenden und Lastern, d. h. von kriegerischen Jungfrauen und tierischen Ungeheuern ist, wird noch einmal das Bild heroischer Jugendschönheit und des leiblichen Zweikampfes — ein Lieblingsbild dieser Zeit — unter moralisch christlichem Vorwande der Zeit vorgehalten (Abb. 147, 148). Es spielt sich wie im frühen Altertum in göttlicher und dämonischer Sphäre ab. Es ist ein Mythus. Für junge Kulturen wird der Mythus und die plastische Gestalt aus den Kräften und Vorgängen der Natur geboren. Das Christentum verachtete die Natur als den Menschen

Abb. 143. *Parthenay-le-Vieux, Kirche. Westfassade, Reiter. Mitte 12. Jh.*

Abb. 144. *Autun, Privatsammlung. Fragment eines Türsturzes: Eva. 1. Viertel 12. Jh.*

bindende Macht, kannte aber wie die spätantike Kunst das Bild des Hirten und des empfindsamen Menschen in der Landschaft. Dieses Idyll verwandelt diese ursprüngliche Kunst wieder in eine plastische Gestalt und große Gebärde zurück, die sie aus den ländlichen Beschäftigungen in den verschiedenen

Abb. 145. *Vézelay, Ste. Madeleine. Kapitell: Luxuria. 2. Viertel 12. Jh.*

Abb. 146. *Arles, St. Trophime. Sockel am Portal: Daniel in der Löwengrube. Mitte 12. Jh.*

Abb. 147. *St. Gilles, Ehem. Abteikirche. Relief an der Westfassade: Hl. Michael. 1. Viertel 12. Jh.*

Abb. 148. *Blasimont, St. Maurice. Archivoltendetail des Westportals: Tugend. 1. Hälfte 12. Jh.*

Monaten gewinnt, formt sie in einen Kreis, gesellt sie zu Sternbildern in anderen Kreisen und umkränzt damit das Bogenfeld der Portale, an denen die Majestät Christi erscheint (Abb. 149). So wird das Ganze zu einem Mythus der Zeit, des ewig sich wiederholenden Jahres, der Ewigkeit. Der Reichtum an unmittelbarer Anschauung und körperlicher Schönheit gerade dieser Bilder widerlegt die Meinung, als sei die mittelalterliche Kunst unsinnlich und erdabgewandt. Sie konnte nur auch in dieser so heidnisch empfundenen Mythologie durch ihre Zwei-deutigkeit jeden Augenblick in die abstrakte Deutung der Zeit ausweichen.

ENTFALTUNG UND SONDERUNG DER ROMANISCHEN KUNST

Die romanische Kunst, deren Idealbild wir zu entwickeln versuchten, hat sich nicht in gleichem Maße und in gleicher Reinheit in allen Regionen Frankreichs entwickelt. Sie hat ein Zentrum. Als dieses Zentrum dürfen wir unbedenklich *Burgund* ansprechen, denn nirgends hat so wie hier das Doppelgesicht der mittelalterlichen Kunst Physiognomie gewonnen: die mönchische Askese, die christliche Weltentsagung und Menschlichkeit, alle zarten Regungen der Seele und alle Verfeinerungen eines kultivierten Geschmackes und Kunstbedürfnisses; aber auch alle Ansprüche eines herrischen Daseins und die Anerkennung fester Lebensformen und des Adels körperlicher Kraft. Ein mönchischer Orden wird zum Beherrscher der Welt, der Orden der *Cluniazenser*.

Abb. 149. *Vézelay, Ste. Madeleine. Mittelportal in der Vorhalle, Archivoltendetail: Sternbild der Waage und Monat September (Weinernte). Um 1130.*

Da wir von *Cluny* nur noch kümmerliche Reste haben, so muß ein Besuch der Kathedrale von *Autun* oder der Klosterkirchen von *Vézelay, Paray-le-Monial, St. Benoît-sur-Loire, La Charité-sur-Loire* von der Großartigkeit der Gestaltung, die immer von der Architektur, dem Gesamtbau ausgeht, und von dem Reichtum der Einzelformen überzeugen (Abb. 150, 151; Abb. 123, S. 139; 125, S. 140). Nur in einem bedeutet diese burgundische Kunst eine Sonderart, in der Hinneigung zu überlieferten antiken Formen, die sie nicht umbildet, sondern einfach übernimmt, einen kannelierten Pilaster statt des runden Wanddienstes, ein gerades Gebälk statt der Wandbögen und ein reichblättriges Laubkapitell. Aber die Verwendung dieser Formen geschieht durchaus in dem Sinne, daß der romanische Gesamtcharakter nicht geschädigt wird. Der kannelierte Pilaster trägt weniger das Horizontalgebälk, als daß er, selber in die Länge gedehnt, mit den Lisenen oder Runddiensten der oberen Geschosse zum Wanddienst für die Gurtbögen zusammenwächst Die Blätter des Kapitells beugen sich nicht breit und saftig wie Akanthusblätter unter einer Last, sondern spalten die Oberfläche einer Gesamtform auf, deren Blockcharakter noch immer durchschlägt. Sonst aber finden wir in Burgund die straffste Zentralisierung des Baues im Vierungsturm und in gruppierten Chorkapellen, die zwingendste Steil- und Längsform der Schiffe, die einheitlichste Gliederung der Wände und den strengsten Zusammenschluß durch das Tonnengewölbe.

Die Sonderarten aber, die wir nach Norden und Süden verfolgen können, sind nicht zufällig, sondern durch die geschichtliche Situation bedingt. Je mehr wir nach Süden kommen, desto mehr gelangen wir in den Bereich antiker

Abb. 150. *Vézelay, Ste. Madeleine. 2. Viertel 12. Jh.*

Tradition (die *Provence* war schon griechische Kolonie, ehe sie römische Provinz wurde), je mehr nach Norden, um so mehr in die Bereiche ursprünglicher primitiver Kultur, deren Träger germanische Völkerschaften, Burgunder, Franken, Normannen sind. Das bedeutet, daß im Norden nicht nur der archaische Charakter der Kunst am radikalsten hervortritt, sondern auch, daß die gegensätzlichen Forderungen des Christentums und aller spätantiken Vergeistigung am unerbittlichsten zu Ende gedacht werden. Gerade in Burgund ist der Doppelsinn aller romanischen Schöpfungen am klarsten, deshalb auch die Feinheit und Geistigkeit am größten. Im Süden dagegen wirkt die Tradition der römischen offiziellen Kunst des Christentums stärker, das weltliche und menschliche Element tritt mehr hervor, die Kunst nähert sich deshalb der der nachlebenden Antike, der römischen und byzantinischen. Sie ist weniger schöpferisch, und sie wird eindeutiger.

Die Abweichung von dem romanischen Ideal betrifft deshalb vor allem die monumentale Gesamthaltung des Baues, die Monumentalität des Zentralturmes und die Unterwerfung des Gemeindehauses unter dieses Monument. Die Unterschiede der regionalen Sonderarten des romanischen Stiles in Frankreich ergeben sich daraus, wie viel oder wie wenig Eigenbedeutung dem Gemeinderaum gelassen wird, wieviel straffer oder lockerer er in sich gefaßt und dem Zentrum angegliedert ist. Für die Erkenntnis der regionalen Sondercharaktere sind nicht so sehr die großen Hauptkirchen oder Pilgerkirchen der künstlerischen Provinzen maßgebend. Diese haben immer etwas Interprovinzielles, wie in der Normandie St. Etienne und Ste. Trinité in Caen, St. Sernin in Toulouse (Languedoc) (Abb. 139, S. 153) und die Kirche von Conques im Limousin, von St. Gilles in der Provence und Santiago di Compostela in Nordspanien. Es sind oft kleinere Landkirchen, mit denen wir den Sonderfall illustrieren müssen.

Gehen wir von Burgund weiter nach Norden und Westen zur *Normandie* (Abb. 152), dann nimmt zunächst die Straffung der Räume und Wände zu, also das archaische Element, durch ein reiches Stützen- und Arkadensystem, das nicht nur die Wände vereinheitlicht und versteilt, sondern auch in sich die Aufforderung zu straffer Haltung wie bei einer militärischen Prozession enthält. Die Normannen waren die gefürchtetsten Krieger der Zeit. Aber diese Straffung und das in ihr enthaltene aktive Element, das ein Weg zur Gotik wird, ist zugleich erkauft mit einer gewissen Rückständigkeit, einem Steckenbleiben im Primitiven. Denn der Reichtum der gliedhaften Formen entspricht zugleich einem Festhalten am Holzbau, an Stabformen, die neben der unleugbar ästhetischen Funktion der Straffung doch auch dem primitiven Festhalten an Materialformen ihr Dasein verdanken. Die Balkendecke des offenen Dachstuhles, die von solchen Steinpfosten getragen wird und erst spät im 12. Jahrhundert durch den Gewölbebau verdrängt wird, ist der Beweis dafür. Diesem Festhalten an Materialformen entspricht eine sehr stachlige und spröde Holzstabornamentik, Zickzackprofile und Pfeifenkapitelle. Im Grundriß und Gesamtbau ist die spezifisch normannische romanische Architektur nicht über eine Vorform des Monumentalbaues hinausgelangt, und auch diese hat sie nicht erzeugt, sondern übernommen von dem vorromanischen Bau der Cluniazenser (*Cluny II*). In diesem war die Kreuzesform der Basilika, vermutlich mit Vierungsturm außen und flachgedeckter Vierung innen, schon durchgeführt, zugleich aber wurde auch das Richtungsmoment der antiken Säulenbasilika, das in der ravennatischen Form der querschifflosen Basilika schon stark ausgeprägt war, durch Verlängerung des Chores (wovon der herrliche Chor von St. Benoît-sur-Loire noch einen Begriff gibt) weitergebildet. Auch die Seitenschiffe endeten in Chören, Nebenchören, und indem den übrigbleibenden Wänden des Querschiffes im Osten noch einmal weniger tiefe Apsiden angegliedert wurden, entstand der vielgliedrige *Staffelchor*, der außen schon eine sehr monumentale und gruppierte Ostpartie zu gestalten gestattete (Abb. 153). Nur die einheitliche Beziehung zum Zentrum fehlte noch. In der Normandie aber wird die reiche Staffelung dadurch wieder aufgehoben, daß die beiden Nebenchöre außen von einer Wand umschlossen werden, die hart und hausmäßig gegen die monumentale Apsis des Hauptchores stößt. Wie wenig aber eine entwickelte plastische Gesinnung Bau- und Einzelformen in der Normandie gestaltet hat, wieviel in ihnen traditionell, d. h. primitiv

Abb. 151. *Autun, Kathedrale. Langhaus und Querschiff. 1. Hälfte 12. Jh.*

ist, das bezeugt in dieser Zeit überquellenden, plastischen Reichtums das Fehlen jeder plastischen Figurendarstellung. Die kümmerlichen Spuren, die von einer solchen vorhanden sind, sind bestenfalls primitives Ornament. Örtliche Nähe und vielleicht eine innere Beziehung zu der in der irischen Epoche hochentwickelten primitiven Kultur hat bewirkt, daß die normannische Architektur sich *England* als Provinz erobert hat und dort eine Fülle imponierend großartiger Kathedralen und Klosterkirchen hat entstehen lassen, in denen sich eigene Formen freilich nur durch Zurücksinken in eine noch derbere und frühere Stufe, und zwar durch Verwendung schwerer, massiver Pfeilerformen, bilden. Gerade die Holzbaumotive scheinen in früher englischer Architektur eine besondere Rolle gespielt zu haben (*Earls Barton*, Abb. 394, S. 341).

Gehen wir von Burgund südwärts und westwärts, so treffen wir südlich der Loire zunächst das Gebiet der *Hallenkirchen* mit dem Zentrum *Poitiers* (Abb. 154, 155). Das heißt, wir finden alle typischen romanischen Bauformen, Chorumgang und Kapellenkranz um ein Zentrum gelagert, schmale, tonnengewölbte Schiffe zur Vierungskuppel hingeführt und in den Gliedern straffe Dienste wie in der Normandie. Aber Mittelschiffe und Seitenschiffe sind gleich hoch, der Gemeinderaum ist eine Halle, das Mittelschiff dehnt sich in die Seitenschiffe hinein. Aus dem Rhythmus übereinandergestellter Arkaden, der die Seitenschiffsöffnungen und die Oberwand zusammenbindet, wird eine einzige große Öffnung. Das heißt, die Mittelschiffsoberwände fallen ganz fort, und die Dienste, die sonst an einem wandmäßigen quadratischen Pfeilerkern und an der Hochwand aufsteigen, treten hier zu einem Vierpaßpfeiler, einem gegliederten Rundpfeiler, zusammen. Das Mittelschiff, das Gemeindehaus, ist durch diese Verbreiterung in die Seitenschiffe nicht mehr so dem Zentrum unterworfen, es wird profaner.

Abb. 152. *St. Martin-de-Boscherville, St. Georges. 1. Hälfte 12. Jh.*

Noch eine Zone tiefer in der *Languedoc*, mit dem Zentrum *Périgueux*, gleicht sich das Gemeindehaus dem Gottesraum, dem Baldachin, an, und damit wird dieser auch dem Gemeinderaum ähnlich. In Kreuzesform (*St. Front* in Périgueux) oder in einer Längsrichtung treten eine Reihe von Kuppeln zusammen, die auf

Abb. 153. *St. Martin-de-Boscherville, St. Georges. Choransicht. 1. Hälfte 12. Jh.*

niedrigen Pfeilern breit und ausladend wirken wie ein Zelt, also die feierliche Form eines mystischen Andachtsraumes wie in byzantinischen Kuppelkirchen erhalten (Abb. 156). Die Anregung muß auch von solchen gekommen sein. St. Front in Périgueux ist eine straffere, plastischere (deshalb archaischere) Wiederholung von S. Marco in Venedig (Abb. 430, S. 361); S. Marco seinerseits eine Nachbildung der Apostelkirche in Konstantinopel. Mit dieser Form sind wir also schon bei einem streng und feierlich gewordenen reinen Gemeindehaus, bei erstarrter, nachlebender Antike. In jeder Kuppel öffnet sich der Raum nach allen Seiten ebenso stark wie nach Osten; der Zwang zu einem heiligen Zentrum hin ist sehr gering. Entsprechend ist auch die Gestaltung der Wände flächig, unverpflichtend; auch die Pfeiler sind ungegliederte Wände. Erst in Bauten wie der Kathedrale von *Angoulême* (Abb. 157), in denen die Kuppelreihe von Westen nach Osten geht und vor dem Chor eine Kuppel durch höhere und polygonale Wölbung hervorgehoben ist, setzt sich der zentrale Gemeindebau mit dem zentralisierten Heiligtum und Richtungsbau auseinander. Hier sind auch die Wände straffer mit Diensten gegliedert. Angoulême aber liegt bereits im

Abb. 154. *Melle, St. Hilaire. 1. Hälfte 12. Jh.*

Norden des Bereiches der Kuppelarchitektur.

Ganz im Süden, in der *Provence,* tritt der einschiffige Saal mit flachen Wandlisenen als ein ganz weltlich empfundener Versammlungs- oder Verhandlungsraum an die Stelle des feierlichen Kuppelraumes, der römische Empfangssaal eines Palastes an die Stelle der byzantinischen Kirche (Abb. 158). Die Apsis im Osten und die durch das Tonnengewölbe gegebene Richtung weisen nur auf den Ehrenplatz eines Vorstehers einer Gemeinde, eines Richters in einem Tribunal oder eines Lehrers in einer Schule hin. Auch außen ist der Bau, für den *St. Gabriel* das reinste Beispiel bietet, schlicht, wandmäßig abgegrenzt (Abb. 159). Nur an der Mauerfestigkeit und Gedrungenheit innen und außen erkennt man das Archaische. Der Eingang ist besonders betont, aber ohne Zusammenhang mit der Monumentalität des Ganzen gestaltet er die Öffnungen antiker Arenen, Bogen zwischen Wandsäulen, zu einem Fassadenmotiv um. Wir sind bei einer reinen Renaissance angelangt.

Einen ähnlichen Unterschied wie im Bauwerk finden wir zwischen nördlicher burgundischer und südlicher Plastik. Äußerlich ist es zunächst der zwischen dünnsträhnigem und breitfaltigem Figurenstil. In viele dünne, feine Faltenstufen ist in Burgund die Oberfläche des Gewandes zerlegt, der Straffung und Versteilung der Wände und der Kannelierung der Lisenen entsprechend (Abb. 130, S. 145). Im Süden ist viel stärker der Block gewahrt, die Falten umwickeln in breiten Bändern die Figur wie eine Mumie, ein Gegenstück zur breiträumigen und breitwandigen Architektur (Abb. 160, 166). Auch die Proportionen der Figuren sind in Burgund langgestreckt, stabförmig, im Süden breit und untersetzt. Aber das ist nur die eine, an der Oberfläche liegende Wesensverschiedenheit. Wichtiger ist: alles das, was aus dem Primitiven sich herausentwickelt, die überirdische Macht eines stein- oder felsenartigen Götterbildes, die Magie geheimnisvoller, zu Ornamenten verschlungener Zeichen, die Dämonie der tierischen Gewalten, der Gegensatz von Himmel und Hölle, von Oberwelt und Unterwelt, die mythische Vorstellung seltsamer, überirdischer oder höllischer Gestalten in dem Jüngsten-Gerichts-Thema und in den symbolischen Tugend- und Lasterdarstellungen, den repräsentativen Monats- und Volksdarstellungen, alles das hat in Burgund seine eigentliche Heimat und hat hier seine reichste Entwicklung erfahren (Abb. 133—137, 144, 145, 149). Auf der anderen Seite hat die in diesen Vorstellungen enthaltene religiöse Scheu und Gläubigkeit auch das Menschliche der christlichen Lehre und spätantiken Überlieferung mit letzter Konsequenz in sich aufgenommen, die Brüderlichkeit des Zusammenlebens, die Gnade und Milde des sich opfernden Gottes, die Feinheit und Vergeistigung alles Körperlichen, so daß hier in Burgund die Doppeldeutigkeit aller Schöpfungen besonders stark ist und eine neue Geistigkeit zu allem übrigen hinzutut. Hier wird die Kultur geistreich.

Im Süden findet das Wunder der Jüngsten-Gerichts-Mystik nur schwer Zugang. Das Thema der Fassadenplastik ist hier die Gemeinde, Christus und die Jünger. Wie bezeichnend, daß in *Moissac* (Abb. 160), wo starker burgundischer Einfluß zu spüren ist, vom Thema des Jüngsten Gerichts nur die Versammlung Christi und der Ältesten der Apokalypse geblieben ist, und daß die Erhöhung Christi sich in der weltlichen, weniger magischen, aber auch weniger geistig umzudeutenden Form eines Königs über Königen vollzieht. Deshalb wird an den Fassaden des Poitou und der Languedoc die Himmelfahrt Christi, die herrscherliche Apotheose das Thema (Abb. 126, S. 141; Abb. 129, S. 144), und wie in byzantinischem Zeremoniell und römischer bürokratischer Repräsentation gilt die Repräsentation nach außen mehr dem Verbergen der eigenen Menschlichkeit als der Erfüllung des Magischen mit Menschlichem, mehr der Abwehr als der Anlockung. So kommt es, daß man diese Repräsentation wie in der Antike in die höheren Regionen der Fassade verlegt, von den Menschen abrückt und die Beziehung zum Portal zurücktreten läßt. Deshalb ist einmal die archaische Plastik des Südens der der Antike, besonders der ägyptischen oder assyrischen, verwandter als die vergeistigtere und vieldeutigere Burgunds. Sie ist kühlere Repräsentation. Andererseits nähert sie sich stärker den in Bildwerken hinterlassenen römischen, klassizistischen Gestalten und ihrer von archaischen Bindungen befreiten Natürlichkeit. In der toulousanischen Plastik treten solche antikisierenden Tendenzen ganz stark hervor.

Abb. 155. *Poitiers, Notre-Dame-la-Grande. Ende 11. u. 1. Hälfte 12. Jh.*

Noch einen Schritt weiter nach Süden, in die Provence, die antike, denkmalsreiche Provinz, und das Wunder verschwindet ganz aus der Kunst. An der Fassade von *St. Gilles* (Abb. 161), der bedeutendsten und folgereichsten Schöpfung des Südens, wird das Wunderbare gänzlich ausgeschaltet. Die Historie ersetzt die kultischen Gestalten. Am Fries (Abb. 26, S. 38) wird die Geschichte der menschlichen Geschehnisse der christlichen Tradition abgerollt, die Geschichte der Passion Christi; auch das Wunder der Himmelfahrt (der Ascensio an den poitevinischen Fassaden) tritt zurück. Auf menschennahem Sockel stehen, wie an einem antiken Triumphbogen, die Apostel dicht über der Erde (Abb. 162). Was sie von den Menschen trennt, ist auch hier nur die kühle reservierte Haltung nach römischem Vorbild (Abb. 22, S. 34). Denn auch das Geheimnis archaischer Form, der magischen Dinglichkeit, wird ausgeschaltet. Man versucht in einer Renaissance der Antike (*Protorenaissance*) diesen Aposteln die Natürlichkeit und Lebendigkeit, damit auch Banalität des natürlichen Daseins zu geben. Die Spannung zwischen der Menschlichkeit dieser Apostel und dem, was sie darüber hinaus sein möchten, ist aufs Äußerste vermindert; es ist eine sehr menschliche Haltung, eine Pose, die sie einnehmen. Daß sie diese Haltung beanspruchen, ist selbst Ausdruck ihrer Menschlichkeit. Es ist wie mit der Portalanlage im ganzen. Die ganze Fassade öffnet sich in drei großen Bögen nach innen, es ist kein archaisches Verbauen des Zuganges durch feste Mauern mehr da, kein Monument im ganzen. Die Repräsentation aber im menschenähnlichen Ausdruck der Säulen wendet sich ganz nach außen, sie preßt und zwingt den Menschen nicht durch eine nadelöhrartige Öffnung in ein geheimnisvolles Inneres eines monumentalen Baukörpers hinein. Das Triumphale der triumphbogenartigen Öffnung stimmt festlich, aber unterwirft den Menschen nicht. Die Freiheit der Formen, der dargestellten Menschen und der großen Öffnungen läßt den Menschen hinein in einen Raum, den man selbst als einen freien, festlichen Platz erwartet: es müßte ein großer Saal der provencalischen Baukunst sein.

Abb. 156. *Périgueux, St. Front. Nach 1120.*

Das Wunder verschwindet auch aus der religiösen Haltung. Hier im Süden entsteht eine Ketzerbewegung, die der Albigenser, die den Sinn und die Eindeutigkeit des frühen, menschlichen

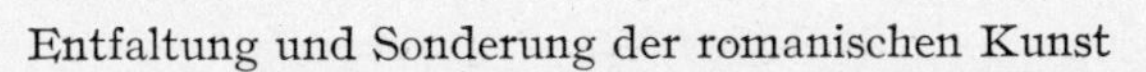

Abb. 157. *Angoulême, Kathedrale. 1. Hälfte 12. Jh.*

Abb. 158. *St. Gabriel, Kirche. 1. Viertel 12. Jh.*

Christentums wiederherstellen wollen und das Mysterium der Verwandlung von Brot und Wein in den Leib Christi ablehnen. Das bedeutet aber nichts anderes als auch Ablehnung der magischen Verbildlichung, der Verkörperung des Göttlichen im künstlerischen Bilde. Für sie ist Christus nicht Gott, sondern der Mensch, der am Kreuz für die Menschen gelitten hat. Davon zeugt die an den provencalischen Kirchen dargestellte Passion (Abb. 163). Die hier im Süden weiterlebende antike Tradition bedingt also, daß hier vom Archaischen der Schritt sofort in eine der spätantiken Kultur ähnliche, nachklassische Stufe versucht wird, und zwar schon in den ersten Jahrzehnten des 12. Jahrhunderts. Es ist eine überstürzte Befreiung von Bindungen und vom Wunderglauben, von den Mysterien der archaischen Form des Kultus und der Kunst.

Abb. 159. *St. Gabriel, Kirche. 1. Viertel 12. Jh.*

Abb. 160. *Moissac, St. Pierre. Tympanon des Portals. 2. Viertel 12. Jh.*

Diese Befreiung durch einen kühnen Sprung nach vorwärts und rückwärts würde nicht möglich und so folgereich geworden sein, wenn sie nicht einerseits rückschauend die antike Kultur (nicht nur als Tradition überhaupt, sondern in sichtbaren Denkmälern gegenwärtig) um sich gehabt hätte, und wenn andererseits nicht auch die Entwicklung der mittelalterlichen Kunst selbst vom Primitiven und Archaischen zur Befreiung des sich selbst Form und Haltung

Abb. 161. *St. Gilles, Ehem. Abteikirche. Fassade. Vollendet 1142.*

Abb. 162. *St. Gilles, Ehem. Abteikirche. Zwei Apostel an der Westfassade. 1. Viertel 12. Jh.*

Abb. 163. *St. Gilles, Ehem. Abteikirche. Westfassade, rechtes Seitenportal, Tympanon: Kreuzigung. Vor 1142.*

gebenden Körpers getrieben hätte. Man verdeutliche sich die Entwicklung an wenigen Beispielen, die leicht durch eine Fülle von Zwischenstufen zu ergänzen wären. Ein Relief aus dem 8. Jahrhundert aus *Charlieu* (Abb. 164) ist noch ganz Ding und Schmuck wie eine Schnalle, ein Reif mit Flechtbandornament, an dem oben ein paar Fähnchen hängen. In seiner Mitte befindet sich ein an tierische, fetischhafte Wesen erinnerndes Plättchen mit gestrichelter Flächenfüllung. Diese rein ornamentale Form aber wird kompliziert dadurch, daß gleichzeitig eine den Christen für den Erlösungsglauben wertvolle Geschichte in reicher Raumsituation dargestellt werden soll. Der Schmuckreif ist der Rand einer von oben gesehenen Höhle, in der Daniel zwischen den Löwen sich befindet, oben zu beiden Seiten symmetrisch Habakuk und der Engel, der ihn in die Höhle führt. Man sieht, wie die antike Tradition, d. h. das Gegenständliche der Geschichte und die Darstellung reich gewandeter Personen, die einfache und primitive Schmuckform erst vielfältig und unruhig macht. In *St. Génies-des-Fontaines* (um 1020) ist schon eine klare Ordnung von einer Hauptperson und Nebenfiguren, die in repräsentativer Haltung dastehen. Das Ganze ist auf ein Portal bezogen (Abb. 165). Die einzelnen Personen sind schon in sich geschlossene Körper, nicht mehr nur Ornament, aber durch eine perlschnurartige Oberflächenbehandlung noch ganz der Materie und ihrer Bearbeitung unterworfen, und so ungegliedert und unproportioniert, daß jede Figur noch mehr ein Stein, ein Ding als Person ist. Somit ist das christliche Gemeinschaftsthema zu götzenhafter und gerade deshalb magischer Wirkung gebracht. In Toulouse, im Christus von *St. Sernin* (Abb. 166), aber ist das Bild der Person schon ganz faßbar an Haupt und Gliedern in die Steinform eingebildet, jeder streng gezeichnete Strich der Innenzeichnung bezeichnet ein

Abb. 164. *Charlieu, Relief aus der Abtei: Daniel in der Löwengrube. 8. oder 9. Jh.*

Abb. 165. *St. Génies-des-Fontaines, Türsturz des Kirchenportals. 1020—21.*

der Wirklichkeit entsprechendes Faltensystem. Die archaische Strenge und Blockform wird zur Monumentalität, sie drückt die Unnahbarkeit, die Härte und Unzerstörbarkeit des Dargestellten selber aus. Aber die Worte PAX VOBISCUM auf dem Buch, der Kreuzesnimbus und die feinen Schwellungen der Modellierungen des Leibes erleichtern die Deutung, daß es doch auch ein Mensch, daß es Christus ist. Im Christus von *Autun* (Abb. 130, S. 145) drücken sich die Glieder schon stärker durch das Gewand durch, die Bewegung der Hände wird sprechender und ausdrucksvoller, die Falten lösen sich als zarte Schicht in der Richtung ihres Falles ab. Ein Kopf im Museum zu Autun (Abb. 167), der zu diesem Christus gehören könnte, ist trotz der Kugeligkeit der Form von merkwürdiger Weichheit, beherrscht von seelenvollen Augen. Der Christus von *Vézelay* (Abb. 168) entwindet sich bereits dem Zwang der Symmetrie und der archaischen Monumentalität. Der Körper hebt sich fast freiplastisch vom Grunde ab, die Glieder lösen sich aus dem Gesamtstamm des Körpers und treten unter dem Gewand hervor. Die Falten werden breiter und faßbarer und beginnen, der Bewegtheit der Figur entsprechend, sich zu winden und zu schütteln zu einem heftigen Umkreisen und Umflattern der Figur. In *Charlieu* (Abb. 169) wird diese Bewegung noch heftiger, die Falten spannen und zerren sich, ein schon manierierter Schwung, ein Überschwang von Bewegung, der doch niemals zu einer freien Haltung der Figur führt, sondern immer ornamental von außen wie ein Netz über die Figur geworfen scheint, verrät, daß hier sich die archaische Bewegung übersteigert, daß sie in ihrer eigenen Tradition beharrt und den Weg trotz aller Bewegtheit zur wirklichen Befreiung der Person, zum lebendigen Organismus nicht finden konnte.

Hier nun setzt die historische Sendung der *Protorenaissance* im Süden ein und macht sie erst zu einer wahren Renaissance, einer Vor-, nicht Rückschau. An den freien organischen Statuen des Altertums schult sich der Blick für das, was eine freie körperliche Haltung und ein selbständiger Organismus ist. Aber wäre es nur bei dieser Renaissance geblieben, so würde vielleicht — durch die auch im Süden noch nicht überwundene archaische Haltung verzerrt oder

Abb. 166. *Toulouse, St. Sernin. Relief im Chorumgang: Christus in der Mandorla. Vor* ***1096.***

Abb. 167. *Autun, Museum. Kopf. 1. Viertel 12. Jh.*

vergröbert — eine barocke Kunst oder ein Naturalismus äußerlicher und unproduktiver Art entstanden sein, der die eigentliche mittelalterliche Entwicklung unterbrochen hätte.

Hier greift das burgundische Formen- und Kultgefühl ein. Schon daß der Bau von *St. Gilles* nicht eine Saalkirche wurde, sondern ein Bau mit Seitenschiffen, zentraler Vierung und Chorkapellen um einen Chorumgang, wird Einflüssen von Cluny her verdankt, dessen Orden auch in die innere Reform des Klosters von St. Gilles eingriff. Dieses wird ein Hauptbollwerk im Kampfe gegen die Ketzerei. An der Fassade wirkt ein junger, vermutlich in Vézelay oder Autun geschulter Künstler mit, der das einfache Apostelprogramm umstößt und ins Überirdische, Symbolische und heroisch Plastische umdeutet durch die Hinzufügung der Gestalten der den Teufel bekämpfenden Erzengel. Der Erzengel Michael ist von seiner Hand (Abb. 147, S. 158). Man sieht, daß ähnlich wie in den Figuren in Vézelay die starre, feste Monumentalität der archaischen Kunst von Autun trotz des strengen Reliefs sich schon zu einer kräftigen kriegerischen Bewegung gelöst hat, und daß die jugendliche Schönheit eines entfalteten Körpers neue Bedeutung gewinnt. Auch die dünnen Gewandlinien erheben sich schon stofflicher vom Körper. Zugleich ist viel von der Zartheit, Weichheit und Beseelung der Kunst von Autun geblieben. Manche Freiheiten zeigen, wie auch dieser Meister auf dem Wege zur Nachahmung antiker Motive ist.

Um die archaische Stufe auf Grund der antikisierenden Anregungen genau in die Entwicklungsstufe überzuführen, wo die regungslose Monumentalität in eine lebendige Repräsentation, die blockhafte Körperform in organischen Körperbau, die ornamentale Linearität in eine funktionelle Haltung ausdrückende Zeichnung übergeht, dazu bedurfte es einer Rückwanderung zum Norden, und zwar in eine Gegend, die, soweit wir sehen können, am wenigsten eigene Tradition in romanischer Zeit entwickelt hatte (sonst wäre nicht so viel erst jetzt durch Neubauten ersetzt), in die Isle de France, nach *Chartres*. Indem der Meister des Michael von St. Gilles diesen Schritt an der Westfassade von Chartres (Abb. 170; Abb. 13, S. 24) in einer künstlerisch bezaubernden, feinen Form vollzieht, wird er einer der größten Meister der Kunstgeschichte.

Abb. 168. *Vézelay, Ste. Madeleine. Mittelportal in der Vorhalle, Tympanon. Ausschnitt: Christus. Um 1130.*

Da wir keinen Namen haben, wollen wir ihn den Meister der Chartreser Westfassade nennen.

Die von der Fassade von St. Gilles abgesehene dreifache Raumöffnung, die Verwandlung der ganzen Fassadenbreite in ein Portal führt er zurück in die mittelalterliche Form des abgestuften, hineinzwingenden Einganges, die freien Säulen der Antike verwandelt er zurück in straffe, nur in Gemeinschaft und

Abb. 169. *Charlieu, Abteikirche. Tympanon des Portals. Mitte 12. Jh.*

als Wanddienste mögliche Stäbe. Die freien, in Nischen stehenden Statuen behalten ihren erdennahen Platz, aber sie werden wieder in die Mauer, in die Wand eingebunden. Sie werden den Säulen angehängt und — das ist noch sehr archaisch — selbst zu Säulen. Damit wird aber der richtungslose Steinblock zum Stab, der als Ganzes eine Richtung in sich hat und ein Stehen, eine Funktion ausdrückt. Und nun wird auch in der flachsten, strengsten Oberflächenzeichnung der Falten der geometrisch ornamentale Charakter überwunden,

Abb. 170. *Chartres, Kathedrale. Die Westportale. Um 1135—55.*

indem sie ein Stehen, ein Standbein durch den senkrechten, ein Hängen, ein Spielbein, durch den gebogenen Strich ausdrücken. So viel Funktion kommt in die Figuren hinein, daß die steife, säulenhafte Haltung als ein Sichzusammennehmen erscheint. Zu dieser Strenge, aber organisch gewordenen Strenge, kommt ein nur von burgundischer Kunst her zu verstehender Ausdruck des Ansprechens im Gesicht und eine feine, stoffliche Oberflächenbelebung. Zugleich bedeutet die stabhafte Dünnheit in Architektur und Figur eine Entkörperung. In all diesen Feinheiten darf man auch hier ein Nachwirken der leichten und schwebenden Formen der spätantiken oder frühchristlichen Wanddekoration sehen. Als einen Weg zu neuer Vermenschlichung der Majestas, die im Mitteltympanon noch als Bild Christi herrscht, muß man es empfinden, daß im Nebenportal die thronende Madonna hinzugefügt ist und daß die erhabene Darstellung der Überirdischen sich im Programm dieser Säulenstatuen zu einem weltlicheren Thema der Vorfahren Christi wandelt. Das Gefühl der Abhängigkeit wird zu freiem Ahnenstolz. Von einer mönchischen treten wir in eine aristokratische Haltung ein. Wir stehen in der Gotik.

DIE GOTIK

Zeit der Kreuzzüge (1. Kreuzzug 1096; letzter unter Ludwig IX., dem Heiligen, 1270), der geistlichen Ritterorden, des Rittertums, der ritterlichen Dichtkunst (Troubadours), der großen Scholastiker (Albertus Magnus, † 1280, Thomas von Aquino, † 1274). 1255 Gründung der Sorbonne. Beginnende Zentralisierung in Frankreich.

Es gilt, die Gotik als eine neue Entwicklungsstufe über die monumentale blockhafte Körperdarstellung des Romanischen hinaus zu verstehen, aber zugleich als mittelalterliche, d. h. als Auseinandersetzung mit dem körper- und diesseitsverneinenden christlichen Geist. Das bedeutet für den Kirchenbau die Auseinandersetzung von Haus und Monument. Die starre, kubische Monumentalität des romanischen Raumes wird zur aktiven des Richtungsbaues. Der Turm rückt von der Vierung, vom Zentrum weg, an den Anfang des Baues im Westen (Abb. 171). Es ist mehr als ein Bild, wenn wir die Seitenansicht, d. h. die Gesamtansicht einer gotischen Kirche als einen tierischen Organismus empfinden, der mit dem Chor den Rücken nachzieht, mit dem gestreckten Hals nach vorn strebt und mit dem Auge der großen Rose im Westen in dieselbe Richtung schaut. Die gotische Kirche hat viele Ansichten, aber nur noch eine Fassade, ein Angesicht im Westen. Durch diese Betonung der Eingangsseite ist schon die Beziehung dieses Monumentes zum Hause gegeben. Es streckt sich von Osten nach Westen hin zum Eingang. Damit ist schon gesagt, daß hier das große langgestreckte Haus der Kirche in der Gestalt eines großen, lebendigen Organismus, d. h. als plastisches Denkmal, erscheint.
Auch der Turm bekommt jetzt, im Gegensatz zur breiten und regungslos gelagerten Pyramide, die Gestalt eines aufrechten, freistehenden, sich nach oben reckenden und mit der Kreuzblume in den Himmel wachsenden Körpers, er wird ein Glied des Baues. Indem jetzt die ganze Kirchenwand, die Mauer, durch Strebepfeiler gleicher Gestalt, durch Turmtrabanten in eine Reihe

Abb. 171. *Paris, Notre-Dame. 2. Hälfte 12. und 13. Jh.*

zerlegt wird, die von den Westtürmen angeführt wird, wird einmal der ganze Baukörper in eine Gliederfolge verwandelt, die wie die Säulen eines antiken Tempels, nur freier, unbelastet, den Raum, den sie begrenzen, umstehen. Dann aber wird wieder, anders als beim antiken Tempel, der von der Rundung des Chores zu den Seiten herumgeführte Kirchgänger durch diese nach Westen geführte Pfeilerfolge unwiderstehlich zu den Türmen hingezogen, zum Westeingang (Abb. 19, S. 29). Hier erst offenbart sich ganz das Wunder der gotischen Baukunst. Es ist nicht ein einzelner Turm, der die repräsentative Funktion des Baukörpers übernimmt, sich als ein erhabener Körper über alle Dächer der Stadt weithin zu zeigen, sondern zwei Türme stehen nebeneinander und betonen so die Mitte zwischen sich. Ihr Stolz dient in Wahrheit der Öffnung, dem Raum zwischen ihnen, sie schaffen zwischen sich ein Tor. Die ganze Fassade ist ein einziges monumentalisiertes Portal. Deshalb bekommt das Portal, nicht das Dach des Mittelschiffes, den eigentlichen Giebel, den Wimperg, der mit seiner steilen Form alle Schwere einer Last aufhebt, der selbst aus gegeneinander gelegten Stäben gebildet einen Raum in sich schließt und mit der Erhabenheit der Türme wetteifert (Abb. 172). Und eben deshalb werden alle drei Portale — die des Mittelschiffes und die der Seitenschiffe — so verbunden, daß, wo das eine aufhört, das andere beginnt. Auch in der Breite ist das Doppelmonument der Fassade nichts als Eingang der Kirche. In der Tiefe wird die Perspektive, die Portalflucht, von außen nach innen gesteigert durch die vorgebauten Strebepfeiler und die Vermehrung der Stufen, vieler dünner Stäbe, die keine Pfeiler-

Abb. 172. *Reims, Kathedrale. Die Westportale. 13. Jh.*

ecken, keine tote Wand mehr zwischen sich lassen. Über sich aber entsenden sie — wie Arme — Rippen, die im Spitzbogen zusammentreffen, sich die Hand reichen und in einer schönen Kurve sich voreinander verneigen. Da so jeder Teilbogen ein selbständiges Bauglied bleibt, erscheint diese Verneigung des einen vor dem anderen und dieses Sichzusammenschließen zu einem Raum, d. h. einem dem stehenden Menschen ganz angepaßten Eingang, freiwillig und gegenseitig. Auch ihr Zusammenstehen erscheint jetzt als ein selbstgewolltes, da durch geschickte Profilierung die Bindung der Stäbe an die Mauer verborgen ist. Sie bilden eine Gemeinschaft; in der schönen plastischen Form, die jeder dabei wahrt, bilden sie eine Gesellschaft. Sie umstehen einen vorhofartigen Eingangsraum, den sie schaffen. Sie machen einander den Hof.
Durch diesen Eindruck der Freiwilligkeit, mit der sich die Bauglieder dem Gesetz des architektonischen Ganzen, der Portalidee, unterwerfen, wird auch der Zwang des Portales, das Hineinziehen des Kommenden in die Tiefenflucht zu einem Entgegenkommen. Diese gotischen Portale sind die einladendsten, die die Kunst je geschaffen hat — ohne die christliche Stimmung wären sie es nie geworden —, und die Kirche wird ein gastlich sich öffnendes Haus des Herrn. Die mittelhochdeutsche Sprache prägte für diese Gastlichkeit das Wort „Milte".
Um alles das deutlich zu machen, erfüllen sich die Stäbe der Portalarchitektur mit Statuen. Vergessen wir wieder nicht, daß ohne die spätantike, rein dekorative Verwendung des Menschen in der Architektur auch diese gotische Einordnung einer neuen, freien Plastik in die Architektur nicht möglich gewesen

wäre. Aber der strenge, ordnende Geist der neuen Frühzeit verwandelt die spielend dekorative Verwendung von Figuren in eine architektonisch ernste und plastisch ausdrucksvolle und, was das wichtigste ist, kultisch bedeutsame und ethisch vorbildliche. Diese Statuenreihen sind die — wie bei einer Feier — in Ordnung zusammengetretene Gesellschaft, die sich um einen Mittelpunkt, Christus oder den Patron der Kirche oder die Madonna (Abb. 175, 176), die Gastgeber, schart. Aber sie stehen nicht mehr schützend und abwehrend dem Nahenden, der sich unterwerfen soll, entgegen, wie es am stärksten in den byzantinischen Bilderwänden oder in den antik empfundenen altchristlichen Apsidenmosaiken, aber auch an den Fassaden des Südens der Fall war, sondern sie stehen sich gegenüber, und sobald der Eingeladene ihnen nahegetreten ist, ist er auch schon zwischen ihnen in dem hofartigen Raum, den sie mit ihren Säulen bilden. Er ist sofort bei Hofe.

Jede Statue dieser Reihe ist eine völlig frei im Raum stehende Person (Abb. 173). Die archaische Massenverfestigung ist einer freien Gliederung gewichen. In keiner Haltung, keiner Arm- und Handbewegung, keiner Bein- und Fußhaltung ist mehr ein Zwang, alles geschieht frei und stolz. Denn die Haltung ist eine durchaus feste, körperliche, wie in klassischer, antiker Plastik. Stand- und Spielbein, entsprechender Kontrapost in den Armhaltungen und in der Drehung und Biegung des ganzen Körpers lassen auch hier ein neues Ideal körperlicher Schönheit erkennen, die Harmonie körperlichen Gleichgewichtes, die zugleich Ausdruck der Würde, des Sichzusammennehmens ist. Also liegen in der Körperlichkeit, in dem Stolz die Gegensätze zur christlichen Demut und Geistigkeit. Aber diese schönen Körper geben sich nicht nackt, sie verhüllen sich mit Gewand. Selbst der weibliche Kopf erscheint in Verhüllung, dem Gebände. Und hier beginnt wieder die Verschmelzung. Dieses Gebände macht den Kopf plastischer, fester in der Form, körperlicher. Im Gewand werden die Falten zu kräftigen Stäben, wie Dienste einer Architektur. Sie werden zu Gliedern eines Körpers; in ihnen selbst, in ihrer Gestrecktheit drückt sich die Standfestigkeit, in ihrer Kurve die Biegsamkeit des Körpers aus. Sie werden die eigentlichen Träger der gotischen Körperkurve. Wiederum zwingt mittelalterlicher Geist Körperverhüllung zu Körperausdruck oder, wie *Vöge* es so schön genannt hat, das Gewand wird zum Echo des Körpers. Auch das Gewand wird Träger seines Stolzes.

Mit dieser Spaltung des Körpers in feine, dünne Stäbe wird zugleich in einer anderen Weise der Körper vergeistigt. Diese Stäbe haben mehr Richtung als Materie, gegenüber dem nackten Körper sind sie entmaterialisierter, verinnerlichter. Aber diese Innerlichkeit ist nicht Seele, sie ist körperliche Funktion, Stehen und Biegung.

Und ein Letztes: diese sich selbst im Gleichgewicht bewahrende Haltung, die die Straffung und das Säulenartige durch Freiheit und Gelassenheit ersetzt, die die Entlastung der Glieder durch Gegenmotive (Kontrapost) ausgleicht, geht dennoch in einem über die antike Ausgleichshaltung hinaus, sie beugt sich stärker, sie biegt sich über sich selbst hinweg zum Nachbarn, sie verbeugt sich vor ihm. So wird die stolze Haltung der jungen klassischen Stufe (der

Abb. 173. *Reims, Kathedrale. Linkes Westportal: Der Hl. Nicasius und Engel. Um 1220.*

Abb. 174. *Paris, Notre-Dame. Tympanon des linken Westportals: Krönung Mariä. Gegen 1220.*

Kontrapost klassisch griechischer Plastik) mit der christlichen Demut verbunden, und diese damit durch die stolze Form, in der sie sich vollzieht, eine freiwillige. Und sie kann es tun, denn auch der Nachbar verneigt sich dankend für diese Demutsbezeugung zurück, sie ist eine gegenseitige. So entsteht aus dieser gegenseitigen stolzen Zuneigung (einer Demut, die ihren Stolz gleichsam verschenkt) die gesellschaftliche Funktion der Konversation, einer Beziehung, bei der Worte und Gebärden mit dem anderen einen Kultus treiben. Diese in diesem Hof von Personen geltende Haltung und Konversation schafft eine neue aus Christlichkeit und Stolz, aus Demut und Hochmut geborene Tugend, die Höflichkeit. Man sieht, wie alle Schönheit gesellschaftlicher Formen, die noch heute Geltung beanspruchen, dem verchristlichten Geiste des Mittelalters entstammen und wie ihr Reichtum und ihre Geistigkeit in der tiefen Zwei-deutigkeit von christlich und heidnisch ruht.

Aus dieser Konversation erwächst in den Bogenfeldern der gotischen Kirchen ein neues Thema, das gotische schlechthin: nicht mehr ein im Zentrum Thronender, sondern ein zu beiden Seiten einer leeren Mitte sitzendes Paar, das mit schönen Gebärden der Arme und Hände und des geneigten Hauptes den Raum zwischen sich überwölbt (Abb. 174). Der Stärkere und Würdigere, Christus, schenkt mit Neigung seine Krone der Maria und erhebt sie zur Himmelskönigin, sie verneigt sich in Dankbarkeit zurück. In wunderbarer Zwei-deutigkeit schenkt der, der die Macht und die Krone hat, der Schwächeren beides in einer Geste. Wir verstehen jetzt, warum in der Gotik die Frau zum Mittelpunkt des Kultus wird. Sie tritt uns im Mittelportal der Westfassade von *Reims* und in Portalen in *Paris* und *Amiens* entgegen (Abb. 175). Immer wird der, der die Macht hat und liebt, sie, wenn auch nur in der Gebärde, als Lebensform, dem lieber schenken, der ihm nicht gefährlich werden kann, als dem, der mächtiger ist als er selbst und sie von ihm fordern kann. Erst so wird die freiwillige Demut, die Demut mit Stolz möglich, und so kann sie sich mit dem Gefühl des Schenkens und Begnadens verbinden, erst so wird sie gottgleich und gibt sie das Gefühl der Gottnähe. Deshalb ist die Frau der erwählte

Abb. 175. *Amiens, Kathedrale. Madonna am Portal des südlichen Querschiffs (Vierge dorée). Mitte 13. Jh.*

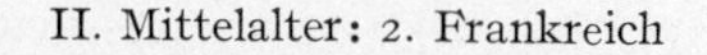

Abb. 176. *Reims, Kathedrale. Nördliches Querschiff, Christusportal. 1. Viertel 13. Jh.*

Mittelpunkt dieser gotischen Kultur, die in freiwilliger Demut ihren Stolz bekundet und ihre körperliche Schönheit entfaltet. Wiederum wird so aus der Gleichberechtigung, die die Frau als geistiges Wesen schon in der christlichen Gemeinde hatte, eine neue Stellung der Frau gewonnen, die sie in aller ge-

Abb. 177. *Reims, Kathedrale. Tympanon des Christusportals, Ausschnitt: Abraham und die Seligen. 1. Viertel 13. Jh.*

sellschaftlichen Form heute behalten hat, ein Vorrang, den sie von Mannes Gnaden durch eine schöne Form allein erhält, zwei-deutig dadurch, daß in der formenvollen Befreiung und Erhöhung sich ihre stärkste Abhängigkeit offenbart (weshalb wirklich emanzipierte Frauen nichts so hassen wie die Höflichkeit des Mannes). Aus der Stellung, die die Frau im Frühchristentum als gleichberechtigtes Gemeindeglied einnahm, und der heidnischen Auffassung der Frau als Sklavin wird die neue gesellschaftliche Stellung der durch eine Form zur Herrin erhobenen Domina, der Donna (Madonna), der Dame. Als vollendete Dame, als Herrin des Hauses, tritt uns die Madonna inmitten dieser konversierenden Gesellschaft, dem Hof, entgegen und begrüßt uns und lädt uns zu sich ein mit einer Neigung und einem Lächeln, das auch uns ihre Würde schenkt, während wir uns vor ihr verbeugen.

Durch das Gewand, dessen schöne, durch Haltung entstandene Form dieselbe ist wie beim Manne, hat sie diese Würde. Aber dadurch, daß dieses formvollendete Gewand auch bei der Madonna den Körper ausdrückt, daß es zweideutig ist (Verhüllung und Enthüllung), hat auch die Frau in ihrer Zuneigung etwas, womit sie Macht über den Mann ausüben kann, hat auch sie Macht zu verschenken. So wird in dieser Konversation zugleich die Beziehung von Mann und Frau in eine kultische Form gegossen. Die Würde, die die Frau verschenkt in gesellschaftlicher Form, macht sie liebenswürdig, die Art des Schenkens, bei der sie als Herrin anerkannt wird, wird zur Huld, die Anerkennung, die zugleich Werbung ist, zur Huldigung. Die Macht aber des sich vor

Abb. 178. *Amiens, Kathedrale. 1220 bis etwa 1268.*

Abb. 179. *Mantes, Notre-Dame. 2. Hälfte 12. Jh.*

der Dame verneigenden, konversierenden Mannes, den wir uns außerhalb der Gesellschaft als stolzen Mann zu Pferde denken müssen, wird in dieser Huldigung zur Ritterlichkeit. Der antike Held wird zum mittelalterlichen Ritter. Ritterlichkeit wird eine christianisierte Tugend der Starken. Die Liebe aber, die in den griechengleich geformten Gestalten wieder ihre körperliche Bedeutung zurückgewinnt, wird dennoch durch diese christliche Gemeinschafts- und Gegenseitigkeitsform (die Nächstenliebe) und die christliche Selbstentäußerung zu einem Dienst an den Schwachen und zu einer alles Fleischliche durch kultische Formen bändigenden Gesellschaftskultur.

Die Höflichkeit ist als gegenseitige auch zwischen Männern möglich, aber, damit Würde und Macht verschenkt werden kann, setzt sie beides als bestehend voraus. Sie kann deshalb nur eine Lebensform von körperlich Mächtigen, von heldischen Personen und von Gleichmächtigen sein, ritterlich und aristokratisch, sonst wird die Verbeugung des einen vor dem anderen zur demütigenden Herablassung, zum drückenden Geschenk, oder es wartet jeder, daß der andere sich zuerst verneigt. Diese Rivalität ist durch die Verschiedenartigkeit der geschenkten Macht bei Mann und Frau ausgeschlossen. Deshalb erhält in dieser Gesellschaft jeder Mann möglichst die Frau zum Partner. An Heiligenportalen übernehmen gern Engel diese Rolle. Fortan gilt für die französische Kultur das Cherchez-la-femme. Es wäre trotzdem verfehlt, diese französische Kultur und die Gotik eine weibliche zu nennen. Denn gerade die Männlichkeit des Ritters, der seine Macht auch in Turnieren und Kämpfen für die Schwachen, für die Dame, die Madonna und das Kreuz, beweisen muß, ist der Grund, daß die Konversation am liebsten mit der Dame erfolgt.

In eine solche Gesellschaft also tritt an den Kirchenportalen der Gläubige ein und wird, durch sie selbst geadelt, von der Madonna huldvoll begrüßt und von den Heiligen geleitet und durch ihre vorbildliche Haltung und Verbeugung vorbereitet. Wie so etwas geschehen kann, lehrt uns die Kunst an diesen Portalen. Im Jüngsten-Gerichts-Tympanon des Christusportales der Kathedrale von *Reims*

Abb. 180. *Reims, Kathedrale. Südwand des Mittelschiffs. 13. Jh.*

(Abb. 176, 177) ist die Darbringung der Seelen in den Schoß Abrahams dargestellt. Abraham ist ein schöner Mann mit gepflegtem Bart und in edler Haltung. Vier Engel, die ihm nahen, verbeugen sich wie bei einem höfischen Empfang in wundervoller Grazie vor ihm. Daneben stehen rechts und links Selige, die von Engeln bei der Hand ergriffen werden, um dem Gastgeber zugeführt und vorgestellt zu werden. Das etwa ist die Stimmung, mit der man sich jetzt den Weg zur Gottnähe vorstellt. In diesem Jüngsten Gericht geht alles anders zu als an den romanischen Kirchenportalen. Die Toten steigen mit schönen Gebärden, mit Anstand aus dem Grabe. Wo sind die Schreckens- und Angstgebärden von Autun geblieben! Selbst die zum Gericht Schreitenden — darunter ein König, ein Bischof, ein Mönch, eine Edelfrau, ein reicher Mann — fühlen sich als Gesellschaft und ordnen sich zu einem feierlichen Zuge, in dem keiner durch häßliche Klagegebärden den Anstand verletzen darf. Man sieht deutlich, dieses Jüngste Gericht, das die Aufnahme in die Gemeinde auf Furcht und Gnade stellt, ist kein Thema mehr für die Gotik. Die Krönung Mariä löst es ab. Das Jüngste Gericht würde vielleicht ganz verschwinden, wäre es nicht durch die romanische Tradition schon so eingebürgert.

Sind wir nach diesem Vorspiel im Vorhof in die Kirche selbst eingetreten, empfängt uns ein Raum, der in seiner Höhe und in seiner Länge das Einladende des Portals zu einer hinreißenden Bewegung vom Eingang hin zur Apsis steigert, wovon auch die zügigsten romanischen Kirchen nur eine Andeutung geben (Abb. 178). Die Aktivität beruht darauf, daß die ganze Bewegung erst von der Apsis aufgefangen wird, die uns in der Säulenfolge des Umganges entgegenkommt: dieser neuen gotischen Lebendigkeit mußte das romanische Zentrum der ruhenden Kuppel weichen. Dies wird in einigen Fällen erreicht durch Verzicht auf ein Querschiff (*Sens, Mantes,* Abb. 179) oder durch Verlängerung des Chores und durch Wegfall der Vierungskuppel. Letzteres beides geschieht fast in allen entwickelten gotischen Kathedralen. Man fühlt, das Ideal ist der querschiffslose, einheitlich durchgehende Grundriß der ravennatischen Basilika, obwohl in späterer Zeit aus Raumbedürfnis fast alle querschiffslosen Kirchen wieder ein Querschiff bekommen haben. Der Unterschied zur ravennatischen Basilika liegt in der Enge des dem aufrecht schreitenden Menschen angepaßten Raumes und in seiner Längsdehnung, liegt aber vor allem in der Gestaltung der Wände (Abb. 180). Hier auch vollzieht sich eine neue Erfüllung der Dienste mit Leben und Funktion. Die ganze Wand wird vollständig in Glieder aufgelöst, alle Mauern werden herausgenommen, die Fenster nehmen die ganze Wandbreite zwischen den Hochdiensten ein, werden selber von dünnen, stabartigen Pfosten, dem Stab- und Maßwerk geteilt, die Zone zwischen den Seitenschiffsarkaden und den Fenstern, hinter denen das Seitenschiffsdach ansetzt, wird durch einen aus Stäben gebildeten Laufgang geöffnet, später auch noch durch Fenster in der Rückwand. Die Pfeiler selbst werden aus lauter dünnen Rundstäben zusammengesetzt, die durch tiefe, den Pfeilerkern verhüllende Kehlen getrennt sind und völlig frei nebeneinander zu stehen scheinen. Eine wunderbare Straffheit und Energie aufrechter Haltung spiegelt die Proportion des Raumes wieder.

Das Neue aber ist, daß diese Durchbrechung der Wände und die Reduzierung auf Körper, die durch ihre gegenseitige Beziehung erst wie die Türme an der Fassade den Raum schaffen, nun auch die Decke, das Gewölbe ergreift. Wie am Portal greifen auch diese Stäbe mit Armen, mit Rippen, die spitzbogig sich in der Quere, in der Diagonale begegnen, über den Raum herüber und bilden ein Spalier von Stäben, in deren Funktion noch einmal die vollendete gegenseitige Verneigung voreinander den Raum mit derselben kultischen Form wie ein rauschender Choral erfüllt, eine Verbeugung, die der in einer Prozession vom Eingang zum Chor Hinschreitende, am Ende des Ganges Anlangende nun auch vollzieht: man sehe, wie sich in Reims in der Darstellung einer Messe Ritter vor dem Altar verneigen (Abb. 181). Die ganze Kirche ist gleichsam eine formgewordene Prozession, ein Gang. Der Chor kommt diesem mit denselben sich zuneigenden Rippen entgegen und wird eine einzige huldvolle Begrüßung. Nehmen wir aber hinzu die absoluten, riesenhaften Dimensionen des Baues, eine

Abb. 181. *Reims, Kathedrale. Innere Westwand des Mittelschiffs: Abraham und Melchisedech. Nach 1251.*

Erhabenheit, die auch den Menschen emporreißt, die dunkle Glut der farbigen Glasfenster, deren Dunkel auch die klaren Formen und straffen Glieder in ein mythisches Geheimnis taucht, so ahnt man, wie die Lebensformen hier auch für das Göttliche verbindlich erklärt werden, diese Göttlichkeit aber den hohen Wert zum Ausdruck bringt, den diese Formen haben, so daß das Leben in der Gesellschaft das Leben des vornehmen Mannes wird. Die französische Revolution hat dieses gesellschaftliche Ideal als ein Leben-Bedingendes und -Erfüllendes gestürzt, ohne die Feinheit seiner Formen gänzlich zerstören zu können. Selbst in Amerika sind diese Formen nicht ganz verschwunden. Aber sie sind heute entwertet. Das darf uns nicht hindern, die kultur- und kunstschöpferische Bedeutung dieser Lebenshaltung anzuerkennen. Wenn wir sie als äußerlich empfinden, so dürfen wir nicht vergessen, daß das Äußerliche in diesem Falle Körper und Gebärde sind und daß ohne diese weder die Körperlichkeit und Lebendigkeit der gotischen Statuen noch der gotischen Kathedralen hätte entstehen können, eine Plastik und Architektur, von der man heute begreift, daß nur die griechische in ihrer Blütezeit mit ihr verglichen werden kann. Dennoch ist damit noch nicht ihre Bedeutung erschöpft. Die größte schöpferische Tat besteht darin, daß es gelungen ist, die christlichen Werte, ja die Negation des Körperlichen und der adligen Haltung mit dem griechenähnlichen Heldentum und plastischen Ideal zu vereinen und mit der Freiheit und Selbstbewahrung des Körpers ein Gemeinschaftsideal (Hingabe, Innenraum, Gastlichkeit) zu verbinden. Die gegenseitige Beziehung, die durch die von innen heraus vollzogene Harmonie aller Gebärden als selbstgewollte, als freie erscheint, wirkt wie eine Übereinkunft, eine Konvention. Alles Tun und alles Sein ist in der Gotik konventionell. Auch dieses Wort ist für uns heute ein Aburteil. Wenn wir aber wahrhaft historisch denken (d. h. niemals heute den gotischen Menschen und seine Konvention erneuern möchten), dann dürfen wir die Verwirklichung dieser Werte in jener Zeit als die Möglichkeit einer wunderbaren Formung des Lebens und der Kunst preisen. Denn gerade in allen Werten der Konvention, der Freiwilligkeit im Gemeinschaftssinn,

Abb. 182. *Amiens, Kathedrale. Relief aus den Darstellungen der Tugenden und Laster am mittleren Westportal: Die Roheit. Nach 1220.*

d. h. im verchristlichten Ethos der Feudalität, geht diese Kunst über die Antike hinaus.
Man vergleiche nur im antiken Tempel (Abb. 18, S. 28), der in der Allöffnung und -gliederung des Baukörpers mit der gotischen Kathedrale verwandt ist, wie die Vereinigung der Bauglieder durch die ungeheuere Last des Gebälkes erfolgt (selbst auf den Göttern lastet im Altertum das Schicksal, die Moira), und wie die Säulen schon in sich viel mehr Körper, weniger nur Funktion und Willen haben, wie vor allem jede Säule gegen die andere durch ihre Ausbauchung sich sperrt, sich nur in sich selbst rundet und zusammenzieht und den Raum zwischen sich und der nächsten Säule nicht als solchen umstellt und formt, sondern negiert. Er ist das Nichtseiende (τὸ μὴ ὄν), nicht das Hauptseiende.

Abb. 183. *Reims, Kathedrale. Strebepfeiler am südlichen Westturm und am Langhaus. 2. Hälfte 13. Jh.*

Der Säulenmantel des antiken Tempels hat kein Portal. Er ist nicht gastlich. Er wendet sich monumental nach außen, er ist mehr Körper als Raum.
So erfährt das Überirdische und das Übermenschliche nicht nur gegenüber der archaischen Stufe der romanischen Kultur, sondern auch gegenüber der Antike eine neue Verinnerlichung und Menschenwürdigkeit. Das Wunder und die Furcht vor dem Wunder treten zurück. Tier und Teufel werden aus diesem Bereich schöner Haltungen verwiesen, oder ihr Bereich wird eingeschränkt. Der Teufel wird menschlicher und harmloser, über die Tiere macht man sich lustig. Die schon im Romanischen geübte Kunst der Karikatur schafft aus den Tierdämonen die Tierfratze. Die Heiligen werden nicht mehr auf Tiere gestellt, die das von den Vertretern der Religion überwundene Böse bedeuten, sondern auf hockende Menschen, die Widersacher, die ihren Tod verschuldet haben. Auch der Kampf der Tugenden und Laster wird als Störung des gesellschaftlichen Beisammenseins aus den Kirchenportalen verwiesen. Die Tugenden sind nicht mehr kämpfende Heroinen, sondern thronende Gestalten, die durch ihren Wappenschild ihren Adel (der aber ist jetzt Tugend) beweisen. Statt des Tieres zu ihren Füßen werden in besonderen Feldern menschliche Szenen gezeigt, in denen ein unanständiges Verhalten als Abschreckung und als Kontrast zu der vorbildlichen Haltung der Figuren am Portal ironisiert wird. (Erzieherisch bleibt auch diese Kunst, sie wird keineswegs zum Genre-

bild.) So sieht man eine Edelfrau, die ihren ein Glas Wein bringenden Diener vor den Bauch tritt: ein Bild der Roheit (Abb. 182); einen Jüngling, der einem Bischof unehrerbietig antwortet: den Ungehorsam; einen Ritter, der vor einem Hasen erschrickt: die Feigheit; einen Mönch, der sein Kloster verläßt und Schuhe und Kutte vor ihm deponiert: die Untreue. Das Thema der Klugen und Törichten Jungfrauen, ein Bild der Bereitschaft zur kirchlichen Gemeinschaft und der Sorglosigkeit, wird der Zeit unter dem Bilde von Braut und Bräutigam besonders wertvoll. An den Pfosten der Portale zeigen Jungfrauen beherrschte Freude und beherrschten Schmerz in adliger, gotischer Haltung. In den Bogenläufen (*Archivolten*) der Portale wird die Gesellschaft der Portalstatuen und der Reliefs zu einem reichen Himmelschor ausgestaltet, von Patriarchen, Propheten, Vorfahren Christi, Engelschören verschiedener Art und schließlich auch den aus der romanischen Kunst übernommenen mythischen Gestalten von Monatsbildern und Jahreszeiten, Wissenschaften und Lebenstypen. Dazu kommen Geschichten aus der Heiligenlegende. Bemerkenswert ist immer, daß ein charakteristisches Geschehen, das in der romanischen Kunst noch die Gebärde der Figur bestimmte, sich immer mehr zu einer zwecklosen, edlen Haltung auswächst, daß selbst eine historische Szene sich der vertikalen Gestalt einer Statue nähert. Die Kunst wird eintöniger, konventioneller auch in dieser Beziehung, aber Schönheit bleibt das höchste Gut, und die Feinheit der Variation zeugt immer von höchster Kunst. Selbst die Strebepfeiler wachsen sich zu Figuren aus, zu Engels- oder Königsreihen, die den Bau umstehen und mit den berühmten Königsgalerien der Fassaden wetteifern (Abb. 183). Auch diese Statuen, die die Funktion des Pfeilers verkörpern wie die Portalstatuen die der Portaldienste, machen den Strebepfeiler nicht zu einem reinen Körper. Auch er verwandelt sich erst noch einmal in einen Raum, dem von dem Steilhelm (*Fiale*) gekrönten Baldachin (*Tabernakel*), ehe er die Statue aufnimmt.

ENTFALTUNG, AUSBREITUNG UND SONDERARTEN DER GOTIK

Die Formenklarheit und Logik der Gotik läßt leicht übersehen, daß es auch in dem Gebiet, in dem die Gotik ihr Zentrum hat — sagen wir rings um *Paris* in einem genügend weiten Radius —, eine Reihe von Spielarten gibt, deren Charakter und Herkunft hier wenigstens angedeutet werden soll. Schicken wir voraus, wie sich in großen Zügen die Entwicklung gestaltet und was die Ausdrücke Früh- und Hochgotik bedeuten. Wir fassen sie am besten in der Plastik, wenn wir sehen, wie sich nach den Säulenstatuen des Westportals in *Chartres* (Abb. 13, S. 24) mit ihrer steifen Haltung und den nur wie eingeritzten Gewandlinien schon in den Querschiffsportalen von Chartres (Abb. 184) die Proportionen der Figuren aus den Parallelen des Säulenumrisses lösen, mit den Schultern aus ihm herauswachsen, mit dem Kopf sich drehen und etwas neigen. Auch die Gewandfalten lösen sich in breiteren Falten stärker vom Körper ab, ohne aber schon einzeln in ihrer Richtung und Funktion sich bemerkbar zu machen. Nur die Oberfläche im ganzen scheint stärker stofflich gelockert. Erst in der Plastik der Westfassade zu Reims (Abb. 185) haben sich die Falten zu einzelnen Stäben verdickt, die als selbständige Glieder eines Körpers gesehen und in ihrer Funktion nachgefühlt werden können; der ganze Körper biegt sich im Kontrapost und neigt sich in gotischer Kurve oder hält sich frei und ungezwungen aufrecht. Das klassische Stadium ist erreicht und wird nur dadurch überboten, daß in der Folgezeit die Steilheit und Feinheit des ganzen Körpers und der Falten gesteigert wird, wie in den Figuren der Kathedrale von *Paris* oder von *Auxerre* in den letzten Jahrzehnten des 13. Jahrhunderts. Die Reihe der Madonnen in Chartres (hier an Stelle der Madonna eine Hl. Anna), Reims, Amiens, Paris, gibt auch ohne Erläuterung ein aufklärendes Bild der Entwicklung (Abb. 186, 187, 188; 175, S. 183).

In der Architektur kommt zu der zunehmenden Verfeinerung der Bauglieder und ihrer Funktion, die sich besonders in den Kapitellen und den Rippen ausdrückt, die Entwicklung des Raumes in Längs- und Hochentfaltung hinzu. In frühen Bauten, am auffälligsten in den frühgotischen Kirchen von *Braisne* (*St. Yved,* Abb. 189) und *Laon* (Kathedrale), sind die romanische Vierungskuppel und der romanische Vierungsturm noch nicht aufgegeben, die Bewegung vom Westeingang zum Chor geht noch nicht so einheitlich durch, wie es dem reifen gotischen System entspricht. Aber der Turm selbst wird gotisch steiler; im Innern bildet sich ein himmelwärts steigender Schacht, dessen die Wand öffnende und sich aufwärts biegende Rippen den Gläubigen selber emporreißen, an der Stelle der Kirche, wo im romanischen Bau die dunkle Kuppelfläche das Geheimnis eines Grabmysteriums deckte. Indem außen auch die Querschiffsfassaden Türme erhalten, bildet sich um den Vierungsturm eine zentrale Gruppe von monumentaler Wirkung, die durch die steilen Akzente ihrer Glieder betont und verschärft wird. Die Türme sind an den Querschiffsfassaden von Laon nicht fertig geworden. Einen Eindruck der zentralen Gruppe gibt heute in Deutschland der Dom von *Limburg,* dem die Kathedrale von Laon zum Vorbild gedient hat. In Belgien hat die Kathedrale von *Tournay* eine solche zentrale Turmgruppierung.

Abb. 184. *Chartres, Kathedrale. Linkes Nordportal: Heimsuchung. 1. Viertel 13. Jh.*

Verlangsamend wirken auf die Längsflucht des Mittelschiffes auch die in den frühen gotischen Kirchen verwendeten sechsteiligen Gewölbe

Abb. 185. *Reims, Kathedrale. Mittleres Westportal: Die Darbringung im Tempel (Joseph, Maria, Simeon, Hannah). Um 1220.*

(Kathedralen von Sens, Mantes, Paris, Laon; Abb. 179, S. 187; Abb. 190). Diese sechsteiligen Gewölbe decken wie Kuppeln quadratische Räume, deren ruhige, in sich zentrierte Wirkung durch die sechs in einer Kuppelfläche liegenden Rippen noch betont wird, während die schmalen oblongen Gewölbe der Hochgotik nur wie Portale oder Vorhallen wirken, von denen jede in die nächste weitertreibt. Daß das gotische Rippengewölbe technisch von der mit flachen Rippen versehenen Kuppel seinen Ausgang genommen hat, wird durch diese sechsteiligen Gewölbe bestärkt. Die romanischen Längstonnen lassen einen solchen Rückfall in ein ungotisches Zerlegen des Raumes nicht ahnen; es entspricht mehr den Kuppelfolgen der angevinischen Kirchen (Kathedrale von *Angoulême*, Abb. 157, S. 167).
Auf einen ähnlichen Zusammenhang weisen die ruhigen, breiten Proportionen einiger frühester gotischer Kirchen, wie des weiträumigen Schiffes der Kathedrale von *Sens* mit seinen sechsteiligen Gewölben (Abb. 190). Nach den schmalen und steilen tonnengewölbten Kirchen romanischen Stiles (Cluny!) ist eine solche Weiträumigkeit um so verwunderlicher, als die Entwicklung der Gotik immer mehr auf die Überhöhung und damit Versteilung des Raumes zielt, eine Entwicklung, die man an der Folge der Kathedralen in Sens, Chartres, Reims, Amiens, Beauvais ablesen kann (Abb. 190, 191, 192;

Abb. 186. *Chartres, Kathedrale. Hl. Anna am mittleren Nordportal. 1. Viertel 13. Jh.*

Abb. 187. *Reims, Kathedrale. Madonna am mittleren Westportal. Um 1220.*

Abb. 188. *Paris, Notre-Dame. Madonna am nördlichen Querschiffsportal. 3. Viertel 13. Jh.*

178, S. 186; Abb. 193). In dieser letzteren Kathedrale hat das Hochgefühl der Gotik Ausmaße angenommen, daß der Mensch sich in die Gepreßtheit und Steilheit des Raumes kaum noch einfühlen, die schwindelnde Höhe des Raumes kaum noch mit dem Blick zu fassen vermag. Das Schicksal hat sich an dem Hochmut der Erbauer dieser Kathedrale gerächt, indem es dem Ikarusflug zum Himmel ein jähes Ende bereitet hat. Die riesenhaften Höhendimensionen vermochte der menschliche Wille nicht zu realisieren. Einstürze des Gewölbes nötigten zu Notlösungen und schließlich zum Stillstand des Baues, der über den Chor nie hinausgediehen ist.

Diese Höhenentwicklung war technisch um so gefährlicher, als gleichzeitig mit ihr die immer stärkere Auflösung der Wand in ein System dünner und feiner Stäbe verbunden war, die die technische Widerstandskraft der Mauer gegen den Druck des Gewölbes schwächte, während es den ästhetischen Eindruck der Straffung und Energie aller Glieder verstärkte (Abb. 194). Die Rippen, die in frühesten Bauten noch einfach rechteckig waren, dann mit Stäben an den Kanten dieser Gurte versehen wurden, wurden schließlich zu birnstabförmiger Gestalt zugespitzt. Der Pfeilerkern tritt in frühesten Bauten noch kantig zwischen den Diensten hervor, die selber durch Schaftringe (*Wirtel*) mit der Wand verklammert werden; später wird er durch Hohlkehlen zu einem

Abb. 189. *Braisne, St. Yved. Geweiht 1216.*

Schattenraum vertieft, neben dem die Dienste sich frei, von der schweren Masse des Pfeilers gelöst, in die Luft erheben. Zugleich werden die Dienste immer dünner und scharfkantiger, ihre Zahl vermehrt, bis sie schließlich wie feine Stahlklingen vom Boden zum Schlußstein des Gewölbes ununterbrochen und zuweilen ohne Kapitelle aufsteigen und sich elastisch biegen. Zwischen diesen dünnen und gelockerten Dienstbündeln wird die Wand in fortschreitender Entwicklung immer mehr herausgebrochen. Die Fenster, die zuerst noch einfache Ausschnitte aus der Wand waren, verdrängen immer mehr Mauer bis zu den Strebepfeilern, erfüllen sich mit Säulen, durch die sie wie in diesen Zwischenraum hineingestellt aussehen, werden durch Pfosten unterteilt, so daß schmale, spitzbogige Felder entstehen, die bis zu der nächsten Arkadenzone, dem Triforium, herunterreichen. Die Arkaden dieses Triforiums waren ursprünglich noch in Gruppen zusammengefaßt, neben deren umfassendem Bogen Mauer stehen blieb (*Sens*, Abb. 190). Allmählich werden lauter gleiche, schmale, vollständig in Stäbe aufgelöste Arkaden nebeneinander gereiht, die die Längsflucht des ganzen Raumes unterstützen und mit den Fenstern über ihnen zu einem Vertikalsystem zusammengehen. Schließlich wird auch die Wand, die das blinde Triforium von dem Dachraum des Seitenschiffes schied, noch herausgenommen und durch Fenster ersetzt. Die ganze Kirche wirkt wie ein einziges Glashaus (*St. Ouen* in Rouen, Abb. 195, *St. Urbain* in Troyes).

Abb. 190. *Sens, Kathedrale. Nach 1130.*

Die frühesten Kirchen (*Sens, St. Denis, Noyon*) können auf ausgebildete Strebepfeiler verzichten, da die Wände noch sehr dick und wenig durchbrochen sind. Ein

Säulensockel, eine Säule darauf, wie schon in romanischen Bauten, oder eine Lisene dienen mehr zur Betonung der architektonischen Formen als zur Verstärkung der Mauer (Abb. 196). Dann entstehen Strebepfeiler von wandmäßiger Dicke, die wenig über die Dachzone emporsteigen und mit einem Satteldach abgeschlossen werden (*Laon, Chartres*, Abb. 197). Schließlich entsteht die klassische Form: schmal, hoch über die Dächer emporsteigend, einen lichten, statuengefüllten Baldachin auf sich tragend und von diesem aufragenden Turm zu den Mauern des Hochschiffes Strebebögen entsendend, die technisch den Gewölbeschub des Mittelschiffes auffangen, ästhetisch ähnlich wie die Rippen mit langem Arm hilfsbereit und biegsam zur Wand des Schiffes heraufgreifen (Abb. 183, S. 191). Auch hier faßt das Auge jetzt nur noch ein kühnes Gerüst senkrechter und gebogener Stäbe. Alles ist Funktion geworden.

Abb. 191. *Chartres, Kathedrale. 1194 bis etwa 1220.*

Aber in dieser Entwicklung muß man sich hüten, Motive, die durch eine Sonderart bedingt sind, mit solchen, die der Entwicklung angehören, zu verwechseln. Es gibt einen steifen Stil, der das entkörpernde Prinzip, die Dünnheit und Gestrecktheit der Formen übertreibt und deshalb mit einer unzärtlichen Sprödigkeit die Kurven vernachlässigt. Er ist schon in einer Gruppe von Statuen an den Querschiffsportalen von *Chartres* zu spüren (Abb. 184, 186) und wird das Charakteristikum der (der Normandie nahen) Plastik von *Amiens*, deren Stil sich in Paris bildet (Abb. 174, S. 182) und in Reims eindrängt. In einer Gruppe von Bauten, zu denen das Mittelschiff der Kathedrale von *Soissons* und die Kathedralen von *Amiens* und *Beauvais* gehören (Abb. 178, S. 186; Abb. 193), ist auch der Raum, verglichen mit anderen Bauten derselben Entwicklungsstufe, besonders steil, das Dienstsystem besonders straff, ein steiler Stil auch in der Architektur. Sein Gebiet ist die der Normandie benachbarte Picardie.

Wieviel gesättigter und harmonischer sind dagegen die Proportionen des Innenraumes der Kathedrale von Reims (Abb. 192). Hier runden sich auch die Chorkapellen zu selbständigen Räumen (Abb. 198). Ihre Wände ziehen sich am Eingang etwas zusammen. Dieses Raumumfangen mit seiner milden, beruhigen-

Abb. 192. *Reims, Kathedrale. 13. Jh.*

den Stimmung innerhalb der gotischen Richtungstendenz und Zielstrebigkeit ist um so auffallender, als in frühen Kirchen, wie in Mantes, Sens, Paris, auf Kapellen ganz verzichtet ist und in St. Denis die Wände der Kapellen ganz ausgebrochen sind, so daß zwei Umgänge entstehen und nur ganz flache Kapellen übrig bleiben, die den Prozessionsweg um den Chor herum nicht aufhalten können. Ganz flach sind auch die Kapellen des Chorumganges der Kathedrale von *Soissons* (Abb. 199). Da in den Kapellen in Reims ebenso wie in den Querschiffswänden die Dienste frei vor der Wand stehen und hinter sich einen Laufgang freilassen, so flutet der Raum hinter die Dienste und erscheint unbestimmter, weicher in seiner Begrenzung. Kapellen wie diese haben wir mit ähnlicher Wandbehandlung auch in St. Rémi in Reims, in *Châlons s. M.* (Abb. 200), *Auxerre*, alles Orte der Champagne, so daß wir hier von einem weichen Raumstil der Champagne reden können. In diesen Kirchen sind die Kapelleneingänge mit Säulen verstellt, die Abgeschiedenheit und Selbständigkeit der Kapellen ist noch stärker betont. Sie bilden in der gotischen Flucht ruhende Pole, ein wahres Refugium.

In Reims ist auch ein besonders weicher Figurenstil zu Hause, durch den das Gewand etwas von der Lockerheit und Stofflichkeit antiker Gewandbildung erhält. Diesem Stil scheint auch eine besondere Weichheit des Gemütes zu entsprechen. Die Reimser Statuen sind die zärtlichsten, empfindsamsten und verbindlichsten. Schon in früher Zeit (um 1180) ist an der Kathedrale von Reims in einem später zum Portal verarbeiteten Grabmal das Zeremoniell einer Totenfeier mit einer teilnehmenden Wärme aller Celebranten dargestellt, die sich in einer besonderen Müdigkeit der Gebärden, einem Hinsinken aller Körperneigungen und in weich übereinander fallenden Gewandfalten kundgibt (Abb. 201). Diese verwirren sich in ihren Kurven, schieben sich übereinander, zerdrücken sich und verstärken den Ausdruck des Verstörten. Wie die Chorkapellen in der Kathedrale und in St. Rémi in Reims sich räumlich vertieften, so bilden die hintereinander gestellten Figuren einen abgeschiedenen Innenraum.

Aus dieser *Reimser Schule* (die man, ohne die Zwischenglieder aufzeigen zu können, bis in Miniaturen des 9. Jahrhunderts zurückverfolgen möchte) entwickelt sich einer der größten Meister der Frühgotik, der *Meister der Reimser Heimsuchung* (Abb. 202). Der Meister dieser vollkommenen Figuren hat die Verwandtschaft seines weichen Stiles, der stofflichen Gewandbehandlung und der spezifisch weiblichen Körperdarstellung mit antiker Frauendarstellung gespürt und sich für seine Maria an ein antikes Vorbild gehalten, aber trotz alledem die Harmonie des antiken Kontrapostes zu einer gotischen Kurve gesteigert. Bei aller Auflockerung der Oberfläche des Gewandes sind die führenden Bewegungslinien im gotischen Sinne gewahrt. Auch die weichen Rundungen des Kopfes einer venushaften Schönheit sind mit festeren Umrissen zu einem frauenhafteren Ethos umgebildet, und der Blick ist zu mildem Ansprechen und Entgegenkommen geläutert (Abb. 203). So wird hier die gotische konventionelle Konversation zu einem Gespräch damenhafter Frauen über ein Thema, das mit Takt behandelt sein will. So vollkommen ist die mit Neigung vollzogene Bewegung, die gerundet weiche Form des Körpers, die verhüllende und betonende Struktur des Gewandes, daß man diese frühen Statuen (vielleicht schon um 1210) um die Mitte des Jahrhunderts hat setzen, frühgotische Plastik zu hochgotischer hat machen wollen. Sie hat ihre Nachfolge in der Gruppe um Abraham im Christustympanon (Abb. 177, S. 185), die so bezaubernde Motive huldvollen Geleites und anmutiger Bewegungen enthält.

Eine Quelle dieses weichen Stiles suchen wir im Jüngsten Gericht von *Autun* (Abb. 135, S. 149; Abb. 136, S. 150), wo schon die versteinerten Bewegungen der Figuren und die scharfen Linien der Falten durch ihr Heruntersinken und Sichübereinanderschieben den Charakter von Weichheit und Stofflichkeit trugen und wo die Engel so zärtlich mit den hilfesuchenden Seelen umgingen, daß hier aus Weichheit der Empfindung und der Gewänder das Thema der Schutzmantelmadonna geboren wurde. Dieser weiche Stil von Reims weist also letzten Endes auf das dem Oberrhein benachbarte Burgund. Ist es ein Zufall, daß wir beides, reich und stofflich zerspaltenes Gewand und psychologisch tiefste Erzählungskunst, nur ohne gotische Haltung und Konvention, aber mit stärkerer antiker Körperbetonung, in oberrheinischer Kunst und im Werke eines Meisters der Goldschmiedekunst wiederfinden, das wir schon dem Bereiche spezifisch deutscher Kunstübung zuschreiben

Abb. 193. *Beauvais, Kathedrale. 13. und 14. Jh. Querschiff 16. Jh.*

Abb. 194. *Beauvais, Kathedrale. Querschiff und Chor. 13. und 14. Jh. Querschiff 16. Jh.*

müssen, im Werke des Lothringers *Nikolaus von Verdun?* (Abb. 293, S. 274.)

Burgundisch, aber der strafferen und bewegteren Art von Vézelay zugehörig, ist auch die dritte Richtung, der geschwungene Stil. Seine früheste Äußerung in *Senlis* zeigt alle Statuen von Gewandkurven umschwungen, deren Verwandtschaft mit den — allerdings viel ornamentaler bewegten — Figuren des Bogenfeldes in Vézelay ohne weiteres faßbar ist. Die Säulenstatuen werden, auch wenn sie mit dem Körper ganz ruhig stehen, mit dem Gewand in eine drehende Schraubenbewegung hineingerissen, die einen lebhaften Kontrapost vorbereitet. Die entzückende Szene der Erhebung des Leichnams der Jungfrau Maria aus dem Grabe ist mit einem unvergleichlichen Temperament dargestellt (Abb. 204). Die Engel schießen förmlich herbei; das die Körper umkreisende, nach hinten schwingende Gewand macht die Körper noch schlanker, die Bewegung noch eiliger. Sie drängen sich der Madonna zu, huldigen ihr und verneigen sich mit kindlicher Grazie ganz tief, nur den Kopf strecken sie nach vorn. Hier fühlen wir, wieviel überhaupt die gotische Kurve dem burgundischen Kurvenstil verdankt. Die berühmte Josephsstatue in Reims mit ihrer wirbelnden Bewegung, ihren schwingend ausgreifenden, fest gebogenen Falten, ihren gerollten Haaren und keckem Blick, der schöne Engel von Reims mit seiner vollendeten Grazie und vielleicht die Himmelfahrt Mariä in Paris mit den groß und dünn gebogenen Falten setzen diesen Stil fort (Abb. 185, S. 194; Abb. 173, S. 181). In Senlis erscheint zum erstenmal im Bogenfeld des Westportales die Krönung Mariä, und wir glauben gern, daß sie hier entstanden ist (Abb. 205). Im Stil dieser Figuren, d. h. in den vor- und zurückschwingenden Faltenkurven, ist so viel Konversation und Beredsamkeit, daß die noch frühgotisch gebundenen Figuren mit ihren Körpern damit kaum Schritt halten können.

Die Gotik dringt von ihrem Zentrum, der Isle de France (Paris) und Picardie süd- und westwärts. Das Seltsame und doch wieder Begreifliche ist, daß dabei der Formenapparat, den sie liefert, nur äußerlich verwendet wird, d. h. dekorativ, weil er auf Raumformen stößt, die der Gotik Widerstand leisten und sogar nordwärts wandern und die Gotik verdrängen. Die vereinzelt in diesen Gegenden rein durchgeführten gotischen Bauten (Kathedralen in

Clermont-Ferrand, in *Bayonne*) sind Ausnahmen. Verständlich wird dieses Vordringen südlicher Raumformen dadurch, daß der im Süden traditionelle und wiedergeborene Renaissancegeist gegenüber dem strengen romanischen Stil eine Befreiung zu irdischerer Haltung darstellte, die den befreienden Elementen der Gotik (der Vergesellschaftung des Göttlichen) parallel ging und in ihrer ungebundeneren (weniger religiösen) Haltung über sie hinausschoß. So dringen besonders Kuppel und Saal, und zwar verbündet in der Form des in Kuppeln aufgeteilten Saales, der schon in Angoulême verwirklicht war, nach Norden und treffen sich im Gebiet von Le Mans mit den normannischen Formen.

Abb. 195. *Rouen, St. Ouen. 14. und 15. Jh.*

Wie sehr man betonen muß, wie willkommen der Gotik die Stabform und Stachlichkeit des romanischen Wanddienstsystemes der Normandie sein mußte, so sehr liefert gerade die besondere Art, mit der sich in dieser Provinz die Gotik ausprägt, den Beweis, daß nicht das Gefühl für Plastik und Funktion dieses normannische Stabwerk hervorgebracht hat, sondern ein traditionelles Festhalten an alten Holzbauformen. Die normannische Gotik verzichtet am schwersten auf den Vierungsturm, wie die Kathedralen in Coutances, Bayeux, Rouen und St. Ouen in Rouen beweisen, die den Vierungsturm außen und innen zum beherrschenden Bauglied emporführen (Abb. 206). Am Chorumgang von *St. Etienne* in Caen und an den Kathedralen von *Bayeux* und *Coutances* werden die Strebepfeiler nicht über das horizontale Dachgesims emporgeführt, sondern durch Brückenbögen verbunden. Die Horizontale wird herrschend. Die Dienste werden gehäuft und bilden in dieser Häufung selbst wieder eine aus Stäben zusammengefügte Wand

Abb. 196. *Châlons-sur-Marne, Notre-Dame-en-Vaux. Chorkapelle. Nach 1185.*

Abb. 197. *Chartres, Kathedrale. Langhaus (Anf. 13. Jh.) und Westtürme.*

(siehe die Vierungsbögen des Turmschachtes von Coutances, Abb. 207). An den Triforien treten die Arkadendienste so eng zusammen, daß eine rein dekorative Wirkung gefördert wird. Die Bögen stacheln unbiegsam nach oben. In Kreuzgängen (*Mont-St. Michel*) und an Portalen verschieben sich Arkadenreihen zuweilen so gegeneinander, daß die klare Funktion der Stäbe verwirrt wird, und ein willkürlicher, schmückender Reichtum übrigbleibt (Abb. 208). Vieles von dem, was hier im dekorativen Sinne angeschlagen ist, erfüllt sich in der englischen Gotik.

In der Zeit der Frühgotik schiebt sich das Gebiet der Kuppelsaalkirchen (Abb. 157, S. 167) bis dicht an die Normandie heran; es entsteht hier im Norden eine Art Renaissance der byzantinischen und römischen Antike (der Kuppel und der Saalkirche) in gotisierender Form. Die Kuppel wird in der *Kathedrale* und in *St. Martin* in *Angers* und in der prachtvoll breiträumigen Kirche der *Notre-Dame-de-la-Couture* in *Le Mans* (Abb. 209) zum kuppelförmigen, stark emporsteigenden Kreuzgewölbe. In der Kathedrale in Angers sind die Kreuzrippen noch breit (fast rechteckig) wie an römischen Kuppeln die Balken der Kassetten oder die Rippen frühmittelalterlicher Baptisterien. In Le Mans gesellen sich zu ihnen Scheitelrippen, die vom Mittelpunkt des Gewölbes zu den Scheiteln der Arkaden gehen, also nicht als Arme aus den Stäben der Dienste hervorwachsen. Wie Strahlen eines Sternes, konstruktiv bedeutungslos, betonen sie die Fläche des Gewölbes und erzeugen die Kuppel von neuem. Hieraus entwickelt sich eine neue, folgenreiche Gewölbeform Indem man die Spitzen der Arkaden durch Rippen überbrückt, die eine Art von Pendentif oder Trompe bilden (die in romanischen Kirchen vom Quadrat der Vierung in das Kuppelrund überleitende Gewölbeform), entsteht ein System zu Mustern vereinigter Stäbe mit Schlußsteinen an den Kreuzpunkten, ein System von Gitter-, Stern- und Netzmustern, die die Beziehung zu den Diensten lockern und damit auch die gotische Funktion ihrer Kurven.

Diese aus dünnen, fadenartigen Rippen gebildeten Muster erhalten einen neuen Sinn dadurch, daß sie mit der für das Gebiet südlich der Loire charakteristischen Halle zusammentreten, und zwar mit einer durch die Gotik erst ganz zur Halle gewordenen Form (Abb. 210, 211). Die gesellschaftliche Haltung der Gotik und die weltliche der Halle begegnen sich innerlich. Durch die Gotik wird erst die befreiende Raumwirkung der Halle selbst ganz frei; es fällt die Vierungskuppel und die Unterwerfung des Mittelraumes unter sie weg, auch die Chöre werden weniger als Ziel der Richtung des Raumes betont, sie werden flach ausgebuchtet, hallenartig ineinander übergeführt oder profan glatt geschlossen. Zugleich werden die Abstände zwischen den Pfeilern größer, die Räume dehnen sich nach der Seite, Mittelschiff und Seitenschiff schlagen zwischen den weiten Öffnungen zu einem Breitraum zusammen und lassen den Menschen schweifen. Damit erhalten die Scheitelrippen, die zum Teil über die trennenden Gurtbögen in die Seitenschiffe herübergeführt werden, zugleich die Bedeutung von Richtungsweisern, die besagen, daß der Weg vom Eingang zum Chor nicht wichtiger ist als der von einem Schiff zum andern oder von Pfeiler zu Pfeiler. In der Form des Netzgewölbes wird ein allseitiges Hin und Her der Richtungen angedeutet, und werden einem ungebundenen allseitigen Verkehr wie auf einem Markte die Wege gewiesen. Werden dann die Pfeiler zu dünnen Säulen, dann werden diese überhaupt nicht mehr als Raumgrenzen empfunden (Abb. 212). Sie stehen wie Menschen in einem einzigen großen Raum. Der Markt, das Forum, das in der Antike ein freier Platz war, ist so zu einem Innenraum geworden und durch gotische Elemente so weit geformt, daß diese Körper im Raum noch immer eine gewisse Haltung haben und selbst die Allseitigkeit des Verkehrs zur Pflicht machen. Die religiöse Form freilich des Kultus, die freiwillige Unterwerfung unter ein Ziel und eine Person und die Gemeinschaftsform dieser Unterwerfung, die Prozession, schließen sie aus. Die Verweltlichung geht sehr weit.

Wie die Kuppelkirche ist auch die Hallenkirche nach Norden vorgedrungen und hat nördlich der Loire eine faszinierende Übergangsform von Halle und Basilika hervorgebracht: in *Bourges* und im Chor der Kathedrale von *Le Mans* (Abb. 213, 214). Zwischen Säulen und Pfeilern steigen hier die Arkaden so hoch, daß nur eine niedrige Fensterzone über ihnen bleibt und Mittelschiff und Seitenschiff ähnlich wie in den Hallenkirchen in einen nach den Seiten abfallenden Ein-

Abb. 198. *Reims, Kathedrale. Chorkapelle. Seit 1211.*

Abb. 199. *Soissons, Kathedrale. Chorumgang. Anf. 13. Jh.*

heitsraum zusammenfließen. In der fünfschiffigen Kirche von Bourges ist dies besonders auffallend. Die Stützen in Bourges sind polygonale Pfeiler, an denen ganz dünne Dienste wie Fäden hängen. Dem breiten Raum entspricht die Breitwandigkeit dieser Pfeiler. Außen sind die Strebepfeiler am Chor der Kathedrale von Bourges zu turmartigen Kapellen ausgebildet, die wie Erker an den Chorkapellen wirken (Abb. 218).

Über die Hallenkirche und ihren weltlichen Charakter hinaus führt nur noch die *Saalkirche* des Südens, ein breiter, profaner Raum, dessen privater Charakter durch Nischen zwischen den Pfeilern der Seitenwände jetzt verstärkt wird (Abb. 219). Die Rippenbögen sind so breit geworden, daß sie fast wie ein eiserner Dachstuhl wirken, gerüstmäßig deckend, nicht steigend und sich neigend. Außen aber schließen große, glatte Wände oder Mauern, die von festungsartigen Türmen an Stelle der Strebepfeiler verstärkt werden (Abb. 217, 220). An die Stelle der gastlichen, allöffentlichen Kirche tritt der burgartige Wehrbau, ein einziger starker Verteidigungsturm an der Westfassade. Von Gotik bleibt nur die eine Seite noch angedeutet, das Herrische, der Stolz, oder die Zierlichkeit, das Stabwerk; es fehlt die Liebenswürdigkeit und das Gesellschaftliche. Als reiner Saal ist die gotische Saalkirche auf den Süden beschränkt geblieben, erst in der Form des Kuppelsaales ist sie nordwärts gedrungen.

Abb. 200. *Châlons-sur-Marne, Notre-Dame-en-Vaux. Chorumgang. Nach 1185.*

Die Skulptur nimmt an dieser Raumverbreiterung im Süden und einer weiterwirkenden Renaissancebewegung teil, indem zunächst ein neuer Portaltypus geschaffen wird (Abb. 215, S. 213). Auf einem Sockel, der durch Arkaden gegliedert wird, stehen Dienste an den Wänden, die mit den Nachbarn Nischen bilden. Die Straffheit und die gegenseitige Zuneigung der gegenüberstehenden Dienste wird geschwächt, die breite

Abb. 201. *Reims, Kathedrale. Marienportal am nördl. Querschiff. Relief: Totenmesse. Um 1180.*

Wand wird stärker betont. In diese Nischen treten, wie in St. Gilles, Figuren (Abb. 161, S. 169). Auch sie werden durch diese Nischen weniger in die aktiven Kräfte der Architektur einbezogen als die Säulenstatuen und stärker isoliert, der Gesellschaft entrückt.

Wie auch die Figur damit sich verbreitert, das Gewand in breiten Lagen sich über den Körper legt, nicht mehr in stabförmigen Bögen, und wie die Gestalt mit derbem, geschwollenem Kopf trotzig sich nach außen wehrt, das zeigt in hervorragender Arbeit ein Künstler, der in *Le Mans* und *Bordeaux* (Abb. 215, 216) gewirkt hat, der einzige, dessen Plastik an Qualität mit der in Reims verglichen werden kann. Seine Gestalten wirken antik, aber so, daß auch hier die gotische Aktivität den breiten Falten eine festere, geschwollenere Form und lebendige Kräfte unerschütterlicher Standfestigkeit mitteilen. Die breiten Querlagen des Gewandes gleichen wie zur Verteidigung vorgehaltenen Schilden. Trotzdem diese Statuen ganz ruhig stehen, dringt hier die Andeutung eines athletischen Barockstiles durch wie in der Protorenaissance von St. Gilles. Sein frühestes Werk ist in Bordeaux in der Vorhalle von *St. Seurin*, sein reifstes in *Notre-Dame-de-la-Couture* in Le Mans, einem Bau, der mit seinen Kuppelformen und Scheitelrippen in einer Saalkirche ganz südlich empfunden ist (Abb. 209, S. 210). Zuletzt wird in Burgund seine Kunst durch die burgundische Feinsträhnigkeit und Kurvigkeit spitziger und bewegter (Westfassade in *Vézelay*). Eins ist freilich bemerkenswert: obwohl die Köpfe dieser Statuen viel mehr Physiognomie haben als die höfisch konventionellen Köpfe der Reimser Statuen — über eine gewisse Allgemeinheit kommt die Durcharbeitung der Gesichter nicht hinaus, die Porträthaftigkeit des verwandtesten deutschen Meisters, des Naumburgers, erreichen sie nicht. So verstehen wir aus der Renaissancebewegung im Süden, wie sich mit der Expansion der Gotik, die mit ihren Einzelformen ganz Frankreich durchdringt, die ungotischen Tendenzen des Privatraumes und des Marktes verstärken und die Gotik sich gleichsam selbst das Grab gräbt. Die spezifisch unantiken Züge, die diese Bau- und Raumformen annehmen, d. h. gegenüber der Antike stärkere Innenräumlichkeit, größere Straffheit und Entkörperung in allen Einzelformen und Wehrhaftigkeit des Burgentyps, führen diese Bauten frühzeitig an

Abb. 202. *Reims, Kathedrale. Mittleres Westportal. Heimsuchung. 1. Viertel 13. Jh.*

Abb. 203. *Reims, Kathedrale. Mittleres Westportal. Kopf der Maria von der Heimsuchungsgruppe. 1. Viertel 13. Jh.*

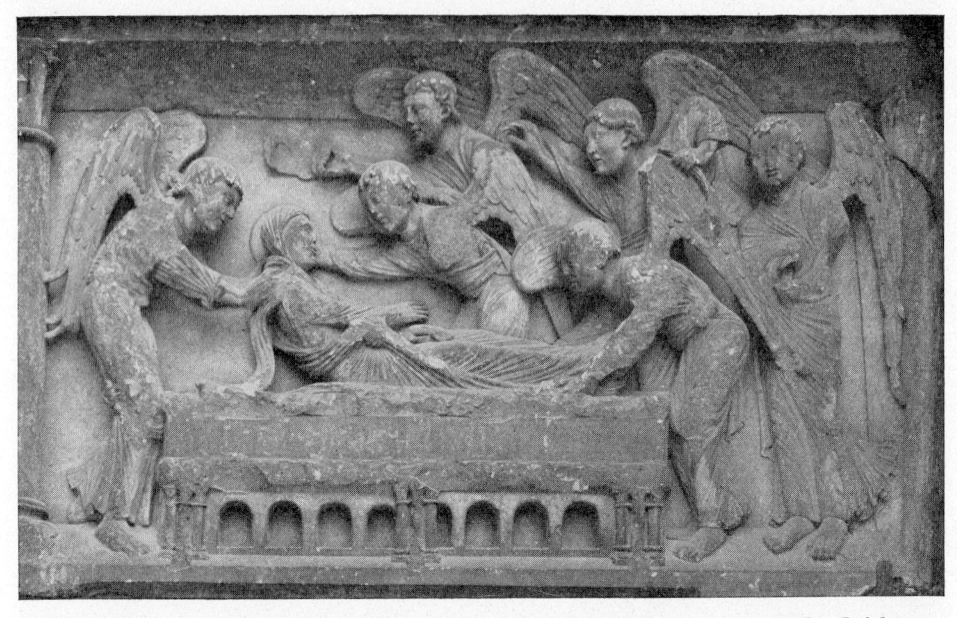

Abb. 204. *Senlis, Kathedrale. Mittleres Westportal. Türsturzrelief: Erhebung des Leichnams Mariä. Um 1180.*

Abb. 205. *Senlis, Kathedrale. Mittleres Westportal. Tympanon: Krönung Mariä. Um 1180.*

Abb. 206. *Coutances, Kathedrale. Chor und Querschiff. Mitte 13. Jh.*

eine Stufe heran, die zur Überwindung des Mittelalters führt, an den Naturalismus des 15. Jahrhunderts. Diese Bewegungen, die die eigentliche Gotik umklammern, werden im 14. Jahrhundert herrschend und erklären, warum sie in dieser Zeit erlahmte und sich nicht zu einer barocken Kunst weiterbildet. Ansätze dazu sind wohl da im *Flamboyant*, dem aufwärts züngelnden Maßwerk, aber auch dies wird sehr schnell zu dekorativen Flächenmotiven verarbeitet.

Abb. 207. *Coutances, Kathedrale. Vierung. Mitte 13. Jh.*

Die großen gotischen Kirchen der Spätzeit wie *St. Ouen* in *Rouen* (Abb. 195, S. 201), bringen keine eigentlich neuen Elemente, die alten werden verfeinert, aber auch verflacht. Auch in den Grabmälern des 14. Jahrhunderts lebt ein lahmgewordener klassischer Figurenstil weiter.

So wird die Beziehung der Renaissancebewegung zur Gotik eine mannigfaltige. Zuerst eilt dieses befreiende Protorenaissance-Element der Gotik voraus, von St. Gilles nimmt der Künstler der Westfassade von Chartres seinen Weg nach Norden, nachdem er selbst von der romanischen Gebundenheit seiner burgundischen Herkunft befreit war. Im Norden gelangt er zu einer neuen Form, der gotischen Konvention. Die Frühgotik, die hier entsteht, wirkt nach dem Süden zurück und befreit nun erst die Halle ganz zu einem lichten, offenen Einheitsraum, gibt aber zugleich ihr und den Kuppeln und

Abb. 208. *Mont-St. Michel. Kreuzgang. 13. Jh.*

Sälen eine neue Bewegtheit und Richtungsfülle. Hier wandelt sich die gesellschaftliche Konversation in die ungezwungenere des öffentlichen Verkehrs und schafft die Form des Marktes. Diese profanen Bau- und Lebenstypen drängen wiederum der nordischen Gotik entgegen. Sie überwältigen sie nicht, aber bringen sie zum Erlahmen und treten selbst bestimmend in die abendländische Entwicklung ein.

Aber auch damit ist noch nicht die Beziehung der nordischen Gotik zum Renaissancegeist erschöpft. Sie trug in sich aus dem Boden ihres Werdens Renaissance-Elemente, mit denen sie sich auseinandersetzen mußte, und deren sie, wie es scheint, nicht ganz Herr geworden ist. Es muß auffallen, wie in den frühgotischen Kirchen der Typ der Basilika mit Emporen, die in römischen Basiliken und in Zentralbauten sich finden, noch bis ins späte 12. Jahrhundert nachwirkt (Abb. 179, S. 187), obwohl schon in den romanischen Gebieten, besonders in Burgund, diese Empore überwunden und durch ein Triforium ersetzt war. Man wird sich vorstellen können, daß diese Emporen, die sich ins Schiff hinein öffnen, der Längsrichtung sowohl des der Kuppel unterworfenen romanischen, wie des zur Apsis

Abb. 209. *Le Mans, Notre-Dame-de-la-Couture. Langhaus. Seit 1180.*

hineilenden gotischen Mittelschiffes widersprechen und eher mit dem Saalcharakter des Mittelschiffes und mit seiner Eigenbedeutung, z. B. als Raum der Predigt, rechnen. Erst in den klassischen Bauten des 13. Jahrhunderts ist die Empore überwunden Dagegen verbleibt ein anderes ungotisches Element. Jeder empfindet als ungotisch die starken Rundpfeiler von Reims, Amiens (Abb. 178, S. 186; Abb. 180, S. 188) und der vielen anderen Kirchen, denen von jeder Seite ein Dienst vorgelagert ist, während man für die Rippen und Fensterstäbe noch zwei oder vier Dienste erwartet. Diese werden erst über dem Kapitell nachgeholt. Wir dürfen vermuten, daß diesen Rundpfeilern des Erdgeschosses ein Typ einer mit Emporen versehenen, flachgedeckten Säulenbasilika zugrunde liegt, die sich in dieser Gegend länger gehalten hat als in den übrigen Bezirken romanischer Kunst in Frank-

Abb. 210. *Poitiers, Kathedrale. 2. Hälfte 12. bis Anf. 14. Jh.*

Abb. 212. *Angers, St. Serge. Um 1225.*

Abb. 211. *Airvault, St. Pierre. Gewölbe des Chores. 13. Jh.*

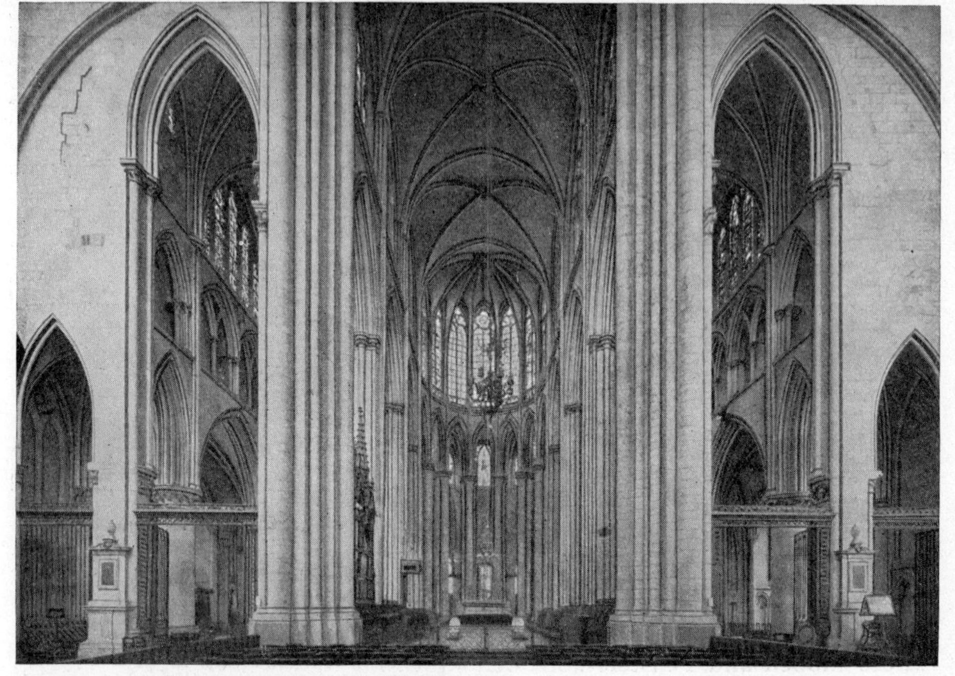

Abb. 213. *Le Mans, Kathedrale. Chor. Begonnen 1217, geweiht 1254.*

Abb. 214. *Bourges, Kathedrale. Seitenschiffe. 13. Jh.*

reich. Solche Säulenbasiliken aber können einer Renaissancebewegung entstammen, die schon einige Jahrhunderte vorausliegt, der karolingischen. Die *karolingische Renaissance,* mit der wir in die spezifisch deutsche Kunstentwicklung eintreten, schob sich im Norden weit nach Westen vor. Reims war eines ihrer künstlerischen Zentren. *St. Riquier,* das karolingische *Centula* (in der Nähe von Beauvais), besaß eine solche karolingische Basilika, die erst im späten Mittelalter umgebaut wurde. In dieses Gebiet also treten die durch den Süden befreiten Kräfte der monumentalen Entwicklung des Mittelalters ein und fanden den Weg für die Entwicklung zur Gotik frei, die trotz aller Vorbereitung gotischer Form-

Abb. 215. *Bordeaux, St. Seurin. Linkes Gewände des Südportals. 1. Hälfte 13. Jh.*

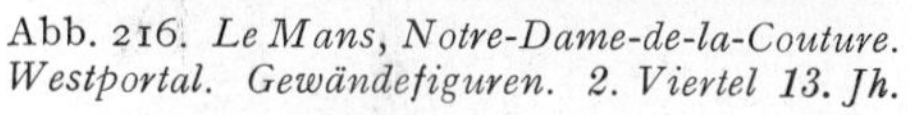

Abb. 216. *Le Mans, Notre-Dame-de-la-Couture. Westportal. Gewändefiguren. 2. Viertel 13. Jh.*

Abb. 217. *Albi, Kathedrale. Begonnen 1282, Turm vollendet 1485.*

Abb. 218. *Bourges, Kathedrale. Teil des Chores. Anfang 13. Jh.*

Abb. 219. *Albi, Kathedrale. Langhaus. 14. Jh.*

prinzipien in den romanischen Bezirken, in Burgund, im Poitou und im Süden dadurch hintangehalten wurden, daß sich die reiche und vielfältige romanische Kunst in sich selbst noch zu einem barocken Ende, einer sich selbst übersteigernden Bewegtheit entwickelte, vielleicht auch dadurch, daß an den Hauptorten, in denen soeben erst die herrlichen Klosterkirchen und Kathedralen entstanden waren, die Plätze für Neubauten besetzt waren, oder für Umbauten das Neue gegenüber dem Alten nicht umwälzend genug schien. Im Osten aber, in Deutschland, entfaltete sich auf der Grundlage dieser karolingischen Renaissance eine eigene deutsche Kultur, in der die Elemente der Befreiung, der spätantiken Menschlichkeit und Natürlichkeit stärker als selbst im Süden Frankreichs die Entwicklung bedingen, und in der alle Rückbildung zu mittelalterlicher Monumentalität und Formenstrenge nur eine Vertiefung und Verstärkung dieses eindeutigen Charakters, nicht eine Verschmelzung des Gegensätzlichen bedeutet. Deshalb wird am Ende des Mittelalters diese deutsche Kultur besonders entscheidend.

Abb. 220. *Albi, Kathedrale. Chor. Vollendet 1330.*

DRITTE ABTEILUNG

DIE MITTELALTERLICHE KUNST IN DEUTSCHLAND

DIE KAROLINGISCHE KUNST

719—54 Mission des Bonifatius. Karl d. Gr. 768—814; Kaiserkrönung in Rom 800. Christianisierung der Sachsen. Ausdehnung des Frankenreiches von der spanischen Mark bis zur avarischen Mark (Österreich), von Norditalien bis Norddeutschland. Vereinheitlichung der Gesetzgebung und Verwaltung. — Anwachsen der geistlichen Macht unter Ludwig d. Frommen 814—40. 843 Vertrag von Verdun: Reichsteilung in Ost-, Mittel- und Westfranken. 911 Ende der Karolingerherrschaft in Deutschland.

Wir würden der karolingischen Kunst nicht die Beachtung schenken, die sie gefunden hat und die sie verdient, wäre sie einfach die Fortsetzung der spätantiken Kunst, wie wir sie in Rom und in Ravenna in den Jahrhunderten vor und um die Mitte des 1. Jahrtausends kennengelernt haben, und wäre sie nicht vielmehr ein Wiederaufleben der Antike im Norden, d. h. innerhalb eines Kunstgebietes, in dem wir eine eigene primitive Kunst blühen, in den folgenden Jahrhunderten sich entfalten und sich entwickeln sahen. Es gibt eine Reihe von Tatsachen, die zu erlauben scheinen, das Wunder der karolingischen Renaissance an vorbereitende Entwicklungsstadien der Kunst der vorausgehenden Jahrhunderte anzuknüpfen. Die Renaissance, d. h. das Zurückgreifen auf eine malerisch sehr entwickelte, innerlich sehr vermenschlichte spätantike Kunst könnte verständlicher werden durch die Tatsache, daß auch in der byzantinischen Kunst im 7. Jahrhundert eine Renaissancebewegung einsetzt, die das Eindringen der primitiven Motive in die spätantike Kunst und ihre Erstarrung aufzuhalten oder rückgängig zu machen versucht durch eine Neubelebung antiker Barockkunst: mit Szenen von streitenden, jagenden, jonglierenden Männern in heftigen Bewegungen und mit nackten Körpern füllt man die Seiten der Elfenbeinkästen und wetteifert mit antiken Sarkophagen, an deren Spitze man den barocken Alexandersarkophag stellen möchte. Der Bilderstreit, der sich gegen die personenhafte Darstellung Gottes und der Heiligen und gegen die Verehrung solcher Götter- und Heiligenbilder richtet, ist nur die andere Seite derselben Gesinnung. Nicht gegen Schmuck und Darstellung, nur gegen die Magie des Bildes, den Mythus stritt man. Das Menschliche und die Menschendarstellung ließ man gelten. Das Übermenschliche aber anerkannte man nur in geistiger Form. Karl der Große griff selber in den Bilderstreit ein, indem er vor der abergläubischen Verehrung der Bilder warnt, diese Bilder aber nicht aus den Kirchen ausgeschlossen wissen will.

Was wir von der karolingischen Kunst aus den Elfenbeinskulpturen und Handschriften und den Tituli (Versen, die den Inhalt der Wandmalereien wenigstens literarisch überliefern) kennen, bezeugt, daß auch die karolingische Kunst die Heiligen in menschlicher Auffassung, z. B. den Evangelisten als Schreiber (Abb. 227), bevorzugte und im wesentlichen heilige Personen und Geschichten darstellte, das Übernatürliche in Form und Inhalt zurücktreten ließ. Wohl gab es im Norden vereinzelt schon immer Werke, die neben der primitiven Ornamentkunst oder der völlig umgebildeten, in primitive Formen eingeschmolzenen antiken Kunst Nachahmungen von römischen Denkmälern auf nordischem Boden waren, wie die irischen Kreuze oder die gallorömischen und germanorömischen Denkmäler. Aber alle diese Einsichten ändern nichts an der Tatsache, daß jetzt auf nordischem Boden und innerhalb einer Entwicklung, deren Verlauf vom Primitiven zum Archaischen sich verfolgen läßt, eine ungeheure Umwälzung stattfindet, eine Rückwendung zu Formen, die allem Eigenen völlig zuwiderliefen und von dem Herrscher und seinen Volksgenossen verlangten, daß mit einem Schlage durch Nachahmung eine geistige Haltung angenommen wurde, für die in der eigenen Kultur keine Voraussetzungen gegeben waren.

Um das Verständnis, das diese Zeit gegenüber einer vergangenen und sehr reifen Kunst aufzubringen fähig war, richtig zu würdigen, ist es nötig, die Bewunderung vor der Naturnähe und Diesseitigkeit dieser Kunst zurückzustecken, die den Menschen des 19. Jahrhunderts vor allem, was nicht stilisiert war, erfüllte. Daß die irische Kunst und die Entwicklung vom Primitivismus zur romanischen und gotischen Kunst ganz andere schöpferische Faktoren in sich barg, als die bloße Nachahmung der Antike verlangte, und eine wirklich neue und reiche Kunst hervorbrachte, ist ohne weiteres klar. Diese produktive Entwicklung vollzieht sich wesentlich im Westen, in Frankreich. Daß der Osten der Träger der karolingischen Renaissance wurde, lag vielleicht daran, daß hier weniger kontinuierlich die spätantike Kultur in die neue einging und deshalb der Geist, als er auf diese Kultur als etwas Fremdes und Vorbildliches stieß, der Nachahmung leichter verfallen konnte. Bei aller Bewunderung für die Größe der Tat, ein erobertes Weltreich mit den Formen zu organisieren, die es selbst hervorgebracht hat, und für die

Abb. 221. *Aachen, Münster. Geweiht 805.*

Abb. 222. *Fulda, Kapelle St. Michael. Um 820.*

geistige Regsamkeit, die sich in der Auswahl der von der antiken Tradition hinterlassenen Schöpfungen ausdrückt, darf man nicht vergessen, daß stärker als das Verständnis für die Qualität und den inneren Gehalt dieser Werke das Gefühl für die geistige Überlegenheit der unterworfenen Kultur und ihrer noch lebenden Vertreter zur Nachahmung verführte. Der Sieger beugte sich vor dem gebildeteren Besiegten, wie es schon die Vorläufer Karls des Großen, Theoderich der Große und die germanischen Heerführer in Italien getan hatten. Die Frage ist deshalb: was ist nachgeahmt, und welche Qualität hatte dies Nachgeahmte, d. h. war es überhaupt wert, nachgeahmt zu werden; zweitens: ist das Nachgeahmte verstanden, oder wie ist es aufgefaßt, und welche Sonderzüge trägt das Nachgeahmte gegenüber dem Vorbild, und drittens das wichtigste, in welcher Weise hat es die eigene Entwicklung abgelenkt (es hätte sie auch ertöten können) oder beeinflußt. Mit anderen Worten, das Problem ist: was verdankt die deutsche Entwicklung im Mittelalter der karolingischen Renaissance für ihre Sonderentwicklung.
Nachgeahmt wird im wesentlichen christliche Kunst im römischen und ravennatischen Gewande. Es ist keine Renaissance der heidnischen Antike. Weder der antike Tempel ersteht von neuem, noch die antike nackte Statue. Spätrömische und ravennatische Kunst, die Kunst des 4. und 5. Jahrhunderts, die Pracht der römischen Basilika, des byzantinischen Rundbaues und der altchristlichen Mausoleen erlebt eine Auferstehung. Man versuchte mit Bewußtheit abzustoßen, was primitiv in der eigenen und zeitgenössischen Kunst war. Man hatte

Abb. 223. *Hersfeld, Ruine der Abteikirche. Langhaus und Querschiff. Begonnen 831; nach Brand 1037 Neubau mit Benutzung der karolingischen Fundamente.*

ein Gefühl dafür, welche Reife und Entfaltung ein Zentralbau wie S. Vitale in Ravenna besaß, als man ihn in *Aachen* nachbildete (vgl. Abb. 221 u. 80, S. 103). Aber man hat ihn weder kopiert noch eine neue Bauform aus ihm entwickelt, man hat ihn vergröbert und um den eigentlichen Sinn seiner letzten Verfeinerungen gebracht. Es fehlen die Ausnischungen der einzelnen Teile des Oktogons, es fehlt die Zusammenziehung der beiden Geschosse durch die aus Bögen sich herablassenden Säulen zu einer teppichhaften, mit hängenden Formen geschmückten Wand. Hier sind drei Geschosse geschaffen, von denen die Arkaden des unteren leer bleiben, sich als kryptenhaftes Sockelgeschoß von dem oberen loslösen. Im Geschoß darüber ist die Öffnung in zwei Zonen zerlegt. In der oberen stoßen die Säulen mit den Kapitellen gegen die Rundung der Bogen (wie es schon im Pantheon in Rom der Fall ist), und fügen zu der steilen Gesamtform der dreiteiligen Felder auch eine aktive Aufwärtsbewegung hinzu, die sich der allgemeinen Form des zentralen Raumes und den großen Bogenöffnungen nur hart einfügt. Schwere Pfeiler, kräftige Gesimse verändern den Charakter des Baues, er wird dumpfer, massiger, ungefüger, stimmungsloser, aber auch ernster und monumentaler, eine feste, einklammernde Raumform, mehr Mausoleum als Gemeinderaum. Außen wurde an der Fassade eine tiefe Nische von zwei Treppentürmen flankiert, ein Tormotiv in stark wehrhafter Ausgestaltung. Auch diese Anlage ist stärker und aktiver nach außen gewendet als der byzantinische Bau.

Die einfache Form des Mausoleums, der einfache, von Säulen umstandene Rundbau wie in Sta. Costanza und S. Stefano Rotondo in Rom (Abb. 62, 63, S. 88), hat in der dem Heiligen Michael geweihten, deshalb wohl als Totenkirche gedachten Kirche in *Fulda* eine Nachbildung erfahren (Abb. 222). Die gedrückten Proportionen, das mittelalterliche Maß der Säulen und Arkaden schließen auch hier einen kleinen Umgang fester und ernster zusammen. Die Chornische liegt im Umgang. Und der Bau hat eine Krypta, einen von einer Säule in der Mitte gestützten unterirdischen Raum. Die Kapitelle sind antikisierende Kompositkapitelle, vermutlich antiken Bauten entnommen, durch Abarbeiten verstümmelt, ein Beweis, wie wenig sie in ihrer Freiheit und Entfaltung verstanden sind.

Abb. 224. *Hersfeld, Ruine der Abteikirche. Blick in das Querschiff und den Chor.*

Das wichtigste wäre, einen Begriff von den Basiliken zu bekommen, wie sie in *Fulda* und *Hersfeld* und *Köln* verwirklicht waren, Basiliken, die in ihren riesigen Ausmaßen mit den römischen Basiliken wie S. Peter, S. Paolo fuori le mura und Sta. Maria Maggiore wetteiferten. Das Querschiff trat, wie es die noch heute auf karolingischen Grundmauern stehenden Ruinen des ottonischen Baues in Hersfeld (Abb. 223, 224) zeigen, weit über die Seitenschiffe hervor und war vielleicht, wie dort noch jetzt, ohne Bögen zwischen Vierung und den Querarmen als einheitlicher Raum mit anschließender Apsis an das Längsschiff angelagert. Wenn das Mittelschiff Säulen enthielt und wenn darüber die Wand unter den Fenstern große Wandbilder und Heiligengeschichten, zwischen den Fenstern gemalte Standbilder von Heiligen zeigte, dann war die Ähnlichkeit mit den römischen Basiliken sehr groß. Und man vergißt vor ihnen ganz, wieviel kleine primitive Kirchen es sonst in dieser Zeit gab, mit Pfeilern im Mittelschiff und Schranken vor dem Chor wie in Michelstadt, die, vom Renaissancegeist unbeeinflußt, für den eigenen Kulturstand des Volkes bezeichnender waren. Dennoch würden wir, wären uns die großen karolingischen Basiliken erhalten, wohl feststellen können, nach welcher Seite auch in ihnen die eigene Primitivität den Eindruck glänzender Festlichkeit zu düsterem Ernst umgewandelt hatte. Wir vermuten: nach der Seite hin, nach der im Westen, in *St. Riquier* (Centula), ein neuer Typ der Basilika entstanden war, ein Typ, in dem alle für die romanische Basilika ausschlaggebenden Momente vorgebildet waren. Nach *Effmanns* Rekonstruktion (Abb. 225) schiebt sich im Osten an das kurze Schiff eine durch tief herabgehende Wände ausgeschiedene Vierung mit herumgelagerten Chor- und Querschiffsquadraten heran, also eine zentrale Komposition, deren Feierlichkeit durch einen Tambour über der Vierung noch betont wurde. Auch außen kündet sich schon der Vierungsturm an in einer lichten, durchbrochenen Gestalt, die aus den Oberbauten der heiligen Gräber

Abb. 225. *Centula. Rekonstruktion der Hauptkirche. Vollendet 799.*

entwickelt scheint. An der Westseite war eine ähnliche Anlage durch ein gedecktes Untergeschoß in eine Eingangshalle mit emporenartigem Obergeschoß darüber verwandelt, das sich in großen Arkaden nach dem Schiff zu öffnete. Primitiv an diesem Bau war, wie sich diese verschiedenen Räume, Westbau, Schiff, Vierung, Chor und Querarme gegeneinander absonderten, wie sie aneinander addiert waren, der Rhythmus der dem Zentrum unterworfenen Schiffe noch fehlte und außen die beiden West- und Osttürme ebenfalls noch zwei Zentren gleichmäßig nebeneinander stellten. Jedenfalls treten hier die karolingischen Renaissance-Elemente vor den neuen, zur Monumentalität des Mittelalters strebenden zurück.

Wie die karolingische Renaissance den Außenbau beeinflußte, lehrt uns die Torhalle im Kloster *Lorsch* (Abb. 226), ein zweistöckiger Bau, dessen unterer Teil nach dem System der römischen Arenen, dessen oberer nach dem altchristlicher Sarkophage gestaltet war. Drei große, gedrückte Bögen auf Pfeilern öffnen sich zwischen Säulen, die der Wand vorgelegt sind und horizontales Gebälk tragen. Auf diesem steht die Reihe der kleinen Pilaster des oberen Geschosses, die von dreieckigen Giebeln aus flachen Steinbalken überdeckt sind. Die Wand ist ge-

Abb. 226. *Lorsch, Michaelskapelle. Um 830.*

mustert durch ein Mosaik von roten quadratischen Steinen unten, polygonalen oben auf weißem Grund. Daß auch hier der Sinn der antiken Formen verstanden wäre, wird man nicht sagen können. Schon die Mosaizierung widerstreitet der Funktion der kräftigen, antikischen Formen von Säule und Gebälk. Primitive Schmuckfreude hat sich der Steinreihung bemächtigt, um den eigenen Geschmack durchzusetzen. Die Gebälke sind zu schwach, wie einfache Holzbalken, die mit Kerbschnitzmustern antike Blattwellen verflachen. Daß die Giebel ohne Horizontalgebälk auf den Pilastern sitzen, erinnert mehr an Fachwerk als an antiken Steinbau. In den Kompositkapitellen sind die Blattformen starr und unorganisch geworden, mehr Stein als Pflanze. Die große öffentliche Bauform der römischen Arenen ist ganz vom Geiste der Schmuckkasten- und Materialformen durchsetzt.

Abb. 227. *Wien, Schatzkammer. Evangeliar Karls d. Gr. Der Evangelist Matthäus. Anf. 9. Jh.*

Leichter zu fassen ist das äußere und innere Verhältnis der karolingischen Kultur zu den nachgeahmten Vorbildern in den darstellenden Künsten, von denen uns in Handschriften und Elfenbeinskulpturen eine reiche Fülle hinterlassen ist. Es gibt ein Werk, in dem der Renaissancegeist am reinsten zum Ausdruck gekommen ist, das *Evangeliar Karls des Großen* in der Schatzkammer in Wien (Abb. 227). In einer Landschaft sitzt der Evangelist Matthäus vor seinem Pult und scheint ganz in seine Arbeit vertieft. Eine weiche Malerei hat die Figur mit Licht und Schatten durchmodelliert. Völlig frei bewegt sie sich im Raum; Licht und Atmosphäre scheinen alle Härten und Kanten geschmolzen zu haben. Es ist eine spezifisch spätantike Schöpfung, das Bild eines geistig beschäftigten Menschen in einer edlen Haltung, gewandet mit der im großen Zug umgeschlungenen Toga wie antike Rhetoren. Kommt man von irischen oder merowingischen Miniaturen her (Abb. 9, S. 21; Abb. 100—104, S. 123—127), ist man erstaunt über die Naturwahrheit der Darstellung, die Menschlichkeit des Gegenstandes, die Freiheit der Gebärden. Denkt man sich aber das Werk in die Zeiten spätantiker Malerei zurückversetzt, so bleibt eine Auffassung des geistigen Menschen, die wir am

Abb. 228. *Florenz, Museo Nazionale. Zwei Elfenbein-Reliefs von einem Fächer aus der Abtei St. Philibert in Tournus. Mitte 9. Jh.*

wenigsten als vorbildlich empfinden würden: ein stark porträthaft gegebener Römertyp, der bei der geistigen Beschäftigung nicht allzu ergriffen ist, vielmehr an eine nach außen hin würdig wirkende Haltung denkt, sehr beamtenhaft, mehr ein Steuereinnehmer, der Eintragungen in seine Akten macht, als ein christlicher Apostel. Man denke sich, wie verheerend eine solche Kunst die deutsche beeinflußt hätte, wenn sie wirklich als das verstanden worden wäre, was sie war, und sich dennoch durchgesetzt hätte. Wir dürfen annehmen, daß dieser ideal gewandete Typus den Deutschen dieser Zeit nicht als etwas Gleichgültiges, sondern als etwas sehr Fremdes, sehr Bedeutsames erschien. Das gewöhnlich Menschliche, das Alltägliche in diesen Darstellungen ging ihnen nicht ein, weil sie es nicht suchten.

Wir haben Beweise dafür. In der Abtei *St. Philibert* in *Tournus* wurde ein Fächer als kirchliches Gerät zu kultischen Zwecken benutzt, der Darstellungen aus Virgils Eklogen enthält, bukolische Szenen voll sentimentaler Liebespoesie in einem malerischen, landschaftlichen Stil und in einer flüchtigen, liederlichen Arbeit, die der karolingische Nachahmer, vermutlich ohne zu wollen, noch stärker verunklärt hat (Abb. 228). Daß man aber dieses Toilettenstück einer verzärtelten römischen Dame zum kultischen Gerät erhöht, zeigt, wie das Fremde für das Wunderbare genommen wurde, zeigt, wie ernst man es nahm. Der eigene Sinn drang offenbar überall auf das Geheimnisvolle und Magische.

Ein anderes Beispiel, eine Elfenbeinplatte mit der Darstellung der Frauen am Grabe (Abb. 229). Vorbild konnte eine altchristliche sein, wie die der Münchener Sammlung aus dem 4. Jahrhundert (Abb. 7, S. 19), das typische Beispiel für spätantike, szenisch räumliche Darstellung, in der das Landschaftliche trotz aller Raumvertiefung doch immer Abbreviatur bleibt, Kulisse, vor der die Figuren den Vortritt haben. In den Figuren aber sind in edler, getragener Weise zarte Regungen menschlicher Teilnahme stimmungsvoll vorgetragen. Auch der Engel ist Mensch unter Menschen, teilnehmend und fühlend. Im karolingischen Werk werden die Frauen vor dem Engel und die Wächter mit dem Grabbau in zwei Zonen getrennt, nach primitiver Weise gleich wichtig genommen. Der Engel wächst an Körper-

Abb. 229. *Florenz, Museo Nazionale. Elfenbeintafel: Die Frauen am Grabe. 9. Jh.*

größe über die Frauen weit hinaus, hat Flügel und Heiligenschein, seine Gebärde ist dringlicher, heischender. Angstvoll strecken die zur Pyramide gruppierten Frauen die Salbbüchsen wie zum Opfer ihm entgegen. Die menschliche Handlung wird zum Kultus. Die Soldaten, im Vorbild so zurückhaltend als Nebenfiguren behandelt, demonstrieren den Schlaf mit heftiger Gebärde wie Zelebranten einer feierlichen Handlung und bewachen symmetrisch den Grabbau wie Wächter eines Tempels. Sie machen ihn, der im Vorbild nur Kulisse war, zum Mittelpunkt, zum Monument. Aus dem heiteren, leichten, spätantiken Mausoleumsbau ist ein fester und geschlossener karolingischer Wehrbau geworden, mit zyklopischen Mauern aufgetürmt wie ein germanischer Grabhügel.

Abb. 230. *München, Staatsbibliothek. Elfenbein-Buchdeckel: Kreuzigung und die Frauen am Grabe. Um 870.*

In den *Elfenbeinskulpturen* ist die Darstellung des Gekreuzigten ein bevorzugter Gegenstand (Abb. 230). Man möchte meinen, daß auch hier die menschliche Seite dieses Themas aus der Renaissancegesinnung heraus Besteller und Darsteller am meisten ergriffen hätte. Der naturalistisch und dramatisch entwickelte Vorgang, der Lanzenstich, das Reichen des Schwammes, die realistische Körperbildung Christi mit dem müde sinkenden Haupt, die räumlich vertiefte, geballte Gruppe der klagenden Frauen weisen darauf hin. Aber die eigentliche Absicht dringt auch hier überall auf das Übernatürliche und Wunderbare. Die allegorische Figur der Ecclesia ist zweimal neben Christus dargestellt, links vom Kreuz, wie sie im Kelch das Blut aus der Wunde auffängt, rechts, wie sie der Stadtgöttin Jerusalem die Krone entreißt. Zu Füßen Christi windet sich eine riesige, widerliche Schlange. Aus den Wolken kommt die Hand Gottes, die Engel schweben auf das Kreuz zu und machen aus der Kreuzigung eine Apotheose. In großen Medaillons sind oben rechts und links Apollo im Sonnenwagen mit Pferdeviergespann und Luna im ochsenbespannten Wagen hinzugefügt. Unten vervollständigen Oceanus und Terra und Roma, die Stadtgöttin, die mythologische Sphäre. Darüber öffnen sich Gräber und geben ihre Toten heraus. Wesentlich ist, wie in einer sehr freien, erzählenden, räumlich-bühnenhaften Darstellung der Natürlichkeit zuliebe die übereinandergestellten Raumpläne durch Bergstufen erklärt werden (so wie in den Mosaiken von S. Vitale in Ravenna), wie aber alles, was die Szene zu einer seltsamen, übernatürlichen macht, betont wird — die großen Gestirnscheiben, der Drache, die mythischen Gestalten unten. Symbole, die für die antike Welt geläufig, Randfiguren waren, überwuchern jetzt drohend den menschlichen Inhalt. Was eine einheitliche Szenerie war, Kreuz, Himmel und Erde, wird durch Einschieben der Frauen am Grabe auseinandergerissen und verselbständigt (primitiv addiert), und was in der Spätantike unter mythischem Vorwand in die Szenen den Glanz körperlicher Schönheit hineintrug, wird jetzt vergrößert, zu Massen geballt und dämonisch gesteigert wie bei indischen Götzen. Da aber allen diesen Steigerungen naturalistische Formen zugrunde liegen, so führt die Steigerung zu Unförmlichkeit und abschreckender Häßlichkeit. Was für gequollene, formlose Gestalten, ,,Dreckgeburten'', sind die beiden Frauen, Roma und Gäa, wie aufdringlich und roh die Gebärden der Frauen vor dem Engel, und zwar gerade durch die Übersteigerung und einen der weichen, schwunglosen Naturform aufgenötigten ornamentalen Schwung. Und dies alles nicht aus Nachlässigkeit und Unvermögen, sondern weil man in den Naturformen das Fremde, das Heilige, in mythischen Tagesvorstellungen das Dämonische und Schreckende sah und sehen wollte.

So begreift man, daß die Entwicklung die eigenen ornamentalen Formen und magischen Bedeutungen in den Vordergrund rückte und daß eine Rückbildung im Sinne der mittelalterlichen Entwicklung stattfand, nachdem eine eigene Grundlage für eine figuren- und szenenreiche Kunst geschaffen war und der Blick nicht mehr gezwungen war, auf die antiken und reifen Vorbilder hinzublicken.

Diese Entwicklung hat ihr eigenes Gesicht gegenüber der westlichen. Fortan gibt es eine deutsche Kunst und eine spezifisch deutsche Entwicklung der mittelalterlichen Kunst gegenüber der französischen. Daß es sie gibt, ist Verhängnis und Erfolg der karolingischen Renaissance. Wie wenig in dieser renaissancemäßigen Anerkennung des Fremden Rasse, Lebensraum und Volksart eine Rolle spielen (wenn sie es taten, so bleibt der Anteil für uns unerkennbar), geht daraus hervor, daß die Träger der mittelalterlichen Entwicklung in Frankreich die germanischen Stämme der Burgunder, Franken, Normannen sind, und daß die mit der deutschen Kunst verwandtesten Strömungen im hohen Mittelalter sich im Süden Frankreichs, in keltischen Gebieten befinden, dort, wo die Antike nachlebte und die Protorenaissance ihre Kreise zog.

Was der karolingischen Kunst verdankt wird, ist die Kunstfreudigkeit oder besser Darstellungsfreudigkeit, deren Möglichkeiten viel weiter reichten als in der westlichen, weil durch die Renaissance viel weitere Gebiete — der ganze Reichtum des Lebens möchte man sagen — dieser Kunst in den Schoß geworfen wurden, und die mittelalterliche Entwicklung dazu noch ihre eigenen spezifischen Aufgaben stellte. Deshalb wird das Bild der mittelalterlichen Kunst Deutschlands reicher und vielfältiger als das der französischen, aber auch weniger einheitlich. Dieser Reichtum bekommt sofort seine besondere Note dadurch, daß die karolingische Renaissance in eine Periode der Schmuck- und Gerätekunst, der Kleinkunst hineinfällt. Dieser Kleinkunst wurden auch alle die Aufgaben zuerteilt, die man der großen Kunst der Antike absah:

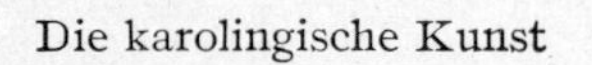

Abb. 231. *Abbéville, Städt. Bibliothek. Evangeliar. Der Evangelist Matthäus. Um 800.*

repräsentative Inhalte, menschliches Bildnis und historische Szenen. Sie verlangte Künstler großen Ausmaßes und beherrschter Technik. Die Kunst der Elfenbeinskulpturen, der Handschriften und vor allem der Goldschmiedearbeiten erlebt in Deutschland eine gar nicht zu überschätzende Blüte und in der deutschen Graphik eine Fortsetzung. Sie muß in den ersten Jahrhunderten für das Bild der deutschen Kunst maßgeblich herangezogen werden. Dazu kommt, daß die karolingische Renaissance auf eine Entwicklungsstufe der Antike zurückgriff, in der selbst im öffentlichen Bau, der Kirche, nicht ein monumentaler Gesamteindruck herrschte, sondern die Folge von Räumen einen gewissen privaten Charakter des Baues bestimmte. Das Raumindividuum bekommt sein eigenes Recht, so wie in ihm der Einzelne mit einer gewissen Zwanglosigkeit sich ergehen kann. Wie es in diesen Basiliken Wandbilder gab, die ohne Beziehung zur Architektur die Wandfläche für sich und ihre Bildindividualität beanspruchten, so wurde in der deutschen Kunst auch das Bild und das Gerät oder der Bauteil unabhängig vom Ganzen nach seiner eigenen Bedeutung hin bereichert und gesteigert. Auch dies verschaffte den Werken der Kleinkunst die volle Hingabe des Künstlers an ihre Sonderexistenz.

Verschiedene Züge der karolingischen Renaissance sind es, die fortan nicht mehr aus der deutschen Kunst entschwinden. Der malerisch schildernde Charakter der nachgeahmten antiken Spätkunst erzeugt einen Mangel an Sinn für Monumentalität, der negativ in den repräsentativen Aufgaben zur Formlosigkeit führt. Die großen plastischen Aufgaben der mittelalterlichen Architektur werden mißachtet, indem man sie dramatisiert und in Handlung umsetzt. Das haben später die Kirchenportale erfahren, an denen kluge und törichte Jungfrauen ihrer Freude und ihrem Schmerz freien Lauf lassen (Magdeburg) und der Verführer sein Spiel mit den törichten Jungfrauen treibt (Straßburg, Abb. 368, S. 328), oder die Chöre der Kirchen, in denen an Plätzen, die für würdige Heilige bestimmt sind, weltliche Händel ausgetragen werden (Naumburg, Abb. 25, S. 36; Abb. 338, S. 306). Was positiv die deutsche Kunst immer für sich in Anspruch nimmt, ist, auf eine Formel gebracht: die Physiognomie des Einzelmenschen, das Porträt, für das in der karolingischen Kunst in den Terenzbildern schon überraschend zutreffende Lösungen gefunden werden, die Physiognomie des Geschehens, die realistische Erfassung eines historischen Vorganges, von dem die Elfenbeinskulpturen voll sind und die Wandmalereien voll waren, und die Physiognomie des Ausdruckes, das Sprechende der Gebärde und die Mimik des Antlitzes.

Dies verläßt die deutsche Kunst nie wieder. Es bewirkt, daß die Teilnahme an den Aufgaben der mittelalterlichen Stile, an ihrer magischen Haltung, ihrer Monumentalität, ihrer gesellschaftlichen Funktion oft in der Form auftritt, daß nicht das Magische, Monumentale, Gesellige, sondern der Ausdruck, der den Menschen vor diesen Mächten und Kräften erfaßt, dargestellt wird, nicht das religiöse Objekt, der Gegenstand des Kultus, sondern die Ergriffenheit oder Scheu des Menschen in der kultischen Funktion. Die nachkarolingische Kunst erhält erst dadurch ihren besonderen Charakter. Vor allem aber behält immer das Individuum sein Eigenrecht vor der Gesellschaft und der Architektur. Es fügt sich nicht wie ein Baustein oder Bauglied in sie ein, sondern schneidet sich einen Raum (die Arkade) aus ihr heraus, zwingt sich die Architektur zum Rahmen der eigenen Existenz. Repräsentation ist hier immer mehr Rückzug von der Welt als Hingabe. Deshalb bleibt die kühle, reservierte Haltung des antiken Klassizismus ihr gemäßer als die gotische Verbindlichkeit, und die Verbeugung des eigenen Körpers im konventionellen Stabsystem des gotischen Gewandes hat nur sehr schwer in der deutschen Kunst Platz gewonnen. Vielmehr — und das antike Gewand bot dafür Anregungen — läßt man den Kampf zwischen Individuum und Gemeinschaft (das Draußen) schon im Kampf des eigenen Körpers mit dem Gewand beginnen.

Abb. 232. *Aachen, Domschatz. Evangeliar. Die vier Evangelisten. Anf. 9. Jh.*

Der größte Gegensatz zwischen westlicher und östlicher, französischer und deutscher Kunstentwicklung ist — in formelhafter Zuspitzung — der: die *westliche Kunst* gestaltet und entwickelt ihre eigenen Inhalte (primitive, archaische, klassische) und gibt ihnen durch die Absorption der Antike einen neuen Sinn, sie wird doppeldeutig; die *deutsche* empfängt von der Antike reiche, ausgebildete Inhalte, denen sie in der Entwicklung der eigenen Formensprache einen besonderen Charakter gibt. Dieser fügt zu den Inhalten nicht etwas Neues hinzu, er gibt ihnen nur einen Ausdruck, der die Form präzisiert und verschärft. Die Kunst bleibt eindeutig.

Während die westliche Entwicklung mit jeder Stufe auch neue Inhalte produziert, da die Formen der Kunst dieselben sind, die auch das Leben formen, bleiben die Stoffe der deutschen Kunst im wesentlichen dieselben: der Mensch gewordene, sich selbst opfernde Gott (der Gekreuzigte, Pietà, Gnadenstuhl), der Mensch als Einzelperson (Heilige, Stifter, Grabporträts), das religiös-menschliche Drama. Reicher wird das Bild dadurch, daß die im Westen geschaffenen Inhalte nach Osten sich ausbreiten: aber nicht hemmungslos, sie werden verdeutscht. Soweit die deutsche Entwicklung überhaupt an der Entwicklung der mittelalterlichen Kunst teilnimmt, ist sie in bezug auf die eigenen Inhalte eine Rückentwicklung vom Menschlichen zum Erhabenen, vom Freien zum Gebundenen, von der Natürlichkeit zur Form. In bezug auf die Entwick-

Abb. 233. *Epernay, Evangeliar des Erzbischofs Ebo von Reims. Markus. Anf. 9. Jh.*

lung der Form aber schreitet auch sie vorwärts auf den Wegen des Mittelalters vom Primitiven zum Klassischen. Die Rückbildung, die die karolingische Kunst erfährt, die Mittel, durch die sie sich zurückfindet zu ihrer eigenen Kultur, sind deshalb zunächst die der irischen Buchmalerei und der primitiven Ornamentik.

Den ersten Schritt dazu spüren wir schon in den karolingischen Prachthandschriften, die man nach ihrem Hauptvertreter in Trier, dem für eine Äbtissin Ada geschriebenen Kodex, die *Adagruppe* genannt hat (Abb. 231). Im Gegensatz zu den in einer Landschaft sitzenden Evangelisten (der sogenannten *Palastschule*, Abb. 227, S. 221), deren weiche malerische Auffassung auch einer geistigeren Auffassung des Schreibers entgegenkommt, sitzen hier die Evangelisten in einer Thronnische, in deren Gewölbe sich das symbolische Tier oder der Engel des Matthäus großartig ausbreitet. Der imperiale Stil der konstantinischen Zeit, dessen Würde eine plastischere und festere Zeichnung, ein reicher, schwingender Faltenwurf und eine kräftigere, ungebrochene Farbe gerecht zu werden versucht, hat hier noch eine Steigerung erfahren. Es fällt aber sofort in die Augen, wie die kräftige, fast barocke Modellierung wieder zur Fläche zurückstrebt und in zackigen Säumen und reichen, Umriß und Schraffur betonenden Strichlagen den Anschluß an Linie und Linienornament wiedergewinnt. Zugleich ist noch etwas anderes da, was alle diese Blätter von antiken Darstellungen unterscheidet und trotz der linearen Verfestigung nicht zu byzantinischer Geistesenge erstarren läßt, ein Ausgreifen in der Bewegung, ein großer, offener Ausdruck der Augen, ein Schwung des Körpers und des Gemütes, der nichts anderes bedeuten kann als die Stimmung dieser karolingischen Menschen vor dem, was sie als Stil und Vorbild durch Nachahmung zu erreichen suchten, die Renaissancestimmung: Ich hab's gewagt!, die kindliche Freude am Auch-Können: Seht her, ich schreibe!

Vollkommen eindeutig ist die Reihe, die von dem so klassischen Wiener Evangeliar weiterführt. Im *Aachener Evangeliar* sitzen die vier Evangelisten auf einer Seite vereint (Abb. 232). Vier Landschaften, vier Felsenhöhlen, aus denen die Symbole wie Unterweltstiere herausbrechen, sind auf die vier Abschnitte der Seite verteilt. Das heißt nichts anderes: wir haben hier eine irische Buchseite, in vier Felder geteilt, in jedes Feld ist wie ein Edelstein auf den Buchdeckeln oder wie die Evangelistensymbole auf vorkarolingischen Miniaturen ganz unrealistisch, flächenfüllend eine Figur hineingesetzt. Die Schattenstreifen umkreisen die Gestalten und spannen sie ganz in eine Linienkonstruktion ein, bringen sie selbst aus dem Gleichgewicht; sie sind außer sich wie die Ekstatiker primitiver Zeiten. Im *Ebo-Evangeliar* aus Epernay (Abb. 233) fährt der

Abb. 234. *München, Staatsbibliothek. Deckel des Codex Aureus von St. Emmeram. Nach 870.*

Abb. 235. *München, Staatsbibliothek. Deckel des Codex Aureus von St. Emmeram. Christus und die Ehebrecherin. Nach 870.*

Evangelist herum und schaut mit aufgerissenen Augen auf den geflügelten Löwen, der wie eine gespenstische Erscheinung über den Rand einer Felsenhöhle emportaucht. Die Hände spreizen sich wie in krampfiger Angst. Die flotten, scheinbar skizzenhaften Schattenlinien sind in Wahrheit Ornamentlinien, die — wie Drähte einen Schwertgriff — die Figur umwickeln und die leidenschaftliche und nervöse Erregung in die wirbelnde Linienführung projizieren.

Dieses drahtigen, zerrig scharfen Stiles bemächtigt sich nun die *Goldschmiedekunst* (Abb. 234) und verwandelt in stilvoller Schneidigkeit der Metalltechnik das repräsentative Bild des Erlösers in ein Lineament, das seinen Ausgang nimmt vom scharfen Kreisring des Thrones (er ist dreigeteilt wie Spangen der Völkerwanderungszeit) und alle Konturen des Gesichtes und die Glieder in diese spiraligen, hakigen, zerrigen, spitzigen Gewandschlingen einbezieht. Hände verwandeln sich in Krallen, die Gesichter in die Schärfen eines Raubvogels, der Ausdruck nimmt die Züge einer undurchdringlichen, lauernden und tierisch scheuen Bosheit an. Ohne die reiche, keineswegs im Ornament zerstörte antike Haltung wäre der Ausdruck nicht so psychologisch; das Geheimnis dessen, was primitive Dingscheu als Gottheit fürchtet, ist in einem Priester gleichsam Maske und Mensch geworden. Vergleicht man damit die repräsentative Haltung einer früheren Elfenbeinplatte, z. B. des Lorscher Christus (Abb. 23, S. 34), die auf altchristliche Platten wie die des Kaisers Probus zurückgeht und Christus als einen Triumphator zeigt, dem Genien huldigen, dann sieht man, wie gleichgültig diesem zwingenden Werk der Goldschmiedekunst gegenüber die nachgeahmte Pose Christi ist, aber wie auch in ihr schon in den Faltenhaken die ornamentalen Linien, im Ausdruck die krampfige Übersteigerung einsetzt —, alles aber mehr verzerrend als eigenwirksam. Die Stilisierung, die der thronende Christus im Buchdeckel des *Codex Aureus* erfahren hat, haben auch die lebendigen, mit reichen architektonischen Versatzstücken arbeitenden Szenen auf den das Christusbild umgebenden Leisten erfahren (Abb. 235). Aber auch hier welche Umbildung gegenüber den Szenen auf karolingischen Elfenbeinen, die den spätantiken Ton echter nachahmen. Was hier nur steigernd als Übertreibung wirkt, bekommt in dem Metallwerk einen neuen Sinn: ein Zauberer schreibt Zeichen in den Sand, und alles steht herum, reckt sich atemanhaltend, ist gebannt und wartet mit verkrampften Händen auf ein Wunder, wie auf eine Explosion. Gemeint aber ist die menschliche Szene zwischen Christus und der Ehebrecherin. Nicht Ungeschick hat diesen Ausdruck erzeugt, sondern feinste Treibtechnik hat die eigene Empfindung, die Scheu vor dem Magischen gestaltet. Auch diese Arbeit ist eminent psychologisch.

DIE OTTONISCHE (VORROMANISCHE) KUNST

Die sächsischen Kaiser 919—1024. Heinrich I. 919—36. Kämpfe gegen Wenden und Ungarn. Otto I. 936—73. 962 Kaiserkrönung in Rom. Verwaltung des Reiches mit Hilfe der vom Kaiser ernannten Erzbischöfe und Bischöfe, die Reichsbeamte werden. Otto II. 973—83. Otto III. 983—1002. Heinrich II. 1002—24. Ausbreitung der cluniazensischen Reform. Behauptung des deutsch-italienischen Reiches. Die fränkisch-salischen Kaiser 1024—1125. Konrad II. 1024—39. Heinrich III. 1039—56 (setzt nacheinander vier Deutsche als Päpste ein). — Kulturzentren die Bistümer (Gero von Köln 969—76, Bernward von Hildesheim 993—1002) und Klöster: St. Gallen (Ekkehard, Waltharilied), Gandersheim (Roswitha), Corvey (Widukind), Reichenau u. a.

Man pflegt in der Kunstgeschichte der karolingischen Kunst eine neue Epoche folgen zu lassen, die man die *ottonische* nennt. Dahinter steht die Einsicht, daß im 10. Jahrhundert (allerdings mehr in der Spätzeit als im Beginn) ein neuer Geist in die deutsche Kunst hineinkommt und der Kunst des 11. Jahrhunderts ihr Gepräge gibt. Da dieses Neue dasselbe ist, was den Stil der Kunst des 12. Jahrhunderts in Frankreich ausmacht, und wohin auch die romanische Kunst in Deutschland zielt, so nenne ich sie die *vorromanische* Kunst. Dieses Neue ist aber die kubische Form, die archaische Monumentalisierung. Sie formt in Deutschland nicht die ganze Gestalt, nicht das ganze Bildwerk (dieses bleibt Mensch und menschliches Geschehen im ganzen Reichtum seiner Entfaltung), sie formt nur den einzelnen Körperteil, ein Glied, das zur Röhre erstarrt, eine Bauchpartie, die zur festen Trommel anschwillt. Und sie setzt diese festen Teile sichtbar, ohne Übergänge hart aneinander — das ist noch immer oder wieder das Primitive. Die Körper behalten also die menschliche Bedeutung und die mimische Lebhaftigkeit, aber in der Art von Gelenkpuppen. Glieder und Bewegungen werden marionettenhaft, aber dadurch so deutlich, auf Fernwirkung berechnet und für einfache Gemüter (wie für Kinder) so eindringlich wie Puppenspiel. Die Kunst wird (gerade dort, wo sie uns stilisiert oder phantastisch erscheint) volkstümlich. Denn jetzt begnügt sich diese Kunst nicht mehr mit den abgegriffenen und unverstandenen Symbolen der Antike, Sol und Luna, Oceanus und Gäa in ihrer menschlich fleischigen

Abb. 236. *München, Staatsbibliothek. Sogenanntes Evangeliar Ottos III. aus Bamberg. Lukas. Ende 10. Jh.*

Gestalt, sie verlangt nach dem Erhabenen in monumentaler Ausprägung, erhaben, d. h. aber für die Sichtbarkeit erhoben, sie will das Unnatürliche, Übermenschliche in Form und Inhalt (Abb. 236, Tafel III).

Aber die karolingische Renaissance hat das Bild des Menschen und seiner Geschicke dieser Kunst als Verpflichtung hinterlassen. Und so erscheint auch das Erhabene nur in Form oder in Verbindung mit Darstellung des Menschen. Der Evangelist Lukas aus dem *Bamberger Evangeliar* (Abb. 236) ist es, der das Bild des Herrn und seines Symbols, der das Tier im Kreise von Propheten und Engeln mit gereckten Armen und aufgerissenen Augen trägt. Dieses Wunder überirdischer Erscheinung ist nicht einfach da, ist nicht Monument, sondern er, der Mensch zeigt es, und mehr als das Bild selbst übertragen Mimik und Gebärde des Menschen die Erregung und den Bann, die Dringlichkeit und die Scheu auf uns. Dies Suchen der Zeit nach monumentalem Ausdruck ist psychologische Interpretation geworden: eine einfache, menschliche Religiosität trägt sich vor in psychologischer Vertiefung einer Spätkunst und ohne Bruch und Zwei-deutigkeit. Die magische Erscheinung der überirdischen Gruppe, monumentalisiert in strenger Symmetrie und Geometrie, ist letzten Endes so kindlich als Ornament, wie die Marionettensprache als psychologischer Ausdruck. Aber gerade weil dies alles in seiner konstruktiven Anlage so als Produkt eines Menschen erscheint, verbindet es sich mit dem Ausdruck der Figur zum Bilde der Vision und vergeistigt das Allermateriellste.

Abb. 237. *München, Staatsbibliothek. Evangelistar Heinrichs II. aus Bamberg. Die Verkündigung an die Hirten. Zwischen 1002 und 1014.*

Eine Verkündigung an die Hirten (Abb. 237) ist zwar eine Szene, aber sie wird dargestellt wie ein Monument. Schematische, glasglockenhafte Erdschollen bauen einen Sockel, zu dessen Seiten die Hirten sich befinden, und nehmen den Engel auf, der riesengroß darüber steht und sich zwar redend zur Seite dem einen Hirten zubeugt, aber mit ausgebreiteten Schwingen und flatternden Gewandzipfeln in monumentalem Gleichgewicht hält. In wenigen Miniaturen ist die Verfestigung der einzelnen Teile der Landschaft oder des menschlichen Körpers durch scharfe Umrandung und Abschnürung so stark wie in dieser, und damit auch das Marionettenhafte der Gebärde, in keiner aber auch die heilige Scheu und Erstarrung so intensiv. Selbst der Engel hat diesen Ausdruck, nicht, als ob er Gott sei, sondern als fühle er sich vor eine heilige Aufgabe gestellt. Die spätantiken Elemente, das Schwebende und Auseinanderflatternde seiner Gestalt machen ihn wiederum so leicht, daß auch wir ihn aus dieser Ergriffenheit der Hirten heraus als Vision empfinden, als Vision des Monumentalen. In dieser Zeit hat das apokalyptische Element eine so angemessene bildliche Interpretation gefunden, wie nie wieder, selbst bei Dürer nicht. Zugleich läßt die Kunst, im psychologisch vertieften Geschehen die Monumentalität des Heiligen sichtbar zu machen, im Drama den Helden oder Übermenschen herauszustellen, an die Kunst des Naumburger Meisters vorausdenken. Trotz des magisch wunderhaften Inhaltes sind diese Darstellungen echt volkstümlich, denn nur das Volk kann das Wunder so ernst nehmen und so einfache Formeln verstehen. Da die Kunst für das Volk selbst ein Wunder ist, so liegt es ihm näher, das Erhabene im Bilde zu sehen als sich selbst.

Abb. 238. *Stuttgart, Landesbibliothek. Evangeliar des Gundold. Kreuzigung. Köln, 2. Viertel 11. Jh.*

Dennoch sind die Mittel dieser Kunst so, daß in Darstellungen einfach menschlichen Seins und Tuns auch dieses eine besondere Kraft des Volkstümlichen und die Eindringlichkeit des Schlichten erhalten muß. Die Härte der Form (die Klobigkeit), die Ungelenkheit des Tuns, die Befangenheit im Ausdruck der Scheu, die Einfachheit und Bestimmtheit des Umrisses (die Ehrlichkeit der Sprache), die Gradheit des Striches und die Unvermitteltheit des Aneinanderstoßens der Teile (die Drastik des Physiognomischen), alles das wird Charakter der Menschen, die dieser Stil formt. So wird jetzt das Menschliche im Bilde des Gekreuzigten (Abb. 238, 239) nicht nur mit unerbittlicher Naturnähe geschildert, sondern gerade diese menschliche Wahrheit wird gesteigert durch die Betonung und Isolierung der gezerrten Sehnen an Schultern und Knien, der fleischigen Brusthälften, des gespannt vorgewölbten Bauches. Die Vereinzelung der Form bedingt die Unförmlichkeit des Ganzen. Wo dieses Bild, das wir in der Buchmalerei mit absichtlich verstörter malerischer Auflösung dargestellt finden, in lebensgroßer Plastik auftritt, im Gerokreuz in Köln, da erzeugt der harte Anprall isolierter kubischer Formen eine erdnahe Körperlichkeit. Die Erniedrigung der Kreuzigung vollzieht sich am unedlen Menschen.

Abb. 239. *Köln, Dom. Gerokreuz. Um 970.*

Abb. 240. *Gernrode, Stiftskirche. Kopf eines Bischofs von der Hl.-Grab-Kapelle. Stuck. Um 1000.*

Es ist der Sohn des Volkes, der hier am Kreuze leidet. Der aufrüttelnde Realismus dieses Bildes schien der Kunstgeschichte bisher in dieser Frühzeit unmöglich, weil man die Formung der Einzelteile übersah, die Kugel des Leibes, und sich nicht klar war, daß nur in dieser Zeit solche unrhythmische Zusammenfügung der Teile, solche Drastik des Psychologischen, solcher Ausdruck der Ergebung in den hart geschnittenen Zügen, solche Einheit von Kunst und Charakter möglich war.

Es ist dasselbe wie in dem Bischofskopf, der zu den Stuckskulpturen des heiligen Grabes in *Gernrode* gehört (Abb. 240). Was an diesem Kopf groß, bedeutend ist, ist wiederum die Wucht der herausmodellierten Einzelteile der Physiognomie. Diese aber ist die eines Fischers, den der Herr zum Menschenfischer berufen hat. Auch er ist ein Mann von niederer Herkunft, dessen weit geöffnete Augen noch immer die Scheu verraten, mit der er diese Berufung entgegengenommen hat — wie die Hirten auf dem Felde die Botschaft

Abb. 241. *Paris, Cluny-Museum. Baseler Antependium. Um 1020.*

Abb. 242. *Paris, Cluny-Museum. Baseler Antependium. Kopf Christi. Um 1020.*

Abb. 243. *Hildesheim, Dom. Bronzetür aus St. Michael. Ausschnitt: Gott Vater zieht Adam zur Rechenschaft. Anf. 11. Jh.*

des Engels. Das ist ja das besonders Ergreifende an dieser Kunst (und das Besondere ihrer Erbschaft antiker psychologisierender Spätkunst), daß kaum eine Kunst so wie sie die Scheu des Menschen vor dem Wunder und dem Erhabenen zum Ausdruck gebracht hat, die Unterwerfung des primitiven und archaischen Menschen unter die geheimnisvolle Macht des Übermenschlichen. Vor dem Kreuz in dem *Stuttgarter Psalter* (Abb. 238), auch einem Werk der Kölner Kunst, wirft sich der Bischof zu Boden (ein Stifterporträt), und immer wieder treffen wir diese Kniefälligkeit des Bittens. Selbst Könige demütigen sich und lassen sich alle Würde von dem Heiligen schenken. Aber auch diese Heiligen, voran der König der Könige, Christus, wenn sie im Bilde vor uns hintreten, sind Menschen und tragen den Ausdruck der Scheu und Befangenheit und der Ergebung in ihre Würde, sie beugen sich vor etwas, von dem auch ihre Heiligkeit erst stammt. Das Heilige tritt immer in der Gestalt des Priesterlichen auf, eines Priesters, der aus dem Volke aufgestiegen ist und sich dessen immer bewußt bleibt.

Dies macht ein Bild wie das des Christus der *Baseler Altartafel* so rührend und so eindringlich nah (Abb. 241, 242). Antike Spätkunst hat eine edel geformte Gestalt mit ganz natürlich wirkender Körperhaltung, Körperform und Gewandung entstehen lassen, ottonische Verfestigung hat die Symmetrie, die harten Abhebungen der Teile, das Gebaute, die strenge Haltung hinzugefügt, aber hat die Gestalt nicht zum Bilde eines unnahbaren Herrschers erstarren lassen, sondern hat den Menschen, diesen einfachen, starken Mann, der im hartschädligen Kopf kenntlich ist, gebannt, hat ihn befangen gemacht, bedrückt und scheu vor der Last, die ihm mit der Weltkugel in die Hand gelegt ist. Zögernd öffnet er die Hand, um den Reichtum zu schenken, den er selbst nur als etwas

Abb. 244. *Hildesheim, Dom. Bronzetür aus St. Michael. Ausschnitt: Adam und Eva werden aus dem Paradies vertrieben. Anf. 11. Jh.*

Geistiges ahnt. Auch das Königspaar, das sich ihm zu Füßen geworfen hat, vermag ihn nicht zu herrscherlicherem Ausdruck zu bewegen. Die byzantinischen Heiligen entäußern sich aller Menschlichkeit und erzwingen den Ausdruck des Heiligen für sich. Diese deutschen priesterlichen Gestalten und die ganze Kunst der Zeit haben immer denselben einen Ausdruck — im Angesicht des Heiligen, das nicht von dieser Welt ist, scheu und ehrfürchtig zu wandeln. (Darin ist auch die Erhabenheit und Tragik des Verhältnisses dieser naiven jungen Kultur zur römischen beschlossen. Jede dieser königlichen Gestalten geht den Weg nach Canossa.) In den Reliefs mehr als in der Malerei kommt noch eins hinzu. Die körperlich erhärteten Figuren werden nicht mit dem Hintergrund zu einer plastischen Gesamtform verschmolzen, sie bleiben Figuren im Raum, mit Bewegungen, die die Rundung im Raum voraussetzen. Aber durch die Betontheit der Modellierung, die kubische Festigkeit des Einzelnen zieht sich alles Gesagte und Gezeigte so auf die einzelne Figur zusammen, daß der Raum daneben nur eine Leere bleibt, nicht Umwelt ist, nicht selbst Physiognomie hat. Es ist nur Zwischenraum zwischen den Figuren wie Pausen in der Sprache eines Menschen, der mit dem Worte ringt, der nur in Hauptworten redet und diese überbetont. Es ist die Zeit volkstümlicher Chroniken. Durch dieses alles hat die Bronzetür von *St. Michael* in *Hildesheim* (Abb. 243), das plastische Hauptwerk der Zeit, seine Lebensfülle erhalten, denn es ist von Menschen in all ihrer Not und Schwäche die Rede (wie Gott Vater Adam und Eva nach dem Sündenfall stellt, Adam die Schuld auf Eva, diese sie auf die Schlange schiebt), und seine Echtheit und Wahrheit, denn die Ungelenkheit der Gebärden ist auch Charakter der dargestellten Figuren — der von Kindern, die beim Fehl ertappt sind. Die Vereinfachung und deshalb Deutlichkeit auf weithin ist die Art, wie auf dem Wege zur Monumentalität die psychologische Dramatik gesteigert wird.

Abb. 245. *Köln, St. Maria im Kapitol. Holztür. Ausschnitt: Herodes schickt die Boten aus. Mitte 11. Jh.*

Oder man sehe auf der Austreibung aus dem Paradies (Abb. 244), wie ohne alle Finessen, vielmehr indem der Finger auf die Einzelheiten gelegt wird, der männliche und der weibliche Körper unterschieden werden. Entsprechend

Abb. 246. *Köln, St. Maria im Kapitol. Holztür. Ausschnitt: Christus am Ölberg. Mitte 11. Jh.*

einfach ist die seelische Interpretation, wie Adam sich still ergeben aus der Himmelstüre heraustrollt, Eva aber sich zum Engel umsieht und noch ein Wort oder wenigstens einen Blick riskiert. Zwischen ihnen und dem Engel und am Rande stehen merkwürdige Gewächse, halb Sträucher mit besonderer Physiognomie, halb Ranke mit plastisch architektonischer Form. Sie machen den Hintergrund nicht zur Landschaft, im Gegenteil, auch sie betonen wie die Figuren die Leere dahinter, die Bühne, und es würde genügen, wenn es noch nötig wäre, daß jemand erklärte, das sind Bäume, hier ist das Paradies, damit diese glaubensstarke und wundergewöhnte Zeit es für wahr nimmt.

Diese Türen sind das deutsche Gegenstück zu der im 11. Jahrhundert an Kapitellen und Kirchenportalen und Mauern sich vorbereitenden monumentalen Plastik in Frankreich, sie sind eine Bilderwand, in der jedes Bild sein eigenes Leben, seine eigene Physiognomie, seinen eigenen Raum hat, nicht Baustein und Teilhaber architektonischer Monumentalität und Feierlichkeit ist. Es sind Bilderbücher in Bronze oder wie die Triumphalsäulen Roms, Schriftrollen in Stein, Kinderbilderbücher in einer groben, ganz ernsten Sprache, die von den wichtigsten Dingen der Welt und des Glaubens, was für sie dasselbe ist, handeln.

Eine zweite Tür, die Holztür aus *St. Maria im Kapitol* in *Köln,* kommt im Tonfall der Erzählungen der in Hildesheim sehr nahe, aber die Darstellung ist flüssiger und gedrängter. Mit den Hildesheimer Türen kommen wir schon jetzt — scheint es — in die besondere Bodenständigkeit, Ursprünglichkeit und Schicksalshärte des Ostens der deutschen Kultur hinein, es ist sächsische Plastik. Die Kölner Tür scheint schon stärker an einer durch Berührung mit der Antike und durch Tradition verfeinerten Kultur teilzunehmen. Gegenüber dem sächsischen Werk sind die einzelnen Szenen kunstvoller, gegenüber dem karolingischen des Codex Aureus (Abb. 234, S. 229) wundervoll naiv und kompakt. Wir wählen die Szene, wie die Boten des Königs Herodes ausgeschickt werden, bei den Schriftgelehrten Auskunft über die Geburt des Messias einzuholen (Abb. 245). Herodes sitzt — ganz ins Bild hineingewendet, ganz dem Drama zugehörig — auf einem Stuhl mit übereinander geschlagenen Armen,

Nach Leidinger, Meisterwerke der Buchmalerei, mit Genehmigung des Verlages Hugo Schmidt, München

MÜNCHEN, STAATSBIBLIOTHEK. EVANGELIAR OTTOS III. AUS BAMBERG
KAISER OTTO III. ENDE 10. JH.

TAFEL III

kräftig gerundet, in jeder Einzelform geballt, deshalb etwas wie ein Götze und doch so volkstümlich lebendig wie ein Häuptling und Dorfschulze. Die beiden Boten — auch sie kugelig im Kopf, röhrenhaft in den Gliedern, plastisch in den Einzelformen, ohne jede drahtige Manier der vorangehenden Zeit — sind wieder von einem Gefühl erfüllt, dem der Angst vor der Hoheit der Majestät, der erste mit zittrigen Knien, der andere scheu gedrückt hinter dem Rücken des ersten. Denn diese Hoheit ist um Haupteslänge ihnen überlegen, sie ist nicht bei Laune, und jede Handgreiflichkeit ist von ihr zu erwarten. In diesem Ton geht es mit bewunderungswürdiger Gleichmäßigkeit von Form und Charakter durch die Reihe der Szenen der Tür. Mit der Steigerung des Gehaltes wächst auch die Form. Die Christusgeschichte ist, wo es der Passion zugeht, großartiger, dennoch nicht weniger plastisch dargestellt. Unter diesen Passions-Szenen müßte die von Christus auf dem Ölberg (Abb. 246) den Deutschen besonders teuer sein, denn hier ist vereinfacht, gröber und gerader, aber kaum weniger eindringlich die Szene so dargestellt, wie sie später in Albrecht Dürers Passionen in Holzschnitt und Zeichnung als reifste Leistung erscheint. Christus liegt ganz auf dem Boden hingestreckt. Was bei Dürer Ausdruck der Verzweiflung ist, wird hier stärker der der völligen Ergebung. Was dort pathetische Äußerung ist, ist hier völlige scheue Benommenheit: Herr, nicht mein, sondern Dein Wille geschehe. Wir sehen nicht Christus als Standbild trotz der festen geschlossenen Form, nicht den Ölberg als heiligen Berg in monumentaler Architektur, wir sehen nur die Gebärde und sind durch sie vom Magischen umwittert wie Moses auf dem Berge Horeb. Die Apostel sind derbe, massive Menschen, plastisch prall in Einzelform und Gruppe und doch vorromanisch als Menge und Situation erfaßt, im dicken Schlaf wie Landleute und Fischer, die im Stehen schlafen. Aber auch im Schlaf von seltener Ausdruckskraft einfacher, befangener Gebärden. Sie halten die Augen zu, als ob es um sie blitzte. Schlaf wandelt sich in Traum, aus der hölzernen Klobigkeit der figuralen Darstellung steigt empor die Vision.

Die dritte Tür, wieder eine Erztür, birgt der

Abb. 247. *Augsburg, Dom. Bronzetür. Ausschnitt: Der Herbst. Mitte 11. Jh.*

Abb. 248. *Augsburg, Dom. Bronzetür. Ausschnitt: Der Sommer. Mitte 11. Jh.*

Abb. 249. *München, Staatsbibliothek. Evangeliar der Äbtissin Uta von Niedermünster in Regensburg. St. Erhard beim Meßopfer. 1. Viertel 11. Jh.*

Dom von *Augsburg* (Abb. 247). In ihr kommt das Verhältnis der deutschen Kunst zu den ihr fremderen formalen Werten der antiken Kunst zum Ausdruck, zum nackten Körper und einer dekorativ ausgebreiteten leichten Bewegung der schönen Menschheit. Die Nähe zu Italien und die dadurch hergestellte Verbindung zur byzantinischen Kunst, die in dieser Zeit gerade eine Renaissance erlebt hatte, haben die besonderen Inhalte der Felder dieser Tür entstehen lassen. Es gibt Gestalten wie die des traubenessenden, den Herbst repräsentierenden Jünglings, die mit überraschender Feinheit im antikisch flachen Relief modelliert sind, graziös entfaltet in der Bewegung und mit leicht übergeworfenem Mäntelchen eine Verhüllung andeutend, die mehr auf Enthüllung zielt. Die großen leeren Flächen rings um die Gestalt schaffen auch hier eine Raumleere, durch die man — ohne daß eine direkte Beziehung nahegelegt werden soll — an die durch die leeren Felder spätantiker (pompejanischer) Wände flatternden Genien und Mänaden erinnert wird. Nimmt man aber die Gestalt des Sommers hinzu (Abb. 248), die mit einem Tuch ein Trinkgefäß emporhebt, dann sieht man plötzlich die ottonische Verfestigung und erlebt eine Stimmung, die die Geste zur kultischen Handlung erhebt. Mit der Wendung in die Bildfläche hinein wird auch diese auf den ersten Blick so dekorative und repräsentative Gestalt zur Szene — ein Priester, der ein heiliges Gefäß vor dem Altar hoch emporhebt. Beides ist ottonisch. Aber nicht ottonisch ist die bewußte und geübte Haltung in dieser Gebärde — man denkt an die Kirchgänge der Herrscher in San Vitale in Ravenna. Es fehlt die Befangenheit und die Scheu. Auch die Miniaturen des süddeutschen Kreises (*Regensburger Buchmalerei*) verraten die Nähe Italiens und des byzantinischen Kunstkreises (Abb. 249). Ein rationaleres System von Kreisen und Rechtecken teilt die Bildfläche auf; kühler und repräsentativer als in den Miniaturen der Reichenau, Kölns, Fuldas und Hildesheims bewegen sich in ihm die Gestalten, mit komplizierten Baldachinarchitekturen wird eine zeremonielle Gestalt (Kaiser oder Christus und Heilige) umfangen. Der ergreifende Kruzifixus der Kölner Malerei und Plastik erstarrt zu kantiger Form und harter Monumentalität.

Es ist kein Zufall, daß hier in Süddeutschland der Typus der ravennatischen Basilika heimisch wird, d. h. der repräsentativen und kultisch strengen, die in fester Richtung zum Chor hin in gleichmäßiger Folge die Schiffe zur Apsis führt, ohne die Richtung durch ein Querschiff abzuschwächen und zu unterbrechen. Eine solche Basilika wie die von *St. Emmeram* in *Regensburg* vermag unter der Rokokoverkleidung nicht mehr zu vermitteln, wieviel auch in Raum und Wänden dennoch vom byzantinischen Typ abgewichen wäre und auf spezifisch ottonische Stimmungen hingewiesen hätte. In Südwestdeutschland dagegen, am Oberrhein, herrscht ein anderer, von Byzanz unabhängiger Charakter. In der Malerei der *Reichenau* scheint die Nähe Burgunds nicht unbeteiligt an dem übersteigerten Charakter ihrer Visionen. Wie burgundische Kirchen erhielt der Dom von *Speyer* (Abb. 250) schon 1040 ein Mittelschiff mit Vertikalstützen, die von unten bis zur flachen Holzdecke den Raum zusammenfaßten und in die Höhe steigerten, so daß man an die großartigen Kompositionen der Reichenauer apokalyptischen Malereien denkt. Querschiff und Chor haben im 12. Jahrhundert eine so monumentale Gestaltung erfahren, das Mittelschiff ist durch Gewölbe und Verstärkung jeder zweiten Vertikalstütze so verändert, daß auch in diesem großartigsten Bau des 11. Jahrhunderts nicht mehr die eigentliche Stimmung dieser Zeit nachgefühlt werden kann. Nur die Riesenkrypta vermag einen Eindruck zu vermitteln, die sich unter Chor und Querschiff mit einem Wald von schweren, ernsten Säulen hinzog und mit gegeneinander durch massige Pfeiler abgesetzten Teilen immer von neuem das Geheimnis unterirdischer Grüfte bot.

Abb. 250. *Speyer, Dom. Begonnen um 1030. Umbauten um 1100 und 2. Hälfte 12. Jh.*

Die menschliche Seite, und, wie wir glauben, die wesentlichste und deutsche, kommt erst in den nordischen Bauten ganz zum Ausdruck, von denen uns zwei durch ihre trotz einiger Restaurationen und Veränderungen relativ vollständig erhaltene Urgestalt noch heute einen Begriff von ottonischer Baukunst und Baustimmung geben. Von ihnen ist die Stiftskirche in *Gernrode* die ältere und deshalb weniger feierliche (Abb. 251). Wir treffen sie wohl auf dem Wege zur Monumentalität — sie hat eine durch derbe Pfeiler ausgeschiedene

Abb. 251. *Gernrode, Stiftskirche. Mittelschiff von Osten gesehen. 2. Hälfte 10. Jh. (Westteile im 12. Jh. umgebaut).*

Vierung —, aber der kurze Mittelraum mit Seitenschiffen und Emporen legt sich so beherrschend, nicht hinführend vor diese Vierung, daß die Pfeiler trennen und akzentuieren, nicht herausheben. Es ist wie bei dem Körper ottonischer Plastik, wo an den prallen Leib die Glieder gleichsam angestückt sind. Dieser Mittelraum, in dem wie in den malerischen Kruzifixusdarstellungen alles etwas verschoben, alles schief und lässig gebildet, alles ungleich und alles gleichsam mit einer struppigen Besonderheit gebildet ist, deshalb eine physiognomisch besondere Situation schafft, dieser Mittelraum empfängt Form und Gestalt von den Seitenwänden. Keine vertikalen Glieder fassen die gegenüberliegenden Wände raumverengend zusammen, sondern horizontal dehnen sich die Wände und umstehen einen unbestimmt weiten Raum, dem auf den Hintergründen der Bronzetüren vergleichbar. Daß die Mitte betont ist, richtet die Wände noch mehr in den Raum hinein, verhindert, daß die Arkadenreihen zum Chor hinführen. Durch enge Öffnungen ergießen sich Seitenschiffe und Empore blickführend mit ihren Räumen in das Mittelschiff (Abb. 252). Jede Arkade wird ein Fenster in dieses hinein, d. h., sie wirken wie Logen, wie Räume von Zuschauern, die menschlichem Getriebe in diesem Raume zusehen. Aber die betonte Mitte der Wände faßt zusammen und ordnet; die engen, feierlichen Arkaden geben eine Stimmung von Schranken und Strenge. Man vergegenwärtige sich den Eindruck, wenn in einer Kirche hinter den Gittern einer Empore Nonnen erscheinen. So ist auf einmal in diesem so rustikal lässigen Raum Feier und Befangenheit und über allem Geschehen unter den Menschen die Ahnung und das Geheimnis. Von einer solchen Architektur aus wäre kaum die Umbildung des Gemeindehauses zum Gottesmonument erfolgt. Aber was der religiöse Sinn vor diesem Monument fühlen sollte, die mönchische Stimmung, sie ist als Ahnung von etwas da, das nur geistig, visionär den Menschen dieser Räume gegenwärtig wird.

Abb. 252. *Gernrode, Stiftskirche. Emporen. 2. Hälfte 10. Jh.*

In *St. Michael* in *Hildesheim* wird dies Motiv noch einmal gesteigert, denn es wird mit der ausgeschiedenen Vierung verbunden (Abb. 253). Die Logen steigen dreifach und jedesmal nach oben um eine Stufe sich verengernd vor den Querschiffswänden hinauf. Die Vierung ist flach gedeckt. Nicht durch ihre Form ist sie als Besonderes hervorgehoben. Das Besondere liegt in dei Vergitterung der Räume in den Querschiffsarmen, aus denen Blicke wie von Gefangenen herausbrechen, gefangen von dem, was in diesem engen Rahmen der Vierung geschieht. Der Reichtum dieser Bogenöffnungen und die Intensität, mit der sie menschliche Spannung und Aufmerksamkeit ausstrahlen, machen die Vierung zum Mittelpunkt, nicht ihre Gestalt. Gestalt — wieder denken wir an den Gekreuzigten — kann nur aus dieser Spannung werden. Was hier in diesem aus dem Querraum herausgeschnittenen Raum vor sich geht, kann nur

Abb. 253. *Hildesheim, St. Michael. Westliche Vierung und Querschiff. Anf. 11. Jh.*

Abb. 254. *Hildesheim, St. Michael. Mittelschiff. Anf. 11. Jh. (Veränderungen 2. Hälfte 12. Jh.).*

eine menschliche Handlung sein, das Meßopfer, aus dem der Geist erst aus Ahnung und Befangenheit das Wunder der Transsubstantiation, der Verwandlung von Wein und Brot in Blut und Fleisch werden läßt. Daß diese Logen aber so weit von dieser Mitte abgerückt sind, macht erst recht die aus ihnen herausschießenden Blicke scheu und stier, wie die Augen der Menschen auf den ottonischen Miniaturen. Wie sich zu diesem Querhaus das größere Mittelschiff verhielt, dessen Säulen in drei Jochen statt der schlichten, in dieser Zeit entstandenen Würfelkapitelle im 12. Jahrhundert üppige Ornamente empfangen haben, dessen Emporen, auf die Spuren hinweisen, heute verschlossen sind, ist wiederum schwer festzustellen (Abb. 254). Vielleicht war der Eindruck ähnlich wie in Gernrode und lag auch

Abb. 255. *Hildesheim, St. Michael. Seitenschiff. Anf. 11. Jh. (Veränderungen 2. Hälfte 12. Jh.).*

hier ein großer Hauptraum mit scharfen Trennungslinien von Räumen abgeschieden, die mit säulenverstellten Eingängen, mit breiter Dehnung und flacher Deckung als menschlich profan wirkende Nebenräume dem Hauptraum angefügt waren, wie in einem Haus mit vielen Kammern, deren jede ein Eigenleben wahrte (Abb. 255). Dann war es so wie an den Türen, wo nicht, wie später in Frankreich, ein auf einen Mittelpunkt bezogenes System allen Skulpturenschmuck ordnete, sondern Bild für Bild gleichmäßig die Aufmerksamkeit fesselte. Denn dem Querschiff im Westen entsprach ein gleiches im Osten, weniger tief, aber ähnlich von Emporen flankiert. Für das Mittelschiff lagen die Eingänge in den Seitenschiffen, der Eintretende wurde nicht auf ein Ziel hingelenkt, auch er trat mit Spannung in den Mittelraum von den Seiten her wie zur Verhandlung mit seinesgleichen. Von allen Seiten lockten neue Räume zu neuen Erlebnissen, eine Raumverteilung, so frei und menschlich — deshalb christlich und spätantik — wie in einem Haus, in der Stimmung aber bäurisch und befangen, geheimnisreich und geistumfangen, wozu noch die Ausstattung, Malerei, Teppiche, die glänzenden, kostbaren Geräte, die Dunkelheit kamen, um gerade die kleineren Räume zu magischen zu machen. Es ist etwas von der Freiheit eines Waldes, in dem „Finsternis aus dem Gesträuch mit hundert schwarzen Augen" auf Gemüter blickt, die voller Angst dem Unbekannten gegenüberstehen. Vielleicht war aber doch der Mittelraum, wenn man sich für West oder Ost entschieden hatte, nach beiden Seiten hin fühlbar und mehr als in Gernrode längsgerichtet. Die Säulen sind so von Pfeilern unterbrochen, daß statt der einheitlichen Säulen-

Abb. 256. *Hildesheim, St. Michael. Rekonstruktion des Außenbaues. Anf. 11. Jh.*

Abb. 257. *Köln, St. Maria im Kapitol. Querschiff Mitte 11. Jh., Gewölbe Ende 12. Jh.*

Abb. 258. *Merseburg, Dom. Grabplatte Rudolfs von Schwaben. Bronze. Um 1080.*

folge nach je zwei Säulen ein Pfeiler die Fläche unterbricht. Die *rhythmische Travee* hat man dies Motiv in bezug auf die führende Kraft eines so geformten Mittelschiffes genannt. Was aber bedeuten diese Unterbrechungen, dieser Aufenthalt anderes, als daß beim Gang zum Altar hin fromme Scheu zögernd von Station zu Station sich dem Geheimnisvollen nähert?

Die Vielgestaltigkeit kommt auch im Außenbau von St. Michael zum Ausdruck (Abb. 256). Auf den ersten Blick scheint der Monumentalbau schon erreicht: ein Vierungsturm auf jedem Querschiff. Aber es ist nicht nur die Chor- und Querschiffsverdoppelung, die es nicht zum Eindruck eines einzigen im Turm aufgipfelnden Monumentes kommen läßt, es ist die hausartige Ausgestaltung dieser Türme, ihre nicht körperlich wirkende, über die Mauern übergreifende Bedeckung. Jeder Zeitgenosse wurde an die Warttürme auf den Mauern erinnert, und auch die Rundtürme, die vor den Querschiffen stehen, wirken wehr- und wächterhaft. Was die von ihnen eingeschlossenen Bauteile, das Langhaus und die Querhäuser, feierlich macht, zugleich aber auch ihre Menschlichkeit betont, ist auch hier eine Gesinnung und ein Verhalten. Türme stehen wachsam auf, an und neben den Häusern. Diese selbst sind keine Monumente; in ihrer Schutzbedürftigkeit liegt der Ausdruck von Scheu und Angst. Auch in den Türmen schafft weniger die Form als der Ausdruck die Beziehung zum Bau, der Auslug im Vierungsturm, die gedrungene, verschlossene Kraft der Fassadentürme.

Vergleichen wir im Geist noch einmal die Stiftskirche in Gernrode mit St. Michael in Hildesheim, so verhält sich die größere Renaissancenähe in Gernrode zu der größeren Feierlichkeit in Hildesheim, die zu romanischer Monumentalität hinführt, wie die das Überirdische im Menschenwort vermittelnde Predigt zu der von Priestern vollzogenen heiligen Handlung einer Messe.
Die größere Flüssigkeit und Zusammendrängung auf den Türen in *St. Maria im Kapitol* in Köln möchte man gern mit der Baugesinnung zusammenbringen, die sich in dieser Kirche selbst offenbart und die für den Charakter kölnischer und von ihr bestimmter niederrheinischer Baukunst grundlegend wird (Abb. 257). Auch hier steht ein Mittelschiff groß und schlicht mit Pfeilern ohne Säulenunterbrechung zwischen einem engeren Westbau und einem weiteren Ostbau. Dieser aber hat aus der Kreuzesform mit betonter Vierung und dem Zentralbau mit Umgang eine neue Einheit, den Dreikonchenchor, entwickelt. Von drei Seiten öffnen sich rund abgeschlossene, feierliche Räume in die gemeinsame Mitte hinein. Jeder hört deshalb auf, ein Ziel, ein Chor zu sein; erst zusammen bilden sie einen Raum, der wiederum der einer Gemeinde ist, die in feierlicher Andacht die Mitte umsteht. Auch diese, ursprünglich flach gedeckt, empfängt nur von der Stimmung der ihr zugekehrten Raumbuchten Würde und Bedeutung. Die Vision eines Kreuzes inmitten einer von allen Seiten herbeiströmenden Menge taucht auf, eines Schauspiels, das nicht mehr Schaulust höhnender und gröhlender Menge ist, sondern Ergriffenheit gläubigen Volkes — das ein geistliches Schauspiel ist.
Verfolgen wir an Hand der Plastik die Entwicklung dieser vorromanischen Kunst vom Ende des 10. Jahrhunderts bis zum Ende des elften, in dem wir ein Werk wie das Grabmal *Rudolfs v. Schwaben* (Abb. 258) treffen, dann sehen wir völlig klar, wie Symmetrie und straffer Umriß, pralle Form und geschlossene Einheit zunehmen, wie der Ausdruck abnimmt und im Ausdruck vor allem die Befangenheit. Dennoch sind wir auch bei dieser streng gezeichneten und ehern festen Gestalt noch im Vorhof romanischer Monumentalität, noch rundet sich der Mantel um die Figur in fühlbarer Perspektive so herum, daß die Platte, auf der der König ruht, wie ein leerer Raum die Figur umfängt. Sie erscheint mehr gemalt als plastisch geformt. Frei schreiten die Füße in diesem Raum aus, frei und zierlich greifen innerhalb des geschlossenen Körperumrisses die Hände die Symbole kaiserlicher Majestät. Und noch immer sind die Einzelteile, die physiognomischen Bestandteile im Gesicht so gut wie die Faltenlagen auf dem Körper, hart und fest gegeneinander geführt. Die ottonische Kunst hat ihre Wärme und Innerlichkeit verloren, aber ihre Formeigentümlichkeiten bewahrt. Zur reinen plastischen und kubischen Durchbildung gelangte die deutsche Kunst nicht ohne Hilfe von Westen, und auch dann nur annäherungsweise, indem sie ihr eigenes Gesicht wahrt. So wird die Geschichte der romanischen Kunst (die es rein in Deutschland so wenig gegeben hat wie eine reine gotische) im 12. Jahrhundert zu einer Geschichte der Invasionen westlicher Kunst.

DIE ROMANISCHE KUNST IN DEUTSCHLAND

Italienzüge der deutschen Kaiser. Im 11. u. 12. Jh. das Königreich Burgund (mit der Hauptstadt Arles) mit dem Deutschen Reich vereinigt — Heinrich IV. 1056—1106. Auseinandersetzung mit dem immer mächtiger gewordenen Papsttum (Gregor VII.), 1077 Gang nach Canossa. Bürgerkrieg in Deutschland, Fürstenverschwörung gegen den Kaiser, der bei den Städten Hilfe findet. Heinrich V. 1106—25. — Die Hohenstaufen 1138—1250. Friedrich I. Barbarossa 1152—90. Kampf gegen die lombardischen Städte (1162 Mailand zerstört) und gegen den Papst (Alexander III.); Behauptung der kaiserlichen Macht. Heinrich der Löwe, Wendenkreuzzug, Kolonisation des deutschen Ostens. Dritter Kreuzzug 1189—92. Heinrich VI. 1190—97, Herrschaft über ganz Italien. 1198 Doppelwahl (Staufer und Welfen). 1215—50 Friedrich II.

Umfang, Eigenart und Reife, Großartigkeit und Innigkeit der vorromanischen Kunst um 1000 erklären, wie tief durch die karolingische Kunst das Wesen der deutschen Kunst bestimmt war, erklären aber auch, warum in dieser primitiven Kulturstufe die Entwicklung in bezug auf die der Spätantike entnommenen Themen, Themen reifer Menschlichkeit, eine Rückentwicklung sein mußte. Daß aber eine solche Entwicklung stattfand, daß in bezug auf die Stilmittel auch die deutsche Entwicklung sich von primitiver Ornamentalität zur archaischen Monumentalität schrittweise durchrang, zeigt, welche beherrschende, gesetzgeberische Kraft der eigenen Stilentwicklung des Mittelalters innewohnte, die in reiner Form im Westen sich vollzog. Erst mit Hilfe von Anregungen, die sich vom Westen her in Deutschland ausbreiten, werden entscheidende Errungenschaften des romanischen Stiles der deutschen Kunst vermittelt. Diese sind der plastisch kubische Körper in Figur und Bau, die körperliche

Abb. 259. *Paulinzella, Ruine der Klosterkirche. Blick aus dem Querschiff ins Langhaus. Begonnen 1112.*

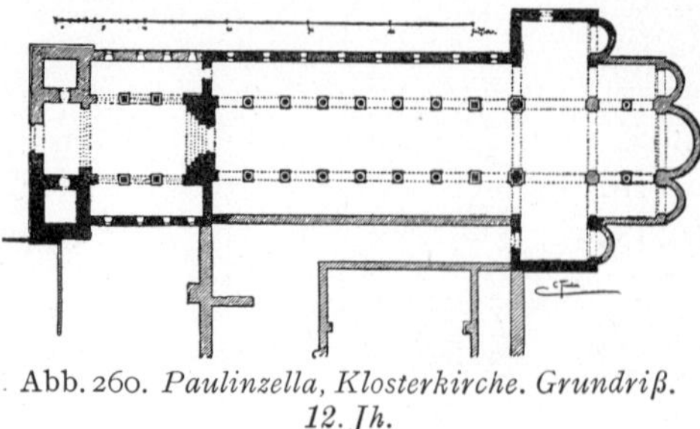

Abb. 260. *Paulinzella, Klosterkirche. Grundriß. 12. Jh.*

Abb. 261. *Hirsau, St. Peter und Paul. 1082 bis 1091. Nach einer alten Lithographie.*

Haltung als Selbstwert, als Schönheit oder Würde unabhängig von der mimischen Bedeutung der Gebärde in einer Szene, die Einordnung der Gestalt in die Architektur und in die großen plastischen Portalzyklen, schließlich die Zusammenfassung der Räume unter einem Gewölbe. Immer aber bleibt dabei zu achten auf die Art, wie diese Übernahme verdeutscht, das Übernommene dem Eigenrecht der Person, der Physiognomie und der geistigen Bedeutung unterworfen wird. Nichts ist bezeichnender, als daß fast alle diese Invasionen vom Westen her schon mit einer Renaissanceströmung im Ursprungsland in Verbindung stehen, daß vor allem der Süden Frankreichs der gebende Teil ist, daß die Beeinflussungen über Italien in Deutschland einbrechen, und daß schließlich in Deutschland neben der hohen Gotik eine renaissancehafte, aber nicht nachgeahmte, sondern selbst erzeugte, der Antike ähnliche Kunst steht.

Abb. 262. *Paulinzella, Ruine der Klosterkirche. Vorhalle. Letztes Viertel 12. Jh.*

An die Spitze dieser Invasionen stellen wir eine architektonische Bewegung, die für das Bild der Architektur des 12. Jahrhunderts in Deutschland entscheidend geworden ist. Es gibt kaum eine „romanische" Kirche in Deutschland, die nicht an ihrem Formenschatz teilgenommen hat. Diese Bewegung beginnt schon im 11. Jahrhundert und geht auf burgundische Anregungen, vor allem auf den zweiten Bau der Abteikirche von *Cluny* zurück. Wesentlich ist, daß in all diesen Kirchen eine straffe Vereinheitlichung des Baues durch den Gegensatz von Chören im Osten und auf sie zueilenden Schiffen von Westen her erreicht wird, daß

Abb. 263. *Hersfeld, Stiftsgebäude. Arkaden am ehemaligen Kreuzgang. 2. Hälfte 12. Jh.*

dieser Richtung zuliebe der Mittelraum sehr steil und lang ist, und daß durch eine schnelle Folge von antik gebildeten Säulen das Richtungsmoment noch verstärkt wird (Abb. 259). Basiliken dieser Art waren schon die Klosterkirchen von *Hersfeld* und *Limburg a. L.* In Hersfeld leitet ein in die Länge gezogener Chor die Bewegung weiter, und durch Blendarkaden sind die der Länge des Hauptchores folgenden und mit ihm durch Arkaden kommunizierenden Nebenchöre wenigstens angedeutet (Abb. 224, S. 219). In *Hirsau*, wo diese Bauströmung auch mit Einführung der Cluniazenser Klosterreform verbunden wird, ist es *St. Peter* (Abb. 261), das den für diese Kirchen der Hirsauer Regel normalen Grundriß (Abb. 260) vermittelt, dessen Staffelchöre für die Außenansicht, wie die normannischen Chöre (Abb. 153, S. 163) zeigen, auch schon sehr monumental sich gruppierten. Ein Vierungsturm ist in vielen Fällen vorhanden, Türme über den letzten Jochen der Seitenschiffe, deren Stützen Pfeiler, nicht Säulen waren, leiteten die Ostgruppe als einen von West nach Ost gerichteten Baukörper ein, Türme im Westen streckten den ganzen Bau, und eine Vorhalle zwischen den Türmen nahm die Gestalt einer von West nach Ost gerichteten Vorkirche an, die damit den zentralen karolingisch-ottonischen Westbau auflöste (Abb. 262). Man könnte von einer *protogotischen* Tendenz reden. Denn auch die antik lebendigen Säulen, ihre Einziehung, die schwellenden Würfelkapitelle, die ausladenden Basen und schwungvollen Profile sprechen von Energie und lebendiger Kraft. Aber daß die Verwirklichung einer aktiven Architektur in den Formen der späten Antike, der flachgedeckten Säulenbasilika geschieht, ist entscheidend dafür, daß sie in Deutschland zur Herrschaft gelangen konnte. Daß es nicht zur Einheit von Glied und Mauer und von Unter- und Obergeschoß kommt, bleibt unmittelalterlich: die Trennung dieser

Abb. 264. *Quedlinburg, Stiftskirche. Nordwand des Mittelschiffs. Geweiht 1129.*

Abb. 265. *Quedlinburg, Stiftskirche. Westwand des Mittelschiffs. Geweiht 1129.*

Geschosse wird durch ein Horizontalgesims bewirkt, das auf senkrechten, vom Kapitell aufsteigenden Pfosten sitzt. Auch das ist Anlehnung an antike Architravarchitektur; ihr entsprechen außen die Scheidung einer Sockel- und einer Wandzone in den Mauern und die freistehenden Säulen der Portale. Feine Stabeinfassungen der Mauerfläche weisen auf Bedürfnis nach energievoller Belebung hin. Aber in all diesen Gliedern kommt ein neues, mittelalterliches, primitives Element hinzu. Schon die Architravarchitektur über den Säulen des Mittelschiffes trägt den Charakter abgeschrägter, zu Rahmen zusammengefügter Leisten, die mit Holzklötzchen verziert sind. Wo Pfeiler, wie in der Vorhalle von *Paulinzella* (Abb. 262), die Säulen ersetzen, werden feine Stäbe, so fein, daß auch sie protogotisch wirken, in Hohlkehlen des Pfeilers eingelegt. Sie liegen in der Steinmasse wie Holzfachwerk in der Lehmwand. An einem kleinen, triumphbogenartigen Portal mit Freisäulen des Klosters in Hersfeld (Abb. 263) sind solche eingelegten Stäbe auf einen Sockel gestellt, der wie eine holzgezimmerte Bank den Stab durch das Deckbrett hindurchgehen läßt. Ist aber diese Erinnerung an Fachwerk nicht eine solche an das Wohnhaus und tritt nicht auch damit zu dem Renaissancecharakter etwas hinzu, was in eigener, primitiverer Sprache dasselbe besagt wie die antike Säulen- und Saalarchitektur, den hausmäßigen, privaten Charakter des Baues? Diese Hirsauer Bauschule ist in vielem ein Gegenstück zu der normannischen in Frankreich, mit der sie den gleichen Ursprung teilt. Aber sie ist deutscher und durch die karolingische Renaissance stärker bestimmt.

Abb. 266. *Quedlinburg, Stiftskirche. Kapitell im Mittelschiff. Um 1100.*

Der Hauptort einer zweiten Einströmung ist die *Stiftskirche* von *Quedlinburg*, die 1129 geweiht wurde (Abb. 264, 265). Die Kirche steht ganz in deutscher Tradition. Ein behagliches, flachgedecktes Schiff von wohligen Proportionen stößt an die durch kräftige Pfeiler abgegrenzte und ebenfalls flachgedeckte Vierung. Die Arkaden sind wie in St. Michael in Hildesheim durch rhythmische Traveen von zwei Säulen zwischen Pfeilern in die zögernde Bewegung zum Altar hin einbezogen. Aber es fehlt die Empore, die Arkaden sind mauerhafter mit den einfachen Schrägen der Deckplatten und den breiteren, kubischeren Kapitellen zusammengezogen; die Westanlage, der Westtürme entsprechen, ist mehr Vorhalle, kein selbständiger Raum, und so ist der Mittelraum stärker auf die Vierung hin ausgerichtet, die durch die starke Fußbodenerhöhung über der großen Krypta mit dem Chor einstmals eine die Ostbewegung weiterleitende Einheit bildete. Wie weit diese architektonische Bindung, trotz aller Beharrung im altchristlichen oder karolingischen (gänzlich unromanischen) Schema, demselben Einheitsgefühl verdankt wird, das im Ornament zum Ausdruck kommt, ist nicht zu entscheiden. Diese Einordnung des Ornaments in die Architektur aber hängt indirekt mit dem Westen Frankreichs zusammen, da es über Oberitalien, von S. Abbondio in Como nach Norddeutschland vorgedrungen ist und folgende Neuerungen frühromanischer Art enthält: eine reichere Ausschmückung und Betonung der architektonischen Glieder, Gesimse, Deckplatten, Kapitelle, Fensterrahmen, ein Bebändern des Baues in jener festlichen Weise, die in Frankreich die kultische Bedeutung der Kirchen betont. Ein ganz flaches Relief macht auch Figur und Ornament zum Schmuck der Oberfläche, hebt jede selbständige Bedeutung auf (Abb. 266). Flechtwerk, Rankenwerk und Kerbschnitt und Einpassung aller Formen in die bauliche Gestalt eines Architekturgliedes läßt alles Organische versteinen. Zugleich fängt auch die Tierornamentik an, im Sinne der Tierdämonie des Westens herrschend den Inhalt des Ornaments zu stellen. Daß dabei die Formen primitiver sind als gleichzeitige französische Plastik und oft auch qualitätsloser, ärmlicher, mag den italienischen Arbeitern verdankt sein, die vermutlich diese Ornamentik eingeführt haben. In Oberitalien hat sich eine auf byzantinischer Flächenkunst aufbauende primitive langobardische Ornamentik besonders

Abb. 267. *Quedlinburg, Stiftskirche. Grabmal einer Äbtissin. 1. Hälfte 12. Jh.*

lange gehalten, eine mit den einfachsten Mitteln geometrischer Regelmäßigkeit wirkende Ordnung. Dieser architektonische Schmuck in Quedlinburg ist romanische Plastik im Kernlande Deutschlands, aber keineswegs im Kerne deutsch.

Aus ihr entwickelt sich eine Großplastik, die durch die gegebenen Anregungen zum ersten und einzigen Male eine strenge archaische Haltung gewinnt, aber in einer Form, die die vollständige Eindeutschung verrät. Bezeichnenderweise sind es Grabdenkmäler, Bilder von Einzelpersönlichkeiten. Die Gräber der Äbtissinnen zu Quedlinburg (Abb. 267) vertiefen den Stein zu einer wirklichen Mulde (sie malen nicht mehr auf einer Fläche), legen hinein eine pfeilerhafte Gestalt, die gleich einer ägyptischen Mumie Todesstarre in den Ausdruck der Ewigkeit verwandelt und alle Einzelformen nur in der Art von Oberflächenritzungen duldet, Parallellinien, die in einer roheren und handwerklicheren Art an die südfranzösische Faltengebung erinnern. Sie würden die Aufmerksamkeit wenig erregen, wären sie nicht Vorstufen zu der schönsten und archaisch monumentalsten Grabfigur, dem Bronzegrab *Friedrichs v. Wettin* im Magdeburger Dom (Abb. 268). Hier ist die Figur ganz Grabhügel, ehe sie Person ist. Einfach, kubisch, unerschütterlich, ewig. Aber es ist bewundernswert, wie sich die menschliche Person in diese architektonische, unorganische Form hineinbildet, anschwellend zu den Armen, mit feinem Umriß sich zum Hals zusammenziehend, den Kopf prall und fest zum Mitrazipfel auftürmend. Selbst die Gewandung legt sich mit klarer Teilung und in einheitlichem Zug (nicht in ottonischer Zerstückelung) in die Wölbung des Hügels hinein. Es ist selber Architektur, Monument, alleinherrschend, keiner Architektur, keinem Sarkophag eingeordnet. Die Person herrscht auf der breiten Platte, ihrem Geltungsbereich. Und der archaische Charakter ist eindeutig, unerbittlich, herrscherlich und herrisch, viel mehr antike archaische Monumentalität als mittelalterliche.

Abb. 268. *Magdeburg, Dom. Grabmal des Erzbischofs Friedrich v. Wettin. Bronze. Um 1152.*

Abb. 269. *Magdeburg, Dom. Grabmal des Erzbischofs Friedrich v. Wettin. Bronze. Um 1152.*

Ganz deutsch ist die physiognomisch ausdrucksvolle Härte des vogelhaften Profils (Abb. 269). Ähnlich ist es mit dem — ägyptischer Tierplastik vergleichbaren — *Braunschweiger Löwen* (Abb. 270). Wie er mit gestrafftem Leib wachsam und drohend ins Land brüllt, ist er Person, Individuum, nicht Architekturglied und nicht zwei-deutig durch Beziehung zu einem Menschen, dem er — Prinzip des besiegten Bösen — als Fußschemel dient. Eindeutig vertritt er den Herrscher und Sieger.

Im Grabe Friedrichs v. Wettin ist das französische Motiv des besiegten Dämons zu Füßen eines Heiligen oder einer Tugend aufgenommen. Der Bischofsstab stößt auf eine kleine hockende Gestalt, das primitive Nachbild des antiken Dornausziehers — für das Mittelalter ein Dämon und Laster. Aber auch hier ist keine architektonische Beziehung; wie ein Schmuckstück hängt sie an dem Fußbrett der Statue. Sie ist nur wie ein Gedanke.

Ein großer, plastischer Zyklus in *Nowgorod,* der aus derselben *Magdeburger Gießhütte* hervorgegangen ist wie das Grabmal Friedrichs v. Wettin, steckt voll solcher spezifisch französischer Motive (Abb. 271, 272). Aber es ist bezeichnenderweise eine Bronzetür, kein Portal mit Tympanon, figurierten Bogenläufen, Pfostenschmuck und Wandreliefs: es ist wieder eine Bilderwand mit dem Leben Christi. Aber die im Portal gegebene Einheit durch das Tympanon, um das sich alles dreht, versucht man wenigstens für jeden Türflügel zu erreichen, indem ein Breitfeld hier die vertikale Reihe der Doppelfelder tympanonartig zusammenfaßt mit einer repräsentativen, nicht erzählenden Darstellung der Majestas Christi und des thronenden Christus zwischen Aposteln. Wo es möglich ist, bringt man neben den erzählenden Reliefs Standfiguren an, und nach

Abb. 270. *Braunschweig, Löwendenkmal. 1166.*

Abb. 271. *Nowgorod, Dom. Bronzetür. 3. Viertel 12. Jh.*

Abb. 272. *Nowgorod, Dom. Bronzetür, Ausschnitt: Tugend und Laster, Jüngling mit Schlange, Petrus im Gefängnis(?). 3. Viertel 12. Jh.*

deren Vorbild haben auch die Figuren der Szenen ihre volkstümliche Charakteristik mit der steilen Standhaftigkeit einer getragenen archaischen Haltung vertauscht. Als plastische freie Figuren runden sie sich über der Hintergrundsplatte, die keinen Raum mehr darstellt, sondern nur noch der architektonische Träger von Statuen ist. Die Statuen sind etwas bewegter als das Grab Friedrichs, von dem das hier angebrachte Bildnis des Magdeburger Erzbischofs Wichmann fast eine Kopie ist. Die breiten Doppelritzen der Quedlinburger Äbtissinnen bestimmen die Manier der Oberflächenbehandlung. Auch das Motiv der Belebung architektonischer Glieder durch Statuen findet sich: der Kampf der Tugenden und Laster ist wie eine Art von Säulenstatuen den Trennungsleisten eingefügt, an Knotenpunkten der Leisten finden wir eine Monatsdarstellung (den Mann, der im November Holz ins Haus schleppt), einen Geiger. Aber es wird nicht Ordnung durch diese Motive geschaffen, nicht Verstärkung des lebendigen Charakters der Architektur, sondern Abschwächung. Denn diese Leisten sind Rahmen für die Bilder, dürften also nicht selbst Bild sein. Was in Frankreich zyklisch auftritt, Monatsdarstellungen, Tugenden, Laster, steht hier vereinzelt als Person, verliert seinen Sinn und seine Beziehung zum Ganzen. Das für französische Portale wichtigste Programm, der Gedanke des Jüngsten Gerichtes, ist da, aber auf eine Nebensache verwiesen. Der eine der den Türring tragenden Löwenköpfe hält fünf Menschen im Maul. Ein bloßes Zier- und Nutzglied, möchte es das Erhabenste darstellen: den Höllenschlund eines Jüngsten Gerichtes. So bleibt mit dieser Vereinzelung der Person schließlich die physiognomisch lebendige Persönlichkeit die beste Leistung dieser Kunst. Nicht nur in zwei Bischofsdarstellungen und einigen Künstlerbildnissen, auch sonst steckt die Tür voller Bildnis. Diese Tür, die vielleicht für die Kathedrale in Plock in Polen gearbeitet war, befand sich im Osten an der Grenze der Reichweite deutschen Einflusses. So wird die deutsche Kultur Pionier für die Kultur des Westens, indem sie die Ideen des allgemeinen Zeitstiles in eigener Sprache vermittelt. Dabei zeigt sich schon hier, daß im unzivilisierten Osten viele übernommene Gedanken reicher und reiner hervortreten als die eigene Form und der eigene Gedanke. Bis ins späte Mittelalter hinein ist die

Kolonistenkunst allgemeiner mittelalterlich als die im Herzen Deutschlands; denn hier war Tradition, die karolingische.

Abb. 273. *Worms, Dom. Südwand des Mittelschiffs und Blick in den Ostchor. Letztes Viertel 12. und Anf. 13. Jh.*

Eine neue Welle westlichen Einflusses, die auch aus dem Süden Frankreichs kommt, mit Motiven der Protorenaissance beladen ist und den Weg über Italien durch die Schweiz, den Oberrhein entlang nach Norden und Osten nimmt, um ebenfalls im fernen Osten, in Ungarn, zu verebben, führt einen Schritt weiter: sie bringt für die Reihe der großen Kaiserdome — *Speyer, Worms, Mainz* — die Wölbung der Vierung durch eine kraftvolle Kuppel, außen gekrönt von einem monumentalen Vierungsturm, und die Wölbung der Schiffe, die an die Vierung anstoßen, aber nicht in Form von Tonnengewölben, sondern als Kreuzgewölbe mit Rippen (Abb. 273; Abb. 250, S. 243). Die Anregungen waren nicht stark genug, bei diesen großen Domen die Verdoppelung der Monumente, die übernommene Zweiheit von Ost- und Westgruppe aufzuheben. So wird wiederum nicht der ganze Bau Monument, sondern personenhaft stehen zwei monumentale Baukörper im Osten und Westen nebeneinander (Abb. 274, 275). Flankierende Rundtürme, auch karolingisches Erbgut, drücken die Vierungstürme unter sich und nehmen die geschlossenen Fassaden wehrhaft zwischen sich. Es ist auch hier die eindeutig unzugängliche archaische Monumentalität der sächsischen Gräber.

Diese Invasion hat den Charakter der elsässischen Baukunst bestimmt, für die die Kirche *St. Peter und Paul* in *Rosheim* zeugen kann (Abb. 276, 277). Hier ist der einheitliche Monumentalbau angedeutet durch das um einen Vierungsturm herumgelagerte Kreuz der Schiffe, und er wird durch keine Westtürme gestört. Aber der ursprünglich niedrigere Vierungsturm, der sich schon ganz unten zum Achteck zusammenzieht, ist zu schwächlich, er sitzt als Einzelwesen auf dem Bau, formt ihn nicht im Ganzen. Die den Oberbau gliedernden Säulen stehen zu weit auseinander, um, wie in Aulnay, die Wand vertikal zu gliedern und zu straffen, und stehen im Widerspruch zur Fensteranordnung. Die Fassade hält sich an italienische Stockwerkeinteilung und ist mit flachen, wandbetonenden Lisenen — auch das italienisch — aufgeteilt. Im Giebel steht eine Statue, aber nicht der himmelfahrende Christus. Wie das Porträt eines Klerikers steht hier die Statue Petri in einer dem sächsischen Grab ähnlichen, kompakten,

Abb. 274. *Mainz, Dom. 11.—13. Jh. (Helme der Westtürme 18. Jh.).*

wenig gegliederten Gestalt. Im Innern haben wir Kreuzrippengewölbe, aber über quadratischem Grundriß. Die durch die schweren Pfeiler und Bögen abgetrennten Joche sondern sich voneinander durch Stützenwechsel, d. h. die Säulen zwischen den Pfeilern werden einzeln betont, die Gewölbe sitzen auf den Mauern und Pfeilern, wachsen nicht aus ihnen heraus, auch die Pfeiler wirken wie herangestellt an die Wände, die durch die breiten Flächen zwischen den niedrigen Arkaden und den hochsitzenden Fenstern sich stark vordrängen. Immer wieder schlägt gegen die einende Kraft des Gewölbes und die Westostrichtung der Charakter der karolingisch-ottonischen Basilika durch mit ihrer Aneinanderreihung einzelner Sonderräume. Dies letztere ist im besonderen Sinne deutsch, es dringt auf Lockerung und Freiheit, nicht auf Bindung. Suchen wir aber in Frankreich Verwandtes, so ist die Folge breitschalig gewölbter Einzelräume der Folge von Kuppelräumen im Süden (Angoulême, Abb. 157, S. 167), die Wandmäßigkeit der Pfeiler und des ganzen Baues den Saalkirchen der Provence (Abb. 158, S. 168) am ähnlichsten. Es ist kein Zufall, daß gerade diese renaissancemäßigeren Ausprägungen der archaischen Monumentalkunst hier Eingang fanden.

Erst diese Richtung bringt nach Deutschland die Architekturplastik und die großen, figurenreichen Portalsysteme. Entscheidend ist, wie sie es tut. In Rosheim sitzen auf den Schrägflächen, die zum Auftakt des Vierungsturmes hinführen, Männer mit übergeschlagenen Beinen, als ruhten sie vom Dachdecken aus: kompakt und fest gebildet wie ägyptische Schreiber, aber unverbunden mit dem Baukörper, frei und gemütlich, mehr Genre als Architekturplastik. In den Fenstern der nach italienisch-elsässischer Art gegliederten Ostfassade des Domes in *Worms* — die weder Chor und Rücken des monumentalen Baues, noch offene Fassade, sondern flachschließende Hauswand ist — sitzen Tiere nicht unter den Säulen und Pfeilern, wie am Portal von St. Gilles, sondern frei auf der Fensterbank (Abb. 278). Aus dem statuarischen Motiv des symbolischen Löwen, der den Mann erwürgt, ist hier eine packende Handlung geworden, und neben ihr spielt sich ein Tieridyll ab: eine Bärin hält ihr Junges, das sich vorwitzig zu weit vorgewagt, zurück, um es vor dem

Abb. 275. *Maria Laach, Abteikirche. 1093 bis um 1230.*

Absturz zu bewahren. Im Innern des Chores ist am Fußende der Wandlisenen das Sockelmotiv des tragenden Tieres zu einem über die Profile des Pfeilers flach herübergearbeiteten szenischen Relief geworden, als handle es sich um das Feld einer Bronzetür: Juliana führt, von einem Engel unterstützt, den Teufel über den Marktplatz (Abb. 279). Die südfranzösische Bestiensäule, dieses gedanklich und ornamental gleich großartige Portalmotiv, wird an beliebiger Stelle, der Zwerggalerie des Wormser Domes, in der Krypta des Domes in *Freising*, verwendet; die Tiere und Menschen bewegen sich frei um die Säule herum; trotz ihres bedrohlichen Tuns wirken sie nicht dämonisch, sie scheinen zu spielen.

Die deutsche Architektur kennt nicht den Zwang oder die Lockerung des monumentalen Kirchenportales, denn sie kennt auch nicht den Zwang des vom Portale geöffneten Raumes zum kultischen Zentrum hin. Schlicht und schließend, belehrend, nicht überredend, warten die schweren Bronzetüren, daß man sie öffnet. In spätantiker Weise bietet der Raum Platz für Behandlungen menschlicher Dinge und gestattet die Teilnahme an innerlich bedeutsamen Geschehnissen, die auf Abschluß nach außen dringen. (Irre ich mich, wenn ich finde, daß nur in deutschen Urkunden so viel vom Vollzug politisch-weltlicher Akte in den Chören der Kirchen die Rede ist?) Jetzt meldet sich

Abb. 276. *Rosheim, Pfarrkirche St. Peter und Paul. 2. Hälfte 12. Jh.*

mit den monumentalen, nach außen herrschenden Bauformen auch die Werbekraft des reichen, abgestuften und figurengeschmückten Portales. Aber wie bezeichnend! Die großen Bischofskirchen, die Dome — bis auf das dem Westen nahe Basler Münster — lehnen diese moderne Form des Portales ab. An kleineren Kirchen — in *Großenlinden* an einer Dorfkirche (Abb. 280) — schlagen sich die neuen Gedanken nieder, meist unbeholfen in der Technik, durchsetzt mit allerhand deutschen Ansprüchen auf breite, behagliche Erzählung, auf porträthafte Wiedergabe von Einzelpersonen und verzichtend auf Sinn und Zusammenhang seiner grundlegenden Ideen. Die Portale werden kurios. Es ist ein Lallen und Nachstammeln der großartigen Werbepredigten französischer Portale. Das Formbedingte wird doppelt formlos durch Vereinigung von Unvereinbarem. An dem bedeutendsten Portal dieser Strömung, dem Südportal der *Schottenkirche St. Jacob* in *Regensburg* (Abb. 281), ist die ganze Fassade von Poitiers (Abb. 126, S. 141) mit großen Feldern unter kleineren Arkaden oben nachgeahmt, aber die sinngebende Spitze, der himmelfahrende Christus zwischen Aposteln, ist über dem großen Portalbogen kaum erkennbar eingeklemmt, wie ein schmückendes Halsband mit gestanzten Blechen an einem Kleinkunstwerk. Eine thronende Madonna und ein thronender Höllenfürst mit dämonischen Tieren — also Andeutungen eines Jüngsten Gerichtes — haben nicht über dem Portaleingang Platz gefunden, sondern sind den breiten Seitenfeldern wie Zierate angehängt. Merkwürdige Löwensockel stoßen unten aus der Fassade heraus. Denkt man sich freistehende Säulen darauf, dann merkt man, daß das antikisierende Säulenportal von St. Gilles (dessen Statuennischen kindlich vereinfacht in Großenlinden nachgeahmt sind) mit der andersgearteten Fassadenidee von Poitiers verschmolzen ist (Abb. 161, S. 169). Es ist ein buntes Durcheinander, kein Gestalten einer herrschenden Idee.
Man spürt den Rückfall in die Feldereinteilung der Bronzetüren, wenn in *Basel* (Abb. 282) die neben dem Portal angebrachten Statuennischen (wie in St. Gilles)

in Felder aufgelöst sind, in denen kleine Figuren ihr Sonderdasein führen. Wie bezeichnend und wie deutsch, daß die Tugend-Laster-Mythen, die architektonisierten plastischen Gestalten der französischen Portale, in Basel in kleine Szenen umgewandelt sind und in ganz menschlicher Weise die Tugenden der Barmherzigkeit dadurch demonstrieren, daß eine weibliche Gestalt Kranke pflegt, Hungrige speist, Dürstende tränkt usw. Nicht anders wie den Tugenden geht es den Lastern: in Frankreich dämonische Geschöpfe, Grauen einflößend, ebensosehr Teufel wie von Teufeln besessen; in Deutschland kleine Genrebilder, volkstümlich erzählt, mehr Schwank als Schreckbild. Man kennt die Figur des Geizhalses aus Moissac. Am Fries in *Andlau* (Abb. 283) ist dieselbe Symbolik in zwei Szenen ausgedrückt: Eine Klosterfrau holt Wein. Ein Mann gießt ihr aus einem Eimer ein. Aber auf dem Weinfaß steht ein zweiter Eimer, auf ihm reitet der Teufel und hat dem Mann einen Strick um den Hals gelegt. Also wird der eine Eimer Wasser enthalten. Der Wein ist gepanscht. Auf dem anderen Relief holt sich ein Pilger Brot. Der Krämer hat die Waage in der Hand. Der Teufel sitzt ihm im Nacken. Also wird es mit dem Gewicht nicht stimmen. Mit der Dämonie des Teufels ist es nicht weit her, nicht weiter, als wenn die Betrogenen bei sich denken: der Teufel soll ihn holen. Aber wie lebendig und anekdotisch ist trotz des flachen archaischen Reliefs und der primitiven Zeichnung alles erzählt. Vor allem bricht in der deutschen Kunst die Achtung vor der privaten Einzelperson und ihrer bildnishaften Darstellung durch. In Andlau sind in Nischen Stifter untergebracht, ein Mann mit einer Frau, vielleicht der Vater mit der Tochter, der er im vornehmen Nonnenkloster

Abb. 277. *Rosheim, Pfarrkirche St. Peter und Paul. 12. Jh.*

Abb. 278. *Worms, Dom. Löwe und Bärin auf einer Fensterbank des Ostchores. Ende 12. Jh.*

Abb. 279. *Worms, Dom. Lisenensockel: Die Hl. Juliana mit dem Teufel. Ende 12. Jh.*

mit großen Stiftungen einen Platz erkauft hat (Abb. 284). In *Tulln*, einem östlichsten Ausläufer dieser Strömung, sind Halbfiguren von Personen nach Art der römischen Porträtbüsten dargestellt. Und in vielen Portalen — Bamberg, Worms, Basel — spielt das Stifterbildnis eine besondere Rolle.

An einer Stelle in Deutschland bricht durch die volksfremde Art der eingewanderten und meist wohl von einem Schub landfremder Gesellen besorgte Skulptur wahre Kunst durch und wird folgenreich. In der Kirche von *Freudenstadt* tragen vier Evangelisten ganz wie antike Karyatiden das Lesepult (Abb. 285). Die Träger des Evangeliums sind hier ganz körperlich Lastträger geworden, säulenhafte Gestalten in strenger, symmetrischer Armbewegung, herrlich fest modelliert mit leise und doch bestimmt aus dem Block herausschwellenden Gliederformen. Die melonenförmig zusammengepreßten Köpfe mit den wie zum Helm gefügten dicken Haarstäben sind physiognomisch keineswegs gleichgültig. Deutsche Betonung der Einzelperson hat ihr freies Stehen — in Frankreich haften sie am Block — bedingt und ihre archaische Bindung in die kubische Form zum Ausdruck des Duldens umgeprägt. Wiederum ist das neue — mönchische — Gesetz des Lebens hier Stimmung des Menschen geworden. Sie verkörpern nicht das Evangelium, es ist ihnen auferlegt.

Auf dieses Werk und aus ihm folgt das größte und vollkommenste Werk, das diese westöstliche Einströmung hervorgebracht hat: die Reliefs der Chorschranken des *Bamberger Domes* (Abb. 286—288). Von den frühesten, dem Freudenstädter Pult ganz nahestehenden Werken bis zu den reifsten unter ihnen ist eine Entwicklung beschlossen, in der sich das eigene deutsche Wesen einer Sonderromanik zur machtvollen Per-

Abb. 280. *Großenlinden. Portal der Dorfkirche. Um 1200.*

Abb. 281. *Regensburg, St. Jacob. Portal am nördlichen Seitenschiff. 3. Jahrzehnt 13. Jh.*

sönlichkeitsdarstellung befreit. Was an romanischem Formenvorrat geblieben ist, ist nur Hülle, durch die die im deutschen Sinne verwirklichte Person hindurchwächst und mit der Gewalttätigkeit eines Siegers in einem Kampfe erscheint. Dieser Kampf aber ist nichts anderes als der Kampf gegen den Stil, das Resultat ist eine Art von Renaissance.

Je zwei Apostel oder Propheten stehen sich in den Feldern gegenüber, fast freiplastische Gestalten, denen die Hintergrundfläche nicht Raum bedeutet, die aber auch nur insofern auf den Architekturblock und die Nische bezogen sind, als sie sich am Stein entlangdrücken, gegen die Grenzen stoßen, kurzum die Architektur befehden. Sie stehen im Disput miteinander. Aber auch hier geht es hart auf hart. Rechthaberisch fahren drängende Gebärden gegeneinander, einige Apostel und Propheten scheuen sich nicht, kurz und resolut dem Nachbarn und dem Beschauer den Rücken zu zeigen. In den entwickeltsten Figuren hat sich das Gewand — wie die Figur vom Block — ganz vom Körper gelöst, es steht in dicken Röhren steil vom derbprallen Schenkel ab. Aber die Falten klären nicht die Bewegung des Körpers. Gerade weil in ihnen noch so viel romanische Konstruktion, so viel geometrische Kurven- und Schlingenbildung ist, wirken sie wie ein eisernes Gitter, das die Person verfängt; diese ringt sich mit ihrem trotzig ungelenken, schwunglosen Stehen hindurch. Wuchtig und elementar sind die Körperformen, Haltung und Ausdruck. Die Männer gleichen griechischen Athleten wie den Lapithen der Olympiaskulpturen. Aber die feste, von romanischer Archaik herkommende Formengebung betont und steigert, was im Agieren und in der Physiognomie

Abb. 282. *Basel, Münster. Galluspforte. Ende 12. Jh.*

an Individualität sich kündet, und so läßt sie auch wieder an die Derbheit römischer Porträts denken, nur daß Physiognomie des Gesichtes und Pose des Körpers nicht auseinanderfallen, sondern einheitlich zum Charakter der sich wehrenden, widerstreitenden Person zusammengehen. Es ist die Stimmung des Protestes, die im geistigen Bekenntnis die Härte des schlagbereiten Körpers voll zur Geltung kommen läßt. So ist der Heilige Michael (Abb. 288) alles andere als himmlische Erscheinung. Er ist einfach Soldat, Landsknecht, der mit grätschigem Breitschritt und ausholendem Zuschlagen nicht nur gegen den Drachen fährt, sondern ebenso sich gegen die formbildenden Schlingen seines eigenen Gewandes wie gegen wuchernde Wurzeln eines Waldes wehrt. Diese züngelnden und sich bäumenden Gewandenden scheinen viel mehr dem Drachen als ihm zuzugehören. Im Kopf des Jonas (Abb. 286) hat der Rest fester romanischer Formengebung die lebendige Physiognomie so gefaßt, daß die Enge und Härte der Form zum Charakter eines Menschen wird, der nur ja oder nein sagt, der mit bäurischer Zähigkeit auf seinem Recht besteht, der mit gewaltiger Energie protestiert. Erst Dürers Kunst hat volkstümliche Individualität wieder so zum Glaubensstreiter emporgesteigert. Wenn wir an die im Zusammenhang mit der südfranzösischen Protorenaissance auftretende Ketzerbewegung denken, so ist hier Verwandtes und doch anderes. Dort bewußte Nachahmung der Antike, viel Bildung und überkommene oder übernommene Skepsis in der Menschlichkeit. Hier eigene Entwicklung aus dem Überkommenen heraus, in neuer Form durchbrechende wahre Volkstümlichkeit wie im 11. Jahrhundert. Hier scheint Ernst gemacht mit einer neu auftretenden christlichen Forderung des Rechtes der Schlichten und Armen, der geistig und gesellschaftlich Einfachen. Dieser Jonas, der mit der Physiognomie eines bayrischen Holzknechtes in eine gesteigerte künstlerische Form gehauen ist, kann einem erscheinen wie ein Volksprophet, der zum Bauernkrieg aufruft.

Mit der plastischen Kraft der Körpercharakteristik und der Stabhärte der Falten gelangt hier am Chor des Domes in Bamberg (Abb. 289) auch eine architektonische Durchgliederung des Baukörpers zur Geltung, die mit Hilfe vertikaler Dienste den einzelnen Mauerabschnitten die gestalthafte Monumentalität eines

Standbildes gibt. Eine normannische Anregung, deren Ausgangspunkt in einer Backsteinkirche in der Mark Brandenburg, in Lehnin, zu liegen scheint, die im Westchor des Domes zu Worms zu ähnlicher Vertikalstraffheit des ganzen Baukörpers und seiner Abschnitte geführt hatte und in einer Reihe deutscher Portale den normannischen Zickzackstabschmuck im Gefolge hatte, scheint diese energische, Haltung vermittelnde Form begünstigt zu haben. Aber sowohl das breite Gesims zwischen Sockel- und Fenstergeschoß und die sehr unvermittelt angefügte, viel mehr auf Breitwirkung gestellte Zwerggalerie betonen die Stockwerke und Wandflächen trotz der der Gotik nahekommenden Mauerdurchbrechung in der Fensterzone. Eine Fülle feiner Einzelformen, die gerade dieser Horizontalteilung dienen, gestalten das straffe System individueller, und es bleibt auch hier zuletzt die Spannung eines geheimen Kampfes von individuellem, breitwandigem, schließendem Hausbau und allgemeingültigem, aufrechtem, öffentlichem Monumentalbau, von Systemlosigkeit und System.

Abb. 283. *Andlau, ehem. Klosterkirche. Fries am Westbau. 2. Hälfte 12. Jh.*

Die hohe technische Vollendung der Bamberger Skulpturen, die große Kunst, die sich im Erfassen der Persönlichkeit offenbart, und die unabweisliche geistige Beziehung zur Kunst des 11. Jahrhunderts in Deutschland verstärken unsere Ansicht, daß die hohe Kunst des 11. Jahrhunderts in Deutschland weiterlebt, daß in den importierten Kunsterzeugnissen auch die Zuwanderung fremder Kräfte geringen Ranges beteiligt und an der oft erschreckenden Roheit dieser Erzeugnisse schuld ist. Bei dem Portal in Großenlinden (Abb. 280) denkt man unwillkürlich an wandernde Musikanten, die auf die Dörfer gehen, um mit ihrem Gezupfe Gehör zu finden. Und es ist um so notwendiger, sich zu besinnen, daß daneben eine eigene und eingeborene deutsche Kunst von hoher Qualität einhergeht, die zugleich auch Bewahrerin des spezifisch deutschen Stiles oder besser deutscher Eigenart ist. Bezeichnenderweise sind es Werke der Kleinkunst. Nicht so sehr die Handschriften. Der neue plastische Stil, der die körperliche Erhebung einer Figur über die Grundfläche und ihre in sich gefestigte Haltung betont, entspricht nicht mehr dem Schreibstil der Frühzeit und den räumlichen Beziehungen der erzählenden Darstellung. Es gibt Handschriften, in denen — wie im *Hardehausener Evangeliar* (Abb. 290) — die Figuren in gefaßt edler Haltung so greifbar vor die Buchseite treten, daß man sich scheut, das

Abb. 284. *Andlau, ehem. Klosterkirche. Relief am Westportal. 2. Hälfte 12. Jh.*

Abb. 285. *Freudenstadt, Kirche. Lesepult. Um 1180.*

Buch zuzumachen oder weiter zu blättern. Das Feld für diese neue Gestaltenbildung ist die Kleinarchitektur der Schreine. Die Schranken sind, wie schon in Bamberg, eine Umsetzung dieser Schreinplastik ins Großfigurige. Um das Jahr 1100, als im Grabmal Rudolfs von Schwaben (Abb. 258, S. 248) sich die monumentale Erhärtung der Statue durchsetzte, die dann in den Quedlinburger Gräbern zu den ungefügen Mumienblöcken der Äbtissinnen führte (Abb. 267, S. 254), schuf eine der prägnantesten deutschen Künstlererscheinungen, *Roger von Helmarshausen*, zwei Schreine in Paderborn, von denen der eine, der *Abdinghofer Altar*, Erzählungen aus dem Leben der Heiligen Felix und Blasius mit der ganzen Kraft der Charakterisierung des 11. Jahrhunderts schildert (Abb. 291). Jedes Tun, jede die Szenen verdeutlichende Wendung der Figuren, alle Wut der Peiniger und alle Duldung der Märtyrer ist mit erstaunlich anmutender Freiheit wiedergegeben. Erstaunlich, wie jeder formbezeichnende Strich des gravierenden Stichels sitzt und mit der Körperperspektive fertig wird! Noch spürt man die vorromanische Vereinzelung und Aneinandersetzung der einzelnen Körperteile durch Striche, die wie bei einer Sektion scharf in den Organismus einschneiden. Aber dafür tritt eine neue Kraft des Reliefs ein, die alle Befangenheit überwindet. Wie im antiken Relief füllen die Figuren jetzt die ganze Fläche der Schreinwand, wie im antiken Relief ist jede Bewegung mit einer eigenen Bedeutsamkeit klar nach allen Seiten entfaltet, und ist jede

Abb. 286. *Bamberg, Dom. Georgenchor-Schranken. Kopf des Jonas. Um 1230.*

Abb. 287. *Bamberg, Dom. Georgenchor-Schranken. Sechs Propheten. Um 1230.*

Gruppe statisch ins Gleichgewicht gebracht. Man denkt an Protorenaissance. Aber dieser Begriff paßt nicht, denn es ist keine Renaissance, keine Nachahmung, sondern eigene Entwicklung der im Vorromanischen schlummernden Kräfte von der Befangenheit zur Freiheit, von raumdeutenden zu raumverneinenden Figuren, von erzählender zu plastisch ausdrucksvoller Charakteristik.

Abb. 288. *Bamberg, Dom. Georgenchor-Schranken. Hl. Michael. Um 1230.*

Um die Mitte des Jahrhunderts, also etwa gleichzeitig mit der körperlich stummen, grabhügelartigen Figur Friedrichs von Wettin (Abb. 268, S. 255) schuf *Eilbertus* den Tragaltar des *Welfenschatzes* (Abb. 292). Wie antike Pilaster tragen Emailstreifen mit Kapitell und gekehlter Basis das mit geschwungenen Blättern aufsteigende Gebälk. Breite Felder zwischen ihnen geben Platz für Propheten, die mit ruhiger Würde aufrecht und fest vor uns hintreten. Aber mit großer Kunst vermögen auch hier wenige Striche den antiken Faltenwurf und die räumliche Umhüllung der Figur durch den weiten Mantel zu charakterisieren und im Gesicht und in den Händen das Sprechende

Abb. 289. *Bamberg, Dom. Ostchor (Georgenchor). 1. Hälfte 13. Jh.*

Abb. 290. *Kassel, Landesbibliothek. Evangeliar aus Hardehausen. Die heiligen drei Könige. 3. Viertel 12. Jh.*

einer Physiognomie bis auf die ethnographische Sonderart eines jüdischen Typus zum Ausdruck zu bringen. Die Figur, bei der das am lebhaftesten geschehen ist, die des Malachias, verdeutlicht wieder in drastischer Weise, wie das Persönliche so dringlich dadurch wird, daß es aus der Hülle des Gewandes, d. h. des die Konvention bedeutenden Kostüms, sich erregt herauswindet.

Um 1200 blüht die Kunst des *Nicolaus von Verdun.* In seinen Schmelzarbeiten am *Klosterneuburger Altar* scheint die Kunst des Roger von Helmarshausen erregter, reicher im einzelnen, bewußter im Formalen einer schraffierenden Modellierung wieder aufzuleben. Mit feinfühlender Innigkeit ist das Leben der Maria am Schrein in *Tournay* erzählt. In königlicher Pracht, von Seidengewändern umrieselt, glänzen im Gold des *Dreikönigsschreines* die Bilder der Propheten (Abb. 293). In breiten Arkaden sitzen diese Propheten vor Gründen, deren Teppichmuster die Menschen frei vor sich herausstellen, und auf Fußplatten, die weit über den architektonischen Sockel des Schreines herausstoßen und wie zum Hohn auf alle Architektur das Recht der auf ihnen gegründeten Person fordern. Die Gestalten sitzen mit der großen, freien Gliederentfaltung eines entwickelten plastischen Stiles, körperlich ausdrucksvoll vom Scheitel bis zur Sohle. Aber sie sitzen nicht schön. Die Glieder irren gleichsam im Raum umher, tasten durch das weiche, kostbare Gewand hindurch, suchend wie der Blick der großen Augen in den charaktervollen, tief gefurchten Physiognomien. Weder Augen noch Glieder finden sich in dieser Welt zurecht. Das Suchen geht darüber hinaus in ein Jenseits. Es sind wahrhaft Propheten. Spätantike Geistigkeit und Gewandkunst haben durch die vom Mittelalter neu geschaffene große Form und Wahrhaftigkeit eine neue Überzeugungskraft gewonnen. Weil diese Gestalten noch nicht den entwickelten gotischen Faltenwurf haben, nennen wir sie noch romanisch, obschon alle romanische, kubische Monumentalität, alle archaische Blockform völlig durch die freie Entfaltung der geistigen Persönlichkeit überwunden sind. Sie stehen neben der Gotik als eine deutsche, der späten Antike, also auch der karolingischen Renaissance

REGENSBURGER HANDSCHRIFT, LEBEN UND LEIDEN DER APOSTEL
LETZTES DRITTEL 12. JH.

Oben: Dem Apostel Thomas wird das Schiff zur Fahrt nach Indien gebracht
Unten: Der Apostel Thomas bei der Hochzeit der indischen Königstochter

Abb. 291. *Paderborn, Franziskanerkirche. Abdinghofer Tragaltar des Roger von Helmarshausen. Ausschnitt: Martyrium des Hl. Blasius. Ende 11. Jh.*

nähere Sonderart. Sie stehen mindestens in einer Linie mit Schöpfungen wie dem zart gefühlten Grabmal in Reims (Marienportal) und neben der Reimser Heimsuchungsgruppe (Abb. 201, 202, S. 205, 206). Und wenn wir sehen, wie dieser weiche Stil hier in der schwierigen Technik der Treibarbeit einen unnachahmlichen Reichtum stofflichen Geschiebes, prunkender Behänge, flutender Güsse in den Falten des Gewandes hervorgebracht hat, dann ist die Frage berechtigt, wieviel jener weiche Stil in Reims von dieser spezifisch deutschen

Abb. 292. *Welfenschatz. Tragaltar des Eilbertus aus Köln. Drei Propheten. Um 1150–60.*

Abb. 293. *Köln, Domschatz. Dreikönigsschrein. Der Apostel Andreas. Um 1200.*

Abb. 294. *Köln, St. Aposteln. Ostchor. Um 1200.*

Kunst an Innerlichkeit und Fülle empfangen hat. Das bedeutet aber nichts anderes als das Problem, wie eine zu Zeiten Karls des Großen in Reims blühende Edelmetallkunst nach ihrer Entwicklung im Osten wieder nach dem Westen zurückstrahlt und sich der Gotik einprägt.

Was hier in der Plastik vor sich geht, ist dasselbe, was auch in der Architektur geschieht, ein Austausch zwischen westlicher und östlicher, französischer und deutscher Kunst, in dem beide geben und nehmen. Wie in der Plastik die Oberflächengestaltung des Gewandes teilnimmt an allen Fortschritten der frühen Gotik von der ritzartigen Einschreibung der Falten auf dem Statuenblock bis zur völligen Lösung vom Gewand, wie die Glieder immer mehr der Starrheit symmetrischer Haltung und eckiger Brechung entwachsen und sich frei im Raum rühren dürfen, das geht hier in beiden Kunstkreisen Hand in Hand. Zugleich strömt von der innerlich und äußerlich größeren Ungebundenheit und Menschlichkeit des Ostens manche Anregung nach Westen hinüber. Der in St. Maria im Kapitol (Abb. 257, S. 247) verwirklichte Dreikonchenchor mit seiner stimmungsvollen Dehnung, seiner einem geistigen Zentrum sich allseitig zuwendenden Öffnung, seiner gelagerten Breite dringt in das Gebiet der frühen Gotik ein und setzt sich in Noyon mit den aktiven, zielbestimmten Formen der Gotik auseinander, nachdem schon auf dem Wege dorthin, in Tournay, mit schweren romanischen Pfeilerformen das Raumbild eine Straffung erfahren hatte.

Am Rhein hingegen findet zwar das gotische Prinzip der Wandauflösung in Stab- und Maßwerk Eingang, aber es wird benutzt, nicht die Wand zu gliedern und zu durchbrechen, sondern um sich wie ein linien- und faltenreiches Gewand vor den Baukörper zu legen. Dieser scheint hindurch, breit und gelagert, nicht steil, — geruhsam und seßhaft, nicht aktiv, — raumschließend und verinnerlichend, nicht allöffnend. Das ist der Sinn des sogenannten *rheinischen Übergangsstiles*. Übergangsstil dürfte hier eigentlich nicht heißen Übergang vom romanischen zum gotischen Stil. Ein solcher scheint er nur zu sein, weil sich die Rundbögen und die horizontalen Zonen mehr dem schwereren Charakter romanischer Baukunst nähern; in Wirklichkeit ist es ein Übergang von französischer Frühgotik zur deutschen Sondergotik, d. h. zu einer mit spät-

Abb. 295. *Köln, St. Aposteln. Ostchor. Um 1200.*

antikem und byzantinischem Raumgefühl verbundenen dekorativen Verwendung gotischer Einzelheiten. In *Köln* tritt auch jetzt am Ende des 12. Jahrhunderts gleichzeitig mit dem Neubau der Kathedrale von Chartres in *St. Aposteln* (Abb. 294, 295) der Dreikonchenchor, d. h. ein Zentralbau als Bauideal auf, der eine ganze Reihe solcher Zentralbauchöre (Groß St. Martin in Köln, Münster in Bonn, St. Quirinus in Neuß, Liebfrauenkirche in Roermond, Westbau des Mainzer Domes) im Gefolge hat. Die Umgänge, die in St. Maria im Kapitol (Abb. 257, S. 247) den Raum mit Schranken umstellten, sind gefallen, und damit die Erinnerungen an ein Magisches, das in diesem Raume wirkt. Dieser romanische Dreikonchenchor ist ein Raum für Menschen, deren Sinn nicht durch eine Krypta zu ihren Füßen auf das Geheimnis des Dunkels und des Todes, sondern durch eine hochaufgerichtete Kuppel zum Licht und zum Himmel emporgeführt wird, wie die Augen der die Köpfe erhebenden Propheten am Dreikönigsschrein. Die sich nach drei Seiten öffnenden weichen Nischen der Apsiden sind noch einmal in je drei mit Halbkuppeln bedeckte Nischen zerlegt, die in zwei Zonen übereinander breite, nach dem Zentrum zu sich öffnende Räume bieten wie die breiten Nischen der mehrzonigen Schreine. Wie ein Stuhl uns mit gerundeter Rücklehne weich empfangen und umfangen kann, so scheinen diese Nischen für sitzende, nachdenkliche und innerlich ergriffene Menschen gebaut, Zuschauer einer heiligen Handlung, deren Inhalt auch hier durch die hohe Kuppel als Himmelfahrt angedeutet ist. Zwischen die Nischen und den Kuppelraum schiebt sich ein tonnengewölbter Raum mit einer doppelzonigen Blendarkatur im Obergeschoß ein, die als gänzlich andersgeartetes System sich trennend zwischen die Räume legt, so daß auch hier eine Spannung einsetzt, ein Widerstand, der überwunden, eine feindliche Zone, die durchbrochen werden muß. Die kleinen Nischen der Apsiden mit ihren schließenden Wänden sind durch breite Pfeiler getrennt, die selber Wand darstellen, aber dekorativ mit zwei Säulen besetzt sind. Im oberen Geschoß geht hinter den Pfeilern ein Umgang hindurch und verflicht den Nischenraum und diesen Durchgangsraum miteinander, ähnlich wie sich auf den Gewändern der Schreinfiguren die Falten übereinanderschieben. Es ist dasselbe Raumgefühl wie im weichen Stil der Champagne, mit dessen Wandsystem die vor der Wand stehenden Freisäulen späterer rheinischer Chöre noch stärker zusammenstimmen.

Abb. 296. *Andernach, Liebfrauenkirche. 1. Hälfte 13. Jh.*

An den Fassaden der rheinischen Kirchen, für die die von *Andernach* (Abb. 296) typisch ist, wird die aufstrebende Tendenz der Türme völlig aufgehoben durch horizontale Arkadenreihen, die mit fortschreitender Gotik immer zierlicher in den Säulen, tiefer in den Stufen, komplizierter im Wechsel verschiedenster Bogensysteme werden. Rund- und Spitzbögen, Kleeblattbögen, rechteckige, nach oben gebrochene Rahmen, Bogenfriese, mit oder ohne eingelegte Rundstäbe werden übereinandergeschachtelt. Das Resultat ist auch hier: ein schwerer, ruhender und geschlossener Baukörper, hausmäßig in Stockwerke eingeteilt, überzogen von einem faltenreichen Gewand von krausestem und flimmerndem Reichtum. Auch die Türme sind mehr Häuser als aufgipfelnde Monumente. Am Chor wird das klassische System der Außenwand eine zweigeschossige Anlage, umkleidet von Arkaden, deren untere gern einfacher, sockelhafter

Abb. 297. *Paderborn, Dom. 2. und 3. Viertel 13. Jh.*

Abb. 298. *Münster, Dom. 2. und 3. Viertel 13. Jh.*

gebildet ist, und deren Bögen auch hier mit der Zeit sich durch Verschachtelung verschiedener Formen bereichern (Abb. 294). Das Ganze ist mit gesimsartiger Breite gekrönt von einer Zwerggalerie, die sich auf einem ganz flächenmäßig gedachten Plattenfries aufbaut. Das ist nicht romanisch, sondern zu vergleichen mit der Stockwerkfolge antiker Arenen. Aber auch diesen gegenüber weisen sie noch mehr auf ringsum geschlossenen Raum, dessen Wände sich hinter dem Vorhang der Säulenarkaden zur Raumgestalt dehnen.

Das Verwandteste sind auch hier die byzantinischen Bauten mit ihren Blendarkaturen außen, ihren Zentralräumen innen. Wiederum reichen sich der Süden Frankreichs, das Gebiet der Kuppelkirchen, und die Rheingegend die Hand. Und zwar ist diese Verbindung nicht nur Geistesverwandtschaft geblieben, sondern sie hat sich zu realen Beziehungen verdichtet. In den rheinischen Kirchen läßt sich infolge der Wahlverwandtschaft der Dreikonchenkirchen mit den byzantinischen Kuppelkirchen Südfrankreichs nicht mehr erkennen, wieviel an dem System einer Kirche wie der von St. Aposteln in Köln auf eine ähnliche Gestaltung in

Abb. 299. *Münster, Dom. Vorhalle des Südportals. Apostel. 2. Viertel 13. Jh.*

St. Front in Périgueux (Abb. 156, S. 166) zurückgeht, d. h. auf eine von Pfeilern getragene Kuppel, deren Pfeiler selbst einen Raum enthalten und ein breitwandiger und von Arkaden durchzogener Baublock sind. Aber in Westfalen läßt sich das Eindringen der Hallenkirche in dieser Zeit auf einen direkten Verkehr mit dem Süden Frankreichs zurückführen. Der Dom in *Paderborn* (Abb. 297) hat seine lichte Hallengestalt mit den dünnen, nur dekorativ gemeinten Rippen in unmittelbarer Anlehnung an die Kathedrale von Poitiers (Abb. 210, S. 211) erhalten. Im Dom in *Münster* (Abb. 298) steigen alle Gewölbe der Schiffe hoch wie Kuppeln, mit Scheitelrippen wie in Notre-Dame-de-la-Couture in Le Mans (Abb. 209, S. 210), und wie dort sitzen diese Gewölbe auf niedrigen Pfeilern, so daß sich derselbe breite Raum ergibt wie in den Kuppelkirchen. Die Arkaden, die vom Mittelschiff zu den Seitenschiffen führen, sind wie die Blendarkaden in Le Mans breite spitzbogige Öffnungen, durch die auch die Seitenschiffe zur Breitendehnung des Mittelschiffes aufgerufen werden. Und zwar sind in Münster alle Pfeiler stärker als in Le Mans, breitwandig, stark und massig, den echten Kuppelkirchen im Süden Frankreichs wie denen in Périgueux noch stärker verbunden. Zugleich hat sich auch in Münster und Paderborn das statuenerfüllte Arkadenportal festgesetzt, dessen vierschrötige Gestalten mit ihren breiten Faltenflächen nicht nur ganz zu dieser breiträumigen und breitwandigen Architektur passen, sondern mit ihren wuchtigen, kompakten Gestalten auch einen besonderen Typus westfälischer Charakterdarstellung eröffnen (Abb. 299). Beide Dome, der zu

Abb. 300. *Braunschweig, Dom. Letztes Viertel 12. Jh.*

Abb. 301. *Halberstadt, Liebfrauenkirche. Apostel Andreas von den Chorschranken. Anf. 13. Jh.*

Abb. 302. *Hildesheim, Dom. Taufbecken. Ausschnitt aus einem Relief: Die Juden mit der Bundeslade Um 1220.*

Paderborn und der zu Münster, sind gotische Bauten, aber in der Form, die in Frankreich durch das Empordringen der südlichen Renaissance-Elemente bedingt ist, d. h. durchsetzt von Elementen, die in Deutschland stärker als in Frankreich seit der karolingischen Renaissance eine Heimat hatten. Diese letzte und späteste Invasion romanischer Bauformen Frankreichs, die selbst schon in der Form des Übergangsstiles von Protorenaissance zur Gotik erscheinen, trifft Deutschland völlig vorbereitet und bestätigt im Grunde nur Eigenes.

In Sachsen zeigt der Dom von *Braunschweig* (Abb. 300) die deutsche Form der gewölbten Basilika, die diesen Kuppelkirchen und dem Dom in Münster schon ganz nahe kommt: einfache Kreuzgratgewölbe über quadratischem Grundriß auf Wänden mit Stützenwechsel und mit den breiten wohligen Raumproportionen der sächsischen Basilika. Was der Stützenwechsel früher allein besorgte, die Teilung des Raumes in quadratische Joche, vollendet jetzt mit großer Harmonie der Verhältnisse das quadratische, jedes Joch in sich zentral deckende Kreuzgewölbe. Alle Glieder der Wand aber sind breite Pfeiler mit dünnen, nur verzierend in die Ecken eingelassenen Rundstäben. Es ist im Grunde noch immer die sich keinem Zentrum unterwerfende altchristliche und sächsische Basilika. Die mittelalterliche Zusammenfassung hat auch hier nichts zur Unterwerfung der Räume unter ein Zentrum beigetragen, sondern mit dem Zusammenschluß der Wände zur raumformenden Einheit dem Raumindividuum des Einzeljoches erst recht seinen Bestand und sein Eigenrecht gesichert. Die Form betont das Volumen, nicht die Richtung, den Verschluß, nicht die Öffnung. Dementsprechend gibt es sächsische Plastik, die nicht den Glanz und die Weichheit, das Schwärmen und die Versunkenheit hat wie die rheinische, auch nicht die rhetorische Heftigkeit und den Trotz der fränkischen, sondern eine Haltung, die den weiten, von der Architektur geformten Raum mit ausgreifender Gebärde und schwellendem Körpervolumen füllt (Abb. 301). Die modischen Falten umziehen pralle Glieder, nicht anders, wie die feinen Säulen den breiten Wandpfeiler schmückend rahmen und betonen. In diesen sächsischen Statuen hat die durch die romanische und gotische Entwicklung neu gewonnene

Abb. 303. *Hildesheim, Dom. Taufbecken. Kopf einer Tragfigur (Paradiesesstrom Physon). Um 1220.*

Abb. 304. *Hildesheim, Dom. Taufbecken. Tragfigur (Paradiesesstrom Geon). Um 1220.*

Kraft des Statuarischen am meisten zur Neubelebung eines antiken Gefühles für Form und Haltung des Körpers beigetragen und eine im antiken Sinne klassische Plastik von großer Kraft als Parallele zur Gotik neu entstehen lassen. Aber da auch hier im mittelalterlichen Sinne das Gewand mitwirkt, durch das der Körper sich durchdrückt, dessen Falten er zur Seite drängt, wird der Körper selbst ein Inneres, das das Äußere überwindet, und mehr als in der Antike eine durch diese Situation bestimmte Individualität und aktive Persönlichkeit, die sich im Kopf physiognomisch ausprägt.

Aus dieser sächsischen Plastik, die technisch, sowohl als Stuckplastik wie als Bronzeguß, mit der sächsischen Tradition des 11. und 12. Jahrhunderts in Verbindung steht, ist das reifste und schönste Werk dieser Kunst hervorgegangen, das bronzene *Hildesheimer Taufbecken* (Abb. 302, 303, 304). Vier Männer, Verkörperungen der Paradiesesströme, tragen das Taufbecken, auf dessen Fünte und Deckel figurenreiche Szenen so dargestellt sind, daß die einheimische Tradition in dem malerischen Charakter vielfältiger perspektivischer Verschiebungen, in situationsandeutenden Bodenlinien und in der prägnanten Charakteristik zur Geltung kommt, die plastische Gesinnung des Zeitstiles in der Festigkeit und ausholenden Kraft der Gebärden und der Entschlossenheit rhythmischen Schreitens. In den Deckelreliefs wird die repräsentative Haltung aus lauter Szenen gewonnen: der thronende Christus z. B. aus dem Gastmahl beim Pharisäer Levi, die symbolische Gestalt der Misericordia aus den charitativen Betätigungen der sechs Barmherzigkeiten. In den Sockelfiguren aber haben das Motiv des Tragens, die noch an das Archaische anklingende metallfeste Härte der Formen und die abgewogene und klar auseinandergelegte Bewegung zu einer antiken Schönheit reiner Körperentfaltung von unbeschreiblicher Monumentalität zusammengewirkt. Auch der Ausdruck der Köpfe widerspricht dem nicht. Denn aller Ausdruck wird hier der einer körperlichen Anstrengung und wird durch die Unerbittlichkeit der streng plastischen Form verschärft und übersteigert. Wenn der Ausdruck trotz-

Abb. 305. *Braunschweig, Dom. Grabmal Heinrichs des Löwen. Mitte 13. Jh.*

Abb. 306. *Marburg, Elisabethschrein. Dachrelief: Die Hl. Elisabeth teilt ihr Vermögen unter die Armen aus. Etwa 1235—50.*

dem über die gemeine Arbeitsleistung zur Andeutung des Geistigen und Prophetischen übergreift, verstehen wir, weshalb. Was hier von den Männern getragen wird, ist ein heiliges Gefäß, dessen äußere Wandungen voller Bild, Lehre und kultischer Bedeutsamkeit sind. Sieht man ein Profil wie das des bärtigen Paradiesesstromes, dann wendet sich der Blick zurück zu dem Grabmal Friedrichs von Wettin (Abb. 269, S. 256). Die starre archaische Kunst ist zum Leben erwacht und hat mehr als irgendwo gleichzeitig auf der Grundlage des karolingischen Klassizismus eine neue Klassik im antiken Sinne hervorgebracht: nicht Nachahmung, sondern wahrhafte Wiedergeburt.
Diese den Körper wieder zu Ehren bringende Plastik unterliegt am Schlusse dieser deutschen Renaissance-Epoche, die man sehr unzutreffend „spätromanisch" zu nennen pflegt, der vom Westen über den Rhein eindringenden Gewandkunst. Einmal zu dieser plastischen Körperbestimmtheit gelangt, vermag sie mit dieser nichts mehr anzufangen. In wilden Knitterungen, zackigen Saumzerreißungen und strudelnden Kreisen wird das Gewand (in gleicher Weise in Plastik und Malerei) über Körper herübergeworfen, die in großer Form und fester Haltung still daliegen wie *Heinrich der Löwe* und seine Gemahlin auf dem Grabe im Braunschweiger Dom (Abb. 305). Ein Glück, wenn die Wirrheit und Zerbrochenheit der Formen mit einem geistigen Ausdruck zu-

Abb. 307. *Hildesheim, St. Michael. Teil der Holzdecke: Wurzel Jesse. 1. Viertel 13. Jh.*

sammengehen, der die Verstörtheit des Äußeren verträgt wie an den Statuen und Dachreliefs des *Elisabethschreines* in Marburg (Abb. 306), die den Spätstil der Kunst des Hildesheimer Taufbeckens entfalten, oder in den Malereien der Decke von *St. Michael* (Abb. 307) und des *Goslarer Evangeliars.* Im ganzen führt diese Auflösung des Gewandes zu einem Manierismus, der einer Selbstzerstörung gleichkommt. Er führt in eine Sackgasse, aus der es aus eigener Kraft keinen Ausweg mehr gibt. Jetzt erst wird der Weg für die Gotik in Deutschland frei.

DEUTSCHE SONDERGOTIK

Deutscher Orden (gestiftet 1190, seit 1226 in Preußen, Blütezeit Mitte des 14. Jh.). — Die letzten Kreuzzüge. Zeit der ritterlichen Dichtkunst: Wolfram von Eschenbach, Hartmann von Aue, Walther von der Vogelweide, Gottfried von Straßburg. Anwachsen der päpstlichen Macht (Innocenz III.), der Fürsten und der Städte. 1268 Untergang der Hohenstaufen in Italien. 1256—73 Interregnum. Verfall der Reichsgewalt. Die Reichsgüter fallen an die Ritter, Städte, Klöster. Seit 1273 deutsche Kaiser aus verschiedenen Häusern. Erstarken der Territorialmacht und der Städte (Rheinischer und schwäbischer Städtebund). Blütezeit der Hanse. Um 1350 Pest (schwarzer Tod). Gründung der ersten deutschen Universitäten (Prag 1348). — Zeitalter der Mystik: Meister Eckhart (1327 in Köln), Joh. Tauler (1361 in Straßburg), Heinrich Suso (1366 in Ulm).

In Sachsen setzt sich zuerst eine frühgotische Strömung durch, die nicht wie am Rhein der einheimischen Kunst nur Anregungen allgemeiner Art vermittelt, sondern grundlegende Ideen einführt (ähnlich wie im 12. Jahrhundert die südfranzösische Protorenaissance): die wanddurchbrechende Stabarchitektur und das Statuenportal. Ihre Hauptdenkmäler sind der *Magdeburger Dom* und die *Freiberger Goldene Pforte.* Es ist kein Zufall, daß hier in der Nähe Magdeburgs, in der Mark Brandenburg, im Kloster Lehnin, zuerst die normannische Form einer Stabwerkarchitektur Eingang gefunden hatte. Aber im Chor des Magdeburger Domes (Abb. 308, 309, 310) gewinnen wir nicht das Bild einer neuen, eingedeutschten frühen Gotik, sondern das Bild eines verwirrenden und verzweifelten Kampfes zwischen denselben gegensätzlichen Tendenzen, die in der spätsächsischen Plastik zum Ausdruck kamen, dem Stabwerk feinen gotischen Faltensystems und der schweren, charaktervollen, antik empfundenen Körpergestaltung. So fremd sind die eindringenden Elemente, daß keines Wurzel fassen kann, in wenigen Jahrzehnten sich vier verschiedene Bauschulen folgen. Eine erste erstellt den französischen Kathedralenplan, einen der ersten in Deutschland mit Chorumgang und Kapellenkranz — vorausgegangen war nur die Kirche *St. Godehard* in *Hildesheim* — und mit einem für Rippen bestimmten Stabwerk im Chor. Aber diese dünnen Stäbe stehen wie verloren in den Ecken breiter, schwerer Pfeiler mit durchgehenden horizontalen Kapitellzonen, an denen sich sächsische, antikisierende, breitlappige Ornamentik und eine schwere, derbe, von Gewand überwühlte Plastik niedergelassen hat. Letztere steht in der sächsischen Tradition. In der Architektur erinnert vieles an die elsässische Architektur: man ruft also verdeutschte Frühgotik zu Hilfe. In einer zweiten Bauperiode, die sich an rheinische Formen anlehnt, gibt man im Chorumgang (Abb. 311) zum Teil die ursprünglich vorgesehenen Rippen auf, beläßt aber im Scheitel der Gewölbe (wie am Rhein) dekorative Zapfen als Schlußsteine und behandelt die Chorkapellen innen und außen als einen ruhigen Rundraum,

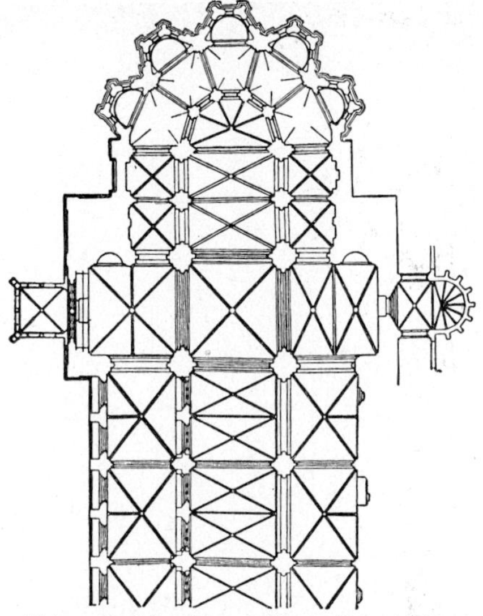

Abb. 308. *Magdeburg, Dom. Grundriß von Querschiff und Chor. Begonnen 1209.*

Abb. 309. *Magdeburg, Dom. Chor. Begonnen 1209.*

Abb. 310. *Magdeburg, Dom. Chor. Begonnen 1209.*

der wie die Chöre rheinischer Kirchen mit einer feingliedrigen Säulenarkatur überzogen ist und dessen Rippen in hängenden Schlußsteinen sich weich herablassen. Ein herrliches Rankenornament umkleidet fast wie byzantinisches Teppichornament die kräftig betonten Kelchblöcke der Kapitelle. In dieser Zeit wagt sich ein französischer Künstler — ein zugewanderter Geselle dritten Ranges — mit der Idee eines ganz französischen Statuenportales vor. Aber es wurde verworfen, die Statuen wurden im Chor eingemauert, so daß wiederum die derb kräftige Architekturgestalt von krausem Beiwerk überwirrt ist. Endlich im Emporenumgang tritt eine kräftige Rippen- und Stabarchitektur auf, die die Wand ganz hinter einem tektonischen Gerüst verschwinden läßt (Abb. 312). Es ist eine künstlerisch bedeutsame und für Deutschland sehr folgenreiche Architektur, deren energische tektonische Gesinnung durch den sparsamen, ornamentfeindlichen Charakter der Zisterzienser gekräftigt ist. Aber das schönste Werk dieser Richtung, die Vorhalle der Zisterzienserkirche *Maulbronn* (Abb. 313), ist in einer geringen Höhe auf einem Grundriß konstruiert, der erlaubte, die Rippen so tief herunterzuziehen, daß nicht ihre aufstrebende, sich neigende Funktion, sondern ihr Herabgreifen und Umklammern des glockenartigen Raumvolumens wirksam wird. In Magdeburg ist das noch einmal dadurch verstärkt, daß die Rippen wie bei Kuppeln vervielfacht werden, so daß wie bei einer Falle sich ein umgitterter Kuppelraum über den im Umgang Weilenden legt. Auch die Wirksamkeit dieses verdeutschten Gotikers währt nur kurz, und in einer letzten Bauperiode wird die Strebepfeilerarchitektur des Maulbronner Gotikers im Hochchor von Magdeburg wieder in rheinischen Formen durch eine strebepfeilerlose abgelöst und der Chor nach ursprünglichem Plan oder durch neuen Anstoß zu jener Höhenentfaltung gebracht, die wenigstens für den Gesamtanblick eine kräftige und gotisch steile Proportion erzeugt. Die völlige Umwandlung aber auch dieser maulbronnischen Frühgotik im rheinisch-dekorativen und sächsisch-verwilderten Sinne zeigt die Fassade des Domes in *Halberstadt*.

Der in Magdeburg mißglückte Versuch, ein französisches Statuenportal einzuführen, hat aber an anderer Stelle Früchte getragen. In *Freiberg* in Sachsen ist die *Goldene Pforte* (Abb. 314) als ein solches Statuenportal gebildet worden, und zwar von Künstlern, die mit der Gießhütte des Hildesheimer Taufbeckens im engsten Zusammenhang standen. An dem steifen Stil der französischen Werkstatt in Magdeburg lernten sie, die vielfältige reiche Gewandung mit der ruhig-klaren Haltung ihrer Körper zu verbinden. Aber ihre Figuren werden dadurch nicht gotisch. Sie entfalten sich in die Breite, und die vielen vertikalen Gewandstäbe vermögen nicht, das feierlich ruhige Stehen dieser Figuren auszudrücken. Nach wie vor hängt das Gewand um den Körper herum, ersetzt ihn nicht, begleitet ihn höchstens wie die Figuren des Basses eine Melodie, oder macht ihn durch die Fülle des Stoffes noch schwerer. Bei der Madonna der Anbetung der Könige im Bogenfeld (Abb. 315) verhüllt das Gewand keusch den Körper und macht das Bild der Maria, in deren Schoß das Kind nach deutscher Art lässig und geruhsam sitzt, fraulich und mütterlich. Aber auch der Architektur ordnen sich die Statuen nicht ein. Gleichmäßig Raum beanspru-

Abb. 311. *Magdeburg, Dom. Chorumgang. Begonnen 1209.*

Abb. 312. *Magdeburg, Dom. Bischofsgang (Chorempore). 3. Jahrzehnt 13. Jh.*

Abb. 313. *Maulbronn, ehem. Zisterzienserkirche. Vorhalle. 2. Jahrzehnt 13. Jh.*

chend, wechseln Säulen und Statuenpfeiler miteinander ab und isolieren die Figuren. Diese treten nicht zu einer Statuengesellschaft zusammen. In deutscher Betonung der Einzelpersönlichkeit stehen sie für sich, ihr Blick geht in eine unbestimmte Ferne, ihre Gesichter bewahren trotz aller Idealität eine charaktervolle Prägung. Offenbar holte man sich bei der Bamberger Werkstatt Rat, wie man trotz der französischen Gesamtanlage den Einzelpersönlichkeiten ihren eigenen Raum wahren könnte, und erhielt als Auskunft die Weisung, sie nicht vor die Säulen, sondern wie in Basel und am Fürstenportal in Bamberg in die Pfeilerecken zu stellen. Diese schrägte man ab und füllte sie nur unter den Figuren mit Säulen, die den Statuen als Sockel dienen. Indem man so die gotische Aktivität, die in der Gewandfältelung und der Beziehung zur Architektur sich ausdrückt, opferte, zugleich aber auch die Kraft des Körpers hinter dem Vorhang des Gewandes verbarg, meldet sich hier zum ersten Male in der deutschen Kunst bei der Übernahme eines Fremden eine Einfalt und Stille, die zuweilen an Leere grenzt und Klassizismus zu heißen verdient — ein Zeichen für die große Fremdheit des Übernommenen, aber auch ein Beweis dafür, daß, was edel und künstlerisch vollkommen an diesem Werke ist, es aus eigener Kraft ist. In einer Fülle schöner Kruzifixusgruppen gewinnt diese Kunst auch die Beseeltheit still anteilnehmender Empfindung zurück.

Glücklicher in der Eindeutschung französischer Gotik war die deutsche Kunst an drei anderen Stätten, an denen die deutsche Plastik in dieser Zeit gotischer Rezeption einen neuen Gipfel erklimmt: in Straßburg, in Bamberg und in

Abb. 314. *Freiberg i. Sa., Dom. Goldene Pforte, linkes Gewände. 2. Viertel 13. Jh.*

Naumburg. In Straßburg, weil die Übersetzung ins Deutsche in einem schon durch die Tradition der Goldschmiedekunst vorbereiteten Sinne geschah, in Bamberg, weil die ältere, noch wirksame Bamberger Schule den Weg der Kontrastwirkung wies, und in Naumburg, weil die eingeborene Kraft physiognomischer Charakterisierung und charakterisierender Dramatik in Frankreich selbst schon mitgewirkt und am Zentrum aller gotischen Plastik, in Reims, hinreichend wahres Verständnis für die gotischen Kunstmittel gewonnen hatte, um sie für die eigenen Aufgaben zu benutzen.

Abb. 315. *Freiberg i. Sa., Dom. Goldene Pforte, Madonna im Tympanon. 2. Viertel 13. Jh.*

In *Straßburg* wurde am Münster das Querschiff (Abb. 316, 317) im gotischen Dienstsystem vollendet, nachdem es in den schweren Formen der elsässischen, mit südfranzösisch-italienischen Anregungen gesättigten Kunst begonnen war. Mit der neuen gotischen Baugesinnung trat auch die Säulenstatue, das Säulenstatuenportal und das gotische Programm der Marienverehrung in den Vordergrund. Ein mit den gotischen Zyklen in Chartres, Laon und Reims bekannter, in Reims geschulter Bildhauer von höchstem Können und feinster künstlerischer Empfindsamkeit bekam die Lösung der neu gestellten Aufgaben in die Hand. Diese Lösung ist so von allem Adel französischer Bildhauerkunst durchdrungen, so mit allen Mitteln der Körper- und Gewandbildung im französischen Sinne durchgeführt, wie bisher nichts in Deutschland und wie es nur im Grenzlande, der Champagne benachbart, möglich war, und dennoch ganz deutsch.

Abb. 316. *Straßburg, Münster. Fassade des südl. Querschiffs. 1. Hälfte 13. Jh.*

Einen ersten Schritt zur Verdeutschung erleichterte schon die Nachwirkung der südfranzösischen Ideen (der Renaissance-

Abb. 317. *Straßburg, Münster. Engelspfeiler im südl. Querschiff. 3. Jahrzehnt 13. Jh.*

Ideen) der älteren elsässischen Schule. Vom Christusportal des Querschiffes in Reims (Abb. 176, 177, S. 184, 185), mit dessen Statuen die Straßburger durch den weichen Faltenstil am verwandtesten sind, wurde vermutlich der Gedanke des Jüngsten Gerichtes nach Straßburg übertragen, aber losgelöst vom Portal im Inneren der Kirche am Mittelpfeiler des Südquerschiffes verwirklicht (Abb. 317), d. h. in einer Anordnung wie die Figuren an den Bestien- und Statuenpfeilern in Südfrankreich (Moissac, Souillac, Beaulieu). Im Innern der Kirche aber verliert dieses Thema die mittelalterliche Beziehung zum Portal und zur Aufnahme der Gläubigen in die Gemeinde und der Seligen in die Heiligengesellschaft. Die Gläubigen, die um diese Säule herumgerufen werden, werden von der Richtung zum Altar abgezogen, sie umstehen den Pfeiler so, wie in den deutschen Kirchen die Raumform es andeutete, als Zuschauer einer Handlung oder als Hörer einer Predigt. Und in der Tat, was hier an dem Pfeiler vor sich geht, ist Predigt. Engel mit ihren Posaunen rufen zum Gehör, Engel mit den Marterwerkzeugen erläutern die Predigt, vier Evangelisten (Abb. 318) — ganz ungotisch jeder nach einer der vier Raumrichtungen der Menge entgegentretend (keine Gesellschaft) — entfalten die Rolle, um mit der Autorität der Schrift zu beweisen, was ihr Mund verkündet. Keine dieser Figuren fügt sich der Säule, vor der sie steht, ein, um an ihrer Haltung teilzunehmen oder ihre architektonische Haltung durch eigene Haltung zu erläutern. Sie breitet sich vor ihr aus, schreitet frei um sie herum, entwindet sich jedem Zwang der Architektur. Hinter den Füßen ist die Säule abgeschlagen, um ein Podium für die Gestalt zu gewinnen. Dieser Pfeiler ist einfach eine Riesenkanzel, von der vier Redner zu gleicher Zeit zum Volke sprechen. Alles in ihren Bewegungen ist Geste und Gestikulation, und wenn sie sich stark zur Seite wenden, ist es nicht, um den Nachbarn höflich zu grüßen, sondern es ist die Erregtheit des geistig ergriffenen Redners, der sich bald nach dieser, bald nach jener Seite wendet. Sie sind beredte Gegenstücke zu den sitzenden Aposteln des Dreikönigsschreines (Abb. 293, S. 274). Die Gesichter sind hartknochig, ehrlich beteuernd, und dann hängt das Gewand vernachlässigt und wirr herab, oder sie sind edel und durchleuchtet, von Locken umflammt, dann ist das

Abb. 318. *Straßburg, Münster. Engelspfeiler im südl. Querschiff. Die Evangelisten Matthäus und Lukas. 3. Jahrzehnt 13. Jh.*

Abb. 319. *Straßburg, Münster. Engelspfeiler im südl. Querschiff. Christus als Weltenrichter. 3. Jahrzehnt 13. Jh.*

Gewand schleierdünn über die Glieder gezogen, ein eckiger Körper drückt sich durch die Risse und Kniffe des Stoffes durch, als ob die nackte Wahrheit sich durchringen möchte. Denn hier ist kein Gesetz, keine Ordnung, sondern die menschliche Person, die auf schmaler Basis über jeden ihrer Schritte selbst wachen muß und zu jeder Wahrheit erst durch Zweifel gelangt. Wundervoll, wie sie sich nach oben von der Materie und der Erde lösen möchte, um zum Geist und Jenseitigen sich zu erheben. Auch Christus (Abb. 319) ganz oben ist weder Gesetzgeber noch Richter noch Würdenträger, er ist von allen Personen am meisten Mensch; weil am meisten wissend, auch am zaghaftesten in allem Tun. Unsicher tasten die Füße, unsicher senken und heben sich die Beine, mitleidsvoll und nachgebend hängt der Kopf, schlaff fällt das Gewand in den Schoß. Es ist kein Drohen, keine Entscheidung in der Gebärde. Es ist, als ob ein Mensch, der ein neues Evangelium bringt, seinen Sendboten zuhört und erschreckt und abwehrend mit den Händen zuckt, wenn er vernimmt, wie seine Weisheit in Dogma verwandelt, seine Gleichnisse wörtlich verstanden, seine Ratschläge zu Geboten formuliert werden. Denn zu ihm dringen die Hilferufe der zu seinen Füßen sich aus den Gräbern hebenden Menschen. Er versteht sie. Dieser Christus ist der ganz ins Geistige umgesetzte Schmerzensmann.

Das Südportal (Abb. 316) ist zweiteilig wie die Portale in St. Sernin in

Abb. 320. *Straßburg, Münster. Portal des südl. Querschiffs. Ecclesia. 3. Jahrzehnt 13. Jh.*

Abb. 321. *Straßburg, Münster. Portal des südl. Querschiffs. Synagoge. 3. Jahrzehnt 13. Jh.*

Toulouse: es fehlt das öffnende Zentrum. Statt dessen begegnet uns eine heute leider erneuerte Königsfigur an einem Pfeiler, und auch rechts und links sind neben die Portale zwei Figuren vor die Wand gestellt wie an den Portalen von Moissac und Beaulieu. Trotz der Säulenstatuen, die ursprünglich in den drei Stufen der Portale standen, herrscht auch hier die südfranzösische, renaissancehafte Idee der Statuenwand. Die Seitenfiguren aber sind nicht Apostel wie die Statuen im Gewände, sondern aus dieser Statuengesellschaft enthobene Einzelpersonen, Kirche und Synagoge (Abb. 320, 321), die unter sich in eine dramatische Beziehung gebracht sind, renaissancehaft gegensätzlich, nicht gotisch verbindlich. Stolz aufgerichtet, das Kreuz wie ein Feldzeichen emporhaltend, den Kelch wie ein Herrschersymbol in der Hand wiegend, schaut die Kirche siegesbewußt zur Gegnerin hinüber, die mit zerbrochener Lanze und gebrochener Haltung sich abwendet, die den Kopf trostlos sinken läßt, den Gesetzestafeln nach, die aus der zitternd greifenden Hand ihr zu entgleiten drohen. Es ist Kampf und Sieg: aber auch sie vollziehen sich mit geistigen Mitteln, physiognomisch, mit Zublick und Wegblick

Abb. 322. *Straßburg, Münster. Portal des südl. Querschiffs. Kopf der Synagoge. 3. Jahrzehnt 13. Jh.*

Abb. 323. *Straßburg, Münster. Portal des südl. Querschiffs. Tympanonrelief: Tod Mariä. 3. Jahrzehnt 13. Jh.*

Abb. 324. *Bamberg, Dom. Fürstenportal. Um 1230—40.*

und entsprechenden Gebärden des Körpers. Beide Figuren sind gotisch schlank, aber nicht frühgotisch stilvoll, nicht schön, sondern physiognomisch bedeutsam, eckig, knöchern, jugendlich herb. Bei beiden ist die Faltengebung frühgotisch, dünn und steil, aber nicht in einer noch an den Block gebundenen zeichnerischen Manier, sondern physiognomisch bedingt: dünner, seidiger Stoff, der in scharfen Faltenrissen sich knittert und jedem Anhauch nachgebend zur Seite weht und strudelnd über die Füße wallt. Er ist transparent und läßt bei beiden die Körperformen durchblicken. Die unter dem Stoff modellierte Hand der Kirche, die Augen der Synagoge sind Meisterstücke bildnerischen Könnens und künstlerischer Charakteristik (Abb. 322). Die Kirche ist reicher im Gewand, groß und herrschend hebt sich die Gestalt aus dem Hintergrund des Mantels heraus, die reichen Massen des Kleides bilden Falten, die mit dem Wuchs des Körpers mitgehen oder im reichen Niederfallen und Wirrwarr am Boden die sichere, sieghafte Aufrechthaltung der Figur betonen. In der Synagoge aber entspricht es dem Widerstreit der Richtungen des gebrochenen Körpers und dem inneren Widerstreit der Gefühle, daß auch das Gewand dem Körper widerstreitet, ihn zerschneidet und an ihm zerrt. Und noch eins. Stärker als bei der Kirche läßt das Gewand den Körper der Synagoge durchscheinen. Sie ist nicht nur besiegt, sie ist auch preisgegeben. Künstlerisch und menschlich ist in dieser Statue soviel unaussprechliche Feinheit, daß man glaubt, der Schöpfer dieser Figuren war mit seinem Herzen mehr bei der Synagoge als bei der Kirche. Das Höchstmaß aber seiner Ausdrucksfähigkeit erreicht er im Tympanon mit dem Tode der Maria (Abb. 323).

Daß der Marientod gleichwertig (nicht wie in Frankreich erläuternd und untergeordnet) neben die Marienkrönung tritt, die im zweiten Tympanon erscheint, besagt, daß die empfindungsreiche Szene der erhabenen Zeremonie an Bedeutsamkeit gleichgeschätzt wird, und daß auch in letzterer mehr der Vorgang als die Würde der Personen empfunden ist — hier setzt Christus der Maria die Krone auf, an französischen Portalen segnet er die gekrönte Maria.

Im anderen Tympanon aber ist nicht der Tod als Anfang einer Stufenfolge von Erhöhungen (Beisetzung, Auferstehung) dargestellt, sondern die ganz menschliche Szene eines Trauerfalls in einer aufs engste verbundenen Familiengemeinschaft. Nicht Christus nur ist Sohn, sondern alle sind wie Söhne bestürzt, erschüttert, gebrochen. Übersehen wir nicht, wie selbst Christus, der die Seele in Empfang nimmt und die Verstorbene segnet, das Haupt nicht anders senkt wie der Jünger neben ihm, der Fassungsloseste von allen. Die Klagegebärden — und Klagegebärden sind es auch dann, wenn die Köpfe leise verzogen im Dunkel der Tiefe sich zurückhalten oder nur leicht stirnrunzelnd die Verstorbene auf dem Bett mit erzwungener Geschäftigkeit zurechtrücken —, diese Klagegebärden wirken um so ergreifender, weil es lauter bärtige, hartknochige Männer sind, deren tiefe Augenhöhlen jetzt noch dunkler und ausgehöhlter, deren Faltenlinien auf Stirn und Nase jetzt noch schärfer und rissiger und deren wilder Haarwuchs jetzt noch verstörter und aufgelöster erscheint. Die Einpassung der Szene in das Tympanon geschieht ebenso durch Anbequemung wie durch Beklemmung und Zerstörung der architektonischen Form. Die Bogenlinien, die von den am Bett beschäftigten Männern zu Christus und seinem Begleiter hin-

Abb. 325. *Bamberg, Dom. Fürstenportal. Synagoge. Um 1230—40.*

Abb. 326. *Bamberg, Dom. Elisabeth, aus der Gruppe der Heimsuchung. Um 1230—40.*

Abb. 327. *Bamberg, Dom. Maria, aus der Gruppe der Heimsuchung. Um 1230—40.*

gehen, werden sofort wieder zerstört durch die radial dagegenstehenden Köpfe der Apostel, die sich ducken müssen, um an dem Ereignis teilnehmen zu können, die wie gekeilt nebeneinanderstehen oder sich in die Lücken drängen und schieben. So beklemmend ist der Raum und so beklommen die Situation. Die Architektur wird — wie in den Türen des 11. Jahrhunderts — zum Innenraum, aus dessen Dunkel die Apostel hervortauchen, dessen Tiefe durch das Hintereinander der verschiedenen Personenschichten angedeutet und durch Hinzufügung einer Frau zum äußersten getrieben ist. Um so am Boden hockend, händeringend, mit aufgelösten Haaren, tief trübem Blick den Jammer auszudrücken, bedurfte es im Kreis der Männer einer Frau. Sie ist nicht zu benennen. Sie ist eine Idealfigur; in Frankreich wäre sie in dieser Auflösung Laster, Mänade; hier ist sie nichts als Klage. Der künstlerische Stil ist der eckig gebrochener, hinsinkend zerknitterter Formen, der zum erstenmal in Reims in den Klagefiguren eines Grabes (Abb. 201, S. 205) ähnlich empfindungsvoll sich äußerte und nur darauf gewartet zu haben scheint, mit der Ausbreitung nach Osten und mit zunehmender Lösung der romanischen Blockfestigkeit die ganze Freiheit antiker Gewandkunst, das durchscheinende und stofflich Weiche, in den Dienst des Ausdrucks zu stellen. Maria, ein Wunderwerk bildhauerischer Arbeit, ist bis auf das Gesicht ganz verhüllt, aber der feine Stoff läßt den Körper durchscheinen, selbst die Fingerspitzen sind erkennbar.

Abb. 328. *Bamberg, Dom. Der Reiter. Um 1230—40.*

Was aber der Blick unter der Hülle ahnt, ist nicht lockende Form, sondern willenlose, verschobene, unförmlich gewordene Physiognomie der Verstorbenen. Die Spannung, die diese Verhüllung erweckt, setzt Gestalt in Bewegung, Darbietung in Drama um: eine Hülle legt sich auf den Körper und ringt mit der schon widerstandslosen Gestalt, sie in ihre eigene Existenzform einzubeziehen, in die in unendlich viele, regellos verstreute Teile aufgelöste Materie.

Hält man dieses Marientympanon in Straßburg neben das Christusportal in Reims (Abb. 177, S. 185), dann erkennt man, wie die so völlige und überzeugende Umsetzung von Formzerstörung in Ausdruck die größte Beherrschung der Form voraussetzt. Die Gewandbehandlung auf dem Körper der Maria ist so schleierfein, so nadeldünn, daß man kaum noch an Steinarbeit denkt. In Kupfer gestochen, mit der Graviernadel schraffiert, hält man derartiges für möglich. Mit anderen Worten: man fühlt sich wieder in den Bereich der Kunst des Nicolaus von Verdun hineinversetzt, trotz aller Anregungen vom Westen in die deutsche Tradition der Goldschmiedekunst. Das ist nichts anderes, als wenn man bei der Geistigkeit und dem lehr- und predigthaften Charakter des Engelspfeilers an die philosophische und ideenreiche Ausspinnung einfacher mythischer Symbole der westlichen Kunst in dem *Hortus deliciarum* der Herrad von Landsberg denkt, dem bedeutendsten und geistigsten Werke oberrheinischer Schreibkunst.

Abb. 329. *Bamberg, Dom. Kopf des Reiters. Um 1230—40.*

Abb. 330. *Bamberg, Dom. Fürstenportal. Ausschnitt aus dem Tympanon: Die Verdammten. Um 1230—40.*

In *Bamberg* kehrt am Fürstenportal (Abb. 324) das Thema Kirche und Synagoge wieder und in so ähnlicher Einstellung in der Wand neben der Portalöffnung, nur höher hinaufgeschoben als Zwickelfüllung neben dem Bogen, daß man die gleiche Voraussetzung für diese Anordnung annehmen darf: die ältere mit dem Elsaß zusammenhängende südfranzösisch beeinflußte Bauschule. In den beiden Gestalten, bei der Synagoge (Abb. 325) besonders sichtbar, ist die Gewandbehandlung in bezug auf das Durchscheinenlassen des Gewandes sehr ähnlich wie in Straßburg. Dennoch wird man Bedenken tragen, hier einen Zusammenhang zu sehen, der eher in einem gemeinsamen Urbild in Reims gefunden werden kann. So verschieden sind die Synagoge in Bamberg und in Straßburg. Der Fahnenschaft der Synagoge ist zerbrochen, aber sie schultert ihn wie ein Soldat die im Kampf geknickte Lanze. Sie ist auch selbst gar nicht geknickt. Sie biegt sich zur Seite wie kokette gotische Jungfrauen und in jener strammen einseitigen Art, die man im allgemeinen erst am Ende des Jahrhunderts findet. Die langen Arme halten sich an den Leib heran und geben dem Körper selber

Abb. 331. *Bamberg, Dom. Fürstenportal. Prophet am rechten Gewände. Um 1230 bis 1240.*

Halt. Dieser ist hoch aufgeschossen und wirkt trotz der schlanken Formen groß und mächtig, brunhildenhaft. Das Gewand überschneidet mit seinen Falten die Glieder, aber nicht geknittert und zerschlissen, sondern in festen biegsamen Stäben, durch die und gegen die der Körper fast völlig sichtbar hindurchwirkt und durchscheint. Wie ein Schwimmer in Wellen taucht er in Form und Bewegung gleich energisch an die Oberfläche. Es ist mit Gewand und Körper dasselbe wie mit der Binde vor den Augen. Diese dringen so kräftig durch den Schleierstoff hindurch, daß man sie nicht für blind, sondern für hellsichtig hält. Und von der Binde beengt quillt üppiges Frauenhaar oben und unten rauschend hervor. Einer Justitia würde man diese Haltung glauben, nicht einer Synagoge. In allen Teilen spürt man seitens des Künstlers einen großen Impetus und eine antike Freude an der Modellierung des Fleisches, seinen Grübchen und seinen Schwellungen, seinem Stolz und seiner Pracht. Diese Synagoge ist nicht preisgegeben. Sie brüstet sich. In gelösterer, idealerer Form ist hier dasselbe wie bei den Propheten des älteren Meisters (Abb. 287, S. 270). Romanische Befangenheiten sind bewußterer und natürlicherer Haltung gewichen. In der Heimsuchung (Abb. 326, 327), die sich, wie man längst erkannt hat, im Motivischen der Körperhaltung, Gewandführung und Physiognomien an die schöne Heimsuchung des weichen Stiles in Reims anschließt (Abb. 202, S. 206), sind die Proportionen dieselben wie bei Kirche und Synagoge, dasselbe ist das Lebensgefühl der großen stolzen Gestalten — nur das Mittel, mit dem der Körper zu herrisch-machtvoller Erscheinung gebracht ist, ist ein anderes. Aus dem feinen stofflichen Gekräusel der Vorbilder in Reims haben sich hochaufstehende, vielfach gedellte, blasenwerfende, eingerollte und schleppende Falten gebildet, die die Figur wie mit zentnerschwerem Stoff belasten. Indem aber aus diesem Stoff Brust und Leib, Schenkel und Knie, Kopf und Hals hervorbrechen, die Gewandfülle von den Händen gerafft, auseinandergebreitet und gehoben wird, wird der Körper erst so mächtig, so stark und persönlich. Einzigartig ist das bei der Elisabeth so gegeben, daß die Linke, die dem im Vorbild freien rechten Arm der Elisabeth in Reims entspricht, einen aus unübersehbaren, dicken Faltenröhren bestehenden Mantelschwall wie ein schweres Gewicht mühelos hebt, ihn wie ein

Abb. 332. *Figur aus dem Skizzenbuch des Villard de Honnecourt. 1. Hälfte 13. Jh.*

Abb. 333. *Bamberg, Dom. Adamspforte. Um 1230—40*

Pfahlwerk vor sich hinstellt und so eine Scheidewand zwischen sich und die Welt baut, über die aus tiefliegenden Augen eines streng und herb eingetieften Gesichtes der Blick seherisch in eine unendliche Ferne dringt. Auch wenn die beiden Gestalten nebeneinander ständen, es käme nicht jenes verbindliche Gespräch zwischen ihnen zustande wie in Reims, und es würde jede auf den Betrachter berechnete Anmut fehlen. Selbstsicher und der Ferne beherrschend verbunden behauptet jede ihre eigene Persönlichkeit. Wie bei den Propheten der Chorschranken (Abb. 287, S. 270) liegt in dem Gegenspiel von mächtigem Körper und mächtigem Gewand die Stärke.

Und so ist es auch mit dem berühmten Reiter (Abb. 328, 329). An seiner stracken Haltung scheinen Mantel und Kleid zerspellt, die Fetzen wirbeln noch herum von dem Augenblick, da er in den Sattel sprang und sich in Positur setzte. Fest greift der Arm in den Mantelriemen und schafft eine Barriere für den offen und wach unter gerunzelten Brauen die Ferne fassenden Blick. Das jugendliche, trainierte Gesicht läßt ein Vorbild in Reims (Abb. 17, S. 27) an mutig frischer Modellierung weit zurück, die trotzig schwellenden Lippen und atmenden Nasenflügel wittern Lebenslust wie eine Beute — eine durch und durch siegfriedhafte Gestalt. Jede Statue ist wieder neu, aber der Einklang aller ist groß.

Soll man nun annehmen, daß zwei verschiedene Künstler gleichzeitig und nebeneinander so im innersten Wesen gleiches künstlerisches Temperament, gleiches hohes Können, gleiche Verwandtschaft mit der älteren Bamberger Schule besessen hätten? Oder gibt es eine andere Möglichkeit, die Divergenzen in der Ausführung einer Synagoge und einer Elisabeth zu erklären? Wir finden noch einmal die mächtigen, gereckten Gestalten im Tympanon des Fürstenportales, einem auf knappen Raum zusammengedrängten Jüngsten Gericht (Abb. 330). Doch wird es nicht Raumnot, sondern Raumfeindlichkeit gewesen sein, die gegenüber der französisch-harmonischen Lösung in Reims (Abb. 176, S. 184) dieses formlose Gewühl und Gedränge, diese dramatische Raumbedrängnis erzeugt hat, dieses rückhaltlose grinsende Heulen der Verdammten und naive Lachen der Seligen.

Abb. 334. *Bamberg, Dom. Adamspforte. Figuren am linken Gewände: Hl. Stephanus, Kaiserin Kunigunde und Kaiser Heinrich II. Um 1230—40.*

Ist doch auch hier dieselbe triumphierende Körpermodellierung unter wild zerquetschtem oder leidenschaftlich umschlagendem Gewand und dieselbe herrisch bestimmte, steile Haltung der Frauen. Kunigunde (oder ein Engel), die den König Heinrich Christus zuführt, ist vom Geschlecht der Kirche und Synagoge und der Heimsuchung. Der Teufel, der die Verdammten an der Kette zieht, ist ein Prachtstück fleischig wölbender, muskelprächtiger Modellierung. Zu dieser antiken Körper- und Gewandauffassung, dieser Dramatisierung, kommen von der deutschen Kunst des 11. Jahrhunderts her bekannte Züge wie die Raumvertiefung des Menschengedränges in vielen Schichten und das ottonische Motiv der fußfälligen Fürbitte durch Maria und Johannes.

An den Gestalten der Apostel und Propheten am Gewände desselben Portales (Abb. 331) sieht man, wie diese Körperauffassung, diese barock-lebendige, entfesselte, die ältere gebundenere nicht nur allmählich ablöst, sondern auch allmählich aus ihr herauswächst Wenn trotzdem dieser so ganz eigene Künstler mit seiner unverwüstlichen Genialität bestimmte Motive des Reimser Skulpturenschatzes in seinem unverkennbaren Meißelschlag ausführt, dann kann das gerade darauf beruhen, daß er diese Motive als zeichnerische Vorlagen in die Hand bekam, die ihm nichts anderes bedeuteten als die Skizzen, die er sich selber oder die ihm ein leitender Meister (etwa der des Fürstenportales) in die Hände gab. Diese Zeichnungen können so ausgesehen haben wie die des französischen Architekten *Villard de Honnecourt,* der in dieser Zeit nach Ungarn reiste. Manche Einzelheiten der bambergischen Oberflächenmodellierung finden sich im Skizzenbuch des Villard de Honnecourt wieder (Abb. 332; 327, S. 296). Der Bamberger Künstler braucht Reims im Original nie gesehen zu haben. Hätte er es, so würde er bei seinem Können und seinem Temperament wahrscheinlich viel unabhängiger vom Einzelmotiv sich den neuen Stil zu eigen gemacht haben (so etwa wie der Straßburger Meister) und in diesem viel gotischer und viel gleichmäßiger selbständig erfundene Themen entwickelt haben. Er wurzelt in dem renaissancehaft antikisierenden Stil der älteren Schule, die neuen gotischen Motive fließen ihm als Fremdes zu. Die alte, nun schon verdeutschte Weise behält er bei — Widerstreit von Körper und Gewand und körperlichen Ausdruck persönlicher Macht —, die neuen Motive nimmt er auf und fügt sie seinem Stil ein. Darum wiederholt er auch in den Gesichtern, die neumodisch sein sollen — den gelockten jugendlichen der Männer und den Melonengesichtern der Frauen —, immer denselben Typus, schafft aber wo er altmodisch bleiben darf, in den Propheten und Aposteln Köpfe von dem großartigen patriarchalischen Pathos des Moses.

Abb. 335. *Naumburg, Dom. Westchor. Um 1250—60.*

Was ihm sonst noch an gotischer Schulung und Freiheit fehlte, konnte er lernen bei dem *Meister der Adamspforte* (Abb. 333, 334), dessen Gestalten ein ganz anderes, gebändigtes Temperament und eine sichere Handhabung der gotischen Faltenstruktur zeigen, zweifellos ein Meister, der in Reims gearbeitet hat und mit französischer Kunst völlig vertraut war. Wenn dennoch im Entwurf des Portales das Stifterpaar, Heinrich II. und Kunigunde, und die nackten Gestalten von Adam und Eva Platz finden durften, dann wird diese deutsche — dem Porträt und dem antik nackten Körper huldigende — Tendenz ohne weiteres daraus verständlich, daß die ältere Schule noch immer am Werke war, so daß hier in Bamberg Hochgotisches und noch renaissancehaft Romanisches unvermittelt nebeneinander stehen. Aber die hölzerne Art der Akte von Adam und Eva ist in einer Weise ausgeführt, die einen ganz auf Negation des Körpers eingestellten Gewandplastiker verrät. In jedem aus dem Gewand herausstoßenden Körperteil des Heimsuchungsmeisters ist mehr Gefühl für das Nackte als in diesen beiden Gestalten zusammen genommen. Dem gotischen Einfluß verdankt diese bambergische Kunst nur noch die Befreiung von aller romanischen Härte und Konstruktion; Charakter und Genialität der Ausführung ist ihr Eigentum.

Der *Naumburger Meister* war in Reims; aber er war dort als deutscher Künstler, dessen Kunst in sächsischer Plastik wurzelt. Am Hildesheimer Taufbecken (Abb. 302, S. 280) finden sich nicht nur Einzelmotive, sondern auch das Stärkste seiner Kunst vorgebildet: Monumentalität aus einer dramatischen Handlung zu entwickeln. Das Neue, das wir im Westchor des Naumburger Domes (Abb. 335)

Abb. 336. *Naumburg, Dom. Westchor. Hermann und Reglindis. Um 1250—60.*

vor uns erleben, ist, daß die vornehme Gesellschaft, die uns an den französischen Portalen in der Gestalt von Heiligen empfing, hier sich unverhüllt zu dem Ideal irdischer Vornehmheit bekennt. Es sind nicht Heilige, sondern weltliche Stifter, die ihre Vornehmheit in einer bisher in Deutschland nicht gekannten reifen gotischen Formensprache vortragen. Aber neu in dieser gotischen Form ist, daß sie es ohne Konvention tun. Das ist zwar von deutscher Kunst aus verständlich, aber in dieser Entschiedenheit und Kraft noch immer verblüffend. Diese Menschen sind weder überlieferte noch konstruierte Typen. Sie sind ganz und gar Porträts, Stifterbildnisse. Wer sind diese Menschen?
Sie sind genau das, was man noch heute im Osten auf den Gütern „die Herrschaft“ nennt. Leute, von denen die Untertanen nicht durch eine Hierarchie von Mittlern getrennt sind, sondern mit denen sie als leibeigen täglich umgehen, die ihnen nahestehen fast wie Vater und Mutter, aber die herrschen müssen, einsam, ohne die Gemeinschaft eines Ordens, einer städtischen Geselligkeit, einer höfischen Gesellschaft. Wenn sie ausgehen, sind sie sofort unter Bekannten, aber nicht unter ihresgleichen. Es sind Leute, die wegen der Nähe, in die sie täglich mit den Beherrschten kommen, stark und hart sein müssen, sich rüsten und wappnen müssen nicht nur mit Schwert und Schild, sondern mehr noch mit Hoheit und Würde, die die Vertraulichkeit entfernt, mit einem Panzer der Gefühle und mit einem Mantel um alles persönliche Leben. Die aber auch mit ungeheurer Verantwortung belastet sind, alle Not und Sorge des täglichen Lebens mit ihren Leibeigenen teilen, denen Schutz von Land und Eigentum, von Gut und Leben der Untertanen anvertraut ist, deren Gesichter deshalb dieselben Ecken und Kanten, dieselben Furchen und Falten tragen wie die der Bauern und dazu noch die Verschärfungen des strengen, beaufsichtigenden Blickes und des befehlenden oder scheltenden Mundes. Denn die Masse, die sie regieren, ist nun einmal so, daß das Vertrauen, das die physiognomische Nähe und Wesensgleichheit erweckt, durch Furcht gebändigt werden muß. Selbst wo wie hier in der Kirche diese Menschen zur Gesellschaft zusammentreten, verschmähen sie das feine Spiel höfischen Entgegenkommens und gefälliger Verbindlichkeit. Wo sie es ver-

Abb. 337. *Naumburg, Dom. Westchor. Ekkehard und Uta. Um 1250—60.*

Abb. 338. *Naumburg, Dom. Westchor. Dietmar. Um 1250—60.*

suchen, wie das jugendliche Paar von Hermann und Reglindis (Abb. 336), fallen sie aus der Rolle. Die Holdseligkeit der Frau wird grinsend und breitspurig, die Anmut des Mannes sentimental und verlegen.

Die Echtheit des Wesens ist ganz bei Ekkehard und Uta (Abb. 337). Was hier in den schön geordneten, Vollglied gewordenen Falten französisch ist, ist genau das, was im gotischen Faltenwurf der Antike entspricht, Ausdruck der Haltung, der Würde, das Säulenhafte. Das aber ist es eindeutig, ohne die Verneigung, Verbeugung und auch ohne die Entkörperung. Dazu sind die Falten selber zu sehr Körper, breit, schwer, gerade durchgezogen bis zum Gelenk, oder getragene Masse, Bausch, der mit fein gespreizter Hand — der wunderbarsten adligen Hand — gehalten wird. Und vor allem: das Gewand ist nicht der Körper, ersetzt nicht den Körper, sondern ist hier wirklich nur Echo, eine Wand und Mauer um den Körper herum gebaut. Wie vermöchte diese mauerhafte, streng gefügte Faltenarchitektur dieses persönliche, individuelle Leben auszudrücken. Sie vermag es nur zu festigen und zu bergen. Uta zieht den Mantel an sich heran und hält ihn schützend vor die Wange — diese Gebärde sagt alles. Dieser Mantel ist nicht sie selbst, sondern ihr Haus und ihr Eigentum, das sie, wo sie auch erscheint, mit sich trägt, so daß sie wie eine Königin überall zu Hause ist, und das sie mit edel sorgender Gebärde und Miene streng in Ordnung hält. In Frankreich beginnt bei den Diensten der Portale und bei den Gewandfalten der Gestalten schon das Innen — die Gastlichkeit und die Zuneigung —, hier das Draußen, das der Wille beherrscht. Es ist nicht wie in Bamberg ein Gegensatz von Person und Gewand, von Eigenwille und Konvention, sondern wie in Frankreich ein Einklang, aber im anderen, deutschen Sinne, von Individuum und Eigentum, von Person und Sache. Dies ist nirgends so deutlich als bei Dietrich (Abb. 25, S. 36), der soldatischsten und individuell stärksten Erscheinung. Dieser hat den Mantel über den Arm geworfen, trägt ihn mit dem Schwert zusammen wie den Schild — geschah es vielleicht unwillkürlich aus der Gewohnheit heraus, sich im Zweikampf mit dem Mantel zu decken? —, aber Schild und Mantel sind für die Gleichgewichtshaltung der Gestalt gegeneinander abgewogen, und auch in den Falten dieses Stoffes echot Schwertfestigkeit und Stand.

Die gotische Verbindlichkeit bindet nicht einmal Ekkehard und Uta, und dennoch sind sie ein Paar. Denn die Aufgabe, zu herrschen und zu regieren liegt auf beiden. Hierin gehen sie wie im Bilde miteinander parallel. Beide tragen mit der Linken die schützenden Dinge, beide verschränken den andern Arm über den Körper herüber zur Schranke. Aber die Frau geht weiter in der Abwehr, sie verhüllt sich fast ganz. Der Mann im Gegenteil spielt mit dem Schildgehänge, als wollte er ihn ablegen — eine lässig diplomatische Geste. Die Frau ist nicht nur ungewappnet und die schwächere, sie ist auch Frau

Abb. 339. *Naumburg, Dom. Westchor. Kopf des Dietrich. Um 1250—60.*

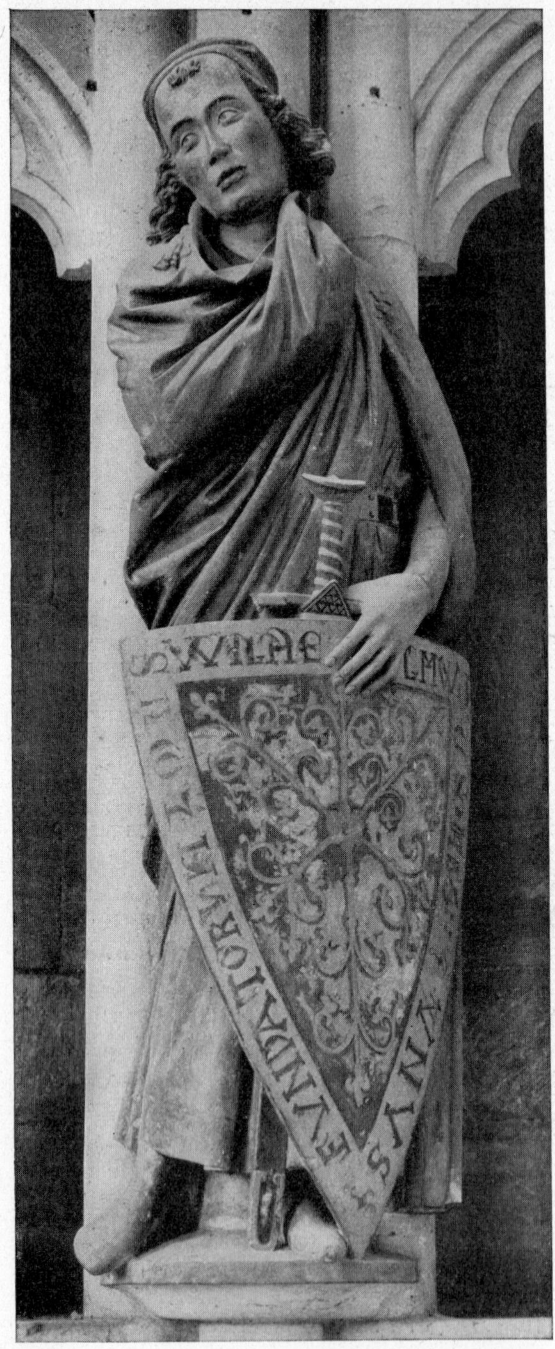

Abb. 340. *Naumburg, Dom. Westchor. Wilhelm von Camburg. Um 1250—60.*

und muß sich vor zudringlichen Blicken sichern. Beider Blicke gehen nach links, ganz parallel, aber daß sie nach links blicken, damit erweist der Künstler das Feinste: obwohl die Frau mit ihrem Mantel weiter in den Raum hineinreicht, der Mann ihr also als Erscheinung den Vortritt läßt, geistig führt er. In der Richtung gemeinsamen Zieles geht sein Blick voran.

Es geht von diesem Paar eine wunderbar beruhigende Wirkung aus. Sie beherrschen den Raum, als ob er ihnen gehöre. Sie stehen an den Stellen, an denen sonst Heilige zum Beispiel und zur Verehrung mit der Architektur verwachsen sind. Die wunderbare Einheit von Architektur und Figur, die man hier immer empfindet, ist dennoch eine andere als in Frankreich, muß eine andere sein, wenn so weltlich aufgefaßte Personen, Zeitgenossen zu jeder Zeit, an diesen Stellen erscheinen und den Raum verweltlichen. Die Einheit ist keine architektonische. Durch den hohen Lettner vom Schiff als selbständiger Raum abgetrennt, ist der Stifterchor mehr Kapelle als Chor. Ein sechsteiliges Gewölbe faßt den Raum zentral zusammen. Aber trotz des entwickelten gotischen Dienstsystemes steigen die Wände nicht vertikal gegliedert empor, sondern als Rücklehnen von Gestühl umzieht eine untere Arkadenreihe den Raum und betont das

Dasein auf der Erde; darüber zieht eine zweite Arkadenreihe hin, bei der jedes Feld mit einem Giebel abgeschlossen ist und an deren Hauptstellen, dem Durchbruch der Vertikaldienste, die Stifter einzeln oder in Paaren stehen. Sie sind in diese Horizontalreihen einbezogen. Immer breiten sie sich vor den Diensten aus oder biegen sich über sie hinweg oder sind gar von Pfeiler zu Pfeiler im Zug der Arkaden horizontal miteinander psychisch verbunden. So werden Stifter und Arkaden wie die Nischen in den rheinischen Chören oder an den rheinischen Schreinen und sächsischen Schranken aus Gliedern der Architektur und der Kirche zu Zeugen und Teilnehmern dessen, was im Raume vor sich geht. Die unmittelbare Zugehörigkeit zu den den Raum schaffenden Pfeilern besagt nichts weiter, als daß ihnen der Raum gehört. Durch diese Einheit von individuellen eigentümlichen Statuen und Architektur wird der Raum zur Schloßkapelle und nähert sich durch die Scheidung von zwei Rängen, deren oberen die herrscherlichen Statuen einnehmen, dem Typ der im 12. Jahrhundert ausgebildeten Doppelkapellen, wo im unteren Raum das Volk, im oberen die Herrschaft am Gottesdienst teilnahm. Ganz in der Nähe Naumburgs gab es eine solche Doppelkapelle, in *Freyburg a. U.*, gebaut

Abb. 341. *Naumburg, Dom. Westchor. Gepa (Adelheid). Um 1250—60.*

Abb. 342. *Naumburg, Dom. Westlettner. Um 1250—60.*

in dem dekorativ freudigen Stil des rheinischen Übergangs, in dem auch die älteren Teile des Naumburger Domes aufgeführt sind. Da nun doch einmal die Statuen Platz, Rang und Würde von Heiligen einnehmen, so kann es nicht ausbleiben, daß sich die Blicke des gläubigen Volkes, wenn von Hilfe und Gnade der Heiligen, der Nothelfer im religiösen Sinne die Rede ist, sich zu diesen Statuen emporwenden und ihren Herrn auf Erden suchen. Man würde aber unrecht tun, wenn man in diesen Stiftern, selbst den ernstesten, Ekkehard und Uta, besondere Andacht oder religiöse Ergriffenheit suchen würde. So fest wie sie trotz schmaler Bodenplatte auf Erden gegründet sind, so allen Gewalten trotzend auf sich gestellt, können ihre Gedanken nur die sein: es ist gut, wenn Predigt und Messe dem Volke das Gefühl der Abhängigkeit als ein gottgewolltes stärken; mit den Härten und Nöten des Lebens — und hier im Osten waren ihrer genug, Härte des Klimas, Rauheit der Natur, Feindesdruck auf die Grenzen — kann nur der unerschütterliche Wille und die Kraft der Persönlichkeit, die Härte gegen sich und gegen andere fertig werden. Sie sind mehr in der Kirche, um sich zu zeigen, als um sich zu erbauen. Diese Menschen tragen die Verantwortung in sich selber und verweltlichen das kirchliche System von Heiligen und Menschen, indem sie deren geistige und jenseitige Beziehungen sich selbst anmaßen und die Verantwortung auch für andere auf sich laden. Es ist ein mittelalterlicher Protestantismus in diesen Figuren, der sie zu Ahnen eines Bismarck oder eines Freiherrn von Stein macht.

Diese mittelalterlich protestantische Kirche, diese mit Renaissancegeist erfüllte Gotik und diese Würde des Raumes können deshalb auch solange Bestand haben, als diese Männer und Frauen es wollen; die Geltung der kirchlichen Funktion reicht soweit wie deren Selbstverantwortung und Selbstbeherrschung. Darüber hinaus droht Mißbrauch der Gewalt. Denn es gibt auch Raufbolde unter ihnen. Im Chor jener Dietmar (Abb. 338), der nicht an sich halten kann und zum Schwerte greift und den Schild vor sich stellt, so daß nun die Nachbarn betroffen oder unwillig sich dagegen wenden, und die regentenhafte Gestalt Dietrichs unwillkürlich die Waffen fester faßt und dagegen wettert. Sein von Energie des Befehlens um den Mund herum tief

Abb. 343. *Naumburg, Dom. Westlettner. Abendmahl. Um 1250—60.*

gefurchtes Gesicht zuckt in allen Fugen (Abb. 25, S. 36; Abb. 339). So platzfordernd greift seine Gestalt aus, daß man an die Möglichkeit eines Widerspruchs nicht glaubt.

Unter diesen dramatisch verbundenen Personen ist eine, die künstlerisch und menschlich besondere Anteilnahme erweckt (Abb. 340). Sie biegt sich stark nach der Seite des ungewöhnlichen Vorganges und ein einziger Faltenstrom schießt von den Füßen in der Bewegungsrichtung zum Kopf der Figur. Aber es ist keine Hinneigung in dieser Geste, denn zugleich greift der rechte Arm im Mantel verhüllt zum Hals empor, zieht den Mantel um den Oberkörper herum und gibt dem ganzen Faltenschwung, der dem Arm folgt, den Ausdruck jäher, plötzlicher und erschreckter Verhüllung. Um so jäher, als dieser Bewegungsstrom hinter dem horizontal geraden Schildrand hervorbricht wie hinter einem Versteck. Merkwürdig zart und verloren tasten die schlanken Finger auf der Schildfläche. Und verstört und aus Gedanken gerissen bricht der Blick der Augen aus dem nicht schönen, breitflächigen und offenen Gesicht. Hier hat kein Äußeres Spuren eingeschrieben. Alles was das Gesicht bedeutend macht, sucht man hinter der breiten steigenden Stirn — einen Träumer und Dichter.

Neben Ekkehard und Uta empfindet man diesen Wilhelm von Camburg als aus der Art geschlagen (vielleicht empfand ihn auch der Kreis der Recken

Abb. 344. *Naumburg, Dom. Westlettner. Gefangennahme Christi. Um 1250—60.*

um ihn so). Aber deshalb an einen andern Meister zu denken, liegt kein Grund vor. Ein Menschenkenner wie der Naumburger Meister faßt das Leben in seiner Vielfältigkeit. Neben Ekkehard und Uta nach dem Lettner zu hat er eine gereifte Frau gestellt (Gepa oder Adelheid, Abb. 341). Daß es eine ältere Frau ist, läßt sich schwerer aus dem vom Gebände noch immer fest geformten Gesicht ablesen als aus der Art, wie sie so völlig mit sich ins Gleichgewicht gekommen ist. Wie hier das weite Kopftuch in genauer gegenseitiger Entsprechung zum Mantel die Motive des straffen Aufstehens und des weichen Fallens wiederholt, das erzeugt eine absolute Ruhe; das weite um die Gestalt herumgebaute Gewand scheint zu besagen: diese Frau hat mit dem Äußeren abgeschlossen. Sie will nichts mehr, als in geistiger Versenkung, wozu ihr das Buch in den Händen verhilft, ihr eigenes Leben leben. Welche Nähe zum Ideal des geistig beschäftigten Heiligen im Gehäuse des 15. Jahrhunderts (Abb. 34, S. 49), und wenn das Buch die Bibel in den Händen eines Laien wäre, wie stark würde man die Nähe zur Reformation spüren. Und doch welche Nähe zur Gotik und welche Verwurzelung im Mittelalter. Vielleicht wirkt diese Gestalt als die vornehmste von allen, weil sie auch in der tiefsten geistigen Versunkenheit die Haltung nicht vergißt, und weil die Hände, wie sie gedankenvoll im Buch blättern, zugleich in abgewogener Rundung die Schranke gegen die Welt bauen. Ohne diese

Abb. 345. *Naumburg, Dom. Westlettner. Christus vor Pilatus. Um 1250–60.*

gewahrte Form würde auch diese in sich selber ruhende Weise des Lebens sich aus der Kirche lösen. Aber aus solchen Menschendarstellungen wird ebenso wie aus der ins Dichterische schwärmenden des Wilhelm deutlich, wieviel Geist sich auch in der Willensbeherrschtheit des regierenden Paares ausdrückt. Wie fest diese Menschen der Realität alles Diesseitigen ins Auge sahen, und wie wenig sie geneigt waren, aus Jenseitsfurcht und Jenseitshoffnungen sich das Gesetz ihres eigenen Verhaltens vorschreiben und von kirchlichen Instanzen sich ihren Rang verleihen zu lassen, darüber belehrt uns der plastische Schmuck des Lettners (Abb. 342), der diese herrschaftliche Kapelle von der Kirche abschließt. Hier ist das Thema — wie im ketzerischen Südfrankreich — die Passion Christi, dargestellt in einer bisher unerhörten Drastik volkstümlicher und volksverständlicher Vorgänge, hineingestellt in die ungezähmte Wildheit und Derbheit des zeitgenössischen Lebens, des niederen Volkes. Denn auch in ihnen ist viel unmittelbares Porträt, wenn nicht einzelner Menschen, so des Vorganges. Der Beherrscher gotischer Formenkunst aber entwickelt sich im Drama zum genialen Regisseur, der die Einzelfigur, die Statue,

Abb. 346. *Naumburg, Dom. Westlettner. Judas erhält den Lohn. Um 1250—60.*

jede so an ihre Stelle setzt, daß der Vorgang und sein tragischer Sinn mit mimischer Wucht der Körper und Gebärden zur Einheit gelangt, und in den dramatischen Spannungen immer wieder eine Gestalt standbildhaft herausleuchtet: die Gestalt eines einfachen Mannes mit großdurchleuchteten Augen. Das ruhig Standbildhafte aber hat den Sinn: die Unerschütterlichkeit des Duldens, die Unbeirrbarkeit der Überzeugung als das Heldenthema dieses Dramas zu erweisen.

Wie dieses Volk und dieser Mann des Volkes aufgefaßt sind, lehrt am besten das Abendmahl (Abb. 343). Statt der 12 Apostel sind es fünf. Wären es mehr, würden Gestalt, Gebärde, Charakter — kurz alles was dieser Plastiker meisterlich zu gestalten und zur Szene zu vereinigen weiß, verloren gehen. Der Jünger neben Christus (Johannes) ist nie so derb und gewöhnlich mit quadratischem Gesicht, breiter Stirn, vorgewölbtem Mund, so slawischen Typs dargestellt worden. Man denkt ihn sich mit Russenkittel in hohen Stiefeln als Vorarbeiter auf einem Gutshof. Er ist der einzige, der auf ein vorhergehendes Wort des Herrn reagiert. Alle anderen sitzen beim Abendmahl und langen zu wie vom

Felde heimgekehrte Arbeiter. Resolut steckt einer den Bissen in den Mund, nimmt ein anderer einen kräftigen Schluck aus der Flasche und greift ein dritter zum Fisch in der Schüssel. So kann man die religiös bedeutsame Szene nur schildern, wenn man niederes Volk charakterisieren will. Christus reicht Judas, der, durch die Rückenansicht degradiert, vorn vor der Tafel sitzt, mit der Rechten den Bissen, indem er instinktiv den Ärmel zurückzieht, damit er nicht in die Schüssel falle, in die Judas greift. Hier zwischen drei Händen spitzt sich die Handlung auf einen Punkt zu. Der Sinn der Handlung aber ist doch die Gestalt Christi, eine Gestalt kaum weniger breit und volkstümlich als die anderen, aber milde, verklärt, seltsam unbeteiligt an dem Tun und allen Gestalten um ihn, in einem so engen Kreis besonders einsam, voll eigener Zukunftsgedanken und voller Ergebung in diese Zukunft. Mit großer Sicherheit hat der Künstler aus symmetrisch-unsymmetrischen Randfiguren Christus als Mitte herausgehoben, hat durch Fortsetzung der trivialen Zulangegebärde Judas' in die Trinkgeste des Apostels schräg gegenüber Christus in die Mitte einer Handlungsspanne gerückt und schließlich noch eine Meisterleistung vollbracht: indem er mit dem Tischtuch nicht nur das Gleichgewicht zu Judas herstellt, der also gleichsam nicht mehr wiegt als ein Fetzen Stoff, sondern auch noch eine bedeutsame Handlung hinzufügt. Zwischen Judas, der schon vom Ellbogen des Jüngers am linken Rande herabgedrückt und von der Gemeinschaft der andern ausgestoßen wird, und den übrigen Aposteln besteht fortan keine Gemeinschaft mehr. Hier klafft nicht nur für das Auge die Lücke; hart vor der rechten Randfigur schneidet das Tischtuch ab, und die scharfe Linie des über den Kopf gezogenen Mantels bedeutet eine Grenze, hinter die der Jünger von der Judasseite abrückt.

Abb. 347. *Naumburg, Dom. Westlettner. Kopf des Gekreuzigten. Um 1250—60.*

In der Gefangennahme (Abb. 344) kommt noch eine andere Seite dieses Volkes zum Ausdruck. Das Hauptgeschehen ist, das ganze Feld zwischen zwei Randfiguren umspannend, der Meisterstreich eines Kriegsmannes. Haarscharf — wie mit einem Rasiermesser — trennt Petrus mit dem ungefügen Zweihänder dem Malchus das Ohr vom Kopf. Das gotisch breit gerundete Gewand, wie schon im Abendmahl mehr zerdrückt als geformt, bezeichnet mit seinen Quetschungen gerade die Stellen, in denen die Gliederaktion den Körper in der Hülle verschiebt, bei Malchus eine prachtvoll dreidimensionale Schraubenbewegung des In-die-Kniebrechens. Christus steht genau in der Mitte, Judas tritt auf ihn zu, legt Hand und Lippe an ihn, Christus rührt sich nicht; ein Kriegsknecht, mit Judenmütze auf dem wilden Faunsgesicht, das breite Schwert schulternd, faßt ihn beim Rock auf der Brust und ist schon im Begriff, ihn

Abb. 348. *Naumburg, Dom. Westlettner. Maria von der Kreuzigungsgruppe. Um 1250—60.*

abzuführen. Christus rührt sich nicht. Hinter ihm wird das grobe Gesicht eines Fackelträgers sichtbar, der kommt; gegenüber Apostel, die enteilen, auch nur mit dem Kopf sichtbar. Auf einmal ist Raumtiefe, Gewühl, Dunkel und grelles Licht da; und man denkt bei dem schweren Reitermantel Petri an bittere Kälte einer vorosterlichen nordischen Nacht. Christus ist verdeckt, selbst im Antlitz nur halb sichtbar. Aber aus wildem Geschehen, verstelltem und offenem Zugriff, aus Richtung und Gegenrichtung wird seine völlig passive Haltung der Mittelpunkt erregtester Spannungen, um den sich alles dreht — Martyrium als Sinn des Ganzen.

Wie dieser Sinn im Umkreis der Naumburger Herrschaften verstanden wird, erfahren wir aus der Pilatus-Szene (Abb. 345). Christus steht ganz frontal zwischen dem Häscher, der ihn vor Pilatus geführt hat, und Pilatus selbst. Schlaff wie die des Christus an der Straßburger Säule hängen seine Hände herab; er läßt willenlos mit sich geschehen. Seine Augen sind nicht bei der Sache, die verhandelt wird, sie leuchten wie die eines Menschen, der eine Idee im Geist sich erfüllen sieht. Nur dieser Blick adelt die einfache Gestalt im schlichten Rock und ihre einfache Haltung, die nicht monumental, nur passiv ist, so duldsam passiv, wie heute nur Russen sein können. Und dennoch steht er im Mittelpunkt einer Handlung, zwischen dem Häscher, der zugleich die Anklage und mit seiner spitzen Mütze die Juden vertritt, und Pilatus, dem Richter und Landeshauptmann. Dessen Adel erkennt man nicht nur an der Tracht, nicht nur an seinem freien, königlichen Sitzen, sondern ebenso an der herrischen Art, mit der er jedes gesprochene Wort mit dem Finger aufpochend besiegelt und wie er jedes Tun, das sich auf seinen Körper bezieht, während sein Geist anders beschäftigt ist, instinktiv sicher und groß vollzieht. Ohne der Bewegung Aufmerksamkeit zu schenken, streckt er die Linke zum Handwaschen hinter sich dem Diener entgegen. Wiederum ist auf diese beflissene Handreichung ein ganz starker Akzent gelegt. Dennoch haftet das Auge des Zuschauers nicht daran. Der Künstler erreicht zunächst mit dieser Verschiebung des Akzents nach rechts, daß Christus nicht symmetrisch in der Mitte steht, sondern daß nun die Handlung in der Breite abrollt, und daß auch Christus vor Pilatus als ein Vorgeladener steht und so doppelt innerlich unbeteiligt wirkt. Und indem Pilatus mit der aufpochenden Hand auf die Handwaschung weist, betont er deren symbolischen Sinn und nimmt sie aus der nach rechts abfließenden Handlung wieder zur Gegenseite zurück als Inhalt seiner Worte, mit denen er den Juden anschreit. Er ist sehr erregt. Begreiflich; denn er, der Sympathie mit Christus hat, ohne als Realpolitiker den Idealisten ganz zu verstehen, fühlt in der großen, brutalen Gestalt des fordernd vor ihn hintretenden jüdischen Mannes eine Macht, die ihn gegen seinen Wunsch verpflichtet, nachzugeben und das Recht nicht zu beugen. Atemlos starren Zuschauer beider Parteien auf den Ausgang dieses Ringens zweier gegensätzlicher Gewalten miteinander. Welcher Art aber ist diese Macht, die dieser Unhold mit dem Satansprofil verkörpert?

Darüber gibt das letzte Relief Auskunft: Judas empfängt vom Hohenpriester die Silberlinge (Abb. 346). Es ist die Macht des Geldes in jüdischen Händen. Um zu verstehen, warum diese Tendenz in den spitzen Judenmützen und zum Teil wahren Galgengesichtern so betont ist, darf man daran erinnern, daß nicht viel später in der Vorhalle des Magdeburger Domes als eines der frühesten bildnerischen Zeichen des Judenhasses die Judensau — jüdische Männer, die an den Zitzen einer Sau saugen — dargestellt ist. Auch in diesem Naumburger Relief wird eine Hauptfigur in steifer Haltung monumental herausgehoben und in die Mitte zweier gegensätzlicher Handlungen voller Spannungen eingestellt: der heischenden und empfangenden des Judas, die dringlich, unzweideutig, gänzlich bloßgelegt und nicht ohne Schönheit der Bewegung sich entfaltet (ja, der Kopf hat hier sogar eine jugendlich unbesonnene blonde Idealität) und dem antippenden, tuschelnden Dazwischenreden des Beraters, das voller Heimlichkeit und Versteck vor sich geht und sich in einem Umkreis ebenso verborgener und halb versteckter Komplizen fortsetzt. Diese Darstellung ist nicht eine Szene aus dem Drama des Judas, eines betrogenen Verführten, der nachher hingeht und sich erhängt — das Ende so manches in Geldaffären verstrickten Edelmannes. Sondern wie in den Christus-Szenen liegt auch hier der Sinn in einer monumental herausgestellten Gestalt, und zwar der des Hohenpriesters, der wie Pilatus das Tun der Hände in gewohnter Übung unabhängig vom Zentrum des Geistes vollzieht. Diese Übung aber ist die — vom Künstler dem Leben wunderbar abgelauschte — Gewohnheit eines Geldwechslers, der jedes Stück immer erst von einer Hand in die andere gleiten läßt und bei jedem Stück zögert, das er ausgibt. Diese Geste ist durch die repräsentative Darbietung an den Pranger gestellt.

Nur dann versteht man diesen Realismus eines Dramatikers, der hier die Mittel einer plastischen und repräsentativen Kunst ganz in Handlung und Charakteristik umsetzt und ein religiöses Thema rücksichtslos in irdisches, zeitgenössisches Geschehen verwandelt, wenn man die Szenen gar nicht als heilige Geschichten auffaßt, sondern als

Abb. 349. *Naumburg, Dom. Westlettner. Johannes von der Kreuzigungsgruppe. Um 1250—60.*

Abb. 350. *Mainz, Dommuseum. Kopf einer Gewölbefigur vom ehemaligen Westlettner. Vor 1239.*

eine mit shakespearescher Kraft gestaltete Lebensschilderung aus der Sphäre derselben Personen, die schon im Chor Heilige durch Weltliche ersetzt hatten. Auch die Passion Christi ist gänzlich säkularisiert. Man wird bemerkt haben, daß Pilatus ohne weiteres eine der Stifterfiguren sein könnte, so nahe kommt er der Gestalt des Dietrich, und daß Christus bei aller betonten Charakteristik doch immer etwas im Hintergrund bleibt. Rembrandtsche Vertiefung und wahrhaftes Mitgefühl mit den Armen und dem Volk ist hier nicht, sondern gänzlich unsentimentale, das Leben bis ins kleinste durchschauende und beherrschende Menschenkunde (eher darf man an Menzel und Fontane denken). Ein an anderer Stelle eingemauertes Relief eines Weltenrichters scheint zu besagen, daß das Jüngste Gericht, das schon einmal von demselben Meister in *Mainz*, an einem Lettner verwirklicht war und hohe Herren im Kreis der Verdammten gezeigt hatte, von dem Stifter dieser Ahnenbilder am Eingang zu dieser Grab- und „Schloß"-kapelle verworfen wurde. Die Geschichte eines vorbildlichen Dulders ließ man gelten — denn das konnte den Anspruch dieser Herren, in irdischen Nöten Führer und Retter zu sein, nur erhöhen. So setzte man diesem Christus am Kreuz am Eingangsraum ein Denkmal (Abb. 347), stellt neben den derben, an ottonische Kruzifixe erinnernden Leichnam und sein von Qualen verzerrtes Gesicht zwei edle Gestalten, Maria und Johannes, und läßt sie ihn beklagen ganz in der Weise, wie die adligen Gestalten im Innern sich benehmen (Abb. 348, 349). Sie ziehen den Mantel um sich herum, der hier stoffreicher, verhängend und beschwerend, aufgelöster und gebrochener gegeben ist als im Chor, aber öffnen ihn dann jäh an einer Stelle, um ihre Gefühle auszuströmen, mit heftiger Klage in der Sprache der Hände und im Ausdruck des Gesichts. Dieses Sich-Erschließen aber ist eine bisher unbekannte Gebärde in diesem Kreis. Und das erstemal verliert hier diese Kunst die Haltung der Echtheit und wird pathetisch. Das Portal aber wird von den ausgebreiteten Armen Christi mehr verstellt als

Abb. 351. *Marburg, Elisabethkirche. Begonnen 1235, Türme vollendet 1. Hälfte 14. Jh.*

empfohlen; die Seitenfiguren stehen vor der Wand auf Sockeln (wie in Südfrankreich), über ihnen verwandelt ein Gewölbe das Portal in den Raum einer Bühne. Es ist auch hier ein Schauspiel. Ein von gotischer Formenkunst ins Monumentale und Repräsentative vergrößertes Feld einer Bronzetür.

Die drei Werke des Straßburger, Bamberger und Naumburger Meisters bedeuten Höhepunkte nicht nur deutscher Plastik des Mittelalters, sondern des Mittelalters überhaupt. Was sie gleichwertigen französischen Werken gegenüber an stilvoller Haltung vermissen lassen, haben sie an persönlicher Kraft und Eigenart voraus. Die allgemeine menschliche Haltung, die in ihnen gegenüber der Zeitgebundenheit zum Ausdruck kommt, macht sie auch selber zeitlos. Das heißt, so sehr sie äußerlich von verschiedenen Entwicklungsphasen der frühen und hohen Gotik — Straßburg von der frühesten, Naumburg von der spätesten Phase — ihren Ursprung nahmen, innerlich repräsentieren sie viel mehr verschiedene Empfindungsweisen und Stellungen zur Welt, die ebensosehr von dem Charakter der Umwelt wie von dem persönlichen Temperament ihrer Erzeuger bedingt sind. Sie liegen zeitlich auch kaum auseinander, besonders, wenn man berechnet, daß das früheste Werk des Naumburger Meisters, die Lettnerplastik in Mainz (Abb. 350), schon vor 1239 liegt. Wesentlich und für das Verhältnis zur Gotik entscheidend ist aber, daß sie unter sich in keinem Zusammenhang stehen, daß das spezifisch Zeitgemäße in ihnen jedesmal von neuem auf einem Einbruch des gotischen Stiles von Westen her in Deutschland beruht.

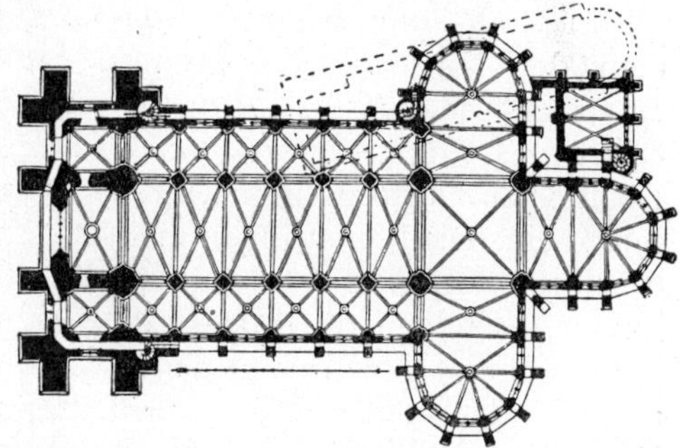

Abb. 352. *Marburg, Elisabethkirche. Grundriß. Baubeginn 1235.*

Genau so ist es mit den Werken der Architektur: auch die einzelnen Stufen gotischer Architektur entwickeln sich in Deutschland nicht eine aus der

Abb. 353. *Marburg, Elisabethkirche. Vierung und Langhaus von Osten. Begonnen 1235, Hauptweihe 1283.*

andern, sondern auch sie sind jedesmal auf eine neue Beziehung zum Westen zurückzuführen. So war es mit dem rheinischen Übergangsstil, mit der Frühgotik des Maulbronner Meisters. So ist es mit dem frühesten rein gotischen, d. h. hochgotischen Bau, der *Elisabethkirche* zu *Marburg* (Abb. 351). Jedesmal aber findet auch eine neue Eindeutschung statt. Der gotische Charakter dieses reinen und strengen Baues ist leicht erfaßt: Zwei schlanke Türme an der Fassade führen ihn, die ganze Außenmauer ist von Strebepfeilern durchbrochen, und zwischen ihnen ist die Wand ganz herausgenommen und mit plastischem Stab- und Maßwerk, das dem der Kathedrale in Reims entspricht, in Fenster, d. h. portalartige Öffnungen verwandelt. Doch setzt hier schon ein Unterschied ein. Die Pfeiler ragen nicht turmartig über die Dachgrenze hinaus, es fehlen die Fialen, die die Wand erst ganz in eine Turm- und Monumentenfolge verwandelt hätten. Das Dach, das den Raum schließt, gelangt zu seinem Recht. Innen ist die Wand in ein der französischen Hochgotik völlig entsprechendes System von Diensten und Rippen zerlegt (Abb. 354). Aber es bekommt einen ganz

Abb. 354. *Marburg, Elisabethkirche. Chor und Nordkonche. Begonnen 1235, Hauptweihe 1283.*

anderen Sinn durch den Grundriß (Abb. 352), über dem der Raum sich erhebt. Der Chor ist der rheinische Dreikonchenchor mit seiner Zentralisierung außen und innen, die die prozessionshafte Richtung aufhebt. Die Breitentendenz rheinischer Chöre ist zwar durch die Höhenentwicklung der Dienste ersetzt; das Zentrum dieser Vierung kann man gleichsam nur umstehen, nicht umsitzen. Aber es bleibt dieser Chor der ruhige, stimmungsvolle Einheitsraum. Das Schiff (Abb. 353) aber hat in einer späteren Bauperiode eine Erhöhung der Pfeiler erfahren. Diese Pfeiler waren wie in Frankreich die von vier Diensten umstandenen Rundpfeiler. Indem diese bis zur Decke emporgeführt wurden, war keine Gelegenheit, über den Kapitellen für die Rippen bestimmte Dienste nachzuholen. Sie wirken nun schwer und massig. Das Schiff ist nach dem Vorbilde des Domes von *Paderborn* (Abb. 297, S. 277) in eine Halle verwandelt worden, die mit den für niedrige Seitenschiffe berechneten engen Proportionen zu manchen Mißverhältnissen in den Seitenschiffen und im Mittelschiff geführt haben (Abb. 353). Die befreiende, ausweitende Wirkung der richtungslosen, marktähnlichen und weltlich wirkenden Halle ist erst in Nachfolgebauten wie dem Dom in *Wetzlar* erreicht worden (Abb. 355).

Abb. 355. *Wetzlar, Dom. Langhaus. 2. Hälfte 13. und 1. Hälfte 14. Jh.*

Damit ist aber die Richtung der deutschen Sondergotik vorgeschrieben: hin zur Entwicklung der *Hallenkirche*. Sie vollzieht sich parallel zu der Entwicklung in Frankreich, aber unabhängig von ihr in innerer Wesensverwandtschaft zu denselben Konsequenzen wie dort, und sowohl entschiedener als auch reicher in der Entfaltung. Das Resultat ist: Wegfall des Querschiffes, Verflachung der Chöre, Abstufung der Pfeiler zu ungegliederten, dünnen, im Raum stehenden Rund-

Abb. 356. *Schwäbisch-Gmünd, Heiligkreuzkirche. Langhaus begonnen um 1330, Chor begonnen 1351, geweiht 1410, gewölbt 1491–1521.*

Abb. 357. *Nürnberg, St. Sebald. Ostchor (1361—72).*

Abb. 358. *Nürnberg, St. Sebald. Langhaus (13. u. 1. Hälfte 14. Jh.) und Ostchor (1361—72).*

dienſten und Ausbildung der Decke zu allseitig sich durchkreuzenden, allseitig gerichteten *Netzgewölben* (Abb. 356). Eine gewichtige Äußerung dieses Stilwillens war es, als man in *Nürnberg* in *St. Sebald* (Abb. 357, 358) wie in *St. Lorenz* sich entschloß, trotz basilikaler Längsschiffe, die Chöre, also das Altarhaus, zu solchen lichten, profanen Verkehrsräumen für die Gemeinde auszubilden. Im Gebiet des schöpferischen deutschen Backsteinbaues, in der Mark Brandenburg, kam das Material den Breitentendenzen besonders entgegen und begünstigte die Hallenform der Kirchen. Daß maßgebend auch hier in der Ostmark derselbe weltliche Geist wirksam war, wie im Stifterchor in Naumburg, der den Kirchenchor als ein Privathaus für sich forderte, zeigt die Tatsache, daß in der schönen, klaren Hallenkirche in *Prenzlau* (Abb. 359) der Chor auch außen mit einem breiten, von teppichhaft durchwirktem, flachen Maßwerk durchzogenen Giebel die Gestalt eines nordischen Patrizierhauses annahm. Zu diesem Zwecke überbrückte man die schon innen ganz flach gewordenen Apsiden der Schiffe außen und schuf eine gerade durchgehende, flache Stirnwand. In der Form der Hallenkirche dringt die Gotik in Deutschland durch und führt zu einer eigenen Tradition und Entwicklung im 14. Jahrhundert. In derselben Zeit haben wir auch eine innerdeutsche Entwicklung der deutschen Plastik von reichem Leben. Aber damit es dazu kam, bedurfte es noch einiger Anstöße vom Westen her.

Abb. 359. *Prenzlau, Marienkirche. Mitte 14. Jh. (Westtürme 2. Hälfte 13. Jh.).*

Abb. 360. *Straßburg, Münster. Langhaus (etwa 1235—75).*

Von drei Punkten französischen Einbruches nimmt die Entwicklung im 14. Jahrhundert ihren Ausgangspunkt: vom Oberrhein mit Straßburg, vom Mittelrhein mit Marburg und vom Niederrhein mit Köln als Zentrum. Dabei ist das Merkwürdige: die im Süden Frankreichs, in Deutschland und natürlich in Italien nachlebenden

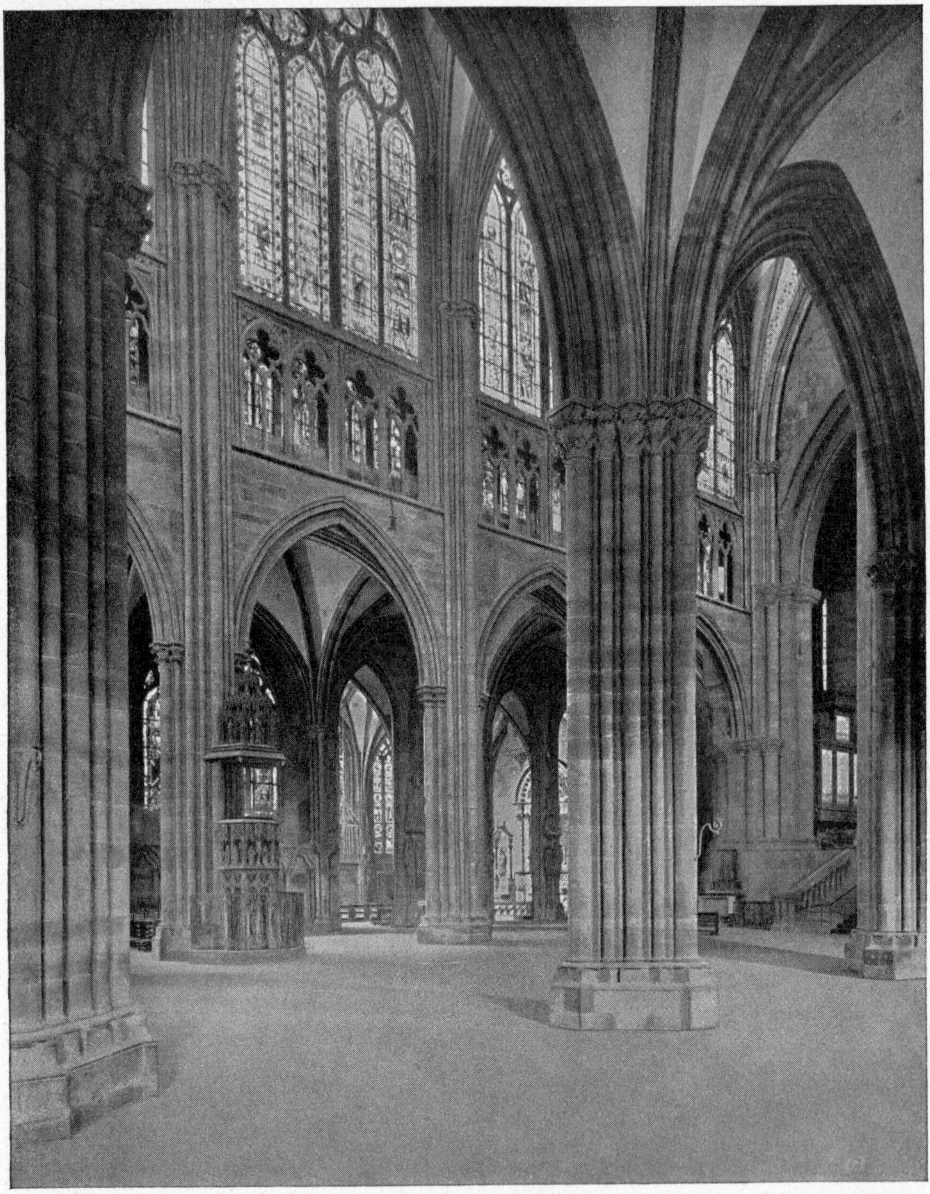

Abb. 361. *Straßburg, Münster. Blick aus dem südlichen Seitenschiff ins Mittelschiff. Etwa 1235—75.*

Abb. 362. *Straßburg, Münster. Rose der Westfassade. Ende 13. Jh.*

antiken, der Gotik feindlichen Elemente, die die innere Stoßkraft der reinen Gotik lähmten und den Stil zur Ermattung statt zur Steigerung führten, verstärkten seine Expansionskraft und ließen ihn leichter und allgemeiner sich ausbreiten als im 13. Jahrhundert; denn die Hallenkirche ist in Deutschland gegenüber den originellen und oft seltsamen Bauten des 13. Jahrhunderts etwas Allgemeineres, Unpersönlicheres, etwas Volkstümlicheres, etwas Weltlicheres zwar, aber nicht physiognomisch Bestimmteres. Sie ist weniger gestaltet. Dies führt auch in der formalen Einzelgestaltung zu etwas Allgemeinem und Unpersönlichem, zu einer dekorativen Verwendung der Plastik überhaupt und der plastischen Einzelformen in einer Figur. In dem Maße wie die Gotik ihre Haltung verliert, wird sie eine Gotik für jedermann.

In *Straßburg* wurde seit etwa 1235 dem elsässisch-frühgotischen Chor und Querschiff das rein gotische Langhaus zugefügt, ausgerüstet mit dem vollendeten System gotischen Maß- und Stabwerkes bei völliger Auflösung der Wand durch Arkaden, Triforium und Fenster (Abb. 360). Sorgfältig ist

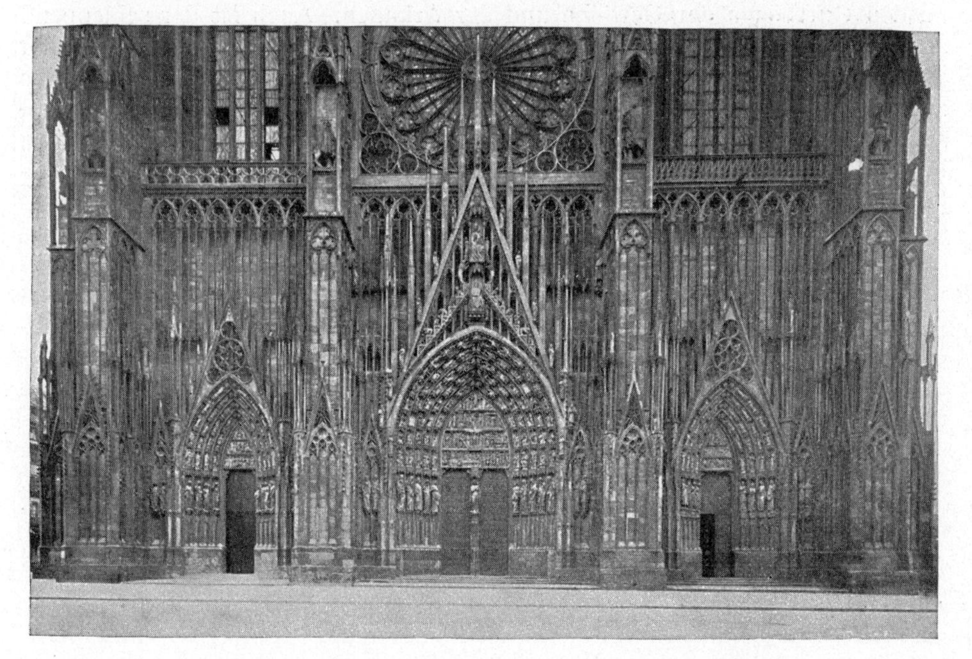
Abb. 363. *Straßburg, Münster. Westportale. Begonnen 1276.*

Abb. 364. *Straßburg, Münster. Tympanon des mittleren Westportals. Ausschnitt: Kreuzigung, Kreuzabnahme, die Frauen am Grabe. Ende 13. Jh.*

zwischen Haupt- und Nebendiensten in der Stärke geschieden, und die Dienste selbst sind vervielfältigt, entsprechend der Hinzufügung von Nebenrippen an den Gurtbögen der Gewölbe und der Arkaden. Auch ist der schleppend schwere Unterbau der aus den Säulenbasiliken nachwirkenden Rundpfeiler völlig überwunden. Die Dienste gehen ununterbrochen von der Erde bis zum Gewölbeansatz durch. Dennoch ist der Eindruck nicht der einer gesteigerten, übertriebenen Gotik; denn der Raum im Ganzen bleibt niedrig, breit, die betonten rechteckigen Rahmen, die immer zwei Fenster des Triforiums zusammenfassen, unterstreichen das Wand- und Bandmäßige dieses sich horizontal zwischen die Steilarkaden der Fenster und Seitenschiffsöffnungen einschiebenden Streifens (Abb. 361). Es ist nicht eigentlich eine verdeutschte Gotik, sondern einem deutschen Verweil-Raumgefühl entsprechende verflachte Gotik, die in den Seitenschiffen schon mit der Breitendehnung einer Hallenkirche rechnet und den Raum durch die niedrigen, deshalb breiten Arkaden ins Mittelschiff abfließen läßt. Stärker aktiviert und in der Entkörperung, Zuspitzung und Höhenentwicklung zum Äußersten getrieben wirkt die Verfeinerung und Vervielfältigung der Dienste an den drei Portalen der Westseite, die 1276 begonnen wurden (Abb. 363). Nadeldünn, mit zugeschärften Kanten übereck gestellt, gehen die Baldachinfialen der am Rand mit Krabben ausgezackten Strebepfeiler frei in die Luft, steil stechen die Wimperge empor, und eine frei vor die Wand gestellte (à jour gearbeitete) stahldünne Spitzbogenarkatur löst die Wand in Stabwerk auf, vor dem die Portale sich entfalten. Aber diese enggestellte, von einem horizontalen Gesims abgedeckte Arkaturwand wirkt nicht als kräftige Vertikal-

Abb. 365. *Straßburg, Münster. Mittleres Westportal. Propheten am linken Gewände. Nach 1276.*

gliederung, sondern wie ein feines Fadengewirk, das zwischen Oben und Unten gespannt eine durchbrochene Decke horizontal ausbreitet. Auch hier etwas von Erschlaffung. Darüber triumphiert das quadratische, in sich zentrierte Feld der spitzenhaften Rose (Abb. 362).

In diesen Portalen ist mit dreiteiliger Anlage zum ersten Male der Statuenschmuck ganz nach französischer Weise im Gewände, in den Archivolten und Bogenfeldern rein durchgeführt, aber in einer Weise, die dem südfranzösischen Charakter entspricht, und zwar mit merkwürdigem Nachleben oder Wiederaufleben südfranzösischer Renaissancemotive, die dem deutschen Kunstcharakter entgegenkamen. Im Mitteltympanon ist der Kruzifixus mit Kirche und Synagoge (wie in St. Gilles) dargestellt. Dazu die Szenen der Passion. Unter dem Kreuz, in ganzer Figur ausgebreitet, das Skelett Adams (Abb. 364). Statt der Jenseitshoffnungen und Erhöhungen ist der Hinweis auf Verfall und Tod gegeben — die Totentänze aus dem Herbst des Mittelalters vorbereitend. An den Wänden stehen Propheten, nicht wie an französischen Portalen als symbolischer Hinweis auf Maria, sondern wie die Evangelisten an dem Engelpfeiler ausgesprochen predigerhaft (Abb. 365). Sie stehen in Rillen (Nischen), nicht an Säulen. Auch sie sind sehr schlank und in reiches Stabwerk der Falten aufgelöst, auch sie übersteigern den Schwung der Falten in heftigen Windungen und Verschraubungen; reiches Gelock der idealen Köpfe dreht und rollt sich bis zur Manier. Aber auch diese Köpfe sind ausdrucksvolle Charakterköpfe und verschroben bis zur Kauzigkeit (Abb. 366). Mit Spruchband und Buch beschäftigt, erinnern sie an die Evangelisten und stehen in einer straßburgischen Tradition, die durch die formelhafter gewordene und übertriebene Gotik die französische Note verwildert, die deutsch-straßburgische

Abb. 366. *Straßburg, Münster. Kopf eines Propheten am mittleren Westportal. Nach 1276.*

Abb. 367. *Straßburg, Münster. Linkes Westportal. Die Tugenden. Nach 1276.*

verkünstelt erscheinen läßt. An den Seitenportalen kommt mit lauter schönen, schlanken und reichbewegten und anmutig sich zierenden Jungfrauen der französische Frauenkult zur Geltung (Abb. 367). Hier arbeitet auch ein, wohl der temperamentlosen Schule des steiffaltigen Stiles von Amiens und Paris entstammender, französischer Meister mit und bringt in die charaktervolle Formverquerung des Prophetenmeisters Ordnung und Schönheit. Aber es ist deutsch, daß an Stelle der Heiligengesellschaft an diesen Seitenportalen die symbolischen Figuren von Tugenden und Lastern (merkwürdig wieder in südfranzösisch-romanischer Fassung) Gelegenheit geben, dramatische Einzelfiguren statt höfischer Beziehungen zu entwickeln, daß am andern Portal die klugen und törichten Jungfrauen in ein Drama verstrickt werden durch den Verführer, zu dem die törichten Jungfrauen in Beziehung treten (Abb. 368). Die erste Jungfrau nestelt, von ihm betört, schon das Gewand auf. Auch dieser Verführer knüpft an die

Abb. 368. *Straßburg, Münster. Rechtes Westportal. Die törichten Jungfrauen und der Verführer. Nach 1276.*

Abb. 369. *Freiburg, Münster. Leichnam Christi vom Heiligen Grab. 1. Viertel 14. Jh.*

französisch-romanischen Lastergestalten an, aber gibt ihnen einen neuen Sinn: hinter der glatten, höfischen Vorderseite steht die von Schlangen und Würmern überkrochene Rückseite, für die deutsche Auffassung das wahre Bild dieses schönen Scheines höfischer Eleganz. Wieder tritt in ganz gotischer Formensprache eine am Ende des Mittelalters wiederholte Anklage gegen Luxus und höfisches Leben hier schon in Erscheinung.

Abb. 370. *Freiburg, Münster. Engel vom Heiligen Grabe. 1. Viertel 14. Jh.*

Diese Straßburger Portale und diese Skulpturen werden der Ausgangspunkt einer den ganzen Süden Deutschlands beherrschenden, aber auch über ganz Deutschland ausstrahlenden Bewegung. Was an französisch-gotischer Schönheit in ihnen lebte, findet gesättigter, derber und breiter am Münster zu *Freiburg i. B.* eine Fortsetzung. Zugleich setzt sich die straßburgische Tradition wieder durch und bewirkt durch Anknüpfung an den herb knöchernen Stil der Straßburger Frühgotik eine Erstarrung. Durch sie gewinnt die Tendenz zur Verdünnung und Versteilung aller Formen, die in der Portalarchitektur so auffällig war, einen ganz neuen, eigenen Ausdruck der Todesstarre, der schon in dem Passionsgedanken des Straßburger Portales angeschlagen war. Zum erstenmal finden wir in Freiburg i. B. als neue Form des Schmerzensmannes den toten Christus im Heiligen Grab, das bis dahin leer dargestellt wurde (Abb. 369). Die Idee des Todes wird vor der der Auferstehung bevorzugt. Dieser Christus ist in

Abb. 371. *Oppenheim, Katharinenkirche. Südfassade. 2. Hälfte 13. und 1. Hälfte 14. Jh.*

Abb. 372. *Würzburg, Dom. Grabmal des Bischofs Otto von Wolfskehl († 1345).*

Abb. 373. *Bamberg, Dom. Grabmal des Bischofs Friedrich von Hohenlohe. 1351.*

Abb. 374. *Rottweil, Kapellenturm. Tympanon: Jüngstes Gericht. Um 1330.*

einem so knochendünnen, seltsam eckigen und kantigen Gewandstil dargestellt und die Physiognomie des Toten ist so leichenhaft ausgemergelt, daß man von einem Skelettstil sprechen kann. Auch die Engel und Frauen am Grabe nehmen an dieser skeletthaften Dürre und Versteifung teil und wirken dadurch als reine Klagefiguren (Abb. 370).

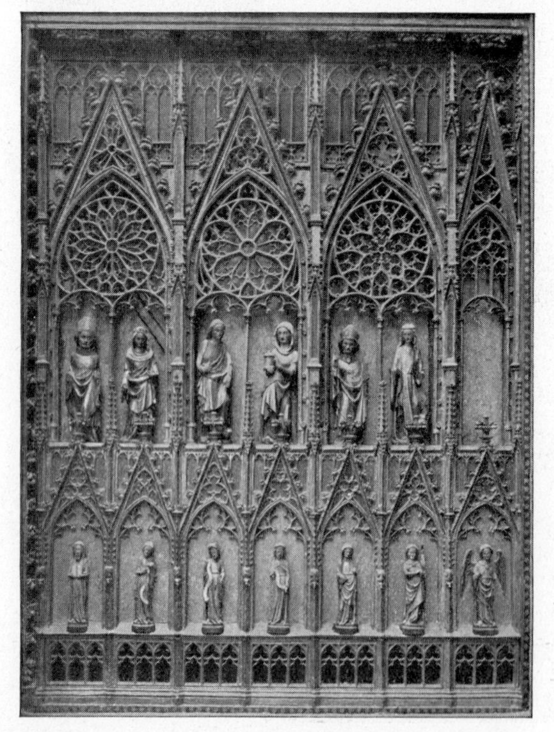

Abb. 375. *Oberwesel, Stiftskirche Unserer Lieben Frauen. Flügel des Hochaltars. Um 1330.*

Im Laufe des 14. Jahrhunderts bewirkt die zunehmende Verflachung der gotischen Elemente, daß aus diesem dünngefältelten, gerippten Gewandstil ebenso wie aus der dünngliedrigen Architektur sich ein schönliniges, dekoratives Spiel entwickelt, das in der Architektur auch die Fenster in Rosen und gewirkte Flächen breiter Dehnung verwandelt (*Katharinenkirche* in *Oppenheim*, Abb. 371) und in den Bogenfeldern der Kirchen Statuen und Handlungen zu stofflich reich umhangenen Schmuckfiguren macht (Tympanon des Kapellenturmes in *Rottweil*, Abb. 374). Die schließende Wand in der Architektur und die breite Masse

Abb. 376. *Prag, Veits-Dom. Büste des Benes von Weitmil am Triforium des Chores. Um 1375.*

Abb. 377. *Mainz, Diözesanmuseum. Apostel. Um 1300.*

im Körper überwältigen das körperlich Straffe und plastisch Organisierte und werden zu Trägern von schön gewirkten Teppichen und Stoffen. Im Hochaltar der Kirche zu *Oberwesel* (Abb. 375) findet sich ein frühestes Beispiel jener Prachtwerke viel- und kleinteiliger Altäre, in denen die scharf und dünn gefältelten Figuren nur noch entseelte Schmuckstücke wie geschliffene Edelsteine in einem Prunkstück dekorativer Flächenkunst bilden.

Nur in der fränkischen Kunst, in der Tradition von *Bamberg,* gewinnt das persönlich Mächtige noch einmal in Gräbern Gewalt, in denen der schöne Vorhang dieser dekorativen Gewandlinien und die skeletthaft ausgedörrte Gestalt zu einem grandiosen Kontrast sich steigern (Abb. 372, 373). Durch den Prunk des geistlichen Amtes hindurch predigt die mit Todesrufen und Askese Macht übende Persönlichkeit des Fanatikers noch aus dem Grabe heraus (*Otto von Wolfskehl,* Würzburg, *Friedrich von Hohenlohe,* Bamberg). Über die Mitte des Jahrhunderts hinaus

Abb. 378. *Havelberg, Dom St. Marien. Chorschrankenrelief: Kreuzanheftung. Um 1400.*

Abb. 379. *Mainz, Dom. Grabmal des Erzbischofs Siegfried III. von Eppstein († 1249).*

tritt dann der unter der feinen, aber schon ganz stofflich gewordenen gotischen Hülle verborgene breite und schwere Körper immer unverhüllter hervor, die Gestalten werden derber und gewöhnlicher und fordern wieder stärker das Recht der Individualität. Das führt zu einem Realismus, dessen Physiognomie nicht mehr durch die Willenskraft adliger Herren und die Haltung militärischer Körper betont und gebändigt wird. Derart sind die Porträts der *Parlerschule* in *Prag* (Abb. 376) und die in landschaftliche Szenerie hineingestellten Anbetungen der Könige, die sich als Schaustücke reicher Massenzüge entfalten, an den schwäbischen Hallenkirchen. Im Norden, im Dom von *Havelberg,* wird die Passion in derben, volkstümlichen Szenen dargestellt (Abb. 378). In ihnen steigert der Rest gotischer Elemente dieses Skelettstiles die Darstellung des Volkes zu maskenhaften Karikaturen, von denen die ausdrucksvollsten sich dem Totenkopf nähern. Dieses Element des Allgemeinen in der Karikatur abgestreift — und wir stehen in der Renaissance.

Am Mittelrhein, in *Mainz,* wirkt die Tradition des großen Naumburgers nach, der schon in den 30er Jahren im Dom die Aufgabe gelöst hatte, zwei Lettner mit figürlicher Plastik zu erstellen. Was an Skulpturen von diesen Lettnern erhalten ist (Abb. 350, S. 318), zeigt schon die Kraft, aber noch nicht die physiognomische Bestimmtheit der Naumburger Statuen und Reliefs. In den Nachfolgewerken, einem Kreis von sitzenden Aposteln, wird der Stil in ähnlicher Weise unruhiger, aber zugleich allgemeiner, wie in den Propheten in Straßburg (Abb. 377). Und er verwildert. Ähnlich wie in Naumburg wird auch hier ganz deutsch ein Kampf zwischen weltlicher und kirchlicher Macht ausgefochten, nur wieder in diesem Zentrum geistlicher Macht anders entschieden. Mit ganz persönlichem Auftrumpfen — darin dem Naumburger Stil verwandt —, aber krampfhafter und weniger lebensvoll, vollzieht ein Bischof (auf einer Grabplatte) die Krönung zweier Könige (Abb. 379). Wie die Naumburger Stifter an Plätzen von Heiligen stehen, setzt sich hier eine zeitgenössische Person an den Platz, der in byzantinischen Werken Christus vorbehalten war, und läßt sich dort doppelt so groß darstellen wie seine Subjekte.

In diesem Kreis nimmt das Madonnenbild eine neue, ganz deutsche Form an, indem der Gekreuzigte und das Marienbild in eins zusammengezogen werden und die Erhöhung Mariä nicht durch Krönung geschieht, sondern dadurch, daß sie Träger und Künder des Martyriums Christi wird. Das

Abb. 380. *Bonn, Provinzialmuseum. Pietà. Um 1300.*

Abb. 381. *Berlin, Deutsches Museum. Christus und Johannes. Anfang 14. Jh.*

früheste und grandioseste Beispiel ist die *Bonner Pietà* (Abb. 380). In kindlicher Kleinheit, ein ausgehöhlter Leichnam mit dicken Trauben geronnenen Blutes an den Wundmalen, liegt Christus auf dem Schoß der Mutter; herb gebrochen in voller Todesstarre hängen die Glieder des Körpers, schwer sinkt der Kopf über die stützende Hand Marias herab. Diese ist matronenhaft mit breiten, unschönen Gesichtszügen wie die Männer in Naumburg dargestellt; mit nornenhaft gesteigertem Ausdruck schleudert sie mehr die Anklage als das Weh der vor ihr stehenden Menge der Gläubigen entgegen. Sie protestiert, es ist protestantische Kunst. Ganz steil, monumental ist die Gruppe zu einem Standbild entwickelt, herb und fest wie die Naumburger Stifter. Wie die Gitter eines Gefängnisses legen sich die Glieder des Leichnams in ihren Horizontalen und Vertikalen vor den Stamm des Körpers, die Falten bäumen sich gegen die sie bedrückende Last auf mit der plastischen Energie der Naumburger Reliefs. So ist auch hier mit ganz gotischen Mitteln einer statuarischen Kunst eine Szene zur Gruppe, zur Statue erhöht, aber in ihrem dramatischen Sinn der deutschen renaissancehaften Auffassung von der Bedeutung des Menschlichen und des Erbärmlichen im Christentum angenähert — eine Vorbereitung von Grünewald. Ein neues folgenreiches Thema ist der

Abb. 382. *Marburg, Elisabethkirche. Grabmal des Landgrafen Heinrich I. († 1308).*

Abb. 383. *Kappenberg, ehemalige Klosterkirche. Denkmal für die Stifter, die Grafen Gottfried und Otto von Kappenberg. 1. Viertel 14. Jh.*

Abb. 384. *Köln, Wallraf-Richartz-Museum. Anbetung der Könige vom Hochaltar des Domes. Mitte 14. Jh.*

Kunst gewonnen, die *Pietà*. Sie ist zeitlich und gehaltlich das Gegenstück zum Freiburger Heiligen Grab. Möglich, daß mit ihr ein drittes neues Thema zusammenhängt, in dem eine Handlung, das Abendmahl, in die empfindungsvolle statuarische Gruppe von Johannes und Christus umgesetzt ist (Abb. 381).
Auch in diesen Kreis bricht (ähnlich wie in Straßburg) im 1. Viertel des 14. Jahrhunderts noch einmal ein westlicher Einstrom ein, ein Ableger Pariser Grabmalkunst, die in weichen, ermatteten Formen die Klassizität der hohen Gotik bewahrt (Abb. 382; Abb. 15, S. 25). Die ritterlichen Toten liegen auf einer Tumba, die von einer vornehm den Schmerz bändigenden Trauerschar umgeben ist, und treten ähnlich ergebungsvoll höfisch in eine jenseitig gedachte Heiligengesellschaft ein, wie an der Innenwand in Reims die Ritter vor Priester und Altar hintreten. Wieder ist es *Marburg*, das dieser Kunst in Gräbern und Lettnerfiguren (unter denen sich auch ein Weltenrichter und eine Marienkrönung befunden haben) eine Heimat bietet. Es ist wohl kaum zufällig, daß es hier ein Ritterorden, eine nach dem Vorbild der französischen Orden organisierte Rittergesellschaft ist, die Trägerin dieser reinen gotischen Ideen in der Plastik wird und schon in der Architektur gewesen war. Auch diese Strömung verbreitet sich

Abb. 385. *Marburg, Elisabethkirche. Pietà. Um 1350.*

Abb. 386. *Breslau, Kunstgewerbemuseum. Pietà aus der Elisabethkirche. 1384.*

und gewinnt besonders in Westfalen und am Mittel- und Niederrhein Eingang. In Westfalen bietet das Doppelgrab der Stifter des Klosters *Kappenberg* (Abb. 383) eine besondere Gelegenheit, alle Feinheiten konventioneller Haltung in gegenseitigen Beziehungen zu erschöpfen. In der kölnischen Gegend wird aus dieser Schule heraus das stehende und sitzende Madonnenbild zu besonderer Anmut und Süßigkeit, aber auch formelhaft und typisch entwickelt. An sich schon von gelassener Breite, entwickelt sich der Stil in Westfalen an einem Lettner (*Bielefeld*), in *Köln* am Hochaltar des Domes zur noch breiteren Gestaltung, die nun aber in der Mitte des Jahrhunderts in Verbindung mit den Vorhangmotiven in der Architektur die Flächen zu einer sehr dekorativen und abrundenden Behandlung der Falten hergibt (Abb. 384). Der zunehmenden Verplumpung und Verschwerung der Formen nach der Mitte des Jahrhunderts beugt sich dieser Stil nur zögernd. Die Reinheit des französischen Klassizismus, die Abwesenheit deutscher Tendenzen in dieser Schule bedingt, daß sie die Entwicklung zum Naturalismus der Renaissance in der zweiten Hälfte des 14. Jahrhunderts nicht mitmacht. Sie stirbt im dritten Viertel des Jahrhunderts aus und überläßt in Köln die Führung einer schon von Anfang an mit ihr sich auseinandersetzenden Richtung, der des *Meisters der Hochchorstatuen* des Kölner Domes.

Abb. 387. *Köln, Dom. Grundsteinlegung 1248, Chor geweiht 1322, Weiterbau 14. und 15. Jh., Vollendung im 19. Jh.*

In Marburg selbst traf

Abb. 388. *Köln, Dom. Maria an einem Pfeiler des Chores. Um 1320.*

Abb. 389. *Köln, Dom. Christus an einem Pfeiler des Chores. Um 1320.*

diese klassisch ausgleichende, Körper und Gewand weich und ruhig in die Breite entwickelnde Richtung des „*Lettnermeisters*" mit dem mainzischen Thema der statuarischen Pietà und dem freiburgischen Skelettstil des Heiligen Grabes zusammen und bringt eine neue Form der Pietà hervor (Abb. 385), in der sich in einem sehr dekorativ geführten, harmonischen Faltenspiel nicht nur Vertikale und Horizontale, Körper der Mutter und Körper des Sohnes, Trost und Klage die Waage halten, sondern auch Statue und Handlung, plastische Gruppe und szenischer Dialog. Den Raum, den die Gruppe braucht, um Szene zu werden, strahlen die tiefen Höhlen zwischen den plastischen Formen gleichsam aus sich heraus aus. Dieser Typus kommt dann bei der Ausbreitung nach Osten, besonders in Böhmen, aus dem schönen Gleichgewicht, das er in der dekorativen Phase, in der Mitte des 14. Jahrhunderts erhalten hat, verwildert in dem Faltenstabwerk und wird realistischer in den Typen, drastischer im Ausdruck (Abb. 386).

Seit 1248 entstand der *Kölner Dom* (Abb. 387) als eine fast getreue Kopie der steilen und wandauflösenden Architektur der Kathedrale von Amiens. Man kann sich kaum einen schärferen Gegensatz zu den sich ausweitenden, wandmäßig geschlossenen Zentralbauten der kölnischen Tradition denken. Nur durch diese Fremdheit konnte der Bau, mit dem ein reicher und stolzer Klerus den Anschluß an den herrschenden Zeitstil zu gewinnen und den Vorrang der großen westlichen Kathedralkirchen einzuholen versuchte, so Kopie und so französisch werden. Doch hat der Kölner Dom entsprechend der späteren Entstehungszeit die Formen immer dünner und spitziger gebildet, im ganzen aber besonders für die Außenansicht diese feinen Formen so gehäuft, daß auch hier mehr der dekorative Schmuck als der monumentalstatuarische Sinn der Formen wirkt.

An den Pfeilern des Chores haben im Innern des Domes bald nach 1300 Statuen und Apostel, geführt von Maria und Christus, Platz gefunden, die auch hier besondere Schlankheit des Körpers mit dünnen Falten von stählerner Biegsamkeit verbinden (Abb. 388, 389). Die Gotik scheint sich ins Barocke

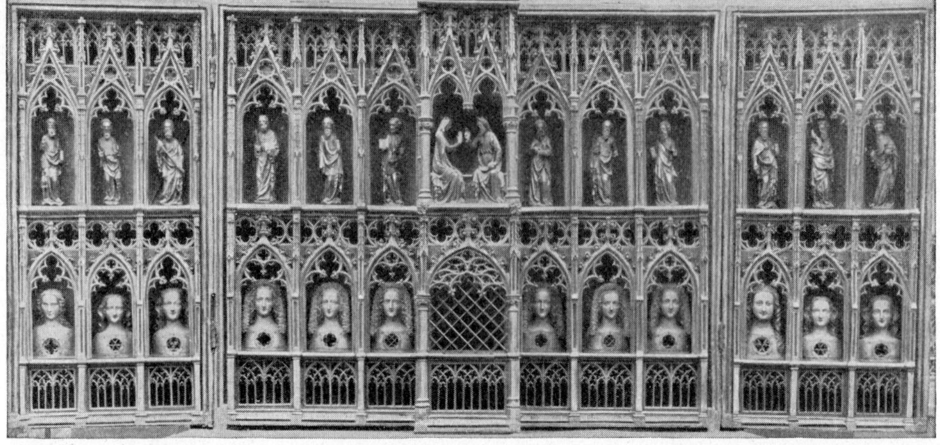

Abb. 390. *Marienstatt, Zisterzienserkirche. Hochaltar. 2. Viertel 14. Jh.*

hin zu steigern. Die einseitige, bogenförmige, nicht durch Gegenbewegung ausgeglichene Biegung ist den meisten Statuen eigen. Aber zweierlei gibt ihnen etwas Besonderes, stellt sie in die kölnische Tradition der Schreine hinein, unterscheidet sie aber von dem herben Stil des Freiburger Heiligen Grabes. Dies ist einmal das Rhetorische der angespannten Köpfe, das mit Macht aus den Faltenkurven in den Raum herausbricht. Die von Jenseitsschau überglänzten Physiognomien des Dreikönigsschreines sind in ein allgemeineres und schärferes Pathos übersetzt. Sodann das Festliche. Das ihnen anhaftende Faltensystem ist immer noch durch großen Reichtum, üppigen Schwung, prunkenden Behang ein die Person schmückender Umhang, dessen strömende Kurven eine selbständige musikalische Wirkung üben. Nicht zufällig sind über ihren Häuptern Engel mit Musikinstrumenten in einer ebenso rauschenden, festlichen Gewandung angebracht. Es ist als ob sie aktiv an einer mit festlicher Musik glanzvoll zelebrierten Messe teilnehmen.

Abb. 391. *Köln, Dom. Petersportal an der Westfassade. Zwei Apostel. 3. Viertel 14. Jh.*

Abb. 392. *Münster i. W., Landesmuseum. Kopf eines Apostels aus der Überwasserkirche. 3. Viertel 14. Jh.*

Im *Marienstätter Altar* (Abb. 390) und einem Altar aus *St. Aposteln* in Köln, von dem nur noch die Statuen existieren, läßt sich auch in diesem Kreise die Ermattung des Persönlichen und die Zunahme des Dekorativen konstatieren. Die Figuren werden unlebendig, halten still unter dem Gewand, das über sie ausgeschüttet ist. Und sie werden klein, der Vielseitigkeit einer prächtigen teppichhaften Schreinarchitektur schmuckhaft untergeordnet. Nach der Mitte des Jahrhunderts geht auch hier der Weg zu Gestalten, deren Leiblichkeit gegen das fester angezogene Gewand anschwillt und die Masse des Körpers stärker als die Form betont. Im Petersportal des Kölner Domes (Abb. 391) ist das verbunden mit sehr ausdrucksvollen, aber doch noch sehr idealen Köpfen. Und an den Figuren des Türsturzes ist die sich massig verbreiternde Figur noch immer von üppigem Gewandschwall umrauscht. Erst im Osten, zunächst in Westfalen in den schönen Statuen der *Überwasserkirche* zu *Münster*, gewinnen die Statuen dieser Stufe bestimmtere Physiognomie, sowohl des Körpers, der sich linkisch und stockend in sich zusammenzuziehen beginnt, als auch des Kopfes, dessen sinnend überlegter Ausdruck im festen Gesicht den Volksprediger verrät (Abb. 392). Aber erst noch weiter im Osten, bei *Meister Bertram*, im Hamburgischen, werden die geklemmten, zähen Bewegungen dieser realistischen Gestalten zu ganz unmittelbar erfaßten Straßentypen, deren prophetenhafte Eindringlichkeit durch die dem Leben abgelauschten Physiognomien alter Rabbiner glaubhaft gemacht wird (Abb. 393).

Abb. 393. *Hamburg, Kunsthalle. Prophet Daniel vom Grabower Altar des Meisters Bertram. 1379—83.*

VIERTE ABTEILUNG

DIE MITTELALTERLICHE KUNST IN ENGLAND

1066 Schlacht bei Hastings (Wilhelm der Eroberer). 1066—1154 normannische Könige. 1154 bis 1399 Haus Anjou-Plantagenet: Heinrich II. besitzt mehr als halb Frankreich zu Lehen (Normandie, Bretagne, Anjou, Maine, Touraine, Poitou, Guyenne, Gascogne). Aufstand der Vasallen erwirkt 1215 die Magna Charta, die Grundlage der englischen Verfassung; Parlament. Ausbildung der Selbstverwaltung in den Grafschaften im 14. Jh. — 1339—1453 hundertjähriger Krieg mit Frankreich; die Engländer verlieren alle französischen Besitzungen außer Calais. — 1485—1603 Haus Tudor. Heinrich VIII. 1509—47; 1531 Trennung der englischen (anglikanischen) Kirche vom Papsttum.

England ist das Land der Spätgotik schlechthin. Nicht nur in dem Sinne, daß hier der dekorative Geist der ermatteten und verbürgerlichten Gotik sich am reichsten ausgewirkt und seine Formen am frühesten entwickelt hat, sondern in dem umfassenderen Sinne, daß England im Grunde nie etwas anderes als eine dem Geiste nach dekorative Gotik, eine Spätgotik gehabt hat.
Die Geschichte der englischen Kunst beginnt mit der Eroberung Englands durch die Normannen nach der Mitte des 11. Jahrhunderts und mit der Invasion der *normannischen Kunst,* die fortan das Gesicht der englischen Kunst bestimmt. Was sie von den Vorläufern der irischen und angelsächsischen Kunst übernimmt, wie sehr sie in eigenen Tendenzen von ihnen bestärkt oder bestimmt wird, ist schwer zu sagen. Wir finden in einigen frühnormannischen Kirchen (*Kilpek, Malmesbury*) eine irischer Ornamentik verwandte Verschlingung von Ranken, in deren irrationalen Windungen Menschen und Drachen eingewoben sind (Abb. 395). Aber ob von hier aus die dekorative Verdichtung gotisch rationaler Stab- und Bogenformen einen Anstoß erfahren hat, bleibt fraglich. In der angelsächsischen Kunst spielt das Steinfachwerk eine besondere Rolle (*Earls Barton,* Abb. 394). Wie weit die Holzbauformen der englischen Stabarchitektur durch diese Vor- und Frühstufe, diese primitive Übertragung von Holzformen auf den Steinbau gefördert sind, ist schon deshalb schwer zu entscheiden, weil ja der normannische Stabreichtum in der Normandie selbst sich entwickelt hat. Auch die in den angelsächsischen Handschriften der *Winchesterschule* sich offenbarende Manier, die Linie flächenzeichnend als Selbstwert zu pflegen und in den Konturen reich und zackig, viel bewegt und unruhig auszuziehen, findet zwar in einer dekorativen Feldereinteilung, in spielenden, mit Drolerien gefüllten Randleisten und linearen Tendenzen der Zeichnung in den gotischen Miniaturen eine Fortsetzung, aber was hier Ursache, was nur zeitlicher Vorgang ist, wird sich nie völlig entwirren lassen.
Der Charakter der englischen Kunst steht so von Anfang an fest und bleibt sich so nach allen Seiten hin im innersten Wesen gleich, daß wir ihn voraus-

Abb. 394. *Earls Barton, Kirche. Turm. 10.–11. Jh.*

setzungslos verstehen und von ihm aus alle Einzelheiten begreifen müssen. Vielleicht dringen wir damit in manchen Punkten zu manchen Seiten des englischen Charakters überhaupt durch.

Dieses seiner selbst so sichere, sich durch alle Zeiten behauptende Wesen kann doch nur in einer tiefen Zwiespältigkeit erfaßt werden, deren Lösung das Paradoxon wird. Obwohl in der Entwicklung der gotischen Formen England in dieser dekorativen Tendenz allen anderen Ländern voraus-eilt, gibt es kaum eine konservativere Kunst als die englische. Sie hält im 12. Jahrhundert stärker als andere Kunstkreise fest an dem überlieferten Schema der flach oder mit offenem Dachstuhl gedeckten altchristlichen Basilika — für die vielleicht in der voraufgehenden Zeit Muster aufgestellt waren; sie unterbricht den gotischen Hochdrang der Dienste, indem sie die Gewölbedienste auf Konsolen erst über den Arkaden oder Triforien ansetzen läßt und sie so dünn bildet, daß sie sich als Vertikalglieder neben den Horizontalstreifen der Arkaden, Triforien oder Emporen und Fensterbrüstungen nicht durchsetzen können (Abb. 406, 407, 418). Sie löst die Wand reiner und reicher auf mit spitzbogigen Architekturen als anderswo, während sie durch die enge Reihung solcher Arkaden, ihre streifenhafte und gehäufte Übereinanderstellung die Flächendehnung und Wandmäßigkeit betont.

Abb. 395. *Kilpek, Kirche. Ornament am Gewände des Südportals. 2. Hälfte 12. Jh.*

Abb. 396. *Durham, Kathedrale. 1093 bis gegen 1130, Ausbau und Erweiterungen im 13. u. 15. Jh.*

Abb. 397. *Ely, Kathedrale. Westfassade. 2. Hälfte 12. und Anf. 13. Jh., Bekrönung des Mittelturmes Ende 14. Jh.*

Abb. 398. *Norwich, Kathedrale. Chor. Begonnen 1096, Umbau 2. Hälfte 14. Jh.*

Abb. 399. *Norwich, Kathedrale. Vierung. 12. Jh.*

Abb. 400. *Ely, Kathedrale. Südflügel des westlichen Querschiffs. 2. Hälfte 12. Jh.*

Abb. 401. *Canterbury, Kathedrale. Chor. Umbau und Neubau seit 1175.*

Abb. 402. *Peterborough, Kathedrale. Westfassade. Ende 12. und Anf. 13. Jh.*

Abb. 403. *Beverley, Münster. 13.–15. Jh.*

Zu gleicher Zeit, wo sie dem Richtungsbau der Gotik in einer Vielzahl der Joche des Langschiffes und in tief herausgezogenen Chören die äußerste Konsequenz verschafft (Abb. 398, 401, 403), verstärkt sie zugleich die zentrale Tendenz des Vierungsturmes durch hohe Kuppeln, durch Ausweitung der Vierung oder besonderen Reichtum der Gewölbegestaltung (Abb. 399, 408). Der im Längsbau gegebenen Einheit, der zwingenden Flucht, der Zügigkeit setzt sie die Sonderung und individualisierende Abschließung von Einzelräumen entgegen. Sie schließt durch hohe Lettnerwände das Presbyterium als Sonderraum ab, sticht mit schmalen Ostquerschiffen in den Längsorganismus des Langchores hinein (Abb. 410), nimmt dem Chorlängsschiff durch geraden Abschluß die eindeutige Richtung und zerstört den Chorumgang durch eine hallenartige Ausbildung des Ganges hinter dem

Abb. 404. *Lincoln, Kathedrale. Westfassade. 12.—14. Jh.*

Abb. 405. *Salisbury, Kathedrale. Westfassade. 1220 bis etwa 1270.*

Abb. 406. *Lincoln, Kathedrale. Langhaus. 1. Hälfte 13. Jh.*

Abb. 407. *Lincoln, Kathedrale. Blick aus dem südlichen Seitenschiff ins Mittelschiff. 1. Hälfte 13. Jh.*

Abb. 408. *Lincoln, Kathedrale. Vierung und Mittelschiffsgewölbe. 13. und 14. Jh.*

Chorhaupt (Abb. 411, 412). Es entsteht hier ein lichter und weiter mehrschiffiger Sonderraum, an den sich breit und weit noch einmal ein Einzelraum, die Lady Chapel (Abb. 423, S. 354) anschließt. Dieser Raum heißt deshalb auch nicht Umgang, sondern Rückchor (Retrochoir). Mit unwiderstehlichem Expansionsdrang, einem Imperialismus des Kirchlichen stellt dieser Geist überall auf englischem Boden die ungeheuren Kathedralkomplexe hin, die zugleich Kathedralen und Abteien, Stadtkirchen und Klöster sind und beherrschende Macht der städtischen Kultur mit der Abgeschiedenheit ländlicher Bezirke, den Riesenkomplex des einen Baues mit der Abgeschlossenheit privater Sonderräume vereinigten. Man spürt den Macht- und Herrschaftswillen von Eroberern und zugleich das Abschließungs- und Ruhebedürfnis des von Beutezügen heimkehrenden Privatmannes. Alle diese Einzelräume, die sich, je mehr man sich dem Heiligsten nähert, immer mehr zu saalartigen Einzelräumen verdichten, die sich noch weiter füllen mit kleinen, zellenartigen Grabbauten (Abb. 424, S. 355), zersetzen die große öffentliche Bedeutung des im Maßlosen schwelgenden Gesamtbaues.

Abb. 409. *Beverley, Münster. Chor und östliches Querschiff. Etwa 1225—45.*

Abb. 410. *Salisbury, Kathedrale. Östliches Querschiff. 1220 bis etwa 1270.*

Diese Architekten empfanden die großartige Bedeutung der Umgestaltung einer Fassade in eine große Portalanlage, die die ganze Front beherrscht, und reißen an der Kathedrale von *Peterborough* (Abb. 402) — der romanische Bau von *Lincoln*, (Abb. 404), war darin vorausgegangen — die ganze Westfront mit drei Riesenspitzbogennischen auf; aber nicht, um durch diese Öffnungen den Betrachter in den Raum hineinzuführen, sondern um den Blick auf die mit Blendmaßwerk geschmückte, den Raum verschließende Wand zu lenken. So wird das architektonische Denken selbst im tiefsten Grunde paradoxal. Man kehrt

Abb. 411. *Salisbury, Kathedrale. Rückchor und Blick in den Chor. 1220 bis etwa 1270.*

Abb. 412. *Wells, Kathedrale. Rückchor. 14. Jh.*

Abb. 413. *Wells, Kathedrale. Zwei Könige an der Westfassade. 2. Viertel 13. Jh.*

Abb. 414. *London, Temple Church. Grabfigur eines Tempelritters. 3. Viertel 13. Jh.*

Abb. 415. *London, Westminster Abbey. Begonnen 1245.*

den Sinn der Formen um, die man übernimmt, übertreibt, überspitzt, überhäuft, man spielt mit ihrem Sinn und verdreht ihn. An der Westfassade der Kathedrale von *Exeter* (Abb. 416) scheint uns ein Chor entgegenzukommen, der Bau dreht uns den Rücken zu. Eine neue niedrige Fassadenwand, die die Portale enthält, scheint einen Ausgleich herbeizuführen. Aber auch sie wirkt in ihrer Horizontalität, ihren dichtgedrängten, mit Statuen gefüllten Arkadenstreifen wie ein schließender Lettner, als Schranke, nicht als Öffnung. Man häuft die Fassadenplastik, aber hebt sie von den Portalsäulen weg und fügt sie in Arkaden zusammen zu Schmuckbändern an den Strebepfeilern (*Salisbury*, Abb. 405), man übertreibt die Höhe und Schmalheit der Arkaden, die man, Streifen über Streifen, den breiten Fassaden vorlegt und wie eine Wand den Türmen der Kathedrale von *Lincoln* (Abb. 404) vorstellt, und hängt an derselben Fassade das nur als Abschluß mögliche Motiv des Giebels als reines Schmuckmotiv zwischen die Schaftringe der Arkaden des Obergeschosses. Ein Brüstungsmotiv, die Vierpaßbalustrade zieht man in Salisbury (Abb. 405) als reines Band durch die Seitenwände der Fassade und unterstreicht den Horizontalismus. An den Triforien oder Erdgeschoßarkaden im Innern der Kirche (Abb. 409) liebt man es, den klaren Sinn der Arkatur zu verwirren, indem man hinter eine vordere Arkatur eine zweite legt, die — kleiner als die vordere — schmückendes Füllwerk wird, statt sie architek-

Abb. 416. *Exeter, Kathedrale. Westfassade. 3. Viertel 14. Jh.*

tonisch zum Säulengang zu ergänzen, und zugleich verbaut man die Öffnungen der vorderen, indem man auf die Achse dieser Öffnung eine Säule der hinteren treffen läßt. Was im Kreuzgang von *Mont-St. Michel* in Frankreich (Abb. 208, S. 210) ein — vielleicht durch englische Einflüsse angeregter — Sonderfall ist, wird hier Prinzip. Bei untergeteilten Arkaden setzt man Giebel mit Kreuzblumen über die Spitzbogen der Teilfenster, der abschließende Wimperg des ganzen Fensters bleibt ohne abschließende Kreuzblume (*Wells*, Fassade). Oder man bildet die Fenster fassadenhaft mit giebligem Dreiecksabschluß, über den man einen Spitzbogen wölbt. So geht man gerade an dem öffnenden Portalprinzip der gotischen Arkaden vorbei und kehrt zur Fläche und schließenden Wand zurück. Ähnlich ist es mit der Behandlung des gotischen Dienstsystems, das allein durch die Beziehung zu den Rippen seinen funktionellen Sinn der raumschaffenden Gegenseitigkeit und der gesellschaftbildenden Verbindlichkeit erhält. Man häuft die Dienste an den Arkadenpfeilern (Exeter, Abb. 417, 418), faßt aber die Dienste unter der Arkade als aufgerillte Wand zur Einheit zu-

Abb. 417. *Exeter, Kathedrale. Etwa 1280—1370.*

Abb. 418. *Exeter, Kathedrale. Blick aus dem südlichen Seitenschiff ins Mittelschiff. Etwa 1280—1370.*

Abb. 419. *Hereford, Kathedrale. Grabmal des Richard Swinfield. Ende 13. Jh.*

Abb. 420. *London, Westminster Abbey. Figur vom Grabmal Eduards III. († 1377).*

sammen, indem man die Beziehung zu den Hochschiffsrippen wegläßt und zwischen den breiten Schrägflächen der Arkadenbögen die schwächlich fadenhaften Gewölbedienste auf einer Konsole aufsteigen läßt. Das aus diesen Diensten aufsteigende Rippenbündel wird nicht als Funktion empfunden, die sich armhaft aus den Stäben entwickelt, sondern als ein Fächer, der sich über den Raum spreizt. Eine in der Längsrichtung des Schiffes durchgehende Scheitelrippe trennt noch einmal die sich gegeneinander verneigenden Rippen. Der zu Stern-, Netz- oder Fächerformen gebündelte Rippenreichtum schmückt dekorativ die schließende Decke, statt sie durch krafterfüllte Stäbe aufzulösen. So wenig wie Decke und Wandglieder eine Einheit bilden, da die Decke dem Raum eingeschaltet ist, nicht aus ihm herauswächst, so wenig ist mit der Arkadenfolge von Seitenschiffsöffnungen, Triforien, Fenstern eine vertikale, gotisch schmale und versteilende Jocheinheit geschaffen worden. Die Fenster sitzen meist an der Außenseite der Mauer, so daß das Triforium, womöglich durch eine Vierpaßbrüstung horizontal von den Fenstern getrennt, als eine horizontale Schicht den Raum durchschneidet, und Wandzone und Dachzone als zwei getrennte Räume voneinander sondert (Abb. 417, 418).

In den Fächergewölben der Spätzeit (*Oxford*, Treppenhaus, Abb. 422; *Westminster Abbey*, Heinrichskapelle, Abb. 427, S. 357) sondern sich die Gewölbeteile als Einzelindividuen mit Kreisen gegeneinander ab, in die die rein dekorativen Rippen als sternförmiges Maßwerk eingeschrieben sind. Wie Pinien oder Palmbäume stehen die Gewölbeteile gegeneinander. So setzt sich in der verwobensten, eines auf das andere beziehenden, geselligen Architektur das Individuum durch.

Eine ähnliche Individualisierung findet im Dienstsystem selbst statt. Die Dünnheit gotischer Dienste in der französischen Architektur ist ästhetisch bedingt und eigentlich erst dadurch möglich, daß sie Glieder eines ganzen, eines Dienstbündels und Gesamtpfeilers sind und die Wand aufbrechen und ersetzen. In England werden sie gern aus dunklem Material gebildet, aus Purbeckmarmor. Dadurch können sie besonders dünn gebildet werden (Abb. 401, S. 343; Abb. 406, 407, S. 345; Abb. 409, S. 346; Abb. 412, S. 347); sie werden aber auch damit stärker von der Wand abgehoben, treten öfters

Abb. 421. *Cambridge, King's College Chapel. Grundsteinlegung 1446.*

vereinzelt auf oder lösen sich, jeder für sich in seiner Einzelexistenz betont, als Freisäulen von dem Pfeiler, den sie umstehen. So faßt auch das Auge jeden einzelnen Dienst mehr für sich und ist erstaunt über die wie ein Ofenrohr den Raum durchstoßende, eisenstabdünne Schlankheit (Rückchor von *Salisbury*, Abb. 411, S. 347). Spezifische Außenarchitekturformen werden auch im Innern verwendet. Die Vierungspfeiler, an denen die bogenbildende, rippenentsendende Funktion der Pfeiler am stärksten zum Ausdruck kommen müßte, um den Baldachin über der gewichtigsten Stelle der Kirche zu bilden, werden in *Beverley* (Abb. 409, S. 346) als Strebepfeiler mit übereinander folgenden Arkadengruppen gebildet. In *Worcester* durchschneiden im Innern schräge Strebebrücken die Arkaden des Längsschiffes vor der Vierung, um den Vierungsturm zu stützen, und ziehen durch die Triforiumsfelder rücksichtslos einen Strich.

So übernimmt diese Architektur die Formensprache eines ausgebildeten Stiles, dessen Funktionskraft und Schneidigkeit dem eigenen heldischen Bewußtsein schweifender Eroberer entgegenkommen mochte, aber sie erzeugt nicht eigentlich einen Stil. Der Fortschritt, den sie vollzieht, ist nicht Zeugung, sondern Ver- und Entwicklung. Sie spielt mit den Formen, als handle es sich um einen zwecklosen Sport. Aber es ist ein fair play, ein Spiel mit Regeln, eine geometrische Phantasie, ein trockenes Ausschweifen, ein leicht zu durchschauendes Paradoxon. Sie tragen die fremden Formen wie eine Beute in die eigenen Kammern und häufen sie wie einen materiellen Reichtum zum Schmuck des eigenen Heims in unendlicher Vervielfältigung. Sie schaffen große Gemeinschaftsräume, aber die nach außen öffnenden Formen der Gotik werden zu abschließenden Gittern verdichtet, und im geselligsten Kreise wahrt der einzelne in betonter Steifheit sein Eigenrecht. Die Pracht der dekorativen Wände, die flimmernde Fülle und die Weite der Räume gemahnt an Luxus und Komfort, aber es ist nicht venezianische Weichheit und schmelzende

Stimmung, es ist alles männlicher, nordischer und normannischer. Die trockene Systematik der stachligen, straffen und dürren Formen wahrt den Cant einer bindenden Norm. Die Freiheit selber erscheint in der Form eines Gesetzes. Die Undurchdringlichkeit der dekorativen Muster setzt sich aus streng abstrakten, einfachen Formen zusammen. Organisches Ornament ist selten, Natur wird ein Produkt der Züchtung. Die menschliche Persönlichkeit selbst, in den Statuen der Fassaden oder auf den Grabmälern, reckt sich steif in die Höhe (Abb. 413, S. 347), die Ritter drohen mit Waffen und Panzerhemden, in dieser Steifheit und Stachligkeit aber affektieren sie mit übereinandergeschlagenen Beinen Lässigkeit und Bequemlichkeit (Abb. 414, S. 348), oder der in langen Falten versteifte Stoff legt sich in weichen Umschlägen zur Seite (Abb. 419). Sie isolieren sich hart und herrisch in ihren Feldern, selbst die Klagefiguren an den Gräbern bleiben mehr ungerührte Individuen als trauerndes Gefolge (Abb. 420), aber sie lassen es sich gefallen, dem dekorativen System eingeordnet zu werden. Sie werden nach dem festen System der dekorativen Wiederholung gebildet und tragen die Fasson eines aufgeprägten Ornamentes im Lineament ihrer Falten. Sicherheit und Freiheit ihres Auftretens ist die Zwangsläufigkeit strenger Erziehung. Bequemlichkeit tritt auf im Gewande des Zwanges und wird Repräsentation; die Liebenswürdigkeit äußert sich in der Verkleidung des Herrischen, das Paradoxe in der Rationalität des logischen Kalküls. Pracht und Großartigkeit dieser Kirchen sind imponierend, aber in allen Variationen ist eine Gleichmäßigkeit, in der überstürzten Entwicklung eine Folgerichtigkeit des Festhaltens am Prinzip, daß wir überall zuerst das Englische, dann erst das Zeitgemäße und Menschliche finden.

Abb. 422. *Oxford, Christ Church. Treppenhaus.*

In der *romanisch-normannischen Kunst* Englands (1070—1170) gilt die Charakteristik, die wir für die normannische Kunst des Festlandes gegeben haben, in erhöhtem Maße (vgl. S. 160 ff.). Gewisse Züge des Normannischen, das traditionelle Festhalten am schweren Mauerbau, an der Holzmäßigkeit der Stabformen verstärken sich in dieser Epoche, ein spezifisch englischer Stil ist im Werden (Abb. 396 bis 400, S. 341—343). Der frische Import aus Frankreich legt den Grund zur gotischen Grundhaltung, zum Stabsystem der Glieder,

Abb. 423. *Gloucester, Kathedrale. Lady Chapel. 15. Jh.*

Abb. 424. *Winchester, Kathedrale. Rückchor mit Beaufort's Chantry (2. Viertel 15. Jh.) und Fox's Chantry (1. Viertel 16. Jh.).*

zum Steil- und Längsbau, dessen Richtungsschärfe durch verlängerte Chöre schon jetzt übertrieben wird (Abb. 398, S. 342). Dahinein aber mischen sich spezifisch englische Tendenzen, die Vorliebe für den Breitbau, die Stockwerkbetonung im Sinne der altchristlichen Basilika; die Individualisierung drückt sich in der Vorliebe für starke Rundpfeiler im Erdgeschoß aus; die Holzdecke wird erst spät von Steingewölben verdrängt (auch die Rippengewölbe der Spätzeit werden oft aus Holz gebildet). Chorkapellen weiten sich in *Norwich* schon zu selbständigen Räumen und Baukörpern aus. Die dekorative Ausschmückung riefelt die Säulen mit reich verzierten Horizontalmustern, füllt die Zwickel zwischen den Bögen mit Plättchen, Schuppen, Gittern und häuft die Dienste an den Arkaden zu vertikal geteilten Wänden, denen zuliebe die Mauern und Pfeiler besonders dick gebildet werden. Mit Vervielfältigung der Horizontalreihen von Blend- und offenen Arkaden, mit Engstellung der Dienste und Verflechtung der Bögen gelangt man zu einer so dekorativ aufgespaltenen, teppichartigen Wand wie am südlichen Westflügel der Kathedrale von *Ely* (Abb. 400). Allein die Schwere und Einfachheit der einzelnen Glieder unterscheidet eine solche Wand von der spitzig zackigen Gitterarchitektur der spätesten Gotik.

In der Frühgotik (*Early English*, 1170—1250, Abb. 401—411), die mit einer sich in einem Jahrhundert gleichbleibenden Formensprache die Zeit umfaßt, in der sich in Frankreich entscheidende schöpferische Wandlungen von früher zu hoher und später Gotik vollziehen, verstärkt sich die Breiträumigkeit der Bauten. An den Fassaden siegt der von zierlichen Arkaden durchzogene Breitbau (Abb. 402—405). Räume, Gewölbe, Dienste isolieren sich stärker voneinander. Es vollzieht sich die Abtrennung des Chores vom Schiff durch Schranken, seine Verselbständigung als Saal durch geraden Abschluß, Ausbildung des hallenartigen Rückchores und der Jungfrauenkapelle (Lady-Chapel) und eines zweiten östlichen Querschiffes. Die Einzelformen werden dünn und stählern, aber setzen sich vom Pfeilerkern und von der Wand faden-

Abb. 425. *Wells, Kathedrale. Vierung. Ende 12. Jh., Verstärkungsbogen 1338.*

förmig ab. Die Triforiumsarkaden werden breit, mit reichem Maßwerk gefüllt, oder spitz, stachlig und schichtenweis mit widerspruchsvoller Achsenbeziehung gegeneinander gestellt.

Netz- und sternförmige Gewölbe bereichern schon jetzt das Rippensystem der Decken. Durch den *Plantagenetstil* gewinnt England Einfluß auf die festländische Architektur des Anjou (vgl. S. 202).

Durch die Loslösung der Rippen von der Wand und vom Pfeiler, durch die Beziehungslosigkeit der Einzelformen zu dem organischen und struktiven System der Glieder, durch weite Arkaden und Freistellung der Säulen in Laufgängen erhalten diese Bauten früh die Leichtigkeit und Durchsichtigkeit der entwickeltsten Gotik des Festlandes.

Die figürliche Plastik, die in der romanisch-normannischen Kunst kaum eine Rolle spielt, gewinnt in dem geschilderten dekorativen Sinne besonders an Fassaden größeren Raum: die Figuren sind von dünnen, linearen Falten durchsträhnt, steif und lang, spröde und fest wie das Stabwerk der Bauten (Abb. 413, S. 347).

Die Hochgotik (*Decorated Style*, etwa 1250—1350, Abb. 415—419) unterscheidet sich in den dekorativen Tendenzen kaum von der Frühgotik, wie der Bau der Kathedrale von *Exeter* beweist. Vielfach sind die in späterer Zeit fortgeführten West- oder Ostteile frühgotischer Bauten ganz den älteren Teilen angepaßt. Bemerkenswert ist nur ein neuer Einstrom festländischer Gesinnung, der in der großen Kathedrale von *Westminster Abbey* (Abb. 415) den klassischen Grundriß mit Querschiff, Chorumgang, Kapellenkranz durchdrückt, und den Langhäusern der Westminster-Abtei und der Kathedrale von *York* eine stärkere Vertikaltendenz in der Proportion, eine Zusammenfassung der Joche mit Hilfe durchgehender Dienste und rhythmischer Bindung der Arkaden (Seitenschiffsöffnungen, Triforien, Fenster) verschafft. Im allgemeinen aber sind es nur Einzelformen, wie die großen, mit reichem Maßwerk geschmückten Prachtfenster, die man übernimmt (Abb. 416). Dazu kommt eine im ungotischen Sinne zunehmende Verdichtung der Räume und Formen (*Exeter*). In den Statuen löst sich das Linienspiel zu größerer stofflicher Weichheit, aber es bleibt die Vorliebe für lange und hagere Formen, die mit einer duldsamen Weichheit gleichsam sich zart und verhalten rühren (Abb. 419). Besonders die Handschriftenkunst hat hieraus einen das französische Ideal an Feinheit und

Abb. 426. *London, Westminster Abbey. Kapelle Heinrichs VII. 1503—19.*

Zierlichkeit und dekorativer Eleganz überbietenden Stil geschaffen, der wieder stark auf das Festland zurückgewirkt hat.

Am originellsten ist die englische Kunst des Mittelalters im letzten Stil, der Spätgotik (*Perpendicular Style,* seit 1350, Abb. 421 bis 427). So irrig der Name Spätgotik für diesen Stil ist, da schon die Hochgotik mehr späte als hohe Gotik ist, und dieser letzte Stil in vieler Hinsicht Tendenzen des Frühnaturalismus in der Raum- und Flächengestaltung verwirklicht, so zutreffend ist der Ausdruck Perpendikelstil. Er besagt, daß die Linie, das Lot, über den Bogen Herr wird. Die Wände werden in ein System von steilen Rechteckfeldern aufgelöst, die durch die durchgehenden Horizontalen zur größeren Breitfläche zusammengefaßt werden (Abb. 423, 426, 427). In demselben Augenblick, wo die Mauer mehr als je durchbrochen, die Konstruktion kühner wird und Gitter von dünnen Stäben frei in der Luft stehen läßt, nimmt auch der schließende Charakter der Flächen zu. Das konsequenter als je durchgeführte System von Strebepfeilern und Strebebögen in der *Heinrichskapelle* von Westminster Abbey (Abb. 426) wird durch Ausbuchtung der zwischen den Pfeilern vorquellenden und pfeilerartig schmalen Kapellen zur geschlossenen Palisadenwand. Die Pfeiler sind mit dünnem und engem Perpendi-

Abb. 427. *London, Westminster Abbey. Kapelle Heinrichs VII., Nebenkapelle. 1503—19.*

kularmaßwerk ganz in Flächen aufgelöst, über den flachbogigen, reich durchbrochenen Fenstern schließt eine gewebehaft fein geteilte Galerie mit Maßwerkbrüstung ab. Durch sie treten die Fialen der Streben wie Stangen hindurch, zwischen denen Fischer ein Netz gespannt haben. Aber auch diese Gewebe sind nicht weich und schwebend, sondern stachlig und drahtig, scharf und bestimmt mit tonangebender Vertikale. Innen wird die öffnende Form zur Vergitterung der Räume, die als Säle gebildet sind und immer profaner werden. Als ganze Kirche in *Cambridge,* als Chor und Kapellen in *Gloucester* und an Westminster Abbey wirken sie wie ein von Eisenstäben eingefaßtes Glashaus, durchsichtig und abschließend wie ein Käfig. In Gloucester (ähnlich in den Seitenschiffen von *Bristol*) scheint eine Falltür aus solchem Gitterwerk emporgezogen. Die Bögen werden flacher, die Netze der Gewölbe dichter, und es entstehen jene reichen, phantastisch wirkenden, dabei im Prinzip ganz einfachen Fächergewölbe (Abb. 421, 422, 427), deren kreisförmige Zusammenfassung dem Flächenprinzip der Rechteckteilungen der Wände entspricht. Was vom Spitzbogen und den Zacken der Dreipässe bleibt, wird nach oben wiederholt und mit der gegensinnigen Form zu einem horizontalen Flachband verwoben (Westminster Abbey, Kapelle Heinrichs VII., Abb. 427). Die Steilformen von Giebeln und Fialen werden von horizontalen oder gedrückt bogigen Gesimsen aufgefangen. In der Kirche von *Wells* (Abb. 425) wird auch die Hauptvierung von einer gigantischen Bogenschleife vergittert, ein letztes Wort dieser ins Grandiose ausschweifenden, die Formen spielend verwendenden dekorativen Gotik, die mit den zur Öffnung bestimmten gesellschaftlichen Formen ein trotziges Raumindividuum abschließt und die Kleinform des Maßwerks zur Strebeform des Pfeilers, die gewaltsame Biegung zur weichen Schleife verwandelt. Es ist das Riesenparadoxon der englischen Gotik.

FÜNFTE ABTEILUNG
DIE MITTELALTERLICHE KUNST IN ITALIEN

Seit der Völkerwanderung germanische Reiche in Oberitalien. Seit Otto d. Gr. (951) Italienzüge der deutschen Kaiser. Nach Vernichtung der deutschen Kaisermacht (1250) Entwicklung selbständiger Staaten.

Das Papsttum bewahrt die römische Tradition. Anspruch auf Weltherrschaft. Auseinandersetzung mit dem deutschen Kaisertum. Wiederherstellung des Kirchenstaates auf dem Laterankonzil 1215. Stützen der päpstlichen Macht werden die Bettelorden: Franziskaner (Franziskus v. Assisi 1182—1226) und Dominikaner (gestiftet 1216).

Venedig Zentrum des Orienthandels. Blütezeit zur Zeit der Kreuzzüge. Die Venetianer im Besitz mittelländischer Küstengebiete und Inseln. Reisen Marco Polos nach China 1271—95. Seekriege gegen Genua 1256—1381, gegen die Türken 1463—80.

Sizilien seit 827 im Besitz der Sarazenen (Araber). 1020 Gründung des Normannenstaates (Roger und Robert Guiscard) in enger Verbindung mit dem Papst; italienisch-arabische Kultur. 1130 Königreich Neapel und Sizilien. 1186 Vereinigung mit dem Stauferreich (Heinrich VI. — Konstanze). Herrschaft Friedrichs II. mit vorbildlicher Verwaltung. Nach dem Untergang der Hohenstaufen fällt Sizilien an Spanien.

Italien ist im Mittelalter nicht arm an großen Kunstwerken. Es schenkt der Welt im Mittelalter den größten Dichter: Dante, und den konsequentesten Denker: Thomas von Aquino; es wird die Heimat des größten und christlichsten Volkspredigers und Freundes der Armen, des Franz von Assisi. Aber es ist nicht produktiv im mittelalterlichen Geiste. An diesem geht es vorüber, wehrt sich gegen sein Eindringen und verwendet alles Material, das ihm der Westen und Norden zu Bausteinen eines mittelalterlichen Weltbildes liefert, nur dazu, eine Brücke zu fundamentieren, über die es von der Antike zur Renaissance der Antike, von der Reife und Freiheit des späten Altertums zur Freiheit und Menschlichkeit der Neuzeit hinüberschreitet. Auch wo es die mittelalterlichen Gedanken sich aneignet, arbeitet es an der Zerstörung des Mittelalters. Als Verwalterin des großen und reichen Nachlasses der antiken Kultur wird Italien für die jungen Kulturen des Nordens und Westens bald die große Mutter, die aus ihrem Besitze nach allen Seiten verschenkt, bald die große Zauberin, die die Unerfahrenen in ihre Netze lockt und verwandelt. Italien führt die Menschheit aus den Bindungen des Mittelalters zur Freiheit — die Epoche des italienischen Mittelalters ist die Geschichte dieser Befreiung —, aber es ist auch schuld, daß die Bindungen, die übrigbleiben, spezifisch antike, d. h. einer durch das Mittelalter überwundenen Zeit sind: es konserviert das bürokratische Verwaltungssystem Roms, das künstlerisch alle Akademien im Keim in sich enthält, es läßt den antiken Cäsaren wiederauferstehen und setzt der Freiheit des Individuums neue Tyrannen (in den Kondottieren), und es kettet die Geistigkeit und Innerlichkeit des neuen Menschen wieder an die Wirkung auf die Masse und an die Eitelkeit des auf dem Markte öffentlich auftretenden Menschen, des antiken Redners, des Rhetors.

Abb. 428. *Pavia, S. Michele. 1. Hälfte 12. Jh.*

In den fruchtbaren Jahrhunderten der mittelalterlichen Entwicklung, dem 11., 12. und 13. Jahrhundert, will also Italien gewürdigt werden als Bewahrerin antiker Tradition, nicht als produktive Kraft der Umbildung. Am stärksten hängt die Kunst Norditaliens mit der französischen und deutschen zusammen. Hier allein, in Mailand, Verona, Pavia (Abb. 428), Modena, Parma, Piacenza, Borgo S. Donnino (Fidenza), kann von einer romanischen Architektur und Plastik gesprochen werden. Eine besondere Rolle spielt dabei diese nördliche Provinz als Vermittler südfranzösischer Baugedanken und südfranzösischer Skulptur nach dem Norden, nach Deutschland. Daß wir für die Entwicklungsreihe von toulousanisch-breitfaltiger Plastik zu frühgotischem Faltenstil (vgl. S. 171ff.) hier eine Reihe von Namen nennen können (*Meister Wilhelm, Nikolaus, Antelami*), hängt vielleicht selbst schon mit der Tradition antiker Ruhmredigkeit zusammen. Für den Spezialisten würde es einen großen Reiz haben, zu sehen, wie die romanischen Ideen selbst hier noch wieder durch traditionelle Formen der christlichen Antike abgeschwächt werden. Aber so großartig die Bauten oft sind, sie zeigen weder die Produktivität der französischen Entwicklung noch die Vielseitigkeit der Entfaltung in Deutschland.

Dieses Festhalten an den Errungenschaften des späten Altertums geschieht im übrigen Italien in der dem Mittelalter gemäßesten Form der byzantinischen Kunst. Zwei Stätten werden jetzt zum Vorort von Byzanz und entwickeln noch einmal wie einst in Ravenna allen Glanz, alle griechische Formenschönheit, alle orientalische Üppigkeit in reichster Entfaltung: *Venedig*, der Vorort der östlichen Handelsbeziehungen, und *Sizilien*, die alte griechische Kolonie.

In Venedig steht heute noch *S. Marco* (Abb. 429, 430) als das berückendste Denkmal byzantinischer Kultur, ein Bau von unmittelbarer Intensität der Stimmung und höchster Feinheit künstlerischer Gestaltung. Byzantinisch ist das Raumbild, eine im Kreuz angeordnete zentrale Gruppe von Kuppeln, die, durch breite Gurte getrennt, von mächtigen Pfeilern getragen werden und so beherrschend das Volumen des Gesamtraumes in sich einsaugen, daß alle Nebenräume, wie die schmalen Gänge unter den breiten Gurten und die kleinen Steilräume in den Pfeilern, nicht für die Raumwirkung ins Gewicht fallen. Byzantinisch ist das Vorherrschen der großen Wand- und Wölbflächen, die gliederlosen, nur von Räumen aufgespaltenen Pfeiler, die Korb- und Trapezkapitelle mit ihrem Flechtwerkschmuck, das Belegen der Pfeiler mit köstlich geäderten, weich schimmernden Marmorplatten, der Wände mit farbig funkelnden Mosaiken und glimmerndem Goldgrund. Wo die Kuppeln in die tragenden Gurtbögen übergehen, sind die Kanten abgerundet. Alles Harte und

Steinerne ist für den Anblick ausgeschaltet, es bleibt gleichsam nur eine Haut übrig und immaterielles Leuchten – Stimmung im höchsten Sinne. Dennoch hat auch das Mittelalter an dem Bau mitgearbeitet. Dieser Raum ist nicht der schmale und steile Schacht der byzantinischen Kirchen des Ostens, in dem der Mensch eingepreßt vor mürrischen Heiligen und einem verborgenen Heiligtum steht, sondern ein breiter Raum von wohligen Breitenproportionen, fast weltlich in seiner Raumschönheit und Entfaltung nach allen Seiten hin, zugleich auch wieder rhythmisch entwickelt und nach der Mitte zu gesteigert durch die Einstellung von Säulen in die Seitenöffnungen der Vorkuppeln, die eine Gasse zur Hauptkuppel hin öffnen und diese Kreuzarmkuppeln zu Vorhöfen und Vorspielern der Hauptkuppel machen.

Abb. 429. *Venedig, S. Marco. Geweiht 1094 (Giebel 15. Jh.).*

Abb. 430. *Venedig, S. Marco. Geweiht 1094.*

Die Mosaiken, sowohl der aus Ravenna schon bekannte Personenkreis in der Hauptkuppel wie die großen erzählenden Wandmosaiken, haben von dem alten malerischen und illusionistischen Charakter vieles zugunsten eines strafferen, ornamentaleren Liniensystems aufgegeben, erscheinen deshalb in ihrem linearen Stil nicht mehr so erstarrt, sondern erfüllt von einer ursprünglicheren Linienbewegtheit, die den Raum gleichsam musikalisch durchwirbelt. Die Figuren

Abb. 431. *Venedig, S. Marco. Mosaik: Der ungläubige Thomas. 12. Jh.*

selbst passen sich in Linienzeichnung und Haltung stärker der Fläche ein, werden aber dadurch aus ihrer Starre erlöst und vielfältig nach den Seiten ausgebreitet und gewendet. Die Stimmung wird zur ekstatischen Erregung. Einzelgestalten wie Maria entfalten auf teppichhaftem Grund mit der energischeren Linienführung eine stolzere und straffere Haltung. Auch die Über- und Unterordnung ist in der Thomas-Szene feierlicher und festlicher betont und ins Mythische gesteigert (Abb. 431). An der Fassade nehmen Säulenreihen, echt byzantinisch zu Fadenflächen verdichtet, an der portalbildenden Raumöffnung teil, dekorative Streifenbänder mit nordisch-westlichen Tierkreis- und Monatsdarstellungen lassen ein frischeres Naturgefühl in die schwüle Welt des Orients einströmen. Schließlich hat die Gotik die müden Linien der alten Bogenflächen mit Spitzen und Fahnen gleichsam bewimpelt und in einen festlichen Schwung hineingerissen.

Die „romanischen" Elemente haben den Charakter des Baues nicht verändert, aber sie haben das Mürrisch-Asketische, das Überstrenge und Abweisende, das Unzugängliche und Verschlossene des Raumes wie der Personen gelöst — sie haben den Bau befreit und in gewissem Ausmaße wieder zu der großen Dehnung und Weite, zu der dekorativen Stimmung und sinnlich raffinierten Pracht der orientalisierten Spätantike zurückgeführt, zu der Kultur Ravennas und Konstantinopels, wie sie am Ausgang des Altertums steht. Es

Abb. 432. *Venedig, Dogenpalast. 14. und 15. Jh.*

Abb. 433. *Palermo, Capella Palatina. Vollendet 1143.*

ist eine Art Renaissance, eine Wiedergeburt, in der das romanische Element auch über die dekadenten Formen des raffinierten Hellenismus noch die frische Luft einer jugendlicheren Kraft — des Genießens wie des Glaubens — wehen läßt. Kein Zweifel über das Eindringen westlicher und nordischer Elemente in diese byzantinisch-orientalische Atmosphäre besteht in der Gotik, deren venezianischstes Zeugnis der *Dogenpalast* (Abb. 432) und die gotischen Paläste am Canale Grande sind. Es ist eine Teppichgotik, die durch das Wasser, an dem die Paläste stehen, noch eine zu dieser Zelt- und Segelarchitektur besonders stimmende Umgebung erhalten. Noch *Jakob Burckhardt* hat die byzantinisch teppichhafte Gotik des Dogenpalastes völlig verkannt und hat getadelt, daß entgegen allen architektonischen Gesetzen die schweren Massen oben in der Luft schwebten, die leichten, durchbrochenen Teile am Boden hafteten. Aber man sehe nur genau hin! Die große geschlossene Fläche oben wirkt nicht wie ein fester, schwerer Block, sondern mit einem rautenförmigen farbigen Muster belegt, wie ein Stickmuster auf Kanevas. Die Fenster waren ursprünglich ohne Stabwerk, nur aus dem Teppich ausgeschnittene Löcher; an den Seiten sieht man Taue, an denen die große Fläche wie bei dem Zelt einer Schaubude an dahinterstehenden Stangen hochgewunden scheint. Die Säulen in den beiden unteren Reihen aber stoßen nicht mit Spitzbögen gegen diese Fläche, sondern sind wie Fransen einer Decke verflochten, Fäden gleichsam, die aus der Wirkfläche herausgezogen sind und herabhängen. Kommt man von der Wasserfläche her, dann scheinen die kurzen Säulen der untersten Fransenreihe nicht auf dem Boden zu stehen, sondern ins Wasser zu hängen. Wird man im

Abb. 434. *Cefalù, Kathedrale. Apsismosaik. Nach 1148.*

Abb. 435. *Palermo, S. Cataldo. Begonnen 1161.*

Kahn auf den Wellen geschaukelt, wobei dem Blick die Gebäude am Ufer zu schwanken scheinen, dann wird das Hin und Her einer leichten Zeltwand nicht mehr als Zeichen drohenden Einsturzes eines Steinbaues empfunden, sondern so selbstverständlich hingenommen wie das Schwanken der Segel auf einem Schiff. Dieser Teppichstil hat auch der spätgotischen Malerei Venedigs durch Überwuchern prächtiger Gewänder über die Figur oder der flimmernden Rahmenarchitektur über die Darstellung ihren Charakter gegeben und das Gefühl für Farbenschönheit und stofflichen Reiz hier mehr als irgendwo sich ausbilden lassen. Dieser Stil weicher, zart gewirkter, farbenreicher Teppiche hat diese Stadt, in der wir auf den Straßen des Wassers getragen werden, in deren nur von Wogengeplätscher und Ruderschlägen unterbrochene Stille kein Pferdegetrappel und Rädergekreisch hineingellt, zu dem Ort gemacht, in dem alles auf ein feines Genießen abgestellt ist. Ein Ort des Luxus und der Ruhe! Durch das Wasser auch vor Feinden gesichert, mit dem Reichtum der ganzen Welt beschenkt, erweckt diese Stadt durch mittelalterliche Kraft und Lebensfülle die müde und raffinierte Genußstimmung der späten Antike und des orientalischen Quietismus zu neuer Schönheit und neuem Adel.

Mosaikengeschmückte Kirchen und Paläste von so reiner byzantinischer Art und so üppiger Entfaltung wie in Venedig haben wir nur noch in Sizilien, voran in der Normannenhauptstadt *Palermo.* War aber in Venedig die Befreiung der stimmunggebenden Elemente der dem verfeinerten Lebensgenuß dienenden Luxuskunst maßgebend, so wird in Palermo — durch arabischen oder normannischen Einfluß, jedenfalls durch ein hinzutretendes ritterliches Element — die Kunst nach der Gegenseite hin abgelenkt, nach größerer Straffung, festerer Haltung und steilerer Zuspitzung. Das Gepreßte und dumpf Beengte des Byzantinischen löst sich zu aktiverer Schärfe und hellerer Offenheit. An den byzantinischen Zentralraum, der oft nur auf den

Abb. 436. *Florenz, S. Miniato. 11. Jh. (Obergeschosse der Fassade später verändert).*

Abb. 437. *Pisa, Dom. Begonnen 1063, vollendet im 12. u. 13. Jh.*

Chor beschränkt bleibt, treten basilikale Längsräume (Abb. 433) heran mit leichter und weitoffener Säulenstellung, frei und durchsichtig, wie es erst gotische Hallenkirchen Südfrankreichs oder die Refektorien der Ordensritterburgen sind, mit hohen Spitzbögen, die die leichten Säulenstellungen noch stärker in die Höhe sich recken lassen und alles zum Schweben bringen. Kein Wunder, daß das Riesenbild der Halbfigur Christi (Abb. 434) in den Apsiden der Dome von *Cefalù* und *Monreale* einen schlanken Kopf mit Falkenaugen zeigt, dessen Gesichtszüge geschärft sind von Falten, wie sie die Sonne einem Ritter und Jäger bei der Ausübung seines heldischen Berufes in freier, weiter Landschaft einzubrennen pflegt. Wieviel von dieser stolzen und festen Haltung und dieser schweifenden Weite und Offenheit dem arabischen, wieviel dem normannischen Charakter der Kultur Siziliens verdankt wird, läßt sich schwer entscheiden. Die Apsis des Domes von Monreale mit den Erdgeschoßarkaden und Zwerggalerien über der mittleren Arkadenreihe erinnert an normannische Apsidengliederungen, deren prächtiges Stabwerk in flaches byzantinisches Blendwerk übertragen ist. Stalaktitengewölbe und geistreich elegantes Rankenwerk rein ornamentaler Mosaiken mit jagdbaren Tieren, die in diesen Ranken wie in einem Netz verfangen sind, verraten die geistige Freiheit und Disziplin arabischer Phantasie. In den Klosterhöfen mit ihren üppigen Gärten und reichgeschmückten Säulenstellungen der Fenster mischt sich nordische (südfranzösische?) Raumfestigkeit mit südlicher Gartenschönheit einer Oase. Auch die Säulen sind zum Teil von Ranken und steinernen Blumen ganz überkrochen. In den Außenbauten der sizilianischen Kirchen ist mehr Block als Fläche, mehr Kubus als zeltartige Blähung. Die Kuppeln sitzen merkwürdig verloren auf diesen festen Steinkästen, in die steile Felder und Fenster sehnige Muster einzeichnen (vgl. *S. Cataldo*, Abb. 435).

Abb. 438. *Florenz, S. Miniato. 11. Jh.*

Abb. 439. *Pisa, Dom. Begonnen 1063, vollendet im 12. und 13. Jh.*

Die Ritterlichkeit der Kultur schuf hier Formen, die mit den gotischen des Westens im Dom von Palermo ohne Not zusammentreten konnten, wo sie beide in die blockhafte Festigkeit eines mit zartesten Linien oder zartestem Relief belebten byzantinischen Baues eingebildet wurden.

In den zentralen Regionen Italiens, in *Rom* und *Florenz*, wirkt die altchristliche Kunst reiner und einfacher nach als in Venedig und Sizilien. Es fehlt der übertäubende, schwüle Luxus des Byzantinismus, das Orientalische. Es herrscht die Basilika. Der Kuppelraum als Kirche spielt keine Rolle. Auch hier ist es nicht nur das stärkere Nachwirken spezifisch römischer Tradition, das byzantinische Elemente abstößt, sondern auch das Eindringen spezifisch mittelalterlicher Tendenzen, besonders der Völkerwanderungskunst und ihres Primitivismus. Eine Fassade wie die der Kirche *S. Miniato* in Florenz (Abb. 436) bewahrt die flächige und stark mit Farbkontrasten nach außen wirkende Inkrustation spätantiken und byzantinischen Wandschmuckes. Aber die Nüchternheit der geometrischen Rechtecke, Kreisscheiben und Rankengitter führt mit primitiver Geometrik die raffinierte Pracht des höfisch-byzantinischen Luxus nicht

Abb. 440. *Siena, Dom. Vierung und Chor. 13. u. 14. Jh.*

nur zur Einfachheit altchristlicher Gesinnung (man denke an die schmucklosen Fassaden der alten Basiliken), sondern auch zur unmonumentalen Zerlegung der Fassade in zwei gänzlich verschiedenartige Geschosse, in denen die durch die Anlehnung an das Wohnhaus gegebenen konstruktiven und zwecklichen Verhältnisse gekennzeichnet sind. Der alte Säulenhof ist in Säulenarkaden auf die Hauswand projiziert und weist zugleich auf den Säulensaal einer altchristlichen Basilika im Inneren hin. Die Dachzone der Seitenschiffe setzt sich unverbunden mit dem Übrigen gegen die Flächen ab, die den Lichtschacht als zweites Geschoß vom Säulengang unten abheben. Auch die Dachzone bekommt ihren eigenen, stark isolierten Giebel.

Abb. 441. *Florenz, Dom. 14. und 1. Hälfte 15. Jh.*

Als dann in späterer Zeit die plastischen Kräfte der nordischen Entwicklung auch in diese Gegenden einströmten, die Wände wie die der romanischen und gotischen Kirchen Frankreichs mit Blend- und offenen Säulenarkaden aufgebrochen wurden, da blieb doch die Scheidung der Zonen für die Fassaden bestimmend (Abb. 437). Die Säulenreihen blieben horizontale Bänder, die dekorativ die Flächen betonten. Die Strenge und Härte geometrischer Linien (auch das eine Seite des Byzantinischen) wurde durch organischeres Wachstum der Formen gelöst, aber keine neue mittelalterliche Monumentalität gewonnen; der altchristliche Raum- und Hausstil blieb gewahrt. Indem aber die außen verwendeten Schmuckelemente gerade in ihrer Einfachheit so energisch und laut nach außen von einer inneren Organisation kündeten, prägt sich der italienischen Kunst ein bestimmter Charakter auf, dessen Eigentümlichkeit es wird, ein Inneres, Intimes, Zurückgezogenes nach außen in paradierenden Einzelformen zu zeigen (ähnlich wie bei den römischen Gewandstatuen geistig und physiognomisch bedeutsamer Beamten) und das Innere mit der Wirkung auf die Öffentlichkeit vorzuführen. Der theatralische Charakter der italienischen Barockkunst wird vorbereitet. Die Vielteiligkeit der Fassadendekoration, das Schubfachmäßige bewirkt auch hier den Charakter

Abb. 442. *Florenz, Sta. Croce. Begonnen 1294.*

des Bürokratischen. So wie der Innenbau — und auch das verbleibt der ganzen italienischen Kirchenbaukunst — die Fassade als etwas Selbständiges vor sich hinstellt, eine kalte Pracht, isolieren sich auch die einzelnen Elemente und setzen sich gegeneinander ab. (Die tiefste Verbundenheit aller Glieder zu einem zwingenden Ganzen kennt diese individualistische Kunst nicht.)
Das Innere von S. Miniato (Abb. 438), das die Grundform der romanischen Basilika, drei parallele Schiffe, das mittlere in eine Apsis auslaufend, bewahrt hat, hat zwar von mittelalterlichen Bauformen die Krypta aufgenommen, aber auch diese bleibt licht und weit. Das Auge sieht in sie vom Mittelschiff aus hinein, ohne Geheimnisse zu ahnen. Mittelalterlich ist die Verbindung der Wände durch Schwibbögen mit Wandübermauerungen. Aber diese wirken in dem relativ breiten Raum mit der stark betonten Zweistöckigkeit von unteren Säulen und oberem Fenstergeschoß und mit dem offenen Dachstuhl nicht raumbindend. Sie spannen nicht die Wände zum Längsraum zusammen, sondern zerlegen den Raum und schneiden aus der durch die geometrische Inkrustation der Wände erst recht profan wirkenden Kirche Raumindividuen heraus.
Auch mit dem Eindringen der Kuppel, die mit dem basilikalen Längsraum verbunden wird (im Dom in *Pisa,* Abb. 439), vollzieht sich nicht jene wunderbare Durchdringung von Kuppelzentrum und zuführenden tonnengewölbten Gängen, sondern die Räume setzen sich gegeneinander ab. Die Flachdecke des Mittelschiffes stößt gegen die Bogenwand der Kuppel. Diese wird wie eine Straßenkreuzung nur der Treffpunkt von allen Seiten selbständig ausströmender Räume, ähnlich wie in römischer Provinzialkunst, in Syrien (*Kalat-Siman*), einst verschiedene Kirchen durch einen gemeinsamen zentralen Vorraum zusammengebunden waren. Die Kuppel herrscht nicht, sie dient nur. Das Profane schlägt überall das Feierliche.
In der Gotik (Dom von *Siena,* Abb. 440) erweitert sich der Kuppelraum, indem er über das Mittelschiff hinauswächst und den Raum der Seitenschiffe

in sich einbezieht. Er gewinnt dadurch platzartige Dimensionen, wird wiederum den frühen christlichen und heidnischen Zentralbauten (Pantheon, Hagia Sophia) ähnlich und durch das Hochsteigen im Tambour und einer spitzbogig entwickelten Kuppel nach oben offener. Das im romanischen Stil des Nordens Bindendste und Einendste wird das Befreiendste: ein Sammelplatz, von dem aus die Überschau über die angelehnten Kreuzarme die Möglichkeit des Abschweifens bietet. So nähern wir uns der freiesten Lösung, dem *Dom* von *Florenz* (Abb. 441), wo ein riesiger, nach den drei Konchen sich öffnender Kuppelplatz an ein ebenso riesiges platz- und straßenartiges Mittelschiff ohne inneren Zusammenhang herangestellt ist.

Abb. 443. *Salerno, Kathedrale. Kanzel und Osterleuchter. Um 1175.*

Auch das eindringende gotische Pfeilersystem und das Rippengewölbe haben diesen profanen, unverpflichtenden Charakter nicht ändern können (Abb. 441). Ein kräftiges Horizontalgesims mit einem Laufgang auf Konsolen schneidet die Kreuzgewölbedecke von dem breiten Raum darunter ab, ein Kreuzgewölbe, dessen Rippensystem überhaupt viel zu schwächlich ist, um den Raum darunter zusammenzubinden und zu schließen. Dieser Raum ist wie in den altchristlichen Basiliken hier am Horizontalgesims zu Ende und scheint deshalb wie ein Platz oben offen: das Gewölbe ist nicht ein Teil der Architektur des Raumes, sondern wie ein Zelt, das über einem Platz nach Bedarf zugezogen werden kann, nur ein Notdach. Die Pfeiler aber lösen sich nicht in ein die Wand durchbrechendes System straffer und

Abb. 444. *Niccolo Pisano. Relief von der Kanzel im Baptisterium zu Pisa: Geburt Christi. Vollendet 1260.*

Abb. 445. *Giovanni Pisano. Relief von der Kanzel im Dom zu Pisa: Geburt Christi. 1301—10.*

biegsamer Stäbe, ein Dienstsystem auf, sondern sie werden Pfeiler mit Wandflächen, Raumgrenzen, nicht vorbildliche Symbole feierlicher und kultischer Haltung. Gegenüber den festlichen Säulen der vorausgehenden Basiliken wirken die Pfeiler nicht mittelalterlicher, sondern volkstümlicher und erst recht von aller byzantinischen Verfeinerung und Überkultiviertheit befreit. So entstehen schließlich die weiten Plätze oder scheunenartigen Säle der Bettelordenskirchen, deren großartigste und italienischste Erfüllung *Sta. Croce* in Florenz bietet (Abb. 442), ein Raum von so riesigen Dimensionen, daß der in ihm Wandelnde die Zusammenrottungen von Menschen, die der Predigt eines Mönches lauschen, nicht stört. Das starke Horizontalgesims auf Konsolen zerschneidet die Wände wie bei Häusern, die an der Straße stehen, in zwei Stockwerke, öffnet den unteren Raum in einen zweiten oberen, auf dem der Dachstuhl wie eine provisorische, vorübergehende Bedachung eines Platzes liegt. Denn es macht den Eindruck, als sei diese Decke für ein Schauspiel eingezogen, das am Ende dieser platzartigen Straße in einer — auch nur vorübergehend — eingezogenen Bühne vor sich gehen soll. Denn auch diese Wand entwickelt sich nicht organisch aus dem ganzen Bau, sondern legt sich als ein Fremdes vor den Raum des Schiffes. Dieser ist ein Raum für das Volk, für seine Versammlungen, für die Redner, die zu ihm sprechen wie auf einem Forum. Alles ist hier einfach, schlicht, unfeierlich. In der Chorwand aber und dem Raum dahinter ist alles feierlich, die hohe spitzbogige Mittelnische, die durchbrochene Rückwand des Chores mit den steilen Maßwerkfenstern. Hier geben nordischer Kultus und nordische Lebensform, die Gotik, ein Festspiel. Aber es ist nur ein Schauspiel von Fremden, kein Ausdruck des Lebens für die profan gesinnte Menge auf der Straße. Es ist im besten Sinne nur Theater.

Die Seitenwände dieses Chores und der anschließenden Seitenchöre sind nicht architektonisch gegliedert, sondern wie schon die Wände der altchristlichen und byzantinischen Kirchen (S. Vitale in Ravenna) mit Fresken bedeckt, die nicht repräsentative Heiligengesellschaften vorführen, sondern Erzählungen aus dem Leben der Heiligen in einer zwanglosen, den Vorgang und das innere

Leben der Personen schildernden Form mit Bühnenrequisiten im Hintergrunde, die andeutend schon den realen Schauplatz zu charakterisieren versuchen. Gegenüber dem konventionellen und höfischen Stil der gotischen Miniaturen und Wandgemälde ist hier wieder die Freiheit der Historienbilder der römischen Triumphsäulen und Mosaiken (Abb. 30, S. 42). Wieder sehen wir im 12. und 13. Jahrhundert, wie das Eindringen der romanischen Elemente sich ähnlich wie in Südfrankreich als eine Proto-Renaissance darstellt, mit ähnlich antiken Dekorationsformen — Akanthuskapitellen, Akanthusranken — wie in der Provence. Auch diese renaissancehafte Strömung erlöst von der byzantinischen Strenge und dem byzantinischen Raffinement.

In der Malerei, deren Typen und Zeichnungsweise ganz byzantinisch beginnen, bringen die Madonnen *Duccios* eine neue zärtliche Mütterlichkeit und süße Anmut, die *Cimabues* eine neue Kraft und fast hölzerne Volkstümlichkeit. In der Skulptur sprengt *Niccolo Pisano* mit neuem plastischen Gefühl dieser Proto-Renaissance die Flachheit des Inkrustationsstiles früherer Kanzeln (*Salerno,* Abb. 443) und der zarten byzantinisierenden Reliefs. Mit fast freifigürlichen Gestalten schildert er heilige Geschichten in den Marmorreliefs seiner Kanzeln (Abb. 444). Aber nur in dem Bemühen, die Fläche bis zu allen Rändern hin eng zu füllen, ist er noch romanisch. Der Stil ist der der römischen erzählenden Reliefs mit großem szenischen Apparat von Bäumen, Häusern, Tieren, mit Menschen, die räumlich hintereinandergeschichtet sind, sich überschneiden, sich natürlich bewegen, herzlich begegnen, von zerknitterten Gewändern überwallt werden und derb und füllig, lebenstrotzend und volkstümlich aus dem Bilde herausdrängen. Zugleich sind diese Szenen echt italienisch in der Freude an gedrängten Massenszenen selbst da, wo wie in der Geburts-Szene stille Einzelepisoden am Platze wären, echt italienisch auch in der bei aller gesuchten Naturwahr-

Abb. 446. *Simone Martini, Verkündigung. Mittelteil. Florenz, Uffizien. 1333.*

Abb. 447. *Andrea da Firenze, Fresko in der spanischen Kapelle bei Sta. Maria Novella in Florenz: Die streitende und triumphierende Kirche. Nach 1365.*

heit zur Schau getragenen Würde und der damit verbundenen, auf den Beschauer berechneten theatralischen Haltung. Eine gewisse Roheit, die wir in diesem zugleich volkstümlichen und offiziellen Stil schon bei den römisch-etruskischen Vorbildern empfinden — gegen die die griechische Feinheit der byzantinischen Kunst so stark abstach —, verstärkt sich in dieser durch romanische Einflüsse verjüngten und gekräftigten Kunst. Gegenüber der routinierteren römischen Kunst wird die neue natürliche Körperlichkeit mit einer gewissen draufgängerischen Wucht vorgetragen.

Die eindringende Gotik verfeinert, vergeistigt diese Kunst, aber macht sie nicht formenstrenger und konventioneller. *Giovanni Pisanos* plastische Darstellungen (Abb. 445) sind besser gruppiert, rhythmischer geordnet, aber nicht im plastischen Sinne strengerer Reliefbindung, sondern im szenischen und malerischen Sinne, indem alle Figuren stärker in den landschaftlichen Grund versinken. Die größere Schlankheit der Figuren, das gotische Faltensystem bewirken nicht neue Straffheit, edlere Haltung, sondern asketische Entkörperung zugunsten leidenschaftlicher, sich selbst verzehrender Geistigkeit und strömenden Gefühles. Vieles ist der deutschen Kunst

Abb. 448. *Pisa, Fresko im Campo Santo: Der Triumph des Todes. Ausschnitt: Die drei Lebenden und die drei Toten. Um 1360.*

verwandt, aber die Fülle der landschaftlichen Hintergründe, die Unmittelbarkeit der Gebärden, die szenische Bewegtheit waren in Deutschland Ende des 13. Jahrhunderts so noch nicht möglich. Neben dem malenden Plastiker Giovanni Pisano steht der Maler *Giotto* (Abb. 30, S. 42) gleich groß und gleich entscheidend für den Charakter und die Entwicklung der italienischen Kunst. Auch er ein Gotiker, wenn wir auf die italienische Entwicklung allein sehen. Seine Gestalten sind gotisch, sich aufrecht haltend, gehüllt in Gewänder, deren lang herunterwallende Falten mit ihren festen Zügen den Körper gliedern; gotisch, nicht mehr byzantinisch ist die feste räumliche Körpermodellierung, der Verzicht auf lineare Abgrenzung der mit Licht und Schatten gerundeten Falten. Aber ebenso ungotisch, volkstümlich charakterisierend ist die schwere Plumpheit der wie in Säcke gehüllten Gestalten, ihre ganz nur der Handlung dienende Anordnung, ihre Einstellung in einen bühnenhaft vertieften Raum und die sprechende Ausdruckskraft aller Gebärden und Blicke. Wie wunderbar vertieft und innerlich in sich zusammengefaßt ist nicht die Gestalt des Joachim, der zu den Hirten kommt, wie zart besorgt und verständnisvoll sind die Blicke, die sie sich zuwerfen, wie absichtslos die Anordnung der Figuren, wie unplastisch ihre Überschneidungen, wie klärend die mit Vorsatzstücken nur angedeutete Landschaft des Hintergrundes. Italienisch im besonderen Sinne ist auch in den Fresken Giottos die Personenfülle in intimeren Szenen, die Großheit und Würde der Figuren. Aber es ist keine Haltung, die in Reigen vorbildlich höfisches Leben formt und sich der Architektur einfügt. Sondern sie drückt das Lebensgefühl des Italieners aus, der auch auf den Gängen des täglichen Lebens auf Plätzen und Straßen die Blicke der Menge auf sich gerichtet fühlt, deren Mittelpunkt er sein möchte, der das Bewußtsein hat, daß er sich zur Schau stellt und wie ein Schauspieler auftreten muß. Die Gotik hat Giotto nicht zum gotischen Künstler gemacht, sondern auch bei ihm alles, was unmittelalterlich lebendig, Darstellung menschlicher Geschehnisse und historischer Ereignisse war, von der byzantinischen Strenge befreit und der Neuzeit nähergerückt.

Die Kunst in *Siena*, die Malerei des *Simone Martini* und *Ambrogio Lorenzetti*, um nur diese beiden zu nennen, hält stärker an byzantinischer Flachheit, scharfen Umrissen und kostbaren Goldgründen fest als die florentinische. Von hier aus gewinnt sie ein engeres Verhältnis zu dem gotischen Kurvenstil und seiner höfischen Verfeinerung. Aber auch dieser äußert sich in einer Vertiefung des Gefühles zu einer oft morbiden Empfindlichkeit (Abb. 446). Zugleich bewirkt das mittelalterliche plastische Realitätsgefühl eine zarte Hinwendung zu den Dingen der Umgebung, die der Grund dafür ist, daß in Siena sich die kulissenhaften Hintergründe byzantinischer Darstellung bald zu reich belebten, weit gedehnten Landschaften und zu vielspältig geöffneten, durchblickreichen Stadtbildern und Architekturen entwickeln.

Am Ende des Mittelalters stehen zwei Darstellungen, die für die Stellung der italienischen Kunst zum Mittelalter ebenso aufschlußreich sind wie für die zur Zeit Giottos vollzogene Entwicklung. Das eine ist das große Fresko im Kreuzgang von *Sta. Maria Novella* in *Florenz* (Abb. 447). Thema und Anlage sind ganz mittelalterlich, der Triumph der Kirche dargestellt durch den im Scheitel des Spitzbogenfeldes thronenden Christus zwischen Engeln, den Weltenrichter, der die Seligen empfängt. Charakteristisch für die italienische Auffassung aber ist, daß diesem Christus unten ein fast realistisch zu nennendes Bild einer irdischen Kirche entspricht, des Domes von Florenz, vor dem kirchliche Würdenträger (Papst und Kirchenväter), von einer reichen Menge umgeben, thronen. Dies ist nicht das Bild einer höfischen Gesellschaft, die in höflichen Gebärden miteinander verbunden sind, sondern Volk und bürokratische Hierarchie im strengen Gegensatz tyrannischer Herrschaft und devoter Untertanen. Daneben sehen wir volkstümliche Szenen, Dominikaner, die einem Haufen von Menschen predigen. Sie predigen gegen die Weltlust höfischer Vergnügungen, die darüber in Reigentänzen und galanten musizierenden Paaren dargestellt sind. In der Darstellung viel weltlicher als gotische Bilder des Nordens, mit Architektur und Landschaft und gedrängten Massen reich gefüllt, richtet sich die mittelalterliche Symbolik gerade gegen die Formen des höfischen Lebens und nimmt Partei für das Volk.

Abb. 449. *Florenz, Sta. Maria Novella. Begonnen 1283.*

Noch viel stärker geschieht dies auf dem zweiten Bilde, das wir meinen, der Legende von den drei Lebenden und drei Toten im *Campo Santo* zu *Pisa* (Abb. 448). In einer reichen Landschaft, die sich noch flach in die Höhe schiebt und noch von byzantinischen Bergkulissen gebaut wird, aber mit einer reichen Fülle von Details geschmückt ist, bewegt sich ein reicher Zug von vornehmen Herren zu Pferde, begleitet von Jagdknechten und Hunden, auf drei geöffnete Gräber zu, vor deren schrecklichen Kadavern die vordersten Kavaliere zurückprallen und vor deren Gestank sie sich die Nase zuhalten. Aufs äußerste betroffen, von einem Einsiedler über die Nichtigkeit des Lebens belehrt, gehen sie in sich und beginnen an dem Wert ihres höfischen Lebens zu zweifeln. Hier ist Auflehnung gegen den mittelalterlichen Geist. Auflehnung der Armen gegen die Reichen, des Volkes gegen die Herren, vorgetragen in einem Stil, der mit seiner drastischen Realistik, seiner fernen landschaftlichen Weite, dem Eremiten in der Einsamkeit, urchristliche Vorstellungen gegen mittelalterliche Lebensformen anführt und auch bildlich die Formenkunst der Gotik durch einen werdenden Naturalismus zerstört. Ein „Stirb und Werde!", der eigenen Zeit zugerufen mit der schrillen Stimme eines Bettelmönches, dem die krassesten Bilder für seine Predigt zur Verfügung stehen.

Abb. 450. *Andrea Pisano. Relief an der Südtür des Baptisteriums zu Florenz: Geburt des Johannes. 1330.*

Wohl gibt es auch in Italien Schöpfungen, die die nordischen Formen williger und reiner aufnehmen, wie die anmutigen Kirchen *Sta. Maria sopra Minerva* in Rom, *Sta. Maria Novella* in Florenz (Abb. 449), gotische Kirchen, in denen sich eine hallenartige Weite mit Erinnerungen an die basilikale Zweistöckigkeit verbindet, Mischformen von einer befangenen Zaghaftigkeit des Gliedersystemes. Oder wir finden Skulpturen von der gotischen Reliefschönheit *Andrea Pisanos* (Abb. 450), deren größere Breite und Körperfülle sie griechischen Reliefs der besten Zeit annähert. Aber es sind Ausnahmen, Bestätigungen dafür, daß die schöpferische Kunst des Nordens stilbestimmend auch für Italien wird, aber doch nur, um den Weg frei zu machen für alle unmittelalterlichen Elemente, die seit der späten Antike in der italienischen Kunst schlummerten, und sie instand zu setzen, als die Zeit reif war, den nordischen Kulturen in der Befreiung vom Mittelalter voranzugehen und ihnen Mittel an die Hand zu geben, auch von sich aus diese Befreiung zu vollziehen. Es geschieht im 15. Jahrhundert.

DRITTER TEIL

NEUZEIT

ERSTE ABTEILUNG

FRÜHNATURALISMUS UND REFORMATIONSKUNST

PRUNKSTIL UND NATURALISMUS

Burgund erwirbt unter Philipp d. Kühnen niederländische Gebiete, unter Philipp d. Guten weitere deutsche Reichslehen (Holland, Seeland, Hennegau, Luxemburg). Wirtschaftliche Blütezeit der flandrischen Städte, Niederlassungen ausländischer Kaufleute; Austauschgebiet für den Handel Oberitaliens und des Mittelmeergebietes mit Nord- und Osteuropa. — Süddeutsche Städtebündnisse gegen Fürsten und Reichsritter, 1377—89 süddeutscher Städtekrieg. — Karl IV. (Haus Luxemburg), König von Böhmen, 1347—78. Wenzel von Böhmen 1378—1400. — Konzil zu Konstanz 1414—18: Kirchliche Reformbestrebungen; das Konzil als über dem Papst stehend anerkannt. Verbrennung des Hus 1415. 1419—36 Hussitenkriege.

Alle Tendenzen, die in der zweiten Hälfte des 14. Jahrhunderts vom Mittelalter und seiner kirchlichen Kunst zu einer weltlicheren Gesinnung, von der kultischen Verehrungswürdigkeit oder ethisch-ästhetischen Vorbildlichkeit seiner körperlichen Haltung zu größerer Freiheit und Ungezwungenheit des Gebarens, von der Gebundenheit der Statuen an ein architektonisches System zur Betonung der natürlichen Gegebenheit weiterführten, verdichten sich um 1400 zu einer Übergangskunst, in der sich Altes und Neues zwar die Waage halten, das Neue aber doch als treibendes Moment sich mit aller Macht ankündigt. Das Wesentliche ist die Ablösung des dargestellten Inhaltes von dem kirchlichen Ort, an dem sich das Bild befindet, und vom Beschauer, dem es als eine Art von höherer Wirklichkeit die Gestalten entgegenhält. Wie das selbst bei den empfindungsvollsten, menschlichsten Szenen und den einmaligen und individuellsten Personen im Mittelalter noch der Fall war, lehren die Reliefs in Straßburg (Abb. 323, S. 293) und die Stifterfiguren in Naumburg (Abb. 25, S. 36), lehren sogar die Gemälde Giottos (Abb. 30, S. 42) und seiner Schule. Die Mittel aber, die jetzt bewirken, daß der dargestellte Gehalt von uns abrückt und daß wir ihn nicht mehr als einen, der sich zeigt, ansehen, sondern daß wir nur noch zusehen, sind in erster Linie der Raum des Hintergrundes mit seinen vielen, das Auge beschäftigenden Nebensachen, sind Landschaft und Staffage, Tiere und Stilleben, ist in Italien der Reichtum der Nebenfiguren, der eine Szene zum großen öffentlichen Schauspiel macht, ist in Deutschland die innere Beziehung der Figuren unter sich in einer vom stimmungsvollen Hintergrund begleiteten lyrischen Gemeinschaft, die auf ein Angesehenwerden nicht rechnet. Da die Fülle des das Auge reizenden Beiwerks in einer ausgesprochen kostbaren Manier von großer Zartheit und Feinheit in beiden Kunstkreisen dieselbe ist, so nennen wir diese Übergangskunst den *Prunkstil*. Damit ist schon gesagt, daß noch die Vornehmheit, die Eleganz und die Feinheit mittelalterlicher Lebenshaltung vorhanden sind, aber sich nicht in erster Linie durch stolze Haltung und höfische

Abb. 451. *Gentile da Fabriano, Anbetung der Könige. Florenz, Uffizien. 1423.*

Gebärdung kundgeben, sondern durch materiellen, auf Reichtum hinweisenden Prunk, der das Auge beschäftigt und die Gestalt selbst zum Prunkstück macht. Das Thema, das diese Prunkstimmung in reichster und feinster Form vorführt, ist die *Anbetung der Könige*, für die Italien die besten Beispiele liefert. Das Schönste und Reichste ist *Gentile da Fabrianos* Anbetung der Könige in Florenz (Abb. 451). Schon die Gesamtanlage ist für die Begegnung des Alten mit dem Neuen bezeichnend. Ein dreiteiliger, üppig mit Blattwerkkrabben geschmückter gotischer Rahmen, dem der Gedanke von drei mit Statuen gefüllten Nischen eines Altars zugrunde liegt, ist mit Wegnahme der inneren Säulen unter den Bögen zum reinen Bilderrahmen verwandelt für einen Festzug, der sich unübersehbar durch eine köstlich heitere Berglandschaft hinzieht. Die Stimmung, in die der Beschauer vor diesem Gemälde versetzt wird, ist nicht die kirchlicher Andacht oder kultischer Verehrung, sondern weltlicher Schaulust, ähnlich der, die der Holländer später vor einem Schützenzug in der Art der Nachtwache von Rembrandt (Abb. 730, S. 596) empfand. Man fühlt sich aus der Kirche völlig herausgehoben, an eine Straßenecke, auf einen Balkon versetzt, von dem man Gelegenheit hat, alle Pracht und Neuigkeiten dieses Festzuges zu sehen. Die neue schaubare Natürlichkeit der Landschaft, die bis dahin nur Kulisse war, wird durch perspektivische Verkürzungen der Kuh in der Höhle, des Pferdes am rechten Bildrand besonders betont. Aber der Künstler paktiert doch noch mit der mittelalterlichen Flachheit des Hintergrundes, indem er die Pläne verschiebt, kulissenhaft übereinanderbaut und dieses Ansteigen durch bergiges Terrain und Hochlegen des Horizontes motiviert. Die mittelalterliche Verteilung verschiedener, ungleichzeitiger Szenen in demselben Bühnenbild versteckt er in einer Anordnung, die glauben läßt, es handle sich um einen einzigen, aus weitester Ferne herkommenden Zug. Eine Fülle von kleinen genrehaften Zügen sorgt dafür, daß der Blick überall haften bleibt und nicht den im kirchlichen Sinne bedeutungsvollen Vorgang der Anbetung selbst sucht. Da geht ein Jäger mit dem Spieß, den Hund an der Leine, durchs Gelände, ein Reh springt vor ihm her, da nehmen Torwächter einen Mann fest. Auf einem im Gelände versteckten Kamel hocken zwei Affen. Ein Falke stößt hernieder. Neben ihm glänzen die Gesichter von Gefolgsleuten, die zusehen, wie ein anderer Jagdfalke einen Vogel stellt, und erscheint der Kopf eines Jaguars. Und welche Fülle reicher, bunter, seltsamer Mützen und Trachten, die edlen Pferde, mit dem kostbaren Zaumzeug, die sich in diesem Andachtsbilde so breit machen dürfen, der Windhund vor ihnen. Daß ein Stallbursche seinem Herrn die Sporen abschnallt, ist zwar nichts Besonderes, aber es wird so realistisch gemalt, daß man staunt. In einem Altarbilde hat man diesen, dem Leben abgelauschten Zug noch nicht gesehen. Und schließlich die drei Könige selbst. Gewiß, sie verneigen sich sehr tief, der älteste wirft sich zu Boden. Das ist so Sitte im Morgenland, wird man sich zugeflüstert haben. Aber wovon man den Blick nicht wenden kann, das sind die mit Gold durchwirkten, groß gemusterten Stoffe und die blitzenden Kronen, ein Kleiderprunk, vor dem selbst der Schweif eines Pfauen verblassen würde. Die Anbetungsgebärden entfalten diese Stoffe wie ein aufgeschlagener Fächer von einem Punkt aus, wobei der jugendlichste König mit seinem zarten Frauengesicht und üppigen Blondhaar in die Mitte des Bildes und allen Staunens rückt. Aber auch in diesem Augenfest, dieser weltlich zauberhaften Schmuckfülle, ist noch mittelalterliches Gefühl für weiche, edle Haltung, und ein erlesener Geschmack zart gewählter und fein gestimmter Farben, die durch das Meisterliche der Malerei zur Wirkung gebracht werden. Zum materiellen Prunk tritt die edle Abkunft und der Rang ihrer Träger. In den Genreszenen und den Tieren weisen Motive der Jagd auf das Leben großer Herren, die Motive des Bedienens auf die Vornehmheit

Abb. 452. *Chantilly, Musée Condé. Kalenderbild aus den Très riches Heures du Duc de Berry: Das Mahl des Herzogs (Monat Januar).*

Abb. 453. *Antonio Pisano, gen. Pisanello. Fresko in S. Anastasia zu Verona: Der Hl. Georg befreit die Königstochter. 2. Viertel 15. Jh.*

der fremden Gäste, die Unübersehbarkeit des Gefolges auf die Macht ihrer Führer hin. Die Madonna wirkt vor den Königen bescheiden. Selbst die Perspektive und zarte Tönung der aus dem Dunkel ins Licht gemalten Tiergestalten von Kuh und Esel lenken das Auge stärker auf sich. Auch in der Komposition wird die zeremonielle Anordnung zur Führung des Auges durch die Wunder des schönen Scheins: lockende Ferne verdichtet sich zu buntem Gewimmel, das die süßen Melodien der Farben und Linien aus sich herausspült; an der Stelle angelangt, wo der bunte, flüchtige Schein in religiösen Ernst gebannt scheint, bricht die Musik nicht ab, sondern greift noch einmal mit einem echoartigen Schaumotiv über den Höhepunkt der kirchlichen Bedeutung und den Tiefpunkt reinen Schauens hinüber. Die beiden Frauen, die man der Madonna als Gefolge angereiht hat, von denen die eine der anderen die kostbare, vom König dargebrachte Salbenbüchse reicht, bieten dem schauenden Auge noch einmal einen Angriffspunkt durch das ganz weltlich empfundene Motiv und die in weicher Fülle über die vordere geschütteten, bunten Gewänder. Das ganze Bild ist eine zauberhafte Mischung von moderner Landschaft und mittelalterlicher Kulisse, von bunter Daseinsfülle und kirchlichem Sinn, von materieller Kostbarkeit und höfischem Adel, von Perspektive und Flächenbild, von Schaustück und Architektur.

Abb. 454. *Antonio Pisano, gen. Pisanello. Die Heiligen Antonius und Georg. London, National Gallery. Um 1447—48.*

Das Bild, das, wenn es allein aus dieser Zeit übriggeblieben wäre, uns einen vollen Eindruck dieser Zeit geben würde, vereinigt zugleich in sich alles, was die verschiedenen Völker zu diesem Übergangsstil beizusteuern hatten: die echt italienische — römisch spätantike — Freude an öffentlichen Massenszenen mit ihrer Gedrängtheit und festen Realität, umbrische Weichheit, genährt vielleicht

Abb. 455. *Fra Angelico, Die Krönung Mariä. Florenz, Uffizien. 4. Jahrzehnt 15. Jh.*

von oberitalienisch-deutschen Stimmungen — in dieser Beziehung würde ein kölnisches Bild nicht viel anders aussehen —, und französische Delikatesse, die sich mit flandrischem Reichtum und flandrischer Webekunst mischt, so wie wir sie aus den Gebetbüchern der Herzöge von Burgund kennenlernen. Diese zogen niederländische Künstler an ihren Hof, die nun dort das höfische Leben mit dem Blick von naturbeobachtenden Chronisten in seiner dekadenten Verfeinerung schilderten und den materiellen, aus ihrem Lande importierten Luxus mit kundigen Maleraugen genossen und im Bilde steigerten (Abb. 452). Schilderungen von Tafelfreuden, Liebesgärten, Jagden sind stilistisch und malerisch Gegenstücke zu diesem Bilde Gentiles; auch sie schweben zwischen höfischer Huldigung und realistischer Schilderung, zwischen Dekoration und Natur.

So wie die figurenreiche Anbetung der Könige ein Lieblingsthema dieser Strömung wird, so gibt es auch Lieblingsheilige. Trügt nicht alles, so war der *Heilige Georg* ein solcher. Auf Bildern von *Antonio Pisano*, gen. *Pisanello* (Abb. 453),

Abb. 456. *Fra Angelico, Die Beweinung Christi. Florenz, Akademie. Zwischen 1435—45.*

erscheint er gleichsam als der letzte Ritter. Ein Fresko in Sta. Anastasia in Verona zeigt ihn, wie er von der befreiten Jungfrau Abschied nimmt und im Begriff ist, zu Pferde zu steigen. Das kostbar aufgezäumte Pferd steht zwischen den beiden, in starker Perspektive von hinten gesehen, Georg hat über der Rüstung einen — heute leider stark zerstörten — farbenprächtigen Rock aus Goldbrokat an, die Jungfrau ein modisches Gewand mit langer Schleppe, darüber einen Mantel aus echten Pfauenfedern. Auf beiden Seiten sieht man Reiter, rechts in einer Schlucht sein Gefolge, links eine Schar einheimischer und exotischer Kriegsleute. Das Ganze spielt sich ab vor einem Gelände, dessen Erhebungen, von Gesträuch belebt, auf ein reiches Stadtbild zuführen; links schlagen die Wellen des Meeres gegen die Felsen, ein Kauffahrteischiff mit geblähten Segeln fährt darauf. Über den Reitern aber sieht man zwei Männer am Galgen baumeln. So ist auch hier alles auf den reichen und bunten Anblick und auf vielfältige Überraschungen für das schweifende Auge abgestellt, aber noch immer mit derselben Mischung von teppichhafter Flachheit und realistischer Naturschilderung, ritterlicher Eleganz und derber Volkstümlichkeit, von zartem Profil (die Jungfrau) und übertriebener Perspektive (der Knappe auf dem Gaul). Schon stärker neigt sich hier die Waage dem hart realistischen Element zu, ähnlich wie auf einer nacheinander dem *Pisanello*, *Dello Delli* und *Domenico Veneziano* zugeschriebenen Anbetung der Könige in Berlin. Ganz rein treten beide Welten sich gegenüber in der rübezahlhaften Einsiedlergestalt des Heiligen Antonius und der jugendlich-ritterlichen des Heiligen Georg in einem Bilde in London (Abb. 454). Hier ist der Heilige Georg in Rüstung und pelzbesetztem Mantel nichts als das reinste Bild eines eleganten Stutzers. Am Himmel erscheint das Halbfigurenbild einer Madonna, die zärtlich das Kind umarmt und um die herum eine Glorie sich gleichsam müht, der Jungfrau mit einem pfauenfederartigen Strahlenkranz der Morgenröte einen dem Heiligen Georg ebenbürtigen Mantel umzuhängen.

Neben Gentile da Fabriano steht als Florentiner, in Zeichnung und Komposition strengerer Maler dieses Übergangsstiles *Fra Angelico da Fiesole.* Die gotische Linienhaftigkeit seiner Gestalten und die Zartheit seiner Empfindung scheint mehr durch sienesische als florentinische Tradition der nordischen Spätgotik so nahe gebracht. Er steht Simone Martini um vieles näher als Giotto. Aber auch seine musizierenden Engel (Abb. 455) werden zu himmlischen Gestalten durch die unnachahmlich zarte Tönung lichter Farben, mit der sie vom Dunklen ins Helle modelliert werden, und die feinen Goldstrählchen, die überall hineingewebt werden und doch nur der Widerschein der mit geordneter Wirrheit in das kindliche Gesicht fallenden Blondlocken zu sein scheinen. Die Flügel schillern in allen lichten Farben, wie Schmetterlings-

Abb. 457. *Limburg a. d. Lahn, Diözesanmuseum. Beweinung Christi. Ton. Mittelgruppe. Um 1410.*

flügel gegen das Licht gehalten. Charakteristisch für die italienisch-florentinische Umsetzung einfacher menschlicher Szenen in eine figurenreiche öffentliche Handlung ist Fra Angelicos Beweinung in der Florentiner Akademie (Abb. 456). Auch hier halten sich weite Landschaftsperspektive, die durch eine Stadtmauer betont wird, und Reliefcharakter der Figurenanordnung, realistische Schilderung des Geschehens und ausgleichende Rhythmik der Komposition die Waage: das Kultbild, das im Mittelalter den Leichnam als Zentrum der religiösen Anteilnahme zum Mittelpunkt einer plastischen Gruppe macht, ist ganz zu einem in sich geschlossenen Vorgang geworden, zu einem Schauspiel. Dessen empfindungsvolle Klagetöne sind durch den Farbenzauber verklärt, den das Abendlicht über die bunten Gewänder der Beteiligten ausgießt. Es ist ein Passionsspiel, bei dem die Gefühle schöner Seelen sich selbst genießen.

Hält man es neben die *Limburger Beweinung* (Abb. 457), ein Werk deutscher Plastik, dann wird in dem plastischen Material der Wille zum Eigenraum — sei es Bühne oder Natur — noch deutlicher. Die Schächer am Kreuz und das leere Kreuz Christi deuten die Situation. In stiller Trauer ganz unter sich, umgeben die Menschen den ohne jede Pose, ohne Darbietung nach außen am Boden liegenden Körper Christi. Aber der edle Zug der Linien und die vornehm gebändigte Haltung des Schmerzes, die Symmetrie der aufrecht sich haltenden Männer, weist ins 14. Jahrhundert zurück. Nicht italienisch, sondern deutsch ist die Beschränkung auf wenige ausdrucksvolle Figuren. Das Menschliche ergreift mehr, und die Teilnahme ist inniger, weniger schön. Und noch ganz fehlt die Abschweifung in Neben-

Abb. 458. *Nürnberg, St. Sebald. Maria im Strahlenkranz. Um 1420.*

motive, ins Sehenswürdige und ins Prunkende.

Dieses kommt in Deutschland zum Ausdruck weniger in der Farbigkeit als im Reichtum der Gewänder, die in großartiger Stofffülle über die Füße der Frauen wallen und in zahllosen Falten den Körper in allen Richtungen überqueren, immer weich und nachgiebig die Fülle betonend. So entsteht ein Typus der schönen Madonnen dieses Prunkstiles, wie die im flimmernden Strahlenkranze stehende Madonna in *St. Sebald* in *Nürnberg* (Abb. 458), die selber breit und schwer, üppig in den weichen Formen, von den Falten umrauscht wird. Die Kurven, die diese Falten schlagen, sind nicht mehr Ausdruck der Persönlichkeit, sondern von eigenem melodischen Fluß, eine Faltenmusik von reichster Orchestrierung. Die Madonna hält das nackte, strampelnde Kind vor sich hin und betont mit feinen Fingern, die in das Fleisch der runden Glieder des Kinderkörpers fassen, Natürlichkeit und Weichheit des Fleisches zu gleicher Zeit. Auch hier begegnen sich zwei Welten, Pracht und Derbheit, Kunst und Natur. Zwei Momente, die in den anderen Ländern nicht diese Rolle spielen, fügt die deutsche Kunst dem Beisammensein vieler Personen hinzu, die das Auge durch Fülle und Pracht bezaubern: die Verbundenheit der Personen unter sich und der Menschen mit der Natur. Ersteres führt zu dem Thema der *Heiligen Sippe*, wie in der des *Ortenberger Altars* in Darmstadt (Abb. 459), einer figurenreichen Szene, in der alle Verwandten der Maria mit ihren kleinen Kindern bei ihr zu Besuch sind und in gegenseitigen Begrüßungen, Beschenkungen mit viel Herzlichkeit verbunden sind. Die Heiligen verkehren familiär miteinander. Aber obwohl sie sich um die Gläubigen kaum kümmern und sehr unter sich sind, sind sie doch noch in der Form des mittelalterlichen Heiligenbildes um Maria als Mittelpunkt gereiht, in mehreren Raumschichten, aber doch streng symmetrisch und mehr übereinander als hintereinander. Sie besuchen Maria auf dem Altar, nicht zu Hause. In den Typen mischt sich mütterliche Hausbackenheit mit zartem Reiz — eine der Frauen hat eine Handarbeit, Faden und Spindel mitgebracht —, aber die stoffreichen Gewänder fluten mit ihren Faltenmelodien über die ganze Bildfläche wie das Netzwerk der Rippen einer spätgotischen Kirche

Abb. 459. *Darmstadt, Landesmuseum. Mittelteil des Altars aus Ortenberg: Die Hl. Sippe. Um 1410.*

über die Decke. Eine spielende Anmut lieblicher Weiblichkeit herrscht und drängt alles Männliche in den Hintergrund oder zur Seite. Trotz der fast farblosen, einer Grisaille ähnlichen Eintönigkeit des Bildes ist es reich und prunkvoll, aus Gold und Silber gewoben. Auf einem Flügel desselben Ortenberger Altars ist schon sehr intim, vor einer zusammenfassenden Hütte, die Anbetung der Könige mit wenigen Figuren dargestellt. Aber das kostbare Hermelinfutter, das sich dem Blick freigibt, wenn die überlangen Stoffschleppen der Ärmel und der Schöße sich beim Knien auf dem Boden stauchen, und die reiche Zaddeltracht des stehenden Königs verraten deutlich, wie auch die üppig flutenden Gewänder der Frauen im Sippenbilde gemeint sind. Der materielle Wert und die vom Schneider, nicht von der Haltung des Menschen erzeugte Bildung des Gewandes, d. h. Mode und Reichtum, bestimmen auch den Rang des Menschen.

Die Verbundenheit mit der Natur aber ist am schönsten in dem kleinen *Frankfurter Paradiesesgarten* zum Ausdruck gekommen (Abb. 460). Es ist eigentlich eine Madonna mit Heiligen und das Vorspiel zu den Madonnen im Rosenhag. Aber die Madonna sitzt in einem durch eine Mauer von der Welt abgeschlossenen Garten. Sie liest in einem Buch, ein Tisch mit Wein und Obst steht neben ihr. Ein Kinderfräulein beschäftigt das Kind mit einer Zither, eine Magd schöpft Wasser im Brunnen, eine andere pflückt Kirschen in einen Korb. Unter einem Baum unterhalten sich zwei Männer mit einem Engel — der eine in reicher Zeittracht ist der Heilige Georg. Hier ist die Zwanglosigkeit einer Sonntagnachmittagsstunde, das sonnige Nichtstun und die ausruhende Beschaulichkeit im Garten zur reinsten Rechtfertigung des irdischen Vergnügens zarter Lebenslust geworden und mit feiner Einfühlungsgabe geschildert. Eine

Abb. 460. *Frankfurt, Städelsches Institut. Das Paradiesgärtlein. Um 1410.*

duftende Farbigkeit webt alles zum Teppich zusammen. Der Reichtum liegt hier weniger im Kostüm als in der Fülle bunter Blumen und blühender Sträucher. Wäre nicht diese ätherische Feinheit der in Faltenmelodien aufgelösten Gestalten, die steigende Flächigkeit der Tiefendarstellung, die Teppichwirkung der Natur — Natur als Schmuck und Besitz, nicht als Zuflucht —, so wäre hier schon das nur für deutsche Belange geltende Wort anzuwenden: Gemütlichkeit. Aber wie hier das Zuhausesein der Heiligen so bis ins kleinste nachgefühlt, jede Blume in ihrer Physiognomie beobachtet und wiedergegeben ist und sich die Pflanzen schon mit demselben Raum beanspruchenden, Luft und Sonne genießenden Eigenleben neben die Menschen stellen, die ja auch nur vegetativ die Stunde genießen, das weist auf das Zukünftige voraus, Naturgefühl, nicht nur Naturschau und Naturgenuß. Daß das alles aber im Paradiese spielt, ist Ausdruck dieser Lebenskultur, die sich in der Fülle ihres verfeinerten Luxus in ihren weltlichsten Freuden wie im Himmel fühlt.

Neben dieser feinen und intimen Darstellung wird die festlichere, mit Massen arbeitende italienische Auffassung besonders deutlich. Die Paradiesesdarstellung von *Fra Angelico* (Abb. 455, S. 383) ist eine Krönung Mariä, der ein unübersehbarer Kranz von Festteilnehmern in einer räumlich geschlossenen, tief ins Bild hineinschwebenden Versammlung beiwohnt und alle wie von einer himmlischen Musik ergriffen sein läßt. Ein himmlisches Hochzeitsbild. Oder man wende sich zu der Paradiesestür *Ghibertis* am Baptisterium in Florenz (Abb. 461), die ihren Namen nicht von solcher Paradiesesdarstellung hat, aber doch verdient durch die Art, wie mit sicherer Beherrschung einer selbst die verschwimmende Ferne luftig andeutenden Perspektive reiche Bühnen geschaffen werden, auf denen sich die ernstesten Szenen mit dem festlichen Reichtum einer geordneten Hochzeitsgesellschaft abspielen; eine Kunst des Überganges von bezaubernder Weite und beglückendem Reichtum der Landschaft und Unausschöpflichkeit der figurenreichen Szenen — das plastische Gegenstück zu Gentiles prächtiger Anbetung der Könige.

Abb. 461. *Lorenzo Ghiberti, Relief von der Paradiesestür des Baptisteriums in Florenz: Der Fall Jerichos. 1425—52.*

Nehmen wir noch hinzu, wie sich das der deutschen Kunst besonders eigene Thema des Gekreuzigten in dieser Zeit zu einem Hinrichtungsschauspiel in weiter Landschaft ausbildet, zu dem (ähnlich dem Zug der Heiligen drei Könige) die Leute zu Fuß und zu Pferde in unübersehbarem Zug herbeiströmen, dann vollendet sich dieses Bild einer nach rückwärts gebundenen, nach vorwärts strebenden Kultur, einer Kultur, in der schwärmende Innigkeit neben äußerlicher Schaulust, Freude am zierenden Schmuck neben Beobachtung der Natur, mittelalterliches Bildgerüst neben kultsprengender Privaträumlichkeit stehen.

Abb. 462. *Konrad Witz, Tafel aus dem Heilsspiegelaltar: Sabobay und Banaias bringen dem König David Wasser. Basel, Öffentl. Kunstsammlung. Um 1435.*

Um aber die letzten Bindungen zu sprengen, um Mittelalter und Kirche ganz zu überwinden, bedurfte es eines härteren Geschlechtes oder einer neuen Generation. Und diese letzte Lösung ist nicht denkbar ohne die Gewaltsamkeit einer Revolution, eines Protestes.

Man protestiert gegen die Schönheit und den Reichtum, gegen die Idealität des Mittelalters und die Konvention der Gotik. Auch die Heiligen protestieren. Trotz im grätigen Tritt der fest den Boden fassenden Beine, Trotz in den wachehaltenden Augen und dem zusammengekniffenen Mund, das ist der Ausdruck der jugendlichen Heiligen *Donatellos*, vor allem des Heiligen Georg, aus dem der Prunkstil noch eben das Bild eines Weichlings und Stutzers machen wollte. Breitspurig, mit dröhnendem Tritt, die Faust in

Abb. 463. *Donatello: Johannes d. T. (1416), Hiob (sog. Zuccone) und Jeremias (1423—26) am Campanile des Domes zu Florenz.*

die Hüfte gestemmt, treten die Helden vor David auf dem Baseler Bilde von *Konrad Witz* (Abb. 462). Daß die Heiligen auch nur Menschen sind, das sucht man zu erweisen, indem man die Modelle zu ihnen aus den niedrigsten Schichten des Lebens aussucht, aus Bettlern und Zerlumpten, mit wüster Physiognomie, trotzig vorgeschobener Unterlippe und unter buschigen Brauen gefahrkündend vorbrechendem Blick (Abb. 463). Das Gewand ist zerdrückt und zerknautscht, die nackten Körperteile kommen überall heraus, verlegen suchen die Hände, edler Haltung ungewohnt, nach der Tasche, breitspurig und frech treten die Gestalten auf. Unter diesem Bilde stellt Donatello mit einem für seine Zeit aufreizenden Realismus und mit den Übertreibungen eines Agitators einen Jeremias, einen Hiob in die strenge gotische Architektur der Nischen des Domturmes in Florenz, in die keine ihrer Faltenbrüche und Umrisse hineinpaßt. Als ob ein Wegelagerer auf einer Straße einem Passanten auflauere und einen Augenblick in diese Nische eingetreten sei, so zufällig, so ungehörig wirken diese wilden Gestalten in dieser Architektur. Johannes in der Wüste, im stachligen Fell, mit nackten Beinen und Armen, ausgetrocknet und ausgemergelt im Gesicht, predigend und voll Eifer, auf keine Haltung bedacht, das wird jetzt der Heilige der Zeit. Vielleicht wird man bei ihm und bei den Propheten daran gedacht haben, wie schon sie selbst gegen Könige und Vornehme sich auflehnten und gegen Luxus und Lebensgenuß eiferten.

Die Madonna hört auf, Dame zu sein. Für diese Zeit des Protestes ist sie irdische Mutter. *Piero della Francesca* wagt es, sie als ein derbes Landmädchen darzustellen (Abb. 464), hochschwanger, daß ihr das einfache Landkleid zu eng geworden ist und über dem Leibe sich öffnet. Verlegen legt sie die Hand auf den Leib und steht mit niedergeschlagenen Augen da. Aus der gotischen Nische bildet er ein räumliches Zelt, dessen Vorhang derbe Engel (ohne Heiligenschein) plötzlich auseinanderreißen, indem sie auf das ungewohnte Bild hinweisen. Die monumentale Symmetrie der rahmenden gotischen Linien erhält die Bedeutung eines revolutionären öffentlichen Ausrufes: ecce mater domini, so sieht die Mutter des Herrn aus.

Abb. 464. *Piero della Francesca, Madonna del Parto. Fresko in der Friedhofskapelle von Monterchi. 1467—68.*

Man lehnt sich auf gegen die Gesellschaft, die den Menschen zu einer bestimmten Haltung verpflichtet und seine Freiheit einengt und den, der sich ihrem Zwang nicht fügt, in die Sphäre unwürdigen Daseins hinabstößt. An dem Grabe *Philipps des Kühnen* in *Dijon* bewegt sich um die Tumba ein Zug von Leidtragenden (Abb. 465). In den früheren gotischen Gräbern waren sie einzeln in eine Arkade eingestellt und drückten Trauer und mehr noch die Bändigung des Schmerzes durch edle Haltung aus (Abb. 15, S. 25). Jetzt zeigt man schon hinter Säulen halb verdeckt, zufällig überschnitten, absichtslos hin- und hergeschoben, die einzelnen Gestalten wie in einem Leichenzug, den man zufällig auf einer Straße durch die Säulen und Laubengänge hindurch erblickt. Es scheinen auch nicht edle Leute der Verwandtschaft oder des Gefolges des Toten, sondern bezahlte Mönche in groben Kutten, die ihnen wie Säcke über Kopf und Leib hängen; sie denken nicht daran, im Zuge Ordnung zu halten, und betonen ihre Ungeniertheit und Zugehörigkeit zum niederen Volke, indem sich einer die Nase schneuzt, der andere in den Ohren herumbohrt. Es ist das Werk desselben niederländischen Bildhauers *Claus Sluter* und seiner Gesellen, die den *Mosesbrunnen* mit seinen derben Prophetengestalten geschaffen haben (Abb. 466, 467), den Moses, dessen

Abb. 465. *Dijon, Museum. Grabmal Philipps d. Kühnen von Jean de Marville, Claus Sluter und Claus de Werve. Zwei Klagefiguren. 1384—1411.*

Abb. 466. *Claus Sluter, Mosesbrunnen in der Kartause von Champmol bei Dijon: Moses, David und Jeremias. Begonnen 1395, vollendet vor 1406.*

kleines verhutzeltes Gesicht in einem wüsten Wald von Bart verschwindet, den Jesaias, dessen Glatzkopf mit dem zahnlosen Gesicht eines alten Försters schon zu wackeln scheint, den David, der das zu Boden sackende Kleid zu verlieren scheint. Es sind Leute aus dem Volke, deren Einfachheit man durch gewollte Häßlichkeit und Kleinlichkeit der Physiognomie unterstreicht.

Man wollte wohl sagen, daß das Evangelium dem Volke gehört und daß, um zum Volke volkstümlich zu sprechen, die Bringer des Evangeliums selbst Männer des Volkes sein müssen. Deshalb häufen sich jetzt die Bilder, in denen ein Prediger zur Menge spricht und das Volk zur Taufe aufruft und tauft. *Masaccio* stellt es so dar in seinen berühmten Fresken der *Brancacci-Kapelle* in Florenz, daß der Redner, eine derbe, kräftige Gestalt, ins Bild hineinredet, dem Kirchenraum also den Rücken zukehrt und zu der dichtgedrängten sitzenden und horchenden Menge spricht, in der keine Bewegung mehr die edle Haltung, sondern alles nur die Ergriffenheit vom Wort besagt. Die Täuflinge (Abb. 468) stehen frierend und zusammengedrückt und warten, bis sie an die Reihe kommen; realistische Gestalten im lichtdurchfluteten Raum, besagen sie, daß es sich um menschlich irdische Angelegenheiten handelt. In den Bildern vollendet sich, was sich in den Bestrebungen der Bettelmönche gerade in Italien vorbereitete, eine den kirchlichen Zeremonien sich entfremdende Vorbildlichkeit des Lebens in Armut und eine Rechtfertigung dieses Lebens durch die Predigt: Heiligkeit hört auf, ein Rang und eine repräsentative Lebenshaltung zu sein.

Ähnlich wandelt sich auch das Bild des Ritters. Das neue Schlachtenbild zeigt ihn wieder als männlichen Kämpfer, im Gewühl der Schlacht und im Gewühl der Menge. Das Heer in seiner Realität als durcheinanderwirbelnde Masse räumlich glaubhaft darzustellen, in den Bewegungen statt der idealen Pose die Realität des Geschehens zum Ausdruck zu bringen, darum bemüht sich *Ucello* in seinen Reiterschlachten, in denen er selbst noch einen Kampf mit den mittelalterlichen Flächenkonstruktionen ausficht (Abb. 469). Was er versucht, gelingt *Piero della Francesca* in seinen herrlichen Fresken in

Arezzo (Abb. 470). Der Sieg des Konstantin über Maxentius ist keine Glaubensallegorie mehr und keine Verherrlichung eines Heerführers, sondern ein für das Auge anziehendes Schauspiel einer in einer sonnigen Landschaft entwickelten Schlacht zweier Heere, eines siegenden, in dem der Herrscher, von Pferdehälsen und Lanzen überschnitten und verdeckt, nur dem Trupp die Richtung weist, und eines fliehenden, bei dem der Anführer der letzte geworden ist. Ein Gewimmel von Pferdebeinen schafft die Tiefe des Bodens, einzelne Gewappnete der vordersten Reihe beleben mit Glanz der Rüstung und Galopp des aussprengenden Pferdes die Schar und geben ihr Physiognomie, eine Phalanx von Lanzen und Feldzeichen verdeckt den Himmel und faßt die Masse als Einheit zusammen; das fliehende Heer aber läßt hinter sich einen Nachzügler (Maxentius), dessen Pferd mit gelockertem Zügel das jenseitige Ufer eines Flusses erklimmt und auch dem historischen Augenblick die volle Individualität des einmaligen und plötzlichen Geschehens gibt. Das Flußtal aber mit seiner unendlichen, der Ferne zustrebenden Tiefe und der in gleicher Richtung gegen die Schlachtentwicklung angehende Wolkenzug legt zwischen die Parteien die Spannung einer entscheidenden Zäsur und den Kontrast des friedlichen Sommertages und der harten Gewalt der Soldateska. Eine im Licht gehellte Farbigkeit würzt dem Auge das Schauspiel. Die Unmittelbarkeit dieses irdischen Geschehens steht in Einklang mit der eingehenden Schilderung, durch die in diesen Fresken auch sonst, bei der Aufhebung des Kreuzstammes die mühsam keuchende Arbeit von derben Trägern, beim Herausheben eines Verunglückten aus dem Brunnen die körperliche Aktion der Ziehenden und die sachliche Konstruktion des Triangelgerüstes, und bei der Ausgrabung des Kreuzes die durch Zeittrachten betonte Gegenwart glaubhaft gemacht und des Charakters des Wunders entkleidet wird. Großartig ist der Tod Adams als Begräbnis des ersten Menschen im Kreise von Urmenschen realistisch geschildert und entheiligt.

Abb. 467. *Claus Sluter, Mosesbrunnen in der Kartause von Champmol bei Dijon: Jesaias. Begonnen 1395, vollendet vor 1406.*

Daneben geht eine Entheiligung des Altarbildes einher. Das Kirchenbild wird verweltlicht durch intime Beziehungen der Heiligen zu den unheiligen, gewöhnlichen Menschen. Man läßt beide Sphären sich vermischen, die Heiligen auf das Niveau der Irdischen herabtreten, die Zeitgenossen in den Raum der Heiligen eintreten. Dies geschieht durch die *Stifterbildnisse*, die in voller Realität zeitgenössischer Porträts und in gleicher Größe wie die Kultfiguren sich neben sie stellen und so einen Maßstab für die irdische Existenz, den Erdenwandel dieser Heiligen abgeben und zugleich einen Teil der Bedeutsamkeit dieser Heiligen und der ihnen gespendeten Aufmerksamkeit an sich reißen. So ist in *Masaccios* Fresko der Dreifaltigkeit durch eine gemalte Architektur ein ganz illusionistisch gesehener Kapellenraum geschaffen, in dem nun Gottvater mit dem Kreuz Christi und

Abb. 468. *Masaccio, St. Peter tauft die Heiden. Fresko in der Brancacci-Kapelle von Sta. Maria del Carmine in Florenz. 1426—27.*

Maria und Johannes wie leibhaftige Personen stehen, so irdisch gegenwärtig wie die Stifter links und rechts neben ihnen. Alles Wunderbare ist vermieden, Gottvater, eine väterlich volkstümliche Gestalt, ist auf eine Brüstung gestiegen, um die Arme des hochhängenden Sohnes stützen zu können, Christus ist mit häßlich auseinandergebogenen Beinen hart realistisch dargestellt, Johannes und Maria, letztere ganz derb und matronenhaft, sind mit dicken, sackartigen Gewändern unförmlich gemacht. Nur die Strenge der Symmetrie und der architektonische Rahmen lassen eine Feierlichkeit zurück, an der nun die zwar knienden, aber gleich groß gegebenen Stifter teilnehmen. Nicht der kultische Gehalt der Darstellung wird mit der Strenge der Komposition erhöht, sondern die Macht des gewöhnlichen Erdendaseins mit ihr revolutionär herausgestellt und gefeiert. Es ist ein Bekenntnis, aber ein Bekenntnis zum Volk und zur Erde.

In *Jan van Eycks Genter Altar* beanspruchen die Stifter, die physiognomisch noch viel genauer als bei Masaccio charakterisiert sind und deshalb den Blick noch stärker anziehen, von vier völlig gleich gebildeten Nischen einer Altarpredella zwei für sich! (Abb. 473.) Knieten nicht auch sie anbetend, so wären sie den Heiligen völlig gleichgestellt. Tatsächlich aber bedeuten sie sogar mehr. Denn diese Heiligen sind als plastische Figuren aus Stein charakterisiert, d. h. nicht als Personen für die Gläubigen vor dem Altar — denen hätte die Malerei sie als lebendige Personen nahegebracht —, sondern als Objekte der Privatandacht des Stifters, des Herrn Jodocus Vijdt und seiner Ehefrau. Aus deren Leben ist ein historischer Augenblick berichtet. Deshalb stehen für den schärfer zusehenden Blick die Heiligen noch einmal in Nischen, Nischen in der Wand eines einzigen, hinter den trennenden Streifen durchgehenden Raumes, der den Schauplatz dieser Szene bildet. So hat Jan van Eyck mit großem Geschick, hinterlistig gleichsam, das gegebene kultische Schema des Nischenaltars in eine ganz unkultische biographische Anekdote umgesetzt, der zuliebe auch die Predella so groß gebildet ist, daß sie die Architektur des Altars sprengt. Hier ist nicht Anpassung, sondern Auflehnung der neuen Gesinnung gegen die alte Form und Vorwegnahme eines Typus von Madonnenbildern,

Abb. 469. *Paolo Ucello, Die Schlacht von St. Egidio. London, National Gallery. 1423—25.*

in denen Jan van Eyck diese Schilderung des Privatgottesdienstes zum Inhalt macht und die Madonna selbst als Privatheilige den Gläubigen entrückt. In der *Madonna des Kanonikus van der Paele* (Abb. 471) wird der kniende Kanonikus vom Heiligen Georg der Madonna und dem Heiligen Donatian vorgestellt. Das Gesicht des Kanonikus ist von Falten gefurcht, von Adern durchschwollen, in seiner Individualität unverkennbar, mit topographischer Deutlichkeit bis ins kleinste durchmodelliert. Der Bischof ist mit der schweren Goldbrokatkasel bekleidet, die die Priester bei hohen kultischen Festen trugen, der Heilige Georg mit einer bis in die feinsten Kettenringe durchgemalten Prunkrüstung der Zeit. Aber diese Stoffe, Brokat, Eisen, Silber und Gold sind nicht in der Art des Prunkstiles zum Teppich für das Auge verwoben, sondern registriert; so wie der Heilige Georg trug sich und benahm sich ein Kavalier der Zeit, wenn er einen Gast der Hausfrau vorstellte: den Helm elegant lüftend, mit zierlicher

Abb. 470. *Piero della Francesca, Der Sieg Konstantins über Maxentius. Fresko. Arezzo, S. Francesco. Ausschnitt. Um 1455—60.*

Abb. 471. *Jan van Eyck, Die Madonna des Kanonikus van der Paele. Brügge, Städtische Galerie. 1436.*

Gebärde auf den Ankömmling weisend, das eine Bein lässig entlastet. Ein feiner, dunkler, den Raum einender Ton dämpft die Pracht, die nicht mehr Selbstzweck ist. Die Heiligen sind ganz unter sich, Madonna und Kind sehen zum Kanonikus hin. Vergebens würde der vor dem Altar Kniende wie von den huldvollen Madonnen der gotischen Portale einen gnädigen Blick zu erhaschen suchen. Diese Entrückung, dieses Untersichsein der Heiligen bedarf des eigenen Raumes mit der Perspektive, die diesen Raum aus der Kirche und dem wirklichen Raum heraushebt. Die Kirchenapsis, in deren Chorrund die Madonna hier mit ihren Leuten weilt, ist nicht die Kirche, für die sie Kultbild sein soll. Der Künstler berichtet auch hier einen zeitgenössischen Vorfall, aber verwirklicht nicht die Gestalt für den Kult. Das Bild verhält sich zu einem echt mittelalterlichen wie Geschichte zur Theologie.

Noch weiter geht darin die *Madonna des Kanzlers Rolin* (Abb. 472). Hier kniet der Stifter mit seinem herb-festen Gesicht vor einem kleinen Privataltar in der prächtigen Halle seines Palastes. Die Madonna mit dem Kinde hat bequem auf einer mit Kissen belegten Bank Platz genommen; sie ist eine rechtschaffene, leidlich hübsche Frau mit breiten Zügen, in einem weiten, mit kostbarer Randborte besetzten Mantel, der mit häßlich geknickten, breiten Falten alle Körperformen grob verhüllt. Befangen schlägt sie die Augen nieder und schiebt das Kind vor, ein sehr babyhaftes Kind mit unbeholfenen Gliedern, geschwollenem Leib und Einschnürungen im prallen Fleisch, den Kanzler zu segnen. Wäre nicht dieses Knien und Segnen und der Engel in den Lüften, der Maria die Krone aufsetzt, d. h. sähe man nur auf die Physiognomien, man würde glauben, eine Frau aus dem Volke wäre mit ihrem Kinde beim Arzt. Auch hier fehlt jede Beziehung zum Gläubigen, man kann nur zusehen, nicht anbeten, und wird freilich für das Auge reichlich entschädigt. Zwischen den Personen ist Raum genug, und zwar gerade in der Mitte des Bildes, daß der Blick in den Vorgarten und über die Brüstung in die weite Flußlandschaft mit Brücken und Städten und Inseln und bewachsenen Ufern dringen kann. Er erkennt nicht nur, wo in der Welt sich dieser Palast befindet und wo diese Geschichte passierte, er wird auch von tausend bunten Einzelheiten festgehalten und von dem Zauber geblendet, mit dem diese Chronik des Luxus der Zeit (die dem reichen Herrn gleichsam gestattete, die Madonna zu sich ins Haus zu bitten) den Prunk der Gewänder und die Fülle der Dinge in der Natur schildert und in das Dunkel des Raumes und den Sonnenglanz der Ferne verwebt.

Abb. 472. *Jan van Eyck, Die Madonna des Kanzlers Rolin. Paris, Louvre. Um 1436.*

Diese Entrückung der Heiligen in eine private und einmalige Situation bedingt eine völlige Umkehrung des überlieferten Altarbildes. Mittelalterlich war es, in den Hauptteil des Altars die für die Gläubigen zur Anbetung bestimmten Statuen der Heiligen zu stellen oder zu malen und in den niedrigen Sockelfeldern der Predella durch kleine Bilder aus dem Leben der Heiligen ihr Wesen zu erläutern. Jetzt stellt man ins Zentrum eine dieser Geschichten, in die sich der Betrachter mitlebend hineinversetzt. Die Personen des Kultus werden, wenn sie nicht ganz fehlen, in die Predella oder die Giebel versetzt. In dieser Hinsicht bedeutet der *Genter Altar* der Brüder *van Eyck* die radikalste Revolutionierung des mittelalterlichen Altars und Kultbildes (Abb. 473, 474). Im Innern, dem altertümlicheren Teil (*Hubert van Eyck*?), halten sich oberer Statuenrang und Predellenzone mit der Darstellung eines großen, in der Landschaft stattfindenden Volksfestes die Waage. Was an absoluter Größe der obere Rang gewonnen hat, nimmt ihm die untere Zone durch Bedeutung

Abb. 473. *Hubert und Jan van Eyck, Der Genter Altar (mit geschlossenen Flügeln). Gent, Sint Bavo. Begonnen vor 1426, vollendet 1432.*

für das Auge und durch Konzentration zu einer einzigen, hinter den Trennungsleisten durchgehenden räumlichen Situation wieder ab. Die Frische der Landschaft, die physiognomische Bestimmtheit der Gegend durch das Stadtbild im Hintergrund, die realistische Charakterisierung der straffen, kecken Reiter, der Streiter Christi, der ungepflegten verhutzelten Eremiten, der grimmig harten Vertreter des Alten und der mild gnädigen des Neuen Testamentes geben dem Gläubigen wenig Gelegenheit, sich mit eigener Andacht zu beteiligen. Er steht und staunt. Gegenüber *Fra Angelicos* Krönung Mariä (Abb. 455, S. 383) wird der sehfreudigere, weltzugewandte Sinn der revolutionären Generation ganz deutlich. Auch im oberen Rang wird vom Zentrum, dem wie ein Oberpriester charakterisierten Gottvater, nach den Seiten hin die zunehmende Naturdarstellung und intime Situationsschilderung deutlich. Sie endet mit der selbst heutiges Gefühl verblüffenden Naturwahrheit der Akte von Adam und Eva. Weiter noch geht die Vorderseite des Altars in der Zerstörung der alten Form. Die ganze Mitte wird von einem realistisch als Privatgemach der Madonna geschilderten Raum eingenommen. Die Bögen aber, die die an dieser Stelle früher befindlichen drei Nischen deckten, sind geblieben. Sie werden über der Balkendecke des Einheitsraumes zu Bodenräumen, in denen sich Sibyllen und Propheten herumdrücken müssen. Das Mittelfeld, sonst der feierlichste Ort für den Hauptheiligen, ist leer und gibt den Blick frei auf eine Nische mit Waschgeschirr und Handtuch und daneben auf die Häuser einer flandrischen Stadt, wodurch der Vorgang, die Verkündigung, ganz zu einer zeitgenössischen Anekdote wird. Daß der Engel und Maria noch in ihren Gebärden zeremoniell und gläubig, in ihrer Größe als der Raumwirklichkeit widersprechende, feldfüllende Statuen gegeben sind, macht nur die Kraßheit um so fühlbarer, mit der hier eine traditionelle Bildform umgestoßen, das Heilige ins Profane verkehrt wird. Die *Verkündigung* wird ein Lieblingsthema dieser Kultbildverwandlung. Selbst *Donatellos* Skulptur in Sta. Croce zeigt sie als Vorgang im Raum (Abb. 475). Das traditionelle Element des Wunders, der göttlichen Botschaft und der Marienverehrung ließ sich hier am leichtesten auf menschliche Angelegenheiten, die Mutterschaft

Abb. 474. *Hubert und Jan van Eyck, Der Genter Altar (mit geöffneten Flügeln). Gent, Sint Bavo. Begonnen vor 1426, vollendet 1432.*

und den Besuch im eigenen Hause beziehen. Bei *Filippo Lippi* ist es ein kleiner Vorgarten einer Villa — im Süden spielt sich das Leben gern in der Öffentlichkeit oder Halböffentlichkeit eines Gartens ab—; zwei Stifter, wahre Galgengesichter, dürfen dem Vorgang zusehen (Abb. 476).

Auch ein neues Thema erscheint jetzt, das noch profaner wirkt, obwohl es zwei Heilige in einem Vorgang vereint. Die Madonna läßt sich malen. Sie sitzt in dem schönen Bilde *Rogers van der Weyden* (Abb. 477) vor dem heiligen Lukas, der mit dem Stift das ganz menschlich intime Motiv festhält, wie Maria dem Kinde die Brust gibt. Das Bild führt in härterer Malerei die Situationsschilderung Jan van Eycks aus der Madonna beim Kanzler Rolin weiter. So führt alles von der für die Öffentlichkeit und den Kult berechneten gemalten oder skulpierten Heiligenstatue zur Darstellung des *Heiligen im Gehäuse,* für die das Bild des *Hieronymus im Gehäuse* am bekanntesten und auch am erfolgreichsten geworden ist (Abb. 34, S. 49). Daß der Heilige als Privatmann zu Hause in seiner eigenen Häuslichkeit dargestellt wird, bedeutet nicht nur die volle Menschwerdung des Heiligen und letzte Entrückung aus der Kirche, sondern auch die Entstehung des selbständigen *Interieurbildes* und des *Stillebens.* Das Interieurbild entsteht, weil der Raum jetzt, um den Heiligen als Privatmann und Individuum in seiner Eigen- und Sonderexistenz zu charakterisieren, auch eine Physiognomie haben muß, eine Eigenart, die

Abb. 475. *Donatello, Verkündigung. Florenz, Sta. Croce. Um 1435.*

ihn als des Heiligen Eigentum charakterisiert, und auch eine Stimmung, die ihn mit dem Leben und individuellen Tun des Heiligen als Lebenseinheit verbindet. Diese Individualität erlangt der Raum durch die vielen Dinge, Möbel und Geräte, die durch die Hand des Heiligen gegangen sind und an denen sein Herz hängt. Indem aber so die Dinge als Teil eines besonderen Lebens von Zuneigung und Behagen des Menschen umgeben scheinen, warten sie nur auf den Künstler oder die Zeit, die imstande ist, sie auch für sich mit diesem Widerschein eines individuellen Lebens ausgestattet darzustellen. Schon die eingehende Wiedergabe, aus der die sorgfältige Beobachtung und die Liebe zum Kleinen seitens des Künstlers hervorgeht, strahlt aus diesen Bildern die Wärme zurück, mit dem der Blick des Menschen in diesen Räumen auf ihnen verweilt hat. In der *Eremitanikapelle* in *Padua* (Abb. 478) sind die Zwickel unter der Kuppel mit vier, Architektur vortäuschenden, Kreisen ausgemalt, durch deren Öffnungen man in ganz realistisch ausgemalte Zimmer hineinblickt. In diesen sitzen die Kirchenväter am Pult bei der geistigen Arbeit. Man sehe den Heiligen Augustinus, wie er hinter einem Schreibtisch sitzt, schräg ins Bild hinein, den Gläubigen abgewandt, ganz in sein Buch vertieft. Er ist ganz zu Hause, ein Mensch, auf dessen derbknotigem Gesicht niemand die spitze Mütze für die Mitra eines Bischofs halten würde. Wie bei jedem Gelehrten hat es auch hier seine Not, die vielen Bücher unterzubringen. Unter dem Schreibtisch ist dort, wo der Gelehrte die Beine ausstreckt, ein Fach ausgespart. Hinter seinem Rücken steht ein dreiteiliges Drehpult mit Büchern, vor ihm ein in sinnreicher Metallkonstruktion drehbares Lesepult mit einem Buch, im Hintergrund an den Wänden sind Schrankfächer und Regale mit Büchern. Der ganze Raum ist eng und konzentriert, eine echte Gelehrtenklause. Daß dieser Raum sich in den Kirchenraum öffnet, empfindet man als doppelte Störung: der Kirche durch das Profangemach, des Gelehrtenzimmers durch die Öffentlichkeit der Kirche. Es ist, als ob man aus der Kirche in die Loge eines Kuppelwächters blickt. Denn dieser Heilige zieht sich nicht nur aus der Kirche, sondern aus jeder Art von Öffentlichkeit zurück.

Dieser Stimmung kommt das Tafelbild, wie es *Antonello da Messina* (Abb. 34, S. 49) gemalt hat, weit besser entgegen, obwohl der in den Formen eines offenen Portales gemalte Rahmen auch noch immer die Zugluft des Draußen in die von feinem, dämmerndem Licht zusammengehaltene Stimmung des Innenraumes eindringen läßt. Der Heilige hat sich in einer weiten und durchblickreichen Klosterarchitektur einen Arbeitsplatz auf einem Podium geschaffen, das er mit Regalen gegen die Ablenkungen der Welt zu einer Gelehrtenzelle umgebildet hat. Aber in den Ruhepausen braucht er noch etwas für das Gemüt, die Blumentöpfe vor seinen Füßen, und die Haustiere, Perlhuhn und Pfau, denen er eine Schale mit Futter hingestellt hat.

Abb. 476. *Filippo Lippi, Verkündigung. Rom, Palazzo Venezia. Nach 1435.*

So durchgefühlt auch gerade hier das Motiv dieses Raumes in Räumen wirkt, die dem Beschauer aufgenötigte Fülle der Durchblicke und Raumvervielfältigung scheint doch spezifisch italienisch. Die letzte Gemütlichkeit solcher erlebten Privaträume scheint doch nur im Norden möglich. Der *Mérode-Altar* des *Meisters von Flémalle* (Abb. 479) enthält im Mittelteil eine Verkündigung. Im linken Feld warten die Stifter im Hofe hinter einer Tür. Aber auch der Engel muß warten, weil er Maria als Heilige im Gehäuse trifft. Sie hockt neben der Bank, die neben dem Kamin steht, auf einem Schemel, und hat, in Lektüre versunken, alle Welt vergessen. Auf dem Tisch neben ihr liegt ein zweites Buch aufgeschlagen, daneben steht ein Leuchter und ein Krug mit einer Blume. Das ganze Zimmer ist ausgestattet wie das irgendeiner Bürgerin der Zeit. Im rechten Feld aber sitzt ganz für sich Joseph in seiner Werkstatt und bohrt mit dem Drehbohrer Löcher in ein Brett. Anderes

Abb. 477. *Roger van der Weyden (nicht eigenhändig). Die Madonna vom Hl. Lukas gemalt. München, Alte Pinakothek. Um 1435—40.*

Abb. 478. *Niccolo Pizzolo, Der Hl. Augustinus. Fresko in der Eremitanikapelle in Padua. Vor 1453.*

Handwerkszeug liegt auf dem Arbeitstisch und am Boden. An der Decke hängen an Stäben Bretter, auf denen ein Holzvorrat Platz finden kann, und durch die Fenster sieht man den Marktplatz einer Stadt, die dieses individuell eingerichtete Gemach in eine ganz bestimmte Örtlichkeit verweist. Auf einem anderen Altar desselben Meisters liest im Seitenflügel die Heilige Barbara vor einem Kamin, in dem ein Feuer brennt. Der Künstler weiß, wie es die Stimmung der Heimlichkeit und Geborgenheit fördert, wenn das Feuer im Herde knistert.

Mehr noch als die dem Äußeren entfliehende geistige Versenkung entspricht dieser Häuslichkeitsschilderung die Zugehörigkeit des Menschen zum engsten, aller Öffentlichkeit entrückten Kreise, zur Familie. Die Heiligen benehmen sich familiär; das aber ist der Gegensatz zum vornehmen Gebaren. Die Mutter Maria sitzt in ihrem Raum und stillt das Kind. In dem schönen, dunkeltonigen Bild *Jan van Eycks* sitzt sie noch wie auf einem Altar auf einem Thron, vor einem brokatnen Teppich und unter einem Baldachin. Aber der Raum, dessen schmale Tiefe sie einnimmt, ist ganz zimmermäßig ausgestattet, Äpfel liegen auf dem Fensterbrett, in einer Nische glänzt ein gefülltes Waschbecken, darüber eine Flasche und ein Leuchter. Mit spitzen Fingern gibt sie dem Kinde,

Abb. 479. *Meister von Flémalle, Verkündigung (Mittelbild des Mérode-Altars). Nach einer Kopie in der Gemäldegalerie zu Kassel. Um 1428.*

das uns den Rücken zukehrt, die Brust und blickt zu ihm herab. Das aber, was das Sitzen erst zu einem feierlichen machen würde, die Haltung der Glieder, ist durch einen schweren Mantel verhüllt, der, ein prächtiger Stoff aus tieftönendem Weinrot, wie eine Reisedecke in zufälligen Brüchen und Knicken auf den Perserteppich zu ihren Füßen fällt. Der *Meister von Flémalle* (Abb. 480) faßt das Gemach knapper, aber realistischer mit Fliesen am Boden und Ausblick aus dem Fenster. Die Madonna sitzt wieder auf der Bank, neben ihr liegt ein Buch, auf dem Tisch steht ein Kelch. Den Heiligenschein, den diese wunderfeindliche Generation gern wegläßt, ersetzt der Maler durch das bogige Rohrgeflecht eines hinter der Madonna stehenden Ofenschirmes.

Abb. 480. *Meister von Flémalle, Madonna. London, National Gallery. Um 1430.*

Das intimste familiäre Ereignis, die *Wochenstube,* wird ein Lieblingsgegenstand dieser Zeit. Es handelt sich nicht mehr um die mittelalterliche Formel einer Madonna, die in vornehmer Haltung auf einem Bette liegt und um die herum Kind, Joseph und Besucherinnen wie Attribute und Gefolge gruppiert sind (Abb. 450, S. 375), sondern um eine richtige Wochenstube, ein Schlafgemach, in dessen Tiefe das große Bett steht, wie es *Sassetta,* ein im Figürlichen noch stark im Trecento wurzelnder sienesischer Maler, in einer Geburt der Maria geschildert hat (Abb. 481). Das Bild ist voll feiner, beobachteter, intimer Züge: die Wöchnerin, der eine Dienerin das Wasser über die Hände gießt, die Gevatterin, die auf dem Boden hockt, das Wickelkind auf dem Schoß, das in der neben ihr stehenden

Abb. 481. *Stefano di Giovanni, gen. Sassetta, Geburt Mariä. Asciano, Dom. 3. Jahrzehnt 15. Jh.*

Abb. 482. *Meister des Marienlebens, Geburt Mariä. München, Alte Pinakothek. 3. Viertel 15. Jh.*

Wanne soeben gebadet ist, die Dienerin vor dem Kamin, die eine Windel vor das Feuer zum Trocknen hält, die Frau, die aus dem Vorgarten hinter der Stube, mit Speisen in den Händen, in der Tür erscheint, und die Männer, die sich im Nebenzimmer unterhalten. Das Bezauberndste aber ist die empfundene Raumstimmung mit dem Blick vom dunkleren in den helleren Raum, hin zu dem Licht, das hier noch in den Fenstern als Goldgrund scheint. Ein Pieter de Hooch des frühen 15. Jahrhunderts! Wie der Genter Altar entwickelt auch dieses Bild die Vielheit und Anmut des Raumes hinter den Teilungspfosten einer dreiteiligen Altararchitektur, und macht die intime häusliche Szene zum Hauptbilde, während die thronende Madonna mit Engeln (auch sie gibt dem Kinde die Brust) in ein kleines Kopfstück verwiesen ist. Es ist, als ob von diesem Bilde eine direkte Linie zu dem Spätling dieser Richtung, der Wochenstube des *Meisters des Marienlebens* führte (Abb. 482). Die altertümlichen Momente sind hier weggefallen, der Raum ist zu einem einzigen geworden, in dem ein breites Doppelbett die Wöchnerin tief unter Kissen birgt. Auch hier finden sich intime Züge: eine der Frauen prüft das Wasser, das eine andere in die Wanne gießt, mit dem Finger auf seine Temperatur; eine andere Frau gibt eine Windel aus der Truhe. Es ist ein Stückchen bürgerlichen Lebens der Zeit. Die Figuren selbst sind hier nicht mehr so unbefangen. Sie zieren sich etwas. Die liebste Heiligengesellschaft wird die *Heilige Familie*, eine Heilige Familie, wie sie *Konrad Witz* schildert (Abb. 483). Sie ist in die immer offen stehende Kirche — es ist das Basler Münster — eingetreten wie in eine Herberge. Durch die Tür sieht man noch den Platz vor der Kirche. Mitten im Schiff hat sie sich niedergelassen. Zwei Begleiterinnen und Joseph bemühen sich

Abb. 483. *Konrad Witz, Die Hl. Familie in der Kirche. Neapel, Museo Nazionale. Etwa 1442—43.*

Abb. 484. *Filippo Lippi, Madonna das Kind anbetend. Berlin, Kaiser-Friedrich-Museum. Vor 1435.*

zärtlich um das Kind, wie Eltern und Verwandte zu tun pflegen. Die Gläubigen vor dem Bilde suchten vergebens die Heiligen, sie sahen nur die Familie. Die architektonischen Linien des Bauwerkes sind krumm und schief gezeichnet. Nicht als ob es Witz nicht anders gekonnt hätte. Aber er wollte auch die Kirche zu einer gemütlichen Behausung machen, und rüttelt so im wörtlichen und übertragenen Sinne an den Grundfesten der Kirche. Ein wohlig dämmriges Licht erweicht alle Strenge. Vielleicht kannte er Jan van Eycks Madonna, die im Dämmer ihrer Kirche spazierengeht, und fühlte sich durch sie ermutigt.
Eine neue, aus dem Familiengefühl gewonnene Andacht (dieselbe, die uns noch heute der Kinder Geburtstag als ein Fest begehen läßt) schafft ein neues Marienbild, die *Anbetung des Kindes*. Kaum ein Maler dieser frühen, erobernden Renaissancegeneration, der nicht dieses Thema gemalt hätte! Am bekanntesten sind die Bilder von *Filippo Lippi* (Abb. 484) geworden, die die Madonna im Walde zeigen, durch den ein tiefes Dämmern webt. Das Kind liegt ganz kindlich, den Finger im Mund, zwischen den Blumen, selber wie ein Gewächs und einbezogen in den Mythos des geheimnisvollen Wunders der Natur, zu dem Gottvater mit der Taube des Heiligen Geistes herabschwebend den Segen im herabfallenden Strahle des Lichtes gibt. Man spürt noch etwas von der weichen Andächtigkeit eines Fra Angelico und dem Zauber der „heiligen Nacht" aus der Predella von Gentiles Anbetung der Könige. Natürlicher, als rechte Geburtstagsfeier, hat *Piero della Francesca* die Anbetung des Kindes geschildert (Abb. 33, S. 48). Die kniende Mutter, eine schlichte Frau ländlichen Ursprungs, hat ein Mantelende vor sich auf den Boden gebreitet, damit das Kind weich liege. Ein Chor kräftiger Landmädchen macht Musik, Laute spielend und singend. Die Kuh streckt neugierig den Kopf vor, der Esel schreit. Ein südlich heißes Mittagslicht liegt auf der umbrischen Felsenlandschaft. Ganz hell und durchsichtig wird der Schatten, den das Dach des

Abb. 485. *Meister Francke, Geißelung Christi. Vom Thomasaltar der Englandfahrer. Hamburg, Kunsthalle. 1424.*

Schuppens auf das zerfallene Gemäuer wirft. Zwei Hirten mit gebräunten Bauernphysiognomien sind ganz vom Schatten aufgesogen. Vor ihnen sitzt Joseph auf dem Sattel seines Esels, das eine Bein über das andere geschlagen und sehr nachdenklich. Im Hintergrunde die Häuser einer umbrischen Stadt. Das Kind ist der Mittelpunkt. Die Madonna ist aus dem Zentrum herausgerückt; und alles ist in Licht, Musik und Freudigkeit getauchte Stimmung. Die konventionelle Höflichkeit des Mittelalters ist durch eine neue ungezwungene Herzlichkeit abgelöst. Man müßte einmal solche Motive zusammenstellen, wie bei Filippo Lippi der Johannesknabe mit kräftigem Händedruck den Christusknaben begrüßt, die Eltern des Johannes, ehe er in die Wüste geht, von dem Knaben Abschied nehmen, um zu sehen, wie nahe wir hier in der italienischen Kunst der Welt Rembrandtscher Radierungen sind. Daß die deutschen Bilder dieser Zeit diesen Ton der Herzlichkeit am reinsten treffen, ist nur die Kehrseite davon, daß die deutschen Bilder am wenigsten Form und Haltung haben. Die große Bedeutung, die auch jetzt noch die Passion Christi, besonders: Gethsemane, Kreuzabnahme, Grablegung, Beweinung und die Pietà haben, wofür die Geißelung Christi von *Meister Francke*, die Berliner Bilder *Multschers* und die *Pietà aus Unna* (Abb. 485, 486) zeugen mögen, hängt damit zusammen. Wie empfindungsvoll und herzlich geht doch alles in *Lukas Mosers Tiefenbronner Altar* zu (Abb. 487); oben bei der Tafelgesellschaft, die so natürlich vor einer Laubenhecke an einem ge-

Abb. 486. *Münster i. W., Landesmuseum. Pietà von Unna. Anfang 15. Jh.*

deckten Gartentisch sitzt, und wo Magdalena mit Inbrunst dem Herrn die Füße mit den Haaren trocknet, unten in den Szenen, die die Meerfahrt der Magdalena mit ihren Geschwistern und Freunden, ihre Ankunft in Marseille und schließlich die letzte Kommunion und Entrückung der Heiligen zeigen. Die Szenen sind durch den Hintergrund hinter den Trennungsleisten der Altarplatten zu einer natürlichen Räumlichkeit zusammengezogen, einem Königspalast, der mit Palas, Kirche und überdachtem Vorplatz an einem von frischer Brise gekräuselten See liegt. In dem Vorplatz hocken die Heiligen, aneinander geschmiegt, von der langen Fahrt todmüde; Lazarus hat sich mit zusammengefalteten Armen quer über den Schoß der Schwester gelegt. Der Künstler hat diesen Mangel an jeglicher Haltung noch durch eine rücksichtslose perspektivische Ansicht verstärkt.

Abb. 487. *Lukas Moser, Flügel des Magdalenenaltars in Tiefenbronn: Die Rast der Heiligen und der Traum der Königin. 1431.*

Eins aber wird völlig deutlich. Die Perspektive ist in all diesen Bildern nicht eine neue Errungenschaft des Könnens, nicht ein technisches Problem, sondern eine Forderung der neuen Gesinnung und der neuen Bildwelt. Dem Mittelalter, für das die Heiligenbilder Vertreter der Heiligen waren, mußte alles daran gelegen sein, die Heiligenstatuen (auch die gemalten) in die Kirche hineinzustellen, sie zu verwirklichen und den Hintergrund auch in Bildern, die einer Szenerie bedurften, zu neutralisieren. Die jetzt notwendig gewordene Entrückung aus der Kirche, die Teilnahme am Privat- und Eigenleben der Heiligen, bedurfte der Perspektive und der Darstellung im eigenen Raum und deshalb völlig neuer Bildmittel, die man bisher vernachlässigen mußte, und die deshalb auch erst praktisch und theoretisch erobert werden mußten. Wenn noch soviel Ungeschicklichkeiten in der Perspektive sich finden, soviel Härten (neben unleugbaren Weichheiten und Stimmungen), so hat auch das seinen Grund weniger in dem Nichtkönnen, als in der Macht der mittelalterlichen Tradition. Für die kirchlichen Ansprüche waren die Mängel der Perspektive Vorzüge, die falsche Perspektive war die gewohnte, die richtige die ungewohnte. Alle scheinbaren Ungeschicklichkeiten zeigen nur die Mühe, von der Macht der Gewohnheit loszukommen. Völlig widersinnig würde es auch sein, in diesen Bildern nach Formproblemen zu suchen. Denn was in ihnen zum Ausdruck kommen soll, ist gerade die Formlosigkeit, die Ungezwungenheit, die Ungebundenheit als ein neues Ideal der Natürlichkeit. Natur

Abb. 488. *Jan van Eyck, Männliches Bildnis. London, National Gallery. 1433.*

bedeutet nicht einfach das Gegebene schlechthin und seine richtige Darstellung, sondern nur das Gegebene, das schon in sich den Stempel des Natürlichen, d. h. des allem Zwang Enthobenen, trägt; den Gegensatz zu aller Konvention, aller Konstruktion, aller Einordnung und Regel. Natur setzt an die Stelle des Komponierten das Gewordene und Gewachsene, an Stelle der Konvention und Höflichkeit die angeborene Zuneigung und Herzlichkeit, an Stelle des Benehmens in der Öffentlichkeit das Sichgehenlassen zu Hause. Das Gefühl der Freiheit siegt über das der Bindung an Rang und Ansehen. Deshalb tritt jetzt an die Stelle des Denkmals das individuelle Porträt, an die Stelle der für die Öffentlichkeit allgemeingültig gewordenen, typischen Person der für sich lebende individuelle Mensch mit unschönen, aber charakteristischen Zügen, deren Bedeutung auch nur der einzelne, der private Kreis versteht, mit dem er durch intimes Zusammenleben verbunden ist. Die individuellen Züge: das sind die nicht zurechtgemachten, die unverstellten, die Natur im Menschen. Mit welcher Heftigkeit sind in den Gesichtern auch der öffentlich bedeutsamen Personen jetzt die Entstellungen, die Risse und Sprünge im Gesicht, die Verwitterungen und Spuren des Alltags gegeben. Die nordische Kunst — der Meister von Flémalle, Jan van Eyck — geht darin über die italienische noch hinaus. Betont der *Meister von Flémalle* in einem Berliner Bild noch sehr stark die Einzelmerkmale der Deformation, die Glotzaugen, die Narbe auf der Stirn, die Stoppeln auf den Backen, das Hängekinn, so weiß *Jan van Eyck* in seinen Meisterbildnissen (Abb. 488) auch ohne Angabe von Gegenständen durch die Seitwärtswendung des Kopfes, durch ein umhüllendes Helldunkel und eine individuelle Beleuchtung den Eindruck des völligen Fürsichseins, des Zu-Hause-Seins und der bestimmten Stunde zu erwecken.

Abb. 489. *Piero della Francesca, Federigo da Montefeltro. Florenz, Uffizien. 1465—66.*

Abb. 490. *Konrad Witz, Christus am Kreuz. Berlin, Deutsches Museum. Um 1446—47.*

Dieser Drang nach Natürlichkeit und Freiheit ist es, der in den Bildhintergründen jetzt in die Landschaft hinausführt. Darum verlegt man die Christi-Geburtstags-Feiern ins Freie, läßt alle Berge, Täler, Wässer und Himmel dazu glänzen und vermag unter dem Vorwand, die Ärmlichkeit des Stalles zu schildern, in dem Christus geboren ist, selbst den Ruinenzauber zu entfalten (*Meister von Flémalle, Roger van der Weyden, Piero della Francesca,* Abb. 33, S. 48). Darum öffnet man in den Verkündigungen und Stiftermadonnen die Fenster und läßt die Freiheit und die Weite, den unsagbaren Duft und das Licht hinein; deshalb stellt man selbst medaillenscharfe Porträts und getüftelte Allegorien vor die sonnenbeglänzten Flächen der umbrischen Täler (*Piero della Francesca,* Abb. 489). Deshalb malt man jeden Strauch, jede Blume in der Natur wie ein Individuum und Lebewesen mit Liebe und Hingebung, daß man den Blumen zum Riechen, den Früchten zum Pflücken, den Felsen zum Greifen nahekommt, wie in Jan van Eycks natürlichen Hintergründen im Genter Altar (Abb. 474, S. 399). Und deshalb übt sich *Pisanello,* das Leben der Tiere in seinen Skizzenbüchern mit nimmermüdem Stift aufzufangen. Man wagt noch nicht, reine Landschaften zu malen, aber wie nahe kommt diesen *Konrad Witz* in seinen köstlich reichen Bildern, dem Christophorus, der durch einen zwischen felsigen Bergen gelegenen, in weite Ferne hinziehenden Alpensee watet; Berge und Häuser spiegeln sich in seiner ungetrübten Oberfläche, nur das Stapfen des Heiligen zieht im Schattendunkel des Berges von gelben Reflexen aufgelichtete Ringe über das Wasser. Und im Fischzug Petri (Abb. 32, S. 46) sind die Schiffer im Kahn fast nur noch Staffage auf dem Wasser, dessen von Bergen umkränzte, von baumbestandenen Halden eingefaßte und von Häusern auf Pfählen umstandene Ufer den Genfer See erkennen lassen. Diese Landschaften umfassen alles: das physiognomisch Besondere, die menschliche Nähe des Heimatlichen und das wild Gewachsene der Natur und auch schon ein Letztes: die Teilnahme der Natur am Geschick der Menschen. In der Kreuzigung von Konrad Witz (Abb. 490) läßt die weite Wiesenlandschaft, die sich in die unendliche Ferne des Schweizersees verliert, die einfachen Menschen unter dem Kreuz mit ihren Tränen allein, und begleitet mit abendlicher Stille die stumme Klage. Eine feine Aufhebung aller Symmetrie in diesem sonst so strengen und monumentalen Thema bewirkt, daß wir hier den scheuen und verstohlenen Besuch der Verwandten eines Geächteten sehen. Das besagt die Einsamkeit der Natur.

Abb. 491. *Chantilly, Musée Condé. Kalenderbild aus den Très riches Heures du Duc de Berry: Die Säer (Monat Oktober). Vor 1416.*

Über solche Unmittelbarkeit der Landschaft gehen nur die Miniaturen in den Monats- und Jahreszeitenbildern hinaus. Die mythischen Figuren des Mittelalters werden in reine Landschaftsbilder mit der Darstellung des Landlebens in dem betreffenden Monat verwandelt. Mit welcher Intensität der Beobachtung und Teilnahme dies geschieht, dafür spreche die Darstellung des Oktober aus dem *Gebetbuche des Herzogs von Berry* (Abb. 491). Gegen die Mauern einer Burg, vor der Spaziergänger im Zeitkostüm zwanglos sich ergehen und ein Kahn gerade ins Wasser sticht, breitet sich ein Feld, das frisch bestellt ist, und ein Feld, über dessen frisch gepflügte Schollen die Egge geht; Elstern suchen nach den Engerlingen in der aufgeworfenen Erde, ein Sämann streut den Samen aus der um den Hals gebundenen Schürze; im bestellten Felde hält eine als Bogenschütze verkleidete Vogelscheuche die lästigen Gäste fern. In gleichmäßiger Erstreckung, ohne Bruch, ziehen die parallelen Pläne von vorn nach hinten; nur die zu deutliche Angabe der Stadtarchitektur im Hintergrunde läßt das weich und duftig gemalte Landschaftsbild hier abbrechen. Man wird nicht zweifeln, daß der Künstler und die Zeitgenossen den Reiz einer solchen Landschaft empfunden haben: wie es einem zumute ist, wenn man vor den Toren der Stadt spazierengeht und im Kahn fährt. Auf einem oberitalienischen Bilde in der National Gallery in London sitzt der Hl. Hieronymus besinnlich auf einem Felsen, Bücher in Fülle neben und hinter sich; sein Gesicht mit mächtigen ungepflegten Bartmassen ist von Erfahrungen und Wetter gefurcht. Er sitzt geruhsam und sinnend. Vor ihm liegt gemächlich der Löwe wie ein Haustier. Dem Blick aber ist Raum gegeben, durch das Felsental zu schweifen, dessen Hügel von mildem Abendlicht gestreift und in einem warmen Helldunkel modelliert sind — ein Vorspiel zu Rembrandts später Radierung. Die Weltflucht wird zum Bekenntnis zur Natur und ihrer Einsamkeit, Askese zum Naturgefühl. Es ist, als ob diese Einsiedler sagten: Hier bin ich Mensch, hier kann ich's sein.

In Oberitalien, in der Alpenkultur, treffen sich burgundisch-niederländische, deutsche und italienische Kunst. Man wird leicht bemerken, wie zu dem Bedeutungswandel der Bilder, der sich jetzt vollzieht, jede dieser Landschaften ihren besonderen Beitrag zu geben hat. Man braucht nur *Masaccios Zinsgroschen*

Abb. 492. *Masaccio, Der Zinsgroschen. Fresko in der Brancacci-Kapelle von Sta. Maria del Carmine in Florenz. 1426—27.*

(Abb. 492) neben den Genter Altar und Konrad Witzens Kreuzigung oder Lukas Mosers Altarwerk zu stellen (Abb. 487, S. 407), um zu sehen, wie die Entfaltung großer historischer und öffentlicher Vorgänge, denen eine gewisse Ordnung im Ganzen und in der Haltung der einzelnen Personen nie ganz verlorengeht, spezifisch italienisch ist, noch immer ein Erbe später römischer Historienkunst; wie in der niederländisch-burgundischen Kunst der scharf beobachteten Natur auch der Glanz der Dinge und die Feinheiten der Beleuchtung abgelauscht werden und das Leben gern in stiller Beschaulichkeit verrinnt, in der deutschen Kunst die Form am stärksten zerschlagen wird, das Naturgefühl und die Intimität, die Herzlichkeit und Gemütlichkeit aber am größten sind. Gerade solche Eremitenbilder, von denen es auch in der deutschen Kunst Beispiele gibt, zeigen, wie sehr für diese innige Hingabe an die Natur, an ein Lebendiges und Mitlebendes christliche Nächstenliebe und gotische Höflichkeit Vorbedingung sind, und wie eine zwanglose Gemeinschaft ohne die geformte Verbundenheit mittelalterlicher Verbände (kirchlicher oder gesellschaftlicher Art) nicht die Wärme und Innigkeit gegenseitiger Anteilnahme erlangt hätte. Insofern ist der nordische Naturalismus, stärker als der italienische, zwar Revolution und Neubeginn in der Zerstörung der Form, aber Fortsetzung mittelalterlicher Entwicklung in der teilnehmenden Einfühlung in alles Menschliche und Menschenähnliche. Deshalb ist er dem spätantiken Naturalismus an Intimität und Naturgefühl überlegen und etwas durch und durch Eigenes. Die italienische Kunst aber brauchte sich am wenigsten zu ändern — die radikalsten Neuerungen sind dort nicht ohne nordischen Einfluß denkbar —, die Wandlung besteht im wesentlichen darin, die immer fremd gebliebenen gotischen Formelemente abzustreifen und zum spätantiken Naturalismus sich zurückzuwenden. Sie ist am meisten und am frühesten *Renaissance.*

Die neue Haltung aber des Menschen dem Bilde gegenüber, das er betrachtet, ist eine grundverschiedene von der, die im Mittelalter gegenüber den Inhalten der Kunst eingenommen wurde. Die mittelalterlichen Gestalten waren zwar ideal und übernatürlich durch Kunst gesteigert, aber für ein reales Verhalten, den Kult, verwirklicht. Sie formten auch das wirkliche Leben des Gläubigen. Die neuen Werke dagegen enthielten zwar Bilder, die der Wirklichkeit abporträtiert schienen, aber den Betrachter zwangen, sich aus seinem Raum heraus in eine ihm vertraute, aber doch seinem eigenen Leben entrückte Welt einzufühlen und gleichsam nicht selbst, sondern nur mitlebend teilzunehmen. Dieses eingefühlte Leben zu steigern, zu verdichten, half die Kunst. Diese Vermittlung menschlicher Erlebnisse durch Dichtung und ihre Scheinwelt, zu der auch die bildende Kunst jetzt berufen wird, und deren Schöpfung und Aneignung fortan Bildung heißt, ist das Wesen der neuen menschlichen Bildung, des *Humanismus*. Die scheinbare Hinwendung zur Natur, die Abkehr vom Jenseitskult des Mittelalters, wird für den Gebildeten doch nur ein Mittel, der unmittelbaren Realität des Lebens den Rücken zu kehren und die Natur in der Scheinwelt des Bildes oder der Dichtung zu suchen. Wie jetzt der Naturgenuß eine Flucht aus dem tätigen Leben des Alltags wird, ein Spazierengehen und Lust des Feiertages, so wird auch die Erfassung des Lebens im Bilde und in der Dichtung eine Flucht, — Romantik. Daneben steht als Realität die Verfeinerung der sinnlichen Oberfläche alles Natürlichen, der Eigenwert von Farbe und Licht, — das Malerische. Noch empfängt es diese Zeit vom Prunkstil des späten Mittelalters als Schmuck der Sachen und Personen; aber gerade die naturalistischen Niederländer wuchern am stärksten mit diesem Pfunde und eröffnen dem Auge — oft noch hart, vereinzelt, unvermittelt, aber doch mit Bewußtsein — viele Köstlichkeiten, die allein das Auge genießt.

VOLKSTÜMLICHER VORBAROCK

Konzil zu Basel 1431—49: Vergleich mit den Hussiten; Reformen durch Konkordate vereitelt. —Wiederherstellung des Kirchenstaates durch Nikolaus V. (1447—55), den Förderer des Humanismus (Lorenzo Valla) und Begründer der vatikanischen Bibliothek. Zeit der Kondottieren: 1450 gewinnt Sforza das Herzogtum Mailand, das bis dahin die Visconti innehatten. Standeserhöhungen anderer italienischer Häuser: Savoyen, Modena. In Florenz wird Cosimo Medici (Bankier und Staatsmann) Gonfaloniere; „Vater des Vaterlandes". Griechen in Florenz (Johannes Palaeologus); Unionskonzil 1438—39. Gründung der Platonischen Akademie (Pico della Mirandola).

Die Fresken der *Eremitani-Kapelle* zu Padua von *Mantegna* und seinen Schülern (Abb. 493) bedeuten einen Höhe- und einen Wendepunkt in der Entwicklung des Naturalismus im 15. Jahrhundert. Einen Höhepunkt! Mit solcher Kraft wie hier waren bisher nicht die Gestalten in ihren Verkürzungen in den Raum hineingestellt — der bekannte, in schroffster Verkürzung dem Beschauer entgegengehaltene Christus aus einer Beweinung ist der bezeichnendste Protest gegen alle Schönseligkeit und Repräsentation (Abb. 494) —, mit solcher Vehemenz und Wucht führten bisher Architekturen und Landschaften nicht in die Tiefe; so greifbar deutlich und wirklichkeitsnah fühlte man bisher nicht die tausend Dinge und Sehenswürdigkeiten der Hintergründe, so rücksichtslos wie hier verlor sich auf älteren Bildern oder Bildern der älteren Generation nicht die Gestalt eines dem Martyrium überlieferten Heiligen in den brutalen äußeren Geschehnissen der Exekution und ihren Nebenpersonen, so intensiv waren kaum bisher die physischen Vorgänge der äußeren Handlung beobachtet und dargestellt. Aber sie bedeuten zugleich eine Umkehr. Im Martyrium des Jakobus und in seinem Gang zur Richtstätte sind die Personen der Handlung ganz vorn an den Bildrand geschoben, zum Teil treten sie in den Raum der Kapelle hinüber, und die Perspektive ist so genommen, als ob der in der Kapelle stehende Zuschauer die Spieler auf einer Bühne sähe, deren Raum sich in die Kapelle ergießt. Durch die schräg von vorn kommende Beleuchtung sind die Gestalten stärker mit dem Kapellenraum als mit dem gemalten Hintergrund verbunden. Mit anderen Worten: mit der neu gewonnenen Naturillusion ist ein wirklichkeitsgetreuer Vorgang so geschildert, als spielte er sich in der nach außen geöffneten Kapelle selber ab. Der Betrachter muß anders zu den Heiligen und Peinigern Stellung nehmen, als durch Einfühlung in einen durch die Malerei seiner Gegenwart entrückten Lebensgehalt. Er steht dieser Szene wieder gegenüber wie den für seine Andacht verwirklichten Heiligen des Mittelalters. Es bleibt viel äußerliches Schaustück, es gibt unendlich viel zu sehen, aber die Illusion der Anwesenheit der Heiligen ist dadurch nur um so stärker. Es fehlt die Entrückung der Heiligen und es fehlt

Abb. 493. *Andrea Mantegna, Der Hl. Jakobus wird zur Richtstatt geführt. Fresko in der Eremitanikapelle in Padua. 1451.*

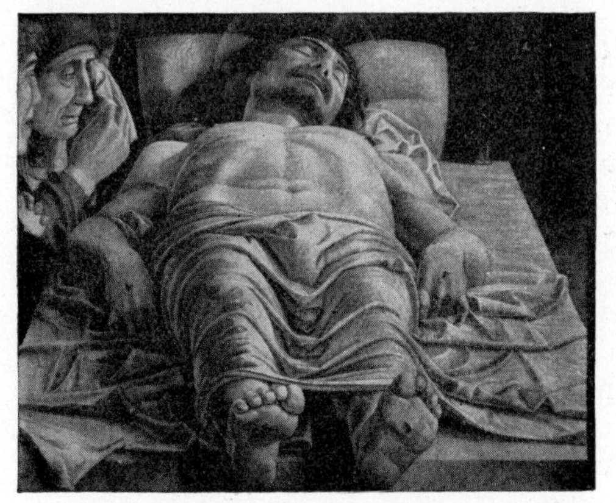

Abb. 494. *Andrea Mantegna, Pietà. Mailand, Brera. Um 1460—70.*

Abb. 495. *Andrea Mantegna, Der Hl. Sebastian. Paris, Louvre. 1455.*

die Intimität, das Zuhausesein. Es ist kein Zufall, daß mit dem großen Pathos öffentlicher Vorgänge die Taufe des Hermogenes durch Jakobus, die Gerichtsverhandlung, die Wegführung zur Richtstätte und die Hinrichtung unter großem Aufgebot von Militär den Gegenstand der Szene bilden, und wieder an die Haupt- und Staatsaktionen der römischen Triumphalkunst erinnern. Die Figurenanordnung hat nichts Repräsentatives; Asymmetrie, Einmaligkeit des historischen Ereignisses und Zufall des Anblickes sind besonders betont. Dennoch ist auch im Stil der Zeichnung und in der Haltung der Menschen etwas, was bewundern macht, nicht nur schauen läßt — schon die triumphbogen- oder burgenhaften Architekturen der Hintergründe, das feste, entschlossene und beherrschte Auftreten der Soldaten, deren Muskeln sich wie bei nackten Athleten unter dem enganliegenden Panzer straffen und mit der Wucht einer barocken Malerei fast übertrieben herausmodelliert sind. Drastischer Vorgang im volkstümlich schaubaren Sinne und athletisch-heroische Reliefbewegung durchdringen sich. Die neue plastische Härte, die Rückkehr zu einer der italienischen Kunst naheliegenden byzantinischen Starrheit, zu eherner Körperverfestigung, zu hartkantigen Felsenlandschaften, zu mürrisch harten Römerphysiognomien, ist nicht rationalistische Umsetzung neu erworbener theoretischer Kenntnisse in perspektivische Zeichnung, sondern ein neuer entschlossener Wille zum heroischen Auftreten in der Öffentlichkeit, eine Abkehr vom Malerischen, eine Hinwendung zu Plastik und Architektur. In dieser Form stellt Mantegna den Heiligen Georg und den Heiligen Sebastian (Abb. 495) in der Momentanität eines kecken plötzlichen Auftretens und der gewundenen Schmerzbewegung des Getroffenen ganz frontal vor uns hin, den einen in dem knappen Rahmen einer Türöffnung, durch die der Blick ins Freie geht, den andern vor die Säule eines verfallenen Triumphbogens, hinter der sich die weite Landschaft öffnet. Die weite, mit geschwungenen Wegen tiefenwärts ziehende Landschaft erzeugt eine die Pracht und Festigkeit des Heiligen Georg nur steigernde Spannung. Es sind Mittel der Barockkunst, mit denen die mittelalterliche Nischen- und Säulenstatue eine Auferstehung feiert. Die kräftigen römischen Architekturformen im Hintergrund entsprechen dem festen, erdgebundenen Stand der Figuren und der

Abb. 496. *Andrea del Castagno, Filippo Scolari, gen. Pippo Spano. Fresko aus der Villa Pandolfini zu Legnaia. Florenz, S. Apollonia. 4. Jahrzehnt 15. Jh.*

Abb. 497. *Andrea Mantegna, Markgraf Lodovico Gonzaga mit seiner Familie. Fresko in der Camera degli Sposi im Castello di Corte zu Mantua. 1469—72.*

materiellen Schwere ihres Leibes. Wie im Barock schlägt also das Irdische und Weltliche auch im heiligen Gegenstand durch.

Deshalb bewährt diese volkstümliche, kraftmeierische Kunst ihre Regie erst ganz in einer neuen höfischen Kunst für die weltlichen Emporkömmlinge der Zeit, die zur Macht gelangten Kondottieren. Schon *Castagno* war darin vorausgegangen. In der *Villa Pandolfini* malte er an die Wände in schmale Felder Sibyllen, Dichter und Kondottieren mit einer Illusionswirklichkeit, durch die sie als Gäste in den wirklichen Raum sich hineinstellen (Abb. 496). Mit rhetorischen Gebärden, in schweren, gebauschten Gewändern, oder in erzener Rüstung, den gegürteten Krummsäbel wie ein Brigant in der Hand wiegend, grätschig und herausfordernd im Schritt, so melden sie sich den Anwesenden an, mehr Eindringlinge als Gäste. (Wie zart und musikalisch umtanzten dagegen die Reigen gotischer Kavaliere und Damen die ritterlichen Gesellschaften in den Sälen der Burgen des 14. Jahrhunderts!) Dies Motiv nimmt Mantegna auf und erweitert im *Castello di Corte* für Lodovico Gonzaga zunächst mit einer gemalten Architektur den Saal zu einer offenen Loggia (Abb. 497), durch die man auf der einen Seite in einen mauerumgrenzten Garten, auf der andern in die freie Landschaft sieht; dort sitzt Lodovico mit Frau, Kindern, Enkeln und Höflingen, hier rüstet Dienerschaft zum Ausritt zur Jagd. Es ist ein zwangloses Kommen, Begrüßen und Warten, Geschäfteerledigen und behäbiges Zusammensein; es hat noch die ganze Ungezwungenheit und Porträtbestimmtheit des Naturalismus, aber in der Form unmittelbarer, wirklicher

Abb. 498. *Andrea Mantegna, Deckengemälde in der Camera degli Sposi im Castello di Corte zu Mantua. Vollendet 1474.*

Gegenwart im Raum, anspruchsvollen Sichbreitmachens und umsichgreifender Leiblichkeit. Man machte sich nicht Gedanken darüber, wie geschmacklos es für die Lebenden sein mußte, sich selbst in einer so bestimmten Situation dauernd vor Augen zu haben, und wie peinlich für die Nachkommen, eine Ahnengalerie um sich zu haben, die so ganz im sacro egoismo einer vielgliedrigen Familie ihr eigenes Dasein unbekümmert um die Enkel lebte. Auch hier verbindet sich der Naturalismus der vergangenen Generation mit dem Geltungsbedürfnis und der pseudoarchitektonischen Gesinnung einer neuen. Die Decke (Abb. 498) ist schon ganz barock — man denke an die Deckenmalereien in den Barockpalästen — durch Malerei nach oben mit einer kreisrunden Brüstung geöffnet, auf der Putten und Pfauen sich tummeln und über die Hofdamen mit ihren Dienerinnen sich neugierig neigen, um den Vorgängen in einem Brautgemach (Camera degli Sposi) als Zeuge beizuwohnen. Auch hier ist die Zufälligkeit des Einmaligen mit der Dauer der Architektur verknüpft. Erst in den Putten meldet sich leise ein allgemeineres dekoratives Element (auch hier nicht ohne Derbheit und burlesken Humor: die Putten, deren Köpfe in den Maschen der Steinbrüstung sich verfangen haben!).

Erst *Melozzo da Forli* erhebt diese architektonische Illusionsmalerei in eine idealere religiöse Sphäre. Er erweckt mit Hilfe einer gemalten Architektur an der Decke der *Cappella del Tesoro* in *Loreto* (Abb. 499) den Anschein einer steilaufsteigenden Pyramidenkuppel (wie sie in Frankreich in der romanischen Kirche von *Loches* wirklich vorhanden ist), in der vor jedem Feld Engel mit weiten, bauschigen Gewändern herumsegeln. Propheten mit weit gebauschten und gefalteten Mänteln, wahren Stofflagern, sitzen auf dem die Kuppel tragenden Gebälk herum. Der Drang nach schweren, barock-wulstigen Formen ist überall deutlich, nur steht noch neben flatterndem Schwung die feste, harte Zeichnung, neben der architektonischen Aufteilung die Zufälligkeit des gemächlichen Sichbreitmachens auf unmöglicher Situation — die Propheten benehmen sich noch immer etwas wie Heilige zu Hause —, und neben dem idealen Pathos steht die derb volkstümliche Physiognomie. Es ist ein schüchternes Vorspiel zu Michelangelos Sixtinischer Kapelle. Das schönste Werk dieses Stiles ist Melozzos himmelfahrender Christus aus der Kirche *SS. Apostoli* in *Rom,* jetzt im Quirinal (Abb. 500). Unten in der Apsis standen die Apostel, mächtige, schwere Gestalten mit sympathisch ehrlichen Gesichtern von Männern aus dem Volke. Darüber ein Kranz von musizierenden Engeln in bauschigen Gewändern, den lieblichen Engelskopf vergraben in üppigen Wolken blonden Haares, herumgeworfen in schwungvollen Bewegungen, die Üppigkeit des Rubens mit der inneren Zartheit des Fra Angelico vereinend. Über ihnen rauscht Christus in einer zu Schaum aufgelösten Engelsglorie empor, mächtig ausgreifend mit den segnenden Armen, das Gewand wie vom Sturmwind gepackt, die Hände aber mit Schwielen wie die eines Arbeiters, der Kopf groß, erhaben, aber zugleich innig und treu — ein volkstümlicher Barock.

Abb. 499. *Melozzo da Forli, Kuppelfresko in der Cappella del Tesoro in Loreto. 1478—80.*

An den kirchlichen Beispielen dieser Kunst wird stärker noch als an der kondottierenhaften Fürstenkunst klar, daß Inhalt und Form der Bilder zum Mittelalter — zu Kirche und Hof — zurücklenken, daß die Revolution zu einer Restauration umbiegt, daß aber diese Restauration nicht einfach eine Steigerung der Verwirklichung des mittelalterlichen Glaubensreiches zur Illusion himmlischer Sphären, Steigerung der gotischen Entkörperung zu luftdurchsegelnder Schwerelosigkeit, der biegsamen Haltung zu flammendem Aufschwung bedeutet, sondern daneben eine Erfüllung der alten Formen mit Werten des Naturalismus. Von ihm behält man bei die porträtmäßig erfaßte, familiennahe Persönlichkeit und den in sich versunkenen, mit sich selbst beschäftigten Denker. Der Naturalismus bedingt auch die neue Körperlichkeit, die Vorliebe für die schwere und erdhafte, mit der Materie verbundene Masse, für die Unbefangenheit sinnlichen Genusses, für die Naturmächte, die sich in Frauenjagenden, Land- und Meerzentauren, trunkenen Silenen und ringenden

Abb. 500. *Melozzo da Forli, Himmelfahrt Christi (aus SS. Apostoli). Rom, Palazzo Quirinale. Bald nach 1477.*

Herkulessen kundgeben (s. *Mantegnas* Graphik). Deshalb ist diese Restauration höfischer und kirchlicher Formen zunächst auch ein Wiederaufleben antiker Barockformen im naturalistischen Gewande der römischen Kunst.

Erst jetzt gibt es eine wahre Architektur. Auch in ihr steht neben der intimen raumabschließenden Wandgestaltung oder der Öffnung des Raumes in die Landschaft eine Aufnahme antiker Formen, der massigen, als Einzelwesen auftretenden Säule und des massigen, körperhaften Gebälkes. Der Architekt dieses frühen volkstümlichen Barocks ist *Leon Battista Alberti*. Die revolutionäre Generation und ihr Baumeister *Brunelleschi* hatten wohl Bauten geschaffen, aber keine Architektur. Was diese Generation konnte, war eine Kirche mit Altären und Gräbern vollstellen, ein Zimmer ohne Rücksicht auf die Architektur möblieren, oder in eine gotische Architektur einen Verschlag hineinbauen, wie in dem Bilde *Antonellos* mit dem Heiligen Hieronymus (Abb. 34, S. 49). Weder zu neuen architektonischen Gedanken noch zur Schöpfung eines neuen Stiles wie im Mittelalter war die Revolution fähig, die auf die Aufhebung aller Bindungen und auf Anerkennung des Eigenlebens und der Natur abgestellt und damit unarchitektonisch in der Gesinnung war. Verglichen mit der Harmonie, mit der auf dem Fresko in Sta. Maria Novella (Abb. 447, S. 372) die Domkuppel aus dem Gesamtbau herauswächst, ist *Brunelleschis* Riesenkuppel (Abb. 501) eine alle Harmonie durch Betonung des Einzelwesens zerstörende Barbarei, ein Abschweifen ins Kolossale. Neu ist nur die Ernüchterung und raumabschließende Flächenbetonung der rechteckigen Feldereinteilung des Äußeren. In der Palastarchitektur bemühte man sich zunächst nur, das Vorbild des *Palazzo Vecchio* in Florenz (Abb. 502), seine mittelalterlich burgenhafte Blockmäßigkeit, die laubengangähnliche Fensterbildung, deren Öffnungen auf dem trennenden Gesims aufsetzen und als Arkaden gebildet sind, und die mit Zinnen vertikal aufsteigende, das Ganze zur Einheit zusammenschließende Dachbekrönung in eine hausmäßigere Form umzubilden durch ein flaches Dach und durch Differenzierung der Stockwerke in Höhe und Quaderung

Abb. 501. *Florenz, Dom. Chor. 1296—1462.*

(*Palazzo Pitti, Palazzo Medici-Riccardi*, Abb. 503, 504). Aber alles das bedeutete nicht eine neue Form, sondern nur Formauflösung, bedeutete in der Gesinnung dasselbe wie in den Bildern die Tatsache, daß die Kirchenräume zum Spazierengehen oder als Familienherbergen und Einsiedlerkojen benutzt wurden. In den Kirchen *S. Spirito* und *S. Lorenzo* in *Florenz* (Abb. 505, 506), den Haupttypen der neuen Renaissancearchitektur der ersten Hälfte des 15. Jahrhunderts, macht man die im Mittelalter durch Pfeiler und Gewölbe mühsam gewonnene Einheit des Raumes wieder rückgängig und kehrt zu der altchristlich-römischen Form der Säulenbasilika zurück mit der profan saalmäßigen, flachen Decke, geht in der Profanierung noch weiter, indem man den Chor quadratisch bildet mit geradem Abschluß ohne feierliche Apsis. Man isoliert den Kuppelraum der Vierung gegen die anstoßenden Gemeindesäle durch wandmäßige Überbauung der Bögen und nimmt dem Hauptschiff alles Richtende und alles Verpflichtende, indem man es flach deckt und durch stark betonte Horizontalgesimse die Wände in zwei Geschosse zerlegt. Wie in den altchristlichen Basiliken ragen diese Gesimse in den Raum hinein wie Hausdächer in eine Straße, und da die geformten Räume mit flachgedeckten Kuppeln und Rundnischen, die in den Außenschiffswänden liegen, hinter den Säulen, senkrecht zum Schiff liegen, in den Seitenschiffen, so zieht es den im Schiff Schlendernden nach den Seiten heraus. Er hat das Gefühl, sich in einer Straße zu befinden, hinter deren Seitenwänden die Häuser und die Innenräume liegen. Jede Säule hat ihr eigenes Gebälk und wird dadurch von der Bogenfolge gelöst. Das Resultat ist das einer heiteren Durchsichtigkeit und Befreiung, eine unverpflichtende Raumweitung nach den Seiten

Abb. 502. *Florenz, Palazzo Vecchio. 1298—1314.*

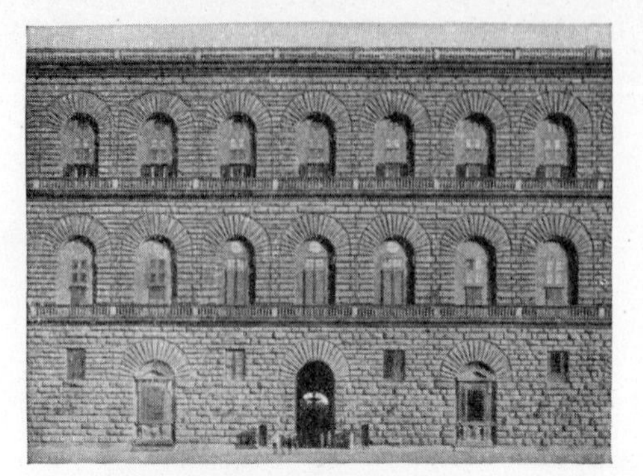

Abb. 503. *Florenz, Palazzo Pitti. Mittelteil. Begonnen um 1460.*

und eine vielfache Nebeneinanderstellung von Räumen und Bauformen. Ein Bild aus der Schule des Piero della Francesca (von *Fra Carnevale?*) gibt uns die Erläuterung, wie diese Räume von den Zeitgenossen empfunden wurden (Abb. 507). Das zweistöckige, flachgedeckte Schiff ist durch einen Lettner vom Chor völlig abgeschnitten, die Leute gehen darin spazieren und unterhalten sich wie in einem der lichten Säulenhöfe und den Loggien der Zeit.

Hier nun setzt die Restauration der Barockgeneration des 15. Jahrhunderts ein. In *S. Andrea* in *Mantua* (Abb. 508), das mit den Bildern Melozzos in Rom ungefähr gleichzeitig ist (nach 1470), ist die Fassade wie die eines antiken Triumphbogens gebildet; Pilaster, die von unten bis zum Gebälk des Dreiecksgiebels durchgehen, fassen den Bau zu einer Einheit zusammen und nehmen zwischen sich ein großes, die ganze Wand einnehmendes Tor, dessen Bogen auf Pfeilern ruht wie die Eingänge zu den römischen Arenen. Die Flachheit der Pilaster, die die Wand betont, die rechteckige Eingangshalle, die wie ein in den Baukörper hineingestelltes Gemach wirkt, sind auch hier noch Nachwirkungen der intimen Gesinnung der vorausgehenden Zeit. (An der Fassade von *S. Francesco* in *Rimini* [Abb. 509] hatte Alberti schon um 1450 mit derben vorgestellten Säulen und großen Arkaden eine triumphale Fassade im harten plastischen Charakter mantegnesker Malerei geschaffen, aber noch nicht eine durch-

Abb. 504. *Michelozzo, Palazzo Medici-Riccardi in Florenz. Um 1444—52.*

Abb. 505. *Filippo Brunelleschi, S. Spirito in Florenz. Begonnen um 1436.*

Abb. 506. *Filippo Brunelleschi, S. Lorenzo in Florenz. 1421 begonnen.*

gehende Ordnung gewagt.) Im Innern der Kirche (Abb. 510) sind die Wände ebenfalls einheitlich zusammengefaßt durch Pilaster, die je zwei die Ecken eines Pfeilers gliedern und das horizontale Gebälk tragen, auf dessen über den Vierungspfeilern verkröpften Teilen die energischen raumumklammernden Gurtbögen des Tonnengewölbes aufsetzen. Die Räume führen so wieder der großen führenden Kuppel zu und sind ihr unterworfen. Wer diese Entwicklung zum Barock in dieser Zeit beobachtet hat, wird sich nicht wundern, hier die Vorwegnahme des barocken Bautyps von St. Peter und Il Gesù des 16. Jahrhunderts (Abb. 649, S. 531) zu finden. Das Kircheninnere hat wieder die straffe Einheitlichkeit einer romanischen Kirche, nur daß an Stelle der Dienste und Gurte auch hier die massigeren Formen antiker Pilaster und Gebälke getreten sind, und die breitere, saalartige Proportion der Räume (sie sind so breit wie hoch) und die wandmäßigere Ausbildung der breiten Pfeiler die Räume stärker schließt und profaner macht.

Abb. 507. *Fra Carnevale, Mariä Tempelgang. Rom, Galleria Barberini. 3. Viertel 15. Jh.*

Abb. 508. *Leon Battista Alberti, S. Andrea in Mantua. Nach 1472.*

Abb. 509. *Leon Battista Alberti, S. Francesco in Rimini. Seit 1446, Entwurf Albertis um 1450.*

Die geringere plastische Durchbildung der Pfeiler unterscheidet diesen Raum von den barocken des 16. Jahrhunderts, und die ursprüngliche Dekoration der Pilaster mit gemaltem Rankenwerk, die Füllung der Wände zwischen ihnen mit Bildern würde den beschaulicheren Charakter des Raumes zum Ausdruck gebracht haben, in dem weltlicher Genuß ebenso einen Platz hätte wie religiöse Stimmung.

In den Palastfassaden ist es wiederum *L. B. Alberti*, der sich zuerst von dem überlieferten italienisch-mittelalterlichen Schema des Burgenpalastes befreit und durch Einführung von Pilastern in allen drei Stockwerken eine Verbindung zwischen den stockwerkteilenden Gebälken und den Wänden herstellt (*Palazzo Rucellai*, Abb. 511). Die mittelalterlichen Bogenfenster behält auch er noch bei. In der Beziehung von Tragen und Lasten zwischen Pilaster und Gebälk kündet sich auch hier der Barockgeist an. Aber noch immer ist die Fläche stark betont und durch die breiten Abstände zwischen den Pilastern jedes Stockwerk in eine Reihe von gemachbezeichnenden Abschnitten aufgelöst. Im unteren Stockwerk sind Fenster und Türen schon ganz flächig dem Feld eingefügt, in den Arkadenfenstern ist durch ein Horizontalgebälk der Bogen vom untern Rechteckteil abgeschnitten. Im Geiste Albertis ist dann am *Palazzo Serristori* in Florenz (Abb. 512) eine Einheit des ganzen Baukörpers dadurch erzielt, daß das Mittelgeschoß durch triumphbogenartige Arkatur wie an S. Francesco in Rimini herausgehoben ist, während das untere Geschoß durch eine einfache Bogenfolge auf Rustikapfeilern ganz als Sockel, das obere Geschoß als Aufsatz und Abschluß behandelt ist. Hier sind die Felder niedriger gehalten, und ist durch eine dem Gesamtfeld fein angepaßte Proportion der Fenster das Flächige stärker betont als das Offene und Öffentliche, das in den unteren Geschossen zum Ausdruck kommt. Auch an den Seiten ist der Bau durch Doppelpilaster gut abgeschlossen und zusammengefaßt. Da aber auch in den Bogenfeldern des Mittelgeschosses rechteckige Fenster die Fläche ebenso betonen wie die flachen Pilaster, die kein plastisches Kopfteil, nur ein horizontales Gebälk-

Abb. 510. *Leon Battista Alberti, S. Andrea in Mantua. Nach 1472.*

Abb. 511. *Leon Battista Alberti, Palazzo Rucellai in Florenz. 1446—51.*

stück als Abschluß haben, so ist auch in diesem Bau vereinheitlichende Monumentalität und Öffentlichkeit des Palastes mit wohnlicher Häuslichkeit gut vereint. Diese Fensterfüllung und Flächenmusterung in den repräsentativen Triumphbogenarkaden vergleiche man mit den Familienbildern in den Architekturöffnungen von Mantegnas Camera degli Sposi. Der Palast ist um 1470 entstanden.

In dieser Periode gewinnt auch das italienische (florentinische) Grabmal seine renaissancemäßige Form. *Donatello* hatte in zwei Gräbern versucht, loszukommen von der gotischen Form des Grabmales, bei dem der Tote auf dem Sarkophag dem Schutze der Überirdischen empfohlen war durch Engel, die ihm zu Füßen und Häupten standen, oder durch Heilige und Genien, die in den Arkaden des Sarges Platz fanden, oder durch Madonnen und Heilige, die über dem Sarg in voller Plastik dargestellt das Grabmal zum Altar umwandelten — die leibhafte Gegenwart der Himmlischen war immer das Entscheidende. Im *Grabmal des Papstes Johann XXIII.* im Baptisterium in Florenz (Abb. 513) versucht er den Toten von der Architektur, die mit den Heiligenbildern gefüllt war, abzulösen, indem er letztere flach als Relief bildet, den Toten aber mit dem Sarkophag auf Konsolen vor der Wand freiplastisch hervortreten läßt. Zugleich motiviert er die Sichtbarkeit des Toten auf dem Sarkophag naturalistisch, indem er auf den Sarkophag noch eine Totenbahre stellt, auf der der Tote in wirr durcheinanderfließendem Gewand als Entschlafener ruht. Er zerstört die Gesamtform, schafft aber keine neue. Im *Grabmal des Bartolomeo Aragazzi* in Montepulciano, das im 18. Jahrhundert zerstört wurde, war es im Sinne der neuen Kunst, daß am Sarkophage zwei Felder der Vorderseite geschmückt wurden mit zwei intimen Szenen, dem Abschied des Verstorbenen von den Verwandten und dem Empfang des Verstorbenen im Himmel. Erst im Grab des *Leonardo Bruni* von *Bernardo Rossellino* wird die Architektur der Renaissancenische mit dem Grab in eine

Abb. 512. *Florenz, Palazzo Serristori. 1469—75.*

Abb. 513. *Donatello, Grabmal des Papstes Johann XXIII. Florenz, Baptisterium. 1425—27.*

feste harmonische Verbindung gebracht (Abb. 514). So kräftig die Rahmenarchitektur mit Pilastern, verkröpftem Horizontalgebälk und umfassendem Bogen gebildet ist, so flächig und als Flächen in sich abgewogen sind Sarkophag, Adler, die die Bahre tragen, und das Bahrtuch selber. So wird die Nische zur irdischen Ruhestätte des Toten, der mit entseelten Gesichtszügen und in wirrem, zur toten Materie gleichsam zerrinnenden Kleide dargestellt ist. Die Madonna ist nur ein Bild im Tympanon der Architektur, ohne reale Beziehung zum Toten. Die eigentliche Steigerung zum Barock vollzieht sich in dem Grabmal des Kardinals von Portugal von *Antonio Rossellino* (Abb. 515). Hier ist das Grabmal nicht durch die Architektur zu einem von der Kirche unabhängig zu denkenden Totengehäuse gestaltet (dem Tafelbild entfernt verwandt), sondern in einer Nische der Gesamtarchitektur — einer Öffnung des Raumes wie auf den Bildern Mantegnas — drängt der Sarkophag nach vorn; aus der flachen Hintergrundsarchitektur ist ein plastisch von der Wand abgehobener altarartiger Aufbau geworden, auf dessen Gebälkverkröpfungen Engel — Gegenstücke zu denen Melozzos — dem Verstorbenen die Krone bringen. Man sieht ihnen noch an, wie sie plötzlich herbeigeeilt sind. Darüber erscheint die Madonna in einem Medaillon, durch das sie wie durch ein Fenster sieht, von Engeln gehalten, die mit heftigen Schwimmbewegungen der Beine und flat-

Abb. 514. *Bernardo Rossellino, Grabmal des Leonardo Bruni (gest. 1444). Florenz, Sta. Croce.*

Abb. 515. *Antonio Rossellino, Grabmal des Kardinals von Portugal. Florenz, S. Miniato. 1461—67.*

ternden Gewändern die Madonna durch die Luft herabführen. So ist wieder vollständig die Realisierung der himmlischen Gestalten in illusionistisch barocker Verlebendigung erreicht. Der Sarkophag ist zu plastisch bauchiger, barocker Sargform mit geschwungenen Füßen umgebildet, auf dessen abgleitendem Deckel zwei Putten, sich mühsam haltend, das Bahrtuch des Toten fassen. Dieses Hineindrängen des Grabes in den Raum, die bauchigen Formen, die mühsam auf ihnen sich haltenden Figuren sind wiederum Wege zu Michelangelo. Nur die Niedlichkeit der Putten, das Zufällige in der Verbindung der momentan erscheinenden Engel mit der Architektur, die Mischung von geometrischer Steifheit, peinlicher Einzelmodellierung und barocker Bewegtheit sind auch hier Merkmale des Vorbarock. Doch geht auch darin ein Entwurf *Verrocchios*, bei dem der Tote auf dem Sarge als Lebender kniet, ein Genius mit der Seele zum Himmel schwebt und zu Christus in der Engelsglorie hinauffährt, noch weiter dem Barock entgegen. Zugleich vermittelt er mittelalterliche kirchliche Gedanken sehr rein.

Abb. 516. *Roger van der Weyden, Johannesaltar. Rechter Flügel: Enthauptung des Johannes. Berlin, Deutsches Museum. Um 1435—40.*

Diese Vorwegnahme des Barock ist nicht auf Italien beschränkt, obschon gerade die spezifisch antikisierenden Elemente hier durch die ganze italienische Vergangenheit vorbereitet waren und in dem öffentlichen Charakter ihrer figurenreichen Schaustellungen nie ganz verlorengingen. Im *Johannes-Altar* des *Roger van der Weyden* (Abb. 516) sind die dramatischen Szenen der Taufe, der Namensgebung und der Enthauptung des Johannes in den strengen architektonischen Rahmen dreier gotischer Portale hineingestellt. Wie bei Mantegna drängen sie über den Rand der gemalten Archi-

Abb. 517. *Roger van der Weyden, Die Kreuzabnahme. Escorial. Vor 1443.*

Abb. 518. *Dirk Bouts, Das Passahmahl. Vom Sakramentsaltar in St. Peter zu Löwen. 1464—68.*

tektur in den wirklichen Raum hinaus; mit wenigen Figuren ist die Handlung gegeben und jeder Körper für sich in bedeutungsvoller Körperlichkeit und Gebärde hart und fest durchmodelliert. Nur ist bei den schraubenartigen Gegenbewegungen der Salome, die das Haupt empfängt, und des Henkers, der es ihr reicht, durch die Mimik des erschrokkenen Sichabwendens, des neugierigen Sichumwendens geschickt die Eigenbedeutung der plastischen Haltungen abgeschwächt. Wie bei Mantegna ist auch hier überall auf den physischen Vorgang und auf reiche Hintergründe mit Landschaften, Wochenstuben, Gastmählern, Zimmern, Höfen und Durchblicken größtes Gewicht gelegt, aber auch hier hat jene Versteinerung und Verhärtung eingesetzt, die wie im Barock in den Innenräumen die gemütliche Abschließung einer jähen Perspektive opfert. Die barocke Körpermodellierung betrifft hier noch zu sehr die Faltenwülste und knorpligen Gelenke von Figuren, die in der mittelalterlichen Tradition stehen, als daß das barocke Element auffiele. Das Interesse aber am festen, plastischen und straff gezeichneten Körper ist wie bei Mantegna da. In der *Kreuzabnahme* Rogers (Abb. 517) sind die dramatisch klagenden Figuren zu einer festen, nach den Seiten gerundeten Gruppe zusammengefaßt, die Fülle der Figuren drängt sich im knappen Raum, der einen plastischen Schnitzaltar nachahmt. Die drei Raumschichten vor dem Kreuz treiben den Leichnam dem Beschauer entgegen. An die Stelle der stillen Beweinung ist die körperliche Aktion der Abnahme mit starker Betonung des Tragens und Herunterlassens (wie später bei Rubens) getreten. Die Klage äußert sich in großen Gliederbewegungen mit einem neuen Pathos. Es ist deshalb nicht berechtigt, in dieser idealeren, bewegteren und plastischeren Haltung Rogers innerhalb der niederländischen Malerei nur den Charakter eines südlicheren, figuraleren Stiles zu sehen, und Roger und Jan van Eyck so gegenüberzustellen wie später Rubens und Rembrandt. Wenn wir die Kunst des Harlemer *Dirk Bouts* danebenhalten, so ist wohl ein anderes Temperament, eine größere Stille, ein Verweilen im Raum zu spüren, aber in den Mahlzeiten (Abendmahl in Löwen, Passahmahl, Abb. 518) hat das Feierliche und Zeremonielle gegenüber Roger noch zugenommen, der Raum dahinter entfernt sich als reiner Hintergrund von Figuren, die sich zeremoniell halten und mit tief leuchtender Farbe edelsteinhaft herausgehoben sind. Die das Kleinste beachtende Feinmalerei ist noch volkstümlich und naturalistisch, aber sie macht das Feierliche nur volkstümlich befangen. Gerade in solchen Mahlbildern, die als häusliche Szenen hätten gegeben werden können, fällt es auf, wie stark der Nachdruck auf der Andacht und Zeremonie liegt, mehr selbst als in den Kirchenbildern der älteren Generation. Auch die eingehende Malerei mit ihrem unnachahmlichen Schmelz der Farben ist andächtig. Es ist die Farbenglut und der Glanz heiliger Geräte des Kultes, die hier neu entstehen. In den anderen Bildern desselben Altars, Mannalese, Begegnung von Abraham und Melchisedeck (wie sehr hätte die erste Generation daraus eine Begrüßung gemacht!), in der Engelsbotschaft des Elias, sind die Figuren in festen Umrissen, überlegter Komposition und ritualen Gebärden gegen den landschaftlichen Hintergrund gesetzt, der seine Raumweite an ein System sich schräg durchschneidender Einzelflächen abgibt. Die Umsetzung der Erzählung in die plastische Gruppe, die Betonung der Person, die Umkehr zur mittelalterlichen Bildform ist deutlich.

Hugo van der Goes, der Zeitgenosse Melozzos, fügt nun seinerseits dem feierlichen Bildaufbau auch den volkstümlich barocken Schwung heftiger Bewegung und eines erregten Pathos' hinzu (Abb. 519). Das alte Thema der Anbetung des Kindes wird zu einem feierlichen Kreis von Personen, umstanden und begleitet von ruinenhaften Architekturfragmenten, die scheinbar ganz zufällig gesehen sind. In Wirklichkeit bilden sie ein feierliches Rondell, eine durchbrochene Raumkonstruktion, in deren Einzelformen die gotischen Säulen einer Klosterruine und die Formen einer romanischen Kirchenfassade nicht bedeutungslos sind. Stürmisch flattern aus den Lüften Engel herbei, stürmisch sind die Hirten herbeigeeilt, und sie

Abb. 519. *Hugo van der Goes, Die Anbetung des Kindes. Mittelbild des Portinari-Altars. Florenz, Uffizien. Zwischen 1473—75.*

Abb. 520. *Stephan Lochner, Die Madonna im Rosenhag. Köln, Wallraf-Richartz-Museum. 4. Jahrzehnt 15. Jh.*

werfen sich auf die Knie — das Kind liegt im Brennpunkt heißer und sengender Strahlen kultischer Andachtsgebärden wie ein magischer Körper voll höchster Geheimnisse. So wundervoll die naturalistischen Einzelheiten, die Köpfe der Hirten, Josephs, die Lilien, die Akelei in den Vasen, das Strohbündel auf den Fliesen gemalt sind, eine gewisse Verallgemeinerung ist auch hier zu spüren, eine Steigerung des Gewöhnlichen bei den Hirten zur *typischen* Derbheit (bei antikisierenden Künstlern wären es Satyrn), des Joseph zur Würde einer bischöflichen Erscheinung, und der Blumen und des Strohbündels zu einer Sorgfalt und Gepflegtheit, mit der man am Erntedankfest Gaben der Natur auf einen Altar legt. Und schon hebt sich Maria aus dem Kreis zum statuarischen Mittelpunkt heraus und läßt von dem kühlen Blau der sakralen Farbe ihres Gewandes auch auf die andern Farben des Bildes eine alles Rot ins Violette umbiegende Feierlichkeit ausstrahlen, die den letzten Rest gemütlicher Wärme und einfach menschlicher Stimmung aus dem Bilde verweist. Auf den Seitenflügeln aber wachsen Heilige groß und feierlich, starr mit schweren Gewändern vor dem Landschaftshintergrund und über die Stifter empor, die in mittelalterlicher Weise kleiner gebildet und ihrer Obhut empfohlen sind. Nimmt man dazu, wie im Tode Mariä Christus in der Glorie aus der Luft ins Totengemach hineinschwebt, das weitausladende Gewand von Engeln gehalten, wie

Abb. 521. *Stephan Lochner, Die Anbetung der Könige. Köln, Dom. 4. Jahrzehnt 15. Jh.*

mit sichtlicher Beziehung zum Beschauer die Jünger den Schmerz mit der barocken Heftigkeit von Klagefrauen einer Totenzeremonie zelebrieren (bei Verrocchio gibt es eine ähnliche Szene profaner Art), wie in der Predella in Berlin zwei Propheten aus dem Bild gleichsam in das Proszenium heraustreten, den Vorhang von der Anbetung des Kindes wegziehen, und wie die Hirten mit noch stürmischeren Bewegungen hereinspringen, dann gewinnt man ein Bild von der Kunst dieses Meisters, die durch die Mischung von Volkstümlichkeit und Prophetie ergreift, und in der persönliches Feuer und seelische Erregbarkeit mit dem Charakter der Kunst seines Landes und der allgemeinen barocken Steigerung des Zeitstiles bedeutungsvoll zusammenwirkten.

Abb. 522. *Nürnberg, Germanisches Museum. Der Schlüsselfeldersche Christophorus von St. Sebald zu Nürnberg. 1442.*

Am wenigsten spüren wir die spezifisch barocke Note, d. h. den Illusionismus und das große öffentliche dramatische Geschehen in den deutschen Bildern dieser Epoche. Diesen barocken Tendenzen widersprechen die Schlichtheit der dem Volk entstammenden Gestalten, die Herzlichkeit der menschlichen Beziehungen (die Pietà!), die stille Andacht des Gemütes, die in Deutschland alle schon im Mittelalter da waren und mit den mittelalterlichen Formen eine innige Verbindung eingegangen waren. So konnte die Tradition hier stärker als in den andern Ländern fortwirken. Deshalb weiß man zunächst nicht, ob bei *Stephan Lochner* die größere Feierlichkeit und die strenge Zentralkomposition seiner Bilder Tradition oder Umkehr ist. Seine berühmte und schöne *Madonna im Rosenhag* (Abb. 520) ist gegenüber dem Frankfurter Bildchen (Abb. 460, S. 388) im Räumlichen der Körperdarstellung viel freier, in der Gewandbildung viel naturalistischer (ein ausladender Mantel ist mit zufälligen Stauungen und Umschlägen im Helldunkel frei modelliert), in der Haltung viel unbefangener, auf den Boden hingegossen, und voll der süßen träumerischen Stimmung, die selbst in der duftigen Farbe wiederklingt. Dennoch ist es ein in Musik und Wohlklang getauchtes strenges Madonnenbild vor dem Goldgrund eines von Engeln gehaltenen Teppichs. Und genau so ist es mit dem großen Bilde des Kölner Domes, der Anbetung der Könige (Abb. 521). Wie eine mittelalterliche Madonna im Tympanon thront die Himmelskönigin in der Mitte, dem Beschauer zugewandt (wenn auch mit niedergeschlagenen Augen), symmetrisch verehren kniefällig die beiden Könige das Kind, der jüngste König verliert sich in den beiderseitig symmetrisch herumstehenden Volkshaufen. Und

Abb. 523. *Berlin, Deutsches Museum. Die Dangolsheimer Madonna. Um 1450 bis 1460.*

Abb. 524. *Erfurt, Severi-Kirche. Der Hl. Michael. 1467.*

alles steht auf Goldgrund. Wie viel freier war dagegen *Gentiles* Festzug in der Landschaft (Abb. 451, S. 380), wie herb ist dagegen *Meister Franckes* Passion in Hamburg (Abb. 485, S. 406), obwohl doch beide in ihren Figuren idealer sind (auch Meister Francke mit seinen harten, aber typischen, verzerrten Gesichtern), in den Falten linearer, zügiger im gotischen Sinne, flächiger in der Modellierung. So ist denn bei Lochner viel Tradition des weich verschmelzenden Prunkstiles, wenig revolutionärer Naturalismus, aber dennoch vom Goldgrund nach vorn drängende Körperlichkeit, ein weiches Zum-Raum-Herausquellen. Es ist eine Umkehr, die Inhalt und Form entschiedener den großen Vorbildern der Vergangenheit angleicht. Man glaubt, das heilige Köln mit der Feierlichkeit seiner romanischen Kirchen, der Strenge seines Domes und der Pracht seiner Gottesdienste stehe dahinter. So wird hier die barocke Kraft eines Mantegna zur Milde eines Fra Angelico, dessen letzte raumfesteste Bilder einen ähnlichen Charakter haben. In den Gemälden des Sterzinger Altars von *Multscher* oder in den Bildern *Herlins* und *Schüchlins* verdeckt die Biederkeit der Typen und die glanzlose, nüchterne Malerei die Strenge und Bedeutsamkeit der Figurenhervorhebung im vorderen Plane, dem unvermittelt der Landschaftsgrund folgt, und macht sie zu Verwandten der Kunst Rogers und des Dirk Bouts. Aber in der Plastik, der stärker in der Tradition des mittelalterlichen Kirchenbildes stehenden Kunst, erinnert ein *Schlüsselfelderscher* Christophorus (Abb. 522) mit seinen festen Muskeln, seinen dichtgedrängten, herauskugelnden Faltenwülsten daran, wie sehr dieser unter seiner idealen Last gebeugte Christophorus, dieser Riese und christliche Volksheld, dem barocken Naturalismus der Mantegnazeit entgegenkam. Die Madonnen dieser Zeit halten, von mächtigen und großzügigen Faltenbahnen überquert und umwacht, das nackte Kind, das sich burlesk nach außen wirft und mit einem Gewandzipfel grüßt (Abb. 523). Die Madonna selbst muß mit angespannten Kräften sich gegen diese stürmische Bewegung des Kindes stemmen. Es ist ähnliches Leben wie in Mantegnas Deckenmalerei. Im *Erfurter Michael* von 1467 (Abb. 524) mit den segelhaft weit ausschweifenden Flügeln und Mantelenden schwingt sich deutscher Vorbarock zur naiv prächtigen Idealität der vollgelockten Engel Melozzos auf, ein Bild von einer großen Frische und dramatischen Kraft, und dennoch mit seiner herb gebrochenen und scharflinigen Faltengebung von großer Lebenswahrheit.

DIE NEOGOTIK DES 15. JAHRHUNDERTS

Lorenzo Medici (il Magnifico) 1469—92, seit 1478 absoluter Herrscher in Florenz. Repräsentative Hofhaltung (Wiedereinführung der Turniere). 1498 Savonarola verbrannt. — „Musenhöfe" in Mantua (Gonzaga), Ferrara (Este), Urbino (Montefeltre). — Nach dem Tode Herzog Karls des Kühnen von Burgund (1477) Vereinigung der Niederlande und der Freigrafschaft Burgund mit dem Hause Habsburg: Kaiser Maximilian I. (der letzte Ritter) 1493—1519. Zeit der Reichsreformen.

Die Rückwendung zur kultisch-sakralen Bildform, die schon eine Umkehr zum Mittelalter bedeutete, hob zunächst die unfeierlichen Elemente des Naturalismus erst recht hervor, so daß in der beginnenden Restauration noch einmal alle Faktoren der revolutionären Opposition gegen das Mittelalter protestartig herausgestellt wurden: die Breitspurigkeit triumphierender Emporkömmlinge, die verarbeitete Häßlichkeit volkshafter Physiognomieen, die Ungezwungenheit des Gebarens und der Gefühle (selbst der religiösen), die Liebe zum Kleinen und zur Natur. Den nächsten und entscheidenden Schritt zur völligen Umkehr ins Mittelalter hinein, eine Reaktion auf der ganzen Linie bedeutete es, als man der neuen feierlicheren Bildgestaltung auch die alten religiösen Themen, das Kultbild im strengen Sinne, die repräsentativen Gestalten und die mythischen Personifikationen (Tugenden, Jahreszeiten) zurückgab, und für die Personen selbst die zierliche Haltung der Gotik wieder forderte, nicht nur im Bilde, sondern auch im Leben, für das man eine neue höfische Feinheit des Benehmens suchte. Aber auch dies geschieht noch immer auf der Grundlage all der von der vorausgehenden Erobererepoche erworbenen Errungenschaften des Naturalismus, der raumfesten Einzelmodellierung, der Detaillierung des Beiwerkes, der porträtähnlichen Darstellung des Individuums und der szenischen Freiheit menschlicher Geschehnisse. So sehr hatte sich der Naturalismus durchgesetzt, daß es der neuen Generation nicht möglich war, von sich aus zu einer neuen Form zu gelangen. Es konnte nur durch Nachahmung geschehen, durch bewußte Rückkehr zur Tradition. Was lag näher, als zu den Formen zurückzukehren, die noch in lebenden Vertretern aus der guten alten Zeit in diese neue hineinragten, zuerst bekämpfte, allmählich bewunderte Vorbilder feiner, höfischer Lebenshaltung? So wird die Restauration eine Wiederbelebung der späten Gotik des 14. Jahrhunderts mit all ihren Zierlichkeiten, Empfindsamkeiten und ihrem Prunk. Weil aber nachgeahmt, nicht selbst erworben auf Grund einer neuen Lebensverfassung, so steht dieser Stil zu der Grundlage des realen Lebens auf Schritt und Tritt im Gegensatz. Deshalb spürt man an jeder erneuerten Form die Absicht. Die Form und die Feinheit werden gesucht. Die Zierlichkeiten der Bewegungen werden nicht aus der Gesamtanlage einer Situation heraus gewonnen, sondern einem charakteristischen Tun aufgezwungen, sie werden Ziererei; die Köstlichkeiten des Prunkes werden aus fleißig studierten und naturalistisch gemalten Einzeldingen zusammengesetzt und dadurch preziös. Die Gesamtform wird überladen mit einer Fülle individueller Beobachtungen und künstlerischer Einzeleffekte. Die Bilder werden ausgesprochen gekünstelt. Überall stößt Altes und Neues widerspruchsvoll zusammen; es entsteht ein Manierismus mit all

Abb. 525. *Donatello, David. Florenz, Museo Nazionale. 4. Jahrzehnt 15. Jh.*

seinen Reizen des Seltenen, Aparten, Unvermuteten, Unlogischen, eine Stilhypertrophie in Stillosigkeit des Ganzen. Der stärkste, aber zugleich reizvollste Widerspruch in diesem Manierismus ist der, daß ein Stil der Feierlichkeit, der gar nicht auf Gefallen, sondern auf Macht über die Gemüter angelegt ist, sich als reines Schaunis der Sehfreude hingibt. Das l'art pour l'art ist hier stärker als bei den echt mittelalterlichen und echt naturalistischen Werken.

Verrocchios David ist oft mit *Donatellos* Darstellung des jugendlichen Helden verglichen worden (Abb. 525, 526), und es erscheint auf den ersten Blick, als ob die sorgfältige Gewichtsverteilung, die Geschlossenheit des Umrisses, das Ineinandergleiten der Formen der Statue Donatellos idealer und weniger naturalistisch sei als bei der Verrocchios, die weit mit dem Ellenbogen herausstoßend die Harmonie des Umrisses zerreißt, alle Einzelteile schärfer voneinander scheidet und fester modelliert, und im ganzen momentaner und kecker vor uns hintritt. Aber gerade in letzterem liegt der wesentliche Unterschied. Donatellos Statue senkt den Kopf und sinnt vor sich hin, sie ist wie ein Heiliger im Gehäuse ganz in eine innere Stimmung gebannt, die durch den Zusammenschluß aller Formen auf einen inneren Mittelpunkt auch räumlich ein Beisichsein ausdrückt, wunderbar unterstützt durch die weiche, verfließende und dennoch ganz beobachtete Formgebung (wie Helldunkel im Raum). Verrocchios David tritt keck vor uns hin, er will gesehen und bewundert sein, alle Glieder sind dünn und zugespitzt, sehnig und gezerrt, spitzig und kantig, gotisch entkörpert, nur daß diese Fleischlosigkeit durch das Unausgewachsene und Knöcherne eines knabenhaften Körpers naturalistisch motiviert ist. Das Gesicht ist scharf und gespannt, mit dünnem Nasenrücken, schmalen, scharfgeränderten Augen, gekräuselt nach außen sich biegenden Locken wie ein gotischer Kopf des Mittelalters, nur kecker und weniger typisch als ein solcher. Er ist bekleidet, und fein ziselierte Panzerbeschläge stoßen mit spitzen Winkeln in die breiten Flächen der Brust und des Leibes hinein. Der faltenreiche und mit großer Sorgfalt scharf durchmodellierte Kopf des Goliath liegt vor ihm wie ein mittelalterliches Heiligenattribut, als Zeichen seines Triumphes. Bei Donatello war er verkürzt und, in den Boden verschwimmend, nur angedeutet wie ein Gedanke, Inhalt der Stimmung des Menschen, kein Gegenstand heldischer Renommisterei. In einem

Abb. 526. *Andrea Verrocchio, David. Florenz, Museo Nazionale. Um 1465.*

FRANCESCO COSSA, DER HERBST
BERLIN, KAISER-FRIEDRICH-MUSEUM. VOR 1470

Gemälde *Antonio Pollajuolos* (Abb. 527) tritt das Selbstbewußte und Preziöse dieses gotisierten Davidtyps noch stärker hervor. Die Finger wissen vor Ziererei kaum, wie sie sich spreizen sollen. In dem geschürzten Rock wird überall das Zuspitzen der Linien zu gotischen Bögen, vertikalen Falten und die Vorliebe für kostbare Stoffe (Samt, Brokat, weißer Pelz) deutlich. Trotzdem die Malerei der Figur einen Innenraum hinzufügt, bleibt von diesem nichts als eine graue Folie mit scharfem Vertikalstrich neben der Figur. Die Malerei verwandelt sich selbst in eine umrißverschärfende Zeichnung. Statt Handlung und Stimmung haben wir hier nur repräsentatives Auftreten einer naiv preziösen Gestalt. Merkwürdig verwandt diesen Gestalten sind die deutschen Rittergräber dieser Zeit, für die das Schaumburggrab *Riemenschneiders* (Abb. 528) sprechen möge, in denen die ganz naturalistisch mit Sorgfalt wiedergegebene Eisenrüstung den ritterlichen Charakter und Rang wiedergeben muß. Es ist eine Rüstung, in der die scharfen, fialenhaften Zierformen an den Gelenkscharnieren, die dornenhaften Zuspitzungen an den Ellbogen und auf den Fingergelenken, die ausstrahlenden Rippen dieselbe Ziergotik erzeugen wie im Panzer Verrocchios. Das schwere Eisenfutteral, in dem die Figur sich bewegt, macht das tippende Aufstehen und die gesuchte und gespreizte Eleganz erst recht auffällig. In gekräuselt auf die Schultern wallenden Locken verbirgt sich ein schwächlich wehleidiger Idealtyp eines länglich schmalen Gesichts, dessen Falten linienhaft gestreckt und betont sind. (Man vergleiche, um die Absicht zu verstehen und den Abstand zu würdigen, den Bamberger Reiter, Abb. 328, S. 297.)

Abb. 527. *Antonio Pollajuolo, David. Berlin, Kaiser-Friedrich-Museum. Um 1470.*

Abb. 528. *Tilman Riemenschneider, Denkmal Konrads von Schaumburg. Würzburg, Marienkapelle. Um 1500.*

Die merkwürdige Mischung von porträthafter Dreistigkeit und idealer Repräsentation hat in dieser Zeit eine ganze Gattung von Bildern hervorgebracht, in denen *Tobias mit dem Engel*, zuweilen von andern Heiligen begleitet, dargestellt ist. Sie schreiten durch die Landschaft, die hinter einem ganz flachen Figurenrelief mit ihrer Raumtiefe ohne Beziehung zu den Figuren klafft. Tobias ist in der Tracht und zuweilen in der Physiognomie eines stutzerhaft gekleideten Florentiner Kaufmannssohnes gegeben, bei dessen Aufbruch zu einer Reise in die Fremde die Bilder gestiftet wurden. Von *Pollajuolo* ist das zierliche Schreiten mit viel Kunst und Künstlichkeit so gegeben, daß sich die Figuren in ihrer

Abb. 529. *Benozzo Gozzoli, Die Anbetung der Könige. Ausschnitt: Lorenzo Medici, il Magnifico, als jüngster König. Fresko in der Kapelle des Palazzo Medici in Florenz. 1459—63.*

engelhaften Schönheit ganz von vorn präsentieren.

Wie diese Rückkehr zur späten Gotik, zu den gotischen und kirchlichen Formen der Zeit und des Stiles eines Gentile da Fabriano, sich mit der Verherrlichung und Verklärung weltlicher und zeitgenössischer Personen verbindet, wird klar bei einem Vergleich der Fresken *Benozzo Gozzolis* in der Kapelle des *Palazzo Medici-Riccardi* in Florenz (Abb. 529) mit der Anbetung der Könige Gentiles (Abb. 451, S. 380). Dasselbe Thema, dieselbe prunkvolle und flächige Abrollung eines an Figuren, Kostbarkeiten und Seltenheiten überreichen Festzuges vor dem ansteigenden Terrain einer blumen- und baumbestandenen Berglandschaft. Im Sinne des fortentwickelten Naturalismus sind hier alle Figuren fester und sicherer modelliert, wirklichkeitshart wie Kieselsteine. Die Fülle des bunten Schauspiels ist ins Unübersehbare gesteigert. Das Leben hat sich überall zu zeitgenössischen Porträts verdichtet. Und dennoch ist alles weniger lebensvoll und stärker stilisiert, die Bäume, die in Form von dünnen Palmen mit ihren streng vertikalen Schäften die Landschaft gleichsam hinter die Stäbe eines gotischen Fensters stellen, die Felsen, die mit ihren scharfen Kanten (mittelalterlich byzantinisch) seltsame Schnörkel und Windungen beschreiben, und die Könige, die zu Pferde sich in voller Umrißzeichnung aus dem Zug isolieren und ihre festlich gekleidete, prunkende Schönheit mit herausforderndem Blick dem Beschauer entgegenhalten; der jüngste aber unter ihnen, der an der bedeutungsvollsten Stelle ebenso geziert wie sein Pferd sich präsentiert, ist kein anderer als Lorenzo di Medici, der hier den heiligen König spielt.

Das weibliche Schönheitsideal verwirklicht das Ideal höfisch zierlicher Haltung und neuen gotischen Gewandschmuckes noch deutlicher. *Crivellis* Heilige Magdalena (Abb. 530) faßt mit manieriert gespreizten Fingern den Mantel und zieht ihn um den Körper herum, große durchgehende Falten (von naturalistischen Knicken durchsetzt) ziehen dem gebeugten Bein parallel. Die rechte Hand hält geziert ein kostbares Salbgefäß. Das enganliegende Mieder strotzt von kostbarem Goldschmuck. Ein scharfes

Abb. 530. *Carlo Crivelli, Die Hl. Magdalena. Berlin, Kaiser-Friedrich-Museum. Um 1476.*

Profil mit spitzigem Kinn und scharfer Nase hebt sich hart vom Grunde ab; künstlich gewundene Locken umrahmen das Gesicht und fallen in strengen Wellenlinien bis zu den Knien herab wie die Zöpfe der Chartreser Königinnen. Obwohl unter den spitzbeschuhten Füßen der Boden straff und realistisch in die Tiefe geht, ist die Figur in ein Steilfeld wie eine gotische Nische hineingeklemmt und so umrißmäßig hart von dem wiedererstandenen mittelalterlichen Goldgrund abgesetzt, daß die mit naturalistischer Malerei greifbar fest durchmodellierte Figur an den Rändern wie unter einer Presse zusammengequetscht erscheint. Naturalistisch und stillebenhaft gemalte Früchte werden zum kostbaren Schmuck der heiligen Situation. Wie Schwestern dieser venezianischen Heiligen muten die Heilige Agnes und Cäcilie vom Meister des *Bartholomäusaltars* (Abb. 531) an, die in überspitzen Schuhen und gesucht prächtiger modischer Kleidung neben Bartholomäus stehen und mit den gelenkigen Fingern und der bewußten Rechnung von Virtuosen ihre Instrumente handhaben und Buch und Lilienstab fassen. In eleganter gotischer Kurve wiegt sich Agnes in den Hüften, um in einem Buch zu lesen. Die Gesichter sind die spätgotischen mit kleinem Mund, scharfer Nase, stechenden Augen auf ausgekugelten, breiten Gesichtsflächen. Sie stehen vor einem Teppich, dem Äquivalent des gotischen Goldgrundes — nicht weil dieser aus Tradition noch da, sondern wieder da ist, denn er verhängt die weite natürliche Landschaft, deren Spitzen über den Teppich herübersehen. Die Gegensätzlichkeit tiefversunkenen Beisichseins (Musizieren, Lesen) und berechneter Wirkung nach außen macht jede Gebärde gesucht. Mit großem Aufwand von veredelter Haltung und gotischem Schwung betrachtet Bartholomäus die Schneide seines Messers. Eine milchig weißliche Unschuldsfarbe ist durch raffinierte Bläue gekühlt und mit reichen Musterungen zeichnerisch durchwirkt.

Abb. 531. *Meister des Bartholomäusaltars, Die Heiligen Agnes, Bartholomäus, Cäcilie. Mittelbild des Bartholomäusaltars. München, Alte Pinakothek. Ende 15. Jh.*

Die Madonna (vgl. die Nürnberger Maria des *Veit Stoß*, Abb. 532) verzichtet wieder auf die mütterliche zärtliche Verbindung mit dem Kinde. Dieses windet sich und verschraubt sich mit plastisch gerundeten Gliedern. Große Faltenränder schwingen um die Figur gesuchte

Abb. 532. *Veit Stoß, Madonna vom Hause des Künstlers. Nürnberg, Germanisches Museum. Um 1500.*

Abb. 533. *Martin Schongauer, Der Hl. Sebastian. Kupferstich. Gegen 1490.*

Kurven und füllen die Flächen mit konstruierten Schnörkeln. Etwas mühsamer aufgebaut und handwerklicher durchgebildet gibt hier die deutsche Plastik denselben Typ wie in Italien Signorelli in den gotisch durchgebogenen, verdrehten, musizierenden Engeln der Sagrestia della Cura in Loreto mit ihren flatternden und gekräuselten Gewändern. Dieser Typ wird in Italien in der Gestalt herzueilender Dienerinnen auch den trivialsten Szenen des Alltags hinzugefügt (*Ghirlandajo, Pinturicchio, Botticelli,* Abb. 538, 540). Er hat die tänzerische Schönheit von Genien.

Fra Angelicos schon ganz mit naturhafter Innigkeit erfüllte Engel, die so ganz selbstverständlich aus dem Stil seiner Kunst herausgewachsen sind, werden aus stilsuchender Absicht neu erzeugt und verbogen. Auch antike mythologische Figuren werden in dieser gotisierenden Zuspitzung und Linearität gegeben. Die Venus von *Botticelli* hat den wallenden Busch ihrer Haare wie einen gotischen Mantel umgeschlungen, parallel zur spätgotischen einseitigen Kurve des Körpers (Abb. 37, S. 53). Zwischen windblasenden Genien und einer das Gewand bringenden Dienerin steht sie in der Mitte wie eine gotische Madonna zwischen anbetenden Engeln im Tympanon einer Kirche; alle Figuren sind so hart mit schneidendem Umriß gegen die Meeresweite abgesetzt, so reliefmäßig und statuarisch gezeichnet, als ständen sie vor einer Glaswand. Diese gotisierenden sakralen Elemente (das Fra Angelico-hafte), naturverkörpernde Nacktheit, die Unschuldsaugen und die mit delikaten Fingergesten ausgeführten Schamgebärden lassen keinen Zweifel darüber aufkommen, daß hier nicht eine Schaumgeborene gemeint ist, sondern eine des Gewandes entbehrende Dame. Die Erhärtung der Zeichnung geht mit einer Verkalkung der Farbe einher. Die in der italienischen Tradition begründete stärkere Verwendung antiker Motive darf nicht übersehen lassen, daß diese sogenannte Frührenaissance ebenso Neogotik ist wie die sogenannte Spätgotik dieser Zeit im Norden.

Die Mischung von Aktwahrheit und Verherrlichung des Fleisches einerseits, abstrakter Stilisierung und entsinnlichender Linienzeichnung andererseits entspricht ganz der Zwiespältigkeit der Zeit. Deshalb ist der eigentliche Heilige dieser Zeit nicht der jugendliche David oder Georg oder Tobias, Heilige, die sie auch liebt, sondern der *Heilige Sebastian,* so wie ihn Botticelli, Pollajuolo gemalt und *Schongauer* in Kupfer gestochen hat (Abb. 533). Mit derselben einseitigen Körperbiegung, wie Botticellis Venus, steht er vor einem in gleicher Richtung sich biegenden Baum (eine naturalisierte Säulenstatue), statt der Haare flattert der Lendenschurz in vielfältigen Windungen und Schnörkeln. Scharf setzt sich der völlig frontal gezeichnete Körper vor leerer

Hintergrundsfläche ab; ein Stückchen Hügel, auf dem er steht, ist kaum mehr als ein mittelalterlicher Sockel. Materie schmähend zieht sich überall der Körper in der Hüfte und den Gelenken zusammen, die Füße treten vertikaler Zuspitzung zuliebe übereinander, die Arme greifen aus gleicher Tendenz nach oben und setzen sich wie Maßwerk eines spätgotischen Fensters in die entlaubten Zweige des winterlich verdorrten Baumes fort. Dieser Sebastian Schongauers ist nicht stärker gotisch als Botticellis Venus, sondern weniger, weil überall, in den sorgfältig modellierten Muskeln, den Ästen des Baumes, den Knitterungen des Schamtuches mehr Natur stehengeblieben ist. Gerade deshalb wirkt er manierierter und verschnörkelter. Fügt man zu diesem Baumsäulenheiligen die Peiniger hinzu, dann geschieht es nicht wie bei Mantegna oder den früheren Meistern so, daß man den Heiligen in die Tiefe oder an die Seite des Bildes stellt und den Vorgang räumlich erzählt, sondern man reiht wie *Pollajuolo* in einem Londoner Bild (Abb. 534) den Heiligen und die Schützen nebeneinander im gleichen Plan, läßt sie aus dem Bilde heraussehen und fügt die Peiniger um den Heiligen herum wie einen Engelskranz um den thronenden Christus. Es ist mehr eine Glorie als eine Exekution. (Man vergleiche damit als deutsches Gegenstück den Sebastian des *Meisters der Heiligen Sippe*.) Die weite Arnotallandschaft hinter den Figuren vermag deren konstruiertes Flächengerüst nicht aufzuheben. Der Augenpunkt ist hochgelegt, um viel Fläche auch aus der Tiefe herauszuholen.

Abb. 534. *Antonio Pollajuolo, Der Hl. Sebastian. London, National Gallery. Vollendet 1475.*

Diese Umwandlung eines Schauspiels und sehenswürdigen Erlebnisses in eine Einzelstatue oder repräsentative Gruppe ist ganz allgemein das Schicksal der Heiligenlegenden in dieser Zeit. Es geschieht das Umgekehrte wie zur Zeit des beginnenden Naturalismus des 15. Jahrhunderts, wo die Madonnenstatuen in Handlung, die repräsentativen Einzelstatuen in gemütsbewegende, im Raum spielende Szenen verwandelt wurden. Man erinnere sich, wie vor allem die Verkündigung im breiten Innenraum mit vielen Gegenständen und weiten Ausblicken vor sich ging und das Madonnenbild in eine heimlich gemütliche Besuchsszene verwandelt wurde. Jetzt schrumpft der Raum bei *Memling* (Abb. 535) seitlich zusammen, wird mehr steil

Abb. 535. *Hans Memling, Verkündigung. New York, Sammlung Ph. Lehmann. 1482 (?).*

als hoch, die Figuren füllen in einer Reliefkomposition den schmalen Bühnenraum vor dem verblaßten Hintergrund des Zimmers, an dessen Wand die Hauptfigur, die Madonna, durch rahmende Linien betont wird. (Bei dem biederen schwäbischen Maler *Zeitblom* wird der Raum schmal wie eine Nische.) Die Madonna steht aufgerichtet zwischen zwei Engeln, dem Beschauer zugewendet. Der Verkündigungsengel bleibt isoliert zur Seite. Das psychologische Moment, in dem sich das Geschehen psychisch ausdrückt, ist sehr bezeichnend: die Madonna ist im Begriff, in Ohnmacht zu sinken, von den Engeln, deren einer ihr gleichzeitig die Schleppe hält, gestützt. Eine feine und zarte Dame von Welt, scheint sie im ersten Schreck nur daran zu denken, was die Gesellschaft zu dem verkündeten Ereignis sagen wird. So kehrt Memling zu der pathologischen Gefühlswelt der verfeinerten späten gotischen Madonnen eines Simone Martini zurück, geht aber an repräsentativer Haltung und statuarischem Aufbau über diesen hinaus. Auch in seiner Anbetung des Kindes füllt die edel kniende Madonna die ganze Bildfläche, von großen Faltenlinien begleitet, von Hintergrundsarchitektur streng gefaßt, vom Giebel der Hütte gekrönt, und von der Steilgruppe des Kindes, der Engel und Josephs umrankt. Auch die Konversation mit den Stiftern, dieses Privatheiligentum, hört auf. Das Gemach oder der Kirchenchor mit seinen Schattentiefen wird eine von Säulen und Bögen fest umrahmte Thronnische, von Baldachin und Früchteranken symmetrisch überwölbt. Starr und unnahbar ist Maria nach außen gekehrt, ein Götterbild, von Engeln und Stiftern in feierlicher Symmetrie verehrt. Daneben freilich steht das mädchenhafte Gesicht der Madonna mit den niedergeschlagenen Augen und das Spielen des Engels mit dem Kinde: eine Fremdheit gegenüber der Feierlichkeit, die verstehen lehrt, warum diese Madonnen, vor allem die Botticellis, diesen leidenden und verschüchterten Ausdruck haben, wie zu einer nicht von innen kommenden Haltung genötigt.

Abb. 536. *Filippino Lippi, Vision des Hl. Bernhard. Florenz, Badia. 1480.*

Bei einer zweifigurigen Szene gibt man gern jeder Figur ihren eigenen Rahmenraum, isoliert sie also zu statuarischen

Abb. 537. *Michael Pacher, Der Hl. Ambrosius. Aus dem Kirchenväteraltar. München, Alte Pinakothek. Um 1490.*

Einzelpersonen wie im hohen Mittelalter und krönt sie mit einem flach dem Bilde aufgelegten Baldachinstabwerk, wie der *Meister des Peringsdörfer Altars* die Lukas-Szene (Lukas malt die Madonna), *Wohlgemut* die Marter des Sebastian, oder mit den Bögen eines Doppelgewölbes wie *Cosimo Tura* eine Verkündigung. Oder es begegnen sich vor einer pyramidenhaften Felsschichtung Maria und der Heilige Bernhard mit Neigegebärden, wie Christus und Maria in einer Krönung (*Filippino Lippi*, Abb. 536). Einzelfiguren aber, wie die des Hieronymus oder der anderen Kirchenväter, die in der ersten Hälfte des 15. Jahrhunderts schon ganz zu Stimmungsfiguren in feierlichen Innenräumen geworden waren, ja zur Staffage in reinen Interieurbildern, werden von *Botticelli* und *Ghirlandajo* ganz in einen steilen Schmalraum hineingepreßt. Das viele hart gemalte Beiwerk von brauchbaren Dingen vermag es nicht zu einer Raumstimmung zu bringen. Bei Ghirlandajo sitzt der Heilige in großer Pose und sieht zum Bilde heraus; bei Botticelli führt er in großem Schwung den Affekt der Inspiration vor. Im Kirchenväteraltar *Michael Pachers* (Abb. 537) ist das schmale Bildfeld auch architektonisch als Nische an einer Kirchenwand charakterisiert mit gotisch verschnörkeltem Baldachin und mit Pfosten, die selbst noch einmal in Nischen mit Statuen aufgelöst sind. Der Zwiespalt, der zur Manier führt, besteht darin, daß ein solcher Idealraum möbliert ist, daß der Heilige sich mühsam aus dem engen Raum mit den üblichen Fingerspitzungen und -spreizungen herauswindet, daß das nach außen gerichtete Pathos wieder in eine intime Beziehung zu einem attributhaften Wesen — Löwe, König, Kind in der Wiege! — verläuft, und daß

Abb. 538. *Domenico Ghirlandajo, Die Geburt der Maria. Fresko in Sta. Maria Novella in Florenz. 1486—90.*

Abb. 539. *Tilman Riemenschneider, Die Feuerprobe der Kaiserin Kunigunde. Relief vom Grabmal Kaiser Heinrichs und der Kaiserin Kunigunde im Dom zu Bamberg. 1. Jahrzehnt 16. Jh.*

dem gepreßten Hochdrang der gotischen Nische die an Mantegna gemahnende Tiefenbewegung dieser Nebenpersonen entgegenarbeitet. Pacher, der ganz als Schüler Mantegnas mit streng gruppierten Vordergrundsfiguren und jähen Hintergrundsperspektiven die Dramatik seiner Gemälde entwickelt, macht so recht deutlich, wie diese Neogotik vom Illusionismus und der Formenverhärtung Mantegnas ausgeht und zur gotischen Bildverflachung und Körperhaltung fortschreitet, und warum in jedem Fall ein ganz starker und intimer Naturalismus in die gesuchte Form hineinredet.

Den Höhepunkt in der Umbildung der dramatischen Szene zur kultisch repräsentierten Einzelfigur bezeichnet die Versuchung des Heiligen Antonius in *Schongauers* prachtvollem Kupferstich (Abb. 38, S. 54). Es ist die kunstvollste und weitestgehende Umsetzung von Handlung und Stimmung in eine zentrale Heiligenfigur und ein gotisches Ornament: dahinter bemerkt man die neumittelalterliche Erstarrung der barocken Himmelfahrten Melozzos und seiner Zeitgenossen. Der Heilige ist vor kahler Hintergrundsfläche, die nur durch ein kantiges Felsenriff in der rechten Ecke und durch dürres Gestrichel der Wolkenzone als Himmel charakterisiert ist, genau in das Zentrum des Bildes gestellt, rings umgeben von höllischen Dämonen, die ihn packen und zerren, und mit ihren stacheligen Flügeln umschwirren. Es ist scheinbar ein tolles Durcheinander von bedräuender Phantastik. Und dennoch im Grunde eine Strahlenglorie um den Heiligen wie die Lichtglorien himmlischer Marien, oder ein aus Naturformen zusammengesetztes Radfenster mit dem reichen gotischen Maßwerk der Spätzeit, ein verwirrendes Gemisch von Heuschrekken und heupferdartigen Naturwesen und idealer Konstruktion, von Höllenspuk und himmlischer Verklärung, von bewegtestem Geschehnis und stabilster Architektur. Der dem Heiligen gewundene Kranz ist die Dornenkrone des Manierismus. Schließlich vergißt man alle Manier und Tüftelei über dem Reiz der

Abb. 540. *Sandro Botticelli, Moses und die Töchter Jethros. Fresko in der Sixtinischen Kapelle in Rom. Ausschnitt. 1481.*

reinen Phantasie- und Konstruktionsleistung des Künstlers, und vergißt den kirchlichen Gegenstand über dem l'art pour l'art der Feinarbeit des Kupferstechers. Es gibt in dieser Zeit Künstler, die für das Überspitzte und Verschnörkelte keinen rechten Sinn haben und schon in den Gegenständen einer breit behaglichen Erzählung den Vorzug geben, wie *Ghirlandajo* in seinen Fresken in *S. Trinità* und *Sta. Maria Novella* in Florenz. Die beiden Wochenstuben — Geburt des Johannes und der Maria (Abb. 538) — scheinen auf den ersten Blick das Ideal solcher Darstellungen mit ihren raumwahren Innenräumen. Das Gemach aus der Mariengeburt scheint das Ideal eines Florentiner Bürgerhauses darzustellen. Aber ist schon in den gefälligen Kinderfriesen und der reichen Architekturornamentik mehr der Schmuck als die Intimität betont, so ist der eigentliche Inhalt der Szene eine förmliche Prozession, die von einer jungen, neugotisch gekleideten Dame angeführt wird. Während das gravitätische Schreiten der älteren Frauen und das würdevolle Liegen der Wöchnerin an die hochgotische Schwere der Gestalten Giottos oder die klassisch gotischen Formen eines Andrea Pisano erinnern (Abb. 450, S. 375), kommt im scharfen Profil der jungen Frau und im Gewandflattern der Dienerinnen der Zeitgeschmack ganz rein zum Ausdruck. In der Gesamthaltung aber ist die Anlage eines solchen Bildes dieselbe wie in den Reliefs *Riemenschneiders* am Grabmal Heinrichs und Kunigundes in Bamberg (Abb. 539), wo in einem quadratischen Raum Kunigunde mit zierlich gehobenem Kleid, einen modischen Turbanhut auf dem Kopf, gravitätisch über das heiße Eisen zur Feuerprobe schreitet, und der Kaiser und ein junger Stutzer mit einer im flachen Relief gegebenen Menge hinter sich in voller Front dem Beschauer sich zeigen. Daß das Deutsch etwas rauher und eckiger klingt als Ghirlandajos flüssiges Italienisch, wird niemand wundern. Was aber in Riemenschneiders Darstellung gotischer erscheint als in der Ghirlandajos, ist auch hier in Wirklichkeit das Maß an derber, wirklichkeitsharter Natur sowohl in den bauernhaft verwetterten Gesichtern wie in den zerknitterten und brüchigen Gewändern. Die gotischste und mittelalterlichste Formel für diese neogotische Erzählungsart hat *Botticelli* in der Mosesgeschichte der Sixtinischen Kapelle gefunden: vor flachen, übereinandergeschobenen Felsgründen und einer Mauer säulenhaft stilisierter

Abb. 541. *Cosimo Tura, Allegorie des Frühlings. London, National Gallery. Um 1460 bis 70.*

Abb. 542. *Filippino Lippi, Allegorie der Musik. Berlin, Kaiser-Friedrich-Museum. Um 1500.*

Bäume rollen nicht weniger als sechs zeitlich sich folgende Szenen einer einzigen Geschichte ab, die in der Mitte zu einer mit feinster Verneigung vollzogenen Frauenhuldigung zusammenschlagen — ein Hirtenidyll im Stil spätgotischer Minnekästen (Abb. 540).

In den weltlichen Themen wurde in der Zeit des Naturalismus die Ungezwungenheit des Gebarens von Putten und Waldmenschen in der Landschaft vorgeführt, und noch bei *Cossa* wurde in höfischen Liebesfesten mit derben Handgreiflichkeiten die neu errungene Freiheit gepriesen. In den Monatsdarstellungen löste sich alles Symbolische und Figürliche in Landleben und Landschaft auf. Jetzt werden auch diese zur mythischen Einzelfigur und zur getüftelten Allegorie zurückverwandelt, indem man durch naturalistische Beigaben und Handlungen den im Mittelalter durch Tradition vermittelten Sinn erraten lassen wollte. Vor allem aber fällt auf, in welchem Maße überhaupt der mittelalterliche Apparat symbolischer Figuren, von Tugenden und Lastern, freien Künsten, Monaten und Jahreszeiten und schön sich haltenden oder tanzenden Idealfiguren wieder in die Kunst einzieht, aber nicht im Zusammenhang mit der Architektur wie an den Kirchenportalen und Chorgestühlen des Mittelalters, sondern als Einzelbild, und schon deshalb mit Sinn und Bedeutung und reichen Formen und Prunkwerk überladen und mehr allegorisch als mythisch und symbolisch.

Sehr lehrreich ist ein Vergleich von *Cossas* schöner Figur des Herbstes in Berlin mit der Frühlingsallegorie *Cosimo Turas* in Venedig, um das Werden der neogotischen manieristischen Auffassung und den Unterschied der Generationen zu verstehen (Abb. 541 und Tafel V). Bei Cossa ein Landmädchen mit Schaufel und Weinrebe, eine Gestalt im Sinne Pieros della Francesca, vor einer dunstigen Landschaft, die ganz von Licht und weicher Luft umflossen ist. Sie schreitet, wie von der Arbeit kommend, über den Rahmen des Bildes, und ruht einen Augenblick von dem Aufstieg aus der Tiefe aus. Es ist noch ganz mantegneskes Herausstellen einer in lebendiger Situation erfaßten ländlichen Gestalt, heroisiert nur durch Bildgestalt und Bildauffassung. Bei Tura dagegen ist es eine geziert in einer Thronnische sitzende Idealgestalt, die mit spitzen Fingern einen Blumenstengel faßt. Sie ist von geknickten und gewundenen Falten wie von Raupen überkrochen und vom Stachelwerk der aus Seepferdchen gebildeten gotisierenden Thronarchitektur umrahmt. Wie nah Schongauers Versuchung des Antonius! *Filippino Lippis* Allegorie der Musik (Abb. 542) ist ein von Frauenarmen, Gewandschnörkeln, Schwanenhälsen, Bandschlingen und Puttengliedern gebildetes

Abb. 543. *Sandro Botticelli, Der Frühling. Florenz, Uffizien. Um 1478.*

Maßwerkfenster, durch dessen Löcher man noch etwas von einer Meerlandschaft ahnt. Ein zum Musikinstrument verwandelter Hirschkopf, der Singschwan, die Pansflöte geben die Deutung. Die die Allegorie vollziehenden Tanzbewegungen der Jungfrau vergleiche man mit *Erasmus Grassers* launigeren Maruskatänzern in München, in denen ein groteskes, volkstümliches Motiv mit viel Kunst zu einer phantastischen Verschränkung spindeldürrer Glieder umgewandelt ist. Das Geschlinge aber der Bänder und Schwanenhälse hat ein Gegenstück bei dem *Hausbuchmeister* in den Spruchbändern, die sich um das preziöse Gebaren eines Liebespaares oder um eine ganz im Vordergrund eines Gemaches stehende nackte Jungfrau ranken, eine mit spitzigen Füßen auftretende Lastergestalt der Verführung und Eitelkeit. Hier übergibt die Schrift in ganz mittelalterlicher Weise dem Lesekundigen die Deutung.

Aus diesem Empfindungskreis ist die berühmteste Jahreszeitenallegorie der Epoche hervorgegangen — *Botticellis Primavera* (Abb. 543). Hier ist nicht Landschaft, gefüllt mit unmittelbar gesehenen Motiven der Landbestellung, nicht erlebte Stimmung und Heimatgefühl, sondern ein höfischer Reigen schöner, schlanker, blumengeschmückter Jungfrauen vor einer aus geraden Orangenstämmen gezimmerten Wand und auf einem von Blumen wie mit Edelsteinen bestandenen Wiesenteppich: Natur in die Wanddekoration mittelalterlicher Paläste zurückverwandelt. In der Mitte steht Venus vor einem Halbrund, das wie eine Thronnische im Blätterwald ausgespart ist. Zu beiden Seiten symmetrisch tanzende und schreitende und sich jagende Gruppen. Zwar sind es links die antiken Grazien in durchsichtigen Schleiergewändern, aber mit gotisch zarten Gliedern, die Arme preziös im Reigen verschränkt (wie

Abb. 544. *Meister der Verherrlichung Mariä, Verherrlichung der Maria. Köln, Wallraf-Richartz-Museum. Um 1470.*

bei den Engeln Fra Angelicos) und die heidnisch sinnliche Nacktheit von abstrakt verschnörkelten Linienspielen umweht. Rechts die Frühlingsgöttin, die Primavera, die sich in bewußter Schönheit im blumengestickten Gewand nach außen wendet, und Flora, die vom Windhauch des Zephir angeblasen Blumen aus dem Munde erbricht — ein antiker Frauenraub mit der Grazie eines gotischen Minnespieles. Die zentrale Gesamtanlage des ganzen Bildes aber weist deutlich zurück auf das gotische Madonnenbild — Venus mit dem Putto zu Häupten ist in Haltung und Gewandung eine ins Preziöse umgesetzte mittelalterliche Madonna.

So erlebt denn in dieser Zeit das reinste und höchste Thema der Gotik, das feierliche Madonnenbild, seine vollkommene Wiederbelebung. Die Intimisierung, die noch in den feierlichsten Formen der vorausgehenden Zeit, in dem vom Raum umflossenen beschaulichen Beieinander von Maria und Heiligen, einer santa conversazione, zu spüren war, wird durch byzantinisch repräsentative, abwehrende Herauswendung der Heiligen aus dem Bilde rückgängig gemacht. Gern wird die Madonna auf einen hohen Thron gesetzt und die barocke Steigerung der Mantegna-Zeit benutzt, dem Marienbilde die höchste und großartigste Form der Erhebung in den Himmel zu verleihen. Aber von dem dramatischen Aufwärtsrauschen bleibt bei *Filippino Lippi* nur das Linienspiel flächig entfalteter Gewänder; aus naturhaft greifbaren Körpern wird ein dekoratives Flächenornament gewonnen, eine mittelalterliche, völlig fest gewordene Bogenfüllung, die bei dem deutschen *Meister der Verherrlichung Mariä* (Abb. 544) wie bei Bildern des italienischen Spätmittelalters mit realistischen Köpfen gepflastert und zu sonnen- und sternartigen Scheiben verflacht ist. Die deutsche Plastik aber, die jetzt nach einer Blüte der Malerei wieder die Führung an sich reißt wie im Mittelalter — denn dieser Zeit gehören Pacher, Veit Stoß und Riemenschneider als sich zeitlich folgendes Dreigestirn an —, vollbringt mit diesem Thema ihre höchsten Leistungen. Drei große Altäre dieser Art haben wir von ihnen: die am stärksten mit stofflichem

Abb. 545. *Veit Stoß, Tod der Maria. Mittelschrein des Marienaltars in der Marienkirche zu Krakau. Ausschnitt. 1477—89.*

Pathos und Raumerfüllung dramatisch sich vollziehende Marienkrönung *Pachers* in *St. Wolfgang*, die Himmelfahrt des *Veit Stoß* in *Krakau* (Abb. 545), die den Marientod mit der Himmelfahrt so verbindet, daß selbst die sterbende Maria vor der Wand der Apostel aufrechtgehalten wird, und die Himmelfahrt Mariä in *Creglingen* von *Tilman Riemenschneider*, in der die herb durchfurchte, wuchtige Plastik Pachers und die volkstümlich großartige Idealität des jungen Veit Stoß einer milden Verklärung gewichen sind. Hier wirkt die Realität der in den flachen Altarraum hineingestellten Schnitzfiguren nicht so künstlich wie in den Gemälden, die reichen und seltsamen Faltenbrüche und Schnörkel in ihrer Greifbarkeit nicht so unnatürlich wie auf dem Goldgrund der Bildflächen. Auch sind sie dem Schnitzwerk der Altararchitektur stärker assimiliert, und die volkstümliche Kraft der Typen macht die religiöse Gläubigkeit ihrer Gebärden so glaubhaft, daß der Gedanke an Spielerei nicht aufkommen kann. Die fast betäubende Fülle künstlerischer Arbeit und die handwerkliche Intensität der Hingabe an die Überwindung der Materie wirkt nicht mehr gekünstelt, sondern selbst als Gläubigkeit. Mehr als die Gemälde führen sie wieder aus der Natur in die Kirche ein, um doch ganz im Sinn des deutschen Mittelalters in Marientod und Abschied der Jünger religiöse Verehrung aus dem Sturm menschlich familiärer Gefühle aufwallen zu lassen. Es ist wie ein Dank der Zeit an ihre künstlerische Leistung, daß sie der Beschauer auch heute noch nicht in Museen, sondern auf dem Altar der Kirchen trifft, für die sie geschaffen sind.

Abb. 546. *Hieronymus Bosch, Der verlorene Sohn. Rotterdam, Boymans-Museum. 2. Jahrzehnt 16. Jh.*

Nur so ist verständlich, daß in Deutschland eine neue Revolution, eine neue Befreiung der Natur und des Individuums, in erster Linie eine Angelegenheit des Glaubens wird, die Reformation, und daß diese zum Inhalt dieselben menschlich schlichten Gefühle und Beziehungen hat, die dieser Neogotik in Deutschland ein besonderes Gesicht geben.

Nur weil diese Seite — ein echter volkstümlicher Naturalismus — schon immer die mittelalterliche Welt in Deutschland durchsetzt hatte, und alle Gläubigkeit nur zu ihrer Vertiefung beigetragen hatte, konnte diese deutsche Kunst als spätgotisch der italienischen als Frührenaissance entgegengehalten werden. In Wirklichkeit kommt keine Kunst der gotischen Form — rein als äußere Form, Linie und Flächenzeichnung genommen — so nahe wie die italienische, besonders die Botticellis. Der der italienischen Kunst seit der Antike innewohnende Klassizismus, die schon im Byzantinischen von außen angenommene, bewußte Feierlichkeit, der bürokratische Formalismus begünstigten das mit dem Bildungshochmut des Humanismus bewußt geübte Spielen mit Formen und Gedanken und ihrem formalen Reiz. Nur das heilige Köln hat ihr Gleiches an die Seite zu stellen.

Die niederländische Neogotik dieser Zeit aber hat ihrer Tradition entsprechend in der Kunst *Memlings* am meisten von dem stillen Sein der Figuren im Raum behalten, die neue Feierlichkeit ist eine stumme Andacht, ein stilles Hinhalten. Über allem liegt noch immer die verbindende Innigkeit einer die Oberfläche tönenden Malerei. Sie ist am wenigsten spitzfindig und manieriert. Und daneben hat sie einen Naturalismus der unmittelbaren Beobachtung der atmosphärischen Landschaft und des Volkslebens mit Reizen einer alle Töne der Luft auffangenden Malerei, daß man in den Werken des *Hieronymus Bosch* die Rückkehr zur mittelalterlichen Bildwelt kaum bemerkt, vor der bezaubernd frisch gesehenen zerfallenen Bauernhütte seiner Anbetung der Könige, der weiten, zart getönten Landschaft, den beobachteten Typen nicht bemerkt, wie flach die Landschaft in die Höhe steigt, wie flächig die Hütte als Wand die ganz nach vorn geschobene Szene foliiert. Man merkt im Steinschneiden vor der naturgetreu gemalten Operationsszene nicht, daß diese eine Karikatur der Narrheit bedeutet, und vor dem genrehaften Naturalismus der Bettler- und Bauernfigur des verlorenen Sohnes (Abb. 546) und der köstlich atmenden Landschaft nicht, wie gotisch zierlich dieser Bauernjüngling einherschreitet, wie reliefmäßig er gegeben ist und wie moralisierend gemeint. Wären nicht die Bilder der Miniaturen vom Anfang des Jahrhunderts und die Werke des Jan van Eyck und des Meisters von Flémalle, wir würden nur den Fortschritt zum 17. Jahrhundert sehen, zum holländischen Genrebild, nicht die Rückwendung zu mittelalterlicher Lastersymbolik. Aber es ist gut, durch diese Bilder daran erinnert zu werden, wie stark die ganze Neogotik und Restaurationskunst in Zeichnung und Malerei, in der Erfassung von Welt und Menschen ein Weiterschreiten und sichereres Beherrschen aller Techniken vermittelt hat. Am manieriertesten und künstlichsten sind Boschs Höllenphantasien. Aber auch da zeigt jede Einzelheit, daß er das Phantastische und Überirdische nur aus den drastischsten und trivialsten Naturbestandteilen zu bilden vermag und notwendig ins Burleske verfällt: eine Parodie auf allen Höllenglauben könnte nicht komischer sein. Äußerlich neogotischer Manierismus, ist es innerlich schon ganz Protestantismus.

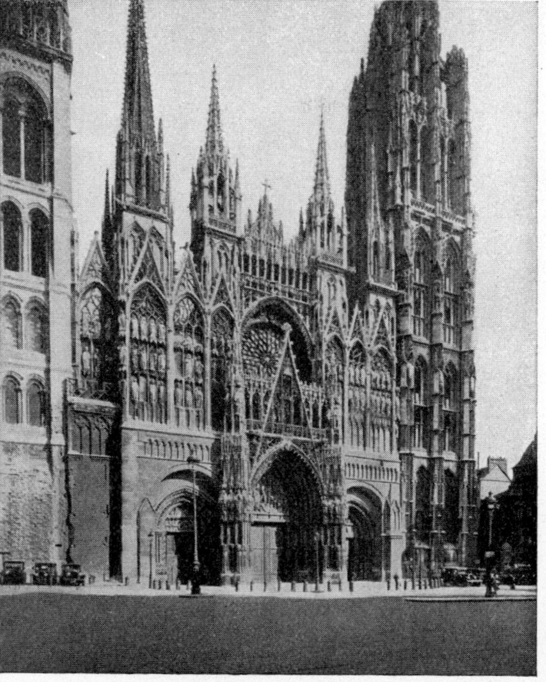

Abb. 547. *Rouen, Kathedrale. Westfassade. 1. Hälfte 13. Jh.; 1370—1420; 1509—14 (Mittelteil); Südturm (Butterturm) 1485—1507.*

Am weitesten abseits in der Entwicklung des Naturalismus im 15. Jahrhundert steht Frankreich, zu dem man jetzt Burgund, das politisch und kulturell mit den Niederlanden verwächst, nicht mehr rechnen kann. Frankreich bleibt noch immer das Land der Gotik. Deshalb ist es in diesem Jahrhundert relativ unfruchtbar und verfällt schon früh dem Manierismus. Ein Künstler wie *Jean Fouquet*, der in Miniaturen sehr energisch der Welt und Weltlichkeit des Naturalismus die Tore öffnet, stilisiert in seiner berühmten Madonna die in mantegnesker Weise herausgekugelten Formen und auch die Farben: die Engel sind rot, das Fleisch der Madonna von grauweißer Fahlheit, daß man

Abb. 548. *Florenz, Palazzo Strozzi. 1489 von Benedetto da Majano entworfen, Kranzgesims von Cronaca.*

sich schon an Botticelli und Cosimo Tura erinnert fühlt. Im späten 15. Jahrhundert, in der Neogotik, entstehen Kirchen wie die von *St. Riquier, Abbéville, Rouen* (Kathedrale, St. Maclou) und andere, in denen preziös eine zu höchster Verfeinerung entwickelte Dornen- und Heckenornamentik und ein flechtwerkartiges Maßwerk die Flächen und Einzelformen des Baues überkriecht (Abb. 547). Dieser selbst verbindet gotische Leichtigkeit und Stabhaftigkeit mit breiten, profanen Räumen. England in seiner Zwitterstellung zwischen öffentlichem und privatem Charakter seiner Bauten ist jetzt recht in seinem Element. Die reichsten Schöpfungen seines Perpendikularstiles wie die *Kapelle Heinrichs VII.* an *Westminster-Abbey* entstehen in dieser Zeit (Abb. 427, S. 357). Um so wichtiger ist es, darüber nachzudenken, daß der schönste florentinische Palast, der *Palazzo Strozzi* von *Benedetto da Majano* und *Cronaca* (Abb. 548) den Typ des mittelalterlichen Palastes in der Art des Palazzo Vecchio ganz rein wiederholt und L. B. Albertis Bestrebungen rückgängig machen würde, wäre nicht auch hier das deckende, breit ausladende Renaissancedach. Es wäre nicht schwer, in Hallenkirchen und Bogenfassaden und in den preziös geschmückten, mit Bogenformen und dünnen Säulchen und Gebälken leicht und anmutig gestalteten oberitalienischen Bauten, deren festlichstes Beispiel die *Certosa* bei *Pavia* ist, den neogotischen Einschlag aufzuweisen.

DIE KUNST DER REFORMATIONSZEIT IN DEUTSCHLAND (DÜRER)

In Deutschland städtisch-bürgerliche Kultur: Nürnberg (Hans Sachs, Pirkheimer), Augsburg (Fugger). Luther 1483—1546. Anschlag der Thesen 1517. Reformation Zwinglis in Zürich 1519, Calvins in Genf 1541. Die Humanisten Reuchlin, Hutten, Erasmus von Rotterdam. 1522—23 Ritterkrieg in den Rheinlanden, 1524—25 Bauernkrieg in Schwaben und Franken.

Am Ende des 15. Jahrhunderts erreicht die Kunst, die eine Rückkehr zum Mittelalter bedeutete, ihren Höhepunkt, indem sie zu den ergreifendsten und erhabensten Themen kirchlicher Kunst des Mittelalters rückwärts gewendet emporsteigt, zu den Themen, die die stärkste Abwendung von den Freuden der diesseitigen Welt bedeuten, dem *Schmerzensmann*, der *Pietà* und dem *Weltgericht*. Aber dieser Gipfel der Rückwendung zur Gotik ist nur scheinbar ein Höhepunkt. In dieser Abkehr von der Natur, dieser Abkehr von der teilnehmenden Einfühlung in alles Lebende und Organische ist zugleich eine Umkehr innerhalb des neugotischen Manierismus selbst. Die Umkehr richtet sich stärker als gegen Naturfreude und Realitätsschilderung gegen alles, was

LUKAS CRANACH, RUHE AUF DER FLUCHT NACH ÄGYPTEN
BERLIN, DEUTSCHES MUSEUM. 1504

Abb. 549. *Sandro Botticelli, Grablegung Christi. München, Alte Pinakothek. 1. Jahrzehnt 16. Jh.*

weltlicher Luxus, kirchliche Festlichkeit und Hochstimmung, höfische Verfeinerung, künstlerisches Raffinement und verstiegene Geistigkeit des Überbildeten war. Indem man nach allen Glorien der Heiligenbilder, allen Köstlichkeiten und allem Prunk der Malerei und der Schnitzerei zu der Jammergestalt des geknechteten und verachteten Menschensohnes zurückkehrte, allem Luxus der sich gottähnlich fühlenden Reichen und Mächtigen der Erde (den Papst und seine Diener, die Priester, einbegriffen) die Jenseitshoffnungen und Jenseitsfurchten des einfachen Mannes entgegenhielt, sich zu dessen Not und Armut bekannte, kehrte sich der Manierismus der Neogotik auch gegen sich selbst. Es ist wie ein Erwachen nach einem Rausch, eine Aschermittwochsstimmung nach einem Fasching, die die Kunst plötzlich moralisierend, nüchtern, farblos, anklagend und satirisch macht: eine Kunst der Buße und der Auflehnung, des Sündenbekenntnisses und des Aufruhrs, der Verzweiflung und der Revolution. Es ist die Angst einer Sterbestunde der Alten, das Vermächtnis *Botticellis* und seiner Zeitgenossen, und die fordernde Prophetie einer neuen Generation, *Dürers* und *Grünewalds*. In Florenz verbrennt Savonarola die Dokumente der Eitelkeit öffentlich auf dem Marktplatze und wird selbst verbrannt, in Deutschland rüstet sich Luther zum Kampf gegen die mächtigste Gewalt auf Erden, die damals in Luxus und Manier entartete päpstliche Kirche, und

Abb. 550. *Cosimo Tura, Pietà. Venedig, Museo Correr. 3. Viertel 15. Jh.*

Abb. 551. *Luca Signorelli, Die Verdammten. Fresko im Dom zu Orvieto. 1499—1505.*

erhebt sich die Reformation. In Italien wird das letzte Wort über die jüngste Vergangenheit gesprochen: Vanitas vanitatum — alles ist eitel! In Deutschland das erste einer sittlichen Erneuerung des Menschen dieser Erde: es lautet von der Freiheit eines Christenmenschen. Das Resultat ist eine neue, ethisch vertiefte Rechtfertigung der Natur und des menschlichen Gemütes in seiner Beziehung zu allem Kreatürlichen.

Botticellis Pietà-Bilder seiner letzten Zeit (Abb. 549) sind nicht nur inhaltlich, sondern auch künstlerisch die freudlosesten Bilder, die er geschaffen hat, hart und versteint in den Formen, fahl und blechern in der Farbe, ein ineinandergekeiltes Menschengewühl, gepreßt und raumlos in der Tiefenwirkung, ohne Luft zum Atmen. Die erregten Gebärden, mit denen die Menschen sich umarmen, sind wie Verzweiflungsgesten von Schiffbrüchigen vor dem Untergang. Die Kunst, mit der trotz der Hemmungslosigkeiten ausströmender Schmerzgefühle die verschiedensten Szenen, Beweinung des Leichnams, Christus auf dem Schoß der Mutter, die Ohnmacht der von Johannes aufgefangenen Maria in eine einzige Gruppe zusammengekeilt sind, ist größer als je und mehr Manier als je, aber in der gewollten Form werden die seelischen Dissonanzen und die Richtungsdisharmonien nur schriller und schneidender. Die subjektive Künstlichkeit wird zum Bekenntnis des Künstlers. Es ist, als ob er selbst im Hintergrunde in der Gestalt des Joseph von Arimathia Nägel und Dornenkrone erhebt; eine Anklage gegen die Welt und was in dieser Kunst selber weltlich war; ein Protest gegen die eigene Vergangenheit. Zugleich aber liegt in dem Verzicht auf die feinen Schleierspiele der Frühwerke und auf die eitel zierlichen Bewegungen eine neue härtere, realere Körperlichkeit und ein Ausblick auf eine ergreifende Menschlichkeit.

Cosimo Turas Pietà (Abb. 550) kehrt unbewußt zu der anklagend herben Form der Bonner Pietà zurück, der Leichnam liegt kindhaft, dürr und verzehrt auf dem Schoß der Mutter. Die manieristischen Faltenwülste, die ge-

Abb. 552. *Luca Signorelli, Die Auserwählten. Fresko im Dom zu Orvieto. 1499—1505.*

zierte Bewegung, mit der Maria die Hand Christi küßt, wirken wie die Verstörtheit einer Irren. Aber auch hier ein Neues echter Menschlichkeit: die Abwendung vom Beschauer; und ein Teilnehmen der Natur an dem grausigen Leid: ein Berg, der sich im Hintergrund ins Dunkle emporschraubt und mit den drei Kreuzen in die Finsternis stachelt, Golgatha.

Signorelli (Abb. 551) charakterisiert mit grausamer Unerbittlichkeit einer nie ermüdenden Schreckensphantasie die Gemeinheiten der Menschen auf Erden, die vom Antichrist aufgewiegelt und betört sich gegenseitig morden und betrügen, schildert den Weltuntergang wie den Ausbruch eines Kraters mit allen Furchtbarkeiten einer entsetzt fliehenden und zu Tode stürzenden Menge, entwirft ein Bild von den Qualen der Hölle, das zusammengesetzt ist aus unübersehbaren Einzelmotiven des Kampfes bestialischer Henker und ihrer wehrlosen Opfer. Selbst die Auserwählten (Abb. 552) winden sich in Gebärden, die noch den Schrecken und die Furcht im Schauen der Seligkeiten verraten. Das alles geschieht im mittelalterlichen Stile einer bogenfeldfüllenden Flachkomposition. Und führt dennoch den Himmel auf die Erde zurück. Auch hier läßt ein neues Realitätsgefühl, eine Achtung vor dem Diesseits und dem Stehen des Menschen auf der Erde, den Künstler die Gestalten mit mantegnesker Verdeutlichung in allen Dimensionen prall und standhaft modellieren, förmliche Musterbücher verwirklichender Zeichnung. Selbst die gewappneten Engel stehen wie Landsknechte vor einer Kaserne fest und breit auf ihrer Wolkenbank. Aber die Freude an der Konstruktion,

Abb. 553. *Albrecht Dürer, Die Engel halten die Winde auf. Holzschnitt aus der Apokalypse. Vor 1498.*

an der rein künstlerischen Entfaltung eines Körpers, das l'art pour l'art auch in den grellsten Schilderungen des Schreckens läßt schon ahnen, warum nicht aus diesen schwelgerischen Realisierungen des Körperlichen ein neuer Naturalismus mit der vollen Intimität menschlichen Eigenlebens hervorgehen konnte. Wir müssen auf deutschen Boden übertreten, um das zu erleben. Von Signorelli führt der Weg eher zu Michelangelo, dem Barock und zur Gegenreformation.

In den gleichen Jahren, als Signorelli diese Weltgerichtsfresken malte, schuf *Dürer* die Zeichnungen der *Apokalypse* für den Holzschnitt, nicht zur Verherrlichung eines Kirchenraumes, sondern als eine biblia pauperum, ein Lesebuch für das Volk, für die Armen, und als eine Gewissensmahnung für den Einzelnen — ungeschickt, jugendlich in allem Konstruktiven, linkisch in den großen Triumphalszenen, den Kirchenfesten der himmlischen Gesellschaften, aber eindringlich, mit dem Feuer der Jugend zu Herzen redend, größer in der Gesinnung als in der Kunst. Die starken Szenen sind auch hier die, die von Tod und Pestilenz, von Sternenfall und Vernichtung, von Aufruhr und von Kampf reden; und sie sind so überzeugend, weil sie nicht von kirchlichen Systemen und Dogmen, sondern von menschlichen Nöten und Schicksalen sprechen. Die überirdischen Gestalten sind oft die menschlichsten, wie in ottonischer Kunst bricht auch aus ihren Augen die Angst der Kreatur. Die noch in gotischer Verkrampftheit stark verschraubten Bewegungen wirken auch bei ihnen wie die Not des Menschen, der mit sich selbst noch nicht fertig werden kann (die Engel, die die Winde aufhalten; Abb. 553). Die apokalyptischen Reiter (Abb. 554), die über die Welt hinbrausen, Tod und Pestilenz in den Händen, und weder Könige noch Reiche noch Mönche schonen, sind wie ein Flugblatt so populär geworden, weil die Erdnähe der Gestalten, die Derbheit und Zeitgemäßheit von Roß und Reiter, selbst die Dürre des Todes und seines Kleppers so ohne weiteres verständlich sind, so unvisionär, so greifbar wie ein Erlebnis aus kriegsbewegter harter Zeit. Was noch an Resten eines gotischen Stiles, an Flachheit, Linie, Schnörkel, Verstopfung der Fläche da ist, wirkt nicht künstlich, sondern dringlich, als Schrift, als Predigt, abstrakt wie das Wort. Dieses aber faßt hart an und ist einfach, auch wo es in jugendlichem Eifer sich überstürzt.

Das großartigste Blatt ist der Kampf der Engel mit dem Drachen (Abb. 555), in vielen Dingen eine starke Erinnerung an Schongauers Heiligen Antonius. Aber das stachlige kunstreiche Ornament hat sich gelöst, die zentrale Komposition greift nach den Seiten auseinander. Aus dem Figurenknäuel taucht die grandiose Gestalt des Heiligen Michael heraus, der mit beiden Händen den Speer hoch packt, daß sich der ganze Körper dabei herumschraubt und mit seinem vollen Gewicht daran hängt, eine barocke und reiche Körperwendung wie in Signorellis pompösen Akten. Und doch so anders. Der Leib ist durchfurcht von den Faltenrissen und Faltenknittern wie das gefurchte Antlitz, gehemmt und gespannt unter dem langen Engelsgewand, mehr ein Augenblick der Entscheidung als des Sieges, mehr innerer Entschluß als äußere Funktion, mehr deutsches Mittelalter als italienische Renaissance. Den bestimmenden Eindruck aber des ganzen Blattes vermittelt das in ihm zum Ausdruck kommende Naturgefühl: vor dunklem Wolkengrund blitzen die Lichter der Kämpfenden heraus, entzünden sich die krausen Ränder der Wolken, und leuchtet sonnenhaft die Lichtgestalt Michaels auf (trostreich wie die Lichter auf dem wunderbaren düsteren Stich der beiden Engel mit dem Schweißtuch der Heiligen Veronika; Abb. 556). Wie Wolkenschwaden nach einem Gewitter hängen die schlaffen Flügel und Drachenhälse der Teufel über die schon von voller Sonne beschienene Landschaft auf der Erde, die mit wenigen Strichen zur Physiognomie heimatlichen Bodens der Menschen hingezaubert ist. Es ist der Kampf des Lichtes mit der Finsternis. Und es geht um den Frieden der Natur. Daß dieser Friede erst durch Kampf gewonnen ist und daß es ein Friede des Gewissens ist, der die größte Not der Entscheidung voraussetzt, ist das Wesentliche und ist Dürer.

Viermal hat Dürer die *Passion* in Blättern geschildert, die auf das Volk berechnet waren, dies deutsche Thema, das die Menschwerdung Gottes beispielhaft für alle Armen und Verstoßenen zum Gegenstand der Religion macht. Von all den rührenden und ergreifenden Szenen ist es ein Blatt, das auch als Einzelblatt in Handzeichnungen, Stichen und Holzschnitten wiederkehrt, Christus auf dem Ölberg — das Thema der Reformation, die Stunde der höchsten Entschei-

Abb. 554. *Albrecht Dürer, Die apokalyptischen Reiter. Holzschnitt aus der Apokalypse. Vor 1498.*

Abb. 555. *Albrecht Dürer, Der Erzengel Michael im Kampf mit dem Drachen. Holzschnitt aus der Apokalypse. Vor 1498.*

dung — und das Bekenntnis zu dieser Welt und zur Natur. Das früheste aus der großen Holzschnittpassion ist in vieler Hinsicht das menschlich-sittlich stärkste (Abb. 557). Mit verschwollenem Gesicht, die Hände abwehrend und verehrend zugleich gegen den Kelch erhoben, das Gewand von Faltenbrüchen verstört, kniet Christus — ein Mensch, ein Bauer. Die Jünger hocken verkrampft im schweren, traumdurchrüttelten Schlaf. Das Blatt ist reizlos in der Farbe, grau, verworren und undeutlich, flach und zeichnerisch, aber auch ohne Reiz der Linie, aufgewühlt wie durchpflügtes Land; und von einer Dringlichkeit alles Gesagten, Menschen, Gebärden, Pflanzen, Gestein und ferner Landschaft, daß das Haften der Figuren an der Fläche ein starkes Eingebettetsein aller Menschen in den Grund einer reichen und herben Natur bedeutet, wie Gewächse in einem Bauerngarten. Die späte und reife Kunst Dürers hat gerade für diese Naturverbundenheit einen tiefen Ausdruck gefunden, ohne doch das knorrig Echte dieser naiven Frühkunst zu überbieten. In der Radierung von 1515 (Abb. 558) kniet Christus aufrecht, Wille, der sich durchgerungen hat und dem Sturm der Gefühle standhält. Dieser ist in die teilnehmende Natur hineinverlegt, eine dunkle, die Gestalt verzehrende Nachtlandschaft, in der der Sturm die Bäume verbiegt und die Blätter zerreißt, eine in herbstlicher Tragik aufgewühlte Natur. Auch Technik und Ausdruck werden jetzt konform. Die flüchtig skizzierende Radierung löst den festen Kupferstich ab, um der Zerrissenheit der Natur gerecht zu werden. Ein kleiner Holzschnitt und eine Meisterzeichnung (Abb. 559) bringen den letzten, großartigsten Wurf. Mit der Erscheinung des Engels kommen Wolken und streichen

Abb. 556. *Albrecht Dürer, Zwei Engel mit dem Schweißtuch der Hl. Veronika. Kupferstich. 1513.*

Abb. 557. *Albrecht Dürer, Christus am Ölberg. Holzschnitt aus der Großen Passion. Um 1498.*

in Nebelschwaden durch den frostigen Wald. Christus hat sich platt auf den Boden geworfen und zeichnet auf ihm die Kreuzgestalt. Verzweiflung und Ergebung sind ein einziges Sichklammern an den Boden der Mutter Erde: ein Abschiednehmender, der noch einmal mit dem ganzen Körper die Scholle tastet, ein Antäus, der aus ihr die Kräfte zum Abschiednehmen saugen möchte. Breit zieht der Boden durch das Bild (alle anderen Darstellungen waren Hochformat). Alles Menschliche und Sittliche senkt sich auf die Erde herab; eine Zeichnung lockerster Freiheit bindet Menschen und Gestein zur Einheit von Werden und Vergehen. Keines anderen Künstlers Kunst in dieser Zeit ist größer in dieser malerischen Bindung von Geschöpf und Natur, keine erreicht die Tiefe, sittliche Entscheidung in die künstlerische Darstellung zu bannen, Anschauung und Bekenntnis zu vereinen — es sei denn Luthers Sprache. In diesem Thema liegt eigentlich alles, was die Zeit bewegt, und liegt der ganze Dürer, den die Zeit bewegt. Eine Stimme von oben, ein Himmelsbote, und die Verklammerung mit dem Unten, mit der Erde, die Abhängigkeit von höherer Macht und das Geheimnis des Todes, die innere Freiheit, die selbst entscheiden muß, und die Einsamkeit des sittlich autonomen Individuums (die Jünger schlafen).

Abb. 558. *Albrecht Dürer, Christus am Ölberg. Eisenradierung. 1515.*

Der Ritter war für das Mittelalter und die Neogotik der Mann der Gesellschaft, jede Gebärde war auf sie berechnet. Dürer zeichnet den Ritter als Soldaten (Abb. 560), straff zu Pferde, in voller Rüstung. Aber es ist kein Reiterdenkmal, obwohl es aus einer Proportionsstudie erwachsen und als reines Bild einer proportionierten Reiterfigur angelegt war. Was an dieser Figur so tief beeindruckt, ist das Nichtrechts-, Nichtlinksblicken, die Entschiedenheit, die Entscheidung voraussetzt. Diese Rüstung ist — man denkt

Abb. 559. *Albrecht Dürer, Christus am Ölberg. Federzeichnung. Berlin, Kupferstichkabinett. 1521.*

an die Naumburger Stifter — eine Schutzwehr der Persönlichkeit nach außen, Symbol und Wappnung des völlig Alleinen. Denn was noch da ist, Teufel und Dämonen, sind nicht Feinde, gegen die er mit der Waffe kämpfen könnte, sondern Spukgestalten, gegen die nur die sittlich unbeirrbare innere Haltung der Persönlichkeit sich behauptet. Deshalb ist dieser Reiter das reformatorische Gegenstück zum Hieronymus im Gehäuse.

In diesem Blatt des Hieronymus (Abb. 561) hat die durch die Neogotik aufgehobene Intimität ihren höchsten Ausdruck gefunden. Hier zuerst ist das Innen wirklich das Heim, die Behausung, ein Zimmer, ohne Mehr an architektonischen Formen, als Benutzung und Zwecke des täglichen Lebens erfordern. In den flachbogigen Fensternischen schließen rechteckige Fenster mit Butzenscheiben gegen außen ab, ständig sich wiederholende Horizontallinien bestärken die Ruhe und Wohnlichkeit; der schlafende Hund, der gutmütig am Boden kauernde Löwe, die vielen auf Stühlen und Bänken herumliegenden Kissen, ein Hut an der Wand, Pantoffeln unter der Bank, alles atmet Ruhe und Behaglichkeit. Ein feines, in seinen zartesten Tönen beobachtetes, von der Grabsticheltechnik in vibrierende Stäubchen aufgelöstes Licht mischt sich in das Dämmer, wärmt und erfüllt die leeren Flächen und harten Dinge mit unendlichem Leben. Und dennoch ist es mehr als ein aller Gemütlichkeit und Beschaulichkeit geöffnetes Gemach — durch den Willen zum Alleinsein. Der Löwe liegt wächterhaft vor der Eingangsstufe und wehrt den Zugang. Der einzige überflüssige Schmuck des Zimmers, ein botanisches Kuriosum, ein Riesenkürbis, hängt vorn herab und verstellt die Öffnung. Und der Heilige sitzt ganz in der Tiefe, im Innenraum an der innersten Stelle. Er will auch nicht gesehen sein. Was zunächst noch ungeschickte Perspektive erscheint, wird Mittel des Ausdrucks: die Fluchtlinien gehen an dem Heiligen scharf vorbei, und die überstarke Perspektive entrückt ihn nur noch weiter von uns. Es herrscht die höchste Konzentration des Denkers. Auch hier geht es um Entscheidungen. Probleme gab es in dieser Zeit genug: Individuum! Natur! Irdisches Leben und seine Rechtfertigung! Auf dem Fensterbrett liegt ein Totenkopf! Die Natur selber aber lebt auch mit dieser menschlichen Erkennensbetätigung mit. Das durch die Fenster hereinströmende Licht sammelt sich um die Stirn des Heiligen und wird Erleuchtung.

In der Melancholie (Abb. 562) aber bleibt die Düsternis und beschattet die Figur. Der Hoffnungsstrahl, der aus dem Himmelsdunkel bricht und einen Regenbogen in die Regenfeuchte malt, geht an ihr vorbei. Sie sitzt tief, versunken; das bekränzte Haupt in die Faust gestützt, grüblerisch mit Augen, die noch keinen Ausweg sehen. Dürer knüpft hier an die allegorischen Gestalten der Neogotik an; aber es ist ihm gelungen, der menschlichen Gestalt ihre ganze körperliche Macht und Größe zu belassen — würde sie aufstehen, der Bildraum würde sie nicht fassen — und dennoch jede Pose, jede Rechnung auf den Zuschauer von ihr zu nehmen. Sie ist ganz allein, und niemand nimmt ihr die Entscheidung ab. Und sie ist ganz Stimmung, eingetaucht in die Stimmung der Umgebung und der Natur, an die Seite gerückt, daß der Blick an ihr vorbei in den Raum geht, mit dem sie durch das von Leben durchzitterte Grau der Schatten verbunden ist. Dieser Blick trifft auf dem Wege lauter Dinge, die das Gemüt der Frau selbst bewegen. Zirkel und Buch hat sie in der Hand. Nägel, Lineal, Säge und Hobel, Kugeln und Kristalle, Mühlsteine und Schmelztiegel liegen herum. Instrumente der Wissenschaft und der Praxis, Meßbares und Wägbares, und die Waage dazu. Aber fragt sie nicht — in derselben Not wie Dürer in seinen Proportionsstudien —, ob man damit der Natur und dem Leben beikommen kann? Und ob es nicht besser ist, zu sein wie die Kinder und die Tiere: der Hund, der am Boden liegt und schläft, das Kind, das auf dem Mühlstein sitzt und mit dem spielt, was die Alten ernst nehmen? Daß man Natur nicht erkennt, wenn man sie errechnet, sondern nur, wenn man mit ihr lebt und selber Natur ist wie ein Kind?

Abb. 560. *Albrecht Dürer, Ritter, Tod und Teufel. Kupferstich. 1513.*

Es ist die Antwort, die auch diese Zeit und Dürer an erster Stelle mit seinen vielen Madonnenbildern gegeben hat, in denen wieder das Kind in seiner ganzen Kindlichkeit, unbewußt, lebenregend, im Anfang eines natürlichen Werdens und Wachsens im Mittelpunkt aller

Abb. 561. *Albrecht Dürer, Der Hl. Hieronymus im Gehäuse. Kupferstich. 1514.*

menschlichen Sympathie steht und die stärkste menschliche Teilnahme und Größe alles Miterlebens in Bewegung setzt, die mütterliche Zärtlichkeit. Die frühen Madonnenbilder bemühen sich, durch eine reizende Landschaft und

Abb. 562. *Albrecht Dürer, Die Melancholie. Kupferstich. 1514.*

viel Beiwerk den Zusammenhang des Kindes mit der Natur aufzuzeigen; die Madonna schaut teilnehmend zu. Es sind die Madonna mit der Meerkatze, mit dem Hasen. Aber den höchsten Ausdruck erreichte er — und niemand vor ihm und um ihn hat es erreicht —, als er auch hier das volle Alleinsein

Abb. 563. *Albrecht Dürer, Stillende Maria. Kupferstich. 1503.*

der Mutter mit dem Kinde betonte, in der Madonna von 1503, die das Kind in einem menschenleeren Gartenwinkel stillt (Abb. 563). Nur ein paar Stangen eines Zaunes, ein paar Gräser und etwas Gesträuch und ein kleiner Vogel bilden die Landschaft. Dennoch ist sie da und ganz gefüllt mit dem Alleinsein vollen Mutterglückes.

In diesem neuen Individualismus wird die Absonderung selbst als Lust und Last, als Aufsichselbstgestelltsein und sittliche Autonomie empfunden — religiös als unmittelbares, führer- und autoritätsloses Sein vor Gott und allen Problemen des Jenseits. Die volle Bedeutung dieses Individualismus auch für Dürer begreift man, wenn man sich klar macht, daß Dürers Werk ein graphisches ist: Holzschnitt und Kupferstich. Das sind Werke, die nicht vor einer Menge erscheinen, sondern selbst sich an den Einzelnen wenden; die auch nicht eine Funktion der Gemeinschaft, vorbildlich oder kultbildlich, erfüllen sollen, sondern diesen einzelnen ein immer neues Leben vermitteln sollen, tiefer und intensiver, als der Alltag zu bieten vermag. Sie sind dazu bestimmt, über den Alltag hinauszuheben, zu jeder Zeit, wenn es der Wille und die Hingabe des Beschauers verlangt, und leisten diese Entrückung von allem Alltag und aller Gemeinschaft dadurch, daß sie jederzeit ergriffen und fortgelegt werden können und sich nicht wie ein Wandbild im Alltag abnutzen. Aber auch der Künstler ist hier mit seiner Aufgabe ganz allein; es ist kein Auftrag und keine vorbestimmte Aufgabe, die ihm die Hand führt, er selbst muß entscheiden, ob das, was er schafft, reich und tief genug ist, auch andere zu bereichern und zu vertiefen. Weil er jedesmal ein Stück Menschentum und Leben weitergeben muß, genügt es nicht, ein großer Könner zu sein; sondern ob es ihm gelingt, hängt davon ab, was er selbst für ein Mensch ist: ganz anders als bei allen Kirchenbildern und bei allen Denkmälern und Bildnissen führt ihm jedes neue Blatt die Not des Ganzalleinseins mit dieser Aufgabe und die Not der Entscheidung vor Augen. Dürers Meisterstiche und Meisterschnitte beweisen, daß er dies gefühlt hat. Das aber ist die Stimmung der Reformation und war auch die Not Luthers — es war die neue Freiheit eines Christenmenschen.

Die letzte und stärkste Einsamkeit des neuen Künstlers der Reformation aber war diese. Die alte Zeit brauchte die Bilder zum Leben, sie waren notwendig: Kirche und Hof brauchten sie zur Erziehung und zur Repräsentation. Sie waren ein Teil vom Leben geforderter gesellschaftlicher Funktion. Das neue, von Kirche und Hof sich befreiende Leben des Individuums der autonomen Persönlichkeit stürmte die Bilder, warf sie aus den Kirchen heraus, in diesem Sinne war es bilderfeindlich. Das Bild als Mittel der Bildung des Geistes stand außerhalb des Gemeinschaftslebens und war auch für den einzelnen eine Zutat, zwar eine Befreiung oder Erhebung über das Leben, aber keine Notwendigkeit. Wie der Schriftsteller mußte auch der Künstler mit seinen Gaben um die Gunst der Beschenkten werben. Die Unabhängigkeit vom Besteller war Segen und Fluch zugleich. Schon *Lukas Moser* hatte Weh geschrien, daß niemand der Kunst mehr begehrt. Und dies fühlte Dürer, als er von Venedig schrieb: Hier bin ich Herr, daheim bin ich ein Schmarotzer. Auch die bildenden Künste rückten in die Reihe der brotlosen ein.

Alles dies kommt offen oder verhalten in Dürers graphischem Werk zum Ausdruck. Es zeugt vielleicht von der Ehrlichkeit seiner Entscheidung, wenn er sich im Tafelbild, in der Malerei der Tatsache anbequemt, daß ein solches Bild, für die Öffentlichkeit und den Kult bestimmt und vom Auftraggeber in bestimmtem Sinne verlangt, nicht die individuellen Gedanken des Künstlers haben durfte wie die Stiche und Holzschnitte, daß es wie ein Mensch in der Gesellschaft im sonntäglichen Gewande auftreten mußte, wie Dürer sich selbst gemalt hatte, wenn er im Bilde vor die Öffentlichkeit trat (Abb. 564). Keines der Tafelbilder hat deshalb die Entschiedenheit des Neuen, die Kraft des Reformatorischen, die Wucht des Bekenntnisses, die Innigkeit des Naturgefühls und die Tiefe des Menschlichen, wie die graphischen Meisterwerke. Würden sie fehlen, wir hätten manches schöne Werk und viel gediegene Malerei weniger, aber wir hätten noch immer Dürer. Denn die Stärke des Eigenen und Persönlichen, dieses Alleinseins mit sich verrät, daß dieses Auftreten in der Öffentlichkeit an ihn Forderungen stellte, die ihm fremd waren (wie der Protestantismus, als er aufhörte zu protestieren und eine neue Kirche aufbaute, es nur mit alten Formen tun konnte). So wird für Dürer die wichtigste Entscheidung die: Natur oder Form, Deutschland oder Italien. Notgedrungen blieb dies immer ein Konflikt und führte zum Manierismus.

Abb. 564. *Albrecht Dürer, Selbstporträt. Madrid, Prado. 1498.*

Hier hatten es die robusteren und die oberflächlicheren Künstler leichter. Sie waren entschieden und füllten frischweg die alten Formen des Kirchenbildes

Abb. 565. *Matthias Grünewald, Maria mit dem Kinde. Vom Isenheimer Altar. Kolmar, Museum. Um 1510.*

mit dem neuen Gehalt, wie die Künstler in der ersten Hälfte des 15. Jahrhunderts. Der letzten Entscheidung, ob dann ein Kirchenbild noch sein durfte, wichen sie aus. Das gilt selbst für den größten neben Dürer, für *Grünewald.* Seine Kunst kommt von den großen festlichen Schnitzaltären her und steht damit in der großen Tradition der kirchlichen Monumentalkunst; nicht wie Dürer in der der intimeren Feinarbeit der Goldschmiede, die immer das Beste spezifisch deutscher Kunst bewahrt hatte. In dieser Monumentalkunst ist Grünewald Aufrührer, Protestant wie die großen Italiener am Anfang des Jahrhunderts, Donatello, Piero della Francesca. Die große, der Öffentlichkeit zugewandte Haltung verstärkt das aufrührerische Pathos seiner Bilder. Sie wendet sich an die Menge, nicht an den einzelnen: sie schlägt gleichsam Thesen an die Wände der Kirche. Im Mittelbild des *Isenheimer Altars* (Abb. 565) eröffnet er einen festlichen Rahmen für seine Maria; ein Tempelchen mit reichem, flammendem Schmuck der späten Gotik baut sich auf, Engel stehen im Raum und vor dem Eingang und machen Musik, eine

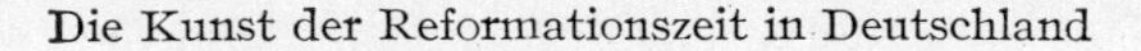

Abb. 566. *Matthias Grünewald, Christus am Kreuz. Vom Isenheimer Altar. Kolmar, Museum. Um 1510.*

strahlende, aus dem Dunkel ins Licht brechende Farbe jubelt dazu wie Posaunenchöre. Groß und mächtig sitzt Maria vor weiter Landschaft im breit rauschenden Gewand, und der Himmel ergießt sein Licht über sie in einer Riesenglorie. So tritt der Gläubige vor das Bild in der Erwartung einer erhabenen, festlichen Marienverklärung. Was aber findet er: eine Mutter, die ihr Kind zärtlich an sich reißt, daneben die volle Intimität häuslicher Belange, eine Wiege, ein Waschfaß und ein Töpfchen. Er sieht auch, daß der Himmel trotz Andeutungen von Gott und Engeln reinste Natur ist, Licht, das sich mitfreuend über die Mutterfreude ergießt, und fühlt, wie mit der festlichen Aufmachung eines kirchlichen Dekorateurs, der zugleich ein großer Maler ist, diese neue Intimität und Mütterlichkeit zu einer Bedeutung erhoben ist wie durch die Stimme eines Predigers, der ein neues Evangelium predigt, indem er beweist, daß es eigentlich das alte sei. (Ein Kampf gegen die Prozession gleichsam mit einem revolutionären Umzug.) Wer nicht einfach das Aufgebot an festlicher Musik mit den Sinnen genießt und Grünewald

Abb. 567. *Hans Holbein d. J., Der Tod und der Ackermann. Holzschnitt aus dem Totentanz. Herausgegeben 1538.*

für so naiv hält, daß er ohne Absicht die Geräte einer Wochenstube vor die Kirchenhalle gestellt hat, der wird fragen: wo ist nun die Wahrheit, in der Festlichkeit oder in der Menschlichkeit, im Kirchlichen oder im Natürlichen, im Großartigen oder im Intimen, und wird, was diese Madonna sein soll, in aller Stille in Dürers Stich ganz echt und restlos finden.

Grandioser noch im revolutionären Pathos ist Grünewalds Kreuzigung (Abb. 566). Das alte mittelalterliche, aber schon immer revolutionäre Elemente in sich bergende Thema des Gekreuzigten wird in ganz strenger Form wieder vorgeführt, der Gekreuzigte größer als die andern in der Mitte, zu beiden Seiten symmetrisch Maria (vom jugendlichen Johannes gestützt) und Johannes der Täufer. Dem Kreuzesstamm näher Magdalena, kniend, in pathetischen Klagegebärden. Es ist nicht das in der Landschaft verlorene Kreuz von Konrad Witz mit dem von seinen Nächsten heimgesuchten Verbrecher, nicht das vielköpfige Schauspiel des großen Massenaufgebots, es ist das kirchliche Triumphkreuz, grell vom dunklen Grund abgehoben. Aber mit diesem monumentalen Pathos wird das Menschlichste betont. Maria, eine aller Schönheit und Frauenadels bare Matrone sinkt ohnmächtig in die Arme des struppigen Bauernjungen Johannes zurück. Ihr Mantel ist ein blauweißliches Erbleichen vor dem roten Grund des Johannes. Magdalena ist ganz aufgelöst in Schmerz, ein häßliches Gelbrosa schreit aufschwelend zum Bilde heraus. Johannes der Täufer im fordernden Karminrot eines Kardinals tritt breitspurig vor uns hin, ein Wüstenprediger, und zeigt mit gestrecktem Finger auf das Gesicht Christi, wie es der Maler-Revolutionär im Gegensatz zur höfischen Schönheit der Gotik als das wahre gesehen haben wollte: ein schwerer, plumper Körper, daß sich die Kreuzesbalken biegen, der verschwollene Kopf ausgereckt herunterhängend, aber die Hände noch im letzten Aufschrei in die Lüfte verkrampft, die Füße an übermuskulösen Lastträgerbeinen wie Klumpen aufeinandergeballt, der Körper von Schwären wie eines Aussätzigen überall violettblutig aufbrechend, selber im grauen Grün der Verwesung. Furchtbarer und häßlicher ist nie ein Mensch dem Auge

Abb. 568. *Hans Holbein d. J., Der Tod und der alte Mann. Holzschnitt aus dem Totentanz. Herausgegeben 1538.*

HANS HOLBEIN DER JÜNGERE, DIE FRAU DES BÜRGERMEISTERS MEYER
BASEL, ÖFFENTLICHE KUNSTSAMMLUNG. UM 1525

dargestellt worden. Auch die Natur nimmt daran teil. Mit schiefernem Blauschwarz eines Wüstenhimmels verhängt sie jeden Ausblick. Es ist ein grausiger Protest gegen die Schönheiten des Madonnenkultes und aller gotischen Heiligenbilder. Und klingt aus in die Mahnung: der Wirklichkeit hart und unerschrocken in die Augen zu sehen und sich keinem Jammer zu verschließen. Denn wo Jammer ist, ist Mensch: Ecce homo! Wo bleiben daneben die kirchlichen Zeremonien, die in zierlichen Formen und prächtigen Festen dem leidenden Menschen die himmlischen Hoffnungen im Bilde einer feinen Hofgesellschaft und einer schon auf Erden an ihr teilhabenden Priesterschaft vorhielten; einer Gesellschaft, von deren Tafel er auf Erden verstoßen war.

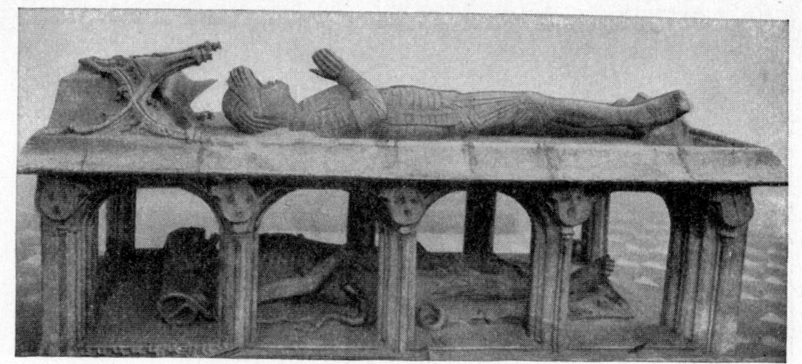

Abb. 569. *Ludwig Juppe, Grabmal Landgraf Wilhelms II. Marburg, Elisabethkirche. 1516.*

Man muß schon sehr ästhetisch verderbt sein, wenn man hier die schöne Malerei zu genießen vermag. Denn die Mittel sind gewaltsam, übertreibend, radikal und darin bedeutend, aber wie alle Übertreibung auch effektvoll, doppelt effektvoll verglichen mit Dürers Tiefe. Daß man überhaupt zu denken wagt, dieses Leichengrün und dieses agitatorische Rot könnte als Augengenuß in Frage kommen, müßte zur Vorsicht mahnen, wenn man Grünewald gegen Dürer abwägt. Im Negativen, als Protest, ja als Reformationsplakat ist Grünewalds Kunst groß und gewaltig. Fragt man aber nach der Entscheidung, wird Grünewald wie alle Extremen verlegen. Ein kleines Lämmchen mit Kreuzstab und Opferkelch soll die Antwort geben. Das wahre Bild des Menschen Christi und der Christen der Reformation ist doch im Gethsemane Dürers.

Abb. 570. *Hans Baldung Grien, Die Frau und der Tod. Basel, Öffentliche Kunstsammlung. 1517.*

Die Zeit wußte selbst noch eine andere Antwort beim Anblick eines solchen verwesten, unförmlichen Leichnams. Sie lautete: memento mori, auf deutsch, lerne zu sterben. Das Jüngste Gericht wird durch das Bild des Todes selbst abgelöst. Mit der Hinwendung zur Natur und zu allem Leben auf der Erde verlieren die Jenseitshoffnungen viel

Abb. 571. *Albrecht Dürer, Satyrfamilie. Kupferstich. 1505.*

von ihrer Bedeutung, Himmel sowie Hölle, die den Tod im Grunde leugnen. Für den Naturalismus wird der Tod jetzt ebenso Realität wie das Leben in der Natur ein wahres Leben wird. Der Tod ist das große Geheimnis in der Natur und das Unvermeidliche, das zur Besinnung mahnt. Lebe, wie du, wenn du stirbst, wünschen wirst gelebt zu haben. Das wird der Sinn der *Totentänze* und Todessymbolik dieser Zeit. Sie knüpft darin an dieselben Tendenzen an, die um 1400 die Wende zum Naturalismus herbeigeführt hatten. Sie bedeuten nicht Abkehr von der Natur, sondern Bejahung und moralische Besinnung: das Leben ist so zu nutzen, daß es nicht umsonst gelebt ist, oder negativ ausgedrückt im Hinblick auf die Luxusstimmung der Neogotik: es nicht zu vergeuden und alles Lebende gleich wert der Teilnahme zu achten. Denn den unendlichen Wert der Menschenseele findet jetzt Naturgefühl in allem Lebendigen. *Holbein* zeichnet in einer lachend weiten und sonnigen Natur den Tod, wie er neben den Pferden einherrennt und die Zügel lenkt (Abb. 567). Das bedeutet sicherlich nicht, den Pflug aus der Hand zu legen, weil jeden Augenblick der Pflügende vom Tode abberufen werden kann, sondern ihn so zu führen, daß der Tod nie zu früh kommt. Auch hat der Tod nicht nur seinen Schrecken. Er kann auch als Freund kommen und den alten, müden Mann, der genug gelebt hat, mit Musik ins Grab geleiten (Abb. 568). Ein Schrecken ist er nur für die, die sich überheben und die Gesetze der Natur verletzen. Mit dem Bild des Todes schärft man der Welt ein, daß vor dem Tode alle Menschen gleich sind. Das Fürstengrab, die höchste Ehrung, die das Mittelalter den Hochgestellten bereitete, bekommt jetzt eine neue Form: durch die offenen Arkaden, in denen früher leidbekundendes Gefolge in edler Haltung stand und über denen auf der Deckplatte der Tote in der Ritterrüstung ruhte, sieht man jetzt als das wahre Bild dessen, der oben noch so edel sich streckt, den von Schlangen und Kröten zerfressenen Leichnam (Abb. 569). Vor dem Tode sind alle gleich. Auch Schönheit ist keine Auszeichnung. Im Basler Bilde *Hans Baldung Griens* steht hinter der in schöner Pose vor uns stehenden Jungfrau gespenstisch als Vision der Tod und spricht mit zur Erde weisender Hand sein Memento (Abb. 570). Um zu sehen, wie stark hier die deutsche Kunst an ihre eigene Tradition anknüpft, braucht man nur an das Skelett im Westportal des Straßburger Münsters, an das Heilige Grab in Freiburg und an die Gestalten des Verführers mit der zerwurmten Rückseite zu denken. Auch Dürer hat sich in den Jahren der Apokalypse, als sich Gedanken mittelalterlicher Askese und Weltverwerfung zum Protest gegen Weltlust und Weltluxus formten, mit solchen satirisch moralischen Darstellungen herumgequält, hat nackte Frauen als Teufelsbraten und Buhlerinnen als Todesliebchen dargestellt. Aber seine Stiche kommen nicht gegen die frechen Holzschnitte auf, mit denen Hans Baldung Grien das ewig Weibliche der Gotik parodiert und mit fetten Leibern und zynischen Gebärden alle gotischen Minnepoesien zerstört. Dürer mochte fühlen, wie schnell sich die über die konventionellen Vorstellungen hinwegsetzende Laune und Freiheit, auch wo sie noch so sehr durch Wahrheit und durch die hexenhaft höllische Gemeinheit abschrecken wollte, mit den Lockungen des Fleisches in eine neue Abhängigkeit des Beschauers vom dargestellten Gegenstand geriet, eine Zuchtlosigkeit, die nicht die Freiheit war, die die reformatorische Gesinnung forderte. Die neue Bildform des Naturgefühles war ja die, nicht mehr Bilder zu geben, deren Gestalten verehrt oder begehrt oder nachgeahmt werden konnten, sondern natürliches, auf keinen Beschauer berechnetes Leben, dem man nur zusehen und mit dem man nur mitleben konnte. Dürer hat deshalb nie verstanden, daß die Satyrszenen mit ihren nackten Männern und Frauen, ihren Frauenrauben und Eifersüchten, die er in Italien sah, im Grunde eine Aufforderung zu einem freien, sinnenfrohen Leben waren, sondern hat solche Szenen immer so gezeichnet (Abb. 571), als ob es sich um Satyrporträts und Familienszenen, um Naturkuriosa und Urmenschen handele, und stets eine so physiognomisch bestimmte, heiter friedliche Landschaft hinzugefügt, daß für den Betrachter alle Sinnlichkeit der Akte sich in still an der Gegend Anteil nehmende Beschaulichkeit löste. Deshalb gehen die Figuren und die Landschaft in diesen Bildern stets auseinander. Und wenn er in der Nemesis (Abb. 572) noch einmal den Gerichtsgedanken — den über der Erde schwebenden Genius mit Glaubenskelch und den Zügeln (der Besonnenheit?) in der Hand — durch eine nackte Frauengestalt verwirklicht, wird ihm daraus ein herrliches Landschaftsporträt aus den Alpen, das den Blick immer neu suchen und sehen läßt, und ein derber Frauenakt,

Abb. 572. *Albrecht Dürer, Nemesis („Das große Glück"). Kupferstich. Um 1502.*

Abb. 573. *Albrecht Dürer, Adam und Eva. Kupferstich. 1504.*

der mit derselben topographischen Wahrheit geschildert ist wie die Gegend unten und mit den Geräten in der Hand von gleicher Fülle des Sichtbaren ist. Auch hier will der Blick nur sehen, was alles da ist. So ist es ein Stück Natur. Gestalt und Landschaft sind nicht wie ein Lenker und sein Wagen oder ein Henker und seine Opfer verbunden. Sie sind auseinander und stehen nebeneinander, weil sie im Grunde dasselbe sind. Und wenn er Adam und Eva (Abb. 573) als schöne Menschen dem Beschauer entgegenhält, dann stellt er sie vor einen Wald voller Getier, in dessen Schattendunkel der Blick sich einzudringen bemüht, er beobachtet, wie die Schatten des Waldes auch über die Haut in seltsamen Spielen hinschweben und sucht schließlich ungerührt von der Schönheit der Körper nur danach, ob diese Schönheit nicht auch auf einem Naturgesetz beruhe, dessen man mit Maßen und Rechnungen Herr werden könnte.

Das Positive seiner Satire hat er am reinsten in dem ganz frühen Stich des verlorenen Sohnes entwickelt (Abb. 574). Der reuige Sünder, der sein Hab und Gut verpraßt hat und bei den Schweinen endet, ist so recht das Thema der Besinnung zwischen Neogotik und Reformation. Man hätte in einem Einzelblatt wie Rembrandt die menschlichere Seite hervorheben können, die Rückkehr zum Vater, oder wie später der Manierismus das Luderleben bei den Dirnen. In dieser Szene bei den Schweinen ist am meisten Abkehr und Umkehr und am meisten Satire und Moral. Deshalb steht das Blatt auf der Wende zwischen Manier und Natur. Dürers Blatt aber ist weniger als das Bild *Boschs* (Abb. 546, S. 446) ein Rückblick, ist mehr Ausblick. Der verlorene Sohn ist nicht mehr der zierliche Elegant im Bettlerrock, sondern ein kräftiger, derber Bauernbursche. Und das herzhaft knöcherne Händefalten und Knien ist gerade in der jugendlich ungeschickten Zeichnung — daß man nicht weiß, welches das rechte, welches das linke Bein ist — wie das Morgengebet eines guten Hirten, der sich zur Arbeit stärkt. Und wie hat Dürer selbst die Natur angepackt, diese Fäuste, diesen Rücken, und mit welcher künstlerischen Sympathie die muntere, nahrungsgierige Schweinefamilie gezeichnet! Das ist ein neues Leben, keine Strafe und Buße. Im Hintergrund, noch durch eine scharfe Umrißlinie von dem Hirtengenrebild getrennt, noch nur Ausblick, noch nicht eins mit dem Menschen, baut sich ein Dorf mit der Zwanglosigkeit verstreuter Bauernhöfe auf, aus der man ein neues Ideal gemütlicher Stadtbaukunst ahnt, Höfe mit Dächern, die wie der Schutzmantel einer Madonna die Wohnung der Menschen unter sich bergen, alles ungepflegt, etwas verfallen, aber ohne die Melancholie des Verfalls; eher mit dem Zauber reichen Anblickes von Ruinen. Vor allem: alles hat ein Gesicht, hat Physiognomie; die Nähe des Bekannten und die Sorglosigkeit der Natur, wo aus dem Verfall wieder Leben sprießt.

Was so Dürer aus einer Besinnung und Entscheidung sich erringt, Tier- und Menschenszene, Architekturbild und Landschaft, was er in seinen Bauerndarstellungen und Landschaftsaquarellen, in seinen Pferdestücken und Pflanzenblättern deutlicher ausspricht, was in der Holzschnittfolge des Marienlebens den Ton angibt und im Waldesgebüsch der Heiligen Familie, in der Ruinenromantik der Anbetung der Könige, im fröhlichen Kinderspiel, in häuslich-handwerklicher Elternarbeit der Ruhe auf der Flucht und im geschwätzigen Frauenbetrieb der Wochenstube so heimelig und gemütlich Erd- und Wohnraum füllt, dieses alles wird bei seinen Zeitgenossen, voran den Malern der *Donauschule*, ein sorglos heiteres Spazierengehen in heimatlichen Fluren und Wäldern und ein munteres Geplauder von Nachbars kleinen all- und sonntäglichen Erlebnissen. Diese Nachbarn sind noch immer Herr Joseph und Frau Maria und alle Heiligen der Kirche, aber man holt sie unbefangener an sich heran als die Zeit Jan van Eycks, hat weniger Scheu und Tradition, man lernt in der Bibel, die ja jetzt jeder selbst zur Hand nehmen kann, von ihnen wie von Mitmenschen lesen und zum lieben Gott wie zu einem lieben Vater in allen Tagesangelegenheiten beten. Man ist der Feierlichkeit auch in der Kirche überdrüssig und möchte von der Kanzel nur das kräftige Wort eines Beraters, eines Verständigen unter seinesgleichen hören, nicht aber einen unnahbaren Vertreter Gottes auf Erden, der in der Messe

Abb. 574. *Albrecht Dürer, Der verlorene Sohn. Kupferstich. Um 1494.*

Abb. 575. *Albrecht Altdorfer, Die Geburt Mariä. München, Alte Pinakothek. Um 1520.*

das Wunder der Verwandlung bewirkt.

Wie *Konrad Witz* zeigt *Altdorfer* eine Heilige Familie in der Kirche (Abb. 575), aber viel unbekümmerter verwandelt er die Kirche in ein Nachtasyl, das Seitenschiff wird zur Wochenstube, mit Himmelbett, Wiege und Stühlen möbliert. Die Architektur wird nur in Durchblicken, waldhaft, gesehen, ein fröhlicher Kranz von lustigen Engelsputten umzieht im Kreise die Pfeiler wie ein Elfenreigen. Alles ist ganz zu Hause, die Wöchnerin im Bett, die Gevatterin, die mit dem Kinde spielt. Vater Joachim kommt eben sorgenvoll mit dem Brot, das er mühselig ergattert hat. Sein momentanes Erscheinen macht die heilige Geschichte zur Anekdote. Das kleine Bildformat verstärkt die Intimität. Die Geburt Christi spielt in dem Erdgeschoß eines gänzlich zerfallenen Hauses (Abb. 576). Die Familie sieht man selbst kaum, man sieht nur das Leuchten um sie, das von dem magischen Vollmondschein sich über alles ergießt und die weißen Fugen im Backsteingemäuer sich entzünden läßt wie die Kerzen eines Weihnachtsbaumes. Die Stimmung kommt mehr von der Natur als von den Menschen. Die Ruhe auf der Flucht (Abb. 577) findet statt am Brunnen einer deutschen Stadt, deren Häuser, deren krause und winklige Dächer sich in die bewaldeten Abhänge eines Flußtales verlieren. Das Kind spielt über den Rand des Brunnens mit dem

Abb. 576. *Albrecht Altdorfer, Die Geburt Christi. Berlin, Deutsches Museum. Um 1512.*

Wasser, ein Kleinstadtidyll ohne höhere Bedeutung. Der junge *Cranach* läßt die Heilige Familie im Walde unter einer Tanne am moosigen Quell rasten (Tafel VI). Es ist wie eine Kindergeburtstagsfeier, ein Tag, an dem der biedere Handwerker und seine Frau ins Freie gezogen sind. Die reiche geladene Kindergesellschaft — an den Flügeln als Putten oder Engel kenntlich — bringen Geschenke, einen Vogel, den man gefangen, Kirschen, die man gepflückt hat, Wasser in einer Muschel aus der Quelle. Vier schon etwas erwachsene Engel bilden einen Gesangverein und bringen dem Kinde ein Ständchen. Vor dem tiefsatten Grün der Landschaft leuchtet

Abb. 577. ... *auf der Flucht nach Ägypten.* ... *n-Museum. 1510.*

das rote Sonntagsklei... der M... eine frische, herzliche Buntheit füllt das Bild. E... den Bäumen, der Birke, der Tanne mit dem w... Bekannte sein, die die Familie öfter besuch... nah kommen sie auch dem Beschauer. Auf ... Dazu ist die Familie zu sehr unter sich.

In der Auffassung ve... zufällig und stimmungsvoll geschlossen als in Witz... Cranach der heimliche Besuch des Gekreuzigten d... Maria un... J...nnes (Abb. 578). Die drei Kreuze, das des einen Schächers vom Bildrand überschnitten, das des andern

Abb. 578. *Lukas Cranach d. Ä., Christus am Kreuz. München, Alte Pinakothek. 1503.*

mit einer Gestalt körperlicher und seelischer Verkommenheit und das Christi ganz mit unfeierlicher Perspektive in die Tiefe gestellt, bilden einen abgeschiedenen Winkel, hart am Rande eines Abgrundes, in dem sich Maria und Johannes händeringend besprechen. Düstere Wolken am Himmel und ein entlaubter Baum nehmen an der Szene teil. Landschaft, Raum und Menschen gehen malerisch und zeichnerisch ganz zusammen und füllen sich mit menschlicher Seele. Die Heiligenlegenden und Martyrien verlieren alles Wunderbare durch den Zusammenhang mit der Landschaft. Es ist einfach Geschehen auf den menschlichsten Ausdruck gebracht. Geschehen ohne Vorbildlichkeit des Sterbens und ohne himmlische Verklärung, einbezogen und umhegt von wechselvollem Leben der Natur und dem schicksalträchtigen Rhythmus von Tag und Nacht und der Jahreszeiten. *Hans Baldung Grien* schildert die Hinrichtung der Heiligen Dorothea (Abb. 579). Das Christkind, das ihr im Winter die Rosen bringt, mit denen sie den Protonotar Theophilus zum Christentum bekehrt, sieht der Betrachter kaum, er sieht — wie öfter in dieser Zeit —, daß der Henker sehr rücksichtsvoll vorgeht, und sieht die kalte Winterlandschaft, in der die Natur, die den Leichnam der Heiligen aufnehmen wird, schon vorweggestorben ist; ein Geschehen in der Natur, das über das kleine Menschenschicksal hinweghebt. Dies und nicht nur die schöne und wahre Malerei macht das Bild so friedlich.

Abb. 579. *Hans Baldung Grien, Die Hinrichtung der Hl. Dorothea. Prag, Rudolphinum. 1516.*

In demselben Ton ist *Altdorfers* Geschichte des Heiligen Quirinus erzählt. Selbst in den eigentlichen Henkerszenen ist nichts von dem Geschiebe und Gestoße und dem festen, dröhnenden Schritt der Schergen. In der Szene, wo der Heilige von der Brücke mit einem Mühlstein um den Hals in das Wasser gestürzt werden soll, wird der Betrachter schon im voraus durch einen Ausblick unter der Brücke in eine weite, duftige Berg- und Seelandschaft beruhigt und sehfreudig gestimmt, und auch auf der Brücke faßt er zunächst nur die so unglaublich wahr geschilderte neugierige Menge, in der der Heilige fast verschwindet. Er ist in keiner Weise ideal hervorgehoben. Der Blick bleibt an ihm hängen, weil er nach dem Grunde dieses Auflaufes sucht. So populär ist alles dargestellt. Die dem Heiligen zuredenden Henker sind vielleicht roh und schadenfroh gemeint. Aber dem friedlich gestimmten Künstler gelingen sie eher teilnahmsvoll, als ob sie sich entschuldigten. Ergreifend wird es erst, als das Menschliche und Familiäre sich meldet und die Leiche des Quirinus von ihm Nahestehenden gefunden wird (Abb. 580): zwei Frauen und zwei Männer laden sie auf einen Karren. In tiefer Nacht und tiefer Einsamkeit, im Gestrüpp der Weiden am wegelosen Ufer findet der Vorgang statt, Natur

Abb. 580. *Albrecht Altdorfer, Bergung der Leiche des Hl. Quirinus. Nürnberg, Germanisches Museum. Um 1520.*

Abb. 581. *Albrecht Dürer, Die Drahtziehmühle. Aquarell. Berlin, Kupferstichkabinett. Um 1490.*

Abb. 582. *Augustin Hirschvogel, Landschaft. Radierung. 1549.*

und Menschen sind eins in der Unruhe und Verstörtheit. Ein flackerndes Mondlicht irrt durch die Büsche, und mit tupfender Technik eint die weiche Malerei Personen und Dinge. Aber diese Technik wird auch leicht sorglos und reicht nicht heran an Dürers volkstümliche Sprache, mit der er Christi Leidensweg in der kleinen Holzschnittpassion ebenso ausdrucksvoll, aber sicherer und knapper schildert.

Immer aber führt der Weg der Stimmung und der Natürlichkeit zur Landschaft, selbst bei *Holbein* in den moralisierenden Totentänzen. Jetzt gelingt es, die Landschaft ganz von den Allegorien und kirchlichen Vorwänden zu befreien, in *Dürers* herrlichen Aquarellen (Abb. 581), die zuerst noch mit der staunenden Freude des Entdeckers die unendliche Fülle des im Schoß der Natur verborgenen Sehenswerten geben, dann die Natur als ein Ganzes, als Physiognomie und als Stimmung fassen, in *Hirschvogels* (Abb. 582) und *Lautensacks* Radierungen, die mit der Frische eines Momentbildes eine Erinnerung an ein liebgewordenes Fleckchen Natur festhalten, und in *Alt-*

Abb. 583. *Hans Holbein d. J., Bürgermeister Jakob Meyer und seine Ehefrau Dorothea Kannengießer. Basel, Öffentliche Kunstsammlung. 1516.*

Abb. 584. *Hans Baldung Grien, Markgraf Christoph von Baden. München, Alte Pinakothek. Um 1515.*

Abb. 585. *Albrecht Dürer, Jakob Muffel. Berlin, Deutsches Museum. 1526.*

dorfers Gemälden, der Landschaft in München. Diese gibt nicht malerische Kostbarkeiten, nicht Blumenteppiche mit bunten Tupfen, sondern Natur in dem Sinne des frei wuchernden Buschwerks, des unbestimmt Krausen, Gelösten, des uneingeschränkt Wachsenden und Lebenden und der Weite und Offenheit. Hier gibt es keine gerade Linie, keine meßbare Form, keinen Zwang, keine Absicht. Nicht einmal Menschen. Aber dennoch das Menschliche: einen Weg und eine Nähe, den Eintritt und das nachfühlende Erlebnis. Es gibt eine Bekanntschaft und Vertrautheit, es gibt alles das, was die Heimlichkeit des neuen Individualismus zur Heimat macht. Es gibt das Irgendwo und Irgendwann, das, was die Landschaft über den unbestimmten Raum hinaus zum Porträt macht.

Auch das Porträt erlebt seine Befreiung, befreit sich wieder von allen Stilisierungen der neuen und der alten Gotik und verzichtet darauf, die natürliche Gegebenheit einer charakteristischen Physiognomie zu verwischen und für die Allgemeinheit zurechtzumachen. Die Kunst will den Menschen in der Ungezwungenheit, mit der er allein ist, sie will nichts von ihm, weder Huld noch Gnade, sondern nur in ihn teilnehmend eindringen, ihm innerlich nahekommen oder diese Nähe, die Bekanntschaft, im Bilde erneuern, ohne ihn aus seinem Alleinsein aufzuscheuchen. Das Porträt wird ein wesentlicher Inhalt der neuen Malerei, es findet jetzt einen Spezialisten und Menschenkenner: *Holbein*. Als Brustbild, mit dem Kopf, dessen Blick an uns vorbeigeht, sichert es der Physiognomie die Herrschaft (Abb. 583). Haltung fällt weg. Auch hier gibt

Abb. 586. *Hans Holbein d. J., Studie zum Bildnis des William Washam, Erzbischof von Canterbury. 1527.*

Abb. 587. *Albrecht Dürer, Die Mutter des Künstlers. Handzeichnung. Berlin, Kupferstichkabinett. 1514.*

es Bildnisse wie die *Hans Baldung Griens,* die in der Betonung des Natürlichen mit gesuchter Häßlichkeit einen Protest formulieren. Er schildert den Markgrafen Christoph von Baden (Abb. 584) wie einen Saufkumpan, mit dem er die Nächte durchzecht hatte. Vielleicht hatte er es wirklich und war das neue Naturgefühl auch schon so weit nach oben durchgedrungen, daß auch die Herren sich in dieser Natürlichkeit gefielen. Ähnlich durfte *Cranach* den Kurfürsten Friedrich den Weisen malen, den Freund Luthers. Trotzdem wird Hans Baldung Grien, der auch seinen Gottvater im Freiburger Hochaltar und seine heiligen Könige so natürlich auffaßt, noch übertrieben haben. Ruhiger und gefaßter läßt *Dürer* den Reichtum der Physiognomien im Muffel (Abb. 585) und Holzschuher sprechen. Aber er und *Holbein* waren sich bewußt, daß das Erscheinen im Gemälde ein Heraustreten in die Öffentlichkeit war. Das physiognomisch Stärkste geben sie in der Zeichnung (Tafel VII). Holbeins Erzbischof von Canterbury ist in der Zeichnung (Abb. 586) ein besseres Porträt als das Bild, das zugleich gute Malerei ist. Dürers Zeichnung seiner Mutter (Abb. 587) ist nicht nur großartiger und leidenschaftlicher in der Wahrheit als alle die starken Äußerungen seiner Zeitgenossen, sondern auch wahrer durch die Energie, mit der hier jede Spur von Schönheit verschmäht, jede Linie zum Ausdruck einer Physiognomie und eines Schicksals gestaltet ist, ohne jede Rücksicht auf einen Beschauer (also auch ohne Protest); die Zeichnung besagt einfach, wie nahe er der Mutter stand und wie nahe er ihr mit dem Bilde kommen wollte, und wie deshalb auch kein anderer als nur er diese Züge zu deuten vermag, mit Sympathie, wo andere erschrecken. Die späten Bildnisse Dürers, die im Kupferstich mit gewaltiger Energie fester

Abb. 588. *Albrecht Dürer, Willibald Pirkheimer. Kupferstich. 1524.*

und bestimmter Linien und mit idealem Schwung verwirklicht sind und Männer der Reformation und der neuen Weltansicht, Friedrich den Weisen, Pirkheimer (Abb. 588), Melanchthon festhalten, haben das offene, die Gewißheit einer Überzeugung ausstrahlende Auge und eine felsenharte, mit allgemeinerem Schwung sich vorwölbende Modellierung der körperlichen Form, in beidem stark nach außen gewendet und auf ein Draußen berechnet. Aber mit der Wucht des physiognomisch Individuellen und dem vom Beschauer abgewendeten Blick gibt es eine Mischung von Alleinsein und In-einer-Welt-Sein, von Selbstgewißheit und Berücksichtigung der andern, die aus der reformatorischen Kunst heraus sofort verständlich wird als die in der sittlichen Selbstbesinnung errungene innere Freiheit, die sich gegen eine Welt behaupten muß: das Charakteristische des Individuums, das sich gegen alle Widersacher durchzusetzen hat, nicht nur Charakter sein, sondern auch Charakter haben muß. Denn es handelte sich ja nicht nur darum, eine neue Lehre nicht zu verleugnen, sondern aus einer Gesinnung, die gerade das Individuum mit sich allein läßt, neue Formen des gemeinsamen Lebens zu gewinnen. Hier nicht zu straucheln, nicht aus der Unkirchlichkeit wieder in die Formen der alten Kirche zurückzufallen, nicht mit dem Heraustreten aus der Natürlichkeit des Eigenlebens in die Konventionen des Gesellschaftlichen zurückzugleiten, nicht den Bekenner zum Priester werden zu lassen, alles das erforderte Charakter. Dieser wurde auf die Probe gestellt schon, als die deutsche Kunst mit der der Öffentlichkeit auch in dieser Zeit ganz anders zugewandten italienischen Kunst zusammentraf und in dem Bemühen, auch für sich eine öffentliche Haltung zu gewinnen, mit dem Vorbilde der italienischen Kunst

Abb. 589. *Albrecht Dürer, Selbstbildnis. Federzeichnung. Erlangen, Universitätsbibliothek. 1492—93.*

ihre ganz anders gearteten Inhalte dogmatisierte. So hat diese deutsche Kunst noch ein zweites Gesicht, den *Italianismus*, der in der Folgezeit die Herrschaft gewinnt und in den Manierismus überführt. Dies zu verstehen, muß die italienische Kunst, die neben der Reformationskunst einhergeht oder ihr kurz vorausgeht, erst verstanden werden. Diese Problematik aber lenkt noch einmal den Blick zu Dürers Erlanger Selbstbildzeichnung (Abb. 589), in der ein Individuum mit gewölbten Lippen ins Leben hineindurstet, aber zwei Augen so fragend hinter der das Haupt sorgenschwer stützenden Hand in die Ferne schauen, als sähen sie über die eigene Zukunft hinweg in Völkerschicksale und Entscheidungen, in Streit der Meinungen und der Nationen, in Krieg und Aufruhr, nur weil der Mensch der Reformation verlangte, sein geistiges Schicksal selbst in die Hand zu nehmen. Es ist der Blick der Bamberger Elisabeth, vom priesterlich Sieghaften ins menschlich Problematische gewendet.

DER ANDACHTSSTIL IN ITALIEN
(*LEONARDO*)

1494 Zug Karls VIII. von Frankreich nach Italien. Ludwig XII. von Frankreich (1498—1515) vertreibt 1499 Herzog Ludovico il Moro aus Mailand. — 1498 Vasco da Gamas Reise nach Ostindien. — Papst Alexander VI. 1492—1503. Pius III. Piccolomini 1503.

Die Befreiung von der Neogotik und die Rückkehr zu einer neuen, intimeren Menschlichkeit und Naturauffassung vollzog sich auch in Italien, aber in wesentlich anderer Weise als in Deutschland. Die gekünstelte, überfeinerte und zugespitzte Form der Gotik wurde nicht überwunden durch revolutionäre Rückkehr zur Formlosigkeit der Natur, sondern durch Harmonisierung der Formen zu einer inneren Gesetzlichkeit, die aus dem Bildganzen und seinen Teilen sich gleichsam von selbst, als natürliche Einheit ergab. Die Flächen werden aufeinander bezogen und einer Art Mathematik unterworfen, die Farben aufeinander abgestimmt und durch Tönung ineinander übergeführt und zur Einheit verbunden. Alle Teile werden zu einem Ganzen vereint, Figuren und Hintergrund zueinander durch eine Logik des Auges gleichsam in Beziehung gesetzt. Die repräsentative, kultische Bedeutung der Gestalten, die sie aus dem Bilde heraustreten oder sich herauswenden ließ, wird wieder aufgegeben, die Menschen werden wieder, der Eigenbedeutung des Bildes, seiner in sich geschlossenen Harmonie entsprechend, zu einer nacherlebbaren Stimmungseinheit zusammengefaßt, sie werden wieder Menschen unter sich. Aber in dieser Harmonie hat weder Individuum noch individuelles Gefühl eine Stelle; der Inhalt des Bildes wird die aufeinander abgestimmte Vielzahl von Menschen, von denen jeder für sich seinem Gefühl hingegeben ist, aber in vollem Gleichklang mit den andern und deshalb mit ihnen durch denselben Gegenstand gleicher Gefühle verbunden. Sie werden ein Kreis mit einem Mittelpunkt, auf den alle mit den Radien ihrer Stimmungen gerichtet sind. So löst sich die Fläche wieder zum Raum, in dem die Menschen zum Kreis vereinigt sind. Ihr Sein im Raum auf kreisförmigem Grundriß ist selber räumlich, sie bilden den Raum, den sie umstehen. Die letzte Harmonie ist zwischen diesem Raum, den sie umstehen, und dem Raum, in dem sie stehen, dem Hintergrund: eine Harmonie des Kleinen zum Großen, der Mitwelt zur Umwelt. Dieser Gleichklang, der auch alle Teile unter sich und mit dem sie erfüllenden Menschenkreis bindet, macht aus der Umgebung, auch wenn sie Landschaft ist, Architektur, aber räumliche Architektur, die mit den Menschen durch eine Atmosphäre verbunden ist. Der Gleichklang dieser Atmosphäre und alles Seins im Raum, das auf einen Mittelpunkt bezogen ist, ohne das In-sich-selber-Ruhen aufzugeben, ist feierliches Sein, und seelisch ausgedrückt: Andacht. Die Erhebung aber der Umwelt, der Natur, in eine solche, die Menschen zur Andacht stimmende, räumliche Feierlichkeit, die ohne Ziel, ohne Richtung, ohne Heraustreten aus der Ruhe im feierlichen Raum ist, eine Andacht also, die völlig unpersönlich bleibt, macht den Raum, das All selbst zum Gegenstand der Andacht und wird pantheistisch. Ein solches Bild der Umwelt als Abbild des Alls, das andächtig stimmt (wie das Himmelsgewölbe als Kuppel über dem Kreis des Horizontes gesehen), war schon einmal durch Architektur realisiert in den frühen byzantinischen Kuppelkirchen. Dieser byzantinische Zentralraum wird das Ideal der Architektur dieser Zeit und das Ideal auf den Hintergründen der Bilder. Diese Zeit gipfelt in dem Zentralraumentwurf *Bramantes* für *St. Peter* (Abb. 605, 606, S. 491).

Italien war wie keine andere Nation für eine solche Kunst vorbereitet. Die großen Massenszenen seiner Bilder hatten schon immer das Thema der in gleichgestimmter Erwartung (der Neugier, der Beschaulichkeit, der Andacht) im Raum vereinten Menge behandelt. Die Künstlichkeit der Neogotik, das neue Stil- und Formbedürfnis gaben den Anstoß, diese Menge zu ordnen und kunstvoll auf einen Gleichklang zu bringen. Das byzantinische Erbe vermittelte die Schönheit der Zeichnung und das griechische Kunstgefühl für Harmonie, für Abwägung (Ponderation), die auch unter der Maske der Versteifung und Strenge der Neogotik nicht verlorengegangen war. Auch die Ordnung der Personen im Gefolge und in der Prozession, das alte Thema der ravennatischen Kunst, war in Venedig wieder aufgelebt. Hier hatte sich durch alle Wandlungen der Zeit hindurch das Gefühl für Feste und für Feierlichkeit als schönes Sein im Raum und für die Gleichgestimmtheit durch die Harmonie einer Musik des Ohres und Auges erhalten. *Venedig* und *Oberitalien* unter der Vorherrschaft Venedigs sind für diesen Stil entscheidend, der größte Künstler dieser Phase, der Florentiner *Leonardo da Vinci*, schuf seine Werke dieses Stiles in Mailand. Die reinsten Schöpfungen eines Stiles der Andacht stammen von einem Venezianer, *Giovanni Bellini*.

Zwei Themen gab es, in denen dieses Umstehen eines Raumes in einer durch einen Mittelpunkt zusammengehaltenen Andacht menschlich und natürlich, intim und kosmisch motiviert war, die *Anbetung des Kindes* und die *Klage um den Leichnam Christi*. Man erinnere sich, wie dies Thema schon gerade in Italien (*Filippo Lippi*, *Gentile da Fabriano*, *Piero della Francesca*, Abb. 484, S. 405; Abb. 451, S. 380; Abb. 33, S. 48) sich mit einer neuen pantheistischen Naturmystik verband, und wie die Klage um den Leichnam die Feierlichkeit der Gotik in die Intimität

Abb. 590. *Lorenzo di Credi, Anbetung der Hirten. Florenz, Uffizien. Vor 1510.*

und das Naturgefühl des 15. Jahrhunderts überleitete. Ins Leben aus dem Schoß der Natur entsteigen, mit dem Tod in ihn zurückkehren, Geburt und Tod, das waren die beiden schicksalhaftesten Ereignisse in der Natur, soweit sie in ihrer Eigengesetzlichkeit organisch (nicht als Schöpfung, als Werk und Schauplatz), als ein Werden und Vergehen betrachtet wurde. Und im Kind und im Leichnam war am wenigsten Person, am wenigsten Kultfigur, am wenigsten Pose, war am meisten Teilhaftigkeit an der Natur, am Vegetativen und an der Materie. Kind und Leichnam liegen auf diesen Anbetungen am blumengeschmückten Erdboden oder ihm nahe. Wo wir die Anbetung des Kindes treffen, bei *Lorenzo di Credi*, bei *Francesco Francia* oder bei dem späten *Perugino*, bei diesem am reinsten, da ist es fast immer dasselbe Bild, denn auch für das Kunstwerk sucht man nicht den originellsten, den individuellsten Ausdruck, sondern den Gleichklang, mögen bei Lorenzo di Credi (Abb. 590) die Farben kühl und glasig sein und die herausdrängenden Formen an den Lehrer Verrocchio erinnern, bei Francia die Härte der Konturen und die Festigkeit von Form und Farbe an Mantegna, bei Perugino (Abb. 591) die umbrische Weichheit an den Farbenschmelz und die Naturmystik Gentiles da Fabriano. Die Figuren stehen oder knien in gleicher oder gebeugter Haltung, die Hände zusammengelegt, um das Kind herum und bilden eine sich nach der Tiefe zu ausweitende Wand, der Rundung einer Apsis vergleichbar. Architektur, halb Ruinen, halb Kulissen einer harmonischen Flächeneinteilung des Bildgrundes, begleiten den Raum, und auch am Horizont wölbt sich mit leichten Hügelhebungen das Gelände den Figuren entsprechend und begleitet die pfeilerhaften Rand- und die tiefer stehenden Mittelfiguren mit ihren Hebungen und Senkungen. Nichts drängt sich vor und vereinzelt sich, keine Person, kein Glied, kein Schmuck und Ding. Die Figuren, die ein Kind verehren, also ohne Zwang, freiwillig sich dieser Andacht widmen und freiwillig einer auf den andern Rücksicht

ALBRECHT DÜRER, KRUZIFIXUS, 1505

nehmen, bilden so, von aller Herrschaft befreit, etwas wie eine öffentliche Meinung, die entsteht, indem sich einer nach dem andern richtet. Dieses passive Fürsichsein jeder Figur und diese Ausgeglichenheit in äußerer Form und innerer Stimmung — nicht einmal die Mutter drängt stärker dem Kinde entgegen — ist die aus der Starrheit gelöste, vermenschlichte byzantinische Seelenferne, die Unberührbarkeit, die im Byzantinischen noch Ungerührtheit war. Sie kann auch hier zur Kälte und Leere werden, zu einem Formalismus, der leicht an Inhaltlosigkeit streift, wie man bei Perugino und Francesco Francia so oft empfunden hat, und um so mehr empfindet, je mehr eine bestimmtere Beziehung wenige Personen verbindet, wie die Verkündigung oder der Besuch Marias beim Heiligen Bernhard oder die Taufe Christi. Für die Verkündigung ist in dieser Zeit (*Francias* Bild in der Brera in Mailand, *Lorenzos di Credi* in den Uffizien in Florenz, Abb. 592) bezeichnend, daß wie zu Zeiten Jan van Eycks die Figuren auseinandergerückt sind, ein Raum sich in eine Landschaft hinein weitet, bei Credi in eine Landschaft von der Ausgeglichenheit einer Gartenarchitektur, und daß beide Figuren an Architekturen gelehnt sind, die der Landschaft Halt und eine feierliche Fassung geben. In dieser Architekturbezogenheit stehen nun die Figuren schön, gebannt, zum Einhalt verurteilt durch eine Spanne unendlichen Raumes, die zwischen ihnen trennend, nicht verbindend, wie es dieser Stil verlangt, sich auftut. Maria scheint dem Engel abzuwinken. Hier wird die Form nichtssagend. Bei einer Taufe Christi aber (Abb. 593), bei der der nackte, nur mit Lendenschurz bekleidete Körper Christi symmetrisch zwischen Engel und Täufer genommen wird, wird die die Mittelfigur hervorhebende Anordnung repräsentativ. Da aber auch sie an der Stimmungsgebärde einer innerlichen Versenkung in raumschöner Landschaft teilhat, wird der Akt schwächlich, das Geschehen lahm. Wie kräftig als Vorgang und als individualisierte Situation ist dagegen die Taufe Christi von *Piero della Francesca*, wo trotz der Betonung der feierlichen Situation und strenger Haltungen doch alle Symmetrie vermieden ist und ein kräftiges In-die-Tiefe-Bauen auch den Zusammenhang mit der Natur ganz anders herstellt. Bei diesem Vergleich durchschaut man, wieviel näher doch die Generation Donatellos und Piero della Francescas der Natur stand, wieviel Kunst und Form die Neogotik zwischen die Menschen und die Natur gelegt hatte, aber auch wie sehr das Gefühl für Feierlichkeit, für Gestaltung eines Vorganges als eines öffentlichen, allgemein italienisch ist und mit byzantinischer Tradition zusammenhängt.

Abb. 591. *Pietro Perugino, Anbetung des Kindes. Rom, Villa Albani. 1491.*

Abb. 592. *Lorenzo di Credi, Verkündigung. Florenz, Uffizien. Ende 15. Jh.*

Seine ganze Schönheit entwickelt dieser Andachtsstil erst, wenn dem Raum in den stimmenden Faktoren der Vortritt gelassen wird, d. h. in Venedig. Hier auch verstand man sich ganz anders auf das bloße Sein im Raum, auf einen Stil der Ruhe, hier wird Ruhe von selbst zur Feier und Andacht, das bloße Dasein ein Genuß. Der Ort als Zufluchtsstätte fahrender Kaufleute und Eroberer, das Wasser selbst, auf dem man sich tragen ließ, wenn andere gingen, byzantinische Pracht und orientalische Teppichkunst — alles zielte auf eine Kunst weichen und weichlichen Luxus, auf passives Genießen mit allen Sinnen, auf das Musikalische der Kunst und eine zu den Sinnen sprechende Umgebung. Gestalt und Schmuck des Raumes, nicht vorbildliche Plastik für die Haltung des eigenen Körpers, hatte die Kunst als Ziel seit S. Marco hier voll begriffen.

Nach den manieristischen Ausschweifungen der Mantegna-Nachfolger *Bartolomeo Vivarini* und *Crivelli* erblühte hier unter der Hand eines Mantegna-Zeitgenossen, *Gentile Bellini* (Abb. 594), und eines Zeitgenossen Dürers, *Carpaccio* (Abb. 595), eine Kunst fröhlich-sinnlicher Wirklichkeitsdarstellung, die die Menschen ganz in die Umgebung heimatlicher Landschaft und heimatlicher Städtebilder hineinstellt und wie Dürer etwas später im Marienleben den vollen Zauber intimen Lebens im Innenraum entfaltet. Aber diese Heimat und diese Heime sind eben andere als im Norden, es sind geformte Räume Venedigs. Echt italienisch schildern beide Künstler volkreiche Szenen auf Straßen, die hier die von Brücken überspannten und von Gondeln befahrenen Kanäle sind, und auf Plätzen, für die der Markusplatz immer das Ideal des Venezianers blieb. Echt venezianisch dominiert immer der Raum, Platz, Kanal oder Landschaft; die Figuren sind nur klein, mehr Staffage als Inhalt, mehr Füllsel als Besitzer des Raumes. Die Häuser stehen in

Abb. 593. *Francesco Francia, Taufe Christi. Dresden, Gemäldegalerie. 1509.*

Abb. 594. *Gentile Bellini, Ein Wunder der Kreuzreliquie. Venedig, Akademie. 1500.*

geraden Flächen dem Beschauer kulissenhaft entgegen, und die Figuren stehen in ihm herum, in langen Zügen den Hauptrichtungen parallel geordnet. So ist es nicht so sehr ein Leben in der Natur, sondern ein Sein im wirklichkeitsgetreuen, aber schon in Wirklichkeit vorgeformten Raum, dessen Ordnung sich in Prozessionen und andächtigem Miterleben eines Wunders durch geordnete Zuschauerreihen ausdrückt. So wenigstens bei dem steiferen und trockeneren *Gentile Bellini*. *Carpaccio*, der reicher, bunter, ungezwungener in der Geschichte der Heiligen Ursula seine Landschaften aufbaut und mit Figuren füllt (Abb. 595), dessen Kunst in dieser landschaftlichen Fülle und Unbefangenheit oft so deutsch anmutet, wie Alpenkunst, ist doch darin wieder so echt venezianisch, daß er mit Architekturen für rhythmisch aufeinander bezogene Flächen sorgt, die Landschaft mit solchen Flächen rahmt und architektonisiert, die Fläche des Wassers ruhig, von keinem Anhauch getrübt, sich weiten läßt. Vom hellen Sonnenhimmel angestrahlt, von den durchsichtigen Schatten der Schiffe und Ufer bemalt, atmet es jene Feuchtigkeit aus, die alles in einen feinen Dunst hüllt, die bunten Kostüme und die prächtigen Bauten und ihre Marmorinkrustationen dämpft und einander angleicht in einem weichen, schimmernden Gesamtton, der eitel Wonne für das Auge ist. Es geschieht eigentlich nichts auf den Bildern, obwohl viel erzählt werden sollte. Es stehen nur viel Leute herum. Bezeichnend ist die landschaftlich entzückende Szene der Landung der Ursula in Köln, wo sie den am Ufer stehenden Mördern in die Arme fällt. Auf der einen Seite das Porträt eines prächtigen Schiffes mit allen Einzelheiten seiner Ausstattung, auf der andern die Mauer einer nordischen Stadt mit Zinnen und Wehrtürmen, und zwischen ihnen der gewundene Lauf des Stromes, scheinbar ein echtes nordisches Stadtbild, in Wirklichkeit durch die weiche, sonnige Malerei und die geheime Ordnung, die auch die Landschaft zur Straße baut, ein venezianischer Kanal. Es ist trotz aller köstlichen Einzelheiten und Naturbeobachtungen eine Ordnung in diesen Landschaften, wie sie in Claude Lorrains Ideallandschaften später reiner und abstrakter wiederkehrt. Und wer sähe diesem landschaftlichen Frieden an, daß sich ein schreckliches Martyrium hier vorbereitet, ein Mord von 10000 Jungfrauen und ihrer Führerin, der Heiligen Ursula. Die wilden Männer am Ufer stehen herum, sie scheinen die Luft und die Sonne zu genießen, ein Dolce

Abb. 595. *Vittore Carpaccio, Die Ankunft der Hl. Ursula in Köln. Venedig, Akademie. 1490.*

far niente, sie sehen nicht aus wie Mörder, sondern eher wie eine Hafenpolizei, in deren Nähe ein Mord passieren könnte, und sie würden noch immer stundenlang so herumstehen. Auch Carpaccio nimmt jetzt das Thema des gemütlichen, von Menschen bewohnten, für Menschen möblierten Innenraumes auf und verwandelt den neugotischen Nischenheiligen wieder in den Heiligen im Gehäuse zurück. Zwei Bilder, der Traum der Heiligen Ursula (Abb. 596) und Hieronymus im Gehäuse, erscheinen wie die Erfüllung aller Bestrebungen des 15. Jahrhunderts — das Leben des Individuums in seiner völligen Entrücktheit aus der Öffentlichkeit stimmungsvoll vorzuführen. Ursula schläft in einem Zimmer von wunderbar gesättigter, ruhiger Raumproportion. Schemel und Tischchen, Bücherschränkchen und kleine Andachtsnische mit Kerze und Weihwasserbecken, Kamin und Bett, Blumen auf dem Fenster, alles atmet häusliches Behagen. Auf der Bettbank liegt die Krone, die das Fräulein vor dem Schlafengehen abgelegt hat, Pantöffelchen stehen vor dem Bett. Und dennoch ist der erste Eindruck der: nicht jedes Mädchen hält so rein — der Eindruck vollendeter Ordnung und Aufgeräumtheit. Die Fensterwand ist symmetrisch aufgeteilt, die Fenster sind pyramidal gruppiert, die Blumentöpfe mit großen architektonischen Formen der Vasen und stilisierten Blumen sind in eine abfallende Flächenbewegung von der Tür links zum Bücherschränkchen rechts einbezogen. Überall sind geometrische Flächen aufeinander abgestimmt. Selbst das breite Doppelbett wiederholt in schönem Verhältnis die Proportion des Gesamtvolumens in einem kleineren Raum im Raume. Ein Engel tritt in gemessenem Schritt vorn rechts durch die Tür. Mehr als die Märtyrerpalme sieht man den geometrischen Lichtkeil, der sich ins Zimmer schiebt, um mit den großen Licht- und Schattenflächen des Raumes sich zu verbinden. So ist alles mehr für das Auge als für das Gemüt, mehr Optik als Wärme, mehr harmonischer Anblick als gelebtes Leben. Die Besitzerin des Raumes schläft und träumt.

Auch im Gehäuse des Hieronymus (Abb. 597) ist trotz der herumliegenden Bücher, der absichtlichen Unordnung, trotz des Versuches, den Hausaltar in der Mittelnische der Rückwand als Bücherablage zu profanieren, im Gegensatz zu Dürers Hieronymus (Abb. 561, S. 458) die architektonische Ordnung, das Koordinatensystem der Horizontalen und Vertikalen, die Harmonie der Flächen entscheidend, dazu die Offenheit des Raumes, das Platzartige, die Abgezirkeltheit der Schatten und Lichter, die das Gemach beleben, und das Herumstehen von Wesen und Dingen im Raum. Der Hieronymus hat hier seinen Raum im Raum, ein Podest, dem im Hintergrunde links ein Einblick in ein anderes kleines Studierzimmer antwortet. Wie im Andachtsstil ist alles optisch aufeinander bezogen, alles auf gleichen Ton gestimmt, aber nicht innerlich verbunden. Es ist nicht Leben miteinander, alles bleibt für sich. Wiederum sieht man, wie die nordische Gotik mit ihrer Zuneigung, mit ihrer höflichen Verbundenheit und Konversation sowohl die Wärme familiärer Verbundenheit als auch die Intensität des Mitlebens mit den Geschöpfen der Natur zur Folge hatte. Hier ist mehr von außen geformte Beziehung. Der Löwe in Dürers Hieronymus wachte für ihn, der Spitz Carpaccios, genau im Scheitelpunkt eines vom Fenster über den Kopf einfallenden Dreiecks, das sich im Schatten auf dem Boden markiert, ist in Haltung und Gebärde völlig im Gleichklang mit seinem Herrn. Dieser sieht in die Welt hinaus (nicht wie Dürers Hieronymus in sich hinein), er forscht und schaut, und mit seinem Pult dem Vordergrund nahegerückt, ist er weltoffen bereit, wie

Abb. 596. *Vittore Carpaccio, Traum der Hl. Ursula. Venedig, Akademie. 1495.*

Abb. 597. *Vittore Carpaccio, Hieronymus im Studierzimmer. Venedig, Scuola degli Schiavoni. Zwischen 1502 u. 1507.*

Abb. 598. *Giovanni Bellini, Christus in Gethsemane. London, National Gallery. Um 1460.*

ein Wechsler auf einem Markt an seinem Tisch mit dem Pfunde der Bildung und dem Reichtum des Wissens öffentlich zu wuchern. Bei Dürer ein Mensch in Gewissensnot, hier ein italienischer Humanist. Carpaccio hat auch zwei venezianische Kurtisanen im Winkel eines Dachgartens gemalt, umgeben von allerlei Getier. Die vordere sitzt ähnlich gebeugt wie die Melancholie Dürers. Aber welch ein Unterschied. Hier die gemeinen Nichtstuerinnen, ihre Tage verbringend und für den Genuß bestimmt. Obwohl sie mit den Tieren spielen, ist in jedem toten Ding und Instrument der Melancholie mehr von der Problematik des Menschen als in diesen lebenden Wesen. Auch sie stehen herum, genießen das bloße Dasein und sind dem Auge Genuß.

Giovanni Bellini steht zeitlich und aufs stärkste von ihm beeinflußt Mantegna nahe, ist also sowohl durch das realistische Pathos des Mantegnastiles wie durch die Zierkunst der Neogotik hindurchgegangen. Der Sinn für breite, gelassene Formen mag ihm aus seiner ersten mantegnesken Periode verblieben sein und ihn vor den Formspielereien des Crivelli bewahrt haben; Ernst und Feierlichkeit verblieb ihm aus beiden sich folgenden Strömungen. Daneben aber ist er Venezianer und das Sein im Raum ihm angemessener als pathetische Dramatik. Ein mantegneskes Frühbild wie der Christus am Ölberg in London (Abb. 598) wirkt ganz anders als bei Mantegna durch die düster harte, taumelnd schweifende Landschaft mit ihren harten Steinkanten und ihrer nächtlichen Beleuchtung; hier ist die Verlassenheit der Wüste, in der die Menschen sich verlieren. Die Menschen sind stärker als bei Mantegna in der Landschaft und lösen sich in ihr auf. Das Bild der Transfiguration in Neapel (Abb. 599), in dem die schlafenden Jünger und Christus mit Moses und Elias in Schichten übereinandergereiht und in strenger symmetrischer Ordnung dem Beschauer entgegengehalten werden, unterscheidet sich doch grundsätzlich von Botticellis und Crivellis spitzfindiger Flächigkeit, Raum und Körper haben mehr Volumen, und satte, verschmolzene Farben binden die hartkantigen Gewandfalten mit der Landschaft zu einer tieftönenden Abendstimmung und zu feierlicher Ruhe. Daß aber Christus und die Gestalten des Alten Testamentes so ruhig auf der Erde

Abb. 599. *Giovanni Bellini, Verklärung Christi. Neapel, Museo Nazionale. Um 1465—70.*

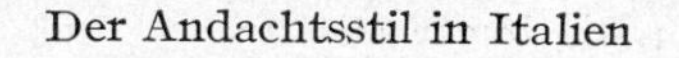

Abb. 600. *Giovanni Bellini, Thronende Madonna mit vier Heiligen. Venedig, S. Zaccaria. 1505.*

stehen, kein Pathos des Lichtes, kein Wunder des Schwebens in der Luft sie ergriffen hat, ist venezianisches Existenzbild. Man spürt, hier findet der Andachtsstil einen in der Gesinnung ihm verwandten Künstler. In dem reifsten seiner vielen Madonnenbilder (Abb. 600), die alle auf dasselbe Ziel

Abb. 601. *Giovanni Bellini, Christliche Allegorie. Florenz, Uffizien. Um 1500.*

hinarbeiten, nimmt er das Thema der Zeit Masaccios, Filippo Lippis wieder auf, die Santa Conversazione, die bei Domenico Veneziano schon in dieser Frühzeit den vollkommensten Ausdruck gefunden hatte, das andächtige Beieinanderstehen von Heiligen und Maria in einem gerundeten Raum. Unter ihnen ist Maria zwar hervorgehoben, aber in einem stillen, versonnenen Vorsichhinblicken, als lauschte sie der Musik, die der Engel zu ihren Füßen macht. Diese Musik, nicht die Person der Maria, ist der Mittelpunkt des Bildes und aller Gestalten, die jede für sich abgesondert vom andern, ohne Beziehung zum Beschauer dastehen, auf sich selbst zurückgeworfen, aber im vollendeten Gleichklang harmonischen Lebens einer mit dem anderen. Die Musik klingt aus der feierlichen Rundform der Apsis und der Kuppel, zu der sie überführt, aus dem Rundraum, den die Figuren umstehen und bilden, und der in den Raumhimmel über ihnen eingeht; sie ist in dem vom Hellen ins Dunkle sanft tönenden und verschwebenden Licht und den großen, runden Formen der Figuren, die das Volumen des Raumes noch einmal verkörpern. Hier ist eine Stimmung der Andacht, ohne Ziel und persönlichen Mittelpunkt, die von dem geformten Raum zusammengefaßt durch die offenen Arkaden der Baldachinarchitektur in die Weite der Natur und den Kirchenraum verklingt.

Diese Natur aber sieht so aus, wie sie Giovanni Bellini in der christlichen Allegorie in Venedig geschildert hat (Abb. 601). Ein im Gleichklang farbiger Flächen (ohne die Aktivität plastischer Formen) erbauter Altan schiebt sich in das Wasser eines Sees hinaus, der nach der Tiefe zu durch zwei gleichartige, sich begegnende Bergkulissen begrenzt und umschlossen ist und die Ferne und Unbegrenztheit nur ahnen läßt. Die früher so rissigen Kanten schieben sich zu großen Flächen zusammen, leuchten auf oder dunkeln ab in weichen Schatten und färben sich im Braungrün moosiger Hänge. Wie die Fläche des Wassers still und blau daliegt, gleich dem Marmorboden des Altans, so beziehen sich auch diese Flächen der Berghänge auf die Musterung des Bodens der Architektur, sie sind noch gerade so locker und frei, um Natur zu sein, aber so geordnet und gedämpft, um sich der Architektur anzupassen. Still stehen die Figuren um den Altan herum; auch sie bleiben am Rande eines Raumes, ihr einziger Ausdruck ist Andacht, ihre einzige Funktion andächtiges Sein im Raum. Die Mitte aber, die sie umstehen, ist naturhaftes

Spielen von Kindern um einen Apfelbaum in einer Schale. Es bedarf keiner Deutung der Allegorie (das Christkind als Trost der Seelen am Baum, Maria und die Heiligen, derer die Seelen als Fürsprecher bedürfen), es ist einfach durch Andacht und Feierlichkeit paradiesisch schöne Natur, Insel der Seligen. Das Besondere dieses Stiles und vor allem der venezianischen Bilder dieses Stiles ist, daß die in ihnen zum Ausdruck kommende Stimmung, mag sie noch so sehr durch eine Landschaft oder durch einen Innenraum besonderer Prägung dem Raum, in dem der Beschauer weilt, entrückt sein, dennoch im Einklang steht oder in Einklang gebracht werden kann mit der Stimmung, die der Betrachter selbst in seinem Raum empfindet, wenn er vor das Bild tritt — die allgemeine Daseinsfreude, die Beschaulichkeit, die Musikalität der Harmonien. Und wenn dieser wirkliche Raum selbst auf solche Stimmung angelegt war durch seine Form, durch Proportionen und farbigen Schein der Wände, dann wurde der Einklang der Stimmung des Bildes mit der gelebten Stimmung des Raumes noch größer. So ist in diesen Bildern die glücklichste Harmonie verwirklicht zwischen einer Kunst, die aus dem Leben entrückt und eigene Lebensinhalte für die Einfühlung gestaltet, und einer Kunst, die das Leben begleitet, formt und stimmt, zwischen freier und dekorativer Kunst. Deshalb konnte Bellini seine Madonnenbilder mit dem architektonischen Rahmen in die Kirche hinein öffnen und durch die Menschlichkeit seiner Gestalten Andacht vermitteln. Deshalb gibt es jetzt wieder eine Architektur, die das Leben stimmen will wie die Bilder. Voraussetzung ist für sie ein Leben voller Beschaulichkeit, ein Leben in gehobener Stimmung wie ein Leben in Musik. Das Ideal dieser Architektur ist der in sich gesättigte, von den Wänden musikalische Harmonie ausstrahlende Innenraum, sein höchstes Ziel der Zentralbau als Raumschöpfung.

Venedig besitzt in der kleinen Kirche *Sta. Maria dei Miracoli* (Abb. 602, 603) einen Bau, der die Stimmung der Bilder Carpaccios, des Traumes der Ursula, des Hieronymus in Architektur verkörpert. Diese ist in den Dimensionen auf menschlich erlebtes Maß berechnet, mehr Haus als Kirche, und entspricht trotz antiker Pilaster und Gebälke schon

Abb. 602. *Pietro Lombardo, Sta. Maria dei Miracoli. Venedig. 1481—89.*

Abb. 603. *Pietro Lombardo, Sta. Maria dei Miracoli. Venedig. 1481—89.*

außen durch Betonung der Flächen mit farbig geometrischen Mustern ganz dem Raumstil. Die Fassade ist als Raumverschluß gedacht. Innen ein kleiner, niedriger Raum von wohligen Verhältnissen, die Wände ganz in Flächen von angenehmen Proportionen aufgeteilt und dadurch reiner Raumabschluß. Aus jedem Wandfeld aber klingt Farbe und die marmorierte Tönung des Materials mit gedämpftem Glanz in den Raum hinein, wie das Helldunkel auf den Bildern. Der Chor, gerade geschlossen, noch einmal ein Raum für sich wie ein Fensterplatz oder wie jene Räume im Raum auf den Bildern Carpaccios, hebt sich auf Stufen empor und vermeidet dadurch die die Raumharmonie zerstörende Streckung. Er ist mit der Kuppel bedeckt und isoliert sich durch sie erst recht vom größeren Raume davor zu einer Konzentration, die einen frei als Statue aufgestellten Heiligen zum Heiligen im Gehäuse machen, die Heiligengesellschaft zur Santa Conversazione zusammenfassen würde.

Die strengere und kühlere Form des kirchlichen Zentralbaues, den Bildern Peruginos, Francias, Credis entsprechend, fassen wir am besten in der Madonna delle Carceri in *Prato* von *Giuliano da Sangallo* (Abb. 604). Außen umstehen vier kurze Arme mit zweigeschossiger Hausfassade die quadratische, kuppelbedeckte Mitte. Flache Doppelpilaster sind nur zartes Rahmenwerk für Flächen, die durch Teilung in stehende und liegende Felder in jene wohligen Proportionen gebracht werden, die der Ruhe des Stiles entsprechen. Keine aktive Verbindung führt von einer Fläche zur andern, sie stehen noch einmal durch dunkle Linien abgetrennt nebeneinander, aber durch strengen Gleichklang aufeinander bezogen. Byzantinischer Flächenschmuck ist aus feinfädigem Muster zu geometrischer Abstraktheit geklärt, und alles als Grenze eines Innenraumes gedacht. Dieser ist ein niedriger, weiter Kuppelraum, von Nischen gleichmäßig auf vier Seiten umgeben, in denen man sich die Menschen um eine Mitte ähnlich andächtig stehen denkt wie auf Bellinis Rampe in der paradiesischen Landschaft. Auch hier grenzen Pilaster,

Abb. 604. *Giuliano da Sangallo, Madonna delle Carceri, Prato. Fassade. 1485—91.*

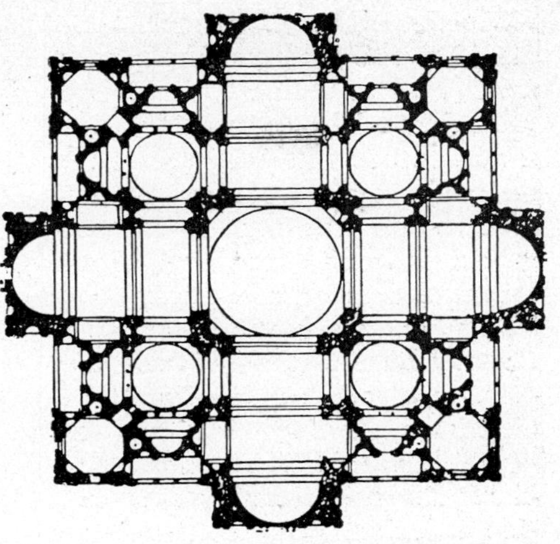

Abb. 605. *Bramante, Grundrißentwurf für St. Peter in Rom. Nach der Zeichnung von 1505 in den Uffizien, Florenz.*

Gebälke und Bögen Flächen von großer Harmonie und Entsprechung ab, aber kühler und gerechneter, ähnlich wie auf den Bildern Lorenzos di Credi, mehr aufeinander gestimmte Proportion als Stimmung. Auch hier ist der gestreckte, steile und zwingende byzantinische Kuppelraum zu lichter, offener Weite auseinandergenommen, durch die Freiheit der Renaissance befreit.

Wie sich diese Raumharmonie aus dem Menschlichen ins Kosmische im Riesenbau von *St. Peter* gesteigert hätte, und im vielgliedrigen Grundriß eine Fülle von Räumen gruppiert hätte, deren jeder als in sich geschlossener eine neue gleichartige Stimmung von zentralen Andachtsräumen vor- oder abklingen ließ, kann heute nur noch aus dem Grundriß *Bramantes* (Abb. 605) geahnt, nicht mehr nacherlebt werden. Wie sehr auch das Äußere vom plastischen Körper weg auf Breitendehnung und raumumschließende Flächenproportionierung angelegt war, verrät eine Zeichnung Bramantes in den Uffizien in Florenz (Abb. 606).

Die *Cancelleria* in Rom (Abb. 607) lehrt, welcher Feinheit eine solche Flächendisposition mit antikisierenden Formen fähig war. Hier sind über einem ungegliederten Sockelgeschoß zwei obere Stockwerke durch Doppelpilaster in Flächen zerlegt. Diese Pilaster sind weder ihrer Flachheit noch ihrer fadenförmig wirkenden Länge wegen imstande, als gebälktragend, d. h. plastisch zu wirken, sie sind nur Rahmen für Flächen, die nach dem Goldenen Schnitt so mit den trennenden Feldern zwischen je zwei Pilastern in Beziehung gesetzt sind, daß auch hier nicht die Pilastergesellschaft, sondern die Fläche entscheidend wird. Auch in ihrer vertikalen Folge sind die Fenster zu einem Rhythmus von Anlauf und Abschwellen verbunden, wie die Schattenführungen auf den Gemälden, und wie auf diesen die Personen, sind an der ganzen Fassade die letzten Felder auf jeder Seite flankierend hervorgehoben.

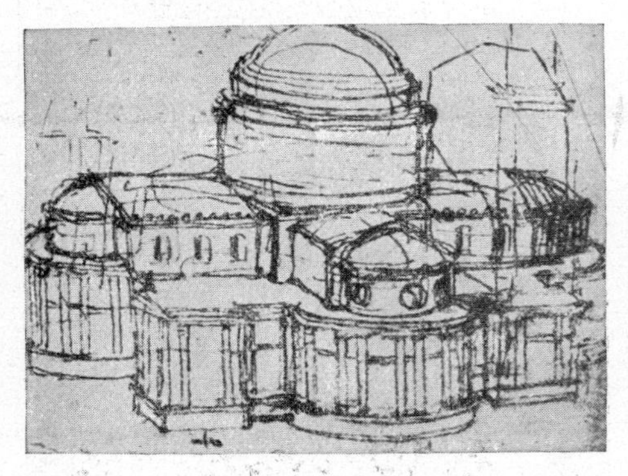

Abb. 606. *Bramante, Perspektivischer Entwurf für St. Peter in Rom. Florenz, Uffizien. Um 1505.*

Diese Bilder und diese Bauten sind die Umgebung desjenigen Künstlers, der in sie hinein mehr noch als Kunstwerke

Abb. 607. *Rom, Cancelleria. Fassade, Ausschnitt. Um 1486—96. (Bramante?)*

eine Weltsicht stellt, die alle diese Harmonien in Naturwissenschaft umzuprägen entschlossen ist: *Leonardo da Vinci*. Er führt diesen Stil nicht auf seine Höhe, er verkörpert ihn nicht am reinsten, er geht über das hinaus, was an ihm Stil, zu viel Stil war, zu dem, was ihn erst ganz lebendig macht, zu Leonardo.

Schon in seinem ersten großen Werk, der Anbetung der Könige (Abb. 608), die nur als Untermalung auf uns gekommen ist, löst er das neugotische Schema der zentralen, von symmetrischen Gruppen verehrten Madonna und des grottenartig von der Hintergrundslandschaft abgezirkelten thronartigen Schauplatzes (man vergleiche Filippinos Bernhardslegende, Abb. 536, S. 438) in eine räumliche Anlage auf. In deren Tiefe sitzt Maria mit dem Kinde als Mittelpunkt eines Kreises von Leuten jeglichen Alters, deren erregte Gebärden des Staunens, der Ergriffenheit und der Anbetung wie Flammen über den Rand eines Gefäßes schlagen. Wäre das Bild vollendet, wir würden vielleicht stärker als jetzt vernehmen, mit welcher Kunst hier verzichtet ist, die auch bei den Manieristen beibehaltene Menge des Gefolges durch mannigfache Sehenswürdigkeiten merkwürdiger Bildnisse, kostbarer Stoffe und Preziosen und farbenprächtiger Tiere interessant zu machen, wie statt dessen der dichtgedrängte Menschenhaufen zum Unisono eines einzigen Gefühls und zur Raumeinheit einer einzigen Menschenhecke zusammengefaßt ist, nicht mehr Gefolge, sondern schützendes Gehege, gebaut und zusammengewachsen aus Leibern, Gliedern und dem Ansturm Alt und Jung gleich unmittelbar ergreifender Begeisterung. Die Gotik, die die Botticelli-Generation suchte,

Abb. 608. *Leonardo da Vinci, Anbetung der Könige. Florenz, Uffizien. 1480—81.*

Abb. 609. *Leonardo da Vinci, Abendmahl. Mailand, Sta. Maria delle Grazie. 1495—97.*

die große Form des kirchlichen Bogenfeldes und der gotische Schwung einer der Madonna huldigenden Zuneigung ist hier ungesucht, ganz unmittelbar, ganz aus dem eigenen Innern kommend wieder da, die alte Form ist wahrhaft wiedergeboren. Auch die gotische Anmut der Madonna entsteht von neuem in einem gestreckten Sitzen des schlanken Körpers, der ohne Schärfe und preziöse Linieneckigkeit mit vollendeter Körperrundung im Raum von einer Seite zur andern sich wendet und mit Neigung grüßt. Aber auch das andere ist da — der Zusammenschluß des Vorganges zu einer gegen die Welt und den Beschauer sich abschließenden Szene, das vom Gleichklang erfüllte Rund, dessen musikalische Auflösung im Schein und Dämmer uns noch tiefer berücken würde, wenn die wie bei Rembrandt aus dem Dunkel aufflackernden Köpfe und Hände das schwebende und durch den Raum webende leonardeske Helldunkel in der Ausführung erhalten hätten. So erhebt Leonardo die Künstelei des Manierismus zur Kunst, und indem er das Sehnen der Zeit erfüllt, schreitet er kühn über sie hinweg. Der Überschwang der Bewegung, die in den prächtigen Reiterbildnissen des Hintergrundes ihre stärksten Ausprägungen erfahren hat — sie wirken als Vorwegnahme zu einer später in Auftrag genommenen Reiterstatue —, ist gewiß nichts, was spezifisch Leonardo charakterisiert. Aus der bewegten Kunst Melozzos flossen manche barocken Tendenzen in die Neogotik hinein. Die charakteristischsten Bilder Leonardos haben nicht das Pathos, sondern die Zartheit feinster Verschwebungen, aber es ist in der raumfordernden Aktion wie bei dem gleichaltrigen Signorelli ein Protest gegen die Unwirklichkeit der Linie und ein Verzicht auf die Formeln des Andachtsstiles. Man spürt hier, daß ein Künstler am Werk ist, der, was bei andern Gerüst bleibt, mit Leben füllt.

Auch das *Abendmahl* Leonardos in Mailand (Abb. 609) steht in seiner streifenhaften Komposition, der altarbildartigen strengen Symmetrie mehr in der von Mantegna zur Neogotik führenden Restauration des Kultbildes, als in den Bestrebungen, die zu einem neuen Raumstil und einer neuen Intimität des Bildgehaltes führen, wie sie bei einem solchen Thema des Innenraumes nahegelegen hätte. Die große freskale Anlage mochte Leonardo zu besonderer Strenge verpflichten. Von allen Gemälden enthält es am meisten den Künstler, am wenigsten den Menschen Leonardo. Der Reichtum der Komposition, die die symmetrischen Gruppen der Männer zu beiden Seiten Christi noch einmal zu Gruppen zusammenfaßt und den Ausdruck des Psychischen in ein immer von neuem bei jeder Figur variiertes Spiel der Hände hineinlegt, bringt das Bild in die Nähe einer reichen Schöpfung wie Botticellis Primavera. Neu aber, und von keinem andern Künstler der Zeit (oder aller Zeiten) so möglich, ist es, Christus wie bei der Anbetung der Könige zum Zielpunkt auf ihn gerichteter, gleicher Gefühlsausbrüche zu machen, durch die sich auch hier die Komposition, was räumlich nur angedeutet ist, seelisch um eine Mitte rundet. Denn es ist räumlich trotz der Breitendehnung der Tafelgesellschaft angedeutet. Man muß dazu das Original mit der durch die Farben geklärten Räumlichkeit sehen; schon die Photographie verklebt die Figuren und verflacht die Situation, die Stiche aber, die man des schlecht erhaltenen Originales wegen in die Hand nimmt, verallgemeinern und versüßen nicht nur die Köpfe, sie verschärfen auch die Konturen und reihen alles nach der Schnur. Schon daß die Rückwand nicht der Ausdehnung der Tafel wie in den älteren oder gleichzeitigen Bildern des Abendmahles folgt, sondern als ferner Abschluß eines in strenger Flächenfolge geschlossenen tiefen Raumes die Tafel zum Raum im Raume macht, daß der Blick auf diese Wand in die Landschaft hinausgeführt wird und Christus und die ihm zunächst sitzenden Jünger mit in die Tiefe reißt, alles das erhöht die Mittel der Komposition, mit der Leonardo die Jüngergesellschaft aus der Fläche in die Rundung eines Tiefenraumes hineinführt. Während die Jünger in der Dreiergruppe an der Tischseite um die Ecke so herumbiegen, daß zwei der Tischfläche parallel sich folgen, sind die Christus nächsten Gruppen mit unauffälliger Kunst plötzlich in die Tiefe geschwenkt und stellen sich gegen die reine Frontalerscheinung Christi senkrecht, schieben sich um ihn herum in einer Bewegung, die sich die Vorstellung zu einem räumlichen Umgreifen der Gestalt Christi ergänzen kann. So ordnen sich die Gestalten der Jünger auf einem Grundriß, der kein anderer ist als der des Dreikonchenraumes. Man muß das einmal nachrechnen, da man sonst der auf dieses Werk gehäuften Kunst nicht gerecht werden würde. Man darf auch nicht übersehen, wie der Gleichklang der aufeinander bezogenen Gruppen durch wunderbare Permutation derselben Elemente hergestellt und Harmonie aus der Gleichgesetzlichkeit des Vielseitigen gewonnen wird, wie gleichartige Jugend- und Altersköpfe einmal innen, einmal außen die entsprechende Gruppe randen, wie die Profil- und Faceansicht in ihnen gesetzmäßig wechselt, die rückblickende Kopfwendung mit vorgreifenden Armen und die vorwärts blickende mit rückgreifenden verbunden ist. In dieser Variation gelang es dem Künstler, aus der Gleichstimmung der immer selben Gefühle, des Zweifelns, Fragens, Erwartens, Be-

Abb. 610. *Leonardo da Vinci, Madonna in der Felsgrotte. Paris, Louvre. 1483—1508 (?).*

fürchtens fast nur durch die psychologische Auswertung des räumlichen Vor und Zurück noch eine dramatische Spannung anzudeuten, die sich über Christus hinweg zwischen den Gruppen der Jünger rechts und links neben Christus ergibt. Die Schreckgebärde des Jüngers rechts wirkt wie eine Eröffnung über den in den Schatten zurückweichenden Judas.

Christus sitzt abgerückt von den Jüngern, er ist Mittelpunkt ihrer Gefühle, aber er ist allein. Er spricht mehr vor sich hin als zu ihnen. Auch er ist im Gleichmaß, fast mathematisch wie ein Dreieck gegeben, die Gewandfalte geht denselben Weg wie der Arm. Beide Arme und Hände agieren gleich, nur öffnet sich die eine nach oben, die andere nach unten: sie bedeckt den Raum, über dem sie schwebt. Was die eine eröffnet hat, deckt die andere zu; es gibt keine Erklärung für das, was die Eröffnung gab. Der leicht geneigte Kopf Christi löst auch hier alle Dramatik und Repräsentation in Stimmung: auch sie ist Frage und Resignation über das Geheimnis des Unerklärlichen. So gipfelt das Bild nicht in einem Heiligen, sondern im Menschen, und wer im Original das Antlitz Christi in seiner gefaßten, aber herben Menschlichkeit gesehen hat, die weit entfernt ist von der verschönernden und verallgemeinernden Interpretation der Stiche, hat begriffen, wie hier auch ohne das Pathos des Leichnams und Kreuzes der Mensch und Dulder erfaßt ist. Die Verwandtschaft aber mit den venezianischen Existenzbildern und zugleich den Abstand an Größe und Tiefe faßt man, wenn man sich klar macht, daß auch der Beschauer die Stimmung, in die er sich einfühlt, zu der seinigen in der Wirklichkeit des Tages machen kann, die Stimmung, die in der Frage liegt: Herr, bin ich es? In seinen Tagen, wo die Überhebung der Bildung ebenso wie die Überhebung der Diener der Kirche über den, dem sie dienen sollten, den Menschen Christi zu verraten täglich im Begriff waren, mochte auch Leonardo die Allgemeingültigkeit dieser Frage fühlen: Herr, bin ich es?

In den Aposteln, ihrer kraftvollen Körperlichkeit und ihren starken Gebärden, ihrem reichen Finger- und Händespiele faßt man den Künstler, der eine Tradition und eine Manier läutert und steigert — in der Gestalt Christi glaubt man sich dem Menschen Leonardo nahe. Nur von ihm führt ein Weg zurück in die seelische und künstlerische Zartheit der Felsgrottenmadonna (Abb. 610). Es ist das Thema der Anbetung des Kindes, von der erzählenden Form Filippo Lippis (Abb. 484, S. 405) und seiner Waldesstimmung in die zentrale Komposition

Abb. 611. *Leonardo da Vinci, Heilige Anna Selbdritt. Paris, Louvre. 1508—12.*

des Madonnenkultbildes der Neogotik zurückgebildet und wiederum zu einer räumlich stimmungsvollen Raumgruppierung weitergeführt. Die Erinnerung an Vorläufer und Umgebung Leonardos soll nicht seine Abhängigkeit dartun, sondern die weite und umfassende Art seines Genies erweisen. Denn nichts ist mehr so da, wie es war, alles ist verwandelt und ein Neues, nur einmal Vorhandenes geworden. Die weiche Waldestiefe Filippo Lippis und die harten Felsgründe des Manierismus sind zu einer Naturarchitektur, zu einem Felsendom geworden, dessen Raum sich über der Gruppe unten wölbt. Wie durch die Glasfenster einer Kirche dringt das Leuchten der Ferne. Madonna, Engel und Kinder umknien einen Raum; wie die Pfeiler der Felsenarchitektur folgen sie sich im Kreis, der sich durch die Beziehung des Christus- zum Johannesknaben schließt. Die Linie, die sich durch die Hand des Engels, die zum Johannesknaben hinweist, als Richtung vor die Madonna spannt, drängt diese noch stärker in den Raum zurück und aus dem Zentrum heraus. Auch in diesem Bilde ist viel spitzige und betonte Gebärde dünner Finger und noch manche scharfe Linie der gotischen Feinheit, aber wesentlicher ist die gotische Verbundenheit aller Figuren, die sich wieder in Raum und Stimmung löst. Drei übereinandergestellte Hände schweben im Raum, als seien sie diesem verpflichtet, und als sei er, als ein von ihnen gefaßter Ausschnitt aus der Unendlichkeit des Kosmos, die Mitte, um die sich alle andächtig neigen. Die feine, eingehende Modellierung aller Glieder und Formen ist dieselbe wie die eingehende Zeichnung der dünnen Blumenstengel und ihrer im Raum schwimmenden Blüten. Ohne sie wäre nicht die Andacht vor dem Kosmos, dessen Leben sich im kleinen verdichtet, so stark fühlbar. Und nur durch die Brüche der Falten, über denen die Köpfe blütenhaft schweben, werden die Menschen so stark in die brüchige Felsarchitektur eingebunden. Hier spricht nicht der kirchliche Verehrer der Maria, sondern der Denker, der das Gesetz des Weltalls im Leben des Kleinsten zu finden trachtet, und der Künstler, der nicht die Fülle des Lebendigen der Gleichförmigkeit der Regel opfert.

LEONARDO DA VINCI, SELBSTBILDNIS
TURIN, KGL. BIBLIOTHEK. UM 1518

Er gewinnt die Harmonie nicht aus der Wiederholung desselben, sondern aus der Abstimmung des Verschiedenartigen, indem er das kleinste Wesen, das Christkind, sich am aktivsten bewegen, die Madonna aber sich am stärksten versenken und entäußern läßt. Alles aber wird getragen von der einenden, im Wechsel von Hell und Dunkel ewig lebendigen Dämmerung. Die Londoner Wiederholung hat alle Feinheiten verschwimmen lassen, vor allem aber die Hauptsache zerstört, das Felsengewölbe und das Raum-Umknien der Figuren, indem sie die Figuren zu einer die Madonna als Kultbild betonenden Gruppe zusammengedrückt, emporgehoben und durch einen starren Felsen im Hintergrunde abgehoben hat. Das Bild ist wörtlich und übertragen ohne „Tiefe".
Das Bild muß später sein. Auch als Schülerarbeit steht es in einer Entwicklung, die in Leonardos Schaffen selber von der Grottenmadonna zur Anna Selbdritt führt (Abb. 611). Das Thema ist das gleiche. Die Mutter in mitfreuender Andacht dem Kinde hingegeben. Auch hier sind zwei Wesen hinzugefügt, die Großmutter, das Lamm. Eine räumliche Gruppierung wäre auch hier möglich gewesen. Zeichnungen beweisen, daß Leonardo zuerst an ein Nebeneinander der Figuren gedacht hat. Daß er sie zu einer Gruppe vereinigt hat, die alle Kräfte einer neuen plastischen Monumentalität und einer barocken Gliederentfaltung in sich birgt, ist neu und bezeichnet den Weg, den die Entwicklung der Kunst in Italien nimmt. Trotzdem bleibt Leonardo noch auf seinem eigenen Wege und streift Elemente neogotischer Feierlichkeit, Gebärden des Segnens, Härten der Linien, Wendung nach außen, unkindliches Gebaren ab. Diese Menschen sind seelisch ganz für sich, im Gleichklang eines versonnen-seligen Mitlebens mit dem unbewußten Spiel von Kind und Tier. Die Feierlichkeit, die Ewigkeitsbedeutung, die jede pyramidale Gruppe in sich trägt, besagt kaum mehr als einen Hinweis auf die hohe symbolische Bedeutung dieses Spieles des Kindes mit dem Opferlamm. Es hat gleichsam sein eigenes Schicksal in der Hand. Gelöst aber wird die starre Form nicht nur durch die seelische Haltung, sondern auch durch

Abb. 612. *Leonardo da Vinci, Mona Lisa. Paris, Louvre. Begonnen 1503.*

Abb. 613. *Piero di Cosimo, Anbetung der Hirten. Berlin, Kaiser-Friedrich-Museum. 1. Jahrzehnt 16. Jh.*

Abb. 614. *Piero di Cosimo, Tod der Procris. London, National Gallery. 1. Jahrzehnt 16. Jh.*

unbewußte, echte Rückkehr zu mittelalterlich gotischen Formen, die gestreckten Glieder und ihre Verkreuzungen und Verbindungen, die empfindsamen Neigungen von Kopf und Leib, das gotische Lächeln. Im Kopf der Heiligen Anna ist das Lächeln der Engel von Reims durch die Härten der Konvention zur Weichheit des Menschlichen durchgebrochen. Diese Gruppe ist ein Gegenstück zur spätmittelalterlichen Pietà. Wie diese schließen die offenen Formen überall einen den Figuren eigenen Raum in sich ein, der hier durch das weiche Helldunkel und die Atmosphäre, die alle trennenden Grenzen auflöst, in das All einbezogen ist, in die Weite einer unendlichen Berglandschaft im Hintergrund, deren kosmische Bedeutung Form und Chaos vereint. Das Besondere, Byzantinisch-Italienische ist auch hier, daß die Richtung nicht so sehr auf Vertiefung menschlicher Teilnahme am Mitmenschen, sondern auch im Mitleben auf den geistig-sinnlichen Genuß am Dasein und In-der-Natur-sein zielt. Das weiche Sich-nach-unten-breiten der Gruppe, das Runde und Sänftigende der Malerei, das tiefgelagerte Sitzen — alles wiegt den Beschauer in eine Versonnenheit stillen Genießens, wie die weiche, durchsonnte Luft über den Schroffen der Berge. Daß das nicht plump wird wie bei den späteren Venezianern, die das Fleisch zur Schau stellen, daß es in der Schwebe bleibt, geistig und vieldeutig, wie hochmittelalterliche Schöpfungen, daß es die Summe der Jahrhunderte zieht und die Zukunft vorbereitet, ist Leonardo. Seine Ahnen, nicht seine Lehrer, denn er kannte sie nicht, sind die Gipfel menschlicher Kunst: die Tauschwestern des Parthenongiebels, das Lächeln von Reims, die Pietà und Ravennas zarteste Schöpfungen.

In dem Porträt der *Mona Lisa* (Abb. 612) ist aller Beziehungsreichtum der Anna Selbdritt auf eine Einzelperson übertragen. Auf dem Sockel der Arme baut sich der Körper als Pyramide auf und zeigt das Gesicht fast völlig en face. Aber dieses Postament der Arme entsteht aus lässigem Übereinanderlegen der Hände, einem ruhevollen Beisichsein, um das raumschaffende Gebärden und die absichtslose Körperwendung einen eigenen, von weichstem Licht und Schatten mit der Hintergrundslandschaft verbundenen Raum legen. Diese Landschaft aber ist dieselbe, Chaos und Kosmos vereinende, Dunst und Körper mischende Weite wie im Bild der Anna Selbdritt, eine Landschaft, deren

Vibrationen sich in dem Faltengeriesel der Frau zur Gestalt verdichten. Das Individuum ist in eine Allgemeinheit emporgehoben, die mehr ist als die starre Monumentalität der Form und teilhat am flutenden Leben der Natur. Der Beschauer, der sich der Gestalt nähert, ist sofort in einer Atmosphäre. Und so ist es mit dem, was ihn seelisch aus dem Antlitz anspricht. Ein Entgegenkommen, der Zauber gotisch huldvollen Lächelns und ein Zurücknehmen desselben Lächelns in die eigene Besonnenheit, deshalb so geheimnisvoll, so schwebend. Es ist dieselbe Stimmung wie auf den Bildern dieses Stiles: ganz in sich beschlossen und doch jedem offen. Man hat, je nachdem was man von dieser Frau will, den Charakter als hochmütig, kokett, grausam, lüstern und wer weiß noch mit was für psychoanalytischen Epitheta charakterisiert, weil jeder, der glaubt, er sei mit diesem Lächeln gemeint, sich unsicher fühlt. Daß sie wie die Landschaft hinter ihr keinen Charakter darstellt, sondern den Zustand eines auch für die Welt offenen unenträtselbaren Insichschwebens, das bedeutet, daß man nichts von ihr wollen darf, sondern daß allein in der Nähe, in der Atmosphäre sein etwas von dem erhobenen Zustand des In-der-Welt-Seins vermittelt. Sie verkörpert das Lebensgefühl dieser Epoche, das Renaissancegefühl des italienischen Menschen in der höchsten Form, das Weltgefühl Leonardos.

Abb. 615. *Gerard David, Hochzeit zu Kana. Paris, Louvre. Kurz nach 1503.*

Leonardos Kunst hat eine reiche Zahl von Nachfolgern in Oberitalien gefunden, die alle sein Werk verflacht und vereinfacht haben, in einem Sinne, wie es die Londoner Fassung der Felsgrottenmadonna mit der Pariser getan hat. Der einzige, der wegen seiner Originalität neben ihm noch genannt zu werden verdient, ohne daß er sein Schüler war, und sich zu ihm etwa wie Carpaccio zu Bellini verhält, ist *Piero di Cosimo.* Er hat eine Anbetung des Kindes gemalt, jetzt in Berlin (Abb. 613), in der sich die Anbetenden zu einem

Abb. 616. *Geertgen tot Sint Jans, Johannes auf Patmos. Berlin, Kaiser-Friedrich-Museum. Um 1480—90.*

Abb. 617. *Albrecht Dürer, Rosenkranzfest. Prag, Kloster Strahow. Um 1506.*

Gewölbe über das Kind neigen, das in einer weichen und doch saftigen Malerei sich ganz der auf die Figuren bezogenen Landschaft anschmiegt. Charakteristisch aber für ihn ist, wie in Landschaft, Getier und Hirten trotz der Abrundung des Stiles ein fast nordisch anmutendes Eingehen auf die Physiognomie eines ländlichen und charakteristischen Lebens sich meldet. Die Kraft und Breite Piero della Francescas lebt in ihm wieder auf. Im Tod der Procris (Abb. 614) ist die Gestorbene so auf den Boden gelegt, umrahmt und umwölbt vom Faun und Hund im Gleichklang andächtiger Trauergebärden, daß der Blick über den Körper in die ganz flach sich ausbreitende Frühlingslandschaft geht. Aber was hier so frisch anmutet, die Nähe naturhafter Wesen und die Realistik des entseelten Körpers, die Bestimmtheit der Charakteristik läßt doch nicht jene Stimmung aufkommen, die Landschaft und Natur völlig eint. Es bleibt mehr Anekdote und mehr Anteilnahme am Einmaligen, die eher zu Altdorfer und zu Cranach führt als zu Leonardo. Dennoch war es einem Italiener vorbehalten, Geschöpfe, die so als der weiten, alloffenen Natur zugehörig empfunden werden, so glaubhaft individuell zu malen. In Deutschland ist die Natur entweder Absonderung, Einsamkeit oder heimatlich, freundnachbarlich. Zu beiden paßt nicht die offenfrohe, dekorative Schönheit der Landschaft und der geformte Gleichklang allgemeiner Stimmung.

Als deshalb dieser Andachtsstil über die Alpen drang, entstand zum ersten Male aus der Fremdheit dieses Stiles im Verhältnis zum eigenen Wesen das

Abb. 618. *Albrecht Dürer, Tod Mariä. Holzschnitt aus dem Marienleben. 1510.*

Problem des *Italianismus* als eines spezifisch nordischen Manierismus, und zwar gleichzeitig in den Niederlanden und in Deutschland. In den Niederlanden kam das Element feintönender Oberflächenkunst und ein Hang zur Ruhe und Beschaulichkeit diesem Stil entgegen. Schon Memlings neue Gotik hat etwas von der Ausgeglichenheit Peruginos, seine Ursulalegende etwas vom gedämpft Zuständlichen Carpaccios. Aber erst *Gerard David* vertritt in Holland diesen Stil eines ruhigen und stillen Daseins von Menschen im Raum, für die er die Themen eines Gastmahls (Hochzeit zu Kana; Abb. 615), einer Maria im Kreise musizierender Engel und lesender Heiligen benutzt. Dazu kommt wie in Italien die Taufe, in weite, durch Baumkulissen gegliederte Landschaft eingestellt, und die Verkündigung, in einen Raum von regelmäßigen Flächen und koordinierenden Linien, horizontalen und vertikalen, eingebettet. In all diesen Bildern geschieht kaum etwas; ein stilles, feierliches, in der Form ausgeglichenes Beieinander, und ein von wenig Farbe belebter, blaugrüner, feierlicher Ton faßt alles zusammen. Die schon traditionell gewordene Sorgfalt in der Behandlung der Oberfläche wird zu einer zarten und anmutigen Vertreibung der Töne bis in die kleinsten Faltenwölbungen hinein. Aber der niederländische Künstler verzichtet nicht auf die Details und bemüht das Auge um die einzelnen Personen und Formpartikel. Die Schnörkel zarter Faltenbrüche widersprechen dem allgemeinen Stimmungston, und in Kostüm und Physiognomie bleibt das auf seinen eigenen Kreis beschränkte Individuum. So wird die Gemeinschaft ein linkisch befangenes Nebeneinander, das nur in herzlicher, menschlicher Beziehung, nicht durch Gleichklang äußerer Formen und Gebärden sich verbinden könnte; die gewollte Form wirkt gestellt, der Raum überfüllt, das Füllsel aber leer. Und die einende Malerei bleibt ohne Musik und kosmische Harmonie, an den Dingen hinschwebend bleibt sie eine lieblich verschönende Oberflächlichkeit.

Der mit Dürer gleichzeitige *Geertgen tot Sint Jans* (Abb. 616) zeigt in seinen wenigen Gemälden Züge eines harten und starken Realismus in noch flacher räumlicher Bildanlage, ähnlich wie Dürer in der Apokalypse, und sein Johannes in der Einöde hat schon etwas von der Ausdruckskraft der mit

Abb. 619. *Albrecht Dürer, Abendmahl. Holzschnitt aus der Großen Passion. 1510.*

Entscheidungen ringenden Persönlichkeit wie in Dürers Meisterstichen. Aber auch in der Landschaft ist doch eine andere Oberflächlichkeit als bei Dürer, so daß man begreift, daß die holländische Malerei auf den Pfaden weiterging, die Gerard David eingeschlagen hatte, auf den Pfaden des Italianismus, und daß sie die reformatorische Durchführung eines neuen Naturalismus Deutschland überließ.

Auch *Dürer* hat in den Jahren, als er um das Problem der Figur im Raum rang, den Eindruck der Schönheit dieses Raum- und Andachtsstiles erfahren, dem sich wegen der in ihm ruhenden Voraussetzungslosigkeit und Gesetzmäßigkeit niemand entziehen kann. Das Rosenkranzfest in Prag (Abb. 617) ist ein Madonnenbild, das das Wirkungsmittel Bellinis, die Madonna vor einem Vorhang in einer Landschaft und mit einem musizierenden Engel zu Füßen, mit der von hinten allseitig andrängenden Zuschauerschar wie auf Leonardos Anbetung der Könige verbindet, aber in naturalistischer Weise das Personenrepertoire aus zeitgenössischen Porträts zusammensetzt, und dadurch das Ganze in eine reiche, gegenwärtige Volksszene verwandelt, der der Künstler mit seinem Freunde Pirkheimer von der Seite her naht, mehr als ein Betrachter und Reporter als ein Andächtiger. In der Tat, das Bild ist lebendig, bunt und sehenswert, aber nicht stimmungsvoll. Besonders eine Reihe von Holzschnitten der großen Folgen des Marienlebens und der Großen Passion offenbaren den Einfluß Italiens in einer räumlich zentralen Anlage sorgfältig um eine geistige Mitte herumgestellter Figuren. Marientod und Abendmahl (Abb. 618, 619), letzteres mit viel leonardesken Elementen, sind die bezeichnendsten Beispiele. Aber dasselbe, was die der Ordnung sich fügenden, auf Gleichmaß auch der eigenen Haltung bedachten Personen manieriert, die Stimmung des Ganzen kühl, die Harmonie konstruiert wirken läßt, die knorrig ungelenke volkstümliche Persönlichkeit, dasselbe wirkt auch im ganzen Bilde als ein kräftiger, persönlich künstlerischer Vorstoß in die Beherrschung natur- und weltgestaltender Mittel, in die Herrschaft über Körper und Raum in ihren Wechselbeziehungen, und mündet in einen Sieg des raumfüllenden, körpereinenden Lichtes. Dieses verwandelt alle Stille und genußvermittelnde

Tönung in eine ausdrucksvolle Dramatik des Hellen und Dunklen und zwingt selbst die spröde und offene Linie mit großartiger Technik in ihre Bahnen. Der scheinbar Italien erliegende deutsche Künstler erringt in Wirklichkeit einen Sieg, den er in den Meisterstichen feiert.

Weniger glücklich, weil weniger innerlich reich und zielsuchend, sind Künstler neben Dürer, wie *Burgkmair* und *H. Holbein d. Ältere,* mit diesen italienischen Einflüssen fertig geworden. Sie haben nicht begriffen, daß in diesem Stil nur die Harmonie aller Bildfaktoren eine Wirkung ausübt, und daß es nicht angeht, einen in einer Kapellennische mündenden Raum, vor dem eine vom Rücken gesehene Frau mit der Stille einer Terborchschen Kostümfigur sitzt, mit Gewaltszenen der Hinrichtung des Paulus zu umstellen (Paulusbasilika von *H. Holbein*) oder zwei Figuren (Krönung Mariä, Sebastian und Konstantin von *Burgkmair*) an die Seitenpfosten einer in der Mitte sich öffnenden Architektur zu stellen, wo sie nun zufolge ihrer Ausgeglichenheit bis auf den heutigen Tag stehen, ohne zwischen Raum und Figuren und Stimmung des Lichtes mehr als eine rein äußerliche Beziehung zu schaffen.

Aber mit diesen Beziehungen zum Andachtsstil und seinen Raumwirkungen ist der Italianismus im Norden nicht erschöpft. Gleichzeitig mit diesen Künstlern, Zeitgenossen Dürers, sind Michelangelo und Raffael. Eine neue Generation tritt nach Leonardo mit neuen Ansprüchen hervor und leitet eine neue Bewegung ein, die bis heute die Welt in Atem gehalten hat — den Barock.

ZWEITE ABTEILUNG

BAROCK UND SENSUALISTISCHER NATURALISMUS

FRÜHBAROCK IN ITALIEN (RAFFAEL, MICHELANGELO)

Restauration des Papsttums und des Kirchenstaates, teilweise durch Kriegführung. Julius II. Rovere, 1503—13. Leo X. Medici, 1513—21. Paul III. Farnese, 1534—49, bestätigt 1540 den Jesuitenorden. Paul IV. Caraffa, 1555—59, stellt die Inquisition wieder her.

Der Andachtsstil und die Kunst des Leonardo erinnern in vielem an die ausgehende Kunst des Mittelalters und an die Kunst des Ghiberti und des Fra Angelico, an die Umschmelzung des sakralen Altarbildes und des Portalschmuckes in eine Situation feierlicher, aber menschlicher Stimmung, wobei die gotischen Kultfiguren aus dem Raum der Architektur in den Eigenraum oder in die Landschaft entrückt wurden. Sie haben gleichsam zwei Gesichter: ein vorwärtsblickendes zur Natur und zur menschlich einfühlenden Bildauffassung und ein rückwärtsblickendes zum Mittelalter und seiner monumentalen kirchlichen Kunst. In der Kunst Leonardos spürt jeder sowohl einen Weg zu Rembrandt wie einen Weg zu Michelangelo und Rubens, zu einer neuen, malerischen Naturauffassung, zu der sich die deutsche Kunst und Dürer rein und eindringlich bekennt, zugleich aber zu einer neuen kirchlichen und höfischen Kunst, dem Barock. Kirchliche Kunst aber ist nicht gleichbedeutend mit christlicher Kunst; verglichen mit mittelalterlicher Kunst wird die kirchliche Kunst heidnischer, d. h. Renaissance. Und auch höfische Kunst ist nicht gleichbedeutend mit gotischer Kunst, sondern mit dieser verglichen wird sie unverbindlicher, unhöflicher, sie wird machtvoller und sinnenfroher gleich der antiken, Heroen feiernden und Heroen freuenden Kunst; Mars und Venus regieren die Stunde. Auch die weltliche Fürstenkunst greift zurück auf antikes Barock, wird Renaissance. In beidem, dem Kirchlichen und dem Fürstlichen, tritt sie in Gegensatz zu den reformatorischen Bestrebungen der Leonardo- und der Dürerzeit, sie ist eine Gegenreformation schon, ehe die Reformation als politisch-kirchliche Tatsache sich vollzogen hatte, eine Gegenreformation in der Gesinnung genau so, wie es eine Reformation der Gesinnung schon vor Luthers diese Gesinnung besiegelnder Tat gab. In Italien schuf Savonarolas Auftreten eine Reformation vor der Reformation. Der Gegensatz aber zu Dürers und der deutschen Kunst ist nicht ein zeitlicher, sondern ein räumlicher, eine

Abb. 620. *Michelangelo, Christus. Rom, Sta. Maria sopra Minerva. 1518—21.*

Abb. 621. *Fra Bartolommeo, Salvator Mundi. Florenz, Palazzo Pitti. 1516.*

Trennung Europas in zwei feindliche Lager; künstlerisch wird es der Gegensatz der Verherrlichung der Kirche und der Bildung der autonomen Persönlichkeit. Was in der Anna Selbdritt sich ankündigte, die Füllung des Bildes mit einer monumentalen, körperlichen Statue für den Altar, erfüllt sich jetzt. Inhalt des religiösen Bildes wird die ganz kultisch der Verehrung und Anbetung dargebotene Heiligenstatue, durch Malerei als herrschende Figur vom neutralen Grund abgehoben, oder durch Plastik in unseren Raum gestellt. Die Plastik tritt jetzt wieder stark in den Vordergrund. *Michelangelo* wird der Vater des Barock. Was seine Madonnenstatuen in ihrer kubisch geschlossenen Monumentalität, sein Christus aus Sta. Maria sopra Minerva (Abb. 620) in seiner heroischen Würde in plastischer Ausführung geben, das schafft die Malerei, indem sie ihre Heiligen auf einen Sockel stellt, ein *Fra Bartolommeo* seinen Christus (Abb. 621), *Andrea del Sarto* seine Madonna und seinen predigenden Johannes (Abb. 622). Streng nach außen gekehrt, drohend in der Gebärde wie im Jüngsten Gericht, mit Kind und Buch athletisch sich im Gleichgewicht bewahrend, nicht mehr dem Kinde zugeneigt, sondern den Gläubigen mit großem Blick fassend, von gleichblickenden Heiligen geschützt und unterstützt, von Putten sockelhaft begleitet, das ist das neue, feierliche Kultbild (Abb. 623). Im Hintergrund kein Eigenraum, keine Landschaft, sondern eine strenge, mit Linien die Gestalt fest rahmende Architektur und Andeutung einer Nische hinter der Figur. Lebendige Natur ist völlig in kunstvolle Statue zurückverwandelt; der Hintergrund ist nur Folie, von der die Figur wieder zur Verehrung in unsern Raum hineingedrückt wird. Das Gemälde wird Ersatz für Plastik, die unmittelbar in der Kirche selbst steht als Vergegenwärtigung des Göttlichen und Übermenschlichen, sie wird repräsentativ.

Das Porträt, im Naturalismus der ersten Hälfte des 15. Jahrhunderts und in Dürers Brustbild individuelle Physiognomie, durch Schrägblick und Helldunkel uns entrückt und in eigener Geistigkeit beschlossen, verlangt jetzt wieder Haltung des Körpers, sucht im Kopf die große bedeutende Form, das Allgemeine wie in den idealen Prophetenköpfen und strebt zum großen öffentlichen Denkmal, dessen großartigste Form das Reiterdenkmal wird (Abb. 876),

Abb. 622. *Andrea del Sarto, Predigt Johannes des Täufers. Florenz, Scalzi. Fresko. 1517.*

oder zum Grabmal, in dem der Tote nicht mehr auf dem Sarge schläft, sondern in einer Nische in großer Haltung thront wie ein Christus des Jüngsten Gerichts, zu Füßen Genien, über die er herrscht, wie einst im hohen Mittelalter Christus und Heilige über die Dämonen, auf denen ihre Statuen stehen. Sklaven bilden den Sockel des Reiterdenkmals oder sind an die Architektur des Papstgrabes gefesselt.

Leonardos Madonnen hockten auf dem Boden und Raffael tat es ihm in seinen ersten Madonnenbildern darin nach, Dürers Heilige sitzen zur Seite geschoben, im Winkel, hocken lesend in der Sonne vor der Stadt; jetzt sucht man mit allen Kräften die Erhebung. *Giorgione* schafft für seine *Madonna di Castelfranco* (Abb. 624) einen Thron, der über den Köpfen der sie begleitenden Heiligen steht, *Raffaels Sixtina* (Abb. 625) schwebt auf Wolken und *Tizians Assunta* (Abb. 626) fliegt im Engelskranz zum Himmel. Die erhabene Wirkung mittelalterlicher Apsismosaiken wird von neuem angestrebt und mündet im Triumph der Kirche in Raffaels *Disputa* (Abb. 39, S. 55) und Michelangelos *Jüngstem Gericht* (Abb. 627), wo Christus als Herrscher über Leben und Verdammnis im Kreise der Apostel hoch über der Erde thront, bei Michelangelo geschildert mit der Gewalt des Gerichtsvollzuges in großartiger Dramatik, bei Raffael in der Dogmatik dreier Raumsphären, in deren Zentrum die Dreieinigkeit, in deren unterem Rang kirchliche Funktion am Altar sich feierlich in den Raum hinein verkündet.

Zu den Kult- und Altarbildern kommen die Statuen in den Nischen der Paläste, wie in *Sansovinos Loggietta* in Venedig (Abb. 628), in den Zwikkeln der Bögen, auf den Sockeln öffentlicher Plätze und an den Wänden der festlichen Säle, in denen Menschen ebenso vom Grunde abgehoben oder mitten in unsere Gegenwart hineingestellt und ganz allgemein durch ein schönes Liegen, Stehen, Sitzen, durch Schönheit der Form und Allgemeinheit des Typus auf uns als

Abb. 623. *Andrea del Sarto, Madonna delle Arpie. Florenz, Uffizien. 1517.*

Vorbilder bezogen sind. Sie werden tonangebend für eine Gemessenheit und Angemessenheit des Benehmens in einer Umgebung, die nicht mehr unbestimmte Atmosphäre, sondern bestimmte Architektur ist, Gemeinschaft von Gliedern, deren Form schon in der architektonischen Allgemeinheit verpflichtend ist und eine Beziehung zur Würde und Gravitas enthält. In diesen Räumen spielen die Bilder mythischer Frauengestalten eine besondere Rolle, keine Mütter mehr, die ihre Kinder säugen, keine Wöchnerinnen im Kreise besorgter Nachbarinnen, sondern schöne Frauen, die sich dem Beschauer zum Kult der Venus darbieten, und ihn in eine Gesellschaft hineinstellen, in dem das Kind als Amor barocker Vermittler zwischen der Dargestellten und dem Beschauer wird. Es ist Frauendienst wie im Mittelalter. Auch die Rolle dieser formal schönen Personen wird eine öffentliche. Aufgabe der Kunst wird es, diese Öffentlichkeit herzustellen, die Intimität des Tafelbildes wieder aufzuheben. Deshalb wird das Wandgemälde, das Fresko, die große Form des Bildes im Barock, und die Malerei sieht sich der Verpflichtung gegenüber, die Rahmen ihrer Bilder einen Teil der wirklichen Architektur werden zu lassen, den Bildraum zur Fortsetzung des wirklichen Raumes zu machen. Die Betrachtung von *Michelangelos Sixtinischer Decke* (Abb. 629) muß damit beginnen, zu konstatieren, daß die Sockel, auf denen die Sklaven hocken, die Nischen, in denen Propheten und Sibyllen sitzen, die Gurte, zwischen denen Gottvater schwebt, vom Maler über den Raum gespannte Architekturglieder sind, ein konstruktives Gerüst, das diesen Raum deckt und öffnet. Überall sind Räume hineingebaut, aus denen die gemalten Figuren in den wirklichen Raum, die Capella Sixtina, hineintreten. Die von Fruchtgirlanden umwickelten Stäbe, die über dem Saal der *Farnesina* als eine Rippenarchitektur sich hinspannen, sind wie in den Katakomben gemeint als eine Laubenarchitektur, die mit der Illusionswirkung der Malerei den Saal in eine Gartenhalle verwandelt (Abb. 630). Zwischen deren Ranken schweben Figuren wie Schmetterlinge und ruhen auf Wolkenpolstern aus. Die göttlichen Gestalten sind in diesem Raum da, der Besucher des Saales fühlt sich inmitten einer lebens- und liebesfrohen Göttergesellschaft und merkt, daß er nicht am Platze ist, solange er mit dem Baedecker und dem Cicerone von Bild zu Bild geht, sich Mythologie

Abb. 624. *Giorgione, Madonna. Castelfranco, Dom. 1504.*

Abb. 625. *Raffael, Sixtinische Madonna. Dresden, Gemäldegalerie. Um 1516.*

deuten oder Formprobleme vorrechnen läßt, und daß er erst des Daseins in diesem Kreise würdig ist, wenn er schön und formvoll wie diese Götter wäre und sich von ihnen ermuntern ließe, in jedem Gast einen Amor oder eine Psyche, einen Mars oder eine Venus mit Frohlocken zu begrüßen. Nicht Bilder zu sehen, sondern schön zu sein und schön zu tun, verpflichtet der Raum und seine Bilder.

Das ist im ganzen gesehen nun nicht viel anderes, als wozu der Mensch in gotischen Räumen des Mittelalters verpflichtet wurde. Was sich im volkstümlichen Barock anbahnte und was der Neogotik als Ziel vorschwebte: eine Rückkehr zu der Lebensverfassung, die vor dem Naturalismus und der Intimität des 15. Jahrhunderts maßgebend war, diese Rückkehr vollzieht sich jetzt ganz rein dadurch, daß alle individualistischen, alle intimen und naturalistischen Elemente gründlich abgestreift werden, abgestreift gerade mit Hilfe der verallgemeinernden, harmonisierenden Formen, die nach der neogotischen Restauration noch einmal den Zusammenhang mit der Natur in einem pantheistischen Gefühl gewinnen wollten. Diese neue Kirchen- und Palastkunst, dieser neue Heiligen-, Fürsten- und Frauenkult ist also Reaktion, Rückkehr, Reaktion gegen die reformatorischen Bestrebungen in Leben und Kunst, die seit dem 14. Jahrhundert die Welt des Mittelalters auflösten, und eine neue Zeit, die Neuzeit herbeiführten. Aber ist es Restauration der Gotik oder ist es vielmehr Renaissance und warum Renaissance und nicht neue echtere Gotik als im neogotischen Manierismus? Worin liegt der Unterschied?

Zunächst in dem, was wir ganz allgemein *Barock* nennen und was in dem Herauswachsen der körperlichen Formen und Haltungen über das Gleichmaß ruhiger Beharrung und schönen Gleichgewichts von Haltung und Form beruht, ein Herauswachsen, das immer ein gewisses Übermaß von Kraftaufwand und Funktion mit sich bringt. Es kann sich beziehen auf die Haltung des eigenen Körpers, wenn sich dieser in sich selbst verdreht und um seine Achse weiter herumschraubt, als es zur Gleichgewichtslage erforderlich ist, wie der *Christus* Michelangelos in *Sta. Maria sopra Minerva* (Abb. 620), oder wenn er pathetisch mit den Gliedern aus dem Körperstamm herausfährt, die Arme ausreckt, wie der Christus *Fra Bartolommeos* (Abb. 621), dessen leichte Schreitbewegung nach vorn wie bei der Madonna Sixtina durch das vom Wind geblähte Gewand eine stürmische Gewalt bekommt. Bei der Madonna Sixtina von Raffael (Abb. 625) ist es nur das ganz in klare Faceansicht gestellte Antlitz, das über das bewegte Heranrauschen hinwegtäuscht. Es kann die Figur mit Gewichten beschwert und durch Gegenaktionen erschüttert sein, wie *Andrea del Sartos* Harpyenmadonna mit dem kräftigen Kind und dem schweren Buch (Abb. 623), so daß ihre stolze Haltung aus der Gegenaktion athletische Kraft und vorstoßende Gewaltsamkeit bezieht. Eine schmale Basis, auf der auch die ruhigste Haltung eines frei im Raum stehenden Körpers den Eindruck erhöhter Wachsamkeit und Spannung gewinnt (weshalb bei Andrea del Sarto Putten die Madonna unten stützen), ist das Mittel, mit dem auch Michelangelos Sklaven über die Ruhe schönen Seins hinaus gesteigert werden. *Giovanni da Bologna* benutzt es, um ein barockes Virtuosenstück aus einem auf einem Windstrahl balancierenden Merkur zu formen (Abb. 631). Das Altarbild begnügt sich nicht mit der ruhigen Repräsentation symmetrischer Nebenfiguren zu den Seiten des kultischen Zentrums, sondern diese Nebenfiguren wirken in starker Halsverdrehung aus dem Raum neben der Madonna oder Christus heraus und reißen zugleich durch eine Körperwendung bildeinwärts den Betrachter zur Madonna hin. Der zum Bild stark herausgereckte Arm mit der pathetisch weisenden oder befehlenden Hand verstärkt diese barocken Wendungen. Der herkulische, muskelstarke Körper, schwer und athletisch wie die Giganten des Pergamonfrieses, wird das Ideal Michelangelos, und Raffael folgt ihm gelehrig darin. Auch im Frauenideal realisierten *Tizian* und seine venezianischen Genossen den starken, vollen Körper (Abb. 657, 658, S. 538), und die gebauschte, schwülstige Gewandung macht *Andrea del Sartos* Frauen in der Geburt der Maria (Abb. 632) so gravitätisch. Auch die Madonna Sixtina wird durch das gebauschte Gewand schwer und bedeutend. In der Passion Christi sucht man weniger das Leiden als die bewegte Aktion und bevorzugt die Grabtragung (*Raffael*) und Kreuzabnahme (*Daniele da Volterra*) vor der Beweinung. Bald gelangt man dazu, das repräsentative Heiligenbild aus der luftdurchsegelnden Bewegung mit schwingenden Armen und flatternden Gewändern zu entwickeln: Raffaels *Transfiguration* und Tizians *Assunta* (Abb. 626) und über

Abb. 626. *Tizian, Assunta. Venedig, Sta. Maria dei Frari. 1518.*

Abb. 627. *Michelangelo, Christus aus dem Jüngsten Gericht. Rom, Sixtinische Kapelle. Fresko. 1534—41.*

beide hinaus das über die Welt schwebende Bild Gottvaters in gigantischer Weltschöpfungsdramatik von *Michelangelo* (Abb. 633). Auch das Reiterstandbild steigert man zur leidenschaftlichsten Bewegung des Heranstürmens und zur Dramatik titanischen Widerstandes, eine denkmalshafte Gruppe, wie sie ganz nur das Gemälde nach dem Beispiel Raffaels im *Heliodor* (Abb. 634) formen konnte, das Vorspiel zu Rubens' Löwenjagd.

So zeigt sich, daß die Kunst des schönen Seins der *Hochrenaissance*, wie man glaubte, sie in dieser Generation zu finden, in Wahrheit ein *Frühbarock* ist, voller Übergänge und Vermittlungen, aber von Anfang an in der Kunst Raffaels und Michelangelos zu spüren. In der Steigerung der Kraft und Bewegung könnte diese kirchliche Kunst ohne weiteres als Fortsetzung der Gotik angesehen werden. Ein Kirchenportal wie das in Reims, mit dem milden Christus (Abb. 176, S. 184), der ruhig segnend in schönster Harmonie körperlichen Gleichgewichtes dasteht, umgeben von gleich gefaßten Heiligen, könnte sich ohne weiteres fortsetzen in einem so pathetischen Christus wie dem Fra Bartolommeos (Abb. 621) mit den räumlich vorstoßenden Begleitern, und in gleichem Sinne ist eine Madonna Sixtina (Abb. 625) nichts als die in aktive Bewegung und pathetische Beziehung zum Gläubigen umgesetzte Madonnenstatue, wie etwa die Vierge dorée in Amiens (Abb. 175, S. 183). Insofern ist das Zurückgreifen auf antike Barockformen eine Renaissance, da sie ein werdendes Element, eine Zukunft der eigenen kirchlichen Kunst, in der Nachahmung ergreift.

Abb. 628. *Jacopo Sansovino, Apollo. Venedig. Loggietta del Campanile. 1540—45.*

Aber damit ist noch wenig gesagt. Diese Renaissance hat sich im Gegensatz zu allem Mittelalter gefühlt und als Höhepunkt aller Bestrebungen, die das 15. Jahrhundert in Atem hielten. Hat das einen Sinn? Daß die neue Malerei verglichen mit der mittelalterlichen

Abb. 629. *Michelangelo, Deckengemälde der Sixtinischen Kapelle, Rom. Ausschnitt. 1508—12.*

alle Errungenschaften des 15. Jahrhunderts in bezug auf Perspektive, Lichtführung, auf alles was Modellierung in einem glaubhaften Raum und einer glaubhaften Beleuchtung und was Bewegung der Figuren im Raum betraf, beherrschte und mit absoluter Freiheit und Sicherheit handhabte, ist ohne Frage. Alle Härten, Schwerfälligkeiten, zeichnerischen Befangenheiten des 15. Jahrhunderts waren gefallen. Die Gestalten leben wie nie bisher in der

Abb. 630. *Raffael, Amor und die drei Grazien. Aus dem Deckengemälde der Villa Farnesina, Rom. 1517—19.*

Kunst der vorausgehenden Zeiten. Wäre Natur nur diese Illusion des Lebens und der Wirklichkeit, sie wäre nie größer gewesen. Aber das ist nicht das, was in Frage steht, wenn wir uns besinnen, warum die Rückkehr zu einer kirchlichen Kunst nicht Restauration der Gotik, sondern Renaissance der Antike ist. Denn das ist sie, weil sie die von der Kirche und höfischen Konvention wegführende Bewegung des 15. Jahrhunderts nicht leugnen und nicht auslöschen kann, und sie ist genau in dem Maße Renaissance der Antike, wie sie die Grundkräfte der reformatorischen Bewegung in sich erfahren hat und in der Restauration der kirchlich-höfischen Kunst unvermeidlich mitführte.

Der Individualismus der neuen Zeit, der den Menschen sich in sein Gehäuse zurückziehen ließ und das Ideal der Geselligkeit durch das der Bildung, die Höflichkeit gegen jedermann durch die Liebe zum Nächsten ersetzte, zersprengte die öffentlichen Bindungen und führte im öffentlichen Verkehr der Menschen zu der Fremdheit, der Entfernung voneinander, die sich durch kühle Zurückhaltung, den Eigensinn und die Eigenliebe, durch all das, was Nietzsche das Pathos der Distanz genannt hat, kundgibt. Die Frucht dieses Individualismus im öffentlichen Leben ist der Gewaltmensch, der Kondottiere und der absolute Herrscher des 17. Jahrhunderts, durch den alle ständischen und sozialen Organisationen des Mittelalters abgelöst wurden. Die Entrückung des Individuums aus der Welt und des Heiligen in sein Gehäuse führt in der Restauration des Heiligenstaates zur Abrückung des Heiligen von der Welt, zur Schaffung einer neuen Distanz, nachdem diese so stark in der Gotik durch das huldvolle Entgegenkommen und die einladende Höflichkeit der Portale und Kirchenräume beseitigt war. Die Gewinnung dieser neuen Distanz, der Erhabenheit, geschieht innerlich und äußerlich. Äußerlich, indem man den Heiligen wieder von der Erde, der gleichen Stufe mit den Menschen, entrückt, ihn hoch in den Wolken, im Himmel zeigt, den die Malerei an den Decken der Kirchenschiffe und den Kuppeln öffnet. (Wie kurzsichtig, hierin nur eine perspektivische Spielerei zu sehen!) Die Heiligenversammlung der Disputa schwebt in

Abb. 631. *Giovanni da Bologna, Merkur. Florenz, Museo Nazionale. 1567.*

Abb. 632. *Andrea del Sarto, Geburt der Maria. Florenz, SS. Annunciata. Fresko, 1514 vollendet.*

den Wolken wie die Madonna Sixtina oder Tizians Assunta, und Michelangelos Gottvater erblickt man durch die Öffnungen des Gewölbes im freien Himmelsraum. Die Götter werden wieder Olympier, hochgehoben wie in den Giebeln der antiken Tempel. Man kehrt zu antiken Göttervorstellungen zurück. Entsprechend werden sie auch körperlich starke Heroen, die nicht durch Liebenswürdigkeit huldvoll begnaden, sondern durch die Macht physischer Leiblichkeit Schrecken und Furcht erregen. Christus in Michelangelos Jüngstem Gericht (Abb. 627) ist ein jugendlicher Athlet, der zornig und gewaltig wie ein Olympier im Kampf mit den Giganten die Verdammten zur Hölle herunterschleudert; racheheischend stehen die grimmigen Apostel in der Nacktheit antiker Ringkämpfer neben ihm. Maria, die fürbitten sollte, verkriecht sich scheu und zitternd vor solchen Gewaltausbrüchen unter Christi Arm. Vor der physisch kraftvollen Athletengestalt des Moses (Abb. 635) wird der Anbetende von selbst zum Sklaven. Auch die Apostel, die auf Wolkenbänken in Correggios Kuppelfresko im Dom zu Parma den in die Luft auffliegenden Christus umgeben, sind antike Götter in heroisch starker Nacktheit. Erinnern wir uns daran, wie auch das Ideal des absoluten Herrschers das physisch leiblicher Kraft wird und der Beiname „der Starke", den Fürsten auszeichnet! So werden auch im Ausdruck Gewalt und Hoheit Zeichen der göttlichen Macht. Die Madonnen begleiten die Befehls- und Zornesgebärden der Götter mit der stolzen Würde, die Vertraulichkeit abwehrt. Die gotische Neigung des Kopfes verliert sich. Das streng aufgerichtete Gesicht der Sixtina hat wieder die großen ungerührten Augen byzantinischer Madonnenbilder, die Bronzino den Weg weisen zu seinen kalten, hochmütig abweisenden Frauenbildnissen (Abb. 625). In Michelangelos Madonnenstatuen löst diese kalte Würde sogar die Verbindung von Mutter und Kind.

Physische Kraft als Zeichen göttlicher Macht, Nacktheit, Gewalttätigkeit, alles das waren Eigenschaften, die zugleich dem Bedürfnis nach Natürlichkeit entgegenkamen. Der Heros ist nackt wie das Neugeborene und die Tiere, der

Abb. 633. *Michelangelo, Die Trennung von Wasser und Erde. Aus dem Deckengemälde der Sixtinischen Kapelle, Rom. 1508—12.*

Zustand Adams und Evas im Paradies, der Zustand des Menschen, ehe er in die Einschränkungen und Konventionen der Zivilisation eintrat. Alles das, was den Naturalismus die Landschaft mit Frauen, Satyrn, Nymphen und Meerweibchen bevölkern ließ, hieß jetzt auch die neue Kirchlichkeit und die Rückkehr zur Form dahin wirken, daß die Heiligen in göttlicher Nacktheit sich produzierten. In dieser Nacktheit blieb ein Element der Freiheit gewahrt, das man aus der Zerbrechung des Zwanges der mittelalterlichen Konvention bei der Restauration des Kultbildes in die neue Zeit hinüberrettete. Und wieviel verständlicher, wieviel natürlicher mußte es dem Gläubigen aus dem Volke sein, sich vor der Macht eines Menschen zu beugen, der ihn mit einem Faustschlag zu Boden schmettern konnte, als vor jemand, der ihm selbst mit Neigung entgegenkam; man braucht ja nur daran zu denken, mit welcher Begeisterung die ungeistige Masse heute einem Weltboxer zujubelt. Die Schönheit und Geistigkeit des Frauenkults des Mittelalters beruhte ganz darauf, die natürlichen Triebe beständig in ihre Schranken zurückzuweisen und alle Werbung und Huldigung in eine abstrakte, asketische Sphäre geistiger Konversation zu erheben, durch die die Madonna zur Herrin wurde. Die Abstraktheit des gotischen Faltenstiles war der sichtbare Ausdruck dessen. Wieviel einfacher und natürlicher war es, die Frau im antiken Mythos in sinneweckender Nacktheit und physischer Schönheit darzustellen, wie Raffael in den Farnesinafresken und Correggio in seinen Zeusmythen und fortan die ganze venezianische Malerei. Die Madonna gleicht in der venezianischen

Malerei mehr einer Venus als einer Mutter Gottes. Und Verzückungen, wie sie *Correggios* Geliebte des Zeus in einer bis dahin unerhörten, sinnlich weichen Malerei vorführen (Abb. 636), finden auch in der Barockmalerei und Skulptur verzückter Heiliger Eingang und damit auch in die Kirchen. Auch in gewandeten Gestalten wetteifert man mit der Antike, den Körper unter dem Gewand zum Ausdruck zu bringen, wie in Raffaels Wasserträgerin auf dem Burgbrand und, wenn auch zurückhaltender, in den Madonnen, den weiblichen Heiligen, den Sibyllen und Tugendenallegorien. *Andrea del Sartos* Fresken in dem Barfüßerklosterhof sind voll von antiker Plastik des anliegenden und durchscheinenden Gewandes (Abb. 637).

Abb. 634. *Raffael, Die Vertreibung des Heliodor. Ausschnitt. Rom, Vatikan, Stanza d'Eliodoro. Fresko. 1511—14.*

Auch von der Natürlichkeit und Eigenräumlichkeit der Heiligengehäuse führt ein Weg zu den illusionistischen Deckenmalereien, auf denen man die Götter sich im Himmelsraum tummeln sieht. Hier sind die Götter — nicht als Menschen, sondern als Götter gedacht — zu Hause, hier sind sie in der Natur, im All. Die neue Kunst des Naturalismus hatte gelehrt, den Himmel mit seiner Atmosphäre, seinen Wolken und Sonnen zu malen und mit vollendeter Illusion den Schein der Wirklichkeit im Bilde zu erzeugen. Fortan waren die Götter keine Symbole mehr, die Statuen nicht kunstvolle Vertretungen eines Jenseitigen, sondern die Götter waren natürliche Wesen in ihrem natürlichen Element, im Himmel. Die Kunst verschaffte die Illusion von alledem. Je körperlicher ein Künstler empfand, je mehr er für den Glauben die Illusion leibhaftiger Übermenschen im Himmelsraum mit der Kraft physisch starker Leiblichkeit und barock pathetischer Bewegung realisieren wollte, desto mehr war er auf die Malerei angewiesen,

Abb. 635. *Michelangelo, Moses. Rom, S. Pietro in Vincoli. Um 1513—16.*

Abb. 636. *Correggio, Jo und Jupiter. Wien, Gemäldegalerie. Um 1530.*

die allein den Himmelsraum und seine Atmosphäre glaubhaft darstellen konnte. So wurde der größte Plastiker Michelangelo der größte Maler seiner Zeit (Abb. 633). Und die mit der barocken Plastik der Antike wetteifernde und ganz auf den plastischen Körper und seine Bewegung eingestellte Barockkunst bedient sich der Malerei als ihrer Technik. So wird schließlich der größte Maler der Barockkunst, Rubens, der Vollender des Barock. Das ist die Frucht der Säkularisation des Heiligenbildes, die Folge des Heiligen im Gehäuse.

Und noch ein Letztes geht aus der naturalistischen Kunst des 15. Jahrhunderts in die kultische Formenkunst des 16. ein, die Volkstümlichkeit. Trotzdem die Entfernung zwischen Gott und den Gläubigen größer, die Götter unnahbarer geworden sind, nimmt das neue Kirchenbild stärker auf das Volk Rücksicht und wendet sich stärker an die Masse, um sie zum Glauben und Schauen des Göttlichen aufzurufen. Die Heiligen, die neben der kultischen Hauptfigur schützend und machtverstärkend stehen, übernehmen zugleich die Funktion, das Volk durch suggestive Gesten aufzurütteln und durch auf Gott weisende Gebärden zum Hinschauen zu veranlassen. Die barocke pathetische Sprache wird zu einer propagandistischen Rhetorik. Oder sie bewegen sich auf den Kultmittelpunkt zu, und wenn dann wie in den Stifterbildern des 15. Jahrhunderts die Kette der Assistenzheiligen sich in die Menge fortsetzt, diese also selbst in das Bild mit hineingezogen wird, wie in *Raffaels Disputa,* dann werden sie mit ihrem Gang zum Altar zu Schrittmachern der Anbetung (Abb. 39, S. 55). Denn diese Menge war nicht mehr kirchengläubig, eine Tradition war abgerissen und

Abb. 637. *Andrea del Sarto, Tanz der Salome. Fresko. Florenz, Scalzi. 1522.*

ein Glaube an Heilige und Mittler zu Gott und an die Wirkung kirchlicher Zeremonien zerstört. So wird die barocke Kunst ein Mittel, das Volk zu diesem Glauben und zur Kirche zurückzurufen, sie tritt ein in die Bemühungen zur Propaganda für den Glauben (de propaganda fide), und muß volkstümlich sein. Zu dieser Propaganda verhalf aber neben diesem lauten Aufruhr auch alles, was das Volk zur Schau verlockte, eben diese übermenschlichen Akte und Herkulesse, die Wunder der bewegten Gestalten in den Lüften, die sinnliche Schönheit der Leiber und schließlich ganz allgemein ein theatralischer Zug in dieser Barockkunst, wozu die Himmelfahrten, Verklärungen, die Wundertaten und Massenversammlungen den Stoff hergaben. Der Aufwand von körperlichen Bewegungen wie in Zirkusspielen, die Rechnung auf das Draußen, auf die Menge macht die Kunst rhetorisch und theatralisch. Raffaels größte Leistungen sind die großen repräsentativen Schauspiele in den Stanzen des Vatikans. Michelangelo reißt die Herzen zu Gott hinauf durch eine großartige Weltschöpfungs- und Weltuntergangsdramatik. Zugleich ist auch in den undramatischen Szenen, wie in Andrea del Sartos Fresken, in jeder Figur so viel schon für das Auge wirksame Schönheit in dem Ausgleich der Massen und Flächen — während die gotische Faltensystematik immer erst durch den Adel der Person als ein Benehmen wirksam wird —, daß das Auge stets auf seine Rechnung kommt. So wurden dem Brot, das die Kirche der Menge als Speise des Glaubens bot, wie in der Antike die Spiele (Circenses) hinzugefügt. Von der vergeistigten Haltung, der aristokratischen Gemeinschaft und der erzieherischen Form gemeinsamen Lebens ist hier überall ein Rückschritt zur Vereinzelung des Menschen, zu gröberen Effekten und stärkerer Wirkung auf die Sinne, hier ist mehr Kunst für die Kunst, aber weniger Haltung im Leben, mehr Theater und weniger Glauben. Für all dieses brauchte der Barock die Antike, nicht die Gotik. So ist diese Kunst ein Rückfall in die Antike. Die Antike aber, die man als Vorbild fand und die man suchte, war nicht die der griechischen Klassik, nicht einmal die des griechischen Barock, dem sie zuweilen nahekommt; deshalb nicht, weil die Unmittelbarkeit des Lebens fehlte, die diese antike Kunst geschaffen, und ein Glaube, der auch hinter dieser antiken Kunst stand. Daß es weniger Lebens- und Glaubensformen als ästhetische Motive waren, die diese Formen schufen, daß eine Tradition abgerissen war, die man wieder aufzurichten sucht, und daß man noch voll des Geistes war, der diese Tradition zerstört hatte, schafft einen Riß und führt zu Widersprüchen und bedingt einen neuen Manierismus, der eine Restauration der mittelalterlichen Kunst mit den Mitteln der Renaissance herbeizuführen sucht. Dies ist die Situation der sogenannten Hochrenaissance, des *klassizistischen Frühbarock*.

Manieristisch wird diese „klassische Kunst", indem ihre öffentlichen Formen auf Inhalte intimer Kunst übertragen werden, das Heroische auf das Familiäre, das Athletische auf das Geistige, das Äußerliche auf das Innerliche. Drei Bilder beleuchten die Situation, *Michelangelos* Gemälde der Heiligen Familie, *Andrea del Sartos* Geburt der Maria und *Raffaels* Schule von Athen (Abb. 638, 632; Abb. 40, S. 57). Michelangelos *Heilige Familie* ist eine

Abb. 638. *Michelangelo, Heilige Familie. Florenz, Uffizien. Um 1503.*

festgefügte, denkmalshafte Gruppe, deren Thema das des Naturalismus ist, das Spiel der Eltern mit dem Kinde. Leonardos spätere Anna Selbdritt gibt die altertümlichere Auffassung (Abb. 611, S. 496). Bei Michelangelo ist alles Stimmungshafte und Familiäre aus der Personenverbindung gewichen. Die Madonna ist eine mächtige Heroine mit muskulösen Gliedern, die sich durch das Gewand hindurch verraten. In einer künstlichen Schraubenbewegung wendet sie sich mit Kopf und Armen zurück, den Jesusknaben in Empfang zu nehmen, den ihr Joseph, gleichfalls ein Mann von barockem Ausmaß des Körpers, reicht. Auch das Kind verdreht sich wie die Madonna. Alle Bewegungen sind mit der großen Kunst Michelangelos so in den Gliedern deutlich gemacht, so in sich verbunden, daß der Beschauer gezwungen ist, sie als Kraftaufwand turnerischer Art zu würdigen, bei dem das Kind nicht mehr bedeutet als das Kugelgewicht einem Athleten. Im Hintergrund hat Michelangelo gezeigt, welchen Stoff er für diese Bewegungen gewählt hätte, wenn er nicht den Auftrag zu einem Madonnenbild von der Familie Doni erhalten hätte: die nackten Epheben einer antiken Palästra.

In der Wochenstube von Sartos Mariengeburt (Abb. 632) ist nicht wie in denen des frühen 15. Jahrhunderts die Mitte frei gelassen, damit wir in den Raum hineingeführt werden, sondern den Raum verstellend, bewegen sich, durch mannigfache Blick- und Bewegungsrichtungen der umgebenden Figuren vorbereitet, zwei Frauen auf der Grundlinie eines Kreises vom Eingang links zur Wöchnerin rechts. Genau in der Mitte des Bildes, im Vordergrunde wie auf der Rampe einer Bühne, machen sie halt, und in bedeutsamer Rückwendung zeigt sich die eine Frau statuenhaft in schöner Haltung dem Publikum. So sehr wird sie Ziel- und Gipfelpunkt des Bildes, über dem der Künstler an der Decke des Himmelbettes einen Doppelkreis als Baldachin wölbt, daß ihre Nachbarin nur noch als Ergänzung, als noch einmal sie selbst im Profil, erscheint. Mit schweren, mächtigen Formen, von dicken Gewandbäuschen belastet, ist der Körper eher barock als klassisch. Der Raum ist mit Möbeln ausgestattet, die alle schwere architektonische, körperhafte Formen haben. Über dem Gebälk des Bettbaldachins schweben Engel auf Wolken, eine barocke Glorifikation. So schön jede Figur, jede Gebärde sein mag, wie verträgt sie sich mit dem Innenraum, der Wöchnerin im Bett, dem Waschen des Kindes, mit dem Raumvolumen und der Szene im ganzen? Die Frauen bewegen sich wie auf einem öffentlichen Platz in Florenz oder Rom.

Das Thema von Raffaels *Schule von Athen* (Abb. 40, S. 57) ist das des Heiligen im Gehäuse, des Denkers. Aber das Gehäuse ist ein großer öffentlicher Platz, auf den eine überwölbte Straße mündet. Sie ist begrenzt von festlichen Palastarchitekturen mit Statuen in den Nischen. Genau in der Mitte der zentralen Straßenöffnung, also wie in einer Kirchenapsis, erscheinen, von reichem Gefolge flankiert, zwei antik gewandete Personen mit großen rhetorischen Gebärden, von denen die eine himmelweisend (wie die des Christus bei Fra Bartolommeo, Abb. 621, S. 505) den idealistischen, die andere mit befehlend ausgestreckter und nach unten gekehrter Hand den realistischen erdgewandten Denker bedeuten soll — Plato und Aristoteles. Der Bettler in der barocken Gebärde eines nackten, antiken Flußgottes ist der Zyniker Diogenes (der Formenverächter!). Rechts und links aber, symmetrisch angeordnet, den Blick auf die zentralen Hauptpersonen wie im Altarbild freilassend, sind Gruppen von Personen, die einem gemeinsamen Problem so hingegeben sind, daß jeder mit einer schönen und edlen Gebärde sich dem Mittelpunkt zuneigt. Was als Reigen in einem Stadion höchsten Eindruck machen würde, wirkt als Ausdruck des Geistigen als Pose.

Aus der Leonardo-Generation hatte man das stimmungsvolle, untätige Sein von Figuren im Raum, in dem alles aufeinander bezogen war und zusammenklang, übernommen. Indem jetzt die Figuren zu kräftig modellierten, schön bewegten Figuren werden und sich aus dem Raum isolieren, verlieren sie nicht nur unter sich den dramatischen Zusammenhang, sondern auch der Raum wird leer und kalt, er verliert seinen Sinn als Gehäuse. In *Andrea del Sartos* Salomefresko (Abb. 637) ist der Raum das Zentrum des Bildes, zwei Figuren (Herodes und Herodias) sitzen in ihm an einem Tisch. Dieser Raum könnte trotz der Leere der Wände und der stereometrisch konstruierten Form doch so stimmend und warm sein, wie Bellinis Nische in S. Zaccaria. Aber Gegenstand dieses Bildes ist die einer antiken Tänzerin nachgebildete Salome, und wie schon in der Geburtsszene ist die Rückenfigur des Dieners auf das rein künstlerische Motiv der Körperhaltung hin gesehen, auch er ist gleichsam nur die Kehrseite der Salomestatue. Durch diese Zusammenhanglosigkeit von Körpern und Raum wirken beide konstruiert, als l'art pour l'art.

In der Predigt Johannis (Abb. 622, S. 506) ist eine naturalistische Volksszene in ein leonardeskes Stimmungsbild umgewandelt, einen sich nach vorn gegen den Beschauer abschließenden Kreis vom Wort ergriffener Menschen, in deren Mitte der Redner spricht. Dieser aber ist nicht selbst ergriffen, sondern eine kühle, verschraubte, wie nackt wirkende Athletenfigur auf einem Erdsockel, deren Haltung man in dieser Situation fatal als Pose empfindet.

Denn der größte Konflikt bestand darin, daß die kirchliche Kunst ihre Inhalte aus den christlichen Stoffen des Mittelalters empfing und diese in eine religiös und menschlich gänzlich anders geartete Welt umsetzte, ohne wie das Mittelalter zu einer Synthese zu gelangen. Wie in der römischen Kunst wird den geistig bedeutsamen Heiligen die ungeistige, heroische Pose einfach angehängt. Der Christus *Michelangelos* in Sta. Maria sopra Minerva (Abb. 620, S. 504) ist als barocke, geschraubte Plastik so lahm, weil er ein

Christus mit dem milden Dulderantlitz und dem Kreuz sein muß, und als Christus so unerträglich, weil er nackt vom Kreuz gestiegen, ein athletischer Akt sein muß.

Man braucht sich nur klarzumachen, daß diese herkulischen Akte, die schweren Körper und heftigen Bewegungen aus einer Welt stammen, in der der Kampf, die Jagd, die Entscheidung über Sieg und Niederlage oder der sinnliche Genuß die Nacktheit und Körperandeutung unter dem Gewand, die Muskelkraft und Bewegungsentladung erforderten. Schon in dem geistig motivierten Füreinandersein des mehrfigurigen Heiligenbildes mußte das widerspruchsvoll wirken. Um wieviel mehr in Errettungs- und Erlösungsszenen wie *Bronzinos* Höllenfahrt Christi, dessen Männerakte aus einem Titanenkampf, dessen Frauen aus einem Venusfest stammen könnten, oder bei einer so geistigen Szene wie der Verklärung von Raffael, wo schon die wie antike Niken in der Luft flatternden Patriarchen dem Geheimnis der Szene nicht gerecht werden, unten aber die heftigen Gebärden der Männer und der schön im Vordergrund aufgepflanzte Frauenkörper jede Stimmung vernichten.

Die Kunst des Barock kehrt zurück zu einem Ideal einer plastischen Architektur, deren Stützen und Gebälke als frei im Raum sich auswirkende Körper empfunden wurden, und deren plastischer Wirkung zuliebe die Mauern zwischen den Stützen herausgenommen (wie im gotischen Glieder- und antiken Säulenbau) oder als nicht vorhanden charakterisiert wurden. Die Belebung solcher Glieder mit plastischen Darstellungen (Pfeilerstatuen wie in der Gotik) oder ihr Ersatz durch menschliche Körper (Karyatiden) liegt ganz im Sinne einer solchen Kunst. In dieser neuen Architektur liegt der Konflikt zwischen der im 15. Jahrhundert eroberten Freude am reichen Schauspiel und der dem Raumganzen eingeordneten architektonischen Figur, ein Konflikt zwischen Schaubild und Kultbild, Erlebnis und Dekoration. Für ein empfindliches (an mittelalterlicher Architektur geschultes) Auge sind die mythologischen Szenen in den architektonischen Laubenkränzen der *Farnesina* zu gewichtig und durch ihr Gewicht zu wenig schmetterlingshaft. Michelangelos Decke in der *Sixtina* mit ihrem an sich klaren architektonischen System ist belastet mit jenen Sklaven, die architektonische Fruchtkränze halten, und die ein Leben entfalten, das die Architektur sprengt, obwohl sie selber Architektur sein wollen (Abb. 629, S. 511). Die Nischen sind gefüllt mit Sibyllen und Propheten, deren schwere Körperlichkeit und tiefe Geistigkeit auch an einer anderen Stelle eine Architektur ins Wanken bringen würden als in dieser Höhe, wo sie leicht und frei aufschwingen soll. Zwischen den Deckengurten öffnen sich Einblicke in den Freiraum, aber jeder dieser Blicke führt auf eine Szene von mythisch-historischer Größe, daß er an ihnen einzeln hängen bleibt. Auch hat Michelangelo zuerst diese Fläche noch wie ein Tafelbild behandelt und ist erst allmählich zur illusionistischen Ausdeutung der Fläche als Öffnung in den Himmel hinein fortgeschritten. Schließlich ist die ganze Decke mit ihren reichen und lastenden Formen in die Zwickel gotischer Schildflächen auf schmalen Platten eingeklemmt und selber ein architektonisches Schauspiel geworden. Vom Standpunkt architektonischer

Logik aus und klärender Raumwirkung ist die Überladung mit Bildgehalt für das Auge ebenso Manier wie auf den neogotischen Bildern die Überhäufung des zeremoniellen Kultbildes mit naturalistischen Einzelheiten. Die Qual, den Reichtum michelangelesker Erfindungen mit verrenktem Kopf von der Decke ablesen zu müssen, hat bisher noch jeder empfunden.
Andererseits aber ist kein Zweifel, daß gerade das, was noch in der nacherlebbaren, Schaustücke bietenden Bildauffassung des Naturalismus steckengeblieben ist, was von der kultischen Wirkung ebenso wie von der höfischen und dekorativen abführt und auch architektonisch sich nicht zum Ganzen fügt, daß das gerade das ist, was diese Bilder dem Betrachter reizvoll und wertvoll macht, bei Raffael im Burgbrand die einzelnen anekdotischen Züge und der dramatische Inhalt auch in den plastischen Akten, im Heliodor der Aufzug des Papstes und die Aktion um Heliodor (Abb. 634), an der sixtinischen Decke nicht die architektonische Einordnung der Sklaven, sondern ihre immer ständig sich steigernde, fast seiltänzerische, kühne Bewegung auf dem schmalen Sockel hoch in den Lüften, das leidenschaftliche Temperament ihrer Aktionen und die Natürlichkeit ihres Anblickes, in dem nichts Versteintes zu spüren ist (Abb. 629, S. 511). In den Sibyllen und Propheten empfinden wir nicht die Beziehung zum heiligen Ort, dem Kapellenraum, sondern die Unerschöpflichkeit von Charakteren, deren besonderes Temperament in der Enge und Seltsamkeit des Raumes doppelt befremdet. Und selbst in den Szenen, in denen Gottvater über dem Raum schwebt, fühlen wir uns nicht gesegnet, sondern schauen mächtig gepackt die Urweltentstehung sichtbar geworden als ein kosmisches Drama.
Michelangelo ist der einzige in dieser Zeit, für den der barocke Körper und die barocke Bewegung nicht nur eine äußere Form ist, sondern der, ähnlich wie die Griechen, wirklich in ihnen lebt, der deshalb auch als einziger sie als Natur empfindet und mit allem, was der Naturalismus der neuen Zeit an Aufgaben gestellt, an Tradition geschaffen hatte, fertig zu werden und seine formgebundene Kunst damit zu erfüllen wußte. Alles, was die barocke Plastik — und nur der Überschwang des Barock kam dafür in Frage — an Lebensüberschuß besitzt, an Raum als Spiel- und Bewegungsraum verbraucht, alles, womit die barocke Rhetorik durch den Raum zur Wirkung auf die breiteste Masse durchstößt, das steigert er zu einer Gewalt, einem Aufruhr, der das Universum erbeben läßt. Die Öffentlichkeit der großen Masse, an die seine Kunst sich wendet, ist die Welt schlechthin. Auch die ganze Unkirchlichkeit des 15. Jahrhunderts lebt in ihm weiter. Mit der Rücksichtslosigkeit des genialen Individuums, des sich selbst verantwortlichen Künstlers — darin ein Gegenstück zu Dürer und sein Zeitgenosse, kein Gegner —, sprengt er die Kirche mit seinen Schaustücken, indem er sie baut; das auch der neuen Kirche fremde Element selbstherrlicher, nackter Menschenplastik, die Pracht des athletischen Jünglingsleibes, von ihm mit antikem Eros gesehen und erlebt, häuft er über den Köpfen in immer neuen künstlerischen Wundern, indem er aus den Kräften des kirchlichen Baues selbst, aus der architektonischen Situation die Malerei herauszaubert, die diese Situation um ihre

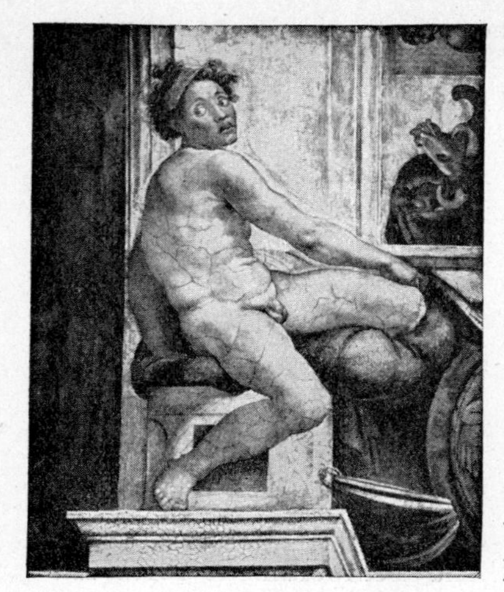

Abb. 639. *Michelangelo, Sklave aus dem Deckengemälde der Sixtinischen Kapelle, Rom. 1508—10.*

Architektonik bringt und zum Schauplatz umgestaltet (Abb. 639). Die tiefe Naturverbundenheit, die im Leben seiner Sklaven zum Ausdruck kommt, führt ihn zu Themen, wo das Nackte in seiner körperlichen Entfaltung nicht ein Greuel (wie in Bronzinos Höllenfahrt), sondern eine einzige große Bejahung ist, und er gelangt zu einem Naturmythos, in dem sich das barockeste Bild des Heiligen zurückverwandelt in ein Bild landschaftlicher Natur. Gewitterdrohend wie eine Sturmwolke saust Gottvater durch den Himmelsraum; und keine Kunst hat je das Bild des Schöpfers überboten, der Körper und körperlos, Gott und Wolke, segnend und regenschwer über der Erde schwebt (Abb. 633, S. 514). Die Masse, die Materie, die in der Gotik überwunden und durch das Naturgefühl des 15. Jahrhunderts zurückgewonnen wurde, wird hier das Ausdrucksmittel, das Form und Leben aus dem Chaos, die Macht aus dem All hervorgehen läßt. Es ist das höchste Bild schöpferischer Allmacht.

In den *Mediceergräbern* gelingt Michelangelo vielleicht das Schwerste: auch den Konflikt von Körper und Geist und von Ruhe und Bewegung zu einer neuen Ausdruckskraft zu entwickeln und die manieristische Geschraubtheit zum Symbol des Schicksals der Geschöpfe zu gestalten. In der Kirche S. Lorenzo baute er eine Grabkapelle, an deren einer Wand die Madonna mit Heiligen Platz haben sollte (Abb. 640, 641). Die senkrecht dagegen stoßenden Wände waren bestimmt zur Aufnahme der großen, die Wand beherrschenden Grabmäler von Lorenzo und Giuliano di Medici (Abb. 642, 643). Die große, von dunklen Pilastern abgegrenzte Nische wird durch drei kleinere untergeteilt, deren mittlere durch je zwei Doppelpilaster mit verkröpften Gebälkstücken als beherrschend herausgehoben ist, um so mehr herausgehoben, als diese Pilaster an den Außenseiten der Blendnischen keine Entsprechung finden. Diese Heraushebung der Mittelnische ist aber keine konfliktlose. Da die Seitenfelder mit flachbogigen Giebeln überwölbt sind, die mittlere Nische aber gerade abgeschlossen ist, bleibt sie niedriger und die Figur in ihr muß um den ihr durch betonte Mitte und Aufgipfelung der Grabesgruppe gewährten Vorrang kämpfen. Dieser Kampf ist dadurch verstärkt, daß die Felder neben der Statue zwar leer sind, aber im Giebel zu einer kräftigen Plastik verstärkt werden. Durch geschweifte, sich aufschwingende Konsolen wird die Plastik der ganzen Nische nach oben geworfen; es entsteht ein Kampf der reinen Architekturform mit der menschlichen Plastik, ein Kampf um das erhöhte Sein. Denn so leidenschaftlich wie hier ist noch in keinem Grabmal das Recht der Persönlichkeit auf repräsentative und herrschende Geltung und Erhöhung unter den Menschen zum Austrag gekommen. Hier sehen wir

Abb. 640. *Michelangelo, Neue Sakristei von S. Lorenzo, Florenz. 1520—24.*

nicht den Toten im Schutze des Himmlischen wie bisher im 15. Jahrhundert, sondern den Thronenden, der den Schutz des Himmels nicht nur verschmäht, sondern mit den Gestalten auf dem Altar — bezeichnenderweise hat Michelangelo für diese keine gleichwertige, geschweige denn überragende Anordnung gefunden — um den Vorrang und die Herrschaft über den Raum trotzt. Er ist noch der Zentralraum der Andachtskunst; aber es ist nicht eine Richtung zwischen den Gräbern zum Altar angedeutet, sondern diese schieben sich mit ihren, von schweren Körpern belegten Särgen in den Raum vor, propagandistisch, vordringlich wie echte Barockkunst. Die monumentale Pyramidenform wirkt zwingend, sich vor diese Gruppe so zu stellen, daß sie in voller Symmetrie zentral sich präsentiert und alle Verkürzungen vermieden werden. Selbst die stark bewegten, verschraubten Figuren auf den Voluten der Särge sind ganz streng symmetrisch in die Vorderfläche gestellt, daß ein Ausweichen nach den Seiten nicht möglich ist. Der Zwang, der in den mittelalterlichen Kirchen und Portalen immer räumlich war, dem Raume galt und von Raum zu Raum führte, gilt hier in antiker Weise der Plastik, den Körpern und der Person. Der Beschauer kehrt dem Raum ganz den Rücken. Er steht vor einer Palastfassade, deren Fenster sich in ein Haus dahinter öffnen und in deren einer Öffnung sich der Herrscher des Hauses der Menge auf dem Platze zeigt. Wir fühlen uns in dieser Kapelle nicht in einem Raum, sondern draußen, und sehen den Verewigten wie die barocken Götter in seinem Gehäuse, dem für die Repräsentation angemessenen Hause, einer Palastfassade, an der in einer Thronnische wie bei Königspalästen der Herrscher erscheint. Es ist ein Barockpalast (kein gotischer), herausfordernd, nicht einladend, jeder Zugang ist verwehrt, nicht nur weil die Pyramidengruppe des Monumentes die Wand verstellt, sondern auch weil die Öffnungen so plastisch gebildet sind. Man sehe nur, wie die Doppelpilaster mit ihren, von geschwellten Konsolen aktivierten Kopfstücken, trotzdem sie den Bau gliedern, sich doch aus ihm als schöne Plastik herauslösen (wie die Wasserträgerin aus Raffaels Burgbrand). Man sehe, wie die Einbauten in den Ecknischen zwischen den dunklen Pilastern die Portale, die sie zwischen sich nehmen, nicht betonen, sondern vernichten, indem sie auch hier alle

Abb. 641. *Michelangelo, Madonna. Florenz, S. Lorenzo, Neue Sakristei. 1524—32.*

Abb. 642. *Michelangelo, Grabmal des Giuliano de Medici. Florenz, S. Lorenzo, Neue Sakristei. 1520—34.*

Abb. 643. *Michelangelo, Grabmal des Lorenzo de Medici. Florenz, S. Lorenzo, Neue Sakristei.* ***1520—34.***

sichtbare und wirksame Form nach oben werfen, mit Konsolen, die aufschnellend den Bau über der Tür fortführen, mit Pilastern, die, von kräftigem Bogengebälk überspannt, so eng gegen die Grenzen und nach vorn drängen, daß wir hier immer nur ihr plastisches Leben, nicht ihre Funktion im Gesamtbau wahrnehmen; wir bemerken nicht einmal ihre rahmende Funktion gegenüber dem Raum, den sie umschließen. Nicht nur, daß dieser Raum so engbrüstig gegenüber dem drängenden Leben der plastischen Formen ist, er ist auch mit einer rechteckigen Flächenarchitektur verschlossen, deren horizontale Abschlüsse mit dem Bogenfeld der Rahmen in einen unauflöslichen Konflikt geraten. Es ist genau wie an der Sixtinischen Decke, alle Plastik ist aus der Architektur herausgeboren, zugleich aber so mit Leben gefüllt, daß dieses triumphiert und Architektur zum Drama verwandelt.

Dasselbe ist der Fall mit dem Grabmonument selbst. Mit prachtvoll schwellender Sargarchitektur beginnt es unten. Aus den elastischen Voluten der Sargdeckel werden allegorische Gestalten geboren. Sie bilden wie Sklaven (oder wie die Bestien und Peiniger der Säulenstatuen und der thronenden Christus- und Marienstatuen des Mittelalters) das Fußbrett für die thronende Gestalt des Verewigten, und stellen diese Gestalt in einen architektonischen Aufbau ein. Aber hier beginnt schon die Auflösung zum Drama und der Sieg des Lebens. Der Sarg mit den allegorischen Figuren steht vor dieser Nischenfigur. Sie hat den Sarg mit den Figuren vor sich und unter sich wie in den Konsulardiptychen der Konsul die Zirkusspiele, ein Drama, dessen Inhalt Leben und Tod, Werden und Vergehen ist, die unter dem Symbol der Gestalt von Tag und Nacht (Schlaf und Leben), Morgen und Abend (Erwachen und Einschlafen) dargestellt sind. Manieristisch ist auf viel zu kleinem Raum der abschüssigen Deckelplatte ein Übermaß verschraubter Bewegungen entwickelt. Aber es ist nicht nur durch die architektonische Situation motiviert (kein künstlerisches Spiel), ein Sichhaltenmüssen auf dieser Platzenge, sondern durch unbehauenen Steinsockel als aus dem Naturfelsen geboren charakterisiert und als Leben bezeichnet, das mit den natürlichen Funktionen des Seins, Schlafen, Wachen und den Dämmerungszuständen zwischen ihnen allen Fragen den einfachen und klaren Sinn gibt, daß alles menschliche Leben auf der gleitenden Fläche von Abgründen sich vollzieht. Und daß dieser schmale Grat die Klippe ist zwischen den Abgründen des Geistes und des Körpers. Diese felsblockharten Massen, die zu überwinden der Wille ungeheure Muskelkraft schwellen läßt, wobei er doch nur wieder mit jedem Muskel das die Form vorbeulende Fleisch und die Masse betont, diese Schwere des Körpers zwingen alle Bewegungen wieder in sich selbst zurück — ein Glied drückt und beklemmt das andere —, macht sie zur Selbstquälerei, in der sich der Mensch windet, sich mit sich selber in immer neue Konflikte verkrampft und schließlich doch an seinen eigenen Ort gebannt bleibt. Seinem Schicksal, das heißt sich selber, kann niemand entrinnen. Diesem dramatischen, geistig und körperlich bedeutsamen Kampf zwischen Freiheit und Notwendigkeit, Mensch und Architektur, Geist und Körper schauen die oben in der Nische thronenden Fürsten zu, erhaben und überlegen, aber auch sie entscheiden den Konflikt nicht, sondern wie die Sibyllen und Propheten der Sixtinischen Decke geben sie je nach ihrem Temperament die Antwort: der eine sprungbereit den Körper als Macht bejahend — er hat die starken Gegensätze unter sich, Tag und Nacht; der andere in sich versunken, der Denker, Grübler, den Geist bejahend, der von der Problematik des Lebens ergriffen ist — er hat unter sich die gleichartigen Dämmerungszustände des Morgens und Abends. Jeder andere hätte aus diesen Denkmälern eine leere, aufdringliche Verherrlichung des Fürsten gemacht, deren Manierismus nur in einem sinnlosen Aufwand rhetorischer Bewegungen, innerhalb einer klassizistischen, kühlen und ruhigen Gesamtsituation bestanden hätte. So alle Gegensätze, die aus der Begegnung des individualistischen, verinnerlichten Geistes des 15. Jahrhunderts mit der neuen Veräußerlichung der repräsentativen Kunst sich ergaben, zu einem neuen Ausdruck dramatischer Spannungen zu entwickeln, aus den körperlichen Aktionen, aus dem Verfall und der Entfaltung der Masse geistigen Sinn und innerliche Konflikte zu gewinnen, die diese Körperlichkeit selbst zum Inhalt haben, das konnte nur Michelangelo. Als Künstler steht er über seinen Gestalten, er ist weder identisch mit der Lebensbejahung der einen, noch dem dumpf innerlichen Massenverfall der andern. Für die Zeit aber, die ihn so wenig ganz begriff, wie überhaupt Menschengeist nicht imstande ist, ihn auszuschöpfen, wurde er Prophet für die äußerlichste Körperbejahung. Für sich selbst schuf er an der Schwelle des Todes (ähnlich wie Tizian in seinen Alterswerken, der Münchener Dornenkrönung und der Venezianer Grablegung) in der *Pietà* ein Bekenntnis zu der ergreifendsten Menschlichkeit und der Tragik alles Lebens und Fleisches: im Verfall der Materie läßt er alle menschlichen Kräfte innigster Teilnahme von neuem aufbrechen.

Abb. 644. *Michelangelo, Konservatorenpalast, Rom. Begonnen um 1546.*

Die Architektur der Mediceergräber enthält bereits alle Elemente spezifisch michelangelesker Baugestaltung, die plastische Durchgliederung eines Baukörpers mit antiken Formen und die Füllung der Räume zwischen den Gliedern mit dramatisch belebter, plastischer Gestalt. Michelangelo hat den Platz vor dem Kapitol im Entwurf umgestaltet, dessen Ausführung nicht mehr von seiner Hand ist, aber in allen Zügen seinen Geist verrät. Das Wesentliche ist zunächst, daß am *Konservatorenpalast* (Abb. 644) die Zweigeschossigkeit des Hauses, in der sich auch die Wohnlichkeit ausdrückt, durch eine einzige durchgreifende Pilasterordnung von gedrungener, kräftiger Form überwunden wird, daß dadurch das Dachgebälk und Kranzgesims mit ihrer starken Last wirklich getragen sind, und daß die Seitenfront eines griechischen Tempels, die einen einzigen monumentalen Körper darstellt, mit dem freistehenden Säulenumgang auf die Wand eines Hauses projiziert ist. Um die tragenden Glieder, die dabei aus Säulen zu Pilastern wurden,

Abb. 645. *Jacopo Sansovino, Bibliothek von S. Marco, Venedig. Begonnen 1536.*

nicht in der Wand verflachen zu lassen, werden sie auf Wandlisenen aufgesetzt, die durch die Illusion einer Perspektive die im Stein rauhere, mehr als Materie charakterisierte Wand zurückfluchten lassen. Der Hinweis auf den griechischen Tempel genügt schon, den Geist der Repräsentation, der Vergöttlichung des profanen Palastes zu charakterisieren, einer Repräsentation, die durch diesen Kampf mit der Materie zu einer aktiveren, barockeren wird. Die michelangeleske Dramatisierung aber beginnt erst zwischen den Pilastern. Das untere Geschoß sollte sich in allen Feldern auf einen Laubengang öffnen, der unter dem geschlossenen oberen Wohngeschoß einherlief. Wie einfach wäre es gewesen, wie es *Sansovino* in seiner *Bibliothek* in *Venedig* tat (Abb. 645), das System der römischen Theater in zwei gleichartigen Geschossen übereinander anzuwenden, mit Halbsäulen, die das gerade Gebälk, und mit Pfeilern, die die Bogenarchivolten trugen, durch schwerere Formen unten, leichtere oben die Stockwerke zu scheiden und mit Statuen in den Zwickeln, Metopen und Triglyphen, Fruchtkränzen und Fensterkartuschen den Eindruck eines breit gelagerten, plastisch durchgebildeten, aber mehr reichen als strengen und allseitig offenen Gebäudes zu erwecken; schön, prächtig und bequem wie eine tizianische Venus. Michelangelo aber setzt auf die Säulen, die neben die großen Pilaster gestellt sind, ein Fenster, das noch einmal ein plastisch durchgeformtes Gebäudchen (Ädikulum) ist und in seiner aus der Wand herausstoßenden Körperlichkeit und mit der federnden Spannung des bedeckenden Flachbogens ganz als denkmalartige Skulptur wirkt. Diese zieht die Säulen unten zu sich als Sockel herauf und tötet damit die Öffnung, sowohl die der Säulenflankierungen im Laubengang als auch die der Fenster und damit den Ausdruck der Wohnlichkeit einzelner Gemache. Da aber die Gebälkabschnitte, auf denen diese Fensterplastiken stehen, als Horizontalgebälk hinter den Pilastern durchzugehen scheinen, wird auch diese Vertikalgruppierung in jedem Feld mit der Horizontalteilung des Gebäudes in Konflikt gebracht, und das zuerst so kühle Gebäude in eine leidenschaftliche Spannung zwischen den doppelten Vertikalformen und den Horizontalgeschossen und Gebälken hineingezogen. Es ist die Tat eines Genies, das sich über die Bestimmung des Baues mit aller ihm zu Gebote stehenden Rücksichtslosigkeit hinwegsetzt. Wie schwächlich, aber auch wie venezianisch üppig und heiter wirkt daneben der Sansovinosche Bau.

Erst am Ende des Jahrhunderts hat *Palladio* — wer weiß, wie stark auf Michelangelo zurückblickend — gleiche Baugedanken verwirklicht, aber als Architekt, nicht als plastisches Genie. Im Fragment des *Palazzo Porto-Breganze* (Abb. 646) führt er die Vertikalordnung ebenfalls von unten bis zum Dach durch, bildet die Vertikalformen als Dreiviertelsäulen, wodurch die repräsentative Haltung und die Tempelähnlichkeit des Palastes noch stärker betont wird. Er hatte einen dreigeschossigen Palast mit diesem repräsentativen System zu bekleiden. Mit welcher Rücksichtslosigkeit der Barockstil alle Architektur auf die Wirkung nach außen ablegt und welchen Zwang sich das Haus als Wohnstätte auferlegen muß, geht aus der Fensteranordnung hervor. Sie richtet sich ganz nach den Vertikalteilen des Säulenapparates, so daß die Fenster des Erdgeschosses zwischen den hohen Sockeln, die des Hauptgeschosses zwischen den Säulenschäften und die des Dachgeschosses zwischen den verkröpften Gebälkstücken eingeschoben werden. Aber sie bleiben Fenster und ohne den plastischen Zusammenhang von unten nach oben, dessentwegen Michelangelo die Hauptstützen flach, als Rahmen für seine plastischen Gruppen bildete. Während so bei Michelangelo eine plastische Einheit den ganzen Bau durchzieht und belebt, eine Einheit, in der selbst die Konflikte von Körper und Fläche, vertikalem Standbild und horizontalen Stockwerken ihren Sinn bekommen, steht bei Palladio der plastische Säulenapparat wie auf den manieristischen Bildern vordringlich und isoliert in einem andersgearteten, hausmäßigen Ganzen.

Eine Kirchenfassade haben wir von Michelangelo nicht. Vielleicht würden wir von ihm eine Lösung erhalten haben, die den ganzen Baukörper wie bei den Palästen als Einheit plastisch durchgeformt hätte. Michelangelos Zeitgenossen und Nachfolger bleiben bei dem traditionellen zweigeschossigen System, das im Obergeschoß das Mittelgeschoß heraushebt und durch Voluten mit dem um Seitenschiffe oder Kapellen verbreiterten unteren Geschosse verbindet. Das Ideal wird die repräsentative, vom Giebel pyramidenhaft zusammengefaßte antike Tempelfront (im Gegensatz zur gotischen Zweiturmfassade). Charakteristisch ist, wie auch hier die Gestaltung von dem Konflikt zwischen Wand und Pfeiler, zwischen Haus und Monument ausgeht. Die nach vorausgehenden Versuchen *Vignolas* gewonnene Lösung in *Gesù* (Abb. 647) betont diese Konflikte, indem sie michelangelesk im Untergeschoß mit Hilfe eines durchgehenden Horizontalgesimses eine hinter den Pilastern und Säulen durchgehende Wand suggeriert, vor der plastische Vertikalglieder wie in einem freien Raume stehen. (Auch die Architektur verwendet Mittel illusionistischer Malerei.) Zugleich schafft sie mit denselben Mitteln illusionistischer Andeutung von sich überschneidenden Pilastern den Eindruck, als ständen mehrere Reihen solcher Pfeiler voreinander, von denen schließlich die mittleren Pilaster, durch Bögen zusammengefaßt, den Rahmen für eine plastische Gruppe abgeben, eine durch den Dreiecksgiebel überdeckte antike Tempelfront im kleinen. Aber auch in dieser wird die Fläche noch einmal durch eine, von einer Kartusche bekrönte, sehr plastische Portalarchitektur

Abb. 646. *Andrea Palladio, Palazzo Porto-Breganze, Vicenza. Um 1570—80.*

Abb. 647. *Rom, Il Gesù. Fassade, von Giacomo della Porta. 1573.*

gefüllt. So wird dem Herankommenden, je mehr er beim Nähertreten den Blick über die Gesamtfassade verliert, eine immer stärker entgegentretende, sich vordrängende Plastik geboten. Die ganze Fassade ist durch dieses Sichnachvornschieben und Steigern nach der Mitte zu dramatisiert. Sie ist das Gegenstück zu Andrea del Sartos Fresko der Geburt Mariä, wo vor der Wand des Innenraumes aus verschiedenen Raumschichten sich in gesteigerter Plastik eine Personenfolge aufbaut und sich zwei Frauen in monumentaler Haltung im Mittelpunkt des Vordergrundes herausschälen (Abb. 632, S. 513). Palladio hat in seinen venezianischen Kirchen *Il Redentore* (Abb. 648) und *S. Giorgio Maggiore* mit denselben Mitteln illusionistischer Andeutung verschiedener Raumschichten vor einem höheren Baukörper im Hintergrunde und einem niederen, der die Seitenschiffe in sich enthält, eine Tempelfront aufgebaut, durch die die Zweistöckigkeit aufgehoben wird. Da aber diese Tempelfront dominiert und das eingebaute Portaltempelchen so mit Dreiviertelsäulen flankiert, daß diese Mittelplastik nicht hervordringen kann, da auch mit der großen Bogentür die Öffnung, der Raumeingang stärker betont ist als die Plastik, so ist der wesentliche Konflikt, der zwischen Haus und Monument, viel weniger wirksam; statt der dramatischen Steigerung stehen die plastischen Formen kühl und isoliert nebeneinander. Die beiden Fassaden von Vignola und Palladio verhalten sich zueinander wie ein Bild Michelangelos zu dem Bronzinos.

Vignolas Kirche *Il Gesù* gibt den typischen Innenraum der Frühbarockkirche (Abb. 649). Nachdem Michelangelo Bramantes Breitbau von St. Peter zum straffen, plastischen Hochbau umgewandelt hatte, zum muskulösen, monumentalen, sich aufbäumenden Körper, und das Innere vom Stimmungsraum zum himmelöffnenden Steilraum, fügte die Folgezeit diesem Steilraum, der wie ein Schacht mit hohem Tambour in die Wolken emporführt, den kurzen Längsraum des Mittelschiffes hinzu. Dies ist auch die Form des Innenraumes von Il Gesù. Durch diesen Längsraum wurde die Schau zum Himmel empor wieder in einen Bewegungsdrang verwandelt. Der Gläubige wurde wieder aufgerufen zum Kult

Abb. 648. *Andrea Palladio, Il Redentore, Venedig. Fassade. 1577—92.*

der Götter im Kuppelhimmel. Aus dem pantheistischen Verfließen im Raum des Alls wurde wieder ein Gegenüber von Mächtigen und Unterworfenen, von Kultzentren und Anbetern. Insofern ist auch das eine Rückkehr zu mittelalterlichen Kultformen. Aber diese bleibt auch hier im Konflikt von Kult und Schau, von Jenseitigkeit und Diesseitigkeit, von Himmel und Erde stecken.

Abb. 649. *Rom, Il Gesù. 1568 von Vignola entworfen.*

Zwar sind die Wände straff und einheitlich durchgeformt, mit breiten, derben Doppelpilastern und schwerem Gebälk, und durch breite Gurte zum tonnengewölbten Raum verbunden. Aber der durch diese Einheit gegebene Richtungszwang wird doch wieder bekämpft von der breiten, saalartigen Proportion des Raumes und dem Fassadensystem der Wände, das nur mit dem Blick senkrecht auf die Wand, also von der Kuppel weg, richtig gesehen werden kann und das auch außerhalb der Gurte bleibt. Die Gurte versuchen etwas zusammenzubiegen, was sich gegen diese Biegung wehrt. Daher auch hier Konflikt und Kampf. Die Pilaster stehen nicht in gleichem Abstand in einer Flucht, sondern zu zweien zusammengefaßt lassen die Paare breite Öffnungen zwischen sich, die in kleine, zentrale Nebenräume mit prächtigen Altären und figurengeschmückten Architekturformen hineinführen und dem Blick ein in seltsame Beleuchtungen gerücktes Theater vorführen. Über ihnen öffnen sich breite Lichtöffnungen und lenken das Auge auf sich, das auf dem Wege ins Freie Frauengestalten in rauschend bewegten Gewändern und im Raum flatternde Engel trifft. Eine Decke wie die Michelangelos über der Sixtinischen Kapelle würde auf einem solchen Bau erst ihren Sinn gewinnen, aber natürlich auch ihn ganz in ihren Dienst zwingen. Hier dagegen ist zwar alles, was an diesen Bauten Bild und Dekoration ist, stärker in der Doppelbeziehung von Schaubild und Kultbild abgewogen, aber es ist ein Ausgleich, der nur mit einem Gleichgültigerwerden des Inhaltes erkauft werden konnte. Die Gegensätze, die sich hier zwischen Schau und Kult, Längszwang und Seitenfreiheit, Gewölbebeugung und Pfeilereigensinn ergeben, führen nicht wie bei Michelangelo zu einer höheren Einheit dramatischer und tragischer Konflikte, sondern mehr zu der betäubend schwülstigen Vielheit der barocken,

Abb. 650. *Andrea Palladio, S. Giorgio Maggiore, Venedig. 1565 entworfen.*

manieristischen Bilder, in denen Einzelplastiken den kultischen Sinn des Ganzen verwirrend überdecken. Es ist viel Lärm in diesen Kirchen.

Palladio hat in seinen venezianischen Kirchen (Abb. 650) diesen manieristischen Gegensatz verstärkt, indem er die Pfeiler durch plastische Hervorhebung und Wechsel von Pfeilern und Säulen wuchtiger und aktiver gebildet hat, aber erst recht auf Kosten des Einheits- und Innenraumes. Denn nun stehen wir wirklich wie in einer Straße, in die von den großen Seitenöffnungen her kleinere Nebenstraßen münden. Das ungegliederte Gewölbe besagt deutlich, daß es mit diesen plastischen, starren Pfeilern und Gebälken nichts zu tun hat, und verlangt nach einer Malerei, die es als Himmel, als Freilicht ausdeutet. Die malerischen Schaustücke treten bei Palladio hinter der architektonischen Ordnung zurück, aber eine Kirche im ganzen vermögen die kühleren und reineren Formen so wenig zu schaffen, wie die Bilder der späten Vertreter des Frühbarocks, Guido Reni, Albani, der Carracci, reine Kultbilder darstellen, obwohl sie aus ihren Bildern viele der inhaltlichen Momente des intim-familiären Charakters abstreifen und die plastisch bewegte Einzelfigur stärker hervorheben. Es bleibt auch da manieristische Betonung des einzelnen in einem andersgearteten Bildganzen.

Von allen Themen, die die Zeit berührte, waren es die erotischen, die am leichtesten eine Einheit von szenischer Darstellung und Repräsentation, von Schaustück und Selbstdarbietung eingingen. Wo es darauf ankam, eine Atmosphäre heiteren Lebensgenusses für eine mit den Sinnen aufnehmende Geselligkeit zu schaffen, da war es möglich, durch entferntere oder engere Verbindung von Liebespaaren den schönen Frauenkörper in reicher Entfaltung so zu geben, daß für den Betrachter des Bildes und den Bewerber im Bilde dasselbe Objekt sich den Augen bot, und durch die Schönheit der Formen, die Allgemeinheit der Typen, die Musikalität der Farben und die Weichheit der Malerei alles in eine Stimmung zu tauchen, die den dekorativen Hintergrund für eine genußfreudige Gesellschaft abzugeben vermochte. Diese Gesellschaft erscheint zum Teil selbst auf den Bildern an gemeinsamer Tafel,

Abb. 651. *Paolo Veronese, Gastmahl im Hause des Levi. Venedig, Akademie. 1573.*

einer Musik in lässig versunkener Haltung hingegeben, oder bei Speise und Trank, wie auf den Gastmählern *Paolo Veroneses* (Abb. 651). Die Musik wurde den Augen durch die Kostüme, die Haltung der Personen und den Zauber der in farbiges Licht getauchten Atmosphäre geboten. Es ist die Kunst Leonardos, die aus der beschaulich pantheistischen Stimmung in die aktivere sinnlich frohen Raumschmuckes und bestimmterer Frauenverehrung gesteigert wurde. Deshalb werden sowohl der Hintergrund als auch die Personen stärker in die Wirklichkeitssphäre des Raumes, den sie schmücken, hereingerückt, Raum und Landschaft werden flacher, werden stärker zur Tapete, die Figuren werden größer, dem Betrachter näher entgegengehalten. Auch hier ist es der Naturalismus, der die gotische Konversation, den Reigen einer zur Einheit geformten Gesellschaft auf gotischen Wanddekorationen in die renaissancehaftere, unkonventionellere Stimmung sinnlichen Genusses umbildet. *Correggio* (Abb. 636, S. 516) hat es verstanden, in seinen Zeusmythen die Natürlichkeit der Situation durch den mythischen Stoff, in dem Zeus als Satyr, als goldener Regen, als Schwan und Wolke erscheint, mit höchster Kunst der Körperdarstellung zu verbinden, indem er den verzückten Körper in reichen und gewagten und dennoch durch die Situation motivierten Stellungen entwickelt, und zugleich die Handlung durch die Zurückdrängung oder malerische Auflösung des männlichen Partners in eine repräsentative Einzelfigur aufgehen zu lassen, ohne daß ein Konflikt zwischen Darbietung der Person für den Beschauer und Darstellung einer intimen Szene entstände. Darin sind seine Bilder das Gegenstück zu Michelangelos Weltschöpfungsdramen, aber natürlich in einer Sphäre, die im Geistigen sehr viel tiefer stand und sehr viel einfacher in den Wirkungsmitteln war. Sie bedürfen keiner weiteren Erläuterung.

Diese dekorativ stimmende, Lebensgenuß spendende Kunst führt die venezianische Malerei auf ihre Höhe, denn in der orientalisch weichen Atmosphäre fand sie alle Voraussetzungen für ihr Gedeihen. Die oberitalienische Kunst Correggios ist wie die Leonardos aus der Nähe Venedigs zu verstehen. Gegenüber der Kunst Correggios wird die venezianische noch ruhiger, musikalischer, barock nicht durch die Bewegtheit ekstatischer Verzückungen, sondern durch die orientalische Weichheit der üppigen Formen und Farben und durch die Sättigung der Atmosphäre mit schwülem Duft und Wohllaut. *Giorgione* ist der Fortsetzer der Stimmungskunst Leonardos. Mit leonardesker Feinheit und Zartheit leitet er in die dekorative Bildhaltung und die gesellig genießende Atmosphäre über. Sein Madonnenbild in Castelfranco (Abb. 624, S. 507) bezeichnet in wunderbarster Weise den Übergang des frühbarocken Madonnenbildes in die venezianische Stimmung. Man muß es mit Michelangelos Mediceergräbern vergleichen (Abb. 642, 643, S. 524, 525), denn mit diesen teilt es die Verbindung von Repräsentation und Intimität, von Madonnenverherrlichung und menschlicher Schilderung. Die Madonna sitzt hoch über den Köpfen der Begleiter, aber nicht in der Nische einer harten, festen Architektur, sondern vor einer in weiche Luft gebetteten Landschaft. Die Wand, die sie vor der Landschaft in die Kirche, den Raum der Gläubigen einbezieht, ist ein Teppich, und auch der Thron steigt nicht in architektonischen Voluten, Säulen und Gebälken aufwärts, sondern im Rhythmus von rechteckigen Flächen, die mit farbigen Teppichen und Stoffmustern belegt sind. Die gesättigtste Form, das Rund, liegt unten. Die Madonna sitzt im locker und lässig auf die Thronstufen fallenden Gewand mit gesenktem Blick, die eine Hand auf die Wange des Thrones gestützt; sie droht nicht und sie segnet nicht, sie hält s i c h, die andere faßt locker das Kind und gibt seiner Bewegung nach unten nach. Sie ist ganz Mensch, der zur Erde zurückschaut, von der er nicht aus eigenem Willen und aus eigener Macht so hoch gehoben ist. Daß sie dasitzt, ist nicht Zeichen der Göttlichkeit, sondern Schicksal (wie der Ausdruck der Madonnen in den sensiblen sienesischen Verkündigungen). Wie bei Michelangelo wird auch dieses Schicksal durch die Gestalten zu ihren Füßen erläutert; denn auch diese stehen nicht neben, nicht unter ihr, sondern vor ihr, sie sieht ihnen zu, und ihr Gemüt ist mit ihnen beschäftigt. Diese aber verkörpern denselben Gegensatz wie in den Mediceergräbern, den von Körper und Geist, venezianisch ausgedrückt durch Oberfläche und Gewand, dort die schimmernde, in Licht und Dunkel farbig strahlende Rüstung, hier die braune Mönchskutte, dort die lässig trotzige Macht, hier die Predigt von den Tugenden der hohen Frau, dort die Verteidigung eines Reiches wie eines Eigentums, hier die Mitteilung und Erläuterung dessen, was nur im Geiste ergriffen ist. So wird, was bei Michelangelo die Entscheidung von Männern angesichts von schicksalsträchtigen Symbolen ist, hier Entscheidung einer Frau, deren Gedanken bei den Jünglingen zu ihren Füßen weilen, — das Drama wird zu einer zarten Novelle. Die Kunst, die barocken Formen des Heiligenbildes von Macht und Anpreisung in eine intime und lebendige Poesie umzusetzen, ist dieselbe. Aber was bei Michelangelo über alles Irdische zum Mythischen und Kosmischen sich steigerte, kehrt hier still und empfindsam auf die Erde und zu Menschen zurück.

In seiner Familie (Abb. 652) schafft Giorgione zuerst das vollkommene Bild einer dekorativen Landschaft, einer Ideallandschaft, in der noch einmal aller

Abb. 652. *Giorgione, Das Gewitter. Venedig, Palazzo Giovanelli. Um 1506—08.*

Zauber auf der Vereinigung von Natur und Kunst, Einsamkeit und Öffentlichkeit beruht. Das Dekorative besteht in der Verflachung der Baumkulissen zu beiden Seiten, ihrer Zusammenfassung zu architektonischen Massen und ihrer Verbindung nach hüben und drüben, durch die sie ein Fenstermotiv für den Raum schaffen, dem das Bild als Schmuck zugeteilt ist. Der Blick, der aus der Architektur ins Freie schweift, trifft auch hier eine geheime Ordnung in jenen Flächenbeziehungen, die schon bei Carpaccio und Bellini die Landschaften durchwalteten und mit dem Rhythmus der in die Landschaft eingestreuten Hauswände auch in diesem Bild die Wildheit der Landschaft bändigen. Ganz vorn steht, nur dieser Architektonik zuliebe hingestellt, ein Sockel mit zwei Säulenstümpfen, Bauwerk und Ruine, Konstruktion und Natur zu gleicher Zeit. Der Tiefenzug des Flußtales wird gebändigt durch die das Bild horizontal in Flächen aufteilende Brücke, in Flächen, die den dem Eigenraum entfliehenden Blick des Beschauers wieder in seine eigenen vier Wände zurückgeleiten. Das erregendste Naturschauspiel, ein Blitz, gibt mit den verdunkelnden Wolken den Farben das gesättigte Smaragd auf tiefem Blauschwarz und durchfunkelt es mit Gold und Purpur, daß dieser Landschaftsteppich mit der Farbenpracht venezianischer Mosaiken wetteifert. Das Höchste gelingt Giorgione in

Abb. 653. *Giorgione, Ländliches Konzert. Paris, Louvre. Um 1508—10.*

Abb. 654. *Giorgione, Venus. Dresden, Gemäldegalerie. Um 1508—10. (Vollendet von Tizian.)*

der Staffage. Hier war die Gefahr manieristischer Konstruktion von Figuren, die auf uns rechnen und sich prostituieren, während sie in der Einsamkeit sein sollen, am stärksten. Giorgione stellt sie ganz vorn uns entgegen, bezieht sie in die Randkulissen ein wie Michelangelo seine Sklaven in die Pfeiler seiner Architektur, er läßt uns eine entkleidete Frau sehen und einen schönen Jüngling, beide dadurch verbunden, daß die Frau die Gedanken des Jünglings füllt. Die Rechnung auf den Betrachter aber gewinnt er gerade durch Gebärden, die das Alleinseinwollen bekunden. Die Mutter blickt aufgescheucht nach außen, der Jüngling hält Wache. So entsteht auch hier eine Spannung zwischen Einsamkeit und Für-andere-dasein, zwischen Eigenleben und Darbietung, keine jener dramatischen Spannungen wie bei Michelangelo, sondern nur eine musikalische Synkope, eine Verhaltenheit wie bei Leonardo. Es ist alles so natürlich und so einfach in dem Bilde, aber wie bei Leonardo durch dieses Angelockt- und Verwiesenwerden geheimnisvoll und schwebend.

In anderen Bildern betont Giorgione die Figuren stärker, die Landschaft wird stärker Folie und Kulisse, aber immer gewinnt er die repräsentative Darstellung einer zum Bilde herausgewendeten Figur aus einer absichtslosen, zufälligen Situation. Auf dem Bilde der drei Philosophen in Wien sind vor einer Felswand und einem Baumgitter drei Männer im stummen Beieinander, wie zufällig in eine Ecke geschoben, im stillen Winkel geistig und körperlich konzentriert; die leere Wand davor ist nur Auslauf der Stimmung, die Figuren sind die Hauptsache. Vom Jugendlichen, der am Boden hockend den Himmel beobachtet, schreitet ein Mann in orientalischer Kleidung zu einem langbärtigen Greis im Vordergrund, eine Santa Conversazione, bei der die bellineske Ruhe in Bewegung gekommen ist, und aus dem Schreiten sich ganz von selbst die Vorderansicht des Orientalen ergibt. Es sind Repräsentanten der Menschheit, weniger gekünstelt als Raffaels Philosophen in der Schule von Athen. Im ländlichen Konzert (Abb. 653) sitzen vor zwei aufsteigenden Gründen einer Landschaft zwei Paare. Es wird Musik gemacht. Obwohl die Frauen nackt sind und als sich ergänzende Vorder- und Rückenansicht im Vordergrunde dem Blicke nahegerückt, wird doch alle Verfänglichkeit und Absichtlichkeit dem Bilde genommen, da der Blick in der Mitte des Bildes gerade die Jünglinge unter sich im Gespräch trifft und die Frau links an einem Brunnen sich wasserschöpfend von ihnen abwendet. So ganz zufällig bietet sie sich dabei in reiner Frontalansicht dem Beschauer. Über dem Ganzen liegt die feine Spannung von einander abweichender Richtungen, durch die die bestimmte Situation zwischen den Personen zu dekorativ zerstreuender Verteilung über die Bildfläche wird. Die Musik erklingt

Abb. 655. *Tizian, Ruhende Venus. Florenz, Uffizien. Um 1538.*

aus den gedämpften, verwobenen Farben, die in den venezianischen Goldton getaucht sind. Die Schlafende Venus in Dresden (Abb. 654), durch Übermalung leider ein unzuverlässiges Dokument der Kunst Giorgiones geworden, stellt dann das Thema für die venezianische Malerei fest, das eines der folgereichsten geworden ist. Der Wohllaut des stillen Umrisses ist in die Horizontallinien der Landschaft eingebettet, der Schimmer der Haut gegen die gebrochenen unruhigen Lichter des seidigen Gewandes kontrastiert. Das Schlafen stellt die Entfernung vom Beschauer wieder her, die durch die absichtslose Wendung zum Bilde aufgehoben war. Intimität und Wirkung nach außen halten sich schönstens die Waage.

Abb. 656. *Tizian, Flora. Florenz, Uffizien. Um 1515—16.*

Bei seinen Nachfolgern drängt die barocke Repräsentation alles andere zurück. Eine liegende Venus von *Tizian* und von *Palma* präsentiert sich dem Beschauer als eine Göttin (Abb. 655). Zwischen der Situation, die die Nacktheit und das bequeme Liegen motiviert (ein Landschaftsversteck, ein Schlafzimmer), und dem sich bewußt nach außen wendenden Körper besteht keine Verbindung mehr, die Person ist nicht allein, sie rechnet auf den Beschauer, dem sie gefallen will. Es bleibt selbst bei dem Größten, bei Tizian, ein Widerspruch zwischen der durch

Abb. 657. *Palma Vecchio, Die drei Schwestern. Dresden, Gemäldegalerie. Um 1510—20.*

die intime Szenerie betonten Menschlichkeit und der Repräsentation; die Haltung wird zur Pose. Die feine Stimmung wird in eine derbere Beziehung von Herausforderung und Huldigung oder Werbung verwandelt, ein Venuskult in den Formen des frühbarocken Heiligenkultes. Das sinnlich Reizende wird durch üppigere Formen des Körpers oder des bauschigen Gewandes und durch gleitende Gewänder betont, am schönsten in *Tizians Flora* (Abb. 656, 657). Der porträthafte Zug der naturalistischen Malerei, der auch die schönsten Formen als die der venezianischen Frau aus der Gegenwart der Maler erkennen ließ, konnte leicht zu dirnenhafter Gemeinheit umschlagen, was Palma Vecchio selten ganz vermeidet, was Tizian durch die den Sinn ganz erfüllende Schönheit der stofflichen Gegensätze von Haar und Haut, von Hemd und farbigem Stoff überwindet. Schließlich entschließt man sich auch in dieser von Venus beherrschten Atmosphäre der nackten Frau den Charakter der Heroine zu geben, indem man sie mit den Formen der schicksalverkörpernden Frauen Michelangelos ausstattet. Damit aber wird nur ein neuer, stärkerer Manierismus eröffnet, der auf dem Gegensatz von römischer Triumphgeste und venezianischer Lebenskunst, von Haltung und Stimmung beruht. Der marmorne Körper der späteren tizianischen Venusbilder (Abb. 658) mit dem starken Körperbau und mit der festen, das Gleichgewicht bewahrenden Haltung straft die auf Lässigkeit gestimmte Situation eines Schlafzimmers Lügen. Die Frauen paradieren, sie wollen etwas darstellen und bedeuten.

So meldet sich auch jetzt wieder die mittelalterliche Symbolik von Tugenden und Lastern und hebt die Darstellung in eine allgemeine Sphäre. In dieser ist nur einmal eine vollkommene Verschmelzung von Sein und Bedeutung, von Haltung und Stimmung, von Frau und Göttin erreicht, in Tizians *Himmlischer und Irdischer Liebe* (Abb. 659), weil hier im Breitformat einer de-

Abb. 658. *Tizian, Venus mit dem Perlhuhn. Florenz, Uffizien. Um 1545.*

Abb. 659. *Tizian, Himmlische und irdische Liebe. Rom, Galleria Borghese. Um 1512—15.*

korativ behandelten Landschaft, unterstützt von den Horizontalen des die Frauen verbindenden Sarkophages mit einer noch weichen, schmelzenden Malerei einfach die Gegensätze des nackten und bekleideten weiblichen Körpers demonstriert werden, und alle höhere Bedeutung aus der geistigen Sphäre in die vom Auge unmittelbar wahrgenommene Beziehung von frei bewegten Gliedern und körperbelastender Gewandschwere, von farbigen Kontrasten und flutenden Lichtübergängen hineingespielt wird. Es ist ein solcher Reichtum der Antithetik des sinnlich Malerischen, daß nirgends die Empfindung aufkommt, es seien die Figuren der Idee zuliebe gestellt. Es ist ein Jugendbild Tizians, Giorgione sehr nahe, an dessen Gegensätze der Männer in der Madonna von Castelfranco (Abb. 624, S. 507) man denkt und zugleich die neue Wendung zur Raumlosigkeit, Betonung der Figur und stärkerer, offensichtlicherer Darbietung bemerkt. In der Folgezeit aber und bei schwächeren Künstlern entsteht gerade aus der allegorischen Bedeutung und der Körperlichkeit der Figur ein besonderer Manierismus.

Dieselbe Wendung vom Stimmungsvollen zum körperlich Harten und Bewegten wie in den Venusbildern Giorgiones und Tizians bemerkt man auch im Räumlichen. Aus den landschaftlichen Stimmungsräumen des Ländlichen Konzertes Giorgiones werden *Paolo Veroneses* säulenumstellte Hallen, Architekturen in der Art von Sansovinos Bibliothek oder Palladios Basilika in Vicenza (Abb. 651, S. 533; Abb. 645, S. 528); Architekturen, in denen zwar nach venezianischer Art der Raum überwiegt und eine festliche Stimmung im Genuß versammelter Menschen, aber es sind Räume wie eine Straße, Querverbindungen zwischen Palästen, und die Gesellschaft ist lärmend und bewegt, die Pracht der Kostüme strotzend und prunkvoll, ein großer Aufwand für die Feste, die zugleich öffentliche Schaustellungen alles Reichtums und Luxus sind, dessen sich die neue fürstliche Welt rühmt. Auch hier ein barocker Aufwand in einer Situation, in der er aufdringlich und gesucht, mindestens sehr äußerlich wirkt. Auch hier streifen wir einen Manierismus, der dort offener zutage tritt, wo die Gegensätze sich verschärfen.

DER MANIERISMUS

Franz I. von Frankreich 1515—47 (Kämpfe um Mailand). Karl V. 1519—56. Kompromißlösungen der deutschen Konfessionsstreitigkeiten im Augsburger Interim 1548 und Augsburger Religionsfrieden 1555. Die auf dem Konzil von Trient (1545—63) eingeleitete Gegenreformation wird im wesentlichen von den Jesuiten durchgeführt, begünstigt von Philipp II. von Spanien (1556—98), in Deutschland von Ferdinand I. (1556—64), den Herzögen von Bayern, Rudolf II. (1576—1612). 1562—98 Hugenottenkriege in Frankreich. Seit 1556 spanische Herrschaft in den Niederlanden (1568 Alba). 1608—09 protestantische Union und katholische Liga (Frankreich mit der Union verbündet).

Bedurfte es schon des Genies eines Michelangelo oder Giorgione, die neue repräsentative Haltung, die barocke Bewegtheit, die antikisierenden Tendenzen des Nackten und der rein körperlichen Werte in Einklang zu bringen mit den reformatorischen Bestrebungen, die im 15. Jahrhundert Leben und Kunst umgeformt hatten, so wurden die Spannungen um so größer, der Manierismus um so offensichtlicher, je stärker Künstler oder Landschaften in diesen reformatorischen Ideen verwurzelt waren und von Haus aus dem Barock als einem Prinzip eines Übermaßes körperlicher (oder leiblicher) Form und verschraubter und ausladender Bewegungen fremd und verständnislos gegenüberstanden. Diese empfingen die Renaissance der Antike nicht aus erster Hand, aus innerer Nötigung, sondern als eine Mode, für die an Stelle des im Mittelalter tonangebenden Frankreich Italien zum Präzeptor Europas wurde. Das gilt selbst für Oberitalien, Venedig eingeschlossen, wenn man sich darüber klar geworden ist, daß Oberitalien (im 12. Jahrhundert geradezu eine Frankreichs Einflüssen geöffnete deutsche Provinz) immer stark dem Norden, der Gotik und dem niederländischen Naturalismus verpflichtet war. Die Spannung, die hier zwischen dem Frühbarock und den intim-naturalistischen Tendenzen eintritt und zum Manierismus führt, ist nicht mehr wie in der Neogotik die zwischen barock herrscherlichen, repräsentativen Figuren einerseits und naturalistischen Einzelheiten oder porträthaft genremäßigen Figuren andrerseits, sondern die zwischen dem leonardesken Helldunkel, dem stillen, stimmungsvollen Existenzbild und der körperlich plastischen Bewegung, zwischen den malerischen Stimmungsfaktoren des Raumes, des Lichtes und der Farbe, die die Körper verschlucken und die Form erweichen, und der plastisch körperlichen, harten Modellierung statuarisch geformter und bewegter Figuren. Der auf heftige und kunstvolle Effekte ausgehende Zeitgeist bewirkt, daß gerade die größten Künstler auch die ihnen gewohnten und natürlichen Faktoren der Lichtbehandlung vom Helldunkel zum grellen Licht im Dunkel, den Ruheraum zur bewegten Raumflucht, den harmonischen Ton zum jähen Farbkontrast steigerten, und so die Stimmung des ruhigen Seins zur Vision der Erleuchtungen und Erscheinungen, der Aufrüttelung und Ergriffenheit erhoben. Aber gerade diese Künstler versuchen nun auch die Kühnheiten der körperlichen Konstruktion zum Äußersten zu treiben und verfallen so in Manier. Werke der drei Größten, Correggio, Tintoretto und Greco, mögen das erläutern.

Abb. 660. *Correggio, Heilige Nacht. Dresden, Gemäldegalerie. Um 1530.*

Correggio hat mit ergreifender Lichtmagie die Heilige Nacht (in Dresden, Abb. 660) aus dem zarten Idyll in ein Wunder magischer Beleuchtungen verwandelt. In tiefer Nacht einer Landschaft, deren Dunkel Unendlichkeiten ahnen läßt, geht ein ganz starkes Licht vom Christuskind aus, ein Licht, dessen Ursprung selber ein Geheimnis bleibt, und das des Kindes Körper ganz in grellen Schein auflöst. Es strahlt auf die Frauen und die Hirten zur Seite über und versetzt sie in Verwunderung und Verzückung, es dringt in die Tiefe und läßt verschwebend Joseph und den Esel ahnen und entzündet sich noch einmal wie Blitze am Himmel im Chor der herabschwebenden Engel. Die Komposition ist die räumlichen Umstehens ergriffener Gestalten um einen Mittelpunkt des Gefühls, von der ruhigen Rundform in eine gleitende und stürzende Bahn umgewandelt. Aber von dieser Stimmung führt ab der athletisch starke und in starken Bewegungen verschraubte Körper des Hirten und die kühn bewegten und in berechneter Enthüllung ihre zarten Glieder zur Schau stellenden Engel. Diesen Akten zuliebe werden die Formen in der verhüllenden Dunkelstimmung deutlich und die Malerei glatt und glasig. Wie an polierten Steinflächen läßt das grelle Licht diese Körper bestehen und spiegelt sich an ihnen. Dadurch wird das Licht selbst zum Lichteffekt, mehr kunst- als stimmungsvoll. Das Bild eröffnet die Folge von Bildern, die allmählich einen Lichteffekt ganz zum berechneten Problem einer künstlerischen Aufgabe für den Maler machen.

Tintoretto schildert die Hochzeit zu Kana (Abb. 661) in einem Innenraum, der trotz der weiten Verhältnisse dieselbe Geschlossenheit hat wie Carpaccios Wohnraum im Hieronymus-Bilde (Abb. 597, S. 485). Es ist nicht die architektonische Halle Paolo Veroneses, des großzügigen Dekorateurs (Abb. 651, S. 533), nicht eine uns in ihre Festesstimmung hineinreißende laute Gesellschaft, sondern eine geschlossene Gesellschaft im Eigenraum, perspektivisch vertieft. Die Menschen sind uns entrückt und gebunden durch ein flutendes Licht mit massigen, rauchenden Schatten, die die Stimmung bewegten Lebens genugsam auflodern lassen. Ganz der Zeit entsprechend, ist nicht die Ruhe im Raum, sondern die Flucht von vorn nach hinten durch eine jähe Perspektive

Abb. 661. *Tintoretto, Hochzeit zu Kana. Venedig, Sta. Maria della Salute. 1561.*

der Tafelgesellschaft entwickelt. Alles schießt leidenschaftlich auf ein Ziel los. Man erwartet ein Wunder. Dieses aber bleibt aus, statt dessen drängen sich vorn Frauen und Männer mit heroischem Körperbau und starken Bewegungen vor die Hauptgestalten. Obwohl sie mit ihrem Tun für den Wissenden das Wunder erläutern, gebärden sie sich, als ob sie Lasten zu bewältigen hätten. Die linearen Perspektiven der Balken, der Personenreihen wirken im Sinne einer Kirchenperspektive auf ein Kultbild hin, nicht aber als Ausdruck eines seltsamen und erregenden Schauspieles, dessen Stimmung sich im Licht und im Ausdruck der Personen spiegelt. Perspektive und Körperkonstruktion sind Selbstzweck, sie deuten mehr auf den problemreichen, konstruktiven Künstler als auf den Sinn des Bildes. Das leidenschaftliche Suchen des Malers nach neuen Formmöglichkeiten ist es, das das Bild so ausdrucksvoll macht.

Tintorettos Pietà (Abb. 662) ist eine Konstruktion wie die Botticellis; Kreuzabnahme, Pietà und Beweinung sind zu einer sehr kunstvollen plastischen Gruppe verbunden, wodurch die sich kreuzenden, von Tod und Ohnmacht entseelten Körper Christi und Mariä besonders künstlich wirken. Botticellis Flachheit ist überwunden durch barocke plastische Leiber und pathetische Gebärden. Diese aber wirken um so manieristischer, als in der Figurengruppe sich ganz stark ein Raum bildet, in dem aus dem nächtigen Dunkel der Nacht unter dem Kreuz die schreienden Lichter in die Todesschatten hineinschlagen. Aber die Schreie verhallen vor dem Lärm der barocken Formen.

Abb. 662. *Tintoretto, Beweinung Christi. Venedig, Akademie. Um 1550—60.*

Greco, an Tintoretto geschult, verlegt die Gethsemaneszene (Abb. 663) in die tiefste Nacht einer von bläulichem Mondlicht durchzuckten Bergwildnis. In den Körpern und Gewändern sucht er nach breiten Flächen für Lichter und Farben von geisterhafter Seltsamkeit. Das ganze Bild ist mehr auf Fläche als auf Raum, mehr auf Ausdruck dieser Lichter und Farben als der räumlichen Situation angelegt. Unfaßbar wogt es auf diesen Flächen in Bewegungen immateriellster Art. Aber am Rande dieser Flächen macht dieses Fluten halt, und in deutlichen Silhouetten schlägt die Linie barocke Schlingen, bauschen sich massige Stofflager und drängen die Volumina in übertriebener Perspektive des Nahbildes uns entgegen. Deutlich lösen sich auch die Glieder vom Grunde und verschrauben sich zu preziösen Gebärden. Eine ergreifende und betörende Malerei, eine Magie des Lichtes und der Farben wird plötzlich die Bühne für Theater, dessen Sinnlosigkeit wohl der Seltsamkeit der Szene zugute kommt, aber nicht der Tiefe in menschlicher Beziehung.

Abb. 663. *Domenico Theotocopuli, gen. El Greco, Gethsemane. Sammlung Durand-Ruel, Paris. 1. Jahrzehnt 17. Jh.*

Die niederländische Malerei war mit allen naturalistischen Tendenzen so durch Lebensverhältnisse und Tradition verbunden, daß ihre Malerei in der ersten Hälfte des 15. Jahrhunderts führend wurde und die französische Kunst ablöste. Innenraum und Landschaft, Volksleben und Porträt, Charakteristik der Stoffe und Stilleben hatten die religiöse Kunst umgebildet und eine von Jan van Eyck und Roger van der Weyden nicht abreißende Tradition geschaffen. Themen wie die des Lukas, der die Madonna malt, stehen ganz in der Tradition. Von *Jan Gossaert* (*Mabuse*) gibt es gleich zwei Fassungen. Die frühere gibt noch zwischen den Figuren den Raum und lehnt die Figuren an die Seitenflächen der den Raum begrenzenden Architektur. Aber diese Architektur ist eine von Säulen bestandene Straße geworden, vor der sich ein Platz ausbreitet. In diesem kühlen Raum zwischen harten Steinformen sitzen Maria und Lukas, durch die Straßenperspektive getrennt. Die Madonna in feierlicher Haltung und mit gezierten Bewegungen, Lukas von einem stoffreichen Mantel mit reichen Faltenbrüchen umwallt. Die Intimität der Szene wird vollkommen von der Architektur verschluckt. Es ist ein nordisches Gegenstück zu Tintoretto, aber die Gebäude wirken kleinlich

Abb.664. *Jan Gossaert, gen. Mabuse, Lukas die Madonna malend. Wien, Staatliche Gemäldegalerie. Um 1520.*

Abb. 665. *Maarten van Heemskerck, Taufe Christi. Berlin, Kaiser-Friedrich-Museum. 2. Viertel 16. Jh.*

wie Möbelarchitektur, alles zerfällt in Einzelheiten, die mit schöner und sorgfältiger Malerei in ihrer Oberfläche durchgebildet sind. Im zweiten Bilde (Abb. 664) ist der Hintergrund mit Renaissancearchitektur in zwei Nischen zerlegt, deren jede eine der beiden Gestalten foliiert. Die Madonna rauscht in Wolken, von Engeln gekrönt, heran, dem vor einem Pult knienden Lukas führt ein Engel den Stift. Das Bild wetteifert mit der Großartigkeit einer Himmelfahrt Mariä und charakterisiert die Erscheinung vor dem Maler als Vision. Aber der gewollte Schwung versackt in der Feinmalerei der überladenen Faltenwülste und der glasigen überdeutlichen Einzelheiten der Körperteile und der architektonischen Dekoration. Wenn Mabuse eine Madonna mit Kind als Brustbild malt, läßt er das schlafende Kind sich an der entblößten Brust der Mutter halten wie an einer Glaskugel. Für das Plastische des Aktes ohne Empfindung, konstruieren diese niederländischen Manieristen den Körper wie einen aus Zylindern und Kugeln zusammengesetzten Apparat.

Jan Scorel und *Heemskerck* malen Landschaftsbilder von einer weichen, leuchtenden Art, italienisch beeinflußt, Landschaften, die den venezianischen verwandt sind, obschon physiognomisch reicher und vielfältiger im Detail. In eine solche Landschaft stellt Heemskerck im Vordergrunde eine Taufe Christi, den Täufer fast gleich nackt wie den Täufling (Abb. 665). In diesen muskulösen Akten versucht er mit starken und gegeneinander geführten Gebärden aus der Tiefe heraus eine reiche barocke Bewegung zu entwickeln. Das linke Bein des Täufers wird zu diesem Zweck ganz hoch auf einen Baumstumpf gestellt. Aber die große Pose wird aus einer naturalistischen Situation entwickelt, der Täufer hält sich am Baum, um an der Uferböschung nicht abzurutschen. Er sieht aus wie ein Holzfäller, der sich zum Baden rüstet. Daneben stehen zwei Engel, ganz von der Szene isoliert, dralle, halbwüchsige Kinder, die mit großen pathetischen Bewegungen sich um das Gewand Christi bemühen, wie Wäscherinnen auf einer Bleiche.

Abb. 666. *Jan van Scorel, Madonna mit Kind. Berlin, Kaiser-Friedrich-Museum. Um 1540.*

Abb. 667. *Abraham Bloemaert, Jupiter und Omphale. Kopenhagen, Museum. 1607.*

Die Landschaft ist der Figurenbetonung zuliebe flächig angelegt, ein Baum wölbt seinen Rahmen über sie, aber bezeichnenderweise nicht über der Gruppe, sondern über dem schönen Flußtal daneben und zieht die Augen des Betrachters dorthin, wo auch der Sinn des Künstlers geweilt hat.
Eine Madonna in Halbfigur von Scorel (Abb. 666) wird michelangelesk ins Barocke gesteigert durch einen Jesusknaben, der mit herkulischen Gliedern zur Madonna emporklettert und mit starker Rückwärtswendung ihr Gesicht liebkost. Aber der Kopf des Kindes ist ein Babykopf, der durch die pausbäckigen, barocken Schwellungen überbetont wird. Maria mit den niedlichen Zöpfen hat nichts von einer Heroine Michelangelos; in der Hand hält sie einen köstlichen Rosenstrauß, in leichter, luftig schwebender Malerei, ein Stilleben, das für die manieristische Konstruktion entschädigt.
Die Verbindung von Innenraum oder Landschaft mit barocken Akten in verschraubten Bewegungen wird in den Niederlanden dadurch so manieristisch, daß nicht nur der Konflikt zwischen Gruppe und Raum, intimer Situation und plastischem Bewegungsaufwand besteht, sondern daß nun auch die Bewegungen der Figuren mit ihrer konstruierten Form eine dem gewöhnlichen Leben entsprechende Aktion vollziehen, und daß in den Innenräumen die vielen kleinen Gegenstände als Hausrat geschildert werden, obwohl sie eine ideale Situation darstellen sollen. Die Themen entnimmt man den erotischen Situationen der antiken oder alttestamentlichen Mythologie; Venus und Amor, Venus und Mars, Zeus bei seinen Geliebten, Herkules und Omphale, Lot und seine Töchter, sind die immer wiederkehrenden Gegenstände. Die unklaren, körperlich und psychisch verdrehten Situationen wie Herkules und Omphale, Lot mit seinen Töchtern, sind besonders beliebt. Wie in einer Kneipe sitzen die Paare sich auf dem Schoß, legen die Beine übereinander und benehmen sich auch sonst zudringlich und ungeniert. Gern läßt man die Figuren nebenbei noch mit Essen und Trinken sich beschäftigen und lenkt das Auge auf die Becher und Teller und Früchte und Körbe. Dabei vollzieht sich jede Bewegung mit einer Gewalt, als gelte es,

Abb. 668. *Lucas van Leyden, Das Sündenleben der Magdalena. Kupferstich. 1519.*

Abb. 669. *Abraham Bloemaert, Sintflut. Berlin, Kunsthandel. Um 1600.*

eine Welt aus den Angeln zu heben. Ein mit viel Helldunkelkunst geschilderter Innenraum oder eine Höhle entläßt die Figuren plastisch ins Licht hinaus. Es ist eine Schlafzimmermythologie von burlesker Art. Denn was könnte burlesker sein als das Bild *Bloemaerts,* auf dem Jupiter neben Omphale, Bein mit Bein verschlungen, ruht und im Begriff, sich der Nymphe noch intimer zu nähern, mit der Gewalt eines Polyphem dem Satyr einen Tritt versetzt, daß er der im Hintergrunde erscheinenden Furie entgegenpurzelt (Abb. 667). Bei *Lucas van Leyden* kann man beobachten, wie sich aus einem reinen und reichen Naturgefühl allmählich diese barocken Grotesken entwickeln. Er hat in seinen Stichen Bilder des Landlebens wie den Bauern und die Melkerin bei den Kühen von herrlicher Eindringlichkeit in das Wesen der Menschen und Tiere gegeben und mit dem Stichel gleich Dürer die feinste Atmosphäre um sie gebreitet, hat in dem Stich mit dem Sündenleben der Magdalena in unauffälliger Flächendisposition die Stimmung des wohligen Seins im Schatten des Waldes gegeben, eines Waldes, der vor dem grellen Licht des Berghanges steht (Abb. 668). In den letzten Jahren seines kurzen Wirkens aber geht er zu den mythischen Szenen und nackten Tugendallegorien über. In diesen produzieren sich nackte Frauen mit heroischen Gliedern in weitausgreifender Bewegung, ohne je über das Modell in der Proportioniertheit der Formen, der Kleinlichkeit der Handhabung der Attribute und der Ungeschicklichkeit der Bewegung hinwegzutäuschen. Wie seine Venusse und Even sind auch diese abstrakten Gestalten biedere holländische Hausfrauen in etwas auffallender Kostümlosigkeit.

Abb. 670. *Joachim de Patinier, Ruhe auf der Flucht nach Ägypten. Berlin, Kaiser-Friedrich-Museum. 1. Viertel 16. Jh.*

In Landschaftsbildern wählt man, dem barocken Gefühl entsprechend, gern Katastrophenlandschaften: die Sintflut, die Nacht mit Gewitterstürmen und Blitzen, Schlachtfelder mit Pulverdampf und Lichteffekten (Abb. 669). Als Terrain dienen Felsenschluchten und wilde Berghänge. Diese bevölkert man mit einer reichen Menge in tragischen Situationen, in denen

Abb. 671. *Roelant Savery, Arche Noah. Dresden, Gemäldegalerie. 1620.*

sich wilde Verzweiflungsgebärden an nackten Körpern mit starken Verkürzungen und wüsten Verrenkungen entwickeln lassen: die vom Durst zur Raserei gebrachten Juden in der Wüste, die von den Pfeilen Gottes getroffenen Niobiden, die von der Wasserflut bedrohten Menschen. Es ist immer Jüngste-Gerichts-Stimmung. Diese konnte sich landschaftlich in chaotischen Verwüstungen und feuersbrunstartigen Beleuchtungen wunderbar ausdrücken. Aber Maler wie *Heemskerck, Bloemaert, Cornelis van Amsterdam* setzen ihren Ehrgeiz darein, im Vordergrund Paradeakte mit ungeheurem Muskelreichtum, pathetischen Gliederverschraubungen und virtuosen Verkürzungen einzeln und klar durchzuarbeiten und damit das ganze Bild in einzelne Blickpunkte zu zerreißen; während die Formen selbst durch die grell aufeinanderplatzenden Lichter und Schatten zerrissen sind. Das Naturalistische bricht immer wieder durch. In jeder Gebärde verrät sich das gestellte Modell, und viele der Bewegungen wirken trivial durch die Handlung, die sie vollführen, wenn zum Beispiel bei Bloemaert ein verschraubter Akt im Vordergrund sich mit dem Finger auf den Kopf tippt oder Männer wie Affen auf dem Baum schaukeln (Abb. 669). Dabei ist das landschaftliche Gefühl dieses Künstlers so stark, wie er in vielen herrlichen, leuchtend farbigen Landschaften bewiesen hat, daß, wenn man die Einzelheiten zu übersehen vermag, die Leiber in den zerrissenen Beleuchtungen selbst wie Stalaktiten in Felsenhöhlen erscheinen. Erleichtert man sich dieses Übersehen, indem man das Bild auf den Kopf stellt, so hat man die herrlichste, im Wasser sich spiegelnde Tropfsteinhöhle vor sich. Neben die Schlafzimmermythologie tritt die Vielleiberlandschaft.

Abb. 672. *Paul Vredeman de Vries, Architekturbild. Wien, Staatliche Gemäldegalerie. 1. Jahrzehnt 17. Jh.*

Es gibt jetzt auch eine manieristische Ideallandschaft. Sie entwickelt sich aus der Landschaftskunst

Abb. 673. *Albrecht Dürer, Tanzendes Bauernpaar. Kupferstich. 1514.*

Joachim de Patiniers (Abb. 670), bei dem die zu großen Flächen und Bergformen zusammengefaßten Berggelände mit ihren schönen Baumkulissen und ihrer kühlen, schwärzlich blaugrünen Tönung in der Ferne noch die Weite leonardesker Hintergründe und den Duft weicher Matten spüren lassen, während sie in der Nähe die herzhafte Beobachtung laubfrischer Vegetation zeigen. Am Ende des Jahrhunderts formt sich die Landschaft in der *Frankenthaler Malerschule* als ein deutsch-niederländischer Seitentrieb zu einer Monumentalkomposition, bei der eine denkmalshafte Baumgruppe raumlos zwischen rahmende Hügelkulissen gestellt wird wie ein Heiliger zwischen seine Begleiter oder Verehrer. Die Idealität wird betont durch eine reiche, aber durchaus erfundene Staffage von Tieren jeglicher Art, einheimischen und exotischen, wilden und zahmen, die in ihrem friedlichen Beieinander die Gegend zu einem Paradies erheben (Abb. 671). Das Manieristische liegt auch hier in dem Kontrast zwischen gewollter idealer Bedeutung und künstlich plastischem Aufbau einerseits und der zoologischen Charakteristik der einzelnen Tiere und ihrer ausdruckslosen Häufung. Eine Feinmalerei, die jedes Blatt notiert und die Tiere wie mit dem Mikroskop beobachtet, und ein niedliches Format machen aus dieser Paradieseslandschaft etwas wie ein in einem Tischaquarium aus Algen und Kieselsteinen zusammengebautes Zimmerparadies.

Das Gegenstück zu diesen Landschaften ist das Architekturbild (Abb. 672), das in Gemälden *Vredemans de Vries* und der beiden *Steenwijks*, des älteren und des jüngeren, ideale Architekturen in Renaissanceformen oder gotische und romanische Kirchenräume so vorführt, als handele es sich um eine an der Wand den Raum öffnende illusionistische Raumflucht, die uns mit mächtiger, in starker Nahansicht zum Bilde herausdrängender Öffnung entgegenkommt und mit ihren Tunnelperspektiven in sich hineinzieht wie die Hallen und Straßen in Raffaels Schule von Athen. Diese harte, plastische Körperzeichnung der Bauformen und diese übertriebene barocke Perspektive aber sind nicht Ungeschick in den Anfängen des Architekturbildes, denn Dürer und Altdorfer hatten es schon verstanden, Architekturbilder als ein entrücktes, lebensvolles Stückchen Welt stimmungsvoll dem Auge darzubieten. Es ist vielmehr auch hier der Wunsch maßgebend, zu der illusionistischen barocken Wandmalerei im Tafelgemälde ein niederländisches Gegenstück

Abb. 674. *Pieter Aertsen, Bauern am Markt. Budapest, Museum der schönen Künste. 1561.*

Abb. 675. *Joachim Beuckelaer, Geflügelverkäufer. Wien, Staatliche Gemäldegalerie. 1567.*

aufzubauen. Aber die hinreißende Bewegung bleibt aus, nicht nur wegen der kleinlichen, schreinerhaften Architektur, sondern auch wegen der tüfteligen Malerei selbst, die beim Einzelnen mit wissenschaftlicher Genauigkeit verweilt und im Format lehrbuchhaft sich Miniaturen nähert. Dennoch führen diese Architekturbilder, die ihre Vorläufer in den architektonischen Perspektiven des Vorbarock im 15. Jahrhundert haben, zum Architekturbild des 17. Jahrhunderts in Holland. Denn sie vollziehen, obwohl sie das Bildmäßige dem Baumäßigen opfern, den wichtigen Schritt zur Befreiung des Architekturbildes von der Einschränkung, bloß Hintergrund zu sein, und lösen es aus der Fesselung an das religiöse Bild.

Denselben Schritt vollzieht in dieser Zeit das Genrebild, die Bauern- und Tölpelmalerei, indem sie diese Welt der kleinen, bis dahin verachteten Leute ohne religiöse Motivierung rein und selbständig zum Bildgegenstand erhebt. Diese Bilder sind die selbständigste Leistung des niederländischen Manierismus. Indem man dabei das Genrehafte, die besondere und eigentümliche Art des Lebens dieser Bauern, dem idealen und verschraubten Formenkanon des Barock opfert, die Bauern heroisiert, erzwingt man ihnen die Beachtung, die sie zum Gegenstand der Malerei des 17. Jahrhunderts auch im wahrhaft genrehaften Sinne macht. *Pieter Aertsen, Joachim van Beuckelaer* und *Uytewael* sind drei zeitlich sich folgende Künstler, von denen jeder die Idealität um einen Grad steigert und ihr einen Teil der Eigentümlichkeit der Bauern zum Opfer bringt. Diese ist im Anfang am stärksten, aber von Anfang an mit barocker Manier durchsetzt, die darin besteht,

Abb. 676. *Joachim Antonisz Uytewael, Gemüseeinkauf. Utrecht, Centralmuseum. Um 1600.*

Abb. 677. *Joachim Antonisz Uytewael, Küchenbild. Berlin, Kaiser-Friedrich-Museum. 1605.*

daß man den Bauern in großer Figur, als plastische Form uns frontal (repräsentativ) entgegenstellt, ihn stark und muskulös modelliert, seine Haltung statuarisch oder barock bewegt, mit starken Perspektiven entwickelt, ihn seine Marktware wie Trophäen in der Hand halten läßt, und ihn gar zu zweien in ähnlichen Liebeshändeln wie die Götter der Mythen in einer öffentlichen Situation an einem Marktstand oder auf Festen schildert. Es beginnt schon bei Dürer, dessen Bauern im Stich von 1514 die übertriebene Modellierung, die Betonung der Haltung (bei fehlendem Eigenraum) und die pathetische Gebärde haben (Abb. 673). *Pieter Aertsen* stellt in einem Bild einen alten Bauern wie eine antike Plastik vor einen Torbogen, der ihn wie eine Nische faßt, und baut aus großen körperlichen Motiven eine Plastik mit den kontrapostischen Bewegungen eines erhobenen und eines gesenkten Armes in sehr reinem Umriß auf (Abb. 674). Durch eine sehr glückliche Begründung der Gebärden durch die doppelte Last des Fasses auf dem Kopf, des Korbes mit den Hühnern und Eiern am gesenkten Arm täuscht er über die Konstruktion des Motives hinweg und schafft unauffällig ein nordisches Gegenstück zu Raffaels Wasserträgerin auf dem Burgbrand. Hier ist die volkstümliche Kraft der Erscheinung und das würdige Gesicht des alten Mannes ausdrucksvoll von der Malerei gefaßt (Vorläufer von Laermans und Meunier). Nur mit der beklemmten Situation der Frau im zweiten Plan kommt etwas von dem Gestellten zum Ausdruck. In dem weiblichen Gegenstück, dem Bilde einer Köchin, deren Gesicht weniger Physiognomie, deren Tracht weniger Bewegungsausdruck zuließ, ist alles steif und verlegen geworden, und in Bauernfesten sind die Glieder am Tische zechender, am Kamin hockender und zwischen Eiern tanzender junger Burschen beschwingt wie die junger Götter und vor einem ganz zur Wand zusammengeschrumpften Wirtshaussaal mit reliefmäßiger und plastischer Deutlichkeit rhythmisch entfaltet.

Beuckelaer verstopft die kleinen Bildflächen stärker mit Figur; Raum und Hintergrund sind nur noch Kulissen, und die Haltung eines mit großer Energie durchmodellierten Bauern ist von der eines Michelangeloschen Sklaven nicht sehr verschieden (Abb. 675). Ein Huhn hält er uns zum Verkauf entgegen wie ein Jäger seine Beute, zugleich schäkert er mit einem ihm in komplizierter Wendung zugedrehten Bauernmädchen. Heroisches Pathos und Venusdienst schaffen einen Wochenmarktsmythus. Dessen malerisches Glanzstück ist der mit Geflügel belastete Korb, der uns mit gewalttätiger Perspektive entgegendrängt. Bei *Uytewael*, einem Utrechter Maler, werden die Formen allgemeiner und glatter (Abb. 676). Damit entfällt aber auch viel von der physiognomischen Kraft und ansprechenden Derbheit, die bei Aertsen und Beukelaer uns trotz aller Geschraubtheit das spezifisch Bäuerische nahebrachten. Auch werden die Personen und Situationen stärker durch ein feines Helldunkel räumlich zusammengefaßt. Aber die Marktfrau bleibt trotzdem barock plastische Hauptperson, indem sie mit antik aus dem Gewand drängenden Formen, mit dem kräftigen Gesicht und mit dem pathetischen Spiel ihrer Hände ihren geschäftlichen Verhandlungen die Bedeutsamkeit einer sibyllinischen Prophetie verleiht. Ein Kind, mit großer Bewegung von der Mutter wie von einer Niobe behütet, greift einen Apfel und blickt ihn an mit schwärmerischen Augen, wie in Ekstase verzückt. Vor ihnen stehen die Körbe, aus denen die Früchte herauskugeln und die Rüben wie Flammen herauszüngeln, in einer Üppigkeit, daß hier eine spezifisch manieristische Stillebenmalerei deutlich wird, die im flämischen Stilleben ihre selbständige Ausbildung und Fortsetzung erfahren hat. Ihr Wesen ist, die eßbaren Dinge zum Ausdruck barock strotzenden Lebens und festlicher Dekoration zu machen, d. h. auch hier den Schmuck von dekorativen Fruchtkränzen mit der Aufforderung zum Genuß, barocke Kraft organischen Wachstums mit saftiger Fülle appetitanregender Lebensmittel zu verbinden, eine seltsame Mischung von Idealität und Animalität. Auch auf diesem Bilde ist ein kleiner Raum mit Figur vollgepfropft; die Malerei wirkt wie bei Correggio gerade wegen des feinen Helldunkels metallisch. Die Figuren gleichen verräucherten Kupfergefäßen.

Abb. 678. *Marinus van Roymerswaele. Der Geldwechsler und seine Frau. Dresden, Gemäldegalerie. 1541.*

Räumlicher, luftiger, aber im Figürlichen noch manierierter spielen sich in einer Küche heiligenbildartig in drei Gruppen folgende Szenen unter dem Personal ab (Abb. 677): links ein Koch, der einen Fisch zerschneidet, die Haltung verschraubt und verquält wie eines Abraham, der seinen Sohn opfert, in der Mitte eine Köchin, die eine Gans auf einen Spieß steckt, schlank und elegant sich verdrehend wie eine barocke Venus, die sich im Spiegel betrachtet, rechts ein Paar am Boden in verfänglicher Situation wie Zeus und seine Nymphe. Dazwischen noch ein Knabe bei einem Topf in lässig schöner Haltung wie ein kleiner Quellgott. Am Boden Fische, Früchte, Gemüse, Hunde und Katzen mit der Deutlichkeit und Üppigkeit wie in den Paradieseslandschaften.

Unwillkürlich hat sich dem Genremaler das Küchenstück in die Schmiede Vulkans verwandelt. Damit aber auch inhaltlich diese Küche noch eine höhere Bedeutung erhält, sieht man durch ein Fenster auf ein Gastmahl, das kein anderes ist als das des reichen Mannes mit dem armen Lazarus. Es ist also eigentlich ein Kirchenbild. Aber so sehr ist dieser holländische Manierismus im Naturgefühl der holländischen Tradition verankert, daß der genrehafte Inhalt den Vordergrund für sich verlangt, das Hauptbild nur als Bild im Bilde gerade noch geduldet wird. Den Holländer interessiert bei den großen venezianischen Prunkbildern Paolo Veroneses nur die Hintertreppe. Damit stellen uns diese Bilder vor folgende Situation: wir haben auf der einen Seite eine volkstümlich naturalistische Tradition, die vor derben und kräftigen Szenen nicht zurückschreckt, auf der anderen eine sich entwickelnde Beherrschung der Form im Sinne des großen Stiles und eine zunehmende Entfernung zwischen derb naturhaftem Lebensgehalt und idealer barocker Bildsprache. Zwei Wege gab es, diese Kluft zu überbrücken: den einen, indem sich die Formvollendung neue, aus der Derbheit und Lebenskraft geborene Inhalte schuf, — Rubens; den anderen, indem die Unmittelbarkeit volkstümlichen Lebens aus der Beherrschung der Mittel, mit revolutionärem Protest gegen die barocke Überweltlichkeit, eine neue Bildweise für das Leben selber schuf, — Rembrandt.

Dieser zweite Weg wurde gewiesen durch einen Manierismus der Bauern- und Naturdarstellung, dessen übersteigerte Form weniger aus dem barocken Schwulst als aus der Rückkehr zu gotischer Formensprache und ihrer Weiterbildung gewonnen wurde. Sie gipfelt in der Kunst des alten *Brueghel* (Abb. 44, S. 61; Abb. 679). Diese Kunst ist ein Gegenstück zur Neogotik des 15. Jahrhunderts, knüpft deshalb auch unmittelbar an die des Hieronymus Bosch an und zeigt dieselben Züge. Die Grundlage ist ein ganz kräftiger, in der Bevorzugung derber Szenen und bäuerischen Treibens fast revolutionärer Naturalismus, voll von Zügen intimen Lebens und herrlicher Naturbeobachtung. Dennoch sind die Bilder sowohl inhaltlich wie formal nicht als Naturschilderung gedacht. Sie sind ausgesprochen stilisiert im mittelalterlichen Sinne. Inhaltlich, indem sie das Leben, das sie schildern, nicht sympathisch miterleben und als Sympathieerlebnis vermitteln, sondern es moralisch nehmen, das Bäuerische als das Gemeine und Lasterhafte (wie im Mittelalter das Laster häßlich dargestellt wurde). Die Übertreibung der bäuerischen Derbheit ist karikaturistisch gedacht, herausfordernd zu einem Lachen, das töten oder abschrecken soll. Die Illustrierung von Sprichwörtern, in denen die Dummheit der Bauern gegeißelt wird, macht diese Kunst wie im Mittelalter ideenvoll. Die sinnliche Erscheinung allein besagt noch nicht alles. So begibt sich jetzt das Merkwürdige: die Kunst des Bauernbarock der Aertsen und Nachfolger, die Bauern wie Götter behandelten und sichtlich für die Bauern positiv eintraten, führte von dem Bäuerischen immer mehr ab und gab sie künstlerisch preis. Diese Kunst dagegen, die die Bauern dem Gespött aussetzt und moralisch minderwertet, führt mit übertreibender Charakteristik so nah wie nie an das Wesen der Bauern heran und wird künstlerisch eine Recht-

Abb. 679. *Pieter Brueghel d. Ä., Die Blinden. Neapel, Museo Nazionale. 1568.*

fertigung. Denn auch die gotische Form besteht hier nicht in einer Verfeinerung der Figur, obwohl die Schlankheit hagerer, verzehrter Gestalten nicht fehlt, sondern in einer besonderen Bildauffassung, die den Charakter des Einfältigen wahrt und dem Bäuerisch-Schlichten entgegenkommt. Daß zum Beispiel das Bild wieder flächig wird wie eine Tafel, auf der man schreibt, daß die Einzelheiten deutlich, scharf konturiert, bunt wie in einem Kinderbilderbuch mehr beschrieben als gemalt werden und wie bei Kindern immer auf eine Frage, was ist das, eine Antwort geben, das ist echtere Bauernkunst als die malerischen Feinheiten eines Lucas van Leyden. Und wenn die Bauern, die vom Künstler nach gotischen Vorbildern zum Reigen oder zur Prozession zusammengefaßt werden, in diesem Reigen verschroben und ungelenk wirken, so wird das durch die Verschrobenheiten einer manieristischen Kunst nur unterstützt. Obwohl die Kunst des Brueghel weit entfernt ist von der Bejahung des Lebens in der Natur und von der positiven Naturanschauung der Stundenbücher des frühen 15. Jahrhunderts, und obwohl sie vielmehr beobachtete Natur in eine künstliche konstruktive Manier umsetzt, ist sie doch wider Willen in einer gleichsam prästabilierten Harmonie von Stil und Inhalt, von einer Ausdruckskraft der Manier, die sie in dieser Hinsicht allein mit dem Manierismus Michelangelos vergleichen läßt. Nordische Gotik und italienischer Barock, niederländisches Naturgefühl und italienischer Pantheismus, physiognomische Charakteristik und körperliche Haltung stehen sich in der Kunst dieser beiden Großen als zwei Pole in derselben Bewegung gegenüber.
Die Moralisierung der Genreszenen und des intimen Lebens zeitgenössischer Wirklichkeit beginnt schon in der Spätzeit Dürers, um 1520, mit den Bildern von *Quentin Massys* und seinem Schüler *Marinus van Roymerswaele*, in denen

ein Kaufmannsehepaar in reicher Zeittracht und mit porträtmäßigen Zügen im Hause an einem Tische sitzt und Geld zählt (Abb. 678). Das Neue an diesen Bildern ist, daß der Raum zusammengeschrumpft ist, die beiden Halbfiguren das Bild in harter und fester Körperlichkeit ganz füllen und durch gegenseitiges Sichaneinanderanlehnen, durch Zuneigung also, zu einer absichtslosen, aber doch spürbaren plastischen Gruppe aufgebaut sind. Sie sitzen so ostentativ dem Beschauer entgegen, daß sie mit ihren auf die Sache (nicht auf den Beschauer) gerichteten Blicken zwar nicht repräsentieren, aber mit der Wahrheit ihrer Kostüme und Physiognomien dem Beschauer etwas demonstrieren. Naturalistischer Charakterisierungsdrang und barock-gotische Körper- und Bewegungsdarstellung konzentrieren sich auf ein nervöses und krampfiges Agieren der Hände. Was sie demonstrieren, kann kaum zweifelhaft sein: das Laster des Geizes, das den Menschen mit Sorgen und zittrigem Eifer an die Güter dieser Welt als Sklaven kettet. (Man vergleiche mit diesen Bildern das des Hieronymus im Gehäuse, der jetzt als Halbfigur mit imposantem Charakterkopf mit spitzigem Finger an einem Totenschädel die Nichtigkeit des Lebens demonstriert, oder jene ungleichen Paare, bei denen ein alter Mann mit Geld um die Gunst einer Dirne buhlt, und diese das Geld ihrem feixenden, eulenspiegelartigen Liebhaber gibt, das barock-gotische, in naturalistische Karikatur umgesetzte Bild der Wollust.)
Diese Gattung von moralisierenden Bildern setzt *Brueghel* fort, aber sein landschaftliches Gefühl drängt zu weiten, mit vielfigurigen Szenen besetzten Plätzen. So wendet er sich zu den grotesken, aus Naturdetails kombinierten Phantasien Boschs zurück, um darüber hinaus zu einem eigenen, kräftigeren und wahreren Stil zu gelangen. An seiner Bauernkirmes (Abb. 44, S. 61), die auf einem Platz vor wundervoll gezeichneten Bauernhäusern stattfindet, ist immer gerühmt worden, wie wahr die Typen und die ungeschickt tölpelhaften Bewegungen der Bauern erfaßt seien. Nicht hervorgehoben ist dagegen die starke, fast reliefmäßige Vordergrundigkeit, die feste, scheibenhafte Umreißung der Figuren, besonders die silhouettenhafte Flachheit des tanzenden Paares und ihre konstruierten bacchantischen Bewegungen und schließlich die karikaturhafte Übertreibung von Typen und Situationen (wie sich die beiden mit den Schweinskopfprofilen küssen!). Ein typisches Repertoire bildet sich: der Mann an der Hauswand, die beginnende Rauferei am Biertisch, die Tanzenden selber. Es ist satirisch, nicht liebevoll gesehen. Aber gerade in der biederen Sorgfalt der zeichnerisch festen Durchmalung (die hanebüchene Realität), in dem jahrmarkthaften Darbieten und farbig festen, ausruferischen Hinhalten, ist es glaubhaft und gesteigert wirklich. (Man erinnere sich doch, wie man selbst vor diesen Bildern zum naiven Schaubudenbesucher wird und jedes Stückchen mit Eifer durchsieht.)
Landschaften werden wieder zyklisch als Monatsbilder mit typischer Staffage (Jagd und Schweineschlachten im Dezember), mit linienhaften Bäumen und scharf gegeneinander abgesetzten, flach aufsteigenden Plänen geschildert. Nicht die Nähe, sondern das weite Land und das typisch Winterliche wird gegeben, und auch mit rahmenden Bäumen und Hauswänden auf der einen

Abb. 680. *Claus Berg. Jacobus Minor. Güstrow, Dom. Um 1532 bis 1535.*

Seite, mit Bergkulissen auf der andern werden Züge einer Ideallandschaft hineingetragen. Aber daß man nun auf einer Fläche, die als ganze einen großen Reiz dekorativen, teppichhaften Reichtums und feiner Farbwirkung enthält, so viele mit minutiöser Sorgfalt geschilderte Dinge, bekannte, irgendwann einmal oder immer wieder so erlebte Dinge erfährt, das ist wirklich so, als ob man in einem alten Kalender liest. Gerade die abstrakte, zeichnerische, bis ins kleinste verdeutlichende Manier fügt zu der bloßen Sicht etwas Höheres hinzu, nicht wie bei Michelangelo die Scheu vor den weltschöpferischen Gewalten, sondern eine schlicht besinnliche Art: so ist es alle Jahre; ein Nachdenken darüber, wie die Natur ihre Gesetze hat, und daß es gut ist, sich darauf einzurichten. Der Stil des Bildes besitzt die Einfachheit einer Bauernregel. Brueghels großartigstes Bild ist das der Blinden in Neapel (Abb. 679). In einer Landschaft, deren zart grauer Silberton die Unmittelbarkeit eines Herbstmorgens auf den Wiesen vor dem Dorfe hat, ziehen sechs blinde, hagere, ausgemergelte Gestalten in grotesk und unsicher stapfenden Bewegungen durch die Gegend. Einer hält sich am andern. Da der vorderste in den Bach fällt, müssen auch die andern hinterher. Denn sie sind blind. Die abgezehrten Köpfe mit den tiefen, verfallenen Augenhöhlen verraten es ebenso wie die hilflosen Bewegungen. Also ein rührendes Bild von eindringlichster Wahrheit. Aber der reigenhafte Zug, der auch in dieser duftigen Landschaft ganz vordergrundfüllend, flächig konturiert, reliefmäßig mit sehr deutlicher Gliederzeichnung sich abrollt, ist durchaus konstruiert wie ein mittelalterlicher Totentanz, eine Danse Macabre. Die Blindheit, das irre, ungeordnete Zuschreiten und die verfallenen Züge sind häßlich wie die dämonischen Gestalten des Mittelalters: die Moral ist, daß ein Blinder keinen Blinden führen kann. Es ist eine Satire auf menschliche Dummheit. Die Wahrheit des Bildes aber liegt gerade darin, daß es uns nicht rührt und ergreift, sondern daß es gemalt und gesehen ist, wie Bauern und Kinder, die noch Natur sind, solche Typen und Gebrechen ansehen, mitleidlos, schadenfroh. Und so werden wir gerade durch die übertreibende, verrenkende Manier dieses Bildes zu einer Stellungnahme gegenüber den Personen geführt, die nicht die des einfühlenden Teilnehmens ist, sondern der Anerkennung oder Verwerfung. Zugleich werden wir daran erinnert, daß ein Bauernbild noch kein bäuerisches Bild ist, und daß unsere Liebe zur Natur, das Naturgefühl, gar nicht die Wahrheit sucht, sondern eine Freiheit und Menschlichkeit, die wir selbst erst hineinlegen. Dieses Naturgefühl ist nicht die Angelegenheit von Naturmenschen, sondern von Bildungsmenschen. Daß dieses Bild so unsentimental ist und die Natur unter moralische Vorstellungen faßt, macht es so bauernhaft und trotz der barock-gotischen Manier so echt.

Abb. 681. *Meister H. L., Krönung Mariä. Mittelfeld des Hochaltars im Münster zu Breisach. 1526.*

Durch den gotischen Einschlag erhält auch der deutsche Manierismus seine besondere Note. Es entsteht als Reaktion auf die Reformationskunst ein Stil der kirchlichen Plastik, der den barocken Bewegungsschwung auf das traditionelle Faltensystem überträgt und die Gewänder wie bei *Claus Berg* (Abb. 680) in großen Bäuschen mit derben Einrollungen, harten Brüchen und wirbelnden Rändern um heftig zuschreitende, ausfallende, herausfordernde Gestalten herumflattern läßt. Die Gestalten sind weniger athletisch muskulös als sehnig gestrafft, kantig und knochig im Gesicht, mehr verwettert und verwittert als geschwollen und pausbäckig Der nachwirkende

Abb. 682. *Lukas Cranach d. Ä., Parisurteil. Karlsruhe, Gemäldegalerie. 1530.*

Naturalismus projiziert das neue barocke Kraftgefühl in martialisch derbe Gestalten und fordert weiter sein Recht in der Knitterung der Stoffe und der realistischen Tracht von Rock und Hut. So werden die Apostel draufgängerische Landsknechte, deren lebensvollem Ungestüm man das künstlich aufgeblähte Faltengekurve nicht nachrechnet. Um so stärker aber macht sich der Manierismus im süddeutschen Kreise des *Meisters H. L.* (Abb. 681) bemerkbar, bei dem Bärte und Gewänder sich zu wüstem, in Bewegung geratenem Schlingpflanzendickicht verfilzen und die hager knorpligen Gestalten, die gekrönte Maria im Mittelpunkt der Dreieinigkeit, mit einem hundertstimmigen Halleluja umlärmen, von denen jedes nach einer anderen Melodie gesungen wird. Der Naturalismus lebt hier weiter als Widerstand gegen Ordnung und Klarheit, als Verbiegung, Verbeulung und Vervielfältigung alles dessen, was nur in idealem Schwung und großer Form wirksam werden könnte und nur im Rankendickicht des ornamentalen Rahmens einigermaßen erträglich ist.
Die weltliche Kunst der Fürsten und reichgewordenen Handelsherren übernimmt zwar den Klassizismus, aber auch diesen mit schlanken, gelenklosen Formen, zierlichen Bewegungen und feinen konversierenden Beziehungen zwischen den Personen, die die erotischen Situationen entsinnlichen, deshalb kühl und affektiert erscheinen lassen. Diese nackten Gestalten sind nicht ihrer Natur nach nackt, sondern ausgezogene Damen, und die Situation, in der sie der ganzen Haltung des Bildes nach in der Öffentlichkeit erscheinen, ist deshalb stets verfänglich. Kommt dazu noch wie bei *Cranach* ein starker, porträthafter Naturalismus, so wird der mythische Charakter erst recht zu einer Maske, unter der man ein niedlich frivoles Spiel mit viel Ziererei spielt. Das ist der Fall in Cranachs Bild des Parisurteils. Hier ist Paris kein anderer als der Kurfürst Friedrich der Weise in voller Ritterrüstung, zu dem ein alter weißbärtiger Hofmann wie ein Kuppler tritt, um ihm drei niedliche Hofdamen zu verschachern (Abb. 682). Der am Baum angebundene Hengst geht bei dem ungewohnten Anblick der drei nackten Dämchen in die Höhe. Bildnerisch ist alles wie auf spätgotischen Bildern flach im Vordergrund nebeneinander gereiht, die Körper der Frauen sind schlank und neigen sich einander zu. Mit geziert spreizigen Gliederbewegungen versuchen sie sich interessant zu machen. Der Reiz des Bildes besteht darin, daß es noch so anekdotisch ist und ein Stückchen Zeitchronik wird. In späteren Bildern Cranachs werden Form und Bewegung und die Malerei auf kaltem, unlandschaftlichem Grund abstrakter, gotischer und manierierter.
In der deutschen Kunst der Spätzeit des 16. Jahrhunderts wird wohl die Malerei weicher, die porträthaften Züge treten stärker zurück, aber der

Abb. 683. *Bartholomäus Spranger, Allegorie der Bildenden Kunst. Grenoble, Museum. Um 1600.*

Gegensatz von mythisch sinnlicher Situation (Schlafzimmermythologie) und gezierter, schlanker Haltung, von Umarmung und gegenseitiger Konversation, von erotischer Körperverschlingung und ornamentalem Gliedermaßwerk wird nur um so stärker. In einem Bilde *Sprangers* (eines Belgiers von Geburt) mit Venus und Mars tritt zu dem Konflikt zwischen intimer Situation und öffentlicher Körperdarbietung ganz stark noch der von Renaissance und Gotik, von Mars und Kavalier, von Venus und Dame. In diesem Konflikt liegt das Manieristische des gut und sorgfältig gemalten Bildes und der eleganten Akte. Bezeichnend für die kühle, unsinnliche Haltung ist die statuenhafte Schlankheit des Frauenkörpers (in Italien würde die Venus liegen oder sitzen); das ganze Bildformat ist steil wie eine gotische Nische. In einer Allegorie der bildenden Künste (im Mittelalter waren es die Artes liberales, die freien Künste), zu der der ganze Olymp aufgeboten wird und Malerei, Architektur und Skulptur durch drei aus Flammen zum Olymp aufsteigende Frauen symbolisiert werden, wird aus den Personen ein sich über der Erde wölbender Bogen gebildet, in dem die drei Frauen, zu einer auf schmaler Basis nach oben sich entwickelnden Gruppe vereint, den Pfosten bilden (Abb. 683). Auch hier liegt der manieristische Konflikt zwischen dem Fleisch der Körper und der Funktion der rankenhaften Architektur der Komposition, zwischen körperlicher Masse und gliederreichem Ornament; dazu kommt ein Naturalismus, der im Rahmen dieser Architektur auf der Erde einen Hausbau, einen Maler vor der Staffelei und eine Denkmalserrichtung zeigt. In den drei Frauen aber lebt noch viel von der Aktmalerei in Dürers Großem Glück. Sie schweben nicht, sie stehen in der Luft.

Abb. 684. *Konrad Krebs, Schloß Hartenfels in Torgau. Hoffront. 1533—35.*

Wir denken, wenn wir von deutscher Renaissance sprechen, vor allem an die Architektur des 16. Jahrhunderts. Sie enthält dieselben gotisierenden Elemente in der Übernahme italienischer Renaissanceformen wie die Bilder. Im Schloß *Hartenfels* in Torgau (Abb. 684), das man mit Cranachs Bild zeitlich und örtlich zusammenbringen darf, ist die Hoffront beherrscht von einem Treppenturm, der sich wie eine steile gotische Figur giebelbekrönt auf einem Sockel aufbaut. Die mit antiker Rankendekoration geschmückten Pilaster sind nicht nur in den einzelnen Stockwerken in die Länge gezogen, sondern auch vertikal zusammengefaßt wie gotische Dienste, selbst die Fenster bilden durch den abschließenden Bogen im dritten Stock eine Einheit von der Art der Steilfenster an den Chören gotischer Kirchen. Dazu kommt der Konflikt dieser Steilformen und Pilaster mit den schräg dagegen schneidenden Treppenhauswänden, ein Konflikt, der kein anderer ist als der von Haus und Monument, von Innenraumwandung und Außenbauplastik. Es entspricht etwa dem intimen und landschaftlich-szenischen Charakter des auf Öffentlichkeit eingestellten Cranachschen Bildes. Im *Rathaus* von *Köln* (Abb. 685) hat wie in den Bildern von Spranger der repräsentative Außenbau durch kräftige, frei vor die Wand gestellte Säulen, stärkere Betonung des Gerüstes und plastische Figuren in allen Zwickeln sehr an Bedeutung gewonnen. Horizontale Gebälke liegen schwer auf den Säulen. Aber durch Verkröpfung der Gebälke über den Mittel- und den Seitenfeldern werden schmale, durchgehende Risalite geschaffen und von Giebeln gekrönt. Und in allen Feldern werden die Öffnungen betont, neben denen die Säulen dünn und zierlich fast wie Dienste in den Arkaden der mittelalterlichen Kirchen stehen. Weil es aber Säulen sind, wirkt ihre Dünnheit im Verhältnis zu ihrem isolierten Stehen und den schweren Gebälken geziert und manieriert. Auch hier beruht der spezifisch deutsche Charakter des Baues auf dem Gegensatz von vordrängender und isolierter Renaissanceplastik und raumbegrenzenden und sich verbindenden Gliedern. Dazu kommt, stärker noch als in Italien, in den starken Horizontalgesimsen und den Brüstungen der oberen Öffnungen und den schreinerhaften, verzierten Gliedern ein Charakter von Wohnhaus, der sowohl dem offenen wie dem repräsentativen Wesen des Baues widerspricht. Eine Kirchenfassade aber wie die der *Stadtkirche* in *Bückeburg* (Abb. 686) verwandelt das

Abb. 685. *Wilhelm Vernuiken, Vorhalle am Rathaus zu Köln. 1569—73.*

Abb. 686. *Bückeburg, Stadtkirche. 1615 geweiht.*

Abb. 687. *Parmeggianino, ‚Madonna della Rosa'. Dresden, Gemäldegalerie. Um 1530.*

Schema der italienischen Kirchenfront in eine geschlossene Hauswand mit breitem Giebel, auf die mit barock vordringlichen Einzelformen gotische Strebepfeiler mit Fialen in Pyramidenform und gotischen Fenstern aufgeknetet sind. Über den Schmalfeldern sitzen Giebel, die eine Art von Rosenfenster mit dem Maßwerk von Barockvoluten und Giebelchen umkränzen, eine krause Mischung von Fleisch und Glied, von breiter Masse und dünner Ranke. Hier denkt man an die deutschen Fürstengräber, an denen behäbig breite und physiognomisch derbe Personen mit mittelalterlicher Rüstung umschmiedet sind. Diese Rüstungen sind am Kragen und an allen Gelenken mit ähnlich ausladenden Renaissanceformen behaftet wie dieser Bau.

Ein gotischer Einschlag gibt auch einer italienischen Gruppe von Malern ein besonderes Gepräge, besonders in Oberitalien, das immer schon mit nordischer Kunst verbunden war. Wesentlich für diese italienische gotisierende Richtung ist, daß das Naturalistische, das in Deutschland und den Niederlanden eine so große Rolle spielt, hier ganz zurücktritt, höchstens in dem malerischen Charakter des die Figuren räumlich vom Beschauer distanzierenden Helldunkels noch nachwirkt. Die Bilder sind ausgesprochen leonardesk. Der Konflikt besteht hier innerhalb einer im ganzen rein durchgeführten formalen Idealisierung des Körpers und seiner Haltung in dem Gegensatz von antiker Körperlichkeit und gotischer Gliederung, von Masse und Linie, von figurenisolierender Haltung und menschenverbindender Gebärde. In der Madonna von *Parmeggianino* (Abb. 687) sind die Körper verflochten (man achte auf die wie zum Gewölbe kreuzweise verflochtenen Arme und die Überkreuzung vom Arm der Maria mit dem Körper des Kindes), zugleich aber bauen sich horizontal und vertikal wie Sockel und Statue die Leiber übereinander und reißen die verbindende Verflechtung wieder auseinander. Dasselbe geschieht mit den Gebärden. Das Kind schmiegt sich in die Madonna hinein, die Madonna behütet es und kommt ihm mit ihren Händen entgegen; aber das Kind paradiert zugleich mit seiner schönen Haltung und sieht, der Mutter ganz fremd, mit bewußtem Blick wie ein antiker Amor nach außen, und die Hände der Madonna bleiben mitten auf ihrem Wege stehen und zeigen dem Beschauer eine gepflegte Bildung in gezierter Haltung, auf die die Frau selbst wie nach der Maniküre zu blicken scheint. Feine Linien des Gewandes umkreisen und

Abb. 688. *Germain Pilon, Madonna mit Kind. Le Mans, Notre-Dame de la Couture. 1570 bestellt.*

PETER PAUL RUBENS, BILDNIS SEINES SOHNES NIKOLAUS
WIEN, ALBERTINA. UM 1619

begleiten die Bewegungen der Glieder und münden in den schmalen, spitzen Fingern, aber zugleich drängen weiche Formen mit zarten Grübchen venushaft hindurch und triumphieren in dem hermaphroditenhaften Christuskörper. Die gotische Empfindsamkeit wird in dieser renaissancehaften Abkühlung affektiert. Der Manierismus des Bildes treibt den Konflikt zwischen Mütterlichkeit und Eitelkeit auf die Spitze. Wir nennen diese Haltung elegant (bewußt wählend), einen Ausdruck, den wir bei gotischen Madonnen des Mittelalters anzuwenden uns scheuen.
Eine gotische Haltung hat man schon immer bei *Greco* gefunden. In seinem Madonnenbild (Abb. 778, S. 630) macht die Vielfigurigkeit die Verbindung zwischen den Personen reicher, erregter und wärmer, die Verflechtungen enger, was erst aus dem Wesen der spanischen Kunst verständlich wird. Die Typen mit den schmalen Gesichtern sind gotischer und die Malerei mit den in Farbe aufgelösten Faltenlinien ist ätherischer, ohne deshalb das Manierierte in den Bewegungen und in dem Gegensatz von lebendiger Situation und bewußter Repräsentation zu überwinden. Mit dieser Gotisierung der barocken Formen im Manierismus wird die Betrachtung des Barock und seiner Geschichte vor ein neues Problem gestellt: das Werden des Rokoko und die Rolle der französischen Kunst in der Entwicklung der Gegenrenaissance und der Restauration der höfischen und kirchlichen Kunst.
Denn in keiner Kunst ist das Nachleben gotischer Körperschlankheit, gotischen Faltenwurfes und mittelalterlicher Rankenverschlingung, gotischer Körpergrazie und ansprechender Mimik so stark wie in Frankreich, in der Plastik des *Michel Colombe, Germain Pilon* (Abb. 688) und *Jean Goujon.* Im Schloß- und Kirchenbau herrschen Türme und Fialen, Strebepfeiler und dünne Glieder, Schmalfenster und Schmalfelder vor. Auch italienische Künstler (*Primaticcio*) und mit ihnen die ganze *Schule von Fontainebleau* verfallen dieser gotisierenden Tendenz, die aus den Venusstatuen anmutige Damen in einer unsinnlichen, aber geistig beredten Darstellungsweise macht. In der Entwicklung des eigentlichen Barock spielt Frankreich die geringste Rolle, aber es hat die Zukunft. Aber auch im eigentlichen Barock, im Hochbarock des Rubens, ist das geheime Nachleben der Gotik ein Problem, das nicht ganz ausgeschaltet werden kann.

SENSUALISTISCHER HOCHBAROCK (*RUBENS*)

Die südlichen Niederlande, durch spanischen Einfluß vorwiegend katholisch geworden, bleiben unter spanisch-österreichischer Herrschaft. Statthalterin Isabella. Seit 1625 Vermittlungsversuche des Rubens zur Beilegung der im Zusammenhang mit dem 30jährigen Krieg entstandenen Streitigkeiten zwischen Spanien und England. Rubens' diplomatische Mission in Madrid 1628 und London 1629, 1630 Friedensschluß zwischen beiden Ländern. Richelieus Politik (seine Gegnerin Maria Medici) gegen die habsburgische Macht in Spanien, Deutschland und den Niederlanden.

Daß die Barockkunst im flämischen Barock des 17. Jahrhunderts, in der Kunst des *Rubens,* ihren Höhepunkt erreicht und nicht in Italien, scheint paradox. Denn in Italien scheinen alle Voraussetzungen und alle Ursprünge des Barock zu liegen: *Michelangelo* und schon vorher *Melozzo da Forli* haben das Barocke der heftigen Bewegung und gewaltigen Körpermasse zuerst in ganz starker Form verwirklicht. Nicht umsonst heißt Michelangelo der Vater des Barock. Alle andern Länder italienisieren. In Italien war die antikisierende Haltung Tradition; das Nachleben der byzantinischen Kunst und des römischen Klassizismus ist der hervorstechende Zug der italienischen Entwicklung. Aber eben das ist das Entscheidende: die antike Körperlichkeit, die plastische Haltung war nur Tradition, mitgeschleppt mit einer verinnerlichten, versachlichten Einstellung des Lebens, auf fremde Inhalte aufgepfropft in einer Art, die wir vom Leben aus gesehen bürokratisch, von der Kunst aus gesehen klassizistisch nannten. Diesen Klassizismus hat die italienische Kunst nie ganz überwunden (die tragischen Konflikte, die Michelangelos Kunst so groß und tief machen, beruhen auf diesem Gegensatz von Geist und Körper, von Innerlichkeit und äußerer Haltung). Die Werke der Zeitgenossen oder unmittelbaren Vorgänger des Rubens in Italien, die der *Carracci*, des *Guido Reni*, des *Domenichino* und *Guercino* beweisen es. Sie schwanken gerade in dieser Zeit zwischen kühleren Konstruktionen dekorativer Bewegungsmotive in dramatischen Szenen, denen sie nicht gerecht werden, wofür *Guido Renis* Bild von Hippomenes und Atalante das sprechende Beispiel ist, oder sie neigen zu einer ausdrucksvollen figurenreichen Schilderung im Sinne des Naturalismus, ohne damit die Pose und damit die Vereinzelung der Figur im szenischen Ganzen überwinden zu können, wofür *Domenichinos* ausdrucksvolle Kommunion des Heiligen Hieronymus zeugen möge (Abb. 807, S. 651). Im Norden aber, dem Lande des Mittelalters, war, wie wir gesehen haben, die plastische Empfindung nicht Tradition, sondern eingeborene Charakterkraft einer neuen Jugendlichkeit der Völker und Kulturen. Tradition war gerade das andere, die Geistigkeit, die humane Bildung. Erst wenn man die Geschichte im ganzen übersieht, begreift man, warum die Körperlichkeit in ihrer ganz unreflektierten Dynamik, ihrer ungebrochenen Kraft, und zwar sowohl nach der athletisch männlichen wie nach der hetärisch weiblichen Seite hin von Rubens so völlig rein und restlos, ähnlich wie im antiken Barock, bewältigt werden konnte. Ja man wird bei solcher Betrachtung sogar dahin kommen, zu sagen, daß auch die plastische Haltung der italienischen Kunst im frühen 16. Jahrhundert, die Michelangelos, auf einer Auffrischung und Durchsetzung der traditionell byzantinisch-römischen Kultur mit nordisch-mittelalterlichem Geiste beruht. Soweit also barock die äußerste Steigerung einer plastischen, körperverherrlichenden Kunst ist, erreicht sie jetzt im Norden als barocke Endphase der im Mittelalter wiedergeborenen heroischen Kultur ihren Gipfel. Aber auch für die spezifisch antike Seite dieser neuen körperlich-sinnlichen Kunst waren hier in der niederländischen Kultur die Voraussetzungen von innen heraus, nicht durch Tradition gegeben. Das gegenüber der konventionellen und vergeistigten Kunst des Mittelalters natürlichere Prinzip fleischgeborener Körperlichkeit, die materiellere Existenz des nackten Körpers gegenüber dem künstlicheren System der zum Ausdruck der körperlichen Haltung gefalteten Gewandung, alles das konnte von dem Naturgefühl des Nordens aus stärker erfaßt und reiner verwirklicht werden als von der byzantinisch-römischen Tradition aus. Dort war die Haltung des Körpers nicht unmittelbar plastisches Lebensgefühl wie in der Antike, sondern immer Schielen nach dem Eindruck auf den Nachbarn, nicht unbewußt in sich selber ruhend wie im Griechentum, sondern Theater in der Öffentlichkeit. In der Kunst des Rubens wird diese griechische Unbefangenheit und Unmittelbarkeit wiedergewonnen. Hier wird das Körperliche wieder gelebtes Leben. Verstehen wir unter Renaissance des 16. Jahrhunderts in Italien die Wiedergeburt der antiken plastischen Kunst mit ihrer heroischen körperlichen Schönheit und Lebendigkeit, dann ist keine Kunst mehr echtere Renaissance als die des Rubens, Höhepunkt also nicht nur des Barock, sondern auch der Renaissance, was nicht gleichbedeutend ist mit Höhepunkt der Kunst dieser Zeit. Denn die Höhe dieser beiden Tendenzen, Barock und Renaissance, erreicht sie durch eine Konflikte meidende, durch und durch gesunde Oberflächlichkeit. Die Tiefe und Gewalt Michelangelos und die Innerlichkeit Dürers kann sie trotz hinreißender Pracht aller Oberflächen nicht ersetzen. Daß überhaupt die gegenreformatorische und antinaturalistische Kunst als neue höfische und kirchliche Kunst jetzt so ganz von der niederländischen Besitz ergreifen konnte, das hat seinen Grund darin, daß die südlichen Niederlande politisch von der Macht überwältigt wurden, die in dieser Zeit die Wahrerin strengster höfischer Formen und die glühendste Vorkämpferin für die Kirche wurde, der Habsburgischen Herrschaft in Spanien, daß die freien Niederlande einer höfisch-kirchlichen Diktatur unterlagen, und daß diese Diktatur einen Künstler von dem Genie eines *Rubens* fand, dessen protestantische Herkunft ihn ganz stark mit dem Leben seines Volkes verband, dessen Jugendschicksale ihn in außergewöhnliche Situationen hineinwarfen, dessen Erziehung geleitet von einer großherzigen und weltweisen Frau, seiner Mutter, sich am Hofe selbst vollzog und ihn mit allen Bildungsmitteln seiner Zeit ausstattete. Daß er nicht nur Maler war, daß er nicht zigeunernd in Kneipen sein Leben verbrachte, daß er Page und Diplomat neben dem Maler war, gab ihm die große repräsentative Haltung schon im Leben, ehe er sie in der Kunst verwirklichte. Er sah sie nicht der italienischen Kunst ab, sondern er erlebte sie, und so wurde der italienische Aufenthalt nur eine Befreiung von letzten Befangenheiten, die ihm, dem Nordländer und Naturburschen, in formalen Dingen noch anhaften konnten. Zugleich wird jetzt die Bedeutung des niederländischen Manierismus für seine Kunst klar. Auf der einen Seite erleichterten die in ihm wirksamen klassizistischen und italienisierenden Tendenzen, den Forderungen einer neuen Hofkunst zu genügen, sie bereiteten den Frontwechsel vom Naturalismus der Reformationskunst zum Barock vor, in dem jetzt Rubens den letzten Schritt tut. Auf der anderen Seite bewahrten sie die Kräfte einer volkstümlichen, sinnlich unbefangenen Derbheit und einer malerischen Naturanschauung, mit denen Rubens jetzt diesem Barock ein neues Leben, das Leben einflößte. Daß aber gegenüber dem nördlichen Holland die südlichen Niederlande, das spätere Belgien, den Befreiungskampf gegen die spanische (und damit indirekt römisch päpstliche) Diktatur nicht leistete, das mag auf

Abb. 689. *J. Matham, Simson und Dalila. Kupferstich nach einem Frühbild des Rubens.*

dieser südlichen Lage näher an Frankreich, näher den mittelalterlichen Entwicklungsfaktoren, beruhen. Obwohl erst jetzt die Trennung des Nordens vom Süden, politisch und in der Kunst, sich vollzieht, latent war dieser Gegensatz beider Strömungen schon seit den Tagen Jan van Eycks und Rogers van der Weyden vorhanden.
Rubens hat in Frühbildern deutlich seinen Zusammenhang mit dem niederländischen Manierismus dargetan. Ein Bild von Simson und Dalila (Abb. 689), das vor kurzem wieder auftauchte, behandelt diesen Stoff in der üblichen Weise der Schlafzimmermythologie, als plastische, etwas künstliche Gruppe zweier stark entblößter Körper (in der Art von Herkules und Omphale) in einer dramatischen Situation, die mit großem Aufwand von Muskel- und Gewandschwulst überladen ist, und in der die metallischen Lichter und Farben an den spiegelnden Oberflächen der Körper und Kleider das aufgeregte Licht im finstern Raum reichlich effektvoll erscheinen lassen. Dennoch ist schon ganz anders als bei seinen manieristischen Landsleuten der Aufbau der Gruppe freier und ungezwungener gelöst. Der Gegensatz von Körperkraft und Statik der Gruppe erhöht durch eine besondere dramatische Charakterisierungskraft die Hilflosigkeit des eingeschlafenen Simson machtvoll ins Tragische. In dieser Gruppe, zu der von hinten die alte Frau tritt, aus der Tiefe heraus der junge Mann, der Simson die Haare schneidet, lebt die ganze volkstümliche Drastik niederländischer Kupplerszenen, aber durch ein wirkliches Gefühl für das barock Körperliche mythisch gesteigert. Es fehlt die Rechnung der Personen im Bilde auf den Beschauer.
Diese Volkstümlichkeit, dieser Instinkt für das natürlich Körperliche ermöglicht Rubens, die konflikthaltigen Gegensätze des Manierismus zu überwinden, den von Körper und Geist, Athletik und Bildung, indem er die körperlichen Motive aus Situationen, Jagden und Reiterkämpfen, gewinnt, die auch in seiner Zeit lebendig waren, den Gegensatz von Christentum und Heidentum, indem er von kirchlichen Stoffen solche wählt, in denen physisch starke Personen und erotische Stoffe den Inhalt stellten, Simson, Susanna und die Alten, oder starke physische Kräfte erfordernde Situationen gegeben waren wie in der Kreuzaufrichtung und Kreuzabnahme. Er überwindet den Gegensatz von Repräsentation und Dramatik, indem er aus der Dramatik selber die Repräsentation hervorgehen läßt wie im zweiten Simsonbild (Abb. 690). Hier ist eine Verherrlichung des Körpers ähnlich der eines Feldherrn, dessen Bild in der Schlacht gezeigt wird. Oder er läßt die Haltung hervorgehen aus der Erduldung eines Martyriums, das sich mit allen Roheiten wütender Kriegsknechte abspielt.

Er überwindet auch den Gegensatz von Plastik und Malerei, indem er die barocke Bewegung dadurch so glaubhaft macht, daß er ihr im Bilde Spielraum gibt und Körper und Raum verbindet, indem er weiter zu der Sprache der Leiber die zu den Sinnen sprechende Farbe fügt, eine Farbe, die nicht mehr kalt und metallisch auf der Oberfläche liegt, sondern aus den Tiefen des Spielraums durch die Schleier der Atmosphäre hindurchglüht, wie in der Antike die Formen durch schleierdünne Gewänder. Er überwindet selbst den Konflikt von Mittelalter und Antike, indem er vom Mittelalter den Frauenkult übernimmt und die Verehrung Mariens zu einer leidenschaftlichen, stürmenden Verehrung steigert, in der Venusdienst und Madonnenkult zu einer Einheit zusammenschlagen (Abb. 691).

So gelangt er zu einer Malerei, in der alles dem Gesamtthema heftiger körperlicher Aktion dient, die malerische Auflösung der für das Auge sich verwischenden Bewegung, die sprühende Farbe dem orgiastischen Rausch, der fahrige, flüssige Pinselstrich dem dekorativen Schwung, der Wechsel von Hell und Dunkel dem Schwulst und Gewoge der Formen, das flutende Licht dem sonnigen Ausdruck einer restlosen Lebensfreude. Es gibt keine Bilder, die so jauchzen, so untragisch und ungequält sind, — der stärkste Gegensatz zu Michelangelo.

Er vermeidet den Konflikt zwischen Mythos und Realität, Haltung und Natur, indem er die Körper selber elementar, als Ausdruck einer Natur, als Geschöpfe einer Landschaft faßt, seine Flußgötter, Nymphen, Faune, die in Begleitung von Krokodilen, Löwen, Panthern und Doggen auftreten. Seine mythischen Wesen sind Geschöpfe, die undenkbar in einem Innenraum sind, die nicht im Palast, nur in einer Landschaft, im Freien zu Hause sind.

Möglich ist das alles nur dadurch, daß er entschlossen herabsteigt von der abstrakten Bildungssphäre eines humanistischen Klassizismus und einer weltanschaulichen Malerei und das Körperliche in seiner ganzen brutalen und rohen Offenheit sucht.

In einem geht er über die Antike hinaus oder bleibt er, wenn man will, hinter ihr zurück: in der Maßlosigkeit, der Maßlosigkeit, die in malerischer Auflösung über die Grenzen flutet, der Maßlosigkeit des Genusses, die überkocht in Rausch und Trunkenheit und Fülle des Fleisches, und in der Maßlosigkeit, mit der er die Gestalten um sich greifen und in die Natur eingehen läßt, die deshalb mehr Hintergründe, mehr Landschaft, mehr Lebensraum braucht als ein antikes Relief. Diese, das echt Barocke erst ermöglichende Roheit, diese Instinktfülle

Abb. 690. *Rubens, Gefangennahme Simsons. München, Alte Pinakothek. Um 1612—15.*

Abb. 691. *Rubens, Die Madonna von Heiligen verehrt. Skizze zu dem Altar der Augustinerkirche zu Antwerpen. Berlin, Kaiser-Friedrich-Museum. Um 1628.*

Abb. 692. *Rubens, Kreuzabnahme. Antwerpen, Kathedrale. Um 1611—14.*

und Erdnähe besitzt seine Kunst, nicht weil er Rubens ist, sondern weil er Niederländer ist, herausgewachsen aus der Naturnähe der niederländischen Kunst und der malerischen Sinnlichkeit. Frühe Bilder bemühen sich unter dem Eindruck italienischer Monumentalkompositionen um eine kunstvolle, denkmalhafte Komposition. Es ist die Form des vielfigurigen Heiligenbildes mit einem zentralen Mittelpunkt. Aber mit genialer Sicherheit setzt er die in sich verschraubten, isolierten Bewegungen der Dabeistehenden in Beteiligung an einer starken und kräftigen Handlung um. In der *Kreuzabnahme* (Abb. 692) wird alles, was das Herablassen und Auffangen des Körpers betrifft, mit stärkster physischer Energie ausgestattet und mit leidenschaftlichstem künstlerischen Ausdruck betont. Oben die beiden Männer in glänzend gegebener Verkürzung; der eine stemmt sich, um sich zu halten, auf den Kreuzbalken, weil er und sein ausgereckter, tragender Arm von der Last über das Kreuz heruntergezogen wird. Wie ein Lastträger im Hafen von Antwerpen faßt er das Leichentuch mit den Zähnen. Johannes fängt mit durchgebogenem Rücken den Körper auf. Alle Umstehenden sind mit Blick und Gebärde an dem Lastauffangen beteiligt. Alles fügt sich zu einer restlosen Einheit zusammen. (Wieviel mehr zerflattert alles bei *Daniele da Volterra.*) Die physische Situation mit ihren barocken äußerlichen Motiven bewirkt die dramatische Spannung. Auch der Christuskörper ist schwer, eine in sich zusammensinkende Masse. Dennoch gelingt es Rubens, Christus so in den Mittelpunkt dieses Umkreises von Personen gleiten zu lassen und in der Fügung seiner Glieder eine pathetische edle Haltung aus dem dramatischen Motiv selber zu entfalten, daß auch der kirchlichen Repräsentation genügt wird. Das Licht, das in der nächtigen Stunde den Leichnam umflackert wie die ruckenden und aufgeregten Gebärden der Träger, ergießt sich auf den Körper Christi in vollen Zügen und verstärkt seinen Umriß mit dem aufleuchtenden Leichentuch. Die dramatische Szene verdichtet sich zur Glorifikation. Zugleich ist in den Motiven des äußerlichen Tragens eine feine Differenzierung gegeben. Je mehr sich der Leichnam in der Gleitbahn schräg durch das Bild dem Ziele nähert, um so schwächer werden die Aktionen, um

Abb. 693. *Rubens, Jüngstes Gericht. Dresden, Gemäldegalerie. Um 1615—16.*

so stärker das anteilnehmende Gefühl, um so weiblicher die Personen. Wie Jakob Burckhardt sagt: er gleitet hinein in eine Bucht der Liebe.

Als weltliches Bild bewältigt ein verwandtes künstlerisches Thema der *Frauenraub* in München. Castor und Pollux rauben die Töchter des Leukippos (Abb. 42, S. 59). Auch hier hängt in der Mitte des Bildes die Last eines schweren Frauenkörpers. Die heftigen, barocken Bewegungen haben ihr angemessenes Thema gefunden, Frauenraub in der Landschaft (nicht Schlafzimmermythologie), nicht tragisch, sondern festlich (halb zog er sie, halb sank sie hin). Das Ganze ist ein barock ausgeschweifter Rahmen um einen liegenden Frauenakt, dessen komplementäre Ergänzung als Rükkenakt der zweite Frauenkörper ist, umflattert von Blondhaaren, prächtig farbigen Gewändern, von Beinen, Köpfen, Mähnen kräftiger Schlachthengste und einem fliegenden Eros. Wie kompliziert die Komposition ist, wie künstlich und wie dennoch völlig dramatisch gelöst, das lehrt am besten ein Vergleich mit Schongauers Heiligem Antonius (Abb. 38, S. 54), der ja neogotisch dieselbe Verwandlung des Szenischen in ein Kultbild bedeutet wie dieses Bild barock. Gelöster aber ist dieses Bild durch die gesunde Oberflächlichkeit, die Balgerei, bei der die Körper Mittel und Zweck sind. Nicht ein gemarterter Heiliger, sondern ein Frauenakt wird umkränzt den Blicken dargeboten; zugleich strömt die dekorative Komposition wie ein saftiges flämisches Stilleben nichts als Lebensfreude aus, die von der luftigen, blonden Malerei wie von Musik begleitet wird.

In den Innenraum führt hinein die zweite Gefangennahme Simsons (Abb. 690). Ein mächtiger athletischer Akt in der Mitte, welcher der Dalila, in deren Schoß er noch eben geruht hat, noch zugeneigt ist, aber mit kolossaler Rückwendung sich gegen die Gefangennahme wehrt. Diese barocke Schraubenwendung ist nicht mehr wie bei den Manieristen dazu da, um Zärtlichkeiten zu bekunden. Sie ist dramatisch prachtvoll motiviert. Wie groß sich der Überwundene aus der schrägen Diagonalentwicklung, die von rechts nach links geht, durch Rückwendung ins Zentrum schiebt als ein aus Bewegung gewonnenes Monument, wie sich also auch hier Aktion und Repräsentation vereinen, das vermag kein barockes Reiterdenkmal zu überbieten. Dazu die Spannung, die psychologisch dadurch hineinkommt, daß die Alte Dalila dem Zorn des Helden zu entziehen sucht. In der Umgebung ist alles Figur, ein Kranz von Köpfen, der den Helden mit Fackellichtern umflammt.

Keine Prunkgeräte und Hausdinge werden stillebenhaft gemalt. Alles ist aus dem Ganzen heraus gestaltet, der Raum wird durch das Gedränge groß und tief.

Die Grenzen des Künstlers spürt man erst, wenn es sich um erhabene Themen, wie das *Jüngste Gericht* handelt (Abb. 693). Hier sieht man zu Michelangelo hinüber, wo alles sich senkt, in Nacht sich auflöst, und alle Gestaltung der geballten, dumpfen Verzweiflung der Verdammten gilt; bei Rubens steigt alles nach oben, der Hauptnachdruck liegt auf der Seite der Seligen, blühende Frauenleiber, die, von Christus wie die Klugen Jungfrauen gerufen, sich aneinanderschmiegend, nach oben wallen. Aber auch das Teufelswerk ist nichts anderes als ein Frauenraub von Satyrn. Das Ganze ist ein fröhlicher Kranz von Leibern wie ein Blumengebinde zu einem großen Freudenfest mit viel Haremsstimmung.

In einer zweiten Epoche seines Lebens tritt das Repräsentative, das aus Aktionen einen Mittelpunkt denkmalsmäßig herausschälte, zurück, das Dramatische als großes Geschehen überwiegt und bindet die Figuren gleichmäßiger unter sich durch die Beteiligung an einer stürmischen Handlung, und bindet sie mit dem Schauplatz durch eine weichere, tonigere Malerei, in der die Farben stärker in einen goldbraunen Ton getaucht sind und die Lichter und Schatten rauchiger alles zum Schauspiel auch für das Auge einen. Die Bildkomposition gravitiert nicht mehr auf einen Mittelpunkt, sondern auf einen Zielpunkt hin, den sie wieder aus der abstürzenden Bilddiagonale optisch gewinnt. Rubens treibt jetzt große Historie und Diplomatie. In dieser Zeit schafft er sein diplomatischstes Werk, die *Historie der Maria Medici*.

Am Anfang dieser Epoche stehen Bilder wie die Münchner *Löwenjagd* und die *Bekehrung des Paulus* in Berlin. Das eine ist ein hinreißendes Schauspiel, bei dem Blut und Wunden den strahlenden Effekt wilder, um ein Zentrum gruppierter Kampfbewegungen nicht zu dämpfen vermögen, bei dem diese vielmehr den flammenden Kranz bilden um die in schroffer Diagonale den Kreis zerschneidende Gruppe des vom Pferde stürzenden, dem Löwen ausgelieferten Arabers. Die Wildheit ist dieselbe, ob bei Menschen oder Löwen oder Pferden. Der Sturz des Mannes in die Löwenpranken, die Schräglinie, die scharf gegen den Mittelpunkt des Kreises das Ziel an die Peripherie verlegt, erhöht nur Spannung, schafft keine Tragik. Es ist alles prachtvoll klar, aber nicht mehr rund, sondern jäh, zerrissen, ausbrechend, lodernd. Die Malerei wird luftiger, die zur verewigenden Monumentalität kunstvoll aus Bewegungen gefügte Gruppe löst sich und drängt alles auf den Augenblick höchster Spannung zusammen. Es ist durch glänzende Malerei zur Wirklichkeit erhobenes Zirkusspiel,

Abb. 694. *Rubens, Bekehrung des Paulus. Berlin, Kaiser-Friedrich-Museum. Um 1616—18.*

ohne eine Spur von Sentimentalität, grausam festlich, wie Brueghels Darstellungen grausam satirisch sind, flämische Urkraft, heroische Aktion als Schauspiel fürs Volk, schön wie eine Parade.

Das andere Bild, die *Bekehrung des Paulus* (Abb. 694), ist kaum etwas anderes als diese Löwenjagd. Ein Reiter, athletisch wie ein barocker Fürst mit dem Beinamen der Starke, ist rücklings von dem Pferde gestürzt, aufgefangen von einem herkulischen Lastträger, eingebaut in eine pyramidale Gruppe, die mit sich bäumenden Rossen, wehenden Fahnen eine steile Schrägbahn bildet, an der der Blick aufwärts geht zu einer Erscheinung himmlischer Art; diese ist Ursache und Ausgangspunkt des Sichbäumens der Pferde und der Stürze und Bestürzungen der Männer. Mit diesen stürzt auch der Blick wieder hinunter, in die enge Gasse hinein, die sich zwischen diesem Reiterknäuel und einem Krieger bildet, dessen Pferd hinten hochgeht. Wie alles Geschehen hier schwellend, massiv, körperlich ist, die Prachtgestalt des Reiters den Blick fast noch mehr bannt als der Sturz und die Bemühung um den Gestürzten, so ist auch die Dramatik ganz in sichtbare Bahnen des Geschehens und in wogende Silhouetten und packendes Formgeknäuel umgesetzt. Dazu wie Signale im Trommelwirbel die glühenden Farben in dem Dunst der Lichter und Schatten! Kein Italiener hätte so die geistige Tatsache der Bekehrung in zündendes und so untheatralisches Schauspiel umgesetzt. Die Erscheinung Christi wirkt wie der Blitz des Zeus, der einen Giganten trifft. Daß aber für den, der hier ein Heiligenbild sehen wollte, Paulus genau in der Mitte des Bildes liegt, ist nicht mehr Kunst, sondern Diplomatie; diplomatische Kunst des Weltmannes, der aus barocker Welt- und flämischer Schaufreude heraus dem Heiligen nebenbei seine Reverenz erweist.

Diese Diplomatie befähigte Rubens, auch mit der höfischen Schmeichelei und historischen Allegorie, die Zeit und Umwelt von ihm forderten, künstlerisch fertig zu werden. Was uns an dem *Zyklus der Maria Medici* heute abstößt, die Gesinnung des Höflings, ist nicht Rubens, sondern die Zeit, in der der Ton des Untertänigsten gegenüber dem Durchlauchtigsten völlig allgemein war. Rubens' Eigentum ist die Genialität, mit der er die Aufgabe bildlich löste und die Apotheose des Herrschers mit mythologischem Apparat in menschliche Anekdote dramatisiert (Abb. 695). Diese Anekdote aber ist homerisch einfach und verständlich! Heinrich dem Vierten wird von einem Genius das Bild seiner Zukünftigen gezeigt (für die Zeit, die die Heiligen im Bilde verehrte, eine realere Begegnung als für uns Bild-Ungläubige), Minerva, die homerische Begleiterin der Helden und Göttin der Weisheit redet ihm zu; in den Wolken thronen Jupiter und Juno, nicht nur als Götter, in deren Schutz und Zeichen sich diese Verlobung in effigie vollzieht, sondern zugleich als Bild der Erfüllung dessen, was sich unten anbahnt, ein göttlich-herrscherlicher Hausstand. Auch die Bildkomposition entfaltet sich in wunderbar leichtem, schwebenden Aufwärtsdrängen zu diesem Paar in den Lüften hin. Zugleich wölbt sich wie die Zweige des Baumes einer Ideallandschaft der aus schönen Männern und Frauen, aus Leibern und Gewändern, aus Pfauen und Engelsflügeln gewobene Kranz in doppeltem Bogen von der Seite her über eine weite Landschaft, in deren Bilde sich dem Flamen die Perspektiven ausdrücken, die sich hier eröffnen. Ganz unauffällig, ganz diplomatisch erscheint in dieser Szene, diesem anekdotischen Augenblick und dieser am Rand beginnenden und am andern Rand aufhörenden Rahmenbewegung genau im Mittelpunkt des Gemäldes das Bild der Maria Medici.

Abb. 695. *Rubens, Heinrich IV. empfängt das Bild der Maria von Medici. Paris, Louvre. Um 1621—25.*

In diesem Stil der Rahmenbewegung und Verrankung menschlicher Körper und mit den Mitteln einer in die Diagonalführung der Handlung einschneidenden Zentralgruppierung hat Rubens das barockeste und schönste Madonnenbild seiner Zeit und seiner eigenen Kunst geliefert, die *Madonna der Augustinerkirche* in Antwerpen (Abb. 691, S. 566). Hier ist Erfüllung des Barock: die stürmischste Bewegung der adorierenden Heiligen in liebeseligsten Huldigungsgebärden (vergleichbar der Raserei der Begeisterung von Zuschauern in einem Theater und bei einem Stierkampf), lauteste Rückwendung der Huldigenden zur Menge der Gläubigen in der Kirche, aus der der Zug der Heiligen, ohne selbst Publikum zu sein, dennoch herauszustürmen scheint, und heftigste Anrede, mitzutun. Dabei ergeben sich zwanglos, was anderen nie gelang, die verschraubten Bewegungen, wie bei der herrlichen nackten Sebastiansgestalt im Vordergrunde, und pathetisch ausgreifende Gebärden, wie die des auch fast nackten Johannes des Täufers. Die Madonna thront hoch, der Himmel rauscht zu ihr mit luftigen Wolken und Putten hinein. Sie ist mehr Venus als Madonna, üppig, schwellend, strahlend. Die Diagonalbewegung, die schon in der Ecke rechts beginnt und wie ein Treppenlauf in Barockpalästen am Rande umbiegt, macht den Weg weit, die Prozession im Laufschritt reich und lang. Die größte Kunst aber besteht darin, daß in diesem Verlauf und in dieser dramatischen Aktion, die in der mystischen Verlobung der Heiligen Katharina ihr Ziel hat, eine Mittelachse mitten in das Bild hineingelegt ist, die zur Madonna als zentraler, repräsentierender Gestalt führt. Diese Mittelachse ergibt sich aus einer Zäsur im Vordergrunde zwischen den Hinaufstürmenden, durch einen aus der Prozession zur Madonna hin ausbrechenden Kavalier, durch die Heiligen, die die Madonna in gleicher Höhe mit ihr umgeben und an ihrer Repräsentation teilnehmen, und durch Ausgleich der Gewichtsverhältnisse, indem dem Eifer der Bewegung links die gebauschten Massen der Gewänder und die über die Madonna hinhuschenden

Abb. 696. *Löwen, Jesuitenkirche. Fassade. (Von P. Wilhelm Hesius entworfen.) 1650—66.*

Fahnen rechts, der Adoration links die propagierende Deklamation entgegengehalten werden: naturfrische Farbe in sonnig flutendem Licht, jugendliche Leiber und strahlende Rüstungen ergeben ein lockendes und jubelndes Bild von Fest und Pracht, von Vorgang und Haltung, Schauspiel und Darbietung. Die Madonna, an die hochstehende Säule gelehnt, ist wie ein Leuchtturm in brandenden Wellen. Hier ist aus unmittelbarem Erleben heraus die feierliche Repräsentation mit der ereignisvollsten Aktion verbunden worden. Hier begreift man, wie sehr dieses barocke Leben, diese volkstümlich hinreißende Festlichkeit auf der vom Naturalismus geförderten Einfühlungsgabe und Erlebnisdarstellung beruht. Hier aber wird noch ein anderes klar, das gerade bei Rubens hervorgehoben werden muß, wie sehr die Wärme und Glut aller dieser Bilder auf einer geheimen Gotik im Barock beruht, einer mittelalterlichen Gesinnung, die viel von ihrer Hoheit, ihrer konventionellen Haltung und Verfeinerung, ihrer geistreichen Zweideutigkeit aufgegeben hat, die sich mit natürlicher Sinnlichkeit und volkstümlicher Derbheit gefüllt hat, die aber unzweideutig nachlebt in dem Hochdrang, die die Bewegung versteilt und mit den Säulen hinter der Madonna den Weg in die Unendlichkeit andeutet, und mehr noch in der Liebenswürdigkeit, die die Huldigung nicht zur Unterwerfung, sondern zur gegenseitigen Liebeserklärung macht, oder in der Konversation, die sich auf dem Wege zur Madonna zwischen weiblichen und männlichen Partnern in verbindlichsten Formen abspielt, schließlich noch in der leichten und flüssigen, raumumschließenden, maß- und stabwerkartigen Verflechtung der Personen, die die menschliche Gemeinschaft auch zur architektonischen werden läßt. Rückblickend wird man gewahr werden, wie schon im Frauenraub, im Jüngsten Gericht und in allen anderen Bildern diese rankenden Rahmenkompositionen um einen Mittelpunkt herum wirksam sind, und wie in den Gebärden auch gerade des Frauenraubes die verbindlichen, die Zuneigegebärden, eine chevalereske Höflichkeit durch alle sinnlich heroische Brutalität durchbrechen.

Mit der Madonna in Antwerpen vergleiche man die *Jesuitenkirche* in *Löwen* (Abb. 696). In italienischer Art drängen sich vor dem Hintergrunde einer Doppelpilasterarchitektur, zwischen denen Nischen in der Form von Ädikulen sich befinden, nach der Mitte zu neben dem Portal Dreiviertel- und Doppelsäulen vor. Das Gebälk aber, das sie zusammenschließen sollte, ist durchbrochen, die schlanken Säulen verbinden sich strebepfeilerhaft vertikal, ein drittes Stockwerk erhöht diese Strebepfeiler und macht sie schlank wie gotische Dienste. Die Horizontalgebälke sind wie im Madonnenbild nur Stufen, Absätze eines Hochdranges, in dem schwellende, ausladende Körper zu einer einzigen aufflammenden Rahmensteilform verschraubt werden. Zwischen

Abb. 697. *Rubens, Meleager und Atalante. München, Alte Pinakothek. Um 1635.*

ihnen entsteht ein Raum, und das abschließende, von Genien gehaltene Wappen schwebt in diesem Raum wie die zentralen Figuren in den „Buchten der Liebe". Portale und Fenster in diesem Raum sind nicht Gebäudchen, sondern bogenumspannte Öffnungen. Auch in den Seitenpilastern setzt sich die Aufwärtsbewegung durch schlanke Pylonen fort (gotische Fialen), und durch Voluten, denen saftige Ranken eingefügt sind, schmiegen sich die Seitenfelder dem Aufwärtssteigen des Ganzen ein. Der üppige Barockbau ist völlig gotisiert, er läßt das Madonnenbild erst recht verstehen und wird von ihm aus verstanden.

In der letzten Periode seines Wirkens entwickelt sich die Kunst des Rubens nach zwei Seiten: sie wird noch wärmer, noch lebendiger, lebendiger noch im Sinne einer innigeren Intimität und Naturnähe, die in einer der Atmosphäre sich verschwisternden leichten und duftigen Malerei und in der eingehenderen Beobachtung aller Oberflächenfeinheiten des Körpers zum Ausdruck kommt. Die Farben werden frisch und hell wie Blüten in der Sonne, die Handlungen werden schlichter und menschlicher, ein Zwiegespräch zwischen zwei Menschen wie im Bilde des Meleager, der Atalante huldigend mit feiner Neigung den Eberkopf bringt (Abb. 697), oder in den Bildern von Rubens' zweiter Frau mit ihren Kindern (Abb. 698; Tafel X).

Abb. 698. *Rubens, Helene Fourment mit ihren Kindern. Paris, Louvre. Um 1635—38.*

Abb. 699. *Rubens, Andromeda. Berlin, Kaiser-Friedrich-Museum. Um 1638.*

Die Frauen, die er schildert, sind weniger mythisch allgemein, er leiht ihnen bis in die Modellierung eines Knies hinein die Züge seiner Gemahlin, der jungen und schönen Helene Fourment, und läßt die Welt an einem Glück teilnehmen, das seine Kunst beflügelt. Zugleich holt er die Kunst stärker vom Himmel auf die Erde herab (wie es einst die Gotik tat), indem er nicht mehr die großen kunstvollen Aufbauten seiner früheren Bildarchitekturen schafft, sondern Züge reigenhaft durch die Landschaft führt, Jagdzüge der Diana mit ihren Nymphen, Züge von Faunen, die auf Nymphen jagen, Züge, die sich mehr tanzend als sich bekriegend auf der Erde streifenhaft als herrliche Wanddekoration durchs Bild bewegen. Sie sind erfüllt von feinem silbrigen Morgendunst der Landschaft, der die Farben leicht und ätherisch macht und in Einklang bringt mit der Jugend, die seine Gestalten jetzt ziert. Zuweilen treffen wir den Künstler selbst mit seiner Frau so spazierengehend im Park seines Schlosses. Auch die Bewegungen werden leichter und schwebender wie der Windhauch, der in diesen Bildern über die Felder weht. Das Gefüge lockert sich. Die körperliche Ballung des Barock weicht einem die Menschen durch innere Grazie verbindenden Verkehr, wie in den späten Parisurteilen. Damit aber tritt zu der stärkeren Naturverbundenheit und menschlichen Wärme auch hier ein mittelalterliches gotisches Element, ein geselliges Nebeneinander der Figuren in einer durch Huld und Werbung verbundenen Beziehung, etwas Dialogisches und Konversierendes, das sich mit der gesunden Sinnlichkeit der Enthüllung des Körpers und des Lebens in der Landschaft verbindet. Die dekorative, vorbildliche Haltung der Figuren wird gerade durch die fast porträthafte Nähe und liebenswürdige Anmut aus kühler Repräsentation zu mittelalterlicher Gastlichkeit. Daß das, was der Künstler malt, jetzt eine Nähe besitzt, die nur auf seiner intimen Nähe zum Gegenstand beruhen kann, und daß er diese ihm nahe Welt (das Intimste) in der Form eines veröffentlichenden dekorativen Stiles der Welt

Abb. 700. *Rubens, Die Kirmes. Paris, Louvre. 1635—36.*

schenkt, das macht diese Bilder so einladend, so entgegenkommend, so gastlich, wie es bisher nur gotische Kirchenportale waren. Dabei gelingt ihm, was keinem Venezianer gelang (auch Tizian nicht, auch nicht Giorgione), der als Italiener immer die Rechnung auf den Beschauer in irgendeiner Form mit zum Ausdruck bringt. Gerade die unglaubliche Nähe, die jetzt die weiblichen Formen seiner Geschöpfe durch das Eingehen des Malers auf die Zufälligkeiten der Form, der Modifikationen in der Atmosphäre erhalten, gerade der Fortschritt vom Allgemeinen zum porträthaft Besonderen legt um die sich unbefangen in göttlicher Nacktheit dem Blicke darbietenden Frauen eine Atmosphäre der Intimität, von der der Beschauer fühlt, daß sie nicht für ihn da ist, und von der ihn die bis in die leisesten Details spürbare Kunst des Malers bedeutet, daß sie für den Maler da ist, bei dem er nur zu Gaste ist. In dem kühnsten Bilde, der *Andromeda* (Abb. 699), stellt er einen weiblichen Körper ganz offen und unverhüllt vor den Beschauer, wie es kaum je ein Maler gewagt hat. Eine Malerei, die fast schattenlos, mit zartem Blond in Blond, den Körper in einer gefälligen Haltung, aber mit wahrster Spiegelung der atmenden Haut in einer zitternden Atmosphäre gibt, macht das ideale Venusbild zum Porträt. Aber schon diese Nähe, die Bekanntschaft voraussetzt, gibt nicht preis, sondern entrückt, wie die intimen Porträts dem Fremdling entrückt sind. Sie sind entallgemeinert. Zugleich aber lenkt von der antik sinnlichen Darstellung des Fleisches die Bewegung ab, die den stehenden Körper nach aufwärts durchdringt (die venezianischen Frauen lagen oder waren Halbfiguren), die die schwere und volle Materie zum Schweben bringt und mit versteilendem Zusammennehmen der Arme den Körper in die gotische Kurve einbiegt. Diese Bewegung über sich hinaus (wie bei

Abb. 701. *Rubens, Liebesgarten. Dresden, Gemäldegalerie. Werkstattkopie nach dem Gemälde von etwa 1635.*

gotischen Statuen) bekommt einen geistigen Sinn, eine Hingabe, die die des Vertrauens ist. Der Beschauer, der von diesem Bilde gastlich begrüßt wird, muß sein wie Perseus oder der Heilige Georg, ein Ritter ohne Furcht und Tadel.

Diese beiden Tendenzen, größere Naturnähe und gotische Verbundenheit, aus denen die Spätbilder ihre Lockerheit und Gelöstheit, ihre Wärme und Gastlichkeit erhalten, führten zu zwei Bildern, in denen jede von ihnen, die naturalistisch ungezwungene und die gotisch verbindliche jeweilig vorwiegen und den Charakter bestimmen: die *flämische Kirmes* und der *Liebesgarten* (Abb. 700, 701). Im ersteren ist Stimmung von Brueghel, aber nicht satirisch verallgemeinernd, sondern mythisch. Die Realität eines Bauernfestes in landschaftlicher Weite und Offenheit, wie bei Ostade der Landschaft staffagehaft eingefügt, ist bacchantisch ins Ekstatische von Faunen und Nymphen erhoben, bauernhaft drall und ungeniert, aber barock im Schwung der Bewegung, fessellos wie Naturkräfte. Wir werden daran erinnert, daß neben Rubens der Protestant Jordaens am Werke ist und eine Kleinmalerei (*Teniers*), die mehr zur holländischen als flämischen Malerei gehört. Im Liebesgarten aber kehrt das mittelalterliche Thema der Wanddekorationen und der Elfenbeinkästen und Minnekästen in die Barockkunst zurück, das Thema geselliger Unterhaltungen von Damen und Herren im zärtlichen Verein und in reigenhafter Rhythmik von Paar zu Paar oder Person zu Person, aber ungezwungener, lässiger, am Boden gelagert, vom Stoff beschwerter, sei es der volleren Körper oder der bauschigen Gewänder, unbefangener und lebenslustiger im schwärmenden Gefühl, im Glitzern der Lichter auf seidigen Kleidern und im Schillern der gebrochenen, tremolierenden Farben — ein Madonnenkult von Venus und ihren Grazien begrüßt. Mit diesem Bilde führt Rubens hinüber zum französischen Rokoko und schenkt ihm seine malerische Fülle durch Watteau, der ohne Rubens und die niederländische Kunst nicht denkbar ist. Vorher aber übergibt er alles Chevalereske und im geheimen Gotische seinem Schüler van Dyck, der es zu einem neuen höfischen Stil umarbeitet.

Abb. 702. *A. van Dyck, Der Maler Snyders und Frau. Kassel, Gemäldegalerie. 1627—32.*

Van Dyck ist Porträtist. Er verwaltet das große Erbe, das der niederländische

Naturalismus und Manierismus an Menschenbeobachtung und Menschendarstellung im Porträt hinterlassen hatte. Für Rubens war, trotz mancher tüchtiger, aber psychologisch wenig interessanter Bildnisse, die er hinterlassen hat, das Porträt keine erwünschte Aufgabe. In ausgezeichneten Jugendbildnissen hat van Dyck vor allem den Typus des Künstlers in geistreicher Manier festgehalten (Abb. 702), bei denen schon der schwungvolle Pinselstrich durch nervöses Absetzen und Verhaken eine feine Sensibilität ausdrückt und schon in den schmalen, spitzbärtigen Köpfen mit der eingesunkenen Haut an den Schläfen und am Kinn das Geistige hervorhebt. In den Augen betont er die stechenden Lichter bis zur fiebrigen Erregtheit und benützt die welligere dekorative Pinselführung, um die asketisch-geistigen Einziehungen um den Kopf noch weiter zu verschmälern und in eine sehr aktiv und momentan wirkende Vertikalbewegung überzuleiten. Auch hier ist mehr gotische Knappheit und funktionsgesättigtes, spirituelles Flamboyant als schwülstiges Barock. In den religiösen Bildern, die er unter dem Einfluß oder im Auftrage des Rubens malt, und zu denen oft für aufschlußreichen Vergleich ein Bild des Rubens gleichen Inhaltes und gleicher Anlage vorliegt (zum Beispiel der gutmütig muskelkräftige Hieronymus des Rubens und der asketisch sich innerlich verzehrende, bis in die Runzeln der Haut des Körpers nervös zuckende des van Dyck, Abb. 703, 704), in diesen Bildern steigert er das Psychologische zu erhitzten und raffinierten Affekten, verdichtet und erwärmt mit branstig rötlichen Tönen auch die Atmosphäre zu szenisch ausdrucksvolleren Stimmungen und würde so den Weg zu einer wieder intimeren, vom barock Repräsentativen und Dekorativen abführenden Erzählungskunst, zu Rembrandt gewonnen haben, wenn nicht die große Form des Rubens, der ideale Schwung, von ihm oft ins Schlanke und Elegante verfeinert, den Eindruck des Affektierten, d. h. des Theatralischen erzeugten.

Abb. 703. *Rubens, Hieronymus. Dresden, Gemäldegalerie. Um 1606—08.*

Abb. 704. *Antonius van Dyck, Hieronymus. Dresden, Gemäldegalerie. Um 1620.*

Eine gewisse Verallgemeinerung, die auch in den besten Frühporträts schon spürbar ist und sich als eine

Abb. 705. *Antonius van Dyck, Antonio Giulio Brignole-Sale. Genua, Palazzo Rossi. 1622—27.*

mehr gewandte und schnelle als eingehende und vertiefende Menschenkenntnis kundgibt, überträgt sich bald als ein stets gleichartiges typisches Merkmal auf seine Personen. Man spürt ein Künstlertum ohne den Willen, am Leben der Beobachteten liebevoll teilzunehmen und sich zu verschwenden. Dieses schnelle, gewandte Erfassen der Menschen wird Charakter seiner Menschen und gibt ihnen einen psychologisch stechenden und bestechenden Ausdruck der Weltzugewandtheit, eine Art psychologischer, geistiger Repräsentation, die immer die des Diplomatischen ist. Seine Kunst ist weltmännisch im Sinne kühlen Prüfens und skeptisch reservierten Durchschauens der Welt, nicht weltfreudig wie die des Rubens.

Die Berührung mit der klassizistischen Weise italienischer Kunst fügt zu der psychologischen die körperliche Haltung hinzu, eine wiederum mehr höfische als barock heroische Haltung schmaler, langer Geschöpfe mit schlanken Gliedern. Die Hände sind vom Künstler verdünnt und zugespitzt und immer dieselben, gänzlich physiognomielos, die Gesichter sind schmal, fein, lebhaft im Blick. Wie geschickt verwandelt er die barocke Reiterfigur des Antonio Brignole-Sale durch Frontalstellung in eine steile Schmalgruppe (Abb. 705), benutzt er die Wirkung langer, schleppender Falten, die schlanke Figur der Paola Adorno noch feiner und eleganter werden zu lassen! Und ganz im Sinne der Spätkunst des Rubens und gotischen Entgegenkommens ist es, daß er die kühle, repräsentative Wendung zum Bild hinaus immer als einen gesellschaftlichen Empfang des Beschauers interpretiert, ein Begrüßen, ein Vorübergehen und Ins-Auge-Fassen, ein Zum-Gespräch-Bereitsein wie bei dem Ehepaar in Berlin, das in disziplinierter Lässigkeit den Beschauer auffordert, Platz zu nehmen (Abb. 706, 707). Sie sind nicht in monumentaler Form einfach für alle Welt da wie italienische Porträts und bedacht, eine gute Figur zu machen. Sondern physiognomisch bestimmt und akzentuiert wenden sie sich an den, der zu ihnen kommt, der in ihre Sphäre eintritt und bei ihnen zu Gaste ist. Insofern ist es eine durch und durch höfische Kunst. Aber (und das ist nicht nur van Dyck, dieser ist nur Meister darin) diese Gastlichkeit ist nicht liebenswürdig. Die Renaissanceindividualisierung läßt diese Figuren innerlich für sich bleiben, die Unterredung mit dem Beschauer und seine Begrüßung bleibt reserviert: im Ausdruck ist etwas, was dieses Anreden und

Abb. 706. *Antonius van Dyck, Bildnis eines vornehmen Genuesers. Berlin, Kaiser-Friedrich-Museum. 1622—27.*

Abb. 707. *Antonius van Dyck, Bildnis einer vornehmen Genueserin. Berlin, Kaiser-Friedrich-Museum. 1622—27.*

Für-den-andern-Dasein wieder zurücknimmt; eine Prüfung des Gastes als eines Fremden, ein feindseliges Erspähen der Schwächen wie eines Gegners (unübertrefflich bei dem Genueser Ehepaar, besonders dem Mann), eine Diplomatie mit Advokatenkniffen oder ein Übersehen, eine Apathie im Augenblick der Begrüßung, die nur noch Hochmut ist. Auch die Malerei wird reserviert und geistig zu gleicher Zeit, eine Malerei, deren Kühle auf die adlige Haltung Tizianscher Aristokratenbildnisse zurückgeht, eine Vorliebe für Schwarz in Schwarz, aus dem die Akzente des Psychologischen in Gesicht und Händen sehr beredt, aber kühl und blaß herausstechen. Diese Porträts enthalten in interessantester Form jene Mischung von geselliger Form und geistigem Eigenleben, in der beides sich negiert. Die innere Reserve negiert die gesellige Anmut höfischer Liebenswürdigkeit, die äußere Haltung die Mitteilung nacherlebbaren reichen Eigenlebens. Es entsteht eine typische Vornehmheit der Distanz, mit der der Geist seine physische Machtlosigkeit verdeckt und der Körper den Geist zur Unfruchtbarkeit verurteilt. Es wird die Vornehmheit der Geistigen, der Gebildeten.

Abb. 708. *Antonius van Dyck, Karl I. von England. Paris, Louvre. Um 1635.*

In den Spätbildern, die durch seinen Aufenthalt in England eine besondere Note der Lässigkeit und eines komfortablen Reichtums erhalten, wird auch seine Malerei reicher und farbiger (Abb. 708), eine kultivierte Stoffmalerei und Darstellung modischer Dinge, hinter denen das Geistige zurücktritt. Die elegante, bewußte Haltung erschlafft im Zeichen eines äußeren, gepflegten und betonten kostümlichen Apparates, den van Dycks Malerei leicht und glänzend wiedergibt. Auch die Gesichter verlieren ihre Spannung und diplomatische Energie, sie verflauen und versinken im Ausdruck einer durch Reichtum verwöhnten und verlebten Aristokratie. Es ist ein merkwürdiges Gemisch von Haltung und Bequemlichkeit, von Weltmann und Privatmann, von bewußter Würde und äußerlicher Pracht. Wie weit van Dyck diese Mischung erst geschaffen hat, das Kommerzielle mit dem Stil des Höfischen erst erfüllt hat, das Modische geadelt hat, ist schwer zu sagen. Aber den Grund für die Kunst des Gainsborough und Reynolds, für das englische Rokoko hat er gelegt. Die kühle Reserve freilich scheint sein Eigentum: von Shakespeare ist hier nichts zu spüren.

Jordaens ist sein Antipode. Bei ihm ist alles derb und volkstümlich, unedel bis zur Vertiertheit, bäuerisch auch im Bürgerhaus und in Heiligen Familien und Gesellschaften, fett und saftig in der Farbe, klotzig in Licht und Schatten, strotzend von gesunder animalischer Fülle, von einer Üppigkeit wie Kohlpflanzen in schwerem Boden und in all dem barock; unbarock, protestantisch in der naiven Schilderung und herzhaft biederen Teilnahme an diesen lebendigen Szenen eines niedrigen tier- und triebhaften Menschentums, in deren Mittelpunkt immer eine Mahlzeit steht. Bei einer Heiligen Familie, die nichts anderes ist als der Besuch echter Hirten bei ihren Bauern, steht ein Krug

Abb. 709. *Jacob Jordaens, Der Satyr bei den Bauern. Kassel, Gemäldegalerie. Um 1618.*

Abb. 710. *Jacob Jordaens, Bohnenfest. Braunschweig, Gemäldegalerie. Um 1640—50.*

vor dem Tisch. Atalante, eine dralle Kuhmagd, streitet sich mit Meleager um den Wildschweinskopf wie um einen Braten; ein Streit, bei dem es dem Bauernburschen lohnt, das Schwert zu ziehen. Und auf dem prachtvoll schwerfarbenen Bilde in Kassel (Abb. 709), bei dem allen Farben ein erdiges Schwarz beigemischt ist, und der Raum zwischen rüpelhaft vorgestreckten Beinen ausgestanzt ist, ist der Satyr bei den Bauern zur Suppe geladen und gerät mit ihnen in Streit, weil der Bauer die Suppe kalt pustet, nachdem er vorher sich die Hände warm geblasen hat, also mit demselben Atemzug warm und kalt bläst, deshalb nicht aufrichtig sein kann. Und bei den berühmtesten Bildern von Jordaens, den *Bohnenfesten* (Abb. 710), handelt es sich um ein Wettessen, bei dem der, der am meisten verschlingen kann, König wird. Die Bilder quellen über vom Fleisch der Männer und Frauen, die Tafeln bersten von gefüllten Schüsseln und gehäuften Platten, alles schluckt, schlürft und speit. Dazwischen wird gejohlt, geküßt und gekniffen. Eine dicke Bierstubenatmosphäre, aus der der Lärm und die hemmungslose Ausgelassenheit durch ein wie von Fett triefendes, ölig schwerflüssiges Helldunkel dringt.

Man könnte sich denken, daß es in dieser Zeit in flämischen Kneipen und vielleicht auch in Bürgerhäusern so zugegangen sei und daß hier eine neue naturalistische Kunst unmittelbares Leben zur Teilnahme dargeboten hätte, mit dessen animalischer Roheit man sich abfinden müßte. In den Frühbildern hat wohl auch der Geist dieser Kunst das Barocke, Religiöse von neuem in intimes, unkirchliches Volksleben umgesetzt. So ist das Bild des Zinsgroschens in Kopenhagen (Abb. 711) ein unvergleichliches Stück Schilderung einer Überfahrt im Antwerpener Hafen, bei der die Menschen mit dem Vieh

Abb. 711. *Jacob Jordaens, Das Fährboot von Antwerpen. Kopenhagen, Museum. Um 1630—40.*

zusammen so eng in einen Kahn gepfercht sind, daß die Glieder nur noch über Bord Platz finden. Aber schon im Satyr bei den Bauern mischt sich in die bäuerisch-häusliche Szene wie bei Brueghel eine Moral. Es möchte ein Sittenbild (Tugendallegorie) sein, ist aber noch Genrebild. Erst unter dem Einfluß des Rubens, nachdem vorher spanische Malerei stark von Einfluß war, werden die Typen seiner Bauern verallgemeinert, die Frauen nehmen den Typus Rubensscher Nymphen, die Männer den von Bacchus, Satyrn und jungen schöngelockten Göttern oder Helden an. Die Bohnenfeste steigern sich in eine ideale Sphäre bacchischer Kulte, sie werden mythisiert, und auch die Bildform läßt den Raum in eine Streifenkomposition zusammenschrumpfen, in der die Personen mit Prost! und Hallo, Brüderchen! den Beschauer animieren, mitzutun. Die Bilder bekommen eine allgemeine dekorative Haltung, bei der es nichts verschlägt, daß die Räume, in denen solche Bilder ihre Wirkung tun könnten, nicht Paläste, sondern derbe Kneipen und Bierstuben sein müßten, und auch nichts verschlägt, daß sie mit derselben Bravour und malerischen Fülle produziert sind wie die Bilder von Rubens. Ganz konsequent mündet seine Kunst in mythischen Darstellungen

Abb. 712. *Jacob Jordaens, Die Erziehung des Bacchus. Kassel, Gemäldegalerie. Um 1640—50.*

von Faunen und Nymphen, wie dem Kasseler Bild, in dem rein ideale Naturwesen die Abendstunde genießen (Abb. 712). Der Raum ist noch flacher, die Natur kulissenhafter geworden, die Figurenkomposition pyramidaler, und es ist fast ein Wunder, wieviel trotzdem noch von der Unmittelbarkeit einer Abendstimmung und einer Familienszene geblieben ist, bei der die Natur vor allem Milch geben muß. Auch die Farben werden blasser und kühler, silbriger und bläulicher, die Erdschwere und strotzende Festigkeit ist verduftet. Deshalb ist auch, was man erwarten könnte von dem Protestanten, der seine Unkirchlichkeit und Unfeierlichkeit auch in diesen Bildern, d. h. bis zum letzten Augenblick, nicht verleugnet hat, keine Erlösung dieses intimen Lebens und dieser flämischen Naturverbundenheit vom Barock gemeint: die Freß- und Sauffeste sind nicht Parodien und Proteste auf einen König der Starken, die Satyrszenen nicht eine Satire auf die Vergöttlichung der Natur; sie sind höchstens Wegbereiter für die Leistung, die die holländische Kultur übernimmt. Wir verstehen aber, daß gerade die öffentliche, dekorative, nach außen gewendete Haltung dieses flämischen Naturalismus im Werden einer neuen intimen Naturauffassung die Mittel des Protestes und der Revolution und auch die Personen stellen konnte, die am frechsten die Auflehnung gegen die Idealität, gegen das Höfische und Kirchliche der Barockkunst vertraten: *Frans Hals*, der Holländer, ist zeitlich und stilistisch der Übergang von Rubens zu Rembrandt, *Brouwer*, der genialste Parodist aller barocken Themen, ist Flame von Geburt, Holländer durch Wahl der Kultur.

Abb. 713. *Rubens, Der Triumph des Siegers. Kassel, Gemäldegalerie. Um 1618.*

DIE HOLLÄNDISCHE MALEREI DES 17. JAHRHUNDERTS (REMBRANDT)

Seit 1568 Freiheitskrieg der Niederlande gegen Spanien. Zusammenschluß der nördlichen niederländischen Provinzen mit vorwiegend protestantischem Charakter in der Utrechter Union 1579 (Wilhelm v. Oranien). Anerkennung der Republik der Niederlande im Westfälischen Frieden 1648. Seit dem 16. Jh. mennonitische Täuferbewegung. Mitte des 17. Jh. Auswanderung der Jansenisten aus Frankreich nach Holland. Im 17. Jh. Holland erste europäische See- und Kolonialmacht: 1602 Gründung der Ostindischen Kompagnie, 1628 Sieg über die spanische Armada. Im Jahre 1688 setzt Wilhelm III. von Oranien den englischen König ab und wird selbst König von England.

Die holländische Malerei des 17. Jahrhunderts mit der flämischen Kunst des Rubens und der italienischen und spanischen des späten 16. und 17. Jahrhunderts unter dem Namen *Barock* zusammenzufassen, ist irreführend, aus dem einfachen Grunde, weil damit das Wesentlichste der holländischen Malerei nicht zum Ausdruck käme. Denn im Gegensatz zu der höfischen und kirch-

Abb. 714. *Frans Hals, Das lustige Kleeblatt. Berlin, Kaiser-Friedrich-Museum. Schulkopie nach einem verschollenen Original von etwa 1615—20.*

lichen Kunst des Barock setzt sie die Traditionen des *Naturalismus* der ersten Hälfte des 15. Jahrhunderts, des Jan van Eyck und Masaccio und ihrer Zeitgenossen, und des Naturalismus der Dürerzeit fort; im Gegensatz also zum Barock, der Kunst der Gegenreformation, wird hier die Reformationskunst wieder aufgenommen, weiter entwickelt und von neuem mit einem Protest begonnen. Wollte man ein Gemeinsames in allen Zeiterscheinungen hervorheben, so wäre es der Sensualismus, das Gefühl für die Oberflächenwerte von Licht und Farbe, für das Weiche und Umhüllende der Atmosphäre, für den Augengenuß und für träumerisches Nichtstun. Aber das betrifft doch nur eine Seite der holländischen Kunst und nicht ihre wesentliche, und ist auch mit der Genußkultur der üppigen Venus- und Bacchusfeste der Fürstenkunst des Barock nur bedingt auf einen Nenner zu bringen. Die malerischen Mittel freilich der Beherrschung der Körper im Raum und ihrer atmosphärischen Bindung zu glaubhafter und unmittelbarer Anschauung gesehener Welt sind beiden gemeinsam und bezeichnen den Fortschritt vom wissenschaftlichen Suchen des 15. Jahrhunderts und den Nachwirkungen mittelalterlich plastischer und zeichnerischer Kunst zum optisch erfaßten Eindruck, von der Konstruktion zur Sicht. Aber das Wesentliche ist doch, daß von dem Erbe, das der niederländische Manierismus nach zwei Seiten hin, der des Naturalismus und der des kultischen Formalismus, hinterließ, die holländische Kunst sich wieder ganz auf die Seite der einfühlenden Naturbetrachtung stellte und ihre erste Phase mit einem Protest gegen den Formalismus erfüllte. Dieser Protest wird durch die Kunst des *Frans Hals* am bedeutendsten und entschiedensten repräsentiert.

Die Revolution, die politisch im Freiheitskampf gegen die Spanier sich ausdrückt, ist künstlerisch weniger eine solche gegen die Kirchlichkeit in der Kunst, denn die Revolution gegen die Kirche hatte das protestantische Holland bereits hinter sich; das Heiligenbild war kein Gegenstand mehr der Reformation (höchstens der Bilderstürmer). Die Revolution richtet sich vor allem gegen die Kunst der Fürsten und Höfe, die sie, ähnlich wie die Kunst des 15. Jahrhunderts und der Zeit Dürers das Heiligenbild, verweltlicht, säkularisiert, ins Gemeine herabzieht und damit persifliert. Diese erste Phase könnte man barock nennen, weil nicht nur die Inhalte, die man verdreht und in die Sphäre niedrigen Menschentums herabzieht, die barocken sind, sondern auch noch die revolutionäre Bildform, die die Wendung zur Öffentlichkeit beibehält und in der Sprache laut und lärmend ist wie die Propaganda der Heiligenbilder. Aber sie ist nicht empfehlend, sondern anstößig, nicht anlockend, sondern herausfordernd. Ihre Deklamation ist die Agitation des Revolutionärs und nicht für, sondern gegen die Inhalte, die in der Barockkunst ihre Vergöttlichung erfuhren. Sie ist Kunst des Gegenbarock.

Barock ist die Bevorzugung des Heros. Von Giorgione bis Rubens ist selbst im Heiligenbilde der gerüstete Heilige der schönste Schmuck des Hofstaates der Madonna. Die Tugend wird dargestellt als herkulischer Krieger im strahlenden Panzer, den ein nackter Genius krönt und mit seiner Schönheit belohnt (Der Tugendheld, Abb. 713). Also malt auch die junge holländische Malerei den Krieger, aber als Lumpenbagage in der Kneipe, bezecht und lärmend, frech und herausfordernd, würfelnd und kartenspielend und im Kreise wüster Dirnen. Auch *Frans Hals* hat einen solchen Tugendhelden gemalt, einen versoffenen Hauptmann mit kupferner Nase, den Schädel stark von Haaren gelichtet, ein fragwürdiges Fräulein in reicher Tracht auf seinem Schoß (Abb. 714). Ein zweites Mädchen reicht ihm den Kranz, der ihn krönen soll, ein zur Krone verschlungenes Paar Würste. Das ist die Apotheose des neuen Stils, bei der man daran denkt, wie sehr Jordaens mit seinen Bohnenfesten auf ähnlichem Wege war. Auch im Stil ist das Bild von Frans Hals noch typisch barock. Es ist keine intime Szene, sondern der Beschauer wird von den Personen angeredet, und die Figurenkomposition baut sich pyramidal zur Gruppe auf, der die divergierenden Diagonalen der anderen Personen spannungschaffend entgegenarbeiten. Man wird nicht zur Versenkung, sondern zur Kritik aufgefordert.

Die Renaissancestimmung im Barock hatte dem Schlachtenbild neues Leben eingeflößt — Schlachtenbilder im antiken Sinne heroischer Leiber und kühner Bewegungen. Rubens' Amazonenkampf mit seiner in architektonischer Volute (darin wieder mittelalterlich) sich rhythmisch entwickelnder Zweikampffolge ist das schönste Beispiel. Das wird jetzt in Holland zur gemeinen, volkstümlichen Prügelei. (Man glaube doch nicht, daß diese Prügelei ein besonders vorstechender Zug holländischen Volkslebens sei. Sobald der Barock überwunden ist, verschwindet auch sie.) Der Kampf wird zur Bauernprügelei (Abb. 35, S. 51). Das Parodische im Bilde *Brouwers* liegt nicht nur in dieser Plebejisierung, sondern auch gerade darin, daß die gemeine Szene kunstvoll pyramidal aufgebaut, mit großen Gebärden idealisiert ist und sich wie ein antikes Relief von der Wand abhebt. Aber es ist die Vereinfachung der drastischen Sprache des

Abb. 715. *Frans Hals, Willem van Heydthuysen. Brüssel, Museum. Um 1637.*

Abb. 716. *Frans Hals, Festmahl der Offiziere von den Cluveniersdoelen in Haarlem. Haarlem, Frans-Hals-Museum. Um 1623—24.*

Ausrufers und Karikaturisten. Die Einfachheit und Großheit der Bewegungen ist die des Puppenspiels auf dem Jahrmarkt. So wie Kasperle den Teufel erledigt, so haut der Bauer mit dem Krug seinen Partner auf den Kopf. Die Malerei gibt den durch knallige Lichter in dicken Schatten ausgeweiteten Spielraum, die explosive Katastrophenbeleuchtung als Spelunkenlicht. Die Behandlung der Menschen und Dinge ist nicht liebevoll, sondern breit hingehauen in soßig braunem Ton wie ein derbes Witzwort. Dem gebildeten 19. Jahrhundert blieb es vorbehalten, in dieser genialen Karikierungsfähigkeit nach malerischen Feinheiten zu suchen.

Der Haltung der Kavaliere, denen auf der Gegenseite van Dyck die lässig kühle Eleganz wiederauflebender Ritterlichkeit verliehen hatte, wird von *Frans Hals* im Bilde des Herrn van Heydthuysen in Brüssel (Abb. 715) das herausfordernde Bild eines Landsknechtsführers entgegengehalten, der sich zu Hause gehen läßt, lässig auf dem Stuhle wippt und auf den Beschauer wie auf einen Ankömmling blickt, dem das Spiel mit der Reitgerte keinen freundlichen Empfang verheißt. Und wenn einmal die repräsentative Pose, wie bei einem früheren Bilde desselben Kavaliers, beabsichtigt wird, dann spürt man, wie der wallende Teppich hinter der Gestalt nur für diesen Augenblick der Porträtaufnahme aufgehängt ist. Der Brave aber tritt forsch vor uns hin, den Arm in die Hüfte gestemmt, den Säbel mit gestrecktem Arm auf den Boden gestellt, herausfordernd wie die Raubrittergestalt Castagnos. Eine künstlerisch bedeutende Schwarz-in-Schwarz-Malerei wirkt nicht wie bei van Dyck vornehm und zurückhaltend, sondern aufgeputzt und wie lackiert.

Abb. 717. *Frans Hals, Der lustige Zecher. Kassel, Gemäldegalerie. Um 1635—40.*

Das Gruppenbildnis von Herrengesellschaften wird ausgesprochen antimonarchisch, ohne zentralen Mittelpunkt des Vielheiligenbildes, das das barocke Gegenstück zu den Schützenbildern abgab. In diesen war Gelegenheit, eine demokratische Gesellschaft von Gelegenheitshelden, deren jeder gleichviel für sein Bild bezahlte und gleich gut im Bilde placiert sein wollte, im zwanglosen Verein zu malen, das repräsentative Heiligenbild zu intimisieren. Frans Hals bemüht sich sichtlich, in seinen frühsten Schützenstücken (Abb. 716) alles Repräsentative mit betonter Absichtlichkeit zu vermeiden oder ins Familiäre eines duzbrüderlichen Begrüßens umzubilden; er zersprengt das Barockschema des Rubens, an dem er noch festhält, den vom Personenkranz umrahmten Mittelpunkt, durch ein Hinüber und Herüber von Begrüßungen und Zuprosten, er zerstört alle feierlichen Ringe und Gruppen durch Diagonalen, die nicht führen, sondern zerschneiden und zerhacken, er gibt ein Durcheinanderschwirren von Richtungen, die wie die Stimmen einer Kneipe einen ohrenzerreißenden Lärm vollführen. Essen und Trinken, die fröhliche Kneiperei ist schließlich das ganze Ziel dieses Heldentums. Die Haltung dieser Sonntagskavaliere besteht darin, in Schärpe und Samtrock mit kräftiger Faust ein Glas zu schwenken und ein Stück Braten zu fischen. Die auffordernde Wendung zum Beschauer heraus hebt das Repräsentative auf, indem sie besagt: nur näher, wir legen keinen Wert darauf, eine geschlossene Gesellschaft zu sein! Sie machen sich mit dem Beschauer gemein.

Abb. 718. *Frans Hals, Hille Bobbe (Malle Babbe). Berlin, Kaiser-Friedrich-Museum. Um 1635—40.*

Wären nicht die Bacchusfeste des Barock, so würden auch die Kneipenbilder in der holländischen Malerei nicht solche Rolle spielen. Denn sie sind die karikierte Erniedrigung des idealen Pathos dieser mythologischen Bacchusfeste. Schon Jordaens ist ja nur die Kehrseite dieser Rubensschen Kunst. Bei der Bauernkneiperei des *Brouwer* meint man, er müßte Rubens' Bild, den Zug der Bacchanten in München, gekannt haben, wenn er statt des Pansweibes, das trunken zu Boden sinkend noch seinem Satyrknaben die Brust reicht, eine Bäuerin im Vordergrund am Boden malt, die durch keine Dringlichkeit ihrer Kinder aus dem Schlaf ihres Rausches geweckt werden kann. Bacchus hat sich in einen feisten Trunkenbold verwandelt, der schnaufend und rülpsend an der Wand lehnt, während die übriggebliebene Tischgesellschaft mit Grölen und Schmoken Stimmung markiert. Die Verallgemeinerung, die auch in diesem Bilde Typen und Gebärden haben, die Übertreibung, die in ihnen das Pamphlethafte bedingt, dieselbe wie bei Brueghel, ist aber nicht Karikatur auf dieses Treiben, sondern auf den idealen Stil, der den Zeitgenossen natürlich ganz anders als uns vor Augen stand, als das, was Geltung hatte. Es ist wie mit der Verweltlichung der Heiligen: man zeigt auch hier gegenüber den höfischen Festen das wahre Gesicht solcher Menschlichkeit.

Die aus revolutionärer Stimmung heraus geborene Sympathie für alles Zigeunerhafte, Ungekünstelte und die Realitäten niedrigen Kneipenlebens hat *Frans Hals* in seinen Bildern männlicher und weiblicher Zecher, von Dirnen

Abb. 719. *Pieter Codde, Soldaten in der Wachtstube. Dresden, Gemäldegalerie. 1628.*

und Straßenmusikanten gegeben (Abb. 717): wie im höfischen Porträt und Heiligenbild sehen diese Lumpen, die, bei höchster Porträtähnlichkeit und Erfassung des Augenblicks, doch immer Repräsentanten eines Allgemeinen, Exemplare, Vertreter eines Typs bleiben, zum Bilde heraus und fordern Beachtung für diese unmythische Vertretung naturhaften, auf alle Gesetze pfeifenden, völlig ungebundenen Lebens. Das Allgemeine liegt auch hier zunächst in der plakathaften Silhouettierung der Gestalt vor flächigem, unräumlichen Grund, in der bildmäßigen Zusammendrängung alles Lebens auf die barocke Bildschräge, die hier zum Ausdruck momentaner Pendel- oder Wippbewegung wird, und in einem malerischen Stil, der die Gestalt zu einer allgemeinen Stimmung macht. Es ist eine mit Dreistigkeit vorgetragene Fröhlichkeit, die durch flüchtigen, schludrig-flatternden Pinselstrich zur augenblicklichsten Laune wird; diese ist so glaubhaft, schwingend und bewegt vorgetragen, daß dem Beschauer, wenn er nicht ganz Philister ist, nichts übrigbleibt als mitzulachen. So zwingt der Trunkenbold und Zigeuner den Barockmenschen auf sein Niveau herab. So setzt er sich durch. Die Bilder sind auch farbig fröhlich. Aber dieser Farbe ist immer Schwarz beigesetzt, diese Farbe ist abgestumpft wie der Rock zerschlissen, das Gesicht schmutzig, die Haare ungepflegt. Wie Barockbildnisse haben die Bilder Form und Stil, den revolutionären Stil der Gemeinheit.

Dieser Stil macht das Bild der *Hille Bobbe* (Abb. 718), das genialste dieser Art, so unwiderstehlich. Frech ist die Zuprostgebärde der Saufkumpanin, struppig sind die Haare, schmutzig das Gesicht; aber auch das ganze Bild ist mit struppigen Pinselstrichen hingehauen und mit Dreck gemalt. Die animierende, veröffentlichende Barockkomposition zieht den Beschauer auf das Niveau einer individuellen und augenblicksgenießenden Ausgelassenheit herab.

Ohne den Venuskult der Barockkunst würden auch die Liebeshändel als Gegenstand der holländischen Malerei in dieser Zeit nicht so im Schwange gewesen sein, wie sie es sind. Hier war es leicht, die öffentliche, dekorative Haltung der Venusbilder unzweideutig in eine ebenso öffentliche und doch intim naturalistische Situation herabzuziehen. Die Bilder, die übrigens im Werk des Braunschweiger Monogrammisten und in den Landsknechtbildern des N. Manuel Deutsch schon in der Reformationszeit Vorgänger hatten, auch im Werk des Carpaccio, bilden eine besondere Gattung, die die Holländer der Zeit als gangbare Ware mit dem Namen „Bordeeltjes“ belegten (Abb. 719). Es sind Bilder von lustigen Gesellschaften, Soldaten mit Dirnen in der Kneipe,

Abb. 720. *Rembrandt, Nackte Frau. Radierung. Um 1631.*

Kuppelszenen, bei denen eine Kupplerin oder eine falstaffartige Figur wie im Bilde von *Frans Hals* (Abb. 714) den Segen mit zynischem Lächeln geben. Eine holländische Venus aber sieht so aus wie in einer Radierung von *Rembrandt* (Abb. 720): ein ausgezogenes häßliches Modell, mit hängendem Leib, mit Falten auf der fettigen Haut und mit Einschnürungen am Knie und in den Hüften, die nach Aussagen von Zeitgenossen die Spuren von Mieder und Strumpfband wiedergaben. Auch hier darf man annehmen, daß dieser Naturalismus des Häßlichen, der nicht von diesen Natürlichkeiten, sondern von den idealen Darstellungen abschrecken sollte, mit einer betonten Opposition gegen die barocke Idealität und Verschönerung des Menschen vorgeführt wurde. Radikal und revolutionär kämpfte man für die Natur mit übertriebener, deshalb stilisierter, d. h. karikierter Häßlichkeit.

Der junge Rembrandt hat den Protest gegen die schöne Form der Barockmythen mit unverhohlener Satire zum Ausdruck gebracht. Vielleicht kannte er Correggios Ganymed, einen idealen Jünglingskörper, der in wundervoll schwebender Haltung vom Adler mit ausgebreiteten Schwingen emporgeführt wird. Er machte daraus einen kleinen Jungen, den der Adler beim Hemd packt und dem vor lauter Angst etwas Menschliches passiert (Abb. 721). Zwar benehmen sich die Kinder auf den Bacchantengruppen des Rubens auch einmal so, aber so sehr das bezeugt, wie stark in der flämischen Kunst dieselben Elemente derber Volkstümlichkeit wirksam sind wie in der holländischen, ja ihr im Grunde noch besser anstehen, so fehlt einmal dieser Ton des Protestes, und dann ist es etwas anderes, ob man in den Zügen berauschter Satyrn der Natur freien Lauf läßt oder ob man den schönen Ganymed so ins Burleske karikiert. Wenn im Bilde Rembrandts die geraubte Proserpina Pluto das Gesicht zerkratzt und ihre Dienerinnen sich an ihre Schleppe hängen und von dem Wagen des Gottes sich mitschleppen lassen, dann ist auch diese Drastik im Vergleich zu

Abb. 721. *Rembrandt, Ganymed. Dresden, Gemäldegalerie. 1635.*

Abb. 722. *Adriaen Brouwer, Unangenehme Vaterpflichten. Dresden, Gemäldegalerie. Um 1631—33.*

Rubens' Frauenraub eine beabsichtigte Vermenschlichung des Mythischen, eine Demonstration, wie es in Wahrheit ausgesehen haben würde. Rembrandt soll erklärt haben, er ginge nicht nach Italien, weil er dort nichts lernen könnte. Seine Frühkunst ist eine Absage an den Barock-Manierismus seiner Landsleute.

Zu deren Themen, wie überhaupt zum Barock, gehörten auch die geschraubten Allegorien, die für die tugend- und geistvollsten Personifikationen Helden und Nymphen in den möglichsten und unmöglichsten Stellungen aufboten. Auch diese Allegorien werden ins Bäurisch-Derbe und Naturalistische umgesetzt, in einen dem Beschauer ostentativ das häßliche Objekt entgegenhaltenden Barockstil. Ein oft wiederholter Bildvorwurf ist der der fünf Sinne, für deren anrüchige Behandlung ein Bild von *Brouwer* (Abb. 722), das man etwas zu witzig „Vaterfreuden“ genannt hat, mit aller Deutlichkeit spricht. In barocker Schrägkomposition, mit effektvoller Nachtbeleuchtung, wird, vom grellsten Licht angestrahlt, glorifiziert gleichsam, dem Beschauer das Hinterteil eines Knaben entgegengehalten, um das ein Bauer auf Geheiß der keifenden Bauernmutter mit einem Wischlappen väterlich bemüht ist. So stellte man die Allegorie des Geruches dar: für die anderen Sinne fand man eine ähnliche parodische Lösung. Malerisch und darstellerisch ist alles in dem Bilde revolutionärer Stil, Pamphlet, das zu verstehen man die Überschwemmung der Zeit mit den idealen Allegorien miterlebt haben müßte (man denke sich in heutiger Zeit Galgenlieder im getragenen Stil Stefan Georgescher Prosa).

Das Märtyrerbild war in der Barockzeit mit allen Gräßlichkeiten und Gewaltsamkeiten der Schindung des Heiligen ausgestattet, der selbst in allen Qualen pathetisch seinen Glauben bezeugt und schon im Augenblick des Verscheidens durch herabschwebende Engel mit der Krone des Lebens belohnt wurde. Man denke an Rubens' Bild des Hl. Livinus, dem von einem Henker mit einer Zange die Zunge ausgerissen und einem Hunde zum Fressen gereicht wird. Auch für diese Martyrien fand man die parodische Kehrseite, jene Operationen an Bauern und derben Landsknechten. Mit Vorliebe ist es ein Zahnbrechen. Brouwer entwickelt solche Szenen in einem ganz monumentalen, d. h. jahrmarkthaft-schaubudenmäßigen

Abb. 723. *Adriaen Brouwer, Operation am Rücken. Frankfurt a. M., Städelsches Institut. Um 1636—38.*

Stil (Abb. 723). Die zuschauende Menge und die auf den Heiligen weisenden Begleiter sind meist ersetzt durch eine alte Bauernhexe, die schadenfroh dem Vorgang assistiert.

Abb. 724. *Adriaen Brouwer, Kneipszene. Brüssel, Gemäldegalerie. Um 1633—36.*

Auch die dekorative Ideallandschaft wird für die erste, die revolutionäre Phase der holländischen Malerei Voraussetzung und Gegenstand der Umkehr vom Heroischen und Schmückenden zum Bäurischen und Ärmlichen. Daß die Landschaften Brouwers, des Herkules Seghers, des jungen van Goyen so flach sind, mit typischer Randkulisse beginnen, von der die Bildgestalt plötzlich und wenig vermittelt in eine verschrumpfte Ferne überspringt, entspricht der Art der dekorativen Landschaften des Barock. Daß sie aber ärmlich wird, ein zerfallenes Bauernhaus, eine graue unscheinbare Düne oder verwitterte Wüstenei einer ausgedörrten Felswand, das ist holländischer Protest und betont das Struppige und Ruppige auch im Lande. Das Ideal dieser Ländlichkeit wird gleichsam der Misthaufen. *Brouwer* (Abb. 724) hat eine kleine Landschaft gemalt, mit Bauernstaffage an einem Kneiptisch vor einem groben Lattenzaun, über den sich eine Düne mit struppig vom Wind verwehtem Gras erhebt. Ein graugrüner Ton verwischt alle Blumen und zarten Dinge. Mitten im Zaun aber öffnet sich die Tür auf eine roh gezimmerte Latrine. Daneben steht ein Mann gegen die Wand, stumm und andächtig. So drückte diese Frühzeit der holländischen Malerei mit Protest gegen alle fürstlich-höfischen Übermenschlichkeiten es aus, wenn sie meinte: Hier bin ich Mensch, hier kann ich's sein. Naturalia non sunt turpia.

Daß es dabei nicht blieb und alles Intime und Menschliche eine bis dahin ungeahnte Innigkeit und Entrücktheit mit malerischen Mitteln empfing, ist *Rembrandts* Leistung. Auch Rembrandt hat seine revolutionäre Phase und seine barocken Anwandlungen. Seine ersten Bilder und die Periode der dreißiger Jahre des 17. Jahrhunderts sind voll davon. Aber er bleibt nicht im Protest stecken und in der Bildform, die das, was sie bekämpft, mit negativem Vorzeichen noch immer bewahrt. Er erst verhilft dem von der Welt abgekehrten Leben mit den Mitteln einer neuen, sinnlicheren Malerei zu einem neuen Ausdruck der Entrückung durch die verhüllende und einende Wirkung des Helldunkels, er umgibt dieses Leben mit einer neuen Innigkeit und Wärme durch dieselben Stimmungsfaktoren des Lichtes und farbigen Tones, die in der Barockmalerei dem Ausdruck schwüler Sinnlichkeit dienten, er gelangt zu einer völligen Übereinstimmung von innerem Leben und farbigem Schein, indem er die Stimmungswerte der Farben und Lichter, der Flächen und Räume entdeckt und sie dem seelischen Gehalte dienstbar macht wie nie jemand

Abb. 725. *Rembrandt, Die Anatomie des Dr. Tulp. Haag, Mauritshuis. 1632.*

zuvor. Alles das gelang ihm, weil er einmal die einfachsten und wärmsten menschlichen Gefühle, die familiären Beziehungen in der Familie, zum Gegenstand der Gestaltung macht, in noch höherem Maße aber, weil er die besondere Art seines Künstlertums, miterlebende Beschaulichkeit und Einsamkeit der sich im Werk äußernden und verschenkenden und eigene Erlebnisse objektivierenden Persönlichkeit, in seine Werke hineinprojizierte. Das Ideal der Freiheit, das in der Ungebundenheit der Natur seinen Gegenstand fand, verkörpert er in der Freiheit seines Künstlertums, das sich im stärksten Gegensatz zum kirchlichen und höfischen Maler auch vom Auftrag frei wußte und selbst dort frei machte, wo ein Auftrag vorlag, wie im Einzel- oder Gruppenbildnis. Die äußere Tragik seines Lebens, wirtschaftlicher Ruin nach großen Erfolgen und gesellschaftliche Ächtung nach glänzendem Aufstieg, die ihn innerlich nur immer größer und souveräner werden ließ, hängt mit dieser Eigenmächtigkeit des von äußeren Bindungen sich lösenden, nur seiner eigenen Natur folgenden Genies zusammen.

Auffassung und Darstellung des Menschen werden selber durch die Tatsache bestimmt, daß dieser Künstler Maler ist und mit den Augen die Welt erfaßt, genießt und auf sie reagiert. Wie er blickt, läßt er auch seine Menschen blicken, und dieses Blicken bedingt die Stimmung seiner Personen und ihrer Umwelt, es bestimmt die Perioden seiner eigenen Entwicklung und der holländischen Malerei; denn seine Malerei ist die holländische Malerei schlechthin, von ihm zu einer Weltbedeutung erhoben, von anderen, die direkt oder indirekt seine Schüler sind, ausgewertet und spezialisiert. So folgt auf eine beobachtende Phase, bei der seine Personen konzentriert auf einen Punkt hinblicken, scharf sehen, mehr erkennen als teilnehmen wollen, eine beschauliche Phase, bei der die Augen sich parallel stellen, in die Ferne schweifen, mehr genießend schauen als beobachten und mehr Umwelt, Raum, Landschaft und Menschenfülle als den Menschen und einzelne Objekte erfassen, und schließlich eine seelisch sich mitteilende, die Welt von innen heraufholende letzte Periode, bei der die Augen der Menschen sich weiten und die Augenachsen nach innen konvergieren, wo die Menschen in sich hineinblicken und die Außenwelt als feindliche empfunden wird gegen die Fülle der Gestalten und Begegnungen, die im Innern des Menschen ihren Schauplatz haben. Die naturalistische Kunst — ohne daß das ein Widerspruch ist — wird visionär, der Künstler ein Seher. Die Natur wird Seele. Drei Gruppenbilder: die *Anatomie*, die *Nachtwache*, die *Staalmeesters* stehen wie Leuchtfeuer am Wege der Entwicklung Rembrandts und kennzeichnen die besondere Art des Sehens jeder Epoche.

Nach dem Reichsdruck Nr. 846 aus dem Verlag der Reichsdruckerei, Berlin

REMBRANDT, LANDSCHAFT MIT DEM STADTBILD VON LONDON
BERLIN, KUPFERSTICHKABINETT. UM 1555

Die *Anatomie des Dr. Tulp* (Abb. 725) ist das erste Gruppenbild, in dem die Repräsentation nach außen ganz überwunden ist durch eine nacherlebbare, der Außenwelt ganz entrückte Situation. Das geistige Erlebnis, das die Menschen zusammenhält und zur intimen Situation bindet, ist — bezeichnend für die dreißiger Jahre — ein wissenschaftliches Interesse, die Beobachtung eines anatomischen Präparates, das von dem Professor Tulp gezeigt wird. Demonstration und Rezeption. Nicht dieser Professor, der Dr. Tulp, ist der Mittelpunkt des Bildes, nicht ein Regent oder Heiliger wie im Kultbild, sondern die bloßgelegten Sehnen des Armes einer Leiche. Auf diese fällt das grellste, das konzentrierteste Licht, hier ist wie im Brennpunkt deutlichsten Sehens die Malerei am schönsten und genauesten. Auch die Barockillumination des scharf einfallenden Lichtes bekommt einen geistigen, nacherlebbaren Sinn. Konzentrisch um diesen Punkt der Beobachtung sind auch die Porträtköpfe gruppiert, und je mehr wir von diesem Brennpunkt des Interesses nach außen zur Peripherie gelangen, werden die Köpfe weicher, undeutlicher gemalt, läßt das Licht nach, um im Schattendunkel ganz zu versinken, und läßt auch das Interesse der Personen und damit ihre nacherlebbare Bedeutung für den Beschauer nach. Nur der Äußerste zeigt sich porträthaft nach außen. Der Stimmung des Bildes, der konzentrischen und konzentrierenden Komposition entspricht auch die Art des Künstlers, das Einzelne zu sehen und zu malen. Die Köpfe sind sehr rund und plastisch, sehr deutlich gemalt, so wie geringere Porträtmaler, die von der manieristischen oder höfischen Malerei herkommen, *Michiel Janszen van Mierevelt* und *Jan Ravesteyn*, in dieser Zeit Bildnisse malten. Trotz dieser Durchformung im einzelnen fällt das Bild nicht auseinander, da alles auf denselben Ton scharfer, wissensdurstiger Beobachtung gestellt ist. Und obwohl kein Hausrat, keine Nebendinge gemalt sind, obwohl der Porträtaufgabe genügt ist, sind die Figuren in ihrem Raum. Neben der Beleuchtung entscheidet eine Kleinigkeit: das aufgeschlagene Buch zur Rechten. Es schiebt die Personen in den Raum hinein, eine Wehr gegen die Außenwelt.

Im Einzelbildnis malt Rembrandt genau so. Fest und bestimmt, klar und deutlich (aber nicht hart) dringt der Kopf der Margarete van Bilderbeecq (Abb. 726) aus einer spürbaren Raumtiefe heraus, mit berechneter Seitenwendung blickt sie nicht zum Beschauer, sondern mit unbeirrbarem, Menschen und Dinge fassenden Blick in die Welt hinein.

Abb. 726. *Rembrandt, Margarete van Bilderbeecq. Frankfurt a. M., Städelsches Institut. 1633.*

Diese naiv beobachtende und sorgfältig studierende Feinmalerei war nötig, um eine neue Hingabe an die Natur zu befreien von der virtuosen, sich brüstenden und herausfordernden Zurschaustellung der Person in der

Abb. 727. *Rembrandt, Hochzeit des Simson. Dresden, Gemäldegalerie. 1638.*

barocken Kunst. Sie mußte sich auch zugleich von der pamphlethaften Frechheit der revolutionären Phase des Frans Hals und seiner Schule befreien, Frechheit der Gesinnung wie des Pinselstriches. Es gibt eine Reihe von Bildern Rembrandts, eine Art von Kneipenbildern, in denen beides, Bravour und Hingebung, barocke Festlichkeit und individuelle Nachdenklichkeit, Öffentlichkeit und Intimität nebeneinander stehen und miteinander ringen. Die *Hochzeit Simsons* (Abb. 727) mit den faunisch zudringlichen Kavalieren, dem Teppichschwulst und der Farbenglut, dem schwelgerischen Gelage und der kostümlichen Pracht steht zwischen Rubensschem Festesjubel und Frans Halsschem Zynismus in der Mitte. Die Braut ist wie in einem Heiligenbild königlich in der Mitte aufgepflanzt. Leonardos Abendmahl scheint inspiriert zu haben. Aber der echte und neue Rembrandt lebt in der Szene zur Rechten, wo Simson seinen Gästen Rätsel aufgibt, ein Gruppenbild, ganz wie die Anatomie, inmitten des Lärmens (durch das eine mitreißende Festesstimmung zu erzeugen Rembrandt nicht gelingt), eine Gruppe, ernsthaft um eine geistige Aufgabe konzentriert, die Simson an den Fingern demonstriert. Mit dieser Wendung wird auch der heiligenbildartige Charakter der Braut aufgehoben, auch der der Parodie eines solchen Heiligenbildes (denn sie sitzt mit auf den Leib gelegten Händen hart und regungslos wie ein Tafelaufsatz). Jetzt wird ihre Starrheit in die Szene einbezogen. Sie langweilt sich, wenn der Bräutigam mit den Männern Rätsel spinnt. Der Künstler aber, der im barocken Gelage mit warmschwülen Tönen breit über die frechen Figuren herumstreicht, benutzt das modellhafte Stillsitzen der Braut, mit einer kühl-intellektuellen Silberfarbe ganz fein die Dinglichkeit von Kostüm und Schmuck, von Seidengewebe und Metallglanz mit den Augen nachzutasten und mit spitzem Pinsel nachzuzeichnen.

Die Szene des ungläubigen Thomas, die durch derbe Ostadetypen entheiligt wird, wandelt sich in der Auffassung Rembrandts in eine Anatomie im kleinen; einer, der seine Wunde entblößt und demonstriert, und andere, die neugierig, gefühllos, wundersüchtig wie in einem Raritätenkabinett den bloßgelegten Körper bestarren.

In einer Radierung von 1638 hat Rembrandt diesem Thema des um einen geistigen Mittelpunkt konzentrierten Kreises die lebendigste und unmittelbarste Form gegeben. Es mußte eine Radierung sein, denn in diesen handzeichnungsartigen Blättern hat er wie in den Handzeichnungen selbst seine Beobachtungen und Erfahrungen von Welt und Menschen niedergelegt, hat die zerlumpten Gestalten der Landstraße, die Tiere des Zoologischen Gartens, Dörfer und Gehöfte seiner Heimat notiert. Dem neuen intimen Zug der Kunst entsprechend hat er die Vorgänge seiner nächsten Umgebung, das Leben in der Familie und die Äußerungen des Kindes mit aller Wärme unmittelbarer Beteiligung festgehalten und auf die Darstellungen von Geschichten aus dem Alten Testament übertragen. Denn dieses Alte Testament war ihm nicht heilige Geschichte, sondern ein Buch voll einfacher, poetischer, anschaulicher und deshalb darstellbarer menschlicher Erlebnisse, ein Buch voller faßlicher und starker familiärer Vorgänge, aus denen für ihn gewisse menschliche Beziehungen von Vater und Sohn, von Mann und Frau, von Herrscher und Thronfolger sich wegweisend herausschälen und auf späte Meisterschöpfungen wie Jakobs Segen, David und Saul, vorausweisen. Ein solches Thema enthält die kleine Radierung: Joseph erzählt im Kreise der Familie seine Träume (Abb. 728); ein kleiner Knabe, der mit erregten Händen Dinge schildert, auf die die Mutter mit Stolz und Besorgnis, der Vater mit Bestürzung, die Brüder mit hämischem Neid reagieren. Es ist die Geschichte des genialen Knaben, der über die geistige Welt seiner Sippe hinausgewachsen ist, es ist ein Stück Welt aus Rembrandts eigenem Leben. Das Thema der Anatomie, aus kühler Reflexion und äußerer Beobachtung entwickelt, ist psychologisch bereichert, vereinfacht und in den heimlichen Kreis natürlichster Beziehungen hineingestellt.

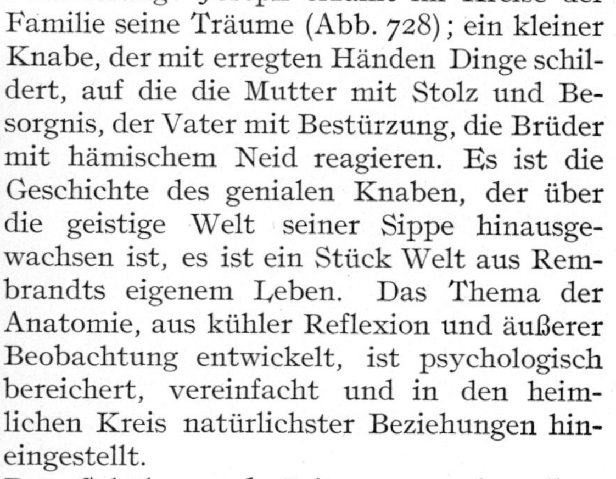

Abb. 728. *Rembrandt, Joseph erzählt seine Träume. Radierung. 1638.*

Der Schüler und Zeitgenosse, der diese Periode Rembrandts begleitet und ohne die Fähigkeit innerer Entwicklung diesen Frühstil zu einer besonderen Spezies holländischer Malerei ausgebildet hat, ist *Gerard Dou.* Er hat Rembrandts Mutter, die auch im

Abb. 729. *Gerard Dou, Rembrandts Mutter (?) am Spinnrad. Schwerin, Mecklenburgisches Staatsmuseum. Um 1628—31.*

Abb. 730. *Rembrandt, Die Nachtwache. Amsterdam, Rijksmuseum. 1642.*

radierten und gemalten Werk Rembrandts in besonders lebendiger Menschendarstellung vorkommt, in der großen Diele von Rembrandts Vaterhaus gemalt (Abb. 729), sauber, glatt, scharf beobachtend, und hat aus großem räumlichen Umkreis die Lichter um die Person und die ihr nahen Geräte gesammelt. Es ist ein von allen architektonischen und feierlichen Ansprüchen befreiter schlichter Innenraum, in dem ohne jede Beziehung zum Beschauer die alte Frau ihre Suppe löffelt. Aber die scharfe Beobachtung wird der Stimmung nicht gerecht, noch schafft sie aus sich heraus eine Stimmung geistiger Konzentration wie bei Rembrandt. Eine Überbetontheit der Dinge mit ihrer geputzten blanken Oberfläche ist die Folge. Was an Stimmung vorhanden ist, wird durch die Person und den Sachwert der Gegenstände, die Atmosphäre einfacher Häuslichkeit gegeben. Was der Maler hinzutut, ist nicht ein Mitleben, sondern ein neugieriges Herumstöbern wie bei einem Antiquar. Die Beobachtung ist eine sehr äußerliche. Diese Feinmalerei, über die Rembrandt ebenso schnell hinauskommt wie er ihr nie ganz verfallen war, verläßt Dou nicht, und sie entwickelt sich nur, indem sie mehr und mehr auch ihre Objekte verfeinert und damit von der Gemütlichkeit des Inhaltes auch noch das Beste preisgibt.

Rembrandt aber eröffnet mit der *Nachtwache* (Abb. 730) die zweite Phase des holländischen Naturalismus. Aus dem Beobachten wird ein Zusehen, ein Übersehen eines reichen, zerstreuten und den Geist zerstreuenden Festzuges. Der Geist will mit den Augen nicht lernen, sondern genießen, die Augen schwärmen mit den ausschwärmenden Mitgliedern der Schützengesellschaft. Gegenüber Frans Hals bedeutet es einen riesigen Fortschritt, daß Rembrandt sich von der Trivialität des Schützenmahles frei gemacht hat, bei dem das Essen und Trinken und Zuprosten für den Beschauer entweder herzlich uninteressant ist und schließlich doch ein Haufen von Einzelbildnissen als Bildobjekt bleibt oder aber die Lustigkeit sich auf den Beschauer überträgt und das Bild zur animierenden Dekoration im barock-höfischen Sinne wird.

Rembrandt gestaltet einen Vorgang in der Öffentlichkeit, etwas was stets das Auge lockt, eine Parade, einen Aufzug, einen Festakt. Seiner Genialität und seiner Rücksichtslosigkeit gegen Auftrag und Besteller gelingt es, alles aus diesem Aufzug herauszuwerfen, was daran vorbildliche Prozession, porträthaftes Sichzeigen, Auffallenwollen der einzelnen Personen sein könnte, kurzum, was kultische Gefühle und höfische Bewunderung herausfordern würde. Er erreicht dies, indem er dem Zufall und der Absichtslosigkeit in diesem Zuge das höchstmögliche Maß einräumt. Es ist kein Aufmarsch, sondern ein Sichsammeln zum Aufmarsch, aus einem Augenblick stärkster Zerstreuung heraus. Wie aufgescheucht durch den Trommelwirbel des Mannes zur Rechten eilen sie herbei, von links, von rechts, aus der Tiefe, verdecken sich, überschneiden sich, werden gekreuzt von Nebenpersonen; noch keiner hat seinen Platz; nach Kleidung, Bewaffnung und augenblicklichem Tun ist jeder ein anderer als sein Nachbar. Alles ist erfüllt mit höchster Spannung des Werdens, ein Gewimmel, ein Durcheinander. Dieses enthebt die Anführer, den Hauptmann und den Leutnant, jeder feierlichen Bedeutung repräsentativer Mitte und monumentaler Haltung. Obwohl der Hauptmann in der Mitte des Bildes steht, ist er nur zufällig an dieser Stelle und nur vorübergehend, von der Unordnung und dem spannenden Aufruf gleichsam ausgespien an diese Stelle als Ziel der werdenden Sammlung und Lösung der Spannung; die beiden Männer wirken nicht als repräsentative Anführer, sondern sie werden getragen von den Wogen eines ruhelosen Ereignisses; und sie bekunden diese Führerlosigkeit und Abwendung vom Betrachter durch die Unterhaltung, die sie miteinander pflegen. Der Hauptmann ist auch nicht Mittelpunkt für das Auge. Wie er selber mit parallel gestellten Augen seltsam verloren, fast träumerisch wie ein Künstler in die Ferne sieht, so sieht auch das Auge des Beschauers aus einer Ferne auf das ganze Bild zugleich. Neben dem einfachen dunklen Rot weiten die strahlenden Gelbs des Leutnants und des Mädchens auf der andern Seite die Augen aus. Die farbigen Akzente liegen jenseits der Mitte; und die neben den Mittelfiguren beiderseits sich rundenden Raumbuchten in den Menschenhaufen ziehen den Blick weiter von der Mitte ab, in

Abb. 731. *Rembrandt, Das Hundertguldenblatt. Radierung. Um 1640—50.*

Abb. 732. *Rembrandt, Der Barmherzige Samariter. Paris, Louvre. 1648.*

sich hinein; divergierend führen die Fahne und die gesenkte Lanze des behelmten Kriegers in die Tiefe zum Rande des Bildes, begleitet von den wie Irrlichter im Raum tanzenden Lichtflecken auf den Gesichtern der Männer. Auch die Bedeutung dieser Schützen ist weder eine repräsentative noch eine bildnishafte, sondern eine bildmäßige: im farbigen Abglanz haben wir ihr Leben. Wie sie im Dunkeln als Helles und Glänzendes auftauchen, wie sie sich in den Gesamtraum hineinfinden, das ist ihre Bedeutung. Sie vollziehen Raumwerte und benehmen sich perspektivisch; dem dienen die vielen Lanzen, Gewehrläufe, Fahnen und ausgestreckten Arme. Selbst die ausgestreckte Hand des Hauptmanns befiehlt nicht und sagt nichts, sie deutet nur den Raum. Das ist die größte Leistung des schauenden Rembrandt dieser Zeit, am Figurenfestzug den Raum nicht nur teilnehmen zu lassen, sondern aus ihm das Gefüge des Bildes zu geben, durch ihn den Zufall und die Zerstreuung optisch und künstlerisch zu ordnen und zu formen, in der leuchtend farbigen Raumerfüllung den eigentlichen Sinn des Bildes zu entwickeln und ohne Raumgrenzen, ohne Architektur — die hier nur schwach als eine Wand mit einem in der Mitte sich öffnenden Torweg angedeutet ist — eine einmalige, augenblickliche, ganz undekorative, ganz erlebnisdichte Situation zu gestalten. Es ist künstlerisch eine nicht zu überbietende Leistung, überzeugend, reich, berückend, in den Werten von Raum, Farbe, Helldunkel unerschöpflich für das Auge, lebensprühend und ohne jede Manier (wie hat er Tintorettos kühne Raumperspektiven von den gegenarbeitenden figuralen und monumentalen Komplexen erlöst!). Menschlich freilich ist diese Meisterleistung nicht von jener Tiefe, an die wir bei Rembrandt denken; es ist die klassische Leistung der holländischen Malerei, jener Malerei, die schon bei Jan van Eyck menschlich still, aber in allen für das Auge wirksamen Medien bewegt, reich und fein war; und es ist die stärkste Leistung Rembrandts in dieser mittleren Periode seines Lebens, deren Inhalt immer die Überschau über den Gesamtraum und seine Erfüllung bleibt.

Abb. 733. *Rembrandt, Heilige Familie. Kassel, Gemäldegalerie. 1646.*

Sie kann sich vertiefen, wenn die Schau selber Bild wird, wie in den Bildnissen eines Mädchens, das zum Fenster hinaussieht mit großen träumerischen, in die Ferne schweifenden Augen, mit lässig aufgelegten Armen, ein Bild des Ausruhens und süßen Nichtstuns, aus dem die Zeitgenossen wieder ein Porträtschema sich zeigender Figuren machten. Rembrandt, der schon in dem weichen, die Gestalt umwebenden Helldunkel die räumlich intime Situation vermittelt, gibt ein nacherlebbares, innerlich faßbares Erlebnis, als dessen Inhalt man Schaunisse wie die Nachtwache hinzudenken muß.

Abb. 734. *Rembrandt, Jan Six am Fenster. Radierung. 1647.*

In einer Radierung (Abb. 731) — der berühmtesten, künstlerisch reichsten, wenn auch nicht tiefsten — bildet das Thema des Menschenauflaufes, die unübersehbare Schar aus allen Bildgründen herbeiströmender Krüppel und Armen, zu denen sich die Kinder, die der Herr zu sich kommen läßt, und ihre Mütter und der reiche Jüngling und die Schar skeptischer Pharisäer gesellen. Im einzelnen voll tiefer menschlicher Momente, ist auch diese Radierung als Ganzes ein die Oberfläche zur Einheit bindendes Kunstwerk, schön und reich mehr durch seine optische Oberflächlichkeit als seine menschliche Tiefe, im Menschlichen schon durch die Vielzahl des Thematischen nicht eindringlich, sondern verwirrend, nur optisch belebend, im Oberflächlichen aber ein zauberhafter Ausgleich von großen gegeneinandergestellten Hell- und Dunkelheiten, die in ihren Entfaltungen mit verschwebenden Zartheiten und Feinheiten auf der Fläche und im Raum spielen.

Gegen Ende des Jahrzehnts und dieser Epoche werden dann der gedämpfte Zug still schreitender Menschen und die fast farblosen Töne eines warm hüllenden Dämmers zum Ausdruck seelischer Rücksichtnahme auf einen betreuten Kranken, der wunderbare Ausgleich von Innen und Außen, Schein und Gehalt, im *Barmherzigen Samariter* (Abb. 732).

Abb. 735. *Rembrandt, Tobias und seine Frau. Richmond, Sir Frederick Cook. 1650.*

Die Überschau kann sich verdichten, indem sie den Innenraum zum Gegenstand nimmt. So schafft in dieser Zeit Rembrandt das holländische Interieurbild und führt das vom Naturalismus aufgeworfene Thema zur Reife und

Abb. 736. *Rembrandt, Landschaft mit Turm. Radierung. Um 1648.*

klassischen Höhe, indem er Menschen und Raum, Gegenständliches und Optisches, Dinge und Helldunkel zur vollendeten Einheit bringt. Das Thema der *Heiligen Familie* wird in dem Kasseler Bild (Abb. 733) des letzten Restes von Heiligkeit entkleidet, indem der Maler die Familie in einem wohlräumigen, behaglich ausgestatteten Heim einer Bürgerfamilie zeigt, den Vater Joseph bei der Arbeit, Holz hackend, die Mutter zärtlich mit dem Kinde spielend. Der Raum ist groß und saugt die Figuren in sich ein, die, die Augen zur Überschau ausweitend, an die Seiten gerückt sind. Aber auch ohne die Personen ist der Raum nicht leer. Es ist die Dämmerung eines warmen, grüngoldigen Helldunkels, das ihn füllt, alle Härten und Kanten der Dinge abschleift und in die Einheit einer Stimmung einbezieht. Es ist die Dämmerung, die zum Feierabend und Nichtstun ruft, belebt nur durch das gleichmäßige Schnurren der Katze, das gleichmäßige Glimmen und Summen des Feuers, den eintönigen Takt des Holzhackens und die trauliche Umarmung von Mutter und Kind. Die Mutter hat das Kind aufgenommen und wird es wieder absetzen und wieder aufnehmen und wieder absetzen, wie sie das Kind in der Wiege geschaukelt hat, die neben ihr steht. Es ist ein Thema einfach menschlicher Beschaulichkeit, das zu der vom milden Helldunkel beruhigten Schau des Betrachters ganz gestimmt ist. Es ist so ruhig und so in sich beschlossen, so ganz entrückte Intimität, daß der für das gemalte Bild als Schutz gedachte und mitgemalte Vorhang, der bei jedem andern Künstler zum gesuchten Kunststück geworden wäre, hier ganz dem Eindruck des von aller Öffentlichkeit abgeschlossenen Lebens dient.

Das Thema des Heiligen im Gehäuse erhält jetzt seine menschlichste Fassung durch das Bild einer weltlichen Person, eines Mannes in seinem Raum, den Jüngling in Kopenhagen, die Radierung des Jan Six am Fenster (Abb. 734), vielleicht bestellte Porträts, aber ganz entporträtisiert. Die Menschen sind Zugehörige, fast nur Staffage eines kostbaren Heimes, in dem kostbare Gegenstände und mehr noch das in schimmernden Tönen aufleuchtende Helldunkel eine Atmosphäre schaffen, in die alles, Gegenstände und Figuren eintauchen, eine Atmosphäre geistigen Genießens, des Beschauens schöner Dinge eines

Abb. 737. *Adriaen van Ostade, Stammtisch in der Dorfschenke. Dresden, Gemäldegalerie. 1660.*

Sammlers. Es ist keine aus der Sinnlichkeit der optisch reichen und feinen Umwelt des Raumes abführende Problematik mehr, wie noch bei Dürer. Die Personen stehen lässig gelehnt am Fenster, an der Grenze von Licht und Dunkel, von Wachheit und Traum. Die Bücher, die sie lesen, studieren sie nicht; sie lassen ihre Seele nur schwingen, wie das Auge mit der Ausbreitung des gedämpften Lichtes im Zimmer mitschwingt.

Ein spätestes Bild dieser Art, *Tobias und seine Frau* (Abb. 735), gibt den Raum am schlichtesten, aber die Stimmung am innigsten. Die Frau sitzt, dem Beschauer den Rücken zugekehrt, am Spinnrocken, dessen schnurrendes Rad die einschläfernden Töne dem brodelnden Kessel am Kamin weitergibt. An die Wärme des Feuers hat der alte Mann seinen Stuhl herangerückt. Die schlichte, fast rauhe Gedämpftheit des abendlichen Dämmers im Zimmer gewinnt menschliche Tiefe und fast symbolische Bedeutung durch das Bild eines Mannes am Lebensabend, der ergeben und resigniert in das Feuer starrt mit einer letzten Erwartung.

Schließlich weitet sich das von der Schau ergriffene Gesamtbild aus zur Landschaft. Rembrandt kannte in seiner ersten Phase die Landschaft nur in der Form der verwüsteten Ideal- und Katastrophenlandschaft, einer Landschaft, die das Natürliche wie bei den Manieristen nur in der Form der Wildnis bringt, wo es aber in Form und Sicht mehr schaumiger Hintergrund und dekorative Zeichnung als physiognomisch bestimmte Landschaft war. Jetzt reinigt er in schrittweiser Entwicklung in dieser Epoche die Landschaft von der Vereinzelung des Motives und den flüchtigen dekorativen Schnörkeln und gelangt zu einer freiräumlichen Naturdarstellung, die in ihrer geschlossenen Gesamtsicht einen Ausschnitt aus dem Universum bietet und doch von der individuellen Bestimmtheit eines heimatlichen Porträts ist. In der feinen Landschaft mit dem Turm (Abb. 736) spürt man die ganze Unmittelbarkeit, mit der im Durchwandern die Gegend erfaßt ist, und den frischen Regenschauer, der eben über die Landschaft dahingegangen ist. Daß diese Land-

Abb. 738. *Adriaen van Ostade, Ein Maler in seiner Werkstatt. Dresden, Gemäldegalerie. 1663.*

schaften nicht die sinnliche Fülle farbigen Schmelzes haben und nicht die Wärme heimeligen Dahindämmerns im Innenraum, daß im wesentlichen das Schweifen im Raum und das Schweifen des Auges den Inhalt bildet, mag der Grund gewesen sein, daß Rembrandt die Landschaften seiner Radierkunst vorbehalten hat. Um so stärker ist in der Radierung die einmalige Besonderheit eines zwar relativ kühlen, aber eindringlichen und erfrischenden Erlebnisses. Das Antreffen der Motive wie beim Wandern wird durch die Kürze des Ausdrucks, die Treffsicherheit der Radierung wundervoll vermittelt. Schon zu Dürers Zeiten waren die packendsten Landschaftsbilder die Radierungen des Hirschvogel und Lautensack, und auch Dürers Hintergründe in den Holzschnitten sind voll solcher starken und echten Landschaftseindrücke.

Auch in der räumlichen Erfassung einer Gesamtsituation wird Rembrandts Kunst begleitet und zur klassischen holländischen Malerei ergänzt durch eine Reihe von Künstlern, die aus seiner Fülle ein Motiv auswählen und zur Spezialität ausbilden. Seine Interieurmalerei wird von *Ostade* aufgenommen, der aber nicht die Kraft hatte, sich von der revolutionären Phase marionettenhafter Bauernrüpeleien in der Art Brouwers loszumachen (Abb. 737). Er füllt zwar seine Innenräume mit feinstem Helldunkel bis in die kleinsten Winkel, aber durch lautes und burleskes Treiben von zechenden Bauern oder durch eine übertrieben wüste Unordnung, durch Füllung mit Gerümpel arbeitet er dem stillen Weben der Licht- und Schattenfeinheiten entgegen. Ein schönes Bild zeigt den Künstler in seinem Atelier bei der Arbeit, dem Beschauer den Rücken kehrend (Abb. 738); es ist kein Künstlerbildnis, sondern das Seherlebnis, die Überschau, durch das Medium des Künstlers vermittelt. Aber selbst dieses reine Interieurbild verzettelt die Stimmung durch die gewagte Perspektive und ein Zuviel von liederlich im Raum zerstreuten Dingen.

Abb. 739. *Jan van Goyen, Blick über die Waal auf Nymwegen. Amsterdam, Rijksmuseum. 1641.*

Vor allem schart sich jetzt um Rembrandt die Reihe von Landschaftern, die den Landschaftstypus entwickeln und ohne starke Sonderart in ungezählten Bildern in die Welt hinausgehen lassen, den wir als holländisch im besonderen Sinne empfinden, weil er der Natur des Landes ebenso entspricht wie dieser Periode der Malerei. Es handelt sich fast immer um einen tiefliegenden Horizont, über dem ein hoher Himmel den Raum grenzenlos eröffnet. Gern trägt eine stille, glatte Wasserfläche diesen weiten Raum.

Abb. 740. *Aert van der Neer, Winterlandschaft. Amsterdam, Rijksmuseum. 3. Viertel 17. Jh.*

Er ist erfüllt von sonnendurchleuchteten Wolken, die sich im Wasser spiegeln. Ein paar zufällig hier und dort auftauchende Kähne, ein paar Häuser oder eine Kirche am Ufer, ein Stückchen Ufer vorn, eine verlorene Insel im Wasser geben der Situation Physiognomie; oft genügen ein paar Wolkenschatten auf dem Wasser, die Besonderheit eines Hier oder Dort und Irgendwanneinmal zu suggerieren. Eine weiche dunstige Atmosphäre umhüllt die Einzelheiten der Gegend und der Staffage und läßt, ohne durch die vorhandenen Feinheiten zarter Tönungen des Lichts abzulenken, immer den Gesamteindruck lebendig erfüllter Weiten herrschen. Das Naturgefühl haftet hier nicht am Organischen, betätigt sich nicht im Mitleben mit den Dingen, sondern genießt die Freiheit und Unbeschränktheit des freien Raumes in einer Stimmung ruhiger Beschaulichkeit. Es kommt in diesen Landschaften des entwickelten *Jan van Goyen* (Abb. 739) und des *Salomon Ruysdael* immer das Auge zuerst auf seine Kosten. Rembrandts Landschaften führen stärker und menschlicher an eine Gegend individuellen und heimatlichen Gepräges heran. Nur *Aert van der Neer* (Abb. 740) versucht durch effektvolle Beleuchtungen den Landschaften stärker Stimmung mitzuteilen. Doch erkauft er nicht selten die Schauer der Einsamkeit einer Mondscheinlandschaft mit einer Verallgemeinerung der Motive, die noch viel vom Gerüst der konstruierten Ideallandschaft behält. Die anregenden Wirkungen von Feuersbrünsten und Mondscheinstimmungen sind meist mehr Feuerwerk für das Auge als Nahrung für die Seele.

Das tief Menschliche bleibt immer *Rembrandt* vorbehalten und tritt in der letzten Periode seines Schaffens (seit 1650) beherrschend in den Vordergrund. Der Raum und alles Beiwerk schrumpfen zusammen; Hintergrund, Atmo-

Abb. 741. *Rembrandt, Der blinde Tobias. Radierung. 1651.*

sphäre, farbiges Leben dienen dem Ausdruck eines oder weniger Menschen, in denen alles Äußere nur Zeichen eines tiefen innerlichen Erlebens wird. Das Auge ist nur noch Vermittler eines Scheines, dessen Bedeutung dahinter, im Psychischen liegt.
Der Inhalt ist fast immer eine Einzelfigur, ein menschliches Erlebnis, zu dem sich ein Menschenschicksal verdichtet. Aus einer einzelnen Person baut Rembrandt eine Situation, eine Handlung, eine Geschichte mit Vergangenheit und Zukunft auf. Eine äußerlich ganz schlichte, graue, skizzierte Radierung zeigt Höhe, Weite und Tiefe dieser Kunst (Abb. 741): Der alte blinde Tobias hat eben noch am Kamin gesessen, in dem Flundern zum Räuchern hängen. Ein Hündchen springt herein und kündet die Rückkehr des Sohnes, der Greis springt auf und tastet mit erregten Händen zur Tür, und er, der soundsooft den Weg sicher und ruhig gefunden hat, verfehlt die Tür und steht vor seinem eigenen Schatten. Die tiefen Augenhöhlen, die eingesunkenen Wangen, der keuchende Mund und alles am zitternden Körper sind unnachahmlich ausdrucksvoll. Der krause offene Strich läßt auch die Umgebung mitschwingen. Der Raum ist kein eigenes Wesen mehr, nur genug, den Alten in seine eigene Welt zu entrücken und das Seelische zu motivieren. Tobias ist blind. Das ist symptomatisch für die Verinnerlichung dieser Zeit. Wie der Künstler von den äußeren Anregungen unabhängig aus seinem Innern heraus schafft und gestaltet, so bedürfen auch die Gestalten seiner Kunst nicht des Auges. Auch sie finden im eigenen Innern ihre Welt. So malt Rembrandt den blinden Homer und läßt eine antike Büste wunderbar lebendig werden. Der Dichter skandiert mit den tastend-feinfühligen Händen des Blinden (feinfühlig und tastend wie die des Tobias) seine Verse. Es arbeitet auf Stirn und Wangen und um den Mund herum. Das ganze Bild ist wie mit Gold übergossen in einer aufgeschmolzenen,

Abb. 742. *Rembrandt, Bildnis der Frau seines Bruders (?). Leningrad, Eremitage. 1654.*

Abb. 743. *Rembrandt, Die drei Kreuze. Radierung. 1653.*

immateriell gewordenen Art. So leuchtet es golden auf, wenn der Künstler spricht. Der Ausdruck „goldene Worte“ bekommt vertieften Sinn.
Die alte Frau in Leningrad (Abb. 742) ist nicht blind, aber auch ihre Augen blicken nicht. Sie gehen auseinander, in irgendeine Ecke ihres Raumes, wo sie doch nichts finden. Der Blick geht nach innen, wo in Erinnerungen die Bilder äußerlich verlorener, nur innerlich noch besessener Angehöriger vor dem geistigen Auge vorbeiziehen. Die Haltung ist die der Mona Lisa Leonardos. Aber was dort im Doppelspiel des Sichzeigens und Sichverschließens geheimnisvoll und vieldeutig war, ist hier eindeutig Fertigsein mit dem Leben und Abgeschlossenheit von der Welt. Verschlossen, nicht spielend wie dort, ist die Haltung der Hände. Der Raum, in den sich diese Gestalt zurückzieht, ist nicht durch die wenigen Andeutungen einer Stuhllehne, einer Atmosphäre gegeben. Es ist der seelische Raum, in dem aller Ausdruck des Gesichtes ruht. Anordnung und Kontur sind die eines Monumentes; die Malerei ist groß und bedeutsam, aber das Bild ist nicht monumental im gewöhnlichen Sinne starrer Verewigung; denn alle Formen sind erweicht; statt der Ewigkeit ist hier die

Abb. 744. *Rembrandt, Der Mann mit dem Goldhelm. Berlin, Kaiser-Friedrich-Museum. Um 1650.*

Unfaßbarkeit und Flüchtigkeit des in einem wandelbaren Augenblick zusammengedrängten Erinnerungsabrisses eines Schicksals.

Nicht umsonst hat Rembrandt in diesen Jahren das unfaßbare, unkörperliche Licht zum Ausdrucksmittel gewählt, ein Licht, das in den Radierungen dieser Jahre selber personenhaft wird, ein Licht, das leuchtend und erleuchtend, mitlebend und mitfühlend in einem raumlosen und doch unendlichen Dunkel schwebt, das eine Heilige Familie auf der Flucht begleitet, tröstet, führt, in einer Grablegung zerhackt und wie schluchzend zwischen den beklemmten Gebärden der Figuren hindurchbricht, in den Drei Kreuzen wie ein Ungewitter über die Szene hereinbricht (Abb. 743).

Die scheinbare, im seelischen Ausdruck aufgeschmolzene Monumentalität aber hat noch eine andere Bedeutung als nur die des großen und erhebenden, des tragischen Schicksals. In dieser Zeit der gereiften holländischen Malerei, des überwundenen Barock, der unbedingtesten Intimität, d. h. Verinnerlichung, erlebt auch das revolutionäre Holland seine Umkehr, und es gewinnt eine neue Haltung nach außen und eine neue äußerlich monumentale Form, ein Neu-Barock in der Art des van Dyck, d. h. eine Verfeinerung im repräsentativen Sinne.

Rembrandt steht auch darin in seiner Zeit, daß er — größer und herrischer als seine Zeitgenossen — diese neue Bildform aufnimmt. Aber er steht über seiner Zeit, indem er nicht einfach seine Vergangenheit verleugnet und die Revolution auslöscht, sondern die neue Form dem alten Geist, das Äußere dem Inneren dienstbar macht. Alle äußere Haltung, alles Ansehen der Person, alle den Menschen imponierende Pracht und Herrlichkeit malt er glühender, glänzender als je ein anderer, aber er macht sie zum Gegenstand der Reflexion und der Skepsis, er rührt durch sie das Innere seiner Personen auf; dem Beschauer entgegenstrahlend, sind sie für die dargestellten Personen nur Motiv und Inhalt eines inneren Aufruhrs, deshalb auch in der Technik so unfest, so unfaßbar schwimmend, Gegenstand des Geistes und deshalb selber so geistig. Jeder kennt den

Abb. 745. *Rembrandt, Bildnis des Jan Six. Amsterdam, Sammlung Six. 1654.*

Abb. 746. *Rembrandt, Die Staalmeesters. Amsterdam, Rijksmuseum. 1662.*

Mann mit dem Goldhelm (Abb. 744), ein altes trübsinniges und verdrossenes Landsknechtsgesicht unter einem gleißenden Helm, dessen Gold wie flüssig herabzutropfen scheint. Der Helm ziert den Krieger nicht, er drückt ihn, bedrückt ihn innerlich, er ist ihm eine Last, an der er trägt. Unter seinem Schein wird sein Gesicht noch düsterer. *Jan Six,* der Bürgermeister, ist zum Ausgehen bereit (Abb. 745). Er steht ganz dem Beschauer entgegen, den Mantel leicht übergeworfen, die Handschuhe lässig überstreifend, die Figur mit ihrem Kontur vom einfachen, raumschwachen Grund bestimmt abgehoben. Aber die Augen gehen nicht mit dem Körper zu uns hin. Sie blicken verloren, in sich hinein. Die lässigen Hände lassen ab vom Tun, sie halten inne. Die Figur zögert, den Schritt in die Welt hinein zu tun. Von Erfahrung gereift, reflektiert dieser Kopf über das Außen, für das ihn die kostbare Tracht mit den goldroten Tressen auf einer silberblauen Uniform bestimmt hat, und über diese Standestracht, mit der ihn die souveräne Kunst des Malers feiert (van Dyck und Velasquez überbietend). Das Innere sträubt sich dagegen. So ist im Bilde beides, höchste sinnliche Pracht und ihre Verachtung und eins nicht ohne das andere. Beides zusammen aber ergibt das Bild eines Menschen.

Aus diesem Geiste heraus ist das dritte große Gruppenbild, die *Staalmeesters,* entstanden (Abb. 746). Es ist in seinem Aufbau wieder ganz eine Reihung von Bildnissen, eine so einfache Reihung wie die frühsten manieristischen Gruppenbildnisse des Jan Scorel oder des Dirck Jacobs, monumental zusammengefaßt durch eine pyramidale Gruppierung der Dreiergruppe links,

Abb. 747. *Rembrandt, David vor Saul. Haag, Mauritshuis. Um 1658.*

jenes Schema, in das sich auch Frans Hals flüchtete, als er merkte, daß es mit den Freß- und Saufgelagen, dem Händeschütteln und Zuprosten nicht weiterging. Doch verdarb sich Rembrandt, wohl absichtlich, auch noch die Klarheit dieses Aufbaues durch den eingeschobenen Diener, der fast in der Mitte des Bildes, wennschon in einer tieferen Raumschicht steht. Eine mit architektonischen Linien wirkende Hintergrundswand rahmt und foliiert die Büsten der Männer so fest und bestimmt, eine breite, große, mit wenig Farben modellierende Malerei läßt die Gesichter leuchtend mit solcher Wucht aus dem Bilde heraus wirken, daß alle Porträts geringerer Künstler daneben zerschmettert werden. Der Raum spielt keine Rolle, durch fein berechnete Untersicht verliert selbst der Tisch seine perspektivische Wirkung. Aber die Malerei ist erweicht. Und so wird einem klar, daß trotz der Größe und scheinbaren Monumentalität der Köpfe und trotz ihres Herausblickens aus dem Bilde hier die Wirklichkeitsform des Nahbildes mit der Ungreifbarkeit und der Wirkungsform des Fernbildes verbunden ist. Man muß so weit vom Bilde zurücktreten, bis man die ganze Gesellschaft der Männer als eine und ganze sieht und als eine ganz individuelle, dem Beschauer in seinem wirklichen Raum entrückte Situation. Es ist das Gegenteil des Barockbildes, durch dessen Deklamationen wir zum Nähertreten und zur Huldigung gezwungen werden. Man frage sich, ob auch nur einer dieser Menschen so blickt, als ob er gesehen sein wollte (wie noch einige in der Anatomie), ob auch nur einer repräsentiert. Daß sie es nicht tun, liegt wiederum daran, daß sich auch diese Menschen durch ihr psychisches Sein, durch die Art, wie sie innerlich auf das Äußere reagieren, sich ihren eigenen Raum bauen, ihre eigene Situation schaffen. Diesem Äußeren ergeben sie sich nicht durch eine allgemeine, gefallsüchtige Haltung und machen es dadurch zum Äußeren schlechthin und für alle Zeiten, sondern durch ihre psychische Erregung ist es ein bestimmtes und einmaliges, nur für diese Menschen da, es gehört mit zum Bilde. Die Erregung aber ist eine abwehrende, eine feindliche. Das Äußere ist eine Störung. Man hat die Staalmeesters interpretiert als Menschen, die sich zu gemeinsamer Beratung zusammengefunden haben und durch einen Einwurf von außen zu innerem Widerspruch gereizt werden. Durch dieses gemeinsame Äußere, das wir nur aus ihrer Psyche ablesen können, wird die Personenreihe eine Einheit, vollkommener und vor allem ungezwungener, als sie je durch äußere Mittel werden könnte. Jeder Kopf ist psychisch eine Variation desselben Themas, und die Größe der Malerei bewirkt, daß in diesem Thema mit Variationen jede als Porträt banale Physiognomie zu der Bedeutung eines allgemeinen Charakters emporwächst, des Ironikers, des Skeptikers,

JAN VERMEER VAN DELFT, HERR UND DAME BEIM WEIN
BERLIN, KAISER-FRIEDRICH-MUSEUM. GEGEN 1670

TAFEL XII

Abb. 748. *Rembrandt, Rückkehr des verlorenen Sohnes. Leningrad, Eremitage. Um 1663.*

des Geschäftigen, des Schwärmers und des Hochmütigen. Schließlich sehen wir, daß auch hier das Licht die Köpfe nicht so sehr modelliert als erleuchtet, das Psychische gleichsam durchscheinend macht. Nie aber wie in diesem

Abb. 749. *Jacob van Ruysdael, Der Judenfriedhof. Dresden, Gemäldegalerie. Um 1675—82.*

Bilde hat ein Genie so sehr das Zeitgemäße, das Barocke und einen neuen Manierismus repräsentativer Kunst zum Eigenen, zur höchsten Darstellung natürlichster und unöffentlicher Menschlichkeit umgebildet und die monumentalen Effekte durch psychische Reaktion auf sie zu Inhalten intimsten, d. h. innerlichsten Lebens verkehrt.

Schließlich zieht Rembrandt diese Öffentlichkeit, das Draußen, selbst personenhaft in das Bild mit hinein, wie das Heiligenbild in den Begleitfiguren die Vermittlung mit der Wirklichkeit der Gläubigen übernahm. Im Bilde *Davids und Sauls* (Abb. 747) thront eine königliche Gestalt im goldschillernden Gewand und dunkelsamtenen Purpurmantel, den farbig sprühenden Turban auf dem Haupt. Am Rande rechts, eine Stufe tiefer — man denke an die musizierenden Engel zu Füßen der Madonna oder an die Sklaven zu Füßen eines Herrschers — der harfespielende David. Aber es ist nicht das Bild eines triumphierenden Herrschers, sondern eines Menschen im Gefühl seiner Schwäche. Er ist nicht der Musik hingegeben; dieser Knabe mit dem jüdischen Gesicht und den erregt durch die Saiten fahrenden Händen steht ohne Verbindung einfach neben ihm, durch eine Bildleere getrennt, er ist das Draußen, das stört, und gegen das er sich mit dem Vorhang deckt. Nur von ferne dringen die Töne an sein Ohr, aber sie befreien und erfreuen nicht, sie wecken in ihm eine Flut trüber Gedanken. Wir ahnen, was sie enthalten: wie schwer und wie nichtig die farbenprächtige Krone des Turbans, wie drückend der Herrschermantel, wie eitel alle Würde. Er denkt vielleicht an die Zeit, als er noch als Hirt bei den Hirten weilte. Und da übermannt es ihn; er vergißt sich und seine Umgebung; er ergreift den schweren Teppich seines Thronhimmels, um sich eine Träne zu trocknen. Mit einer großen Gebärde zerstört er das Letzte an Würde und zerbricht das barocke Fürstenbild an der innerlichsten Menschlichkeit.

Eines der spätesten Bilder Rembrandts ist das des *Verlorenen Sohnes* in Leningrad (Abb. 748). Auch hier ein Greis im leuchtenden zinnoberroten Gewande, monumental wie ein segnender Christus vor den Beschauer hingestellt; der Sohn in schroffer Perspektive der Beine vor ihm kniend und wie ein Anbetender ihm unterworfen. Daneben wie Wächter und Umstehende einer heiligen Handlung seltsam starre Gestalten. Aber der Sinn all dieser Aufbauten ist ein anderer, entgegengesetzter. Auch diese Gestalten sind feindliche Welt, aber gebannt und erstarrt durch das Unerhörte des weltvergessenen Vorgangs. Erst dadurch wird dieses Verzeihen über eine einfache Vater-Sohn-Szene hinaus zu einem alle Schranken brechenden, alle Konventionen verachtenden Ausbruch menschlichen Gefühles. Auch die Pracht des Bildes, das edle Strahlen der Farbe ist nur Äußeres, das schmilzt in der Glut des Innern, das zusammenfließt mit dem Schmutz und Gelb der verkommenen Gestalt und auch über diese allen Glanz eigener Würde fließen läßt. Dieser Bettler mit dem Verbrecherkopf in dem Schoß dieser edlen, kostbar bekleideten Greisengestalt! Begreift man, welche Rücksichtslosigkeit, welche Absage an die Welt und ihre Vorurteile darin liegt, Vorurteile, die Rembrandt selbst im Alter genugsam erfahren. Wie Schranken gegen diese Welt starren die Fußsohlen des Sohnes uns entgegen. Die Hände des Alten, dieser über dem Verlorenen zusammenbrechenden Gestalt, tasten über den Rücken des Sohnes hin. Auch dieser Vater ist blind, wie der alte Tobias, er sieht nichts mehr, er will nichts mehr sehen, nicht einmal den Sohn: denn dieser lebt viel mehr in seiner Erinnerung, er sieht ihn mit inneren Augen in dem Glanze, den väterliches Gefühl in langer Einsamkeit der gegen die Welt blinden Seele angehäuft hat.

Welch weiter Weg und welcher Aufstieg, welche positive Erfüllung seit der revolutionären Parodierung der monumentalen und höfischen Formen bei Frans Hals und Brouwer! Welche Genialität, positiv monumentale und prächtige Malerei so zu durchseelen und der schlichtesten Menschlichkeit zu unterwerfen, das über die Natur Erhabene dem natürlichsten Gefühl dienstbar zu machen!

Eins freilich muß uns dabei bewußt bleiben, daß die Tiefe und Innigkeit dieses holländischen Naturgefühls mit der sensualistischen Genußkultur des Hochbarocks nur dadurch sich so in den Bildmitteln verbinden und so malerisch sich entfalten konnte, weil in den Naturstimmungen und den natürlichen Gefühlen im wesentlichen die passiven Seiten des Menschen, die beschaulichen und die zärtlichen, d. h. die familiären zum Ausdruck kamen, nicht die ringende Problematik eines Dürer. Die Weichheit der Malerei ist der Ausdruck eines weichen, genießenden, nicht selten schwelgerischen Gefühls. Noch stärker aber macht die Größe der Rembrandtschen Kunst deutlich, wie sehr diese Beschaulichkeit, dieses träumerische Nichtstun, diese Abgekehrtheit von der Öffentlichkeit und die Einsamkeit des Genies — auch wo sie scheinbar nur Rembrandts eigenste Stimmung ist — eine Abkehr von der Welt, ihrer aktiven Erfassung und Organisation, ihrer konstruktiven und gesellschaftlichen Formung ist, ein Individualismus der Indifferenz und Passivität, ein Heraustreten aus der Gemeinschaft, das zwar in dieser Vereinzelung des Menschen und in der Hinwendung zur Natur dem Mittelalter

Abb. 750. *Aelbert Cuyp, Rheinlandschaft. Berlin, Kaiser-Friedrich-Museum. Um 1660.*

widerspricht, aber in der Abkehr von der Welt wiederum nicht ohne mittelalterliche Diesseitsverachtung und Askese denkbar ist. Daß das Naturgefühl zugleich Weltflucht ist und von christlichem Geiste eingegeben, ein irdisches Jenseits von allen weltlichen Bindungen, eine Erlösung von allem Zwang, dessen positive Erfüllung nur durch die Projektion der eigenen Seele in die Gegebenheiten der Natur geleistet werden kann, das wird einem bei den größten Werken Rembrandts ganz klar. In diesem Sinne ist es aufzufassen, daß sein Werk soviel Natur, nachfühlbare, lebendige Natur enthält, weil der größte Maler dieser Zeit zugleich ein großer Dichter ist.

Wie verhält sich zu diesem späten lyrischen Rembrandt die Spätkunst holländischer Malerei, die Malerei der jüngeren Generation? Die seelische Vertiefung des Naturgefühles macht eigentlich nur ein Künstler mit, und zwar in der Landschaft. Es ist *Jacob van Ruysdael* (Abb. 749). Er trägt etwas von dem Persönlichkeitsgefühl und dem Trotz gegen die Umwelt hinein in jenen Mühlenlandschaften, in denen die Mühle einsam mit gereckten Armen der Flügel in den Wolkenhimmel greift. Er liebt es, kahle, entlaubte Bäume, alte Bäume, die ein Schicksal hinter sich haben, sich über ein einsames sumpfiges Gewässer lebensmüde beugen, Grabsteine geisterhaft im Dunkel zerfallener Orte aufleuchten zu lassen, mit Ruinen, Bau- und Baumruinen, den Ton der Vergänglichkeit anzuschlagen und dessen depressive Wirkungen durch das Schwarzgrün seiner Töne, durch gewitterdrohende Wolken und dumpf rauschende Wasserfälle zu steigern. Er ist ein großer Meister in dieser Kunst, aber er erkauft nicht selten die Stimmung und die lyrische Wirkung der Natur mit einer absichtlichen Wahl und Zurechtrückung der Gegenstände und wird aufdringlich und theatralisch. Die Monumentalität der Ideallandschaft zum Gegenstand seelischer Reflexion zu machen, konnte hier nicht gelingen. Am echtesten sind die Stimmungen, wo die schwärzlichen Wolkenschatten über das Grau trostlos leerer Flach- und Dünenlandschaften wandern.

Abb. 751. *Carel Fabritius, Der Wachtposten. Schwerin, Mecklenburgisches Staatsmuseum. 1654.*

Die Wendung von der Raum- zur Lichtlandschaft erleben wir bei *Aelbert Cuyp* (Abb. 750), ein Aufgehen aller Gegenstände in der Natur in ein freies, die Konturen zerfressendes, die Wolken aufsaugendes, die Schatten zerschmelzendes Licht, ein Licht, das die härtesten Berge zerfrißt und ihre Wände transparent macht wie Kulissen aus einem porösen Stoff, das über den Weiden der Kühe brütet und von den Menschen nur dunkle Folien für den Effekt der Blendung übrigläßt.

Aber nicht das ist das Wesentliche der Spätzeit holländischer Malerei mit den großen Malern *Terborch, Maes, Metsu, Pieter de Hooch,* dem unvergleichlichen *Jan Vermeer van Delft* und dem viel — wenn nicht das meiste — versprechenden *Carel Fabritius* (Abb. 751). Die Verinnerlichung ist hier nicht die der Erfüllung der dargestellten Wesen mit reichem seelischen Leben, die psychische Belebung und Erwärmung. Denn selbst solche Motive wie bei *Vermeer* die im Lesen eines Briefes dem Äußeren entrückten Mädchenfiguren sind still, aber nicht tief. Die äußere Gelassenheit ist nicht wie bei Rembrandt innere Ergriffenheit, sondern Kühle. Ein Stillhalten, damit erst recht das Äußere zur Geltung komme, ein Seidengewand, ein Stückchen weißen Pelzes gegen roten oder blauen Samt der Jacke gesetzt, ein blaßrotes Bändchen wie ein Punkt im zart gelben Kleid, ein blonder Nacken aufleuchtend zwischen dem dunkleren Brünett der Haare und dem Blauschwarz eines Samtkragens, matt schimmernde Perlen auf matthellem Fleisch und wie die Finessen farbiger Oberflächenerfassung auch sein mögen. Also eine Kunst feinster sinnlicher Veräußerlichung. Aber sie sind nicht mehr wie bei dem frühen Rembrandt und noch mehr bei dem geistloseren *Dou* einfach da, von den Dingen dargeboten, die Dinge schmückend und bezeichnend, sondern gleichsam abgelöst von ihnen als etwas, was den Geist angeht. Wie beim Musiker sich das Ohr einstellt auf die Schwebungen und Differenzen der Töne, wie er hinhören muß, sich üben und den Geist wach halten muß, wie also der Geist sich betätigt im Gehör, und ohne Gehör alles tot bleibt, so betätigt sich jetzt der Geist und wägt und übt sich, indem er die feinsten Tonabstufungen, die zartesten Farbenbezüge, die empfindlichsten Beziehungen, Harmonien, Überraschungen, Ausweichungen und Wiedervereinigungen wahrnimmt und genießt. Die Farbe ist sozusagen immateriell geworden, ein Produkt des Geistes und ein Spiel für den Geist. Und wie die Farben gestimmt sind (Stimmung im musikalischen Sinne, nicht im naturalistischen Erlebnis-

Abb. 752. *Pieter de Hooch, Mutter an der Wiege. Berlin, Kaiser-Friedrich-Museum. Um 1659—60.*

Abb. 753. *Gerard Terborch, Die Konsultation. Berlin, Kaiser-Friedrich-Museum. 1635.*

Abb. 754. *Nicolaes Maes, Alte Frau beim Äpfelschälen. Berlin, Kaiser-Friedrich-Museum. Um 1655—60.*

sinn), so sind auch die Flächen zueinander gestimmt. Das Bild wird eine Konstruktion. Fast mathematisch wird die Bildfläche aufgeteilt, vertikal und horizontal schichten sich Ordnungen wie musikalische Sätze in Wiederkehr, Umkehr und Ausgleich, und auch die Räume, die in den Bildraum hineingebaut werden, gleichen sich kubisch einander an, Helles antwortet Dunklem, ein Hinaus einem Hinein. Menschen werden Raumwerte, hell vor dunkel, dunkel vor helle Flächen oder Räume gestellt. Rückenfigur und Frontalfigur stehen in engem Bezug zueinander als Hinein und Hinaus. Ihr Tun ist Raumklärung, Raumvermittlung, ist Übergang im musikalischen Sinne. Das Auge genießt hier wie ein Mathematiker die Aufgabe und die Lösung als geistige Betätigung, nicht die Freiheit des Natürlichen, sondern die Ordnung des Künstlichen in ihrer sinnlichen Entfaltung und Unendlichkeit.

Die einzelnen Künstler, die in diesen Grunddispositionen gleich sind, erkennt man leicht in ihrer Sonderart, *Pieter de Hooch* an seinen Raumvolumina, die er — das menschlich erlebbare Interieurbild im Grunde damit tötend — zu solchen Raumkompositionen mit reichster Farbenbegleitung abwägt (Abb. 752), *Terborch* an der Verdichtung des Bildinhaltes vor flächig aufgeteiltem Grund zu einer leicht wiegenden Genreszene (Abb. 753), in der sich als eigentlicher Inhalt des Bildes ein farbiges Bukett von feinster Berechnung räumlich nach vorn arbeitet und den Glanz eines Seidenkleides an einer stillhaltenden Rückenfigur zur Durchführung benutzt, *Nicolaes Maes* an dem Verweben einer schlichten Frauenfigur in eine vom Hellen zum Dunkeln mit tief farbigem Rot und Oliv an- und abklingende Wand (Abb. 754), *Metsu* an der meist festen Silhouettierung der Gestalten und Flächen und einem weichen stofflichen, duftigen Farbenschmelz (Abb. 755), und schließlich *Vermeer van Delft* an den auf fast leerer Wand entwickelten Schwebungen zartester Valeurs, die die

Abb. 755. *Gabriel Metsu, Die Briefempfängerin. London, Sammlung O. Beit. Um 1660—67.*

dunkleren Randmotive, ein Fensterdurchblick, eine Figur, ein Teppich, einander gleichsam zuhauchen (Abb. 756; Tafel XII). Es ist eine Kunst, die, je seelenloser, um so geistiger wird.

Abb. 756. *Vermeer van Delft, Milch ausgießende Magd. Amsterdam, Rijksmuseum. Um 1660—70.*

Auch für diese geistige Kunst, die so die dargestellten Menschen um ihre Bedeutung bringt, daß sie wie bei Terborch fast zum Kleiderständer werden, bedurfte es der revolutionären Auflösung der repräsentativen Bedeutung der Menschen und Gewänder, bedurfte es der Einfachheit der Motive des Naturalismus, der Schlichtheit der Menschen, die noch immer diese Räume füllen. Aber diese Schlichtheit ist nicht das Leben, das dem geistigen Gehalt dieser Bilder entspricht, noch kommt das innere Leben dieser schlichten Gestalten und des so oft bei Pieter de Hooch wiederkehrenden Mutter-und-Kind-Motives zum Ausdruck. Diese Menschen und ihr Leben, für das Auge nur noch Träger geistig-sinnlicher Werte, sind nur noch Vorwand. Mit dem Faden, den in de Hoochs Bild (Abb. 752) die Mutter, ihr Mieder nestelnd, nach vorn zieht, besagt sie nicht, daß sie eben ihr Kind gestillt, sondern verknüpft sie räumlich die Wiege mit der Raumrichtung, die der Hund zu dem der Türe im Hintergrund entgegenschreitenden Kind weiterspinnt. Dieses Nur-Vorwand-Sein trägt eine Spannung zwischen Kunst und Natur in diese Bilder, die erst recht auf die kühle Geistigkeit der Bilder hinweist und fast geistreich, um nicht zu sagen zweideutig wirkt. Ein Künstler wie *Jan Steen*, der zeit seines Lebens auf Frans Hals, Brouwer, Jordaens schwor und von den lebenslustigen, amüsanten und derben Szenen nicht lassen wollte, der aber auch in den saftigsten Szenen solche farbigen und stofflichen Feinheiten entwickelt (Abb. 757) und durch eine kräftig ausschweifende Silhouette der Flächendisposition des Stiles mit sehr originellen, mostartig gärenden Farben gerecht wird, ein solcher Künstler benutzt den menschlichen Inhalt, um nun wirklich zweideutig zu werden. Den Arzt, der etwa auf einem seiner Bilder der Kranken (die Trägerin des Stoffarbenspieles ist) den Puls fühlt, bittet der Künstler gleichsam nicht

Abb. 757. *Jan Steen, Das Bohnenfest. Kassel, Gemäldegalerie. 1668.*

ernst zu nehmen, indem er durch einen Amor auf dem Schrank und die poussierende Dienerschaft vor der Haustür andeutet, daß es sich nur um eine Quasikranke, eine Liebeskranke, handelt.

Mit diesem Stil hört das Bild auf, Natur zu schildern und dem menschlichen Mitfühlen zum Nacherleben auszugestalten. Es beginnt vielmehr das zu werden, was man im Geiste eines jener Heiligen oder Weltlichen im Gehäuse sich abspielen denkt, die der Naturalismus als sein Interieurbild malte. Die holländische Kunst beginnt von der seelisch warmen Naturschilderung zur konstruktiven Vergeistigung des Sachgehaltes, kurzum zur Sachlichkeit fortzuschreiten, und indem der geschilderte Mensch selbst nur Träger solcher geistigen Werte wird, rückt er in die Rolle reiner Objektivität hinein, wird er selbst nur Gegenstand der Betätigung des Geistes. Dabei erlebt die holländische Malerei die höchste vorstellbare Verfeinerung der anschaulichen geistig sinnlichen Werte farbiger Flächen.

Diese Entseelung mußte von selbst zum Stilleben führen. Die Bilder dieser letzten Periode stilvoller holländischer Malerei des 17. Jahrhunderts sind ja im Grunde alle Stilleben, wo das Kleid, das tote Objekt, wesentlicher wird als der Mensch, der drinsteckt, wo ein Teppich (Vermeer) gleichsam die Tonart angibt, aus der der Künstler seine Farbenfugen entwickelt. Der Stillebenmaler *Willem Kalf* (Abb. 758) gibt deshalb das Farbenrelief Terborchs ebenso

Abb. 758. *Willem Kalf, Stilleben. Berlin, Kaiser-Friedrich-Museum. Um 1660—70.*

stark und vielleicht noch reiner, das Herausführen der Farbenmelodie aus dem verhaltenen Grunde noch geistreicher, und der Architekturmaler *de Witte* (Abb. 759) spielt mit den Flächen, in die er den Kirchenraum zusammenzieht, mit Größenkontrasten und Überraschungen wie auf einem Kaleidoskop, das durch eine Tastatur vom Künstler verschoben werden kann; *Willem van de Velde* und *Jan van de Capelle* ordnen selbst das Natürlichste, die Landschaft, zu einer Farbflächenkomposition. Holland, dem in Rembrandt ein Genie der Menschlichkeit geschenkt war, erobert sich jetzt eine Kultur des Geistes.

Aber der Stolz auf diese Kultur hält nicht lange vor. Die Verfeinerung des Geschmackes führte bald zu einer Verfeinerung der Personen. Mit der optischen Verfeinerung der gemalten Stoffe geht eine Kultivierung der Personen und Räume einher, und es dauert nicht lange, so wird die Pracht der Gewänder ein Zeichen neuer, auch im Bilde sich ausdrückender Vornehmheit. Immer mehr tritt auch in Genreszenen wieder die Rechnung auf den Beschauer im repräsentativen Sinne hervor, aus den burlesken Liebeshändeln werden elegante Kavalierszenen, die Farbe, die schon in der Vergeistigung merklich eine Wandlung von der warmen, gemütlichen Rot-Grün-Skala zur kühlen Blau-Gelb-Tonart durchmachte, wird zu hartem, prunkvollen Braun-Blau, dessen Kälte die neue Vornehmheit ausdrücken soll. Die Zeichnung, die bei den geistigsten der Maler die Figur in der Fläche zergehen ließ, in den Farbtönen schwebend, leicht, gebunden, verschmolzen war, wird jetzt figürlich, präzis, hart und glatt wie Porzellan. Da aber die holländische Kultur nicht einfach umschlägt, die Tradition der Genrestoffe, der Küchenstücke und Bauernszenen, der Marktfrauen und Fischverkäufer nicht abreißt, die kräftig derb erfaßte Physiognomie, das stillebenhafte Farbspiel auch den Malern dieser Wandlung im Blute lag, so erleben wir notgedrungen einen neuen Manierismus. Entweder so — und hier ist *Caspar Netscher* vor allem zu nennen und schließlich *Adriaen van der Werff* —, daß die prunkvoll frisierten und kostümierten Personen in ihrem

Abb. 759. *Emanuel de Witte, Kircheninneres. Brüssel, Gemäldegalerie. 1685.*

Abb. 760. *Adriaen van der Werff, Schäferszene. Dresden, Gemäldegalerie. 1689.*

höfischen Gebaren den Plebejer nicht verleugnen können und ein typisches Parvenüporträt entsteht oder mythologische Szenen von Bauernjungen gemimt scheinen (Abb. 760). Die Kunst wird affektiert. Oder so — wozu man die aus einer Familientradition herauswachsende Manier des Letzten der Mieris, des *Willem van Mieris* (Abb. 761), vergleiche —, daß ein Küchenstück in einem Rahmen erscheint, als ob bei einem höfischen Fest eine als Verkäuferin verkleidete Dame Waren feilbietet, die wie Porzellanfrüchte dekorativ und anmutig auf einem antiken Sarkophag serviert werden. Diese Strömung, die schon von den mit großer Verve und schöner breiter Malerei, aber doch auch nie ganz ohne Pose gemalten Porträts des *Bartholomäus van der Helst, Abraham van den Tempel* und *Nicolas Maes* eingeleitet wird, muß man neben Rembrandts Spätkunst halten, um zu verstehen, warum seine Kunst in dieser Zeit eine Stellungnahme zur monumentalen Kunst enthält. Für die holländische Kunst bedeutet dieser Manierismus Verfall und Ende einer Kultur. Die Führung geht von neuem in die Hände der französischen Kultur über. Das Rokoko wird. Aber dieses Ende der holländischen Malerei ist nicht nur ein Überwältigtwerden von Fremdem. In der Geistigkeit der Malerei, in der Verfeinerung des Optischen liefert sie auch der neuen höfischen Kunst Frankreichs neue Wirkungsmittel, und in der Art, wie sie ihre Stoffe jetzt nur noch als Vorwand nimmt, wie sie gerade in ihrem Manierismus eine Kunst der Verkleidung schafft, wird die holländische Kunst wegbereitend für eine neue Kunst geistreicher Zweideutigkeit.

Abb. 761. *Willem van Mieris, Die Krambude. Kassel, Gemäldegalerie. 1705.*

SPANISCHE KUNST (VELASQUEZ)

In der Schlacht bei Jerez de la Frontera 711 vernichten die Mauren das seit 415 bestehende Westgotenreich. 755—1031 Kalifat von Cordoba (Glanzzeit 10. Jh.). Seit 1035 christliche Königreiche Navarra, Kastilien, Aragon; im 12.—14. Jh. dauernde Kämpfe zwischen den christlichen und maurischen Reichen. 1479 Vereinigung von Kastilien, Aragon und Navarra zum Königreiche Spanien. 1492 Entdeckung Amerikas und Entstehung des spanischen Kolonialreiches; Eroberung Granadas, Ende der Maurenherrschaft. Durch Karl I. (als deutscher Kaiser Karl V.) Vereinigung Spaniens mit den habsburgischen Erblanden 1516. Philipp II. 1556—98; Inquisition. 1588 Besiegung der Armada. Rückgang der spanischen Seeherrschaft, Verlust der nördlichen Niederlande. 1580—1640 Portugal (seit 1140 Königreich) spanische Provinz. Philipp III. 1598—1621. Philipp IV. 1621—65. Im Pyrenäischen Frieden 1659 verliert Spanien seine europäische Vormachtstellung an Frankreich. 1701—14 spanischer Erbfolgekrieg: Abtretung der spanischen Nebenländer (Niederlande, Mailand, Neapel, Sizilien, Sardinien).

Spanien, das an Denkmälern reiche Land, dessen Kirchen mit einer von Bilderstürmen verschonten Ausstattung mehr als die anderer Länder einen Begriff von dem Glanz und der Festlichkeit heiliger Kultstätten der Vergangenheit geben, würde in einer Geschichte der produktiven Entwicklung der europäischen Kunst kaum eine Rolle spielen. Was Spanien allen nördlichen Ländern als ganz Eigenes voraus hat, sind die Wunderwerke seiner maurischen Kunst, die in der Geschichte der orientalischen Kunst Glanzpunkte höchster Verfeinerung und Entwicklungsfähigkeit darstellen, aber aus der europäischen Entwicklung herausfallen, die Moschee in *Cordoba,* die *Alhambra* in *Granada,* die jüdischen Bauten in *Toledo* und die Werke des *Mudejarstiles,* d. h. der dem christlichen Kunstkreis angehörigen, aber mit orientalischen Stilmotiven gesättigten Kunst der Spätzeit wie im Alkazar und den Palästen des Herzogs Alba und der Casa de Pilatos in Sevilla. Aber da tauchen in der Zeit des Barock am spanischen Kunsthimmel zwei Sterne empor, zu denen die europäische Welt gebannt emporstarrt wie zu dem Stern, dem die drei Könige folgten, *Greco* und *Velasquez.* Wohlgemerkt, diese europäische Bedeutung gewannen sie nicht zu ihrer Zeit. Rubens hat von der Existenz des Velasquez bei seinem Aufenthalt am spanischen Hofe kaum Notiz genommen. Wohl aber in der jüngsten Vergangenheit, im 19. und 20. Jahrhundert, wobei sich die zeitliche Reihenfolge umkehrte: in der europäischen Schätzung folgte der ältere Greco dem jüngeren Velasquez, wie der Expressionismus dem Impressionismus folgte, die in diesen spanischen Meistern ihre Vorbilder und Führer fanden. Sie zu verstehen, sei ein kurzer Überblick über die Entwicklung der spanischen Kunst und ein Versuch der Erfassung ihrer Eigenart hier gegeben.
Man hat gesagt, jenseits der Pyrenäen beginne Afrika. In der Tat: in der spanischen Kunstentwicklung setzt sich der Kampf Afrikas gegen Europa, der Mauren gegen die Franken fort, auch noch, nachdem der Waffensieg längst von Europa gewonnen und die Mauren von spanischem Boden vertrieben waren, ein Kampf, bei dem die höhere Kultur durchaus auf seiten Afrikas, der Mauren war. Ähnlich der byzantinischen Kunst ist auch diese maurische Kunst Fortsetzung, nicht Umbildung eines spätantiken Erbes, aber sie ist es in einem anderen Sinne. Den privaten Charakter spätantiker Kultur, die individualistische Vereinzelung des Menschen, seine Geistigkeit und Verinner-

Abb. 762. *Cordoba, Moschee, Blick in den Bau Abd er Rahmans I. Begonnen 785, vollendet unter Hischam I. (788—96).*

lichung, den Zynismus der Menschenverachtung und Selbsteinkapselung hat sie reiner bewahrt als die byzantinische Schwesterkunst. Man denkt wieder an die pompejanischen Wanddekorationen mit ihren Durchblicken und dünngliedrigen, spielerischen Architekturen bei den waldhaft vielsäuligen Architekturen der Moscheen (*Cordoba*, Abb. 762—765) und bei den Palästen mit ihren Säulenhöfen und säulenreichen Vorsprüngen (Abb. 766—68), den unentwirrbar feinen und geistreichen Gespinsten der in Stuck geschnittenen Ornamente teppichhaft überkleideter Wände, den nischenreichen Sälen und kapriziösen Gewölben. Streng geschlossen, formenarm, abwehrend legt der Bau seine flachen Wände nach außen. Keine Gliederung im einzelnen, keine plastische Gestaltung im ganzen! Ein Haus, dessen Leben sich ganz nach innen kehrt. Dieser Charakter wird durch die spezifisch orientalische, die afrikanische Note verstärkt. Sonnenscheu hat mitgebaut an diesen weißen, Licht und Glut zurückstrahlenden Wänden geschlossener Kästen, hinter denen niemand ein von irdischer Wohnkunst verzaubertes Paradies vermutet. Im Innern bilden nicht die vielen Höfe das Zentrum des Baues, sie sind nicht eine auch im Privathaus geschaffene Öffentlichkeit wie die antiken, deren stolze Säulen den in den Bildern und Statuen dokumentierten Anspruch des Besitzers auf Würde und Getragenheit, auf Betätigung vor dem Forum der Allgemeinheit symbolisierten. Diese Höfe sind oft nur wie ein großes Wasserbecken, ein Reservoir, eine Oase, die durch die vielen Öffnungen ihre Kühle in die Innenräume spendet. Von den Umgängen quellen loggienartig schön proportionierte Innenräume in diese Höfe hinein, die Form des Hofes und sein Recht auf Ausweitung zerstörend. Die Umgänge sind selber nicht Umwandlungen des Hofes, sondern mit Kuppeln in Einzel- und Innenräume zerlegt und das Bewußtsein der Bedeutung der hinter ihnen gelagerten Wohnräume mit jedem Schritt bestärkend. Richtung

Abb. 763. *Cordoba, Moschee, Mihrab Abd er Rahmans II. (833—48).*

und Blick gehen vom Freien ins Verschlossene, vom Weiten ins Enge, vom Sonnigen ins Schattige, vom Heißen ins Kühle. Diese Säulenstellungen mit ihrer fadenhaften Dünne, ihrem Abgleiten aus teppichhaft geschmückten flachen Wänden, unbelastet von Gebälk, sind nicht die würdigen und aktiven Träger einer Ordnung, sie sind auch nicht die zwingenden und strengen Portale bei aller Verwandtschaft mit gotischen Formen, sie sind wie der Schleier einer arabischen Frau, mit dem sich der Mensch und was ihm eigen beim Eintritt in die Öffentlichkeit verhüllt. Wird in dieser Weise der Leib in die innersten Räume geführt, immer mehr in die Enge getrieben, so wird der Geist immer mehr auf sich zurückgeworfen und kann sein eigenes Leben leben. Der Körper wird ganz entspannt und zur Ruhe verpflichtet, durch die Wände, die wie ein Teppich zum Ausruhen mahnen, durch die Kuppeln, die den Leib umspannen und alle Richtung töten, durch die Stalaktiten, die von den Decken wie Tropfsteine willenlos herabhängen und nur richtig gesehen werden können, wenn der Mensch nicht versucht, sich gegen sie zu erheben, und fürchten muß, mit dem Kopf gegen sie zu stoßen, sondern wenn er wie ein Orientale mit übereinandergeschlagenen Beinen am Boden hockt und das Rieseln dieser Tropfen über sich ergehen läßt. Und ganz versteht man auch dieses nur, wenn man in den Höfen gesehen hat, wie ewig sprudelnde Quellen, Brunnen und Fontänen ihren kühlenden Staub in alle Richtungen des Hauses

Abb. 764. *Cordoba, Moschee, Wandfeld der Maksurah Haksims II. (961—76).*

Abb. 765. *Cordoba, Moschee, sogen. Capilla Villaviciosa. 14. Jh.*

verwehen, so daß nun auch im Innenraum das Auge aus diesem seltsamen dichten Tropfenmeer der Decken Kühlung schöpfen kann. Auch das Gehänge der Säulen kommt erst ganz auf den am Boden Hockenden herab. Keine menschliche Gestalt an den Wänden, keine Statue verpflichtet in diesen Gemächern zu einer Haltung wie in der Kunst der Griechen und Römer, kein Standbild eines Höheren lockt den Geist aus sich heraus und zwingt ihn zu einer Gebärde. Aber was wundernimmt und aus der hohen Geistigkeit doch ganz verständlich ist: in dieser sonnenscheuen Kunst ist auch keine sinnliche oder geistige Schwüle, ist kein Rausch. Den Wein, der hier süßer wächst als im Norden, versagt sich der Araber auch in der Kunst. In diesem Irrgarten verschlungener Fäden eines dichten, ewig wechselnden, immer wieder ausweichenden und doch in ein Gesetz und schönste Flächenproportion gebändigten Ornaments kann sich der Geist wohl verlieren in ein nie endendes Frage- und Antwortspiel, aber er taumelt nicht trunken darin herum. Es ist wie eine höhere und höchste Mathematik, Spiel einer mathematisierten Phantasie mit Differentialen, Integralen und mit irrationalen Zahlen; ein Schachspiel, wo kein Zug das Ende schon voraussehen läßt und doch jeder Zug berechnet und bedeutungsvoll ist. Kühl sind die Farben der Kacheln, kühl wie das Blau und gläserne Grün des Meeres. Auch in den dunklen Nischen und Schatten der Gewölbe ist mehr Schwebung und Geheimnis als bettende Decke sinnlichen Behagens. In das Ornament sind Schriftzeichen eingewoben, wenn es nicht ganz aus Schriftzeichen besteht. Auch die frühe europäische Kunst fügt die Schrift ihren Bildern hinzu, aber wie ganz anders! Weil diese Schrift nicht im Bewußtsein lebt, weil ihr Geistiges versinnlicht werden muß, steht die Schrift neben dem Bild. Hier im Maurischen will auch das Sinnliche vergeistigt werden, und der Geist will auch da, wo das Materielle, Wohnung und Gerät, sinnlichen Schmuck für das Auge häuft, nicht auf seine abstrakte Sphäre und den rein geistigen Sinn verzichten. Dem rauschlüsternen Europäer blieb es vorbehalten — Beweis ist die Exotenkunst der französischen Romantiker —, sich diese Räume mit schwülem Haremsparfüm verdickt vorzustellen. Der Augenschein zeigt nichts davon. Eine verwöhnte Geistigkeit herrscht über den unbegrenzten Luxus

Abb. 766. *Granada, Alhambra. Myrtenhof. 13. Jh.*

und das Zauberreich der Träume, jederzeit bereit, mit strenger Disziplin den Sinn in die Felsenhärte der Realität und Logik zurückzurufen. Eher als an Bajaderen und Odalisken denkt man an arabische Philosophie und Wissenschaft.
Das Fehlen vorbildlicher monumentaler oder verführerischer Menschendarstellungen ist der hervorstechendste Zug dieser arabischen Architektur und Schmuckkunst. Dies unterscheidet sie am stärksten von der byzantinischen Kunst mit ihren erstarrten Heiligen, in denen griechische Mythologie und Menschendarstellung in verkrampfter Form wiederauflebte, während im Ornamentalen so viele Fäden die byzantinische Kunst mit der arabischen verbinden und zum Hellenismus, zur Spätantike zurückführen. War doch auch die byzantinische Kultur mehr als einmal vor die Frage gestellt, auf Bilder göttlicher Gestalten ganz zu verzichten, ein Beweis, wie sehr dieser Verzicht im Sinne der Vergeistigung der Gottesvorstellung und der Verinnerlichung des Lebens überhaupt in dieser spätantiken Zeit verankert war. Dennoch vermögen wir uns weder Griechen noch Römer in diesen schmuckreichen, aber bildfeindlichen Räumen zu denken, sondern nur Mohren und Araber, Grenzvölker des großen Diadochen- und Römischen Reiches, das zuletzt von Byzanz aus verwaltet wurde. Wir können es vielleicht so verstehen, daß in diesem spätantiken Erbe nicht die repräsentative Haltung der Beherrscher der Welt, der römischen Bürger (cives romani) oder der alten und neuen Griechen, der Byzantiner weiterlebt, sondern der Geschmack und die Weltsicht der Unterworfenen und Freigelassenen, denen schon immer die Beschäftigung mit den materiellen oder geistigen Sachgütern dieser Welt vorbehalten blieb, denen die verbeamtete Würde der Herren versagt und der innere Respekt vor dem Wert dieser öffentlich-feierlichen Existenz erspart blieb. Die reich geworden, aber ungeehrt keinen anderen Wunsch hatten als den, wenn sie ganz frei sein wollten, sich in ein eigenes Gehäuse zurückzuziehen und den äußeren Schein aller Kostbarkeiten, blühender Gärten und Wohlgerüche der Welt in die Denkweite und den Traumbereich ihres Geistes einzubeziehen. Die das Christentum begünstigende spätantike Stimmung für alle Ranglosen und Unvornehmen, für die Enterbten und Ausgestoßenen förderte die Entwicklung dieser Kultur

Abb. 767. *Granada, Alhambra. Der Löwenhof. 1354 vollendet.*

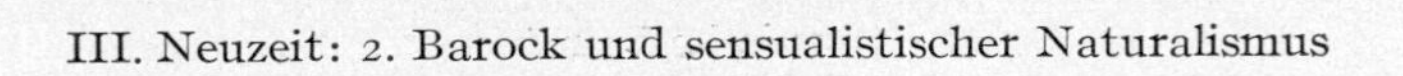

Abb. 768. *Granada, Alhambra. Mirador de Lindaraja. 14. Jh.*

und ließ sie ihren Reichtum selbst dann entfalten, als ihre Träger sich die Welt eroberten und selbst zu Herrschern wurden. So stark war sie. Wir verstehen so, warum gerade die spanische Kunst immer einen besonders volkstümlichen Zug getragen und sich bewahrt hat, und aller herrscherlichen Würde kühl, ja feindlich, skeptisch oder satirisch gegenüberstand, und warum die religiöse höfische Verehrung des Heiligenkultes so gern ins mystisch Traumhafte abschweifte und, jedem öffentlichen Frauenkult von Haus aus feindlich, in der Darstellung der Reinheit der Jungfrau, der conceptio immaculata ihr Dogma formulierte.

Abb. 769. *Santiago de Compostela, Kathedrale. Blick ins nördliche Querschiff. 1078—1128.*

Der Primitivismus, die barbarische Vereinfachung und die strenge Klassik der mittelalterlichen Kultur sind nicht wirkungslos an dieser reichen und vergeistigten Kunst vorübergegangen und haben sie ähnlich wie die byzantinische Kunst modifiziert, ohne im gleichen Maße das Reife zu verengen und das Entwickelte erstarren zu lassen. Denn in dieser bild- und gestaltenlosen Kunst begegnen sich Spätestes und Frühestes auf ungezwungenere Weise. Es begegnen sich Unfähigkeit zur Gestaltformung primitiver Dingmagie und Gestaltmüdigkeit späten Sachgenusses, unendliche Geduld ornamentalen Webens einfachster Horden und Freiheit spielender Geistesverfeinerung kultiviertester Menschen, Strenge und Unerbittlichkeit eines jugendlichen Fanatismus und Logik kühler Abstraktion, Formenbestimmtheit als von außen auferlegter Zwang und Ordnung als Selbstbewahrung des Geistes, Grausamkeit des Wilden und die Ungerührtheit und Skepsis des Weisen, Weltangst der Unerfahrenheit und Weltscheu innerer Erfülltheit, primitive Gier nach Schmuck und Glanz und erlesenster Geschmack. Es entsteht eine Kunst, streng, straff, scharf wie ein Gesetzbuch und Koran, und betäubend und verwirrend wie ein unendliches Paradoxon, eine Kunst ohne Bruch. Dies alles und einiges mehr ist in Spaniens Kunst Afrika.

Abb. 770. *Palma de Mallorca, Kathedrale. 14. Jh.*

Auch dies teilt die maurische Kunst Spaniens mit der byzantinischen, daß sie wohl einer Bereicherung, nicht aber einer eigenen inneren Entwicklung

Abb. 771. *Burgos, S. Nicolas. Hochaltar. Werkstatt des Franz von Köln. Anf. 16. Jh.*

fähig war. Die Entwicklung verdankt sie ihrer Niederlage, der Kapitulation der maurischen Kultur vor der europäischen. Ihre Geschichte ist die Geschichte ihrer Europäisierung. Wir können hier nicht die Geschichte dieses Prozesses im einzelnen verfolgen: den Einbruch der Westgoten und die Entfaltung ihrer Kunst (Abb. 98, S. 121; Abb. 114, S. 132), nachdem sie auf den nördlichsten Teil der Halbinsel zurückgeworfen waren und ihren primitiven Kleinkunststil mit Motiven der arabischen Ornamentkunst und des Orients bereichern konnten. Vieles, was dabei bisher als rein germanisch galt, wie der Hufeisenbogen, stellt sich immer mehr als Lehngut heraus. Es folgt die Zeit des vorromanischen Stiles mit reichem erhaltenen Bestand von Handschriften, Altarvorsätzen und entsprechenden Werken aus Elfenbein und Edelmetall. Die einheimische Flächenkunst gibt diesen frühen Erzeugnissen, neben denen Wunderwerke der Verschmelzung von Schmuck und Schrift im Arabischen stehen, oft einen besonderen Charakter von starrer Linearität und kindlicher Farbfreude. Die romanische Kunst knüpft — nicht nur wegen der örtlichen Nähe, sondern auch wegen innerer Verwandtschaft in der Vorliebe zum Breiten, profan Palastartigen, Gelagerten, Großflächigen — an die Kunst des südlichen Frankreichs an und wird zum großen Teil einfach eine Provinz dieses Südens. Es entstehen Schwesterkirchen wie die Kathedrale in *Santiago de Compostela* (Abb. 769) und *St. Sernin* (Abb. 139, S. 153) in Toulouse. Eine Besonderheit einiger romanischer und frühgotischer Kirchen Spaniens, z. B. in *Segovia*, den plastischen Zusammenhalt des Kirchenkörpers dadurch zu zerstören, daß man nach mehreren Seiten aus ihm heraus loggienartige Säulenvorgänge vorschiebt, versteht man leichter, wenn man an die in den Höfen vorgeschobenen Loggien oder an die Balkone an den spanischen Häusern denkt, aus denen Blicke heraus, aber in die nicht Blicke hineindringen können. Es ist nicht eine Öffnung, Veröffentlichung des ganzen Baues, sondern eher eine Vergitterung.

Abb. 772. *Palma de Mallorca, Kathedrale. 14. Jh.*

Abb. 773. *Salamanca, Neue Kathedrale. Mittleres Westportal. 1. Hälfte 16. Jh.*

Die Gotik (Abb. 770), die ihren Siegeszug tiefer nach dem Süden Spaniens hineinführte, traf mit der in ihr bewahrten Vergeistigung der Formen auf Verwandtes, Dünnsäuligkeit, Spitzbogen, Durchbruchsornament, Fensterrosen. Aber auch da behalten die Formen der südlichen Gotik die Oberhand: Breiträume, Hallen, Pseudohallen, Säle; Breitwände, Pfeiler mit viel Fläche und fadenhaft dünnen Diensten; Figuren, schwerfällig, massig, die nicht an Säulen, sondern in den Nischen der Tabernakelportale des Südens stehen. Das Wesentlichste der Gotik, Allöffentlichkeit, Gastlichkeit, prozessionshafte Führung der vereinten Menge auf das Ziel des Chores wird ins Gegenteil verkehrt. Nicht nur der Chor wird mit höheren Wänden, als es die Lettner des Nordens sind, zu Eigenräumen von abgeschlossener Existenz umgebildet, die sich gern über das Chorquadrat zur Andeutung von Zentralräumen ausweiten und nach dem Schiff zu mit riesigen Prachtgittern verschließen, noch ein zweiter Chor schiebt sich, rings geschlossen, in das Schiff hinein (englischen Kirchen ähnlich), der mit dem Hauptchor durch einen von Schranken abgegrenzten Gang, einen Korridor, verbunden ist. Ein wichtiger Mittelpunkt der Gemeinde, der Kreuzaltar, wird dadurch unmöglich, und der Menge der kultische Ort für den Hauptchor verstellt. Statuen werden, auch das englischer Kunst verwandt und sie überbietend, in ein Maschennetz eines mittelpunktlosen Steinteppichs wie Edelsteine eingekeilt und zu Ornament entwürdigt. In den Chorgittern schwelgt die ornamentale Phantasie in feinster Durchbruchsarbeit und filigranhaften Verschlingungen, und die Hauptaltäre der späten Gotik (Abb. 771) sind hohe, die architektonisch gastliche, empfangende Form des Chorrunds verstellende, vielteilige Wände, in denen vielfigurige Szenen — an Stelle zentraler Statuen oder höfischer Statuenordnung mit Zentrum und Gefolge — mit dem Glanz und der Farbigkeit der orientalischen Kachelwände und Wandteppiche wetteifern. Außen gliedern die Strebepfeiler nicht gerüstmäßig den Bau, sondern lagern sich breit flache Wände mit kleinen Fensterlöchern, auf denen die zackenreichen Fialen wie aufgezogene Fahnen oder sprudelnde Fontänen den Bau

Abb. 774. *Murcia, Kathedrale. Capilla de los Vélez. 1507.*

schmücken, nicht straffen. Oder es treten massige Pfeiler so eng zusammen, daß sie auch nur wieder eine Wand bilden, nicht eine haltungsstraffe Türmchenreihe (Abb. 772). In der dekorativ gewordenen Spätgotik und Renaissance treffen sich eigener Drang und fremde Gesinnung. Prachtportale wie die der neuen Kathedrale von *Salamanca* (Abb. 773) dehnen die spitzenscharfen Heckenornamente des Nordens über riesige Flächen, verschlingen alles Durchflochtene noch reicher, kleben es feiner und flacher an die Wand und drücken die Figuren zu Teilen der Dekoration herab. Unter den Kapellen, in die sich die spanischen Kirchen immer mehr auflösen, riesigen zentralen Sonderräumen, die auch das palastartig Vielräumige der Außenansicht immer mehr verstärken, fällt die Heiligkreuzkapelle der Kathedrale von *Murcia* (Abb. 774) durch ihren besonders maurischen Charakter auf. Alle Wände sind mit einem dichten Geflecht überzogen, in denen die gotischen Kielbögen und zackigen Blätter der Kreuzblumen und Krabben sich verlieren in ein Stoffmustern verwandtes Steingewebe und Steinmosaik. Heiligste oder dämonische Bilder, wie das des Gekreuzigten, gehen darin unter oder werden (wie später auch die Madonnen in den Altären) in einen vertieften Raum als Sonderexistenz eingebettet, so ein Totengerippe, das wie ein Betrachtungen murmelnder Einsiedler in eine tiefe Nische hineingestellt ist.

Abb. 775. *León, Kloster S. Marcos. Teil der Hauptfassade. 1533—41.*

Von der italienischen Frührenaissance übernimmt man die feinen und spielerischen Schmuckformen (Abb. 775), und man überträgt nun die antikisierenden Ranken der Pilaster auch auf die Flächen zwischen ihnen, schwächt die schon gemilderte Körperfunktion flacher Pilaster durch dieses Eintauchen in die gleichgeschmückte Umgebung noch einmal ab und hebt die Auszeichnung eines Bauteils auf durch die gleichmäßige Überspinnung der ganzen Wand. Säulchen werden wie in Deutschland balusterartig ausgebaucht, mit Schmuckringen umgürtet, mit Ranken umwunden; die Rustika wird zu aufgesetzten Muscheln wie der Schmuck einer Pilgertasche; plastischer Schmuck wird nicht auf akzentuierende architektonische Stellen beschränkt, sondern gehäuft, zerstreut oder reihenweise verdichtet. Die plastisch architektonischen Sondergebilde zweier Fenster und eines Portales, die die Form des antiken Tempelchens haben (Aedicula), werden gern so zusammengerückt, daß sie wie zusammengesteckte Fahnen ein einziges, die plastische Besonderung aufhebendes Dekorationsmotiv ergeben. Oft wird das ganze Gliedersystem, zu einem Schmuckteppich verdichtet, auf die flache Wand, die es nicht ganz füllt, wie ein Vorhang aufgelegt. So entsteht durch Unterwerfung des entfernt Verwandten unter das eigene Gesetz afrikanischer Kulturbestimmtheit ein eigener spanischer Stil, die *platereske Frührenaissance* zu einer Zeit, als in Italien schon der klassizistische Frühbarock seine Herrschaft angetreten hatte. Vieles erinnert wie in der Renaissancegotik an deutsche Frührenaissance, die unfunktionelle Ausschmückung der Glieder, die Raumbezogenheit. Kein Wunder, daß deutschen Künstlern wie dem Baumeister *Hans von Köln* und der niederländischen Malerei die Tore weit geöffnet werden.

Abb. 776. *Santiago de Compostela, Kathedrale. Fassade. Von Fernando Casas y Novoa. 1738.*

Abb. 777. *Granada, Kathedrale. Nach den Plänen von Enrique Egas (1523) und Diego de Siloë (1525).*

Eine wirkliche Überwältigung der spanisch-maurischen Kultur findet erst mit dem frühen und hohen Barock statt

Abb. 778. *Domenico Theotocopuli, gen. El Greco, Heilige Familie. Madrid, Prado. Um 1580—90.*

(Abb. 777), als die Renaissance der klassizistischen und barocken Antike ihren Siegeszug durch ganz Europa antrat, als landfremde Herrscher ihren Sitz in Spanien nahmen, die Idee des Imperiums, in dem die Sonne nicht unterging, von Spanien aus zu verwirklichen suchten und sich mit der Kirche verbündeten, die denselben Anspruch vertrat. Der *Palast Karls V.* in *Granada,* ein kalter römisch frühbarocker Bau, steht ebenso landfremd wie diese Herrscher in seiner Umgebung. Die Kunst *Grecos* (Abb. 778, 779) ist ein letztes Aufflammen und Sichaufbäumen des zuinnerst Spanischen gegen diese landfremde Kunst aufdringlicher, herrischer, kalter und phantasiearmer Menschendarstellung, in der er selbst durch den Zwang der Zeit verstrickt war wie ein Laokoon in die Leiber der Schlangen. Seine byzantinische Herkunft mochte in ihn den Hang zum Flächenornament gelegt haben, so daß er die Figuren in das Gesetz der Fläche biegt und beugt, mochte den Sinn für ornamentale Linien und seltene Farben gestärkt haben, die venezianische Erziehung mochte die Lust an allen Farbenreizen einer Oberfläche tief eingeprägt haben, spanisch, maurisch bedingt ist doch die Farbe, die nur er hat, das Azurblau und Meergrün und Weiß der maurischen Kacheln, die die Wände so vieler Häuser schmückten und es noch tun; spanisch die Rücksichtslosigkeit gegen Menschengestalt und Figur, ihre um Personengeltung unbekümmerte Einbeziehung in flammendes Ornament und einen Farbenteppich, der mit barocken Mitteln des Aufwärtsschwebens und malerischer Illusion das feste Gewebe alter Kunst auflöst in ein Aufflackern und Emporschwanken dampfender Wolken. In ihnen werden alle Gliedmaßen fester Gestalten gleichsam zerkocht, die Gewänder wie vom Windhauch zu Schwaden auseinandergeweht. Die spanische Innerlichkeit und mystische Versonnenheit wird in dem Wirbel barocker Leidenschaft zur körperverzehrenden spanischen Ekstase. Die Köpfe seiner Personen gleichen nicht den aus der europäischen Barockkunst bekannten Typen. Sie haben weder Gleichmaß noch schwellende Üppigkeit, nichts Raffaelisches und nichts Rubenshaftes. In die Länge gezogen, asketisch knapp, dunkel und von innen glühend, mehr von einer schmerzlich abgehärmten Widerstandsfähigkeit, die sich gegen etwas zu wehren sucht, als von Hingabe, gleichen sie gewissen noch heute lebenden spanischen Typen, gleichen sie gewissen ausgemergelten byzantinischen Heiligen und noch mehr gewissen knochenfesten, schmalen Araberköpfen. Ausdruck des Kampfes zweier feindlicher Gewalten in Grecos Kunst ist der Manierismus, in dem alle Virtuosität und Künstelei völlig abgelöst ist von der Schicksalstiefe der in ihm ringenden Gegensätze (vgl. auch S. 542f.).

Abb. 779. *Domenico Theotocopuli, gen. El Greco, Auferstehung Christi. Madrid, Prado. Kurz vor 1595.*

Den Sieg erringt die europäische Kunst erst in *Velasquez*. Er ist der erste wirkliche Europäer der spanischen Kunst. Aber er ist es nicht ganz. Auch er bleibt noch Spanier darin. Als Velasquez Hofkünstler wurde und der Barockkunst gegenübertrat als Lernender und Prüfender, fand er in seinem Lande schon eine unbarocke Tradition niederländischer Kunst vor, eine Tradition, die nicht einer historischen Zufälligkeit, sondern Wesenszügen der bodenständigen Entwicklung ihren Einzug in das spanische Schauen verdankte. Kein Wunder, daß er wie die nach Italien gewanderten Holländer und wie seine älteren Landsleute (der unerschütterliche, zäh feste Gestalter geistig erfüllter heiliger Personen, *Zurbaran*, und der unerbittliche Schilderer allen Verfalls körperlicher Form und grausamer Zerstörung des Lebens, *Ribera* [Abb. 780]) sich in seiner italienischen Lehrzeit an die Seite italienischer Barockkunst hielt, die mit Format und Anspruch der großen Kunst das kleine Leben, das Leben des Volkes und die individuellen Schicksale auch von Heiligen erzählte. Auch sein Vorbild wurde Caravaggio. Wie Rembrandt und die caravaggesken Maler formuliert er sein Verhältnis zur Renaissance der Antike — gelassener und weniger revolutionär als Rembrandt — als eine Art Travestie des Göttlichen ins Menschliche, des Mythischen ins Gemeine, der körperlichen Haltung ins psychologisch Anekdotische. Seine Trinker, unter denen einer den Bacchus einem gleichgestimmten Publikum vorspielt, sind — ähnlich, aber weniger frech und ausgelassen, selbstverständlicher als Zecher des Frans Hals — von einer echten festen Derbheit. In der Schmiede des Vulkan sind echte Handwerker (Abb. 781). Die Nacktheit ist Arbeitskostüm. Trotz der Großfigurigkeit ist es wie ein holländisches

Abb. 780. *Jusepe de Ribera, Paulus Ermita. Madrid, Prado. 1649.*

Abb. 781. *Velasquez, Die Schmiede des Vulkan. Madrid, Prado. 1630.*

Genrebild, in dem Gerät und Personen mit gleicher Liebe zu einem geschlossenen Raumleben interieurmäßig zusammengefaßt sind. Mit einer des alten Rembrandt würdigen Kunst sind stark betonte, reliefmäßig gereihte Personen nur durch psychische Beziehung zu einem geistigen Mittelpunkt, dem Gotte Bacchus, der eine Mitteilung macht, verbunden, durch die Variation eines psychischen Reflexes, der vom erregt in der Arbeit anhaltenden, zornblickenden Vulkan durch verschiedene Stufen verhaltenen, schwer begreifenden, zur Schadenfreude neigenden Staunens der Knechte hindurch wechselt. Wie dies geschieht, ist freilich unrembrandtisch genug, anteilloser, mit feiner Ironie des Hofmannes, der seinen Herrschaften skeptisch gegenübersteht und einen auch im Götterkreise möglichen Skandal gelassen, mit feiner Wendung der Sprache, ohne Pointe — gleichsam nur nebenbei — erzählt. Daß er dem Heidengotte Bacchus den Heiligenschein gibt, ist nicht auch das ein Zeichen geistreicher, souveräner Verachtung herkömmlicher Formen? Obwohl diese Frühwerke noch eine tiefe, schwere, helle Körper von dunklem Grund abhebende Farbe haben — die Effekte grellen Kellerlichts, denen sich Ribera verschrieben hatte, machte seine gelassene Kunst nicht mit. Es lichtet sich allmählich alles auf.

Man hätte erwarten können, daß eine Kunst wie die holländische aus diesen Anfängen hätte entstehen können, intim, volkstümlich, innenraumdeutend und stillebenreich. Aber der Maler Philipps des Vierten, ein Hofmaler comme il faut, und der Maler des katholischsten Hofes in Europa, wie hätte der dem Anschluß an die barocke Kunst der Gegenreformation und der großen Herrschersitze entgehen können. Das barocke Thema des monumentalen Herrscherbildes auf springendem Roß hat er in drei großen Bildern des Prado mustergültig erledigt (Abb. 782), so souverän, daß selbst die im Bilde gefeierten Herren nicht gemerkt haben werden, wie wenig sich dieser Maler dem Hofe beugte, wie sehr er vielmehr die Hofleute und ihre Fürsten zwang, sich vor dem noch immer unbarock Spanischen und Eigenen seiner Kunst zu beugen. Denn keinem Empfinden widersprach der europäische Barock so sehr als gerade dem, was als arabisch-maurische Tradition auch jetzt noch,

auch in Velasquez, im Unbewußtsein nachlebte.
So prallte die Volkstümlichkeit der spanischen Kunst gegen das Höfische. Darum interessieren diesen Hofmaler die Narren des Hofes mehr als die Normalen. Sie sind es, die seine illusionistische, die Erscheinung in Raum und Luft sicher rundende Kunst auszeichnete, wenn sie, klein von Gestalt, aber groß gesehen, von der Hand des Meisters der flüchtigen Laune ihrer Quälgeister entrückt, die Sicherheit des Bestandes empfingen. Über diese Auszeichnung hinaus brauchte er nichts zu beschönigen an der babyhaften Männerstatur der auf dem Boden hockenden Narren oder der verdrehten Kindsgestalt des Vallecas, um dessen verquollene Züge Wahn und Stumpfsinn schwirren. Teilnahme freilich darf man bei diesem am Menschen nicht beteiligten Spanier nicht erwarten.

Abb. 782. *Velasquez, Der Herzog von Olivarez. Madrid, Prado. Um 1631—35.*

So unbeteiligt, so skeptisch registriert er nun auch seine großen Herren (Abb. 783). Er faßt sofort das Individuum in ihnen, nicht das Allgemeine der Fürsten. Sind sie stolz, hochmütig, so ist es der Ausdruck dieser Unbeteiligtheit selber, der sie so erscheinen läßt. Ihre Abwesenheit ist, als ob sie etwas zu verbergen hätten, das Närrische ihrer den schwachen, bleichen Menschen umkleidenden künstlichen Existenz. Merkwürdig passiv, gar nicht heldisch (weder als Feldherren, noch als Reiter, noch als Jäger) halten sie still dem überlegenen Blick des Malers. Das prächtige sich bäumende Barockpferd ist, so gut es gemalt ist, doch nur ein Requisit, das er aus dem Stalle des Barockzirkus herausholt, um Hoheit gemalt paradieren zu lassen. Selbst der Hintergrund, dessen luftige Töne sein Auge in so manchen Landschaften mit feinstem Gefühl für Valeurs erfaßt haben mochte, ist in diesen Bildern Fläche, mehr Kulisse, spanische Wand als in echten Barockwerken. Schroff steht davor die Silhouette von Roß und Reiter, ein Porträt, dem kein Raum erlaubt, wirkliches Leben zu entfalten. Nicht weit von diesen Bildern sieht man im Prado das Reiterbild Philipps IV. von Rubens, eine blühende, siegende, in den Raum schwellende Gestalt, naiv lebensfreudig wie ein Theatersiegfried. Nicht wiederzuerkennen ist dieser schmale, mürrische, kränkelnde, einprägsame

Abb. 783. *Velasquez, Philipp IV. Madrid, Prado. Um 1655—60.*

Kopf mit den gepreßten Schläfen und der häßlich hängenden Unterlippe. Und auf der andern Seite Karl V. von Tizian, in dunkelgoldgrüner Rüstung mit erfahrungssatten Zügen eines gealterten Weisen aus weichem Dunkel herausbrechend wie ein Stern. Die spanische Kunst kennt keine barocke Vordringlichkeit, kein Sichbrüsten, keine Rhetorik. Die müden, mühsam hochgezogenen Brauen der Herrscher, die lässig angehaltenen Glieder schweigen. Nur die Narren gestikulieren stärker. Wandbildende spanische Kunst heftet die Figuren in kühl berechneter Parallelität an die Wand.
Der barocke Schwulst läßt sich nicht mehr zu linearen Gespinsten zerfasern, wie es noch Grecos Kunst versuchte. Aber die malerische Kunst löst die Prallheit und den Schwall der Formen auf in eine transparente, luftige, zarte und schwebende Oberfläche, auf der hauchartig die hingetupften Flecken der Malerei schwimmen.
Gewohnt, die Frau zu verschleiern, meidet die spanische Kunst und die des Velasquez den Venuskult der derben und fülligen Akte. Sie liebt nicht, den Körper der Frau den Blicken auch nur im Bilde preiszugeben. Velasquez, der Europäer, malt zwar das Zeitthema, die Venus auf dem Ruhebette. Aber er malt sie schlank, knapp, unsinnlich, geistreich: vom Rücken gesehen, und das Geistigste, das Antlitz, im Spiegel zeigend. Das Körperliche löst sich im Zusammenfließen von zart rosa Fleischtönen im kühlen Silbergrau der umgebenden Farbflächen, die keinen Rausch aufkommen lassen.
Die Farbe steigert sich nicht barock zur Glut. In der sonnenfeindlichen und denkkühlen Kunst des Spaniers wird die Farbe grau, silbrig, abgestumpft, diskret. Mit dieser Diskretion wird die Pracht des barocken Prunkes entzaubert. Im bauschigen, farbenprächtigen, goldbetreßten Hofkostüm sieht dieses skeptische Auge nur ein Gefängnis des Leibes, nur herumgebaute Wände um schmächtige Kinderleiber (Abb. 784), die mit angstvollen Blicken darüber sich erheben und stillhalten. Stillhalten einem Malerauge, das nicht wie die Holländer sich in die Kostbarkeit und den Glanz eines Stoffes verliebt und sich ihm hingibt, nicht wie die Barockmaler Fanfaren zum Ruhme der Person aus ihnen trompeten läßt, sondern das die Farben sieht, vor der

Abb. 784. *Velasquez, Die Infantin Margarethe. Madrid, Prado. Um 1660.*

Abb. 785. *Velasquez, Las Meniñas. Madrid, Prado. 1656.*

Fläche schwebend, abgelöst, dem Geist sich bietend. So läßt sein Pinsel ein farbiges Spiel gedämpfter und toniger Zartheit über das Gewand hinhuschen wie die Araber das Ornament über die Wände. Der Geist wird nicht aus sich herausgelockt, alles bleibt sein eigen.
Am merkwürdigsten ist, wie Velasquez sich in den Edeldamen, den Meniñas (Abb. 785), mit dem Raumproblem abfindet. Es ist weder ein holländisches Interieurbild, das dem Beschauer erlaubt, sich in eine fremde Häuslichkeit einzufühlen — wie ertrüge das der Eigen-Sinn des Spaniers —, noch trotz des großen Formates eine jener barocken perspektivischen Illusionen, in die die barocke Gesellschaft ihren Stolz und ihre Lebenslust ausschwellen läßt. Es scheint zunächst ein höfisches Porträt, eines jener Kinderbildnisse, das hier durch die das Kind beschäftigenden Hofdamen und durch die Zwergin und den Knaben mit der Dogge zum Genrebild hingedrängt wird. Plötzlich merkt man, daß ja der Maler selbst da ist und nicht dieses Kind sein Objekt ist, sondern eine außerhalb des Bildes zu denkende Gesellschaft, zu der auch das Kind mit den Nebenpersonen in Beziehung steht. Ist also dieser ganze sichtbare Porträtapparat selbst nur dazu da, in einer imaginären Porträtsituation den zu Malenden einen Ausdruck abzunötigen? Schon aber wird der nach vorn schweifende Gedanke, nachdem er sich eben von dem Maler und dem Geheimnis des hinter der großen Wand sich auftuenden Raumes losgerissen hat, wieder ganz rückwärts in die Tiefe geführt, wo im Spiegel ein neuer Raum und die Gesichter des bekannten Königspaares erscheinen. Sind das die Personen, die der Maler porträtiert, die Hauptpersonen? Aber schon erscheint in einer Tür daneben wieder Raum und Person, ein Hofbeamter, und verwirrt fragt sich der Beschauer, ist auch das nur Spiegelbild und welchen Bezug hat die Person zum übrigen Inhalt des Bildes? Was geht hier vor? In dieser Malerei wird Gedanke Leben, und Leben Gedanke. Diese zerstreuten Figuren haben einen Sinn, sie sind nicht zufällig, sie haben Bezüge nach vorn und nach rückwärts, wie die Figuren eines Schachspiels, das auch nur im Geist des Spielenden sinnvoll

Abb. 786. *Murillo, Die Vision des Hl. Bernhard. Madrid, Prado. Um 1665—70.*

wird. Aber vor allem triumphiert hier als einziger Sinn und einzige Sinngebung das Gesicht des Malers. Er ist der einzige Souverän unter diesen königlichen Figuren. Die einfache, klare Wirklichkeitskunst des Europäers wird wieder einbezogen in die logische Phantasie des Arabers, der mit Räumen und Personen spielt wie einst mit Linien in den unendlichen Bezügen der Ornamente.

Es wird einem schwer, neben Velasquez *Murillo* (Abb. 786) in einem Atem zu nennen. Seine frühen, kräftigen, realistischen erzählenden Bilder sind tüchtig, volkstümlich, spanisch in ihrer sachlichen Trockenheit. Die barocke Malkunst und das Malerische der Zeit verflauen seine Malerei; seine Ekstasen streifen stärker an sinnlichen Rausch, und seine schönen, wenn auch volkstümlichen Madonnen huldigen stärker dem allgemeinen Frauenkult des Barock. Die barocke himmelfahrende Madonna wird seine Spezialität, und nur das ist spanisch, daß er sie mit kühlen Farben, Unschuldsfarben, blau und weiß, malt und der Menge entrückt, ekstatisch ergriffen.

Zur Kunst des Velasquez denkt man als Hintergrund hinzu den schweigend großartigen Kasten der Architektur des *Escorial* (Abb. 787). Auch hier sind alle Formen streng europäisch, das repräsentative System von Pilastern, Gebälken und Tempelgiebeln. Aber diese Tempelfronten, bestehend aus ganz flachen, wie Tücher der Wand aufgelegten Formen, schneiden aus der ganz arabisch wirkenden Wand des ungegliederten

Abb. 787. *Der Escorial. Begonnen 1563 von Juan Bautista de Toledo, vollendet 1584 von Juan de Herrera.*

Baus nur wieder Flächen heraus. In den Korridoren und den Höfen, überall trifft man dieselben leeren und flachen Formen und Wände. Kein Ornament streut auf sie Leben und Freude, die selber ohne Kraft und Leben sind. Es ist wie eine große Angst um alles, die schreien möchte, eine Stille und ein Ansichhalten, die sinnlos wirken bis zum Irrsinn. Aus dem verschlossenen, Schätze bergenden Kasten arabischer Sesam-tu-dich-auf-Architektur ist durch europäische Barockformung ein Narrenhaus und Gefängnis geworden.

Abb. 788. *Granada, Sakristei der Kartause. Von Luis de Arévalo und Fr. Manuel Vazquez. 1727—64.*

Die spanische Kunst hat sich auch mit dieser Europäisierung nicht abgefunden und noch einmal einen Nationalstil hervorgebracht, den *Churriguerismus*. Es handelt sich einfach darum, daß man sich in fortschreitender Entwicklung zum 18. Jahrhundert fessellos dem Barockzauber aufgetriebener Formen, rauschender Blätter und Stoffe, flammenden Aufschwungs und vorschwellender Massen hingibt, aber diese selbst zu einem neuen Wandstil ausbildet und die plastischsten Formen in einen Strudel hineinreißt, der nichts anderes ist als noch einmal ein einziges Ornament. Schon die Anlage ist bedeutsam. Jetzt entstehen die riesigen Prachtportale, riesig dadurch, daß sie nicht wie in Italien die plastische Kraft des Baues selbst dem Beschauer im Portal entgegenführen und auf den wirksamsten Punkt konzentrieren, sondern die ganze Fassade, raumöffnend mit starkem Anklang an französische Baugestaltung, damit belegen (Abb. 776, S. 629). Aber diese Öffnungen führen nicht in die Kirchen hinein, sondern sind selbständige Räume vor der Kirche, die wieder ganz spanisch den Raum verstellen. Es sind nach außen projizierte Altarwände, ein Abschluß, kein Anfang; Altäre eines imaginären Raumes, der wie in den Meniñas von Velasquez den Freiraum zu einem nur in Gedanken lebenden

Innenraum umbildet. Das Äußerste, was diese noch immer abstrakt logische, in rauschenden Formen zuinnerst rauschlose Kunst hervorgebracht hat, Höhepunkt und Ende einer Bewegung, ist die Sakristei der *Kartause* zu *Granada* (Abb. 788). Derbe Barockpfeiler gliedern die Wände, aber das ihnen auferlegte Gebälk ist auch hier keine Last, sondern wie ein mit Blumensträußen durchwundenes Band, das mit geknickten Schleifen auf und ab schwingt. Durch dieses Band- und Kranzgewinde bricht die Bewegung der Pfeiler hindurch und schwingt sich in gestelzten Bögen von einem zum andern hinüber, um fontänenhaft in dieselben Pfeiler wieder herabzugleiten. Diese selbst sind Zone auf Zone mit plastischen Ornamenten verschnürt, in denen ähnlich fontänenhaft eine eben aufsprudelnde Masse zugleich wieder in Voluten zum Boden rinnt. Es sind diese Ornamente hier nichts weiter als die abstrakten Ranken arabischer Wände, knorpelhaft verdickt und aufgeblasen. Zwischen den Pfeilern werden die Räume wichtig, tiefe Nischen, Durchlässe und Durchblicke, über denen wie in den Höhlungen der Stalaktitengewölbe die Fensternischen eine Sonderexistenz führen. Noch immer ist — Alhambrastimmung — Zusammenhalt und Richtungszwang aufgehoben, ist der Raum labyrinthisch der Phantasie freigegeben, der Gedanke in tausend und einen Schlupfwinkel hineingelockt. Aber er ist des alles nicht mehr Herr. Es dringt laut auf ihn ein, es verwirrt und überwältigt ihn, es ist ein barockes Zugeständnis an die Masse und das Volk auf der Gasse. Die spanische Zurückhaltung ist aufgegeben, es brodelt, und Tumulte werden geahnt.

Es währt nicht lange, und der spanischen Kunst wird *Goya* der Führer. Das Volk steht auf.

HOCHBAROCK IN ITALIEN

Im Frieden von Cateau-Cambrésis 1559 gewinnt das spanisch-habsburgische Haus das Übergewicht in Italien (Neapel, Sizilien, Sardinien, Mailand, teilweise Toskana spanischer Besitz). 1559 Anschluß Savoyens an Spanien. Seit 1550 Schwinden der wirtschaftlichen Vormachtstellung Italiens. Keine aktive Politik des Kirchenstaats, innere Kämpfe gegen den Adel. Clemens VIII. Aldobrandini 1592—1605 (1600 Giordano Bruno verbrannt). Leo XI. Medici und Paul V. Borghese 1605—21. Urban VIII. Barberini 1623—44 (1633 Galilei verurteilt). Innocenz X. Pamfili 1644—55. Im 17. Jh. unterstützt Frankreich die kleinen Fürstentümer gegen Spanien und die Kurie. Zur Zeit Ludwigs XIV. gallikanische Kirchenbestrebungen, von Alexander VII. Chigi (1655—67) bekämpft. Clemens IX. Rospigliosi 1667—75. Innocenz XI. Odescalchi 1676—89.

Entsprechend dem Unterschied des von Michelangelo entworfenen Rückfassadensystems und der von Carlo Maderna erbauten säulengegliederten Westfassade von St. Peter (Abb. 789) kann in einer Reihe von Kirchenfassaden Roms, die das System von Il Gesù fortsetzen (*Chiesa Nuova, S. Andrea della Valle, Sta. Susanna, S. Ignazio, SS. Vincenzo ed Anastasio* (Abb. 790), der Weg vom Früh- zum Hochbarock an der plastischen Verstärkung der Glieder verfolgt werden. Die Pilaster, die erst nach dem Portal hin sich zu Säulen entwickelten, werden schließlich ganz durch Säulen ersetzt, die flachen Reliefschichten, auf denen sich die plastische Form der antiken Tempelfassade nach der Mitte zu verwirklicht (Abb. 647, S. 530), treten immer mehr zurück, die äußeren Säulen mit ihren Gebälken schachteln sich ineinander, jedes äußere Paar gibt einen Rahmen ab für das innere, jedes innere Paar drängt sich vor das äußere und reißt den ganzen Baukörper als einen reich gegliederten und heftig gestikulierenden nach vorn. Daß hier ein Innenraum dahinter liegt, daß hier überhaupt ein Gebäude Form werden will, vergißt man ganz vor der Dramatik dieser gedrängten Säulenkörper, die nicht Leben in sich aufnehmen wollen, sondern selber schon ein nach außen drängendes Schauspiel sind wie die figurenreichen Volksszenen und Festzüge auf italienischen Bildern, auf denen die Menschen sich drängen, einem Redner zuzuhören. Einen solchen erwartet man jeden Augenblick zwischen diesen Säulen auftreten zu sehen. Es ist eine ganz nach außen gewendete Dekoration, und es ist dieselbe Mischung von Bild und Architektur, von dramatischem Geschehen und würdevoller Haltung, die in den italienischen Bildern zum Ausdruck kam.

Abb. 789. *Rom, St. Peter. Kuppel und System des Außenbaus von Michelangelo (seit 1547); Langhaus und Fassade seit 1607 von Maderna, von Bernini vollendet.*

Die Konsequenz dieser Schichtungen, die dem Beschauer entgegendrängen, ist es, daß jetzt die ganze Baumasse in Schwung gerät und in *Borrominis* genialer Fassade von *S. Carlo alle quattro fontane* (Abb. 791, 792) mit eingezogenen Flanken die Mitte aus sich heraustreibt. Nach dem Vorgang Michelangelos im Konservatorenpalast ist auch hier jedes Säulenpaar ein Rahmen geworden für eine plastische Komposition, für Statuennischen, die wieder auf Säulen mit Gebälken stehen. Diese Statuen aber sind nicht einfach plastischer Schmuck in formaler Haltung, sondern Schauspieler, die ein religiöses Gefühl ergriffen vordeklamieren. Eine gleichartig architektonische Gestaltung macht auch das Mittelfeld mit dem Portal zum Sockel für eine von Hermen gerahmte und von ihren Flügeln gekrönte Statue, die mit vorspringender Standfläche oratorisch zur Menge herausdrängt. Oben ist auch das ganze Mittelfeld eingeschwungen, aber um so heftiger stößt hier noch einmal ein Gebäudchen heraus, eine Art Benediktionsloggia, in der ein Mensch zur Menge sprechen könnte. In diesem zeltartig

Abb. 790. *Martino Longhi d. J., Fassade von SS. Vincenzo ed Anastasio in Rom. 1650.*

Abb. 791. *Francesco Borromini, S. Carlo alle quattro fontane in Rom. Fassade 1665 begonnen.*

gedeckten, von wappenhaltenden Engeln überkrönten Gebäudchen ist eine seltsame Mischung von Eigenraum und Monumentalbau, von der Stimmung der Heiligen im Gehäuse und für die Öffentlichkeit bestimmter Zeremonie.

Abb. 792. *Francesco Borromini, S. Carlo alle quattro fontane in Rom. Fassade 1665 begonnen.*

Das Vollendetste dieser Art, einen geschlossenen Bau statuenhaft auf eine Bühne zu stellen und dem Beschauer einen Standpunkt aufzuzwingen, von dem aus er das Gebäude nur schauen, nicht aber betreten kann, hat *Pietro da Cortona* in der wunderbaren Fassade von *Sta. Maria della Pace* (Abb. 793) geschaffen. Er baut, ohne durch einen praktischen Zweck dazu genötigt zu sein, in die Tiefe eine große Nische als reine Scheinarchitektur, d. h. als Bühnenprospekt, aus dem ein Rundbau herauswächst, begleitet von zwei niedrigen turmartigen Flankenbauten, die noch einmal eine den Rundbau nach vorn treibende Nische zwischen sich nehmen. Dieser Rundbau ist nur im unteren Teil ein solcher, eine ein Rund umstehende offene Doppelsäulenfolge. Oben dagegen haben wir zwischen rahmenden Pfeilern nur eine sanfte Schwellung, die die Illusion eines Rundbaus erweckt und diese Illusionskraft aus der umfangenden und zurückfluchtenden Energie der Hintergrundsbühne und der das Ziel der Schwellung bestimmenden unteren Vorhalle empfängt. Das Wesentlichste aber ist, daß dieser Bau nicht ein plastisches Monument ist wie bei Michelangelo oder Borromini, sondern ein raumschließendes Gebäude, ein Haus, doppelgeschossig wie die Paläste und die italienischen Kirchen, oben so stark wandbetonend, daß die Säulen und Pilaster nicht als wanddurchbrechend und wandverneinend aufgefaßt werden, sondern als Pfosten einer Tür, deren raumabschließende Flügel zwischen den Seitenpfeilern wie in Angeln zu hängen scheinen. Und nun erwartet man, daß zwischen diesen Flügeln, die mit ihrer Rundung noch im Begriff scheinen, sich weiter nach außen zu öffnen, wie in einer Arena aus der Öffnung die Gladiatoren oder wie auf einer Bühne der Held hervortritt. Voller Spannung hängen die Blicke an diesem Punkt, wo alles im Werden ist. So ist die Raumbeschlossenheit, die Nach-innen-Gekehrtheit eines Zentralbaus hier ganz dramatisch zum Schauspiel geworden, das für die Zuschauer vor ihm berechnet ist. Würde aber hier ein Held erscheinen, so würde er nicht wie eine Statue in einer Nische Mittelpunkt einer Huldigung sein. Aber wie auf den menschen-

Abb. 793. *Pietro da Cortona, Fassade von Sta. Maria della Pace in Rom. 1655—57.*

reichen und vielgrundigen Bildern der Italiener bedingen hier die illusionistischen Raumschichten, die reichen Architekturüberschneidungen und Verschachtelungen, die bunt wechselnden personenhaften Architekturglieder von Säulen verschiedener Ordnung und von Pilastern in mannigfachen Kombinationen ein lebhaftes Geschehen, so lebhaft, daß der gestalthafte Mittelpunkt, um den das Leben wogt, aus den Beziehungen und Spannungen dieses Bildes von der Phantasie von selbst hinzugedacht wird. Ja die Konflikte, die gerade das Theatralische als eine Form des Manierismus in sich birgt, werden in der abstrakten Form der Architektur am wenigsten gespürt, obwohl auch hier der Gegensatz der Ruhestimmung eines Rundbaues, die am stärksten aus der unteren Halle schwingt, und des nach vorn drängenden Lebens solche Konflikte enthält.

Aus dieser Kunst der Illusion und der Perspektiven, des theatralischen Lebens und der reichen Szenerien ist die barocke Theaterkunst der *Galli Bibbiena* hervorgewachsen, in deren Bühnenprospekten die italienische Barockkunst architektonische Schauspiele entfaltet, die keines Schauspielers mehr bedürfen. Übersieht man noch einmal den Wunderbau von Sta. Maria della Pace, dessen theatralischer Reichtum nur von einem Punkt aus genossen werden kann (so wie Pozzos Deckenperspektive in S. Ignazio nur von einem im Boden markierten Punkt aus gesehen werden kann), dann fällt es einem plötzlich wie Schuppen von den Augen, wenn man an Bramantes Tempietto bei S. Pietro in Montorio denkt. Es ist derselbe zweizonige Rundbau in einem apsidial geformten Klosterhof mit offenem Säulenumgang unten und geschlossener Wand oben, nur daß, was dort schlicht und einfach sich gibt, hier effektvoll und reich geworden ist, was dort ruhig in sich beschlossen ist, hier theatralisch auf einen Beschauer berechnet ist, was dort kultische Wirklichkeit und Stimmung ist, hier illusionistische Bühnenwirkung und spannendes Werden geworden ist. Es ist die barocke, bühnenhaftere Umsetzung des Andachtshauses in ein weniger andächtiges, mehr der Schaulust und Schaugier dienendes Bild.

Es ist kein Zufall, daß hier in Italien nach den manieristischen Versuchen des 16. Jahrhunderts, aus dem Privathaus wieder einen Repräsentationsbau, aus dem Gemeinderaum wieder einen Kultraum zu entwickeln, ebenso ein neuer Stil des Andachtsbildes und des Andachtsraumes entsteht wie zu Leonardos und Bramantes Zeit nach dem manieristischen Aufflammen der Renaissance-

Abb. 794. *G. L. Bernini, S. Andrea al Quirinale. Begonnen 1658.*

gotik, ein Stil, in dem die Form und edle Haltung der Beteiligten bedingt war durch den Gleichklang, der alle zu gemeinsamem Gefühl zusammenfaßte und die im einzelnen beschlossenen Gefühle zu religiösen machte. *Bernini* ist es, der als Nachfolger von Leonardo und Correggio diese Stimmungskunst in Architektur und Plastik von neuem verwirklicht. Auch er ist Sohn des Barock, die Gefühle der Hingabe an das All werden zu ekstatischen Erschütterungen und zur Auflösung des Körpers, die Gemeinsamkeit wird bewirkt nicht durch Eintritt in eine raumumfangende Gemeinschaft, sondern durch teilnehmendes Schauen eines Vorspielers auf einer Bühne, und die Raumumflossenheit wird zu barocker Spannung einer niederzwingenden Raumform. Seine Kirche *S. Andrea al Quirinale* (Abb. 794) ist ein Rundbau, der sich nach außen nicht einfach in seiner Gesamtmasse fassadenmäßig als Zentralbau kundgibt, sondern der runde Kern stellt eine strenge einzonige Tempelfront eines von Pilasterbündeln getragenen Giebels vor sich hin, hinter der er sich herumschiebt. Erinnern schon die gedehnten Proportionen dieser Front und die breiten, flachen Pilaster trotz der kräftigeren barocken Kapitelle und Gesimse an die flachen, schließenden Wände der Zentralbauten der Leonardozeit, so wird dieser Eindruck verstärkt durch die ein rechteckiges Feld umgrenzende Wandunterlage dieser Pilaster, wo kein Kämpfer, kein Kapitell den Wandausschnitt in ein Gliedersystem verwandelt. Dieser Eindruck wäre nicht so stark, wenn der das Feld öffnende Wandbogen (das System des antiken Theaters) stärker zur Geltung käme. Er tut es aber nicht, weil aus ihm ein zweiter Rundbau hervorwächst, ein Tempietto, der zwar wie bei altchristlichen Basiliken nur eine Vorhalle, ein Portalschutz ist, aber dadurch als selbständiger aus der Kirche herauswachsender Zentralbau charakterisiert

Abb. 795. *G. L. Bernini, S. Andrea al Quirinale. Begonnen 1658.*

Abb. 796. *Rom, S. Pietro in Montorio, Cappella Raimondi. Entwurf von Bernini; Altarrelief mit der Verzückung des Hl. Franziskus ausgeführt von Francesco Baratta. Vollendet 1648 (?).*

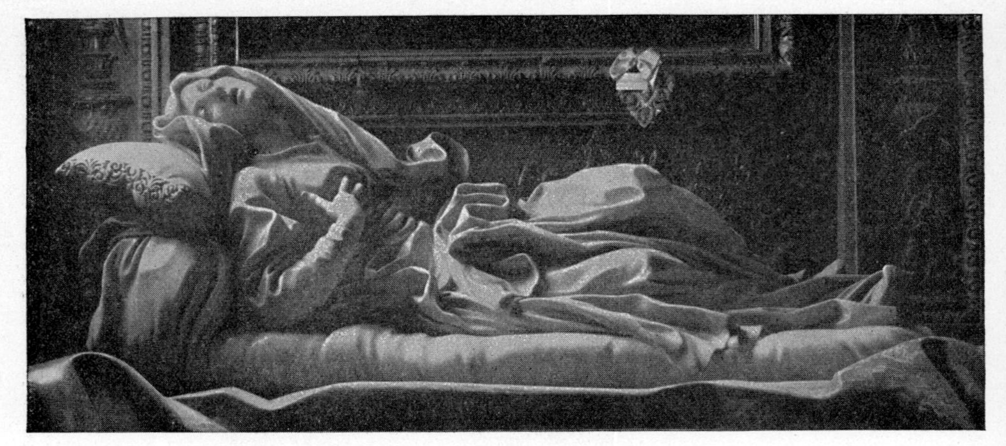

Abb. 797. *G. L. Bernini, Die Sel. Ludovica Albertoni. Rom, S. Francesco a Ripa. Um 1670—80.*

ist, daß er das ganze Innenfeld der Tempelfront für sich beansprucht und mit einem diademartigen Giebelmotiv geschmückt ist, das noch einmal die von der Tiefe nach vorn dringende Bewegung verstärkt. So wird die Pilasterarchitektur der Fassade nur ein Rahmen, eine Bühne für eine Rhetorik, mit der ein Rund- und Ruheraum nach Überwindung mannigfacher Spannungen — von Öffnung und Füllung, von Fläche und Schwellung — sich dem Beschauer darbietet, ein Vorspiel vielmehr als eine Vorhalle. Die Ablösung der Fassade von dem Rundbau der Kirche verstärkt den Charakter des Gegensatzes von Rahmen und Gehalt, von Bühne und Spiel. Was hier aber gespielt wird, macht der Giebelschmuck deutlich — nicht ein steil und spitz emporgipfelndes Haupt, sondern eine aus der Tiefe nach vorn sich aufbäumende und dann hinsinkende und noch einmal aufschäumende Welle. Treten wir nämlich in die Kirche ein, so umfängt uns ein breitovaler Raum (Abb. 795), eine Riesenwanne mit flacher, herabdrückender Kuppel, die dieses Hinsinken zur Pflicht macht. Bernini selbst hat es in seinen Skulpturen in mannigfachen Variationen zum Ausdruck gebracht: ein Heiliger oder eine Heilige von einer überirdischen Vision befangen wie der Besucher des Raumes von der Lichtflut des Gewölbes, allein oder angesprochen von süß betäubenden Worten der Engel, die sich huldvoll über ihn beugen wie die Rippen der Kuppel, und in einer Seligkeit versinkend, in der Glaube und Liebe, Allgefühl und menschlicher Eros sich unlöslich verschlingen. Eine den Marmor erweichende Kunst, die den Stein zu atmendem Fleisch und schwimmendem Ausdruck werden läßt, behandelt die Gewänder wie verschüttete und verfließende Wassermassen, wie Wellen, in denen alles Feste zerschmilzt und alles Körperliche in einem rauschhaften Gefühl sich auflöst. Aber diese Auflösung geht nicht so weit, daß der im All und Rausch versinkende Mensch die Rücksicht auf die Welt der Mitmenschen vergißt. Wie bei Leonardo und in seinem Kreis die stille Andacht zum All, im Bewußtsein der Gleichgestimmtheit und im Willen zum Gleichklang mit den andern, rhythmisch sich erging, also formal

Abb. 798. *Francesco Cavallini, Pietro und Francesco di Bolognetti. Rom, SS. Gesù e Maria. Vor 1675.*

gebunden war, so rauscht diese barocke Ekstase mit dem Bewußtsein des Zuschauers in Schönheit und Vollendung auf uns nieder. Auch sie ist Theater. Der Chor wird in diesen Kirchen in eine Bühne verwandelt, indem aus der raumbildenden und raumschließenden Folge von Pilastern sich kräftige Säulen herauslösen und einen Raum mit einem Rahmen abschließen, der nicht ein der Kirche zugehöriger Raum, nicht ein empfangender Chor ist, sondern ein Eigenraum wie auf den Bildern des Naturalismus und erfüllt von dem gemalten oder plastisch ausgeführten Bild einer Szene aus dem Leben eines Heiligen. Mehr als der aufrauschende Engelschor in S. Andrea al Quirinale gibt diesen Bühnencharakter die Entrückung des *Hl. Franziskus* in *S. Pietro in Montorio* (aus der Bernini-Schule, Abb. 796) und die Verzückung der *Hl. Therese* in *Sta. Maria della Vittoria*, der *Ludovica Albertoni* in *S. Francesco a Ripa* (Abb. 797). Raffiniert angebrachte Fenster sorgen dafür, daß auch das Licht in diesen bühnenhaft abgesonderten Räumen ein eigenes, absonderndes ist und die ekstatische Stimmung des Überflutetwerdens steigert.

Das einzige, was diese Bühnenräume mit dem Kirchenraum verbindet, ist, daß die Ekstasen, die hier gespielt werden, diejenigen sind, die auch als religiöses Erlebnis von der Form des Kirchenraumes selber angeregt werden. Aber mehr als durch den Raumzwang kommt der Gläubige zu ihr als Zuschauer. Wie in den Bildern des frühen 15. Jahrhunderts das mittelalterliche Kultbild zum neuzeitlichen Andachtsbild umgewandelt wurde durch Einbeziehung der profanen Stifter in das Bild, so werden auch die Zuschauer dieser ekstatischen Dramen mit in das Bühnenspiel hineingezogen. Rechts und links in den Kapellen oder in den Querschiffen, die selber nur eine Art von Kapellen sind, werden Zuschauer dargestellt, die über das Schauspiel und seinen religiösen Inhalt diskutieren oder, wie bei Cavallini (Abb. 798), versengt von der Glut der Ekstase sich ebenso aufgelöst ans Herz greifen wie die Ludovica Albertoni. Die Räume, aus denen diese gemeißelten Figuren sich herauslehnen, wirken wie Logen eines Theaters, über deren Brüstung sich die Zuschauer lehnen. Macht die barocke Illusions-

Abb. 799. *Rom, SS. Gesù e Maria. Anfang 17. Jh., Umbau von Carlo Rainaldi, geweiht 1675.*

Abb. 800. *Rom, Sta. Agnese. Von Girolamo und Carlo Rainaldi (1652 bis 1677) und Francesco Borromini (1653—57).*

wirkung greifbarer Plastik und in den Kirchenraum hineingebauter Architektur diese Zuschauer zugleich zu Vorbildern der Beteiligung an der kirchlichen Handlung, so verstärken sie zugleich den unkirchlich bildhaften, d. h. den unbarocken Charakter dieser schauspielerischen Kunst.

In *Gesù e Maria* (Abb. 799) ist das ganze Mittelschiff mit solchen Zuschauerlogen erfüllt, indem zwischen den Pilastern jedes Pfeilers sich eine Architektur einschiebt, aus der nach dem Chor hingewendete Zuschauer im Gespräch oder in anbetender Haltung zum Altar hinsehen. Wiederum wird dadurch bewirkt, was der ganzen italienischen Kirchenarchitektur eigen blieb, daß der die Kirche Durchschreitende zu beiden Seiten in Räume hineinsieht, die, von Bewohnern gefüllt, die eigentlichen Innenräume bedeuten, daß aber der Raum zwischen ihnen mehr ein Platz, eine Straße, ein offener Raum ist als ein die Menschen zu sich und zueinander führender Innenraum. Das Wesentlichste liegt immer jenseits seiner Wände, nicht zwischen ihnen, und der im Raum Weilende ist genötigt, ständig ein Schaustück oder Schauspiel anzusehen, das ihm nicht erlaubt, allein oder in Gemeinschaft den Raum mit seinem Leben zu füllen. Diese Fremdheit des Schauspiels, das ihn aus dem Raum herausführt, und das in Italien an den Wänden des Mittelalters oder der Renaissance ganz Bild war, wird in der barocken Illusion aus Bild zur Bühne. Berninis große und ganz italienische Leistung ist es, mit barocker Steigerung zur Ekstase alle diese Bildeindrücke wieder in eine unkirchlich religiöse, pantheistische Stimmung gesammelt und mit der Form des Raumes architektonisch gebunden zu haben.

Aber auch bei Bernini ist die Stimmung des Raumes nicht so stark, daß sie den Sehzwang der Chorbühne übertönen könnte. Die Schmalheit des wannenförmigen Raumes, die geringe Tiefe des Eingangsraumes bewirken, daß man, eben eingetreten, schon vor der Bühne steht und der umgebende Wannenraum nur den Schau-Platz abgibt wie ein antikes Theater. Auch die kleineren Seitennischen werden nicht als Ausbuchtungen des großen Einheitsraumes empfunden, die den Betrachter zur Mitte zurücklenken, sondern sie sind kleine Nebenbühnen mit selbständigen Kuppelräumen wie der Hauptraum. Auch sie ziehen den Betrachter aus der Mitte heraus und richten ihn gegen die Wand.

Bei den *Rainaldis* und *Borromini* aber, die zusammen die Kirche *Sta. Agnese* (Abb. 800, 801) erbaut haben, während Borromini allein *S. Ivo della Sapienza* und *S. Carlo alle quattro fontane* erbaute, wird das plastische Gerüst der Wände wieder

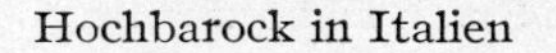

Abb. 801. *Rom, Sta. Agnese. 1652 von Girolamo und Carlo Rainaldi begonnen, weitergeführt 1653 bis 1657 von Francesco Borromini, 1677 durch die Rainaldis vollendet.*

so stark, daß die zugrunde liegende längliche, also wannenähnliche Form des Raumes gar nicht zur Geltung kommt. Borromini, der Adept Michelangelos, hat für die weiche Berninische Raumstimmung und die ekstatische Körperauflösung keinen Sinn; das plastische Spiel der Kräfte und barocken Massen beschäftigt ihn so, daß mehr noch als bei Bernini der Innenraum nur ein Zwischenraum, ein Draußen ist zwischen derb plastisch mit Vollsäulen verstellten Fassaden. Sehr bezeichnend macht er in *S. Carlo alle quattro fontane* (Abb. 802) die raumschließende Wirkung der Halbkuppeln an den Schmalseiten der Wanne durch Giebel wieder zuschanden und stellt uns vor Außenfassaden im Innenraum; auch benutzt er hier die Gestrecktheit der Wanne zu einer Längsrichtung der Raumführung. Ebenso erweitert er in dieser Längsrichtung in *Sta. Agnese* die Raumteile durch Scheinperspektiven (Abb. 801), die den Blick in sich hineinziehen, hin zu den Heiligenstatuen, die uns in diesen Straßen entgegenzukommen scheinen wie die Philosophen in Raffaels Schule von Athen. Der an der Längsseite Eintretende aber sieht sich einer Chorarchitektur entgegengestellt, die mit kräftigen Säulen drei große mit plastischem Leben gefüllte Reliefs rahmt, in denen zwar reiches, bildhaftes und theatralisches Geschehen, Gewimmel und Getümmel herrscht, nicht aber die Raum-, Licht- und Nervenmystik der Berninischen Ekstasen. Die große und hohe Kuppel vermag wiederum gegen diese körperhaft strotzende Fassaden-

Abb. 802. *Francesco Borromini, S. Carlo alle quattro fontane in Rom. 1638—41.*

und Bildplastik nicht aufzukommen. Der Bau scheint unterhalb ihrer schon einmal zu Ende.

Auch *S. Ivo* (Abb. 803) mit dem plastisch ausschwellenden Außenbau, der sich nach oben in einer seltsamen Spirale barock verdreht und den Hof der Universität durch dieses plastische Schauspiel, das sich gegenüber der Eingangsseite dem Eintretenden bietet, wieder zum Theaterraum macht, ist ein Zentralraum. Aber auch er wirkt nicht als solcher stimmend und einend. Schon an der Kuppel (Abb. 804) sind die sechs Buchten nicht gleichwertig; zwischen drei Rundnischen stehen drei mit vorgewölbten Wänden, so daß ein räumlich schwer zu erlebender Dreiecksraum entsteht. Für den an der einen Seite dieses Dreiecks Eintretenden aber ergibt sich überhaupt kein Zentralraum, sondern er sieht sich wieder einer mit strengen und kräftigen Pilastern gegliederten Wand gegenüber (Abb. 805), die in der Mitte chorartig einspringt, aber nicht mit einer Rundung endet, sondern bühnenhaft vertieft ist, mit einem Barockgemälde an der Rückwand, das den Hl. Ivo Schriften austeilend zeigt. Daneben springen über Nischen Logen vor, die den bühnenhaften Eindruck dieser Nische verstärken. Die Nischen unmittelbar neben dem Eingang aber werden nicht als solche gesehen, sondern als straßenhafte Öffnungen, die sich in den platzartigen Gesamtraum ergießen, über dem die Decke wie ein Zirkuszelt mit melonenartigen Eintiefungen hängt. Es ist alles straffer, richtungsbezogener als bei Bernini, mehr Körper und Fassade als Raum, und trotz des gewagten und erklügelten Grundrisses doch klarer und klassizistischer.

Abb. 803. *Francesco Borromini, S. Ivo in Rom. 1642—60.*

So wird schon aus der Architektur des italienischen Barock verständlich, wie sich die italienische Malerei dieser Zeit nach beiden Seiten hin entfaltet, einerseits nach der barocken Dekorationsmalerei hin, in der mythologische Szenen die neue Stimmung fürstlicher Feste und rauschender Lebenslust ausdrücken und steigern sollen, die aber nie die hinreißende Wucht und satte Lebensfülle

Abb. 804. *Francesco Borromini, S. Ivo in Rom. Kuppel. 1642—60.*

Rubensscher Jagden, Kriege und bacchischer Züge erreichen. Ein Vergleich von *Carraccis Bacchuszug* (Abb. 806) mit denen des Rubens zeigt, wieviel mehr auch hier die italienischen Gestalten mit dem Beschauer rechnen, sich nach außen wenden und auf eine besonnene edle Haltung mehr Gewicht legen als auf Rausch und Bewegung. Dadurch kommt wieder ein theatralischer Zug in diese Bilder, der die dekorativ mitreißende, auf das Leben animierend einwirkende Zügigkeit auflöst und auch diese Feste zu Schaustücken werden läßt wie die Züge der Heiligen Drei Könige im 15. Jahrhundert: Figurenhäufung dient der Schaulust der Menge. In den kirchlichen Gewölbemalereien des *Frate Pozzo* verliert sich im Figurengewimmel jede kultische Haltung.

Andererseits wird gerade im Hochbarock das dekorative und kultische Bild wieder stärker abgelöst vom legendären Geschichtsbild, von der Schilderung von Szenen aus dem Leben der Heiligen, in denen der barocken Körperlichkeit entsprechend derbe Gewaltszenen, Henkertaten, Kreuzaufrichtungen und Kreuzabnahmen, Schindungen und Entrückungen eine große Rolle spielen. Das Bemühen geht dahin, in reicher landschaftlicher Szenerie und mit vielen individuellen und naturalistischen Zügen, mit reichen und interessanten Beleuchtungseffekten den bild- und romanhaften Charakter dieser Szenen zu verstärken. In den Gemälden *Domenichinos,* wie der Kommunion des Hl. Hieronymus (Abb. 807), spürt man, wie die Künstler sich bemühen, im Heiligen das Menschliche zum Ausdruck zu bringen, an die Stelle des Monumentes die religiöse Handlung zu setzen, statt der Haltung das religiöse Gefühl, statt der Würde die Schwäche und Altersverwitterung des Leibes zu zeigen. Aber die Lebensgröße der Figuren, ihre Einstellung im Vordergrunde, durch die die Landschaft nur Folie wird, die architektonisch zeremonielle Komposition, eine gewisse Bewußtheit und Größe der Gebärden verraten die Rücksicht auf den Be-

Abb. 805. *Francesco Borromini, S. Ivo in Rom. 1642—60.*

Abb. 806. *Annibale Carracci, Triumph des Bacchus und der Ariadne. Deckengemälde im Palazzo Farnese in Rom. Um 1597—1604.*

schauer. Das Theatralische verhindert die Vertiefung im Seelischen und Stimmunghaften und führt bei *Guido Reni* zu jenem affektvollen Augenaufschlag, der seine Heiligenbilder im 19. Jahrhundert zu einem willkommenen Wandschmuck machte.

Nichts ist bezeichnender für die architektonische Gesinnung des italienischen Barock als die Art, wie auf Grund dieses Doppelverhältnisses der italienischen Kunst zur Öffentlichkeit eines großen Stiles und zur Intimität naturalistischer Bildhaftigkeit die plastischen Gliederungen in ihrer lebendigen Vertretung durch menschliche Körper, Karyatiden, Atlanten, Hermen, Zwickelfüllfiguren usw. verwendet werden. Diese tragen nicht eine für die Menschen zur Wohnung, zu Festen, zu Zeremonien aufgerüstete Architektur, eine im Lebensschwall ihres Schmuckes auch für die Insassen mitreißende Wand eines Innenraumes, sondern sie tragen wie an der Atlanten-Galerie im *Palazzo Spada* (Abb. 808) und in der Galerie des *Palazzo Farnese* einen Bilderrahmen. Der in diesen Räumen Wandelnde ist nicht nur in einem Außenraum, er ist auch in diesem ein Fremdling, der beständig stehenbleiben muß, um das ihm fremde Leben in diesen von Sklaven gehaltenen Bildern zu beschauen und zu bewundern. Man kehrt wieder hinter Michelangelo und Raffael zur stärkeren Bildfüllung der Wände zurück, wie sie schon im Mittelalter im Gegensatz zur architektonischen Gliederung der Wände die italienische Kunst beschäftigt hatte. Es sind zwar nicht mehr die schmalen Rahmenstreifen der Gotik und Renaissance, die die großen Bildfelder trennen, sondern plastisch vor die Wand tretende, in Stuck modellierte oder illusionistisch gemalte himmlische Gestalten und saftige schwellende Ranken, die diese Felder formen. Diese selbst gliedern stärker die Wände und entwickeln sich zu einem System von Wandabschnitten, die zu einer Einheit zusammengefaßt sind und als eine reiche und schwellende Gesamtarchitektur wirken. Aber erreicht wird doch

nur, daß sich die Wand als ganze oder in ihren Teilen zu lauter Bühnen mit architektonisch reich geformten Proszenien zerlegt, in die hinein Malerei und Skulptur das Schauspiel stellen.

Die Beziehung, die diese in den wirklichen Raum hineintretenden Sklaven und architektonischen Formen zu dem im Raume Wandelnden haben, ist also nicht die eines Kultmittelpunktes oder eines Vorbildes oder einer Gesellschaft, an der er teilhat, sondern die von Dienern, die im Laden eines Kunsthändlers einem Käufer das Bild hinhalten, oder von Lakaien, die für den Beschauer den Vorhang zurückziehen von einem Geschehen, das nicht von seiner Welt ist. So ist auf der einen Seite ganz barock das fürstliche Bewußtsein da, daß alles dieses wie auf den Wink eines Herrschers hin von Sklaven entgegengebracht wird, daß es ihm gehört und daß er nur auf den Knopf zu drücken braucht, damit alle Brunnen sprudeln. Auf der anderen Seite das ganz Unbarocke (holländischer Kunst Verwandte), daß die Schauspiele, die in jedem Rahmen, auf jeder Bühne sich eröffnen, ihn verpflichten, sich zu vergessen und ein fremdes Dasein mitzuleben. Diese Doppelseitigkeit der Einstellung von Herrschaft und Hingabe birgt noch immer alle Konflikte des Manierismus in sich oder läßt sie wiederaufleben, nachdem Michelangelo sie bereits zu einer Einheit tragischer Dissonanzen umgebildet hatte. Diese Fremdheit der Wandgliederung und Wandfüllung zu dem Raume und Leben der Bewohner, dieses Nebeneinander von Bild und wieder Bild, das doch eine Gestaltung des Raumes vortäuscht, bewirkt den Eindruck des Überladenen, obwohl in dieser Gestaltung gegenüber nordischem Schwung und Schwulst sowohl was Harmonie der Anordnung wie maßvolle Haltung des einzelnen betrifft, mehr Ruhe und Klassizität gewahrt bleiben.

Abb. 807. *Domenico Zampieri, gen. Domenichino, Kommunion des Hl. Hieronymus. Rom, Vatikanische Pinakothek. 1614.*

Ihren genialsten Regisseur und Dekorateur hat diese theaterhafte Kunst am Ende ihrer Entwicklung im 18. Jahrhundert in *Tiepolo* gefunden. Er hat den Festsaal des *Palazzo Labia* in Venedig (Abb. 809) mit einer Scheinarchitektur geschmückt und dem barocken Bedürfnis nach Raumweite und gesellschaftlicher Expansion durch Arkaden und Fenster genügt, die dem Blick und dem Bewußtsein Perspektiven in größere Räume eröffnen. Eine Scheingesellschaft an der Tafel und ein Orchester auf der Brüstung im Hintergrund geben die Stimmung von Fest und Lebensgenuß. Aber sie geben sie nicht für den im

Abb. 808. *Rom, Palazzo Spada, Atlanten-Galerie. Von Giulio Mazzoni. Nach 1540.*

wirklichen Raum Weilenden in der andeutenden, allgemeinen Art dekorativer Hintergründe, sondern als eine bedeutungsvolle geschichtliche Szene — Antonius bei Kleopatra, als ein historisches Schauspiel, das in der großen Bogenöffnung der Architektur mit sehr fein berechneter Wendung zum Beschauer hin gespielt wird. Der Insasse des Saales muß schauen. Was er schaut, ist höfischer Empfang und höfisches Fest, aber er erlebt es nur im Bilde mit. Auch die gemalte Architektur mit ihren barock vordringenden Portalen, ihren verkröpften Pilastern und geschwungenen Konsolen ist typische Außenarchitektur, nicht Raumgestaltung und Raumdeutung des Saales, sondern Fassade und Rahmen der dahinter liegenden Bühnenräume. Auch diese Architekturen wollen von den Bewohnern des Raumes gesehen sein, nicht aber diesen dienen. Wieder steht der Einwohner auf einem Platz, über dem die Decke ohne Zusammenhang mit der Architektur der Wände wie geformte Wolken schwebt.

Aber auch tragische Szenen, wie die Kreuztragung Christi in S. Alvise in Venedig zeigt, werden zur festlichen Oper (Abb. 810). In diesem Bilde baut Tiepolo in die Mitte den Berg Golgatha in einer wattigen, kulissenhaft andeutenden Malerei. Schräg durch die Bühne führt er einen Zug mit sprengenden Pferden, Feldzeichen und Trompeten, als handele es sich um den Triumphzug eines Cäsaren. Durch geschickte Gruppierung der Figuren in verschiedenen Plänen, durch plötzliche Gegenwendungen, reiche Licht- und Schattenkontraste erzeugt er mit wenigen Figuren den Eindruck einer reichen, dicht gedrängten Menge und verstärkt Richtung und Entfaltung des Zuges, indem er ihn mit der langgezogenen Bahn des Kreuzesstammes beginnen und von der Erwartung und Zurückhaltung der Randfiguren ausgehen läßt. Geschickt wachsen in dieser Randgruppe mit den phantastisch kostümierten, interessanten Schächern die seitlichsten Gestalten mit den kulissenhaften Randbäumen zusammen. Das Kreuz aber akzentuiert mit seinen Armen die unter dem

Abb. 809. *Giovanni Battista Tiepolo, Das Gastmahl der Kleopatra. Wandgemälde im Palazzo Labia zu Venedig. Um 1750—60.*

Abb. 810. *Giovanni Battista Tiepolo, Kreuztragung. Venedig, S. Alvise. 1748—49.*

schweren Holz zusammenbrechende Gestalt Christi und erzeugt aus dem Kontrast der Richtung des Zuges und des Ritardandos dieser Gestalt eine Spannung, die sich in einer wunderbaren rhetorischen Gebärde gespielten Schmerzes opernhaft löst. Am anderen Bildrande singt die Hl. Veronika mit dem Schweißtuch die Gegenstimme zu dem Hauptakteur. Es gibt kaum ein Bild, in dem alle Kräfte der italienischen Kunst — die Vorführung einer reichen und festlichen Volksszene, Vielfalt der Gründe und Szenerien und in Schönheit dem Publikum sich offenbarende rhetorische Geste des Gefühls — so glänzend zum Ausdruck kämen, glänzender als je, durch die Verbindung mit einer venezianischen Malerei des alles durchsonnenden Lichtes und einer in Kostümen und exotischen Typen sich entfaltenden Buntheit, die Tiepolo mit der Blässe und pointierenden Zerstreuung des entwickeltsten Geschmackes des 18. Jahrhunderts vorträgt.

Dieselbe Kunst der Verwandlung von Innenräumen in Schausäle, der Wände in Bühnenprospekte, hat der Stadt Rom seit dem 17. Jahrhundert ihr Gepräge gegeben durch eine großzügige, barock ausschweifende und kühne architektonische Ausgestaltung öffentlicher Plätze. Dadurch ist mehr als durch die erhaltenen Altertümer diese ewige Stadt die Stadt der Feste geworden für die Augen der Reisenden, die nicht die Dinge benutzen, sondern mit wohltuender Überraschung auf sich zukommen lassen wollen, der Fremden, die nach Eindrücken und Erregungen suchen. Diese Plätze in Rom, die *Piazza d'Espagna,* der Platz vor der *Fontana Trevi,* die *Piazza Navona* und all die vielen anderen sind nicht Plätze im Sinne der nordischen Märkte, nicht Plätze der Vereinigung und Sammlung von Menschen, nicht öffentliches Leben formende Architektur, sondern Behälter von Schaustücken und Theaterräumen, die sich nach der einen Seite in ein glänzendes Schauspiel und einen Bühnenprospekt öffnen. Es ist immer schon jemand da, dem der Platz gehört, der den Platz beherrscht, ein Obelisk, ein Brunnen, eine Bildsäule, oder es eröffnet sich in einer riesigen Fontänenanlage ein echt barockes Schauspiel springender Brunnen, rauschender Wässer und sich tollender Meergötter, und verwandelt den Platz vor der Bühnenarchitektur in eine wilde Natur

Abb. 811. *Rom, Fontana Trevi. 1732 von Nicc. Salvi begonnen, vollendet 1762. Skulpturen von P. Bracci u. a.*

Abb. 812. *Rom, Piazza S. Ignazio. 2. Viertel 18. Jh.*

mit Felsen und Gischt (Abb. 811). Dieses Theater läßt nur gerade soviel Raum, daß der Bürger auf dem Platz stillstehen und schauen kann. Aus seinen Geschäften wird er herausgerissen. Er muß Zeit haben. Vor *S. Ignazio* hat der Architekt die Häuser ohne Rücksicht auf die Bewohnbarkeit ganz als Theaterkulisse angeordnet (Abb. 812), aus deren Schrägöffnungen man jeden Moment erwartet, die Schauspieler hervortreten zu sehen. Und dreht man sich um, erwartet uns noch einmal das Schauspiel der riesigen Barockfassade von S. Ignazio selber. Der Platz davor rundet sich nicht um eine Mitte, sondern bleibt ein Parkett, dessen Richtungsstrahlen ins Theater nach hüben und drüben führen.

Aus dieser Bild- und Bühnenhaftigkeit der Stadtansichten erwuchs in Venedig die Kunst des Stadtbildes in der Meisterhand *Guardis* (Abb. 816). Venedig ist die Stadt der am stärksten Stimmung gebenden Innenräume, Plätze und Straßen, in der die Räume selbst Erlebnis werden, Erlebnis eines musikalischen Daseins, eines Ausruhens und Genießens mit allen Sinnen, denen auch die zarten Gewebe und bunten Muster der Architektur süße und schmelzende Töne zutrugen, aber ohne je sich aufzudrängen. Diese Stadt hat von der Barockkunst nicht wie Rom ihre Gestalt erhalten, sondern ihre Zerstörung erlitten. Die Barockkirchen (*S. Moisé* [Abb. 813], *Sta. Maria del Giglio, degli Scalzi* u. a.) und mehr noch die Paläste am Wasser (*Palazzo Pesaro* [Abb. 814], *Palazzo Rezzonico* von *Longhena*) drängen sich, obwohl sie das Grundschema der venezianischen Paläste wahren, aus den raumbestimmenden Flächen der Gassen und Kanäle in einer hier protzig wirkenden Weise vor. Vor allem zerstören sie den Charakter der aus dem Wasser geborenen Zelt- und Segelarchitektur. Mit ihren festen Steinmassen verlangen sie festen Grund unter den Füßen. Das für Venedig heimische Element, das Wasser, wirkt hier als ein Fremdes, als Überschwemmung. Nur in dem Zentralbau von *Sta. Maria della Salute* (Abb. 815) hat eine Anpassung an die ortsgeborene Kunst der geblähten Kuppeln und flatternden Wimpel und der Einfügung in den Raum einen wunderbaren Aufklang für die Landzunge zwischen den beiden Kanälen (Canale Grande und delle Zattere) geschaffen. Die zwischen Kuppel und Unterbau auf und ab rauschenden Voluten lassen den Bau wie eine schaumgeborene Göttin erscheinen. Aber auch hier ist ein Fremdes: Venedig bei Sturm und Gewitter, Venedig, das nur bei Sonne Venedig ist.

Abb. 813. *Venedig, S. Moisé. Fassade, von Tremignan. 1686.*

Diese drei Momente der Barockkunst in Italien: Zurschaustellung, Bildhaftigkeit und quellende Bewegung haben eine neue Haltung *Guardis* gegenüber seiner Zeit bedingt, dieses venezianischsten Künstlers des 18. Jahrhunderts (Tiepolo ist mehr Europäer): Venedig nicht mehr einfach zu erleben und in Venedig venezianisch zu leben, sondern es als ein Wunder zu schauen, es im Bilde aufzufangen und in einer flüchtigen Technik casanovahaft ganz dem Augenblick recht zu geben (Abb. 816). Das Theaterhafte des italienischen Barock zu überwinden, erleichterte ihm die Stimmung Venedigs selber und die venezianische Haltung, die immer darauf aus ist, mehr mit den Sinnen zu genießen, als den Taten der Menschen Beachtung zu schenken und Handlung von ihnen zu fordern. So drängt er nicht die Objekte nach vorn, sondern schiebt sie auf kleinem Format in die Ferne, löst sie auf in den Widerschein des Lichtes auf stillen glitzernden Wasserflächen, läßt die Formen zu Farbenpunkten und Flächentupfen zerspritzen, ätherisiert alles Feste und gibt mit zarten Atlasfarben, seidig-weich und in Licht gebleicht, mit zitternden Konturen, überraschenden Kontrasten und ausgesuchtesten Nuancen dem Ganzen den Zauber der flüchtigen Überraschung eines glücklichen Augenblicks. Es ist nicht das Stadtbild der deutschen Renaissancekünstler und der Holländer, so nahe es diesen kommt, nicht Physiognomie und Wohnnähe der Heimat, es ist aus barockem Rausch und italienischem Bühnenprospekt geläuterter und vergeistigter Sinnengenuß, Malerei für die Augen, ganz nahe der modernen Impression.

Abb. 814. *Baldassare Longhena, Palazzo Pesaro in Venedig. 1679 begonnen.*

Die Zweiseitigkeit der italienischen Kunst, mit der sie einerseits eine imperialistisch-bürokratische Haltung

Abb. 815. *Baldassare Longhena, Sta. Maria della Salute in Venedig. 1631—82.*

vom Altertum her bewahrte und die Wiege der Renaissance wurde, auch allem Nichtoffiziellen einen Stempel öffentlicher Würde aufprägte und stets eine klassizistische Haltung bewahrte, andererseits gerade den Masseninstinkten mit Schauspielen und Volksszenen entgegenkam, so daß sie auch am Werden des Naturalismus einen grundlegenden Anteil hatte, diese Zweiseitigkeit dämpft die Verwunderung, gerade in Italien, dem Lande der großen Form, dem Sitz des Hauptes der Kirche, eine Richtung der Malerei der Barockzeit zu finden, die dem holländischen Naturalismus nicht nur ganz nahekommt, sondern ihm auch entscheidende Anregungen vermittelt. Es ist *Caravaggio* und sein Kreis, Maler wie *Ribera, Salvator Rosa,* die diesen Naturalismus vertreten. Aber wir finden ihn auch bei den Formalisten, den Palastdekorateuren wie *Annibale Carracci* und den Kirchenmalern wie *Guido Reni,* ja in gewissem Grade ist er ein Bestandteil der ganzen italienischen Malerei des 17. Jahrhunderts, die mit ihm von dem Frühbarock und Manierismus Raffaels und Michelangelos sich immer mehr befreit. Maler wie der Oberitaliener Caravaggio sind nur die kühnsten und konsequentesten darin, wie *Bernardo Strozzi,* der Genuese, der unbefangenste ist. Es macht einen tiefen Eindruck, zu sehen, wie *Caravaggio* die kirchlichen Themen, ähnlich der Zeit Donatellos und Piero della Francescas, in eine ganz unmittelbare volkstümliche Schicht hinabstößt, die Berufung des Zöllners Matthäus als eine Landsknechtsszene schildert (Abb. 817), bei der das barocke Kellerlicht eine unheimliche Stimmung wüsten Treibens einer zynischen Gesellschaft erzeugt, und die barocke Kunst der Bewegungsdarstellung den Augenblickseindruck steigert, als handele es sich um Leute, die bei einem schlechten Handel überrascht sind. Der Tod der Maria, die wie eine Arbeiterfrau auf der Bahre hingegossen ist, umweint von den derb bäurischen Aposteln und einer ganz fassungslos in sich versunkenen anderen Frau, ist selten bis dahin so lebenswirklich dargestellt worden. Wie der Engel dem athletisch derben, geistiger Arbeit, scheint es, ungewohnten Matthäus die Finger zum Schreiben führt, sich ihm einschmiegend wie eine Tochter, ist neu und originell. Die frühe

Abb. 816. *Francesco de Guardi, Piazza San Marco in Venedig. Berlin, Kaiser-Friedrich-Museum. 3. Viertel 18. Jh.*

Abb. 817. *Michelangelo da Caravaggio, Berufung des Hl. Matthäus. Rom, S. Luigi dei Francesi. Etwa 1592.*

Ruhe auf der Flucht mit der wasserhellen Luft in einer auf Blatt und Gezweig sorgsam durchgemalten Landschaft, wo Joseph einem geigenden Engel die Noten hält und Maria mit tief auf das Kind gebeugtem Kopf den schlafenden Knaben, selber im Schlaf, noch zu hüten scheint, ist ein Idyll, das ebenso an Altdorfer, Dürer zurück-, wie an Philipp Otto Runge vorausgemahnt. Eine reichtönige Malerei webt Menschen und Dinge der Natur zu zarter Einheit zusammen. Herrlich und ganz neu ist die Bekehrung Pauli (Abb. 818). Hier ist der vom Pferd Gestürzte mit den pathetisch aufgestreckten Armen nicht zu der — im Bild nicht sichtbaren — Himmelserscheinung in Beziehung gesetzt, sondern zu dem Pferd, das in einer prachtvoll realistischen Malerei das ganze Bild beherrschend füllt und in wunderbarem Ausdruck mit dem Blick auf den Gestürzten den Huf über seinen am Boden liegenden Herrn setzt. Ein bis in die feinsten Nuancen durchgefühltes Helldunkel verstärkt das Menschliche und Kreatürliche dieser Szene (eine Schildwache, die in nächtigem Dunkel durch einen Schuß aus dem Hinterhalt fällt). Das Religiöse und Erhabene tritt ganz zurück.

Ist es deshalb holländisches Tiergenre, rembrandtische Seelenkunst? Das zu werden, hindert selbst bei Caravaggio der Stil der großen italienischen Bühnenkunst. Durch eine auf den Beschauer eindringende großformatige und großformige Modellierung, die zumeist mit einem auf den Zuschauer berechneten Arrangement verbunden ist, treten uns die Personen und Dinge zu nahe, wird jede Form und jede Gebärde uns in einer Weise deutlich entgegengehalten, daß wir sie nicht in der Stimmung des ganzen uns entrückten Bildinhaltes empfinden, sondern als bewußte Aktion des Spielers, der die Gebärde berechnet, der selbst das unberechnet und momentan Wirkende abwägt. Wie bei einer Plastik ist die Gebärde festgelegt, das Malerische greift nur um sie herum, nicht durch sie hindurch. Auch das Absonderliche und jedesmal ganz Neue wird nicht als Einzigart zufällig erhaschter Natur empfunden, sondern als origineller Gedanke des Künstlers, als

Abb. 818. *Michelangelo da Caravaggio, Bekehrung Pauli. Rom, Sta. Maria del Popolo. Um 1600.*

Abb. 819. *Annibale Carracci (?), Der Bohnenesser. Rom, Palazzo Colonna. Ende 16. Jh.*

menschliche Leistung und deshalb leicht auch als eine Vorführung, ein Spiel. So sieht auch der bekannte Bohnenesser *Annibale Carraccis* (Abb. 819), wie er den Happen zum Mund führt, zum Beschauer heraus, als wollte er sich überzeugen, ob er auch gesehen würde; von aufgeputzten Briganten und Bäuerinnen *Bernardo Strozzis* ganz zu schweigen. Man wird deshalb, wenn man von den großen Kunstphänomenen des 17. Jahrhunderts redet, niemals die italienische Barockmalerei mit der belgischen und holländischen Malerei des 17. Jahrhunderts in einem Atem nennen und vergebens eine Erscheinung suchen, die neben Rubens, Frans Hals, Rembrandt ganz bestehen könnte. Es ist so, daß Italien die Heimat des Barock ist und als Bewahrerin des antiken Formenschatzes für alle Renaissanceideen Vorbilder und Ideen geliefert hat, daß es für die Entwicklung zum Naturalismus die ersten Schritte getan und technisch-formal für Perspektive und Raumdarstellung entscheidende Leistungen vollbracht hat, ja von Caravaggio aus über die Utrechter Malerschule — *Terbrugghen, Honthorst, Baburen, Bloemart* — der holländischen Malerei und auch Rembrandt, Vermeer van Delft, wertvolle und nachhaltige Anregungen vermittelt hat. Ein Bild wie die Berufung des Matthäus von *Terbrugghen* (Abb. 820) zeigt auf den ersten Blick, wie Auffassung und Malweise von Caravaggio beeinflußt sind, jedoch in bezug auf malerische Zusammenfassung, räumliche Vertiefung, genrehaften Realismus und Verschmelzung weicher, in ihren Valeurs abgestufter Farben weitergehen. Aber Entschiedenheit und letzte Konsequenz nach beiden Seiten, der barock plastischen und lebenschmückenden wie der naturalistisch beseelenden und intimen Menschen-, Raum- und Stillebendarstellung, liegen im Norden. Italien, die Heimat des Barock, drängt in dieser Zeit des Hochbarock sogar stärker vom Barock weg zu einer der holländischen Kunst verwandten Naturdarstellung. Seine große Zeit ist die des Raffael und Michelangelo. Michelangelo ist der Gigant, neben dem Rubens und selbst Rembrandt in einem Atem zu nennen man zögert. Er ist barocker als alle seine Nach-

Abb. 820. *Hendrik Terbrugghen, Berufung des Matthäus. Utrecht, Centralmuseum. Zwischen 1614 und 1629.*

folger und doch barock im italienischen Sinne, erfüllt von jener dem Manierismus verfallenden Zwiespältigkeit, große Form öffentlich-religiöser Kunst mit tiefstem menschlichen Ausdruck und Naturgefühl vereinen zu müssen. Was bei den Nachfolgern das Theatralische bedingt, hat bei ihm kosmische Gewalt und tragische Tiefe gewonnen.

Die Leben und Gesellschaft gestaltende Kraft aber, die im Barock als öffentliche Kunst zugleich eine Rückkehr zum Mittelalter bedeutete, zu kirchlicher und höfischer Kunst, hat nicht in Italien einen reinen Stil hervorgebracht, sondern im Lande der lebenseinenden und lebensformenden Architektur, in Frankreich. Indem es hier eine wirkliche Anknüpfung auch der Kunst an mittelalterliche Formen gab, entsteht eine Kunst, die Europa von neuem mit einem künstlerisch geformten Lebensstil erzieht. Es entsteht die gesellschaftsbildende französische Form der Renaissance und des Barock, das Rokoko.

KLASSIZISMUS UND ROKOKO IN FRANKREICH

Heinrich IV. 1589—1610; Maria Medici. Ludwig XIII. 1610—43. 1624—42 Kardinal Richelieu: Bekämpfung des Hauses Habsburg in Deutschland und Spanien und Erhebung Frankreichs zur ersten Macht Europas. Ludwig XIV. 1643—1715. Bis 1661 Kardinal Mazarin. Absolute Regierung Ludwig XIV. Eroberungskriege: 1667—68 Raubkrieg gegen Spanien, 1672—78 gegen Holland, 1681 Straßburg besetzt, 1688—97 Raubkrieg gegen Deutschland (Pfälzischer Krieg). — Stiftung der französischen Akademie 1635. Blütezeit der klassischen Literatur: Corneille († 1684), Racine († 1699), Molière († 1673). 1715—23 Regentschaft des Philipp v. Orléans.

Daß die französische Kunst des 17. Jahrhunderts, der französische Klassizismus, der dem italienischen Hochbarock zeitlich entspricht, mit diesem verglichen so kühl und regelhaft anmutet, viel mehr klassisch oder klassizistisch als barock, hat seinen Grund darin, daß hier wie im Mittelalter alle Kunst einem großen und übergeordneten Ganzen sich streng einfügt, die Malerei und Plastik der Architektur, die sie schmückt und der sie dient, das einzelne Bauglied dem Baukörper, die Wand dem Raum, den sie bildet, und daß für die Architektur dieses höhere Ganze das gesellschaftliche Leben der Zeit ist. Um den glänzendsten Hof, den Europa gesehen, den Ludwigs XIV., als Mittelpunkt sich bewegend, wird es für Europa und alle Formen und Zeremonien höfischen Lebens maßgebend und bringt von diesem Leben aus eine Architektur und einen Stil hervor, der wie die Gotik im Mittelalter noch einmal für ganz Europa verbindlich wird. Wenn wir uns abgewöhnen können, diese Baukunst mit den Augen der Renaissance, d. h. bildhaft wie die italienische, ohne Beziehung zu Kult und gesellschaftlichem Dasein zu sehen, dann spüren wir in dieser Architektur und den anderen Künsten eine Aktivität, eine Lebensbezogenheit, eine Spannung, eine daseinsformende Kraft, die über alles hinausgeht, was sonst in dieser Zeit geschaffen wurde. Diese Architektur ist die einzige, die die intime, einfühlende, dem Leben entfremdende Bildgesinnung der Renaissance überwindet und das, was die Grundlage der ganzen Barockkunst bildet, die Rückkehr zur hierarchischen und kultischen Kirchlichkeit und zur aristokratisch-höfischen Gesellschaftlichkeit wirklich ganz

Abb. 821. *Schloß Versailles, Cour de Marbre. Ursprünglicher Bau 1624 von Salomon de Brosse begonnen; Umbau von Louis le Vau, begonnen 1668; Neugestaltung von Jules Hardouin-Mansart. 1679.*

vollzieht. Sie ist darin auch die einzige, die die individualistischen und unkirchlichen Formen der Renaissance mit neuem mittelalterlichen, d. h. höfischen Leben erfüllt und das Barocke so weit gotisiert, daß es zum Rokoko wird. Auch die französische Kunst hat sich dem Eindringen der Renaissanceformen, des mythologischen Apparates und der Verherrlichung des Nackten, der antiken Säulen und Gebälke, des Fleisch- und Massewerdens aller Formen nicht entziehen können, obwohl im 15. Jahrhundert Frankreich am wenigsten von dem Naturalismus der Neuzeit reformiert wurde und deshalb in dieser Zeit aus der europäischen Entwicklung fast ganz ausscheidet. Es hält am stärksten an der Gotik fest, und noch im 16. Jahrhundert ist eine Kirche wie *St. Eustache* in Paris eine reine gotische Basilika, bei der der gotische Formenapparat nur rein dekorativ mit renaissancehaft antikisierenden Formen verkleidet wird. Im 17. Jahrhundert dagegen hat sich auch in Frankreich die strenge antikisierende Architektur des Barock mit Säule und Gebälk (statt des Dienstes und der Rippe) durchgesetzt.

Daß sich dies dennoch in einer noch immer mittelalterlichen, dem individualistischen Renaissancegeist widerstrebenden gotischen Gesinnung vollzog, gilt es zu begreifen, um die Sonderart des französischen Barock und seine Entwicklung zum Rokoko hin zu verstehen. Es gilt mit andern Worten die geheime Gotik im französischen Barock zu erkennen, die in fortschreitender Entwicklung immer mehr zu einer offenen wird, und auch eine geheime nicht war in zufälligen oder leicht zu übersehenden Einzelformen, sondern als ein Gesetz und eine Gesinnung, die alle Einzelformen in einem bestimmten Sinne dirigiert.

Im Gegensatz zu der fassadenhaft nach außen drängenden, plastisch vorschwellenden und körperlich zur Mitte geballten Form wird in der französischen Baukunst wieder der Raum die formbestimmende Aufgabe der Architektur. Die Palastarchitektur, die entsprechend der Verweltlichung des Lebens im Barock den Vorrang vor der Kirchenarchitektur beansprucht, geht nicht von einem einheitlichen Baublock aus, sondern von dem Hof, in den man wie in einen Innenraum eintreten soll, und zieht deshalb zwei

Flankenbauten aus dem Hauptkörper des Baues heraus, deren Fassaden nun den Hauptbau und seine das Portal umrahmende Fassadenarchitektur umstehen wie die raumbildenden Türme das Portal einer gotischen Kirche (Abb. 821). Auch an den Kirchenfassaden betont man durch stark vorspringende, strebepfeilerhaft zusammengefaßte Säulenpaare einen Raum zwischen ihnen, der durch Bogen oder Giebel im oberen Geschoß zusammengefaßt wird. Die Pariser Hotels, die gegen die Straße hin gezwungen waren, den Hof durch eine Mauer oder kleinere Bauten abzuschließen, lieben es, die Straße an dieser Stelle durch eine Bucht in der Mauer zu erweitern, und diese Einziehung am Portal durch Auskehlung der Ecken noch einmal zu wiederholen.

Abb. 822. *Paris, St. Gervais. Fassade. Von Salomon de Brosse. 1616—21.*

Im Innenraum aber, der durch den fassadenhaften, als Außenarchitektur wirkenden Charakter von Säulen und Gebälken am leichtesten um seine Raumwirkung und Innenräumlichkeit gebracht wurde, legt man oft das Giebelmotiv nicht in die Mitte der Wände, wo es die einzelne Wand betonen würde, sondern in die Ecken und schafft dadurch eine Art von Brücke, die die beiden Wände verknüpft und räumlich verbindet (*Versailles*, Vestibül; Abb. 842, S. 675).

Der Charakter dieser Raumschöpfungen ist, wie in den mittelalterlichen Kirchen, der einer einladenden Festlichkeit und eines kultischen, zeremoniellen Empfangs. Die Anlage des Ehrenhofes (Cour d'honneur) mit den seitlich entgegenkommenden Flügeln hat die aufnehmende, in sich einladende Wirkung einer Apsis in der Kirche. In großen Anlagen wie dem *Schloß zu Versailles* (Abb. 821) verengert sich der Hof stufenförmig nach der Tiefe zu und zwingt den Kommenden immer mehr auf die Mitte hin zum Haupteingang des Gebäudes, der durch die tempelfrontartige Ausbildung dem Empfang die Feierlichkeit einer Zeremonie mitteilt. Diese Anlagen haben gleichsam das Verführerische und Verfängliche einer Reuse, in der sich die Fische verfangen. An den Kirchenfronten bildet man das hervorstrebende Barockportal als selbständige Tempelfront aus, die nicht wie in Italien nur die letzte plastische Füllung der vorquellenden Massenentwicklung ist, sondern

Abb. 823. *Paris, Hôtel de Soubise. Hoffront, von Delamaire. 1706—12.*

Abb. 824. *Paris, St. Roch. Fassade. Nach Entwurf des R. de Cotte von 1736, ausgeführt von J. R. de Cotte.*

wie die gotischen Wimpergportale den Bau beherrscht und die eigentliche Fassade des Baues ist (*St. Gervais* [Abb. 822], *Val de Grâce*). Durch Verbreiterung der Abstände der Säulen, die man unbeschadet des normalen Verhältnisses von Last und Träger durch Paarung der Stützen bewirkt, verschafft man den Räumen zwischen den Säulen das Übergewicht vor den Säulenkörpern (*Hôtel de Soubise*, Abb. 823). Beschränkt man sich, wie an den Kirchenfassaden, mit einem Zweistützensystem, dann wird der Charakter der Säulen als raumumgrenzend und die Verwandlung der plastischen Fassade in ein Portal vollkommen (Abb. 822, 824).

Zugleich werden die Wände hinter und zwischen den Säulen und Pilastern wieder ganz zu Öffnungen ausgestaltet, die die Mauern durchbrechen und den Charakter des allzugänglichen und allöffentlichen Baues auch im privaten Hotel bedingen. Die Fensterarchitekturen treten nicht als Ädikula vor die große geschlossene Wandfläche, wie an den italienischen Palästen, werfen nicht schwellende Massen als sich aufbäumende Konsolen und starke Giebel nach oben, um dem plastischen Körper Haupt und Krone zu geben, sondern sie bleiben mit einem feinen Rahmenprofil (wie gotische Dienste) in der Wand als raumbegrenzend, werden steil, türenartig, bis zum Boden oder Fußgesims heruntergezogen, und schließen gern raumverbindend nach oben mit flacherem oder steilerem Bogen ab. Wird die Fensteranlage aus Gründen baulicher Funktion (Mehrgeschossigkeit) oder harmonischer Proportionen wegen zweiteilig, so wird der obere Teil als rosenartiger Abschluß mit dem unteren zu einer einzigen Steilform (wie Stab- und Maßwerk gotischer Fenster) zusammengezogen.

Durch solche Versteilung überwindet man zugleich den antikisierenden Breitbau des Barocks, der in den zweigeschossigen Fassaden Italiens so stark zum Ausdruck kam, und vermag man die Körperhaftigkeit und Massigkeit antiker Formen, der Säulen wie des Gebälkes, zu entmaterialisieren und den funktionellen Dienstsystemen der Gotik oder des Mittelalters überhaupt anzunähern. Man benutzt steile Dächer, in denen hochgeführte, architektonisch ausgebildete Schornsteine die Vertikalbewegung betonen und weiterführen, um die Seiten- und Mittelrisalite turmartig aus dem Breitbau herauszuheben. Durch feinst berechnete Beziehung eines unteren Geschoßteiles zu einem oberen, das erst die für beide geltende Bekrönung, Bogen oder Giebel erhält, werden solche Fassadenabschnitte zu vertikalen Einheiten zusammengefaßt. Oft sind es die an sich schon schmalen und steilen Fenster, die durch Begiebelung nur des oberen die vertikale Gestrecktheit des Baues bewirken. Daß die im Dachgeschoß angebrachten Fenster oft nicht über den Fensterteilen

Abb. 825. *Claude Perrault, Ostfassade des Louvre zu Paris. 1667 begonnen.*

der Wand, sondern über den Wandgliedern, den Pilastern oder Pfeilern sitzen, ist wohlbegründet in diesem Drang, den Gliedern einen fialenartigen Abschluß zu geben. Durch Verkröpfung und vertikale Sockelbildung unter den Stützen und durch Statuen auf den Dächern erzielt man eine strebepfeilerartige vertikale Gesamtgliederung, die im einzelnen ungotisch, in der Gesamtwirkung doch ganz gotisch wirkt (*Schloßkapelle von Versailles*, Abb. 841, S. 674). An den meisten Barockfassaden französischer Kirchen sind die Flächen zwischen den frei vor die Wand gestellten Säulen so stark raumhaltig vertieft, daß die horizontalen Verknüpfungen nicht spürbar werden, sondern die übereinander gestellten Säulenpaare als einheitlicher, vertikaler Pfeiler wirken und die Gesamtfassade als schmaler, gotischer, ganz unantiker Baukörper (*St. Gervais, St. Roch*, Abb. 822, 824). Wenn die Säulenpaare statt durch Gebälk durch einen Bogen verbunden werden, wie in St. Gervais und einer Reihe von Palastportalen (*Hôtel des Invalides*), so wirken sie auch mittelalterlicher als antike Tempelfronten. Selbst der Giebel bekommt in diesem Fall eine verknüpfende, raumdeutende, bogenähnliche Funktion (*St. Roch*).

Mit der Paarung der Säulen erreicht man wie an den Tabernakeln der gotischen Strebepfeiler eine Auflösung, Entkörperung des breiten raumbegrenzenden Pfeilers, und gewinnt die Möglichkeit, die Säulen selber dünner und schlanker zu bilden als in den einsäuligen Systemen der italienischen Fassaden. Auch liebt man in Frankreich durch Kannelierung die dünnen Säulen noch zu verschärfen. Gotisch strebt man vom Schwulst zum Schneid. *Perraults Louvre*-Fassade (Abb. 825), die über den von den Franzosen als zu theatralisch empfundenen Entwurf Berninis den Sieg errang, bekommt durch diese dünnsäuligen Stützenpaare ihren französischen Charakter. Man denke sich über diesen Öffnungen zwischen den Säulen Spitzbögen statt des geraden Gebälkes und man wird die gotische Proportion, die Eleganz dieser Säulen sofort empfinden. Daß wir zugleich an späteste, hellenistische Formen griechischer Baukunst denken müssen, widerspricht dem nicht. Zugleich sehe man, wie an dieser Fassade bei den Seitenrisaliten durch das Fehlen des Giebels der turmartige vertikale Antrieb stärker gewahrt bleibt als im Mittelbau, der

Abb. 826. *Claude Perrault, Ostfassade des Louvre zu Paris. Pavillon St. Germain l'Auxerrois. Begonnen 1667.*

durch den Giebel einen Abschluß erhält. Man sehe, wie durch Zurückstellen des Baukörpers hinter einen Säulengang in den Zwischenbauten die drei Risalite als eigentliches Bausystem aufeinander bezogen werden — der luftige Gang zwischen ihnen ist nur Verbindung, nicht selbst Baukörper. So wird in einer der breitesten Fassaden das gotische Steilsystem der von Türmen begleiteten Front geistreich und voller Spannungen angedeutet. Zugleich wiederholt sich in jedem Risalit selbst noch einmal das System der turmartigen Seitenpfeiler, die einen Raum zwischen sich einnehmen. Von diesen Risaliten hat allein das mittlere eine dreiteilige Portalanlage im Erdgeschoß (Abb. 826). So dienen die Hauptbaukörper ebenso wie die Nebensysteme einer einzigen zentralen Portalidee. Die kühlste und strengste Fassade ist zugleich die straffste, zwingendste und gastlichste, voller Energie und Wegweisung.

Von solcher das Portal zentralisierenden und betonenden Anlage gelangen wir in das Vestibül, das in Frankreich immer kühl, unaufhaltsam gebildet ist, werden seitlich in Treppenräume oder Hauptsäle geführt oder direkt von einer Treppe emporgeleitet in die eigentlichen Repräsentationsräume. Die Flucht dieser Räume mit dem Blick durch die in einer Richtung liegenden Türen öffnet das ganze Haus dem Kommenden, die Schmalfelder der Wände mit bogenförmigen oder türenartigen Blend- oder spiegelnden Scheinöffnungen verwandeln die intimen Wohnräume in öffentliche Kulträume, unter denen die Galerie mit triumphbogenartigem, mittebetonendem Eingang und Abschluß eine große kultische Prozession wie in einem gotischen Mittelschiffe eröffnen könnte (Abb. 827). In der Galerie des Glâces in Versailles sind die Spiegel keine Spielerei, sondern sie geben den Schein vollständig der Fensterseite entsprechender Öffnungen. Es ist keine Gemäldegalerie, wo jedes Feld den Blick seitwärts zieht und den Gang behindert, sondern eine einheitliche Flucht, in der man sich die Menge zur großen Cour der Monarchenhuldigung antreten denkt. Und wie merkwürdig, das Ziel dieser Prozession scheint der Raum, der in jedem Privathause der verborgenste und intimste sein würde, das Schlafzimmer. Dieses Schlafzimmer des Monarchen hat in Versailles die bedeutendste Ausgestaltung erfahren und ist in eine Kapelle mit der Richtung der Wände auf eine Apsis hin verwandelt worden (Abb. 828). Kannelierte Pilaster gliedern die Wände und setzen sich, durch vertikalisiertes Friesornament und Konsolen vermittelt, in eine obere Zone fort, die Bewegung über antike Proportionen hinaus versteilend. Die Wände zwischen ihnen sind ganz geöffnet, seitlich durch Türen, denen mit Medaillons und Statuen die Steilgiebligkeit und Maßwerkanalogie verschafft wird, das Mittelfeld durch

Abb. 827. *Schloß Versailles. Blick aus dem Salon de Guerre in die Spiegelgalerie. 1678—80 von Jules Hardouin-Mansart gebaut. Dekoration von Charles Lebrun u. a., vollendet 1684.*

eine Spiegelarkade, die ebenfalls durch den Giebelschmuck der von Putten gehaltenen Vase spitzbogig hinaufgezogen wird. In der Tiefe aber kommt, von spannungsvoll geschwungenem Bogen (einem Triumphbogen mittelalterlicher Kirchen vergleichbar) eingeleitet und mit gewölbter Flachkuppel einen apsidialen Charakter suggerierend, uns eine Nische entgegen, in der ein uns sich entgegenstreckender Betthimmel Nische und Baldachin eines Altars vertritt (Abb. 829). Wir wissen — man kann es bei Taine nachlesen —, daß Erwachen und Bekleiden des Herrschers sich hier vor einer huldigenden Schar von Hofleuten mit ähnlichen Zeremonien vollzog, wie auch in den mittelalterlichen Kirchen die Bekleidung des Bischofs, die einen gewichtigen Bestandteil des Kultes bildete. Es zeigt sich, wie auch jetzt noch — auch in dieser Zeit der barocken Verehrung des Nackten — entsprechend dem Mittelalter Gewand als Ausdruck der Haltung und des Ranges des Menschen eine besondere Bedeutung besitzt.
Mit einem Kleidungsstück, der Perücke, gibt man dem Kopf die jupiterhafte Fülle, aber auch den gotischen Schwung der vom Haupt zur Schulter sich abbiegenden Locken, wie bei den gotischen Köpfen jugendlicher Helden (Abb. 830). Mit dem Mantel faßt man die Gestalt in derbwulstigen, aber stabförmig gebogenen Falten denkmalshaft zusammen und verstrebt sie pfeilerhaft. Mit Stöckelschuhen hebt man den Körper von der Erde und läßt ihn

Abb. 828. *Schloß Versailles, Schlafzimmer des Königs. 1680—81 von L. le Vau und Fr. d'Orbay. Veränderungen von J. Hardouin-Mansart. 1701.*

spitz auf den Boden tippen. Geschickt werden unter dem wallenden Mantel die Beine so umrahmt, daß der Blick einen schlanken und graziösen Körper ahnt, und das eine Bein wird so vor das andere gestellt, daß eine scharfe Vertikale, die in den Scheitel der Perücke zielt, den Körper ausrichtet. Selbst das Gesicht, von Vertikalsträhnen der Perücke eingefaßt, ist schmal und von Vertikalfalten durchfurcht, ein Nachkömmling der gotisch-scharfen Königsgesichter von Reims, von Falten nicht gealtert, sondern gestrafft und vergeistigt. Es ist der Voltairetyp, der die Physiognomie des repräsentativen Frankreich im Rokoko bestimmt.

Auch im Frauenkostüm werden Panzerbrust und Reifrock, das Geschwollene und Gebauschte, zu einem Umhang, unter dem die Wespentaille und die tanzenden Füße, aber auch gestreifte vertikalisierende Muster (wie Rippen auf der Fläche eines Gewölbes) einen feinen und graziösen Körper ahnen lassen (Abb. 43, S. 60).

So wird der Beziehungsreichtum, die Vieldeutigkeit hier noch verstärkt durch die Vereinigung des Gegensätzlichen von renaissancehafter Individualisierung der Einzelformen und geselliger Raumbildung, von barockem Schwulst und gotischer Eleganz, von naturhafter Sinnlichkeit und kultischer Strenge. Die Kunst der Zweideutigkeit und der geistreichen Andeutungen steigert sich. So wie schon die barocken Mäntel und Teppiche der Porträts nur eine Bemäntelung sind von etwas, das im Grunde elegant, leichtfüßig und graziös ist, so verstellt sich auch der Baukörper mit antiken Säulen, stellt sie ausdrücklich aus sich heraus, vor etwas, was einen anderen, unverstellten und öffentlichen Charakter hat. Und auch diese antiken Formen erhalten noch einen andern Sinn über ihren ursprünglichen und eigensten, indem sie gotisiert werden. Auch die barocke Natürlichkeit und Sinnlichkeit des Nackten in der mythisch gesteigerten Form antiker Götter und Göttinnen ist nur Vorwand und Spiel wie schon im Mittelalter. Waren es dort christliche Ideen von Sünde und Laster, die dem Nackten in seiner natürlichen Schönheit einen anderen Sinn gaben,

Abb. 829. *Schloß Versailles, Schlafzimmer des Königs. Um 1680—81 von L. le Vau und Fr. d'Orbay. Veränderungen von J. Hardouin-Mansart. 1701.*

den des Nichtseinsollenden, so wird schon in den frühesten Beispielen der Schule von Fontainebleau durch eine gotische Schlankheit und Spröde der Figuren, durch eine geistig beredte, körperlich schweigsame Art etwas wie ein unsichtbares Gewand um die Figur gelegt, etwas, was verrät, daß hier nicht göttliche Naturwesen durch die Landschaft schreiten, sondern entkleidete Damen, deren Nacktheit nicht für andere berechnet scheint. Das Moment der Überraschung, das in unzähligen, geistreich raffinierten Gemälden und Reliefs des Rokoko auch das Bildthema bestimmt, ist schon in den einfachsten Aktdarstellungen des französischen Barock und Rokoko mitgegeben. Zur Zeit Ludwigs XIV. wird es Mode, sich im Kostüm mythischer Göttinnen porträtieren zu lassen, und es entstehen die reizenden Bilder *Nattiers*, in denen ein leichtes Kostüm und die Damenhaftigkeit die nur angedeutete Nacktheit ihrer Trägerinnen ebensosehr ausspielen wie in Schach halten. Es ist immer der Reiz des Verbotenen, christlich-höfische Evastimmung, die das Antike zum Mittel der Koketterie umbildet. *Boucher* in seinen Rokokomythologien versteht es meisterhaft, in den Posen seiner Göttinnen die Zufälligkeit einer natürlichen Haltung mit der Andeutung eines verfänglichen, überraschenden Ausblickes zu verbinden (Abb. 888, S. 709). Zum erstenmal im Barock erhält das Nackte durch die Verbindung mit dem Höfischen, das das Nackte verpönt, den Charakter des Frivolen. Es wird witzig, geistreich wie in den Romanen der Zeit.

Abb. 830. *Hyacinthe Rigaud, Ludwig XIV. Paris, Louvre. 1701.*

Auch die rauschhafte Bewegung französischer Bacchusfeste spielt nur mit dem erotischen Rausch und mit sinnlicher Ausgelassenheit, sie erfüllt sich mit der inneren Form des geordneten und reigenhaften höfischen Tanzes und verwandelt die Huldigung an Bacchus in die huldigende und Huld schenkende Gebärde

Abb. 831. *Nicolas Poussin, Das Reich der Flora. Dresden, Gemäldegalerie. Um 1636—39.*

höfischer Konversation, in die Gegenseitigkeit und Zweiseitigkeit eines Sichmeidens und eines Sichlockens, von Haltung und Neigung, Stolz und Herablassung, kurzum in Grazie.

Was in dem Bilde der Tänzerin von *Lancret* (Abb. 43, S. 60) als reiner Ausdruck französischer Barockkultur, d. h. als Rokoko zum Ausdruck gekommen ist, eine Konversation zu Zweien wie die Marienkrönung des Mittelalters, bahnt sich schon bei *Poussin*, dem größten Maler der französischen Klassik oder vielmehr des gotischen Barock, in Frankreich an. Sein Reich der Flora (Abb. 831) ist schon durch den Mangel an Dramatik und Rhetorik von allen italienischen, aber auch von den Bildern des Rubens unterschieden; es ist kein Schauspiel, sondern eine Dekoration, eine über die Fläche gesponnene Architektur wie die Portale gotischer Kirchen oder die Supraporten der französischen Paläste. Ein großer Bogen wölbt sich über dem anderen und wird nur beziehungsreicher dadurch, daß unter dem Aufbau zugleich die Versenkung und neben der Werbung die Betrachtung und Erfüllung stehen. Ein gedankenreiches, ideenerfülltes Programm gibt dem, was Architektur und Natur in dem Bilde ist, einen Sinn wie in den religiösen Programmen mittelalterlicher Zyklen der Architekturplastik. Die formvollste Kunst ist wieder die gedankenvollste. Was die Figuren tun, ist nichts weiter, als in einer schönen heidnisch-körperhaften und gotisch-eleganten Bewegung sich voreinander zu verneigen, Abbild und Vorbild, Echo und Vorspiel eines Lebens, das sich in den Räumen, die das Bild schmückt, vollzieht. Ares, der barocke Athlet und Kriegsheld, der einzige, der hier sterben muß, opfert sich für seine Dame Flora mit einer noch im Sterben huldigenden Neigung, Flora hält ihm Blumen entgegen wie im Turnier die Dame ihrem Ritter den Kranz. Das Nackte ist schon ganz andeutend und verstohlen, nur als Versprechen und Verhüllung und im Werden gegeben. Diese Spannung in ihrer Zweideutigkeit, zur Architektur sich zu erheben und zur Natur herabzusinken, die Leichtigkeit und Reinheit, mit der die Form sich erfüllt, und die Zärtlichkeit, mit der Natur erstrebt wird, bewirken, daß diese Zweideutigkeit hier nicht frivol, sondern elegisch wirkt. Elegisch schwelt aus dem Klang reiner gewandschmückender Farben ein braunroter Ton heraus,

Abb. 832. *Nicolas Poussin. Arkadische Schäfer. Paris, Louvre. Um 1636—39.*

ein Stimmungston natürlicher Regungen und zugleich architektonisch dekorative Dämpfung alles Besonderen und Individuellen. Das Bild ist die schönste barocke Fortsetzung der mittelalterlichen Minnekästen und Liebesgärten, körperstärker und raumtiefer, spannungsreicher und beziehungsvoller, aber gleichen Geistes: ein halbes Barock und ein frühes Rokoko.

Abb. 833. *Eustache Le Sueur, Messe des Hl. Martin. Paris, Louvre. 1651.*

Das Gedankenvolle kommt noch stärker in Poussins bekanntem Bilde der arkadischen Schäfer zum Ausdruck (Abb. 832). Auch hier wölbt sich der Bogen der Figurenkomposition, eingefaßt von den Vertikalen der architektonisierenden Bäume, vor der Reliefschicht eines Gedenksteines zu einer kultischen Handlung gegenseitiger Neigung. Hirten sind mit edlen Gebärden und schönen jugendlichen Gesichtern zugleich Spieler eines naturhaften Daseins, sie sind Hirten, die es nur sein wollen. Körperhafte Gegenwart und unsinnliche Ferne des Dialoges — alles führt von der Realität zur Deutung und zum Jenseits, einem Jenseits, das nicht in der Zukunft und im Überirdischen, sondern in der Vergangenheit und im Grabe liegt. Es ist noch nicht frivoles Schäferspiel des Rokoko, es ist mehr ein Schäfertraum und gedankenvolle Deutung des Lebens. Et ego in Arcadia. Auch ich . . .

Von hier aus versteht man, daß Poussin in Bildern, die, von der römischen Barockumgebung angeregt, Kampfgetümmel und Heiligenmartyrien enthalten, immer wieder von den Kampf- und Kontrastbewegungen zu architektonischen Steilformen und Zuneigungsgebärden, von den Befeindungen zu den Verbindungen übergeht und selbst den Henker mit einer Neigung über den Gemarterten ausstattet, aus der mehr Mitgefühl als Grausamkeit spricht.

Abb. 834. *Eustache Le Sueur, Heilige Familie. Chantilly, Musée Condé. 4. Jahrzehnt 17. Jh.*

Poussin hat in einer Reihe von Darstellungen der Sakramente gezeigt, wie sehr ihm statt an barocker Dramatik an der Darstellung von Gebärde und Harmonie, von kultischem Vorgang und symbolischer Bedeutung gelegen war, und wieviel an dem Einklang dieser Gebärde und dieses Sinnes mit der Architektur und ihrer Sinnerfüllung. Diese Bilder sind wie ein Echo der feierlichen Haltung von Priester und Gemeinde.

Auch in den Werken seines Nachfolgers *Le Sueur* ist auffallend, welche Rolle unter den Heiligengeschichten, die er schildert, die Messen- und Sakramentshandlungen spielen, wieviel in ihnen

Abb. 835. *Claude Lorrain, Odysseus führt Chryseis zu ihrem Vater zurück. Paris, Louvre. Um 1648.*

nicht geschieht, sondern zelebriert, gefeiert wird (Abb. 833). Und diese Feierlichkeit wird erreicht dadurch, daß die Gestalten aufrecht, in weißen Gewändern kühl wie Statuen und gereiht wie die Apostel an den Kirchenportalen zur heiligen Handlung schreiten. Eine Heilige Familie, die einst als Werk Poussins, jetzt als Jugendwerk Le Sueurs gilt (Abb. 834), läßt er nicht stimmungsvoll auf dem Boden hocken, sondern baut sie statuarisch in die Höhe, schiebt unbekümmert um Natürlichkeit der Jungfrau einen Sockel unter und läßt wiederum dieses Nebeneinanderstehen zweier Figuren mit leichter Neigung zueinander gesellig sich verbinden, mit einer leichten Lässigkeit im Adel der Gebärde, die so diskret ist wie der gedämpfte und zart gerötete Klang des höfischen Blau und Gelb. Idyll und Feier spielen geistreich ineinander.

Der Landschaft aber gibt *Claude Lorrain* (Abb. 835) jetzt die architektonisierte Form des fensterhaften Ausblicks mit pfeilerhaften Randbäumen, die ihre Laubkronen andeutungsweise zueinander hinwölben und mit weiter Basis den Raum, in dem sie hängen, so öffnen, das nicht ein fremdes Reich einer physiognomisch bestimmten Gegend eröffnet wird, sondern ein Ausblick in Freiheit und Stimmung, die rückwärts wieder in die Ordnung und Architektur zurückwächst, ein Doppelspiel von Gebundenheit und Weite, Klarheit und Lichtnebel, das mehr als die Morgen- und Abendstimmungen den elegischen Charakter dieser Landschaften bedingt.

Die Karikatur, die auch jetzt aus dieser Kunst des Doppelsinns und der geistreichen Formulierung hervorging, das Stichwerk *Callots* (Abb. 836), hat nicht die monumentale Größe der mittelalterlichen Lasterdarstellungen. Aus dem Naturalismus der Zeit, dem holländischen des Frans-Hals-Kreises und dem italienischen des Caravaggio, ist viel von Freude an landschaftlich weiten Szenerien, bewegten Ereignissen, genrehaften Typen eingeflossen. Die Grundhaltung ist auch hier Geißelung des Freien, Ungebundenen, Maßlosen durch eine konstruktive Form spitziger, ausfahrender Konturen und durch Verdünnung und In-die-Länge-Ziehen der Figuren. Ausschweifender, barocker setzt sich hier die mittelalterliche Höllen- und Skelettdämonie fort. Brueghels und Boschs tief im Landschaftlichen verwurzelte Sinnbildlichkeit wird wieder zu ornamentaler Phantastik umgebildet und nähert sich Schongauer.

Das Seltsamste in diesem Kreis des französischen Formalismus sind vielleicht die Bauernbilder der beiden *Le Nain* (Abb. 837). Hier scheint holländischer, spanischer, italienischer Naturalismus einen Einbruch in die Kunst der strengen Regel des Hofes und der Akademien gemacht zu haben. Aber wie steht es mit ihnen? Feierlich parallel und aufrecht sitzen Figuren beim Mahle ruhig neben-

Abb. 836. *Jacques Callot, Kriegsgericht. Aus den „Großen Schrecken des Krieges", Radierung. 1633.*

einander, auch sie bilden eine unauffällige Architektur eines formvollen Beieinander von Menschen, eine Gesellschaft. Sie sehen nach außen, aber nicht vordringlich, um gesehen zu werden, sondern schlicht, freundlich, erwartungsvoll, mit einem Ausdruck stummer Begrüßung, den Fremdling als Gast in ihren Kreis zu laden. Das Hell-Dunkel, das sie durchstreift, verhüllt nicht, sondert nicht ab vom Draußen, es schreckt auch nicht und scheucht nicht auf. Es klärt und rundet die Pfeiler des Kreises und läßt Raum zwischen ihnen für den Gast. Das Braun der Bauernkostüme, das Erdige der Arbeitskleider ist von weißen, sehr diskreten Tönen aufgelichtet und veredelt. Es sind echte verarbeitete Bauerngesichter, aber merkwürdig vergeistigt. Sie können vielleicht nicht schreiben, aber es steht ihnen ein Wort zu Gebote, wenn es gilt, höflich und gastlich zu sein. Sie halten Teller und Glas nicht wie zum Genuß, sondern zur Darbietung. Kunst und Arrangement sind hier so wahr, weil es französische Bauern sind.

Das eigentliche Element des Anfanges einer Entwicklung, die zum Rokoko hinführt, ist hier eingeschlossen in die noch immer starke Bildhaftigkeit, das elegische Naturgefühl, die Zugeständnisse an die antike Ungebundenheit und den Realismus der Zeit und in die landschaftliche Freiheit und Raumweite, die all diesen Bildern eigen ist. Auch in der gehaltenen Klassizität

Abb. 837. *Louis Le Nain, Bauernfamilie. Paris, Louvre. Um 1642.*

Abb. 838. *François Mansart, Schloß Maisons-Laffitte. 1642—50.*

ist etwas von dem renaissancehaften Gefühl eines stillen Seins im Raum. Als architektonischen Hintergrund für diese Kunst können wir eine der schönsten Bauschöpfungen dieser Zeit von *François Mansart*, das Schloß *Maisons-Laffitte*, heranziehen (Abb. 838). Die kleinen Verhältnisse eines zweigeschossigen Frontbaues, die gelagerte, in sich fast quadratisch zentrierte Proportion der Fensterfelder und Portale, die großen Dächer, die Rechteckform der Felder selber, die individualisierende hausmäßige Behandlung des Mittelbaues und der Flügelbauten, die zarte Flachheit der Pilaster, alles kommt dem Charakter des Privathauses und einer heimlich beschließenden Wohnlichkeit aufs angenehmste entgegen. Und dennoch ist die repräsentative Gliederung, die gotisierende Steilheit der Baukörper und die einladende Öffnung des Baues mit diesem schließenden und gelagerten Charakter der Anlage aufs glücklichste zu einem geistvollen Doppelspiel verbunden. Die drei Flügel bilden einen Ehrenhof mit portalbetonender Mitte. Sich weit öffnend, kommt der Raum des Hofes uns nicht nur entgegen, in den terrassenartigen Flügeln läßt sich das Haus sogar zu uns herab (die Grundform auch der Pariser Hotels ist damit klar ausgesprochen). Trotz der stockwerkbetonenden horizontalisierenden Wirkung dieser vorgezogenen Untergeschosse wird die vertikale Zusammenfassung der Flügelfronten wieder hergestellt durch die fein abgestimmte Beziehung der unteren Nische zum oberen, giebelgekrönten Fensterfeld und durch das den ganzen Seitenflügel turmartig emporziehende Steildach mit seinen fialenhaften Schornsteinen. Daß diese an der Front zur Seite gerückt sind, wendet Blick und Gang noch mehr zum Mittelbau, als es die symmetrische Anlage der Turmflanken allein schon tut. Dieser Mittelbau ist wiederum durch das Steildach, die Heraushebung eines in der Mitte geöffneten, deshalb portalbetonenden Schmalbaues, durch die Krönung der Geschosse mit gemeinsamem Giebel und Turmaufsatz ganz wie die Kirchenfassade von St. Gervais gotisierend schmal gebildet und als Zentrum herausgehoben. Am Portal selber, einer hohen Öffnung zwischen Pfeilern, die von dorischem Gebälk bedeckt sind, springen nicht die Säulen vor wie in Italien, sondern sie treten

Abb. 839. *François Mansart, Schloß Maisons-Laffitte. Hofportal. 1642—50.*

ANTOINE WATTEAU, FIRMENSCHILD DES KUNSTHÄNDLERS GERSAINT
CHARLOTTENBURG, SCHLOSS. 1720

TAFEL XIII

Abb. 840. *François Mansart, Schloß Maisons-Laffitte. Vestibül. 1642—50.*

bescheiden zurück, nur ein Rahmen für die zarte Doppelpilasterarchitektur, die wie gotische Dienste die Zugehörigkeit zur Mauer betont und recht deutlich macht, wie sehr hier eine Öffnung in der Wand, ein Portal ist. Die Tür selbst (Abb. 839) liegt wie im Mittelalter in der Tiefe einer Flucht, die mit feiner Rahmenarchitektur auch die ganze Wand herausbricht. Hier schafft die Einziehung an den Ecken und die doppelte bogige Supraportenarchitektur das Analogon zu Bogen und Wimperg. Die Feinheit der Proportionen, die Ineinanderfügung des einen in das andere ist so unbeschreiblich geistig wie nur auf gewissen Bildern Poussins die Architektur der Figurenkomposition.

Der Vorraum, der den Eintretenden empfängt (Abb. 840), ist mit seinen vertieften Querarmen und seiner Decke, die gewölbt von den Seiten zur Mittelfläche ansteigt, umschließend und umfangend wie ein bramantischer Zentralraum. Oben verbinden Adler an den Ecken die Raumwände, die durch das antikisierende System sich kühl gegeneinander sperren könnten. Räumlich schließend wirkt auch hier das zarte Relief der Pilaster. Zwischen ihnen springt die Wand vor und wird zu einer feinreliefierten Platte, die die flächige Wirkung verstärkt, aber auch wieder den Vertikalismus aller Glieder hervorhebt. Wandfläche und Wandgliederung werfen sich gegenseitig Sinn und Bedeutung zu. Trotz der Flächenbetonung von Rechtecken und Kreisen ist an der Decke die Rahmung dieser Flächen tonangebend und von einer rippen-

Abb. 841. *Jules Hardouin-Mansart, Schloßkapelle von Versailles. 1699—1710.*

haften Geschmeidigkeit der Profile. In demselben Maße, wie sie in den Raum zum Mittelpunkt hinschwingen, biegen sie sich verbindend und betonend über die Öffnungen in der Mitte jeder Wand und machen aus der antikisierenden Architektur hier ein Bogenportal, in dem die Säulen wieder nicht vor der Fassade, sondern wie in mittelalterlichen Portalen begleitend in der Tiefe stehen. Die einzigen frei personenhaften Elemente in dieser zarten Wandarchitektur, diese Säulen, empfangen und geleiten den vom Vestibül so stark Aufgenommenen weiter in das Innere des Hauses, zur Treppe und zum großen Saal. Die über den Öffnungen sich wölbende flache Halbkuppel wird zum Tympanon, gefüllt mit zentraler Göttergestalt und seitlich ihr nahenden Putten. Es ist renaissancehaft ausgelassene, lebensfreudige, aber ganz höfische Andeutung eines kultischen Empfanges von Huldigung und Begrüßung. Kein selbständiges Bild, nur Dekoration.

Im Zeitalter Ludwigs XIV. werden die wand- und hausmäßigen Motive des Schloßbaus stärker zurückgedrängt, die repräsentative Note tritt in dem Herausarbeiten der struktiven Glieder der Architektur, der Säulen und Gebälke stärker hervor, die Formen werden plastischer, schwellender, barocker, zugleich aber um so energischer in die Vertikaltendenz der geheimen Gotik des französischen Barock eingefügt. Die Wand wird energischer durch ein Bogen- und Arkadensystem durchbrochen und geöffnet. Die Zwiefaltigkeit liegt weniger im Widerspiel von Haus und Hof, von Intimität und Öffentlichkeit, als von Barockschwulst und Rokokoeleganz. Was das Schlafzimmer Ludwigs XIV. schon verdeutlichte, spiegelt sich klar in der herrlichen *Schloßkapelle* in *Versailles* (Abb. 841). Das über die Seitenschiffe hervorragende, mit ihnen durch eingezogene Strebebogen verbundene Mittelschiff und die von gerundeter Apsis nach vorn strebende Längserstreckung ist schon ganz starker Nachklang gotischer Kapellen, die strebepfeilerhafte Zusammenfassung der Pilaster mit Steilsockel und Fialenstatuen bestärkt diesen Charakter, und an den Längswänden kommt zur Gotisierung der Pilaster durch betonte Sockel, Friesornament und Dachstatuen die völlige Durchbrechung der Wand hinzu.

Das von den antiken Arenen her bekannte Arkadensystem ist mit ganz unantik steilen Fenstern gotisiert. Die Fenster sind mit einem maßwerkartigen Gitter für die Verglasung versehen. Die zwickelfüllenden Putten wenden sich konversierend einander zu und sind zu kielbogigem Ornament emporgezogen, zu einer Aufwärtsbewegung, die in den über ihnen angebrachten Wasserspeiern ihren Abschluß findet. Last und Masse werden in Spiel und Grazie umgedeutet, das Sein des barocken Breit- und Schwerbaus bekommt den Hochsinn schwerelosen Emporschwebens.

Abb. 842. *J. Hardouin-Mansart, Oberes Vestibül der Schloßkapelle von Versailles. 1699—1710.*

Im Vestibül (Abb. 842) stellen sich Dreiviertelsäulen energisch vor die Wand, korinthische, schlanke und kannelierte Säulen. Aber die weiten Abstände werden durch die hohen bogigen Portale mit den sich unterhaltenden Gipfelfiguren zum Rahmen für eine Dreiportalanlage; von ihnen ist das zur Kapelle führende Hauptportal durch Doppelsäulen und weiteren Abstand ausgezeichnet. Der schöne, an den Ecken durch Giebelmotive verbundene und umfangende Saal wird mit großer Kunst richtungsbezogen auf ein höheres Ziel und somit doppeldeutig. In der Kapelle selbst (Abb. 843) wird jeder von der ganz gotischen Steilproportion und Längsrichtung des Baus betroffen. Die Freisäulen des Obergeschosses mit dem kräftigen Horizontalgebälk wirken schon in dieser Proportion des Raumes nicht antik. Sie fördern nur den Eindruck des allseitig Offenen und Durchbrochenen. Die Bogenarkaden des Untergeschosses verstärken mit ihren Pfeilern den Vertikalismus, mit ihren Öffnungen die Bedeutung der Räume zwischen den Säulen. Das Tonnengewölbe wird durch Stichkappen und hohe Fenster, die das vertikale Arkadensystem zum Abschluß bringen, in ein Kreuzgewölbe verwandelt, in dem die dekorative Malerei von *Coypel* durch Betonung stabförmiger Randprofile den Charakter eines Rippengewölbes mit Schlußsteinen erzeugt (Abb. 844). Diese Profile heben den abschließenden Charakter des Horizontalgebälkes auf und leiten die Pfeilerbewegung weiter in die Höhe. Die illusionistische Figurenmalerei an dieser Decke weitet nicht den Raum nach oben straßenhaft oder platzartig aus, sondern betont nur

Abb. 843. *J. Hardouin-Mansart, Schloßkapelle von Versailles. 1699 bis 1710.*

Abb. 844. *J. Hardouin-Mansart, Schloßkapelle von Versailles. Gewölbe. 1699—1710. Deckengemälde von A. Coypel.*

den Rippencharakter und das gegenseitige Sichzubiegen der Seitenwände durch Andeutung der Öffnung zwischen den Rippen, durch die der Himmelsraum seine flatternden Geschöpfe hineinsendet. Wo in Italien große Geschichte erzählt wird oder neue Räume entstehen mit einer unübersehbaren Himmelsgesellschaft, wird hier wieder doppeldeutig das Diesseits des Innenraumes, das Höfische, und das Jenseits der Himmelswelt ausgedrückt; das Pantheistische und Barocke durchdringen und erläutern oder deuten sich gegenseitig an. Diese Malerei ist dekorativer, architektur- und raumbezogener als die italienische und überwindet zugleich die noch bestehende Bildhaftigkeit der Zeit des Poussin.

Diese dekorative Festlichkeit, die gleichbedeutend ist mit bildhafter Inhaltlosigkeit und die die leicht beschwingten Gestalten dieser Götterwelt nicht viel anders als Fledermäuse durch den Kirchenraum schwirren läßt, hat es mit sich gebracht, daß die Bilder des Hofmalers *Le Brun* mit dem leeren Pomp seiner triumphalen Darstellungen der Herrschertaten für sich so wenig Interesse zu erregen vermögen. Erst in der stärkeren Konzentrierung des Blickes auf die bestimmte Einzelpersönlichkeit der von *Rigaud* scharf und schneidig angefaßten höfischen Porträts belebt sich das Interesse wieder (Abb. 830, S. 667). Vergessen wir aber nicht, daß die in den gotischen Formen huldvoller Neigungen zum Ausdruck kommende Demut und die Vergeistigung der immer körperloser werdenden Formen durch das körperhafte und vereinzelnde antike Formensystem verweltlicht und verirdischt werden. Wie macht doch in dieser Schloßkapelle das Horizontalgebälk durch die Erhebung der Vertikalstützen und die Verneigung der Rippen einen Strich, wie wird durch die einbrechende Sphäre des Luftraumes in die scharfe und intensive Rippenkonstruktion das Gotische umnebelt!

Abb. 845. *Versailles, Schloß. Cabinet du Conseil. Umbau von J.-A. Gabriel, Dekoration von A. Rousseau. 1755.*

Dieses Weltliche steigert sich mit der Vollendung des Rokoko durch Zunahme der schmückenden und genußversprechenden Elemente, der

Abb. 846. *Paris, Hôtel de Soubise. Salon de la Princesse. Von G. Boffrand. Um 1735.*

Farbe und der stofflichen Reize im Porträt. Schon *Rigaud, Mignard* und *Largillière* führen als Rubensisten einen Kampf gegen die unsinnliche Spröde und Kühle der Poussinisten. In der Architektur geschieht dasselbe durch die flächenschmückenden Elemente eines reichen, zarten und blumigen Pflanzenornamentes und weicher, federnder und schmiegsamer Formen. Zugleich aber vergeistigt sich die Formenwelt durch den Sieg des stabdünnen Rahmens über die körperfeste Säule, den Sieg der schwerelosen, schwingenden und verknüpfenden Stäbe und der liebenswürdig konversierenden oder zärtlich verbindenden Bewegung über die starre Gegensätzlichkeit von Träger und Last. Dieser Sieg einer mit allen Raffinements sinnlich genießenden Renaissanceempfindens verbundenen, streng funktionellen Stab- und Rippenarchitektur, eine letzte Gotik gleichsam, ist das Rokoko.

In dem *Cabinet du Conseil* in Versailles (Abb. 845) sieht man es klar: eine ganz mit der Wand verknüpfte und doch die Wand durchbrechende Rahmenarchitektur, ein Stab- und Maßwerk, dessen Arme sich elegant zueinander schwingen und scherzend konversieren, locker zusammengebunden und in Gegenrichtung wieder entweichend, an den Fußstücken sich wieder rundend und sich lagernd, nicht fest und steif auf dem Boden stehend. Die Flächen zwischen ihnen sind behängt mit luftigen Girlanden, Kränzen, Medaillons. Auch diese sind gebildet aus feinem Rahmenwerk und zueinander hinüber- und herübergebogen und geschaukelt. Aber das Horizontalgebälk und die Decke lasten zu schwer auf diesem leichtsinnigen Stabwerk.

Das Vollendetste ist der unvergleichliche Rundsaal des *Hôtel de Soubise* (Abb. 846). Als Rundraum, begleitet von einwärts überwölbten Fensternischen, ist es ein geschlossener Raum wie nur einer, und dennoch mit Fenstern und Spiegelarkaden weltgeöffnet wie nur je einer, ein Empfangs- und Gesellschaftsraum, kein Boudoir. Auch die Pfeiler zwischen den Arkaden, Pfeiler, weil sie nur bis zum Bogenansatz der großen Arkaden gehen, wiederholen das Rahmen- und Bogensystem mit unterer und oberer Zubiegung. Putten schweben heiter auf dem Bogenrand und interpretieren menschlich die feine Zuneigung dieser Stäbe. Über den hohen Arkaden sitzt an der Stelle der gotischen Rose (des Vielpasses) ein Rundmedaillon, noch einmal wimpergartig von scherzenden Puttenpaaren überhöht. Sie schneiden wie Fialen in das Horizontalgesims der Decke, das selber in lauter sich einander zurollende Arme zerlegt ist. Wo diese Stäbe und Ranken sich treffen, gehen Rippen zur Mitte des Gewölbes und bilden einen wie aus Filigran in immer neuen Kreisen sich verrankenden Schlußstein. Wie in der Gotik sind die Bänder dieser Rippen von feinen Stäben eingefaßt, die noch einmal in ihrem Verlauf

Abb. 847. *Ch. J. Natoire, Amor und Psyche. Zwickelgemälde im Salon de la Princesse des Hôtel de Soubise in Paris. Zwischen 1738 u. 1740.*

das Spiel des Entgegenkommens und Ausweichens vollziehen.

Dort, wo die größten Zwischenräume entstehen, zwischen den Bögen der großen Arkaden, und wo schon das Mittelalter das Offene und Räumliche dieser Felder durch schwebende Engel mit Hilfe der Malerei interpretierte, werden Szenen hineingemalt (Abb. 847), in denen in Beleuchtung und Szenerie noch ein Rest der Renaissancebildlichkeit und Schlafzimmermythologie steckt, aber in der Hauptsache doch ein Figurenthema zu Zweien vorherrscht, das dem Sichsuchen und Zueinanderneigen der Architektur mit schlanken Gliedern sich anpaßt und der heiteren Sinnlichkeit des Schmuckes mit hingebender Zärtlicheit und bequemem Sichlagern antwortet. Selbst in den Stoffen und Möbeln der Szenerie runden sich die Silhouetten zu rosettenhaften Formen ähnlich den Schlußsteinkartuschen der Bögen und Rippen. Es ist eine graziös andeutende, im wesentlichen dekorative Malerei, leicht in der Form und leicht im Sinn.

Ungotisch, d. h. über die klassische Einfachheit und kultische Strenge hinausgehend, ist Reichtum und bewegter Schwung, das kokette Ausweichen und Zueinanderkommen, die spielende Freiheit aller Formen, ungotisch der Art nach der hängende und blühende Schmuck, auch die Flächenbetonung, die den flächenzersetzenden Formen des Stabwerks in ihrer rahmenden Funktion noch verblieben ist. Aber nie wird das Spiel Willkür oder die Freiheit Ungebühr, nie wird man etwas treffen, das nicht im Ganzen als notwendiges Glied seinen Platz hätte. Alles ist immer in Gesellschaft, jede Abweichung von der Symmetrie stellt die Symmetrie durch Bewegungsbezogenheit wieder her. Die Freiheit ist die des absoluten, seiner selbst sicheren Geschmacks.

In diese Welt tritt *Watteau* hinein, als ein Außenstehender und Fremder. Er lebt nicht in ihr, er deutet sie, er steht nicht mitten drin, sondern er schaut sie mehr von außen an. Als ein Südniederländer — denn Valenciennes, seine Heimat, fiel erst in dieser Zeit an Frankreich — ist er mit der Kunst des Rubens, aber auch mit der Rembrandts, Terborchs, Vermeers durch tausend Fäden verbunden. Den sinnlichen Glanz des Rokoko steigert er in einer sprühenden, lockeren, vibrierenden Farbigkeit, mit der er die Kühle blaugrauer höfischer Töne zu einer neuen warmen Harmonie verdichtet. Mit einer schaumig spritzenden, geistreich punktierenden, schwebend verhüllenden Technik erzeugt er einen Duft der Oberflächen und eine Auflösung der Substanzen, in der alle Rokokofeinheit verborgen ist und doch darüber hinaus reine Malerei wird. Deshalb ist jedes Werk wieder mehr Bild, weniger Dekoration als bei den anderen. Es ist mehr Luft in seinen Bildern, die die

Abb. 848. *Jean-Marc Nattier, Damenporträt. Paris, Louvre. 1741.*

Figuren in die Bildfläche einsaugt, die Konturen und Flächen spaltet und in eine Farbenmusik verwandelt.
Und dennoch ist es Rokoko, aber gesehen nicht mit den Augen des Kenners, sondern des Träumers, nicht skeptisch, sondern sehnsüchtig. Seine Gestalten, die sich schön kostümieren wie die Frauen *Nattiers* (Abb. 848), die eine Rolle spielen, um uns zu gefallen, die sich an uns wenden und mit uns scherzen, sind weniger bewußt und überlegen, sie sind erfüllter, sie üben ihre Rolle weniger zweideutig. Auch sie verkleiden sich, aber die Verkleidung ist keine Bemäntelung ihres Wesens, sondern ist ihr Bereich. Sie sind Künstler, Dichter, Musiker. Sie sind Schauspieler und Komödianten, deren Wesen sich erst in der Verkleidung erfüllt. Sie streben weniger nach Gefallen als nach Vollendung. Sein Traum und seine Sehnsucht denken auch das Spiel des Rokoko zu Ende und schaffen ein Überrokoko, ein von der Erde gelöstes ätherisches Traumrokoko.
Sein Gitarrespieler in Chantilly ist bezeichnend. In reicher graziöser Wendung biegt er sich zur Seite zu einer Partnerin. Aber im Bilde ist diese Stelle leer, sie ist nur in seinem Traum, in seiner Musik mitgegeben.
Im Indifférent (Abb. 849) hat Watteau das vollendetste einer schwebenden Bewegung von unüberbietbarer Grazie gegeben, ebenso rokokohaft wie gotisch, eine auf den Beschauer orientierte Begründung, von schmaler Basis aufwärts entfaltet. Aber anders als jede konventionelle Anrede ist diese Bewegung in sich ausgewogen, ein Bemühen aus sich ein Kunstwerk zu machen und zugleich ein Armeausbreiten, das mit Sehnsucht in die Ferne langt. Die lyrische Figur des 19. Jahrhunderts ist in dieser höfischen mitgeboren. Zugleich taucht die Figur malerisch in den Hintergrund hinein, nicht aus ihm heraus, in sich vom Dunkeln ins Helle gearbeitet wie auf Rembrandtschen Bildern. Ihre Bewegung geht mit dem Reich der Töne mit, die Malerei führt sie vom Begrenzten ins Unbegrenzte. Die Farben sind gebrochen und perlen wie Musik.
Der Gilles (Abb. 850) widerlegt den Vorwurf, daß Watteaus Malerei der „großen Sachen“ nicht fähig sei. In bezug auf das Format trifft das hier nicht zu, in bezug auf den inneren Gehalt gilt es nicht mehr als bei jedem echten

Abb. 849. *Antoine Watteau, L'Indifférent. Paris, Louvre. Zwischen 1710 und 1716.*

Rokokobild, das in einer großen Haltung eine feine Eleganz, in der äußeren Aufmachung den Geist spielen läßt. Wie eine Säulenstatue steht der Komödiant vor uns, steif und streng. Aber alles in ihr ist gelöst in feinen Andeutungen, die in den Händen, den Füßen, im Zucken des Gesichts und im Seidenschimmer des Kostüms die Stille durchbrechen. Die Steifheit ist selbst nur eine Stille, damit man das Flüstern hört. Zu Füßen der Figur drängen sich beiderseits Figuren im Hintergrunde, die noch nicht bei der Sache sind. Heiter, unbefangen, gewöhnlich, wie ein Grund, aus dem diese Figur zu einem Moment der Erhöhung aufgestiegen ist. Die Terborchsche Kostümfigur, das holländische Stillleben sind hier vielsagende Haltung und Gebärde geworden wie in den Bildnissen des Rokoko. Aber die Feinheit der Andeutung ist selbst nur eine Maske, nicht merken zu lassen, wieviel Ernst im Spiel, wieviel eigene Person in der Verkleidung ist.

In den Unterhaltungen im Freien nimmt Watteau das Thema galanter Konversation der Rokokoarchitektur und der Rokokomalereien auf, Themen, die bei *de Troy* handfest, sittenschildernd, zeitgemäß behandelt sind. Bei Watteau ist alles gelöster, schwebender und der Landschaft mehr verbunden. Diese Landschaft mit ihrer Flächigkeit, den gewölbten Laubkronen, den zierlich dünnen Stämmen, ist rokokohaft dekorativ, die Auflösung der architektonisierten Landschaften Claudes in lockererem Spiel und kulissenhafterem Grund, aber auch wieder unwirklicher und traumhafter, mehr von weitem gesehen als auf den dekorativen Rokokobildern. Der Reiz der Ferne wird durch Paare, die in die Natur hineingehen, verstärkt; leicht klingt es an: Revenons à la nature!

So wird die berühmte Einschiffung nach Cythera (Abb. 851), der Liebesinsel der Venus, ein Liebesgarten und Reigen sich huldigender Paare, zugleich eine Werbung zu dieser Rückkehr zur Natur. Das ganze Bild ist auf die Entwicklung von der Nähe zur Ferne, vom Schweren zum Leichten, vom Geschlossenen zum Offenen angelegt, einer Natur, die sich aus zierlich dekorativer Flüchtigkeit und feiner Eleganz der Figuren entwickelt, die aus Geist geboren wird. Natur als ein aus Sonnenglanz und Farbenduft geborener Traum, geträumt von höchster Unnatur.

In seinem letzten Werke, dem für den Kunsthändler Gersaint gemalten Firmenschild (Tafel XIII), hat Watteau mit meisterhafter Kompositionskunst in großem Format eine vielfigurige Szene, die in einem Innenraum vor sich geht, zu einer vollendet höfischen Konversation umgebildet. Selbst das Halten

Abb. 850. *Antoine Watteau, Gilles. Paris, Louvre. Zwischen 1717 und 1720.*

eines Bildes durch das Personal, die Besichtigung eines Bildes wird zu einer eleganten Verbeugung und in fast reigenhaften Zuordnungen zu einer Konversation von Paar zu Paar verkettet, deren Inhalt die Bilder an der Wand des Kunstladens sind. Wir befinden uns in der Zeit der Entstehung der französischen

Abb. 851. *Antoine Watteau, Einschiffung nach Cythera. Paris, Louvre. Vollendet 1717.*

Kunstkritik. Die Kostüme der Figuren sind deutlicher als je mit wunderbarem Seidenglanz in gebrochenen, zweideutigen Farben gemalt, höfisches Leben, das sich in ein Genrebild verwandelt hat. Der Träumer ist zum Chronisten geworden, der zugleich eine ganz moderne Aufgabe, die des Plakates, löst. Hier, wo Watteau das Leben der Zeit am deutlichsten faßt, rückt er zugleich am stärksten von ihm ab. Hier ist nichts mehr von dekorativer Stimmung, sondern die Objektivität des Historienbildes, ein Bericht über das Rokoko, das selbst nicht mehr Rokoko ist. Watteau wirft den Ball, den er vom 17. Jahrhundert der Holländer empfangen hat, der Kunst des 19. Jahrhunderts zu. Seine Kunst, die die höchste Erfüllung des französischen Rokoko war, bedeutet zugleich ihr Ende.

BAROCK UND ROKOKO IN DEUTSCHLAND

1618—48 Dreißigjähriger Krieg. Seit Beginn des 17. Jh. Wiederaufblühen der Orden und Klöster (katholische Restauration). Absolutes Regiment der geistlichen und weltlichen Fürsten; Familie der Schönborn, die in der 1. Hälfte des 18. Jh. die meisten Bischofssitze am Rhein und Main innehaben. Joh. Phil. v. Schönborn, Kurfürst von Mainz, Fürstbischof von Würzburg, 1642—73; 1658 Rheinbund der Kurfürsten von Mainz, Trier und Köln mit Frankreich. — Friedrich Wilhelm, der Große Kurfürst, 1640—88. — Türkenkriege. Prinz Eugen v. Savoyen 1663—1736. Maria Theresia 1740—80. — August II., d. Starke v. Sachsen, 1694—1733 (seit 1697 König v. Polen). August III. 1733—63. Johann Sebastian Bach 1685—1750. Friedrich d. Große 1740—86.

Der Gegennaturalismus und die Gegenreformation, die neue päpstliche und die neue Hofkunst des 16. Jahrhunderts haben in Deutschland wie in den Niederlanden einen unklassischen Manierismus erzeugt, dessen Schwächen und Dissonanzen hier sich um so stärker fühlbar machen, als alles, was Reformation, Naturgefühl, Individualismus und unzeremonielle Gesinnung war, hier im Leben des Volkes und in seiner Geschichte so tief verankert ist, alles, was dagegen höfische Konvention und repräsentative Form war, nur mit Protest aufgenommen und nur widerspruchsvoll verwendet wurde. Nicht umsonst hatte Deutschland seine karolingische Renaissance, seine ottonische Kunst, seine Sonderromanik und Sondergotik gehabt. Es blieb im 16. Jahrhundert noch das Land der Reformation, die es im 17. Jahrhundert im Dreißigjährigen Kriege zu verteidigen suchte. So ist die deutsche Renaissance des 16. Jahrhunderts, die sich so wenig wie die Kunst der Niederlande der europäischen Weltgeltung der italienischen Renaissance und des Frühbarock zu entziehen vermochte, eine Sonderrenaissance, die auf einigen Gebieten so fruchtbar wie nur möglich geworden ist und die Physiognomie der deutschen Städte mitbestimmt hat und dort sogar die Klippen des Manierismus aus einem unverwüstlich starken volkstümlichen Grunde her umschifft hat. Das 16. und frühe 17. Jahrhundert in Deutschland ist die Zeit der großen Bürgerbauten, der Rathäuser und Patrizierhäuser, des Hausbaues schlechthin. Im Wetteifer mit der neuen repräsentativen Gesinnung des Barock, befeuert von dem italienischen Einfluß einer nach außen gewendeten Fassadengesinnung, baut man jetzt die großen Bürger- und Rathäuser mit den prächtigen Fassaden, die sich im breiten Giebel zur Straße hin öffnen (Abb. 852), eignet sich den italienischen Formenapparat der antiken Säulen und Gebälke, der Voluten und Baluster an, aber ohne das Eigenste, den Ausdruck des Hauses, dessen wohnlicher Inhalt hinter der Fassade liegt, des naturhaften Lebens und der handwerklichen Freude am reichen und kunstvollen Gebilde zu opfern. Überall betont man die Stockwerke mit ihren Gefach- und Gemacheinteilungen, sorgt für Proportionen, für Fensterbildungen, in denen die schließende, raumumkleidende Fläche die plastische Funktion der Säulen und Gebälke übertönt und diese zu Rahmen herabdrückt. Die antiken Formen haben gerade noch die Kraft, die unantiken Flächen- und Raumdispositionen zu betonen und das Intime, Innere dem Draußen mitzuteilen. Wenn der Bau nach vorn drängt wie in Italien, geschieht es in Räumen, nicht in Körpern, in Erkern oder erkerhaften Flügelbauten, die gern an eine Seite geschoben, dem Bau eine individuelle Physiognomie, der Straße die Winkel und Heimlichkeiten eines Innenraumes verschaffen. Der Giebel ist nicht ernstes, wuchtendes Gebälk einer einheitlichen plastischen Komposition, sondern gerade repräsentativ genug, ein Haus vom andern als Individuum und Eigentum vom Nachbarn in der Straße zu sondern, aber selber

Abb. 852. *Paderborn, Rathaus. 1612 bis 1616.*

horizontal in kleine Wohnstockwerke zerlegt, die — selbst wenn sie Speicher enthalten — den Eindruck der Gemütlichkeit in besonderem Maße erwecken. Man nimmt auch die antiken Formen nicht ernst und streng, sondern heiter und spielerisch, baucht sie aus, umringt sie wie Formen, die an der Drehbank gedrechselt sind, behängt sie mit Ranken, beschlägt sie mit Bändern und Nagelköpfen und läßt an den Flächen der Pilaster, der Fensterbrüstungen, in Reliefs das ganze Leben unbefangener, nicht selten derber und scherzender Volksszenen sich vor den Augen des Beschauers abrollen. Man zeigt nicht nur den Reichtum und prächtigen Schmuck, um zu glänzen, sondern um ihn mitzuteilen, man teilt sich selber mit, wie man die Erker und Anbauten in die Straßen schiebt, um am Leben der Stadt teilzunehmen. Es herrscht überall eine freundnachbarliche Gesinnung. Auch die Rathäuser (Abb. 852) sind in diesem Sinne Bürgerhäuser, die auf den repräsentativ vereinheitlichenden Ausdruck des Turmes gern verzichten, dafür dem großen schützenden Dach den Vorrang lassen und mehrere Hausgiebel auf ihren breiteren Baukörper setzen, als handele es sich im Rat um ein Beieinanderwohnen von auserwählten Bürgern. Das untere Geschoß öffnet sich ohne betonte Mitte, ohne Richtungszwang in gleichmäßigen Arkaden zur Straße, bezieht diese in sich ein und nimmt die wandelnden Bürger für die Dauer ihres Entlangschreitens in ihren Schutz. So entstehen jene vielleicht schönsten Bürgerhäuser und städtischen Bauten nicht nur Deutschlands, sondern der Welt, wie das Kammerzellsche Haus in Straßburg (Abb. 853), das Leibniz-Haus in Hannover, das Salzhaus in Frankfurt, das Rattenfängerhaus in Hameln, das Haus zum Ritter in Heidelberg, das Essighaus in Bremen, das Zeughaus in Danzig, die herrlichen Stein- und Fachwerkbauten in Braunschweig, Hildesheim, Halberstadt. Die Rathäuser in Bremen, Rothenburg erhalten jetzt ihre Physiognomie. Es entsteht die deutsche Stadt als Kunstwerk im Sinne des bürgerlichen Reichtums und fröhlicher Mitteilung, der bunten Gesellschaft unerschöpflich reicher Hausindividualitäten und gemütlicher Winkel, überraschender Aus- und Einblicke und zwanglosen Getriebes (Abb. 854). Es entsteht das, was sich der Ausländer denkt, wenn er Nürnberg sagt und von Rothenburg schwärmt, eine Fülle, die im einzelnen aufzuzählen kein Ende nehmen würde.
In der Gesamtstimmung kommen diese Häuser der italienischen Frührenaissance näher als dem Frühbarock. Sie haben so gar nichts Michelangeleskes oder Palladianisches. Es fehlt ihnen nicht der Bürgerstolz, aber jede kalte Würde und Monumentalität. Erst im Hochbarock, um die Wende zum 17. Jahrhundert wird es anders, der Schmuck wird ärmer, der Bau nüchterner, die Renaissanceformen werden derber und ausdrucksvoller im Sinne der baulichen Funktionen des Tragens und Lastens und der Wandauflösung. Der *Otto-Heinrichs-Bau* und der *Friedrichs-Bau* des *Heidelberger Schlosses* (Abb. 855, 856) illustrieren gut den Wandel des Geschmackes: der Otto-Heinrichs-Bau, der wie der deutsche Schloßbau dieser Zeit überhaupt ganz an der städtisch-bürgerlichen Gesinnung teilnimmt, mit vorwiegender Breitentfaltung der Stockwerke, leicht und heiter, zierlich im Detail, reich im Schmuck, darin übertroffen nur von dem etwas früheren Bau des

Abb. 853. *Straßburg, Kammerzellsches Haus. 1589 (Erdgeschoß 1467).*

Abb. 854. *Hildesheim, Häuser an der Osterstraße.*

Piastenschlosses in Brieg; der Friedrichsbau mit stärker betonten Vertikalgliedern und einheitlicherer Durchführung der Vertikalteilungen, mit Fenstern, die durch Säulen und Giebel straffer zu Tempelfronten zusammengefaßt sind, ärmer im Detail. Aber auch diese Zurückhaltung im Schmuck, diese versuchte Monumentalisierung der Einzelformen haben den Grundcharakter der Bauten nicht verändern können, wie gerade dieser Bau oder Häuser wie das Peller-Haus in Nürnberg beweisen. Vielleicht daß der manieristische Charakter etwas stärker hervortritt und die Einzelformen bramarbasierend wirken, wie in den monströsen Grabmälern der fürstlichen Herrschaften dieser Zeit. Hier sind handwerkerhaft vierschrötige Hans Sachse und hausfraulich befangene Mütter in einem unmöglich unförmigen panzerfesten Kostüm eingestellt in einen vielgeteilten Fassadenbau mit Säulen und Gebälken, Giebeln und Voluten, Roll- und Knorpelwerk. Wo einmal völliger Verzicht auf Schmuck wie im Rathaus des Elias Holl in Augsburg die Strenge und Würde italienischer Palazzi nachzuahmen versucht, da zeigt der Kampf der Horizontalen und der Vertikalen, der Stockwerke und der Baublöcke, der Rechteck- und der Giebelfenster, die Verschiebung der Horizontalgeschosse des Mittelfeldes gegen die der Seitenfelder das vergebliche Bemühen, für das vielfenstrige Haus die betonte und personenhafte Mitte eines repräsentativen Palastes zu gewinnen, und die durch die Nüchternheit bewirkte Verwandlung des Rathauses in ein Bürohaus zu überwinden. Das Bürgerhaus gibt auch hier den Ton an.

Man fragt sich, wohin der Weg wohl geführt hätte, wenn der Dreißigjährige Krieg nicht die Entwicklung unterbrochen und wertvollste Kräfte zerstört hätte, ob zu einer bürgerlichen Kultur ähnlich der holländischen, der in dieser Zeit gerade in der Architektur, aber auch in der Skulptur und Malerei so viel Einfluß gestattet wurde, oder zu einem italienischen Klassizismus. Der Ausgang des Krieges ließ die Waagschale sinken zugunsten des Katholizismus und des fürstlichen Absolutismus, des italienischen Barock und des französischen Rokoko. Am Ausgange des 17. Jahrhunderts erhielt Deutschland s e i n e n Barock, lebenskräftig und temperamentvoll wie der des Rubens, reich und saftig, hinreißend und großartig wie kaum ein anderer, genial und deshalb an einzelne Persönlichkeiten geheftet wie die deutsche Gotik, und in seinem Wesen nur zu verstehen, wenn man diese Stadt- und Bürgerbauten des 16. und frühen 17. Jahrhunderts in ihrer Fülle und Pracht ganz begriffen hat.

Das deutsche Barock teilt mit dem italienischen und französischen die wesentlichen Eigenschaften der Gesamthaltung und der Einzelformen. Später geboren, übernimmt es sie von dort mit jener schon vom Mittelalter her bekannten Doppelstellung, für die eigentlichen Renaissancemotive der antiken

Körperlichkeit und ursprünglicher Lebensäußerungen, im Barock also für das Athletische und Bacchische, besonders empfänglich zu sein (Schlüters Großer Kurfürst verwirklicht das Ideal des barocken Imperators am reinsten), sich also der italienischen Renaissance verpflichtet zu fühlen, und doch aus dem nordischen Grundgefühl heraus für den Innenraum, die Innerlichkeit schlechthin, alle Voraussetzungen mitzubringen und deshalb von Frankreich sich die Anregungen zu holen. Beides aber geschieht wie im Mittelalter und in der Reformationszeit in einem durch und durch deutschen Sinne. Die großen Bauaufgaben werden Palast und Kirche. Die deutschen Fürsten, deutschem Individualismus entsprechend gleich einige Dutzend, haben den Ehrgeiz, ihr Versailles zu erbauen. In Schloß und Kirche setzt sich die herrschende, durchgreifende Säulenordnung durch, die Bauten werden großartig repräsentativ, und sie werden höfisch mit zentralisierenden und einheitlichen Raumdispositionen. Der Ehrenhof mit dem herrschenden Zentrum des Portalbaus und den flankierenden Nebenfassaden der Flügelbauten wird die Regel. Hier aber setzt die deutsche Prägung ein. In italienischer Weise läßt man den Mittelbau nach vorn schwellen, aber nicht als plastischen Körper, der aus- und einwärts schwingt, nicht als zur Mitte drängende, theatralische Staffelung von plastischen Fassadenschichten, sondern als raumhaltiges Haus, wie die Apside einer Kirche (Abb. 857). Ein aus dem Gesamtbau aufragendes Dach mit kuppelig gewölbten, sanft abwärts geschwungenen, ganz hausmäßig bergenden und deckenden Flächen, eine Art Zentralbau, ein Raumindividuum, schiebt sich in den Gesamtbau ein und nimmt die Rückenpartie des französischen Empfangsbaus nach vorn. So ist es an der Solitude bei Stuttgart, am Schloß in Münster, am Zwinger in Dresden, an der Orangerie in Kassel, am Schloß Weißenstein in Pommersfelden und vielen anderen Bauten.

Abb. 855. *Heidelberg, Schloß. Otto-Heinrichs-Bau, Hoffront. 1556 bis nach 1559.*

Auch die Seitenflügelfassaden ordnen sich weniger der Mitte unter, sie sind weniger turmartig wie in Frankreich auf das Eingangszentrum bezogen, sondern zu selbständigen Häusern ausgeweitet oder zusammengeschlossen (*Würzburg* Abb. 877, S. 701; *Ellingen*). Auch hier ist die Dachgestaltung das Entscheidende.

Abb. 856. *Heidelberg, Schloß. Friedrichs-Bau. Hoffront. Von Johannes Schoch. 1601—07.*

Abb. 857. *Schloß Pommersfelden. Entwurf von M. von Welsch, ausgeführt von Joh. Dientzenhofer. 1711—18.*

An den geraden Fronten dieser Mittelbauten wird durch das Verhältnis des Giebels zum Säulensystem der Hauscharakter im Gegensatz zur plastischen Dramatik der Säulen und Gebälke betont. In Italien wird das funktionelle Kräftespiel schauspielerisch nach der Mitte zu verdeutlicht, indem die nach innen immer stärker vortretenden Säulenpaare ein eigenes, in gleicher Weise immer stärker vortretendes Giebelgebälk erhalten, in Frankreich werden die Vertikalpfeiler durch eine Bogen- und Giebelbrücke zusammengefaßt, die die ganze Fassade öffnet und portalartig gestaltet. In Deutschland herrscht ein breiter, flächiger Hausgiebel, der in Größe und örtlicher Stellung nicht zu den unter ihm befindlichen Säulen gehört, sondern zu der ganzen Fläche des Mittelteiles wie der Hausgiebel der Patrizierhäuser (*Würzburg, Schloß; Wien, Belvedere*). Die Portale, in Frankreich Sinn der ganzen Fassade und richtunggebendes Moment, in Italien Sammelpunkt der nach vorn drängenden Kräfte und Massen, werden in Deutschland (Abb. 857; Abb. 874, S. 699; Abb. 878, S. 702) untergeordnet dem geschlossenen Charakter des zentralisierten Mittelbaus. Als gleichmäßige, fensterartige Öffnungen im Sockel des Säulengeschosses fallen sie überhaupt nicht auf, oder sie werden verstellt durch eine vorgeschobene Säulenstellung, die horizontal gedeckt, mit gleichen Säulenabständen den Laubengängen der Rathäuser entsprechen, ebensosehr gedeckter Gang in der Richtung, die am Bau entlang führt, wie Eingang für jedermann und jedwohin, ohne strengen Zwang auf ein kultisches Ziel. Am häufigsten aber sind sie wie bei Michelangelos und Borrominis Felderfüllungen nur Sockel für die entsprechende plastische Bildung im oberen Geschoß. Hier aber tragen sie nicht so sehr den Bau des Fensters, das tempelfrontartige Denkmal, als einen Raum, einen Altan, auf den der hinter dem Fenster Wohnende hinaustreten kann zum Auslug oder zur Mitteilung. Es ist das ins Feierlichere übersetzte Motiv der Erker der Bürgerhäuser. Mit dem zur Pforte ausgebildeten Fenstermotiv im Obergeschoß ist ein Hinweis auf den Raum dahinter und seinen privaten Charakter gegeben, aber kein Zugang, für den Gast nicht die Richtung hinein, sondern heraus, die Erwartung des Schloßherrn, der hier heraustritt, um am Leben der Menge teilzunehmen. Zugleich wird zwischen dieser Menge und diesem Herrn die Distanz vergrößert: er ist nicht wie in Frankeich ein Gastgeber, der einlädt, und die Menschen draußen sind nicht Gäste, mit denen er im Innern zur Einheit einer Gesellschaft zusammentreten will, sondern es ist der Gegensatz von einem Herrscher und von Untertanen, einem Herrscher, der sich vielleicht gerade deshalb, wo er erscheint, so hoch über die Menge stellt, weil er dahinter selber so sehr Privatmann und ihresgleichen ist, ein aufgeklärter Despot.

Abb. 858. *Johann Balthasar Neumann, Schloß Augustusburg in Brühl. Treppenhaus. 1743—48.*

Abb. 859. *J. B. Neumann, Ehem. Bischöfliches Schloß in Bruchsal. Treppenhaus. 1731—33, (Stuckdekoration von J. M. Feichtmayr. 1751—56.)*

Dieses Verhältnis von einem Draußen, zu dem sich der Insasse des Hauses von einem Balkon herabläßt, und einem Drinnen, das hinter der abschließenden Fassade liegt, wiederholt sich im Treppenhaus. Deutschland hat die größten und prächtigsten Treppenhäuser des Barock, weil diese Treppenhäuser nicht wie in Frankreich nur die Weiterführung des gastlichen Empfangs, der einladenden Portale bedeuten und in der Folge der Repräsentationsräume ihre Fortsetzung und Sinn und Ziel haben, sondern wie die Höfe oder Hallen der Rathäuser noch einmal einen großen öffentlichen Raum darstellen, einen Raum für das Volk, dessen Angelegenheiten in dem Schloß des Herrschers verhandelt werden. Oft umziehen Loggien — den italienischen Höfen verwandt — den großen weiten Raum dieser Treppenhallen (*Pommersfelden*) oder es bilden sich die oberen Korridore zu Emporen oder Altanen dieses Raumes aus (*Brühl*, Abb. 858), deren balkonhafte Bedeutung durch die zentralisierende Architektur der abschließenden Wand betont wird. In *Bruchsal* führen die unteren Treppenbauten in einen oberen Raum, der rund überwölbt einen selbständigen öffentlichen Saal bildet (Abb. 859). Dieser leitet nicht in die dahinter liegenden Gemächer weiter, sondern schließt diese als Privaträume von sich aus und läßt sie hinter sich. So offenbart sich schon hiermit auf der einen Seite eine starke Volkstümlichkeit dieser Bauten, ein städtischer Charakter der Schlösser, eine Angleichung des Fürstensitzes an ein Rathaus, andererseits auf den Monarchen hin angesehen ein privater und individualistischer Zug und zugleich die größere Distanz zwischen Volk und Herrscher. Diese wird in Frankreich dadurch überbrückt, daß dieses Volk die zum Monarchen gehörige Hofgesellschaft ist. So zeigt sich, wie stark dieser Absolutismus des Einzelherrschers mit dem Renaissanceindividualismus zusammenhängt.

Abb. 860. *A. Schlüter, Türbekrönung: Afrika. Berliner Schloß, Rittersaal. Zwischen 1703 und 1706.*

Dieser Individualismus läßt sich auch in der Wandgestaltung und in der Verwendung des antiken Säulenapparates verfolgen. In *Schloß Brühl* (Abb. 858) stehen an den Wänden, auf die die Treppenläufe zuführen, zu beiden Seiten der Mittelfelder Doppelsäulenpaare, aber sie finden an den Seiten, in den Ecken des Raumes keine Entsprechung, sie sind nicht Teile einer Wand, die sie öffnen. Auch nach oben hin sind sie nicht Träger der Decke (die Decke tragen Karyatiden, die seitlich von ihnen abgerückt sind). Sie stehen einfach vor der Wand, mit einem eigenen, von der Wand abgehobenen Gebälkstück, auf dem menschliche Figuren sitzen. Sie stehen da als Einzelpersonen oder als Sockel für solche neben der Mittelöffnung, sie bewachen diesen Eingang, stellen sich dem Eintretenden in den Weg und verschaffen dem Heraustretenden, dem Fürsten, einen würdigen Rahmen hoheitsvollen Gefolges. Sie sehen wie die Karyatiden in den Raum hinein; denn auch diese haben, trotz der Last, die sie tragen, soviel Freiheit, soviel naturhaftes, drängendes Leben, soviel Laune und die strenge Architektur durchbrechende persönliche Gestalt, daß sie den ganzen Raum mit festlicher Bewegtheit und lebendigem Vorgang erfüllen und zugleich zuschauend teilnehmen an dem, was sich sonst noch im Raume abspielt.

Abb. 861. *A. Schlüter, Sterbender Krieger. Maske am Berliner Zeughaus. Um 1698 bis 1700.*

Diese Unabhängigkeit der der Architektur verhafteten Schmuckgestalten ist vielleicht am weitesten getrieben und am genialsten zur Freiheit leben- und leiderfüllter Gestalten umgebildet worden von *Schlüter*. Unter den Plastiken, die er im Berliner Schloß den Türgebälken auferlegt (Abb. 860), sind dramatische Szenen, so wild bewegt, als ob ein fremde Kontinente bereisender Abenteurer von den Jagden auf wilde Tiere und Menschen erzählt, hinreißend und ungebärdig wie die Löwenjagden des Rubens, nur ernster und tragischer in der leidenschaftlichen Dramatik. In ihrem Pathos stehen sie Michelangelo näher, aber sie sind auch wieder unabhängiger von der Architektur als bei diesem, bildhafter und unbefangener. In den Masken des Berliner Zeughauses (Abb. 861, 862), die doch architektonisch nichts sind als gleichgültige Schlußsteine von nebensächlichen Arkadenbögen, drängt der Künstler in grandioser Pathetik lebenatmender und naturnaher Darstellung den Schmerzensschrei und Todeskampf gefallener Krieger zusammen; Nachfahren der deutschen Kruzifixe und Pietàs des Mittelalters, Vorläufer der realistischen Schlachtenbilder eines Menzel. Die Volkstümlichkeit aber seiner Mythologie, die an Realistik der Behandlung des Fleisches und Unmittelbarkeit des Ausdruckes über Rubens hinausgeht, ein Vorspiel zu Böcklin und ein Nachklang Rembrandtschen Zynismus' gegenüber der Mythologie,

Abb. 862. *A. Schlüter, Sterbender Krieger. Maske am Berliner Zeughaus. Um 1698 bis 1700.*

Abb. 863. *A. Schlüter, Kartusche am Berliner Zeughaus. Um 1698—1700.*

kommt in fast revolutionärem Protest in jener Kartusche zum Ausdruck (Abb. 863), wo er aus der mythologischen Göttergesellschaft des Barock zwei Straßenmädchen gleichsam, weibliche Sirenen, herausgesucht hat, die wie obdachlose Bettler unter den Brückenpfeilern einer Großstadt auf diesem Baustein in engster Ornamentverschlungenheit eingeschlafen sind und der polizeihaften Gravität des *Nehringschen* Baus ein Schnippchen schlagen.

Daß in Deutschland, speziell in Süddeutschland, der Kirchenbau eine so große Rolle spielt und die Physiognomie des deutschen Barock im wesentlichen mit bestimmt, mehr jedenfalls als in Frankreich und darin wieder Italien verwandt, hat seinen Grund in dieser näheren Beziehung zum Volk. Er bedingt die besondere Volkstümlichkeit gerade dieses süddeutschen Barock. Dieser Kirchenbarock trägt wie der Palastbau dieselben Züge einer besonderen räumlichen Verinnerlichung (was zugleich Abgeschlossenheit nach außen bedeutet), der Vereinzelung und Personenhaftigkeit der struktiven Formen, der Säulen und Pfeiler, einer Raumbildung, die der Gemeinde und ihrer Andacht oder Feststimmung besonders Rechnung trägt, und einer Ausstattung, die in Freiheit und Laune, buntem Geschehen und wunderbaren Ereignissen religiöse Stimmung und Mystik, Sehfreude und Erlebnishunger spiegelt.

Die heimische Tradition setzt sich darin durch, daß das italienische Fassadenschema der breiten Zweistockwerkfront sehr bald mit dem Turmsystem der mittelalterlichen Kirchenfassaden zusammentritt (*Fulda, Dom* [Abb. 864]; *München, Theatinerkirche*). Neben dieser breiten hausmäßigen Fassade lösen sich die Türme stärker als im Mittelalter von dem Bau als selbständige Individuen ab, sie stehen wächterhaft daneben und werden in einer sehr schwungvollen Bewegung nach oben sehr reich und individuell durchgebildet. Eine welsche Haube deckt sie, d. h. eine geschwungene Kuppel, die dem Turmhaupt besondere Bedeutung und Physiognomie verschafft. Allmählich rücken die Türme einander näher, aber nicht, um zwischen sich das Portal zu nehmen und selber Tor zu sein; sondern zwischen ihnen quillt die durch feine Pilastergliederung sehr wandmäßig und geschlossen belassene Fläche wie ein Chor in mehr oder weniger bestimmter Rundung nach außen und erzeugt so jenen trotzig bewehrten Eindruck einer Front, die uns den Rücken zukehrt und sich ins eigene Innere zurückwendet (Abb. 865). Es erinnert an die ottonischen Doppelchöre, die einst eine ähnliche Entwicklung von römischer Renaissance zu spezifisch deutscher Monumentalität bezeichneten. Besonders klar ist diese Gestaltung an *Balthasar Neumanns* Wallfahrtskirche zu *Vierzehnheiligen*, bei der man die Nähe des doppelchörigen Domes von Bamberg zu spüren vermeint. Sehr häufig sind auch die Einturmfassaden mit ihrer den Bau verstellenden, ihn trotzig bewehrenden Wirkung. In der Hofkirche zu Dresden (Abb. 866) steht ein solcher Turm am runden Abschluß eines im Westen und Osten gerundeten, also gleichsam doppelchörigen Baus. Im Inneren findet sehr bald eine Verwandlung des antiken Barockschemas von Il Gesù, des Längsbaus mit hochfahrender Kuppel und kurzen Querschiffsarmen vor dem Chor und mit starken fassadenartigen Wänden, wie ihn noch der Dom in Fulda und die Theatinerkirche in München zeigen, in Hallen und Säle statt, eine Rückkehr zu den deutschen mittelalterlichen Kirchenformen der Spätgotik und Reformationszeit. Wir stehen nicht in einer zum Chor führenden Straße, in der auf beiden Seiten Palastfassaden den Blick auf sich ziehen und ein Inneres dahinter suchen lassen, sondern in einem Innenbau, wo weit geöffnete, dem Mittelschiff durch gleiche Höhe zugerichtete Räume ihren Rauminhalt in das Mittelschiff hinein ergießen. Und da die kräftigen pilastergeschmückten Pfeiler sowohl das Mittelschiff wie die Seitenschiffsabschnitte stärker begrenzen als die im breiten Einheitsraum stehenden Pfeiler der Spätgotik, so wird das Mittelschiff stärker als am Ende des Mittelalters zum Saal, dem sich die Seitenräume zuwenden und in den sie einströmen. Wenn dann diese Seitenräume durch Emporen in kleinere Logenräume untergeteilt werden und ganze Emporenhallen wie in der *Schloßkirche* zu *Friedrichshafen*, der *Jesuitenkirche* (Matthiaskirche) in *Breslau* und der *Stiftskirche* von *Melk* (Abb. 867, 868) entstehen, dann kommen diese Barockkirchen dem Ideal der protestantischen Predigthallen ganz nahe, wo ein Saal für geistige Mitteilungen eine Menge um sich schart, die in diesen Logen schon durch die Raumform und Raumrichtung zu kontemplativem, geistigen Auf-

Abb. 864. *Johann Dientzenhofer, Fassade des Domes in Fulda. 1704—12.*

Abb. 865. *J. B. Neumann, Wallfahrtskirche in Vierzehnheiligen. Begonnen 1743.*

Abb. 866. *Gaetano Chiaveri, Hofkirche in Dresden. 1738—55.*

nehmen des im Hauptsaal sich kundgebenden geistigen Zentrums verpflichtet wird. Man denkt daran, wieviel mehr in deutschen Kirchen der katholische Kult im Ernst und in konzentrierter Stimmung der Menge sich dem protestantischen Gottesdienst nähert und das unfeierliche Hin und Her, das den Nordländer in den Kirchen Italiens so merkwürdig berührt, nicht duldet. Am nächsten kommen Raumform und Stimmung dieser Räume wieder den ottonischen Kirchen Deutschlands, etwa der Stiftskirche von Gernrode (Abb. 251, S. 244), in denen von dem Gemeinderaum der altchristlichen Basilika so viel nachlebte und zu nordischer Raumkonzentration sich verdichtet hatte. In Melk quellen diese Logen der Emporen, die im Palladiomotiv seitlich mit Fenstern zu selbständigen Räumen abgeschlossen, in der Mitte zum Hauptraum geöffnet sind, mit ihren Brüstungen in den Mittelraum hinein. Wiederum sind es nicht plastische Körper, sondern dieselben Räume wie über den Portalen, die in den Mittelsaal hineinströmen. Seh- und horchbegierig nehmen sie teil an den Geschehnissen in der Mitte, nicht mehr eng und dumpf vergittert wie im ottonischen Bau, sondern Privaträume, die frei und heiter wie die Erker an den Häusern sich der Menge auf dem Platz und den Ereignissen der Stunde zuwenden. Durch den Hallencharakter isolieren sich auch die Pfeiler stärker und stehen freier im Raum als die Wandpfeiler der italienischen Kirchen. Da nur ein hoher Pilaster die Schiffsseite des Pfeilers schmückt, so hebt sich auch dieser stärker im Raum als Individuum heraus, und es kehrt mit ihm der Pfeiler sein Gesicht dem Mittelsaal zu.

So ist in diesen Hallenkirchen von vornherein eine Saalform des Gemeinderaumes angelegt, eine Konzentration auf eine geist- oder stimmungserfüllte Mitte, ein geheimer Protestantismus der Predigtkirche oder des mit wunderbaren Vorführungen fesselnden Festsaales, ein Charakter, der mit fortschreitender Entwicklung sich immer stärker bemerkbar macht und den aus dem frühen Mittelalter her bekannten deutschen Grundriß des Zentralbaues hervortreibt. Wir finden reine Rundsäle mit Umgang in Ovalform, an einer Schmalseite zum Altarhaus ausgeweitet (*Wies*), also Formen wie das Münster in Aachen, oder Rundsäle mit kurzem Vorschiff und drei Konchen wie in den kölnischen

Abb. 867. *Jakob Prandauer, Stiftskirche in Melk. 1702—26.*

Dreikonchenkirchen (*Gaibach* in Unterfranken) oder Zentralbauten mit verlängerten Armen von Westen nach Osten, die selbst wieder mit Kuppeln, Vor- und Nachklängen des großen Mittelsaales, gedeckt sind, oder kreuzförmige Zentralbauten wie San Marco in Venedig (*Ottobeuren*). Es sind Kuppelsäle oder Kuppelhallen, Kuppelsäle, weil die Kuppeln nicht hochsteigen, wie in den Mausoleen, und nicht kugelförmig feierlich zu reinem Andachtsraum sich über dem unter ihnen Weilenden zusammenschließen, sondern flach den Raum decken, oft durch Malerei zu einer Art Festwiese geöffnet. Es sind konzentrische Räume für eine Menge, die zur Mitte gerichtet wird, aber nicht Räume, die wie die Vierungskuppeln einem kultischen Zentrum vorbehalten sind, und es sind Hallen, weil die Umgänge wie in Neresheim, in gleicher Höhe wie die Kuppeln, mit oder ohne Emporen, in den Zentralraum einströmen, und weil die Pfeiler oder Säulen nicht Schranken bilden gegen den Umgang, sondern im Raum die Mitte umstehen. Am klarsten und reinsten hat diesen Predigtraum einer zum Rund- und Hörsaal verwandelten Halle *Georg Bähr* mit protestantischem Bewußtsein in der *Dresdener Frauenkirche* verwirklicht (Abb. 869), wo die schlanken Pfeiler im Raum stehen, nicht ihn bilden und abschließen, wo die Emporen, nur eingehängt, den Gesamtraum nicht zerstören und mit ihren Ausbauchungen und befensterten Logen dieses erkerhafte Hineinsehen in den öffentlicheren Raum verdeutlichen. Ebenso symbolisieren die Pfeiler mit den Gradflächen an den Umgangsseiten das Hineingleiten der Umgangsräume, mit ihren säulenhaften Ausbuchtungen und Kapitellen an der Saalseite das Hineinsehen in den Raum. Ziel und Gegenstand dieses Hineinsehens ist die Kanzel am Rande des Saales, nicht der Altar, der nur Träger einer Orgel ist, die ihre Bachsche Musik gleichmäßig den ganzen Raum durchfluten läßt.

Abb. 868. *Jakob Prandauer, Stiftskirche in Melk. Empore. 1702—26.*

Abb. 869. *Georg Bähr, Frauenkirche in Dresden. 1726—38.*

Wie stark diese geheime Sehnsucht nach den Gemeindesaalkirchen ist, wie leidenschaftlich der Protest gegen den strengen kultischen Kreuzkirchengrundriß der italienischen Barockkirchen vom Typus Il Gesù, beweist *Balthasar Neumanns* geniale Wallfahrtskirche zu *Vierzehnheiligen* (Abb. 865, 870, 871). Ein rein

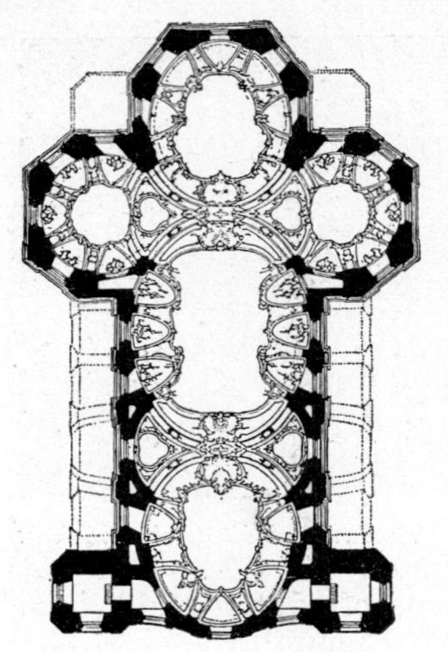

Abb. 870. *J. B. Neumann, Wallfahrtskirche in Vierzehnheiligen. Grundriß. Begonnen 1743.*

kreuzförmiger Längsbau ist dadurch dem Zentralbau angenähert, daß er am Eingang und Chor dreikonchenartig gebildet ist, doppelchorig gleichsam wie die deutschen Kirchen der Frühzeit. Diese Konchen des Hauptchores und der Querarme bewahren an Bodenfläche so viel vom geschlossenen Kreis, daß jeder fast ein selbständiger Zentralraum wird. Sie betonen das Einsaalprinzip als Präludium zu einem Hauptsaal. Aber in die Vierung, den Kreuzespunkt dieser Räume, schwingen Kreuzrippen hinein und schaffen Verbindungen zwischen diesen kleineren Räumen und dem Hauptsaal, der durch ovale Stellung der Pfeiler vom Längsraum zum Rundraum, vom Gang, der auf die Vierung und den Chor hinführt, zur Konzentration auf seine eigene Mitte hin verwandelt ist. Zu diesem Zweck ist die zielgebende Bildung einer beherrschenden Vierungskuppel aufgegeben. Die Rippen führen vielmehr alle umlagernden Räume an diesen Hauptsaal, den Gemeinderaum heran. An den Wänden aber ist durch Emporen die Flucht der Wandelgänge der Seitenschiffe in Raumabschnitte zerlegt, die auf

Abb. 871. *Johann Balthasar Neumann, Wallfahrtskirche in Vierzehnheiligen. Begonnen 1743, vollendet 1771.*

die Mitte bezogen sind. Zwischen ihnen stehen Säulenindividuen im Raum, durch starke Plastik, Farbe, mächtige Gesimsverkröpfung, gurtartige Weiterführung zur Decke von den Pfeilern abgehoben. Auch sie sind nicht zur horizontalen Folge mit der Wand verbunden, sondern vertikal isoliert, sie horchen in den Raum hinein, sie beugen sich mit ihren Gurten zur Mitte herüber; denn auch ihre Gurtbögen bilden nicht die Decke, sondern enden vor dem flachen Spiegel des durch Malerei als Luftraum charakterisierten Deckenfeldes. Die Rokokorippen, die sie am Rande dieser Wölbflächen entlassen, verbinden nicht Pfeiler mit Pfeiler, sondern sind wie Schlingen über den Saal geworfen, um alles, was dort an Seh- und Hörereignissen vor sich geht, aufzufangen In diesem Saal stehen wie auf einer Tribüne im Kreis herum die vierzehn Heiligen und sprechen zur Menge; halb wie Prediger, halb wie Ausrufer auf einem Jahrmarkt, denn die ausschweifende, fröhliche Barock- und Rokokoarchitektur dieses Altars und der ganzen Kirche läßt ebenso an lustiges Jahrmarktstreiben wie an die volkstümlichen Predigten der Predigermönche denken. Man lese Abraham a Santa Clara mit seiner burlesk drastischen Ausdrucksweise dazu. Auch fallen einem jene holländischen Bilder von ferne ein, auf denen eine Menge die Ausrufer auf einem Jahrmarkt umsteht. Es ist Volksfest und Volksernst, der sich hier in dieser süddeutschen Kirche kundgibt, eine Volksverbundenheit in der konzentrischen Anordnung, in der für jedes Individuum so viel Eigenrecht bleibt, weil es nicht die vorbedachte kultische Form ist, die sie bindet, sondern die Macht des suggestiven Wortes oder der Musik oder einer Aufführung — die man sich im Stile der Himmelfahrt Mariä von *Rohr* denkt (Abb. 872) Es ist die Stimmung, die in den Jugendwerken Goethes noch wirksam ist, drastisch wie im Jahrmarktsfest von Plundersweiler, erhaben wie im Faust, wo Magie und Lehre, Wundersucht und Geistvertiefung durch Kunst und Wissen nebeneinander liegen. Es ist der protestantischste Kirchenbau, den die katholische Kunst des deutschen Barock hervorgebracht hat.

Abb. 872. *E. Q. Asam, Himmelfahrt Mariä. Hochaltar der Klosterkirche in Rohr. 1720.*

Es ist wiederum deutsch, daß in einer so internationalen Bewegung wie dem Barock die landschaftlichen Sonderarten eine besondere Rolle spielen. Wir erläutern dies, indem wir nur die großen Gegensätze von Nord- und Süddeutschland heranziehen und das Berliner Barock preußischen Gepräges mit dem süddeutschen und dem wienerischen vergleichen. Es ist reizvoll, bei gemeinsamer Grundgestaltung hier die Charaktere zu sondern.

Schlüters Königliches Schloß in *Berlin* (Abb. 873) ist ein großer ungegliederter Kasten, ähnlich den italienischen Palästen. Das Wohnhafte, Unrepräsentative ist in seiner flächigen Breitendehnung und den Fensterreihen von vier Stock-

Abb. 873. *Andreas Schlüter, Südfront des Berliner Schlosses. 1698—1706. (Umgestaltung des 1538 von K. Theiß begonnenen Baus.)*

werken betont. Es fehlt nicht ein vertikaler Rhythmus in der Fensterfolge von unten nach oben, indem durch zunehmende Steilheit der Fenstergiebel eine Aufgipfelung im barocken Sinne erreicht ist und in den horizontal verketteten Mezzaninfenstern unter dem Gesims ausklingt, aber die stark hervorgehobenen Fensterbrüstungen und die Dachgalerie betonen die horizontalen Geschoßlagerungen. Die vertieften Felder zwischen den Fenstern, die nicht über die Geschoßgesimse herübergreifen, wirken nicht vertikalgliedernd, sondern akzentuieren nur die Geschoßeinteilung. In diesen Hausblock sind an der Südseite zwei Vertikaltrakte mit riesigen barocken Säulenordnungen als selbständige Bauindividuen hineingestellt. Von dem Gesamtbau löst sie vor allem das mächtige, vom Dachgesims des Hausblockes völlig unabhängige Horizontalgebälk los. Dieses Gebälk ist von einer Schwere und Wucht, daß die barocke Funktion des Tragens und Lastens sich hier mehr als bei irgendeinem anderen Bau mit gigantischen Kräften zu vollziehen scheint. Diese Säulen betonen nicht eine Mitte, sie haben nicht einmal einen Giebel über sich, der sie symmetrisch zusammenfaßte und auf die Mitte hinwiese. Trotz des größeren Abstandes, durch den je zwei der vier Säulen zu einem Paar zusammengefaßt werden, und trotz der Öffnungen zwischen den Sockeln betonen sie nicht einmal das Portal, geschweige, daß sie es bildeten. Sie stehen einfach vor dem Bau, jede für sich, schweigend, ernst, unerbittlich, in gesetzlich festgelegtem Abstand wie zwei Schildwachen. Sie decken den Bau mit ihren Körpern, kommen deshalb auch nicht wie Palladios Riesenordnungen mit dem Bau in Konflikt, da sie gar nicht derselbe Bau sein wollen wie diese Fensterwand. Diese ist gerade hinter den Säulen so flächig, in breiten, gesättigten Proportionen der Fenster wie in holländischen oder Danziger Bürgerhäusern gestaltet, daß der Gegensatz von Wand- und Gliederbau hier besonders in die Augen springt. So von der Wand gelöst, wirken die Säulen mit ihren aktiven Kräften personenhafter als irgendwo sonst. Das Fehlen des Giebels macht das Gebälk nur noch schwerer, es fehlt die Erhebung, die den Stolz der Säulen in der Aufgipfelung des Gesamtbaus erlöste. Ein strenges, bedrückendes Gesetz faßt die Säulen unter sich zusammen, mehr soldatisch als heroisch. Sie haben an den Bau ein Recht, mehr aber noch eine Pflicht: ein Eigentum zu wahren, indem sie es bewachen. (Ähnlich kraftvoll und als Einzelwesen stehen die Naumburger Stifter vor der Wand, nicht in der Wand, und fördern und wahren den Raum als ihr Eigentum.) Den Eingang, den sie zwischen sich lassen, gestalten sie nicht gastlich und einladend wie in Frankreich, ängstlich ducken sich die Portalsäulen in der Tiefe in ihren Schutz. Sie bewahren ihn und haben ihn in der Gewalt wie Szylla und Charybdis. Die Eingangsöffnung selber tritt in die vertikale Folge der fast quadratischen Fenster ein, die sich nach oben entwickeln und wiederum in einem Balkon ihr Ziel finden.

Abb. 874. *Andreas Schlüter, Haupteingang im inneren Hof des Berliner Schlosses. 1698 bis 1706.*

Im Schloßhof (Abb. 874) ist zwar die gigantisch-trotzige Monumentalität dieser Schildwachenantike gemildert, da die Freisäulen der Portalfassaden in der Mitte jeder Hofseite nur die Höhe der beiden Untergeschosse haben und oben durch Pilaster abgelöst werden, die hinter ihnen stehen und zur Wand gehören; aber dadurch, daß sie kein Gebälk tragen, sondern herkulische Freistatuen, sind sie noch mehr Individuen, stehen sie noch mehr vor der Wand. Die zwei Stockwerke, die sie durchstoßen, erinnern stark an Michelangelos Paläste auf dem Kapitol, auch hier tragen Säulen das Zwischengebälk wie als Sockel für die Architektur des oberen Geschosses. Diese aber ist hier nicht statuenhaft geformt, sondern fenster- und flächenhaft. Die Portale schwinden ganz in der Gleichmäßigkeit der Gestaltung, erst im oberen Trakt ergibt ein

Abb. 875. *Andreas Schlüter, Berliner Schloß. Treppenhaus im Ostflügel des inneren Hofes. 1698—1706.*

Abb. 876. *Andreas Schlüter, Der Große Kurfürst. 1698—1703 (Sklaven 1709).*

zwei Stockwerke erfüllendes Bogenportal eine zentrale Portalidee, unzugänglich für den Kommenden, Austritt für den Innewohnenden zur Ansprache an das Volk auf dem Hofe. Dieser ist wie die Renaissancehöfe von Arkaden umzogen, in die die repräsentativen Portalfassaden mit rücksichtsloser Brutalität hineintreten und durch die Säulen der umwandelnden Menge den Weg beim Erscheinen des Monarchen versperren lassen. Es ist, als ob Soldaten einer Wache mit Trommelwirbel soeben in Reih und Glied angetreten sind und Respekt bezeigen und verlangen.

Noch einmal begegnet uns dies Vortreten der Säulen zu seiten eines Balkons vor einem dahinter liegenden Raum im Haupttreppenhaus (Abb. 875). Die in zwei Geschossen übereinandergestellten schweren Säulen zu seiten bogiger Öffnungen tragen selber weder durchgehendes Gebälk noch Bogen, sondern sie stoßen mit ihren je zwei kuppelnden Gebälkstücken in den freien Luftraum des gemalten Himmels hinein. Auch sie umstellen und umspannen eine Öffnung, deren Sinn oben liegt, wo der Balkon den aus dem Hause Tretenden erwartet. So sehr als Hof im Sinne des Rathauses ist dieser Raum gedacht, daß die ganze Wand mit den Säulen und dem Balkon als ein Heraustreten in die Öffentlichkeit erscheint. Auch die Treppen, die in das Haus führen, stehen in dem Raum, der kein Treppenhaus ist, sie durchschneiden dessen Wände und stoßen so an die Wand, in die sie hineinführen sollen, daß man spürt, hier ist alles verschlossen, hier ist man noch draußen und muß wie bei einer Audienz warten, bis man zugelassen wird, oder der Privatmann, der hinter den Türen wohnt, in zeremonieller Aufmachung sich dem Volke zeigt und eine Botschaft an sein Volk verliest, deren bombastisch-ruhmredige Worte die Malerei durch die vom Balkon wegfliegenden Genien sinnreich andeutet.

Auf den Gebälkstücken, die die unteren Säulen der Repräsentationswand verbinden, sind nackte männliche Statuen aufgesetzt, unverkennbare Nachkommen der Sklaven Michelangelos von der sixtinischen Decke, aber nicht in der sinngemäßen Verbindung mit der Architektur wie bei Michelangelo oder aus ihr erwachsen, sondern wie schon in romanischer Architektur (Worms!) sich auf den Gesimsen tummelnd wie Fassadenkletterer und ungebetenes Volk. Die Treppe, die ihren Platz beengt, scheinen sie wegzudrücken. Auch sie protestieren. Ihre berlinische Respektlosigkeit gegenüber der Feierlichkeit betont und erklärt die Gravität und das militärische Gepränge, mit der sich

Abb. 877. *Johann Balthasar Neumann, Bischöfliche Residenz in Würzburg. Hauptfront. 1719—44.*

das Erscheinen des Herrschers in der Öffentlichkeit vollzieht, und das Auseinander und die Gegensätzlichkeit des Privaten und des Offiziellen.
Gegenüber dem Schloß, auf der Brücke, steht Schlüters *Großer Kurfürst* (Abb. 876), volkstümlich wie ein Brückenheiliger mitten im Verkehr, selber in seiner athletischen und massiven Körperlichkeit dem Volk nahe und verständlich, aber wie kaum einer in dieser Zeit den Geist des Barockabsolutismus mit der Geste des antiken Barockheroen verkörpernd. Unter ihm die huldigenden, sich verdrehenden und windenden Sklaven. Er steht da, ein Sieger und ein Herrscher, wachsam und selbstbewußt wie die Naumburger Grafen und der Bamberger Reiter, auch eine Brückenwacht in der Ostmark, ein Verteidiger seines Volkes, seiner Untertanen, aber auch bereit, jeden Augenblick sie den Herrn fühlen zu lassen, und gegenüber den mittelalterlichen, vornehmen und zurückhaltenden Adligen von einer kühnen und selbstsicheren, einer zugreifenden und massiven Individualität. Ganz deutsch und ganz barock.
Der Absolutismus war in Berlin nur die Kehrseite eines sehr privaten Individualismus. In Süddeutschland gibt es stärker ein Volk im öffentlichen Sinne, deshalb steht es auch innerlich Italien näher; gibt es ein Volk, das aus sich herausgeht, ein Volk des gemeinsamen Lebens, der Rat- und Gasthäuser, mehr Bürger als Untertanen, ein Volk der gemeinsamen Feste, die vom kirchlichen Fest gekrönt und geweiht werden. Selbst die bäurischen Siedlungen, die in Norddeutschland das Einzelhaus auf einen Bezirk für sich stellen, haben hier eine städtische Form. Die Städtekultur überwiegt noch immer die Staatskultur. (Nur in Preußen liegen die Voraussetzungen für einen Großstaat.) Die Menschen Süddeutschlands sind katholischer eingestellt. Der barocke Kirchenbau ist der Ausdruck dieser Gemeinsamkeit, und in ihm spielen die Wallfahrts- und Klosterkirchen wieder eine besondere Rolle. Die Kirchen sind nicht Kathedralen und Stätten eines strengen Kultus, sondern Ausdruck dieses gemeinsamen Lebens und festlicher Zusammenkünfte. Diesem Geiste beugt sich auch der höfische Palast.
Das *Würzburger Schloß* von *Balthasar Neumann* (Abb. 877) hat die Anlage des französischen Ehrenhofes, ein Mittelbau mit hervorgehobenem, weit geöffneten Eingangsrisalit, flankiert von hervorstoßenden Seitenflügeln. Aber während diese Seitenflügel in Frankreich (Versailles) in Höhe und Breite nach

Abb. 878. *Johann Balthasar Neumann, Bischöfliche Residenz in Würzburg. Mittelrisalit im Ehrenhof. 1719—44.*

vorn abnehmen, so daß der Raum nach der Tiefe zu sich verengt, die Flügel nach vorn immer mehr zu Begleitbauten herabsinken, übertreffen diese Flügelbauten hier den Mittelbau an Ausdehnung und sind selber durch giebelbedeckte Flügelrisalite und eine mittlere Portalzone in sich zentriert. Sie lenken von dem Hof und dem Mittelbau in der Tiefe ab, statt ihn zu betonen. Die Zweigeschossigkeit, die in dieser Breitenausdehnung die Stockwerke besonders stark zur Geltung kommen läßt, die Gleichwertigkeit dieser Stockwerke, an denen schon im unteren Geschoß über den Hauptfenstern kleinere Mezzanin- (Zwischen-) Fenster eingeschoben sind, die Flachheit der Pilaster an den Risaliten, alles dämpft den Vertikalrhythmus und die straffe Gliederung, schwächt das Repräsentative und nähert es dem Charakter von Bürgerhäusern an.

Tritt man in den Hof ein, so merkt man, wie sehr der Portalbau des Mittelrisalits (Abb. 878) seine anziehende Kraft an die Seitenfassaden (Abb. 879) abgeben muß, an denen wiederum die Seitenflügel mit den balkontragenden Säulenvorbauten den Blick von der Mitte abziehen. An Stelle der richtungsbestimmten höfischen und kultischen Anlage tritt die gleichmäßigere Verteilung der Bedeutungsakzente im Sinne eines öffentlichen und städtischen Platzes mit gleichberechtigten Anliegern. Es ist nur ein Ausdruck derselben Gesinnung, wenn die Portalbauten mit gleichmäßigen, keine Mitte betonenden Abständen der Freisäulen gleichsam Ausschnitte eines Wandelganges sind, die Balkone tragen und so das Hallenmotiv der Rathäuser und das Erkermotiv der Privathäuser mit der Feierlichkeit des antikisch barocken Säulenbaus verbinden. Der schöne, durch hohe Arkaden und hohe Fenster durchbrochene Mittelbau aber wirkt nicht steil und feierlich, er hat nichts von der drohenden Wucht und herrischen Anmaßung der Säulenrisalite des Berliner Schlosses, es ist auch nicht die schon rokokohafte Schlankform der Fenster und die feine, verschnörkelte Bogenrahmung der Fenster und des Giebels, was ihn so anheimelnd und gemütlich macht. Es ist vielmehr neben der Breitenlagerung der zwei Geschosse der Giebel, der diese Eigenart bedingt, ein Giebel, der ohne Beziehung zu den Säulen sich hoch und flächig dem ganzen Mittelbau auflagert, kein drückendes Gebälk, sondern der Abschluß einer Hausfront. An der Gartenseite (Abb. 880) wird dieser Eindruck noch verstärkt durch ein drittes niedriges Geschoß, dessen hermenartige Pilaster

Abb. 879. *Johann Balthasar Neumann, Bischöfliche Residenz in Würzburg. Seitenfront des Ehrenhofs. 1719—44.*

Felder von fast quadratischer Geschlossenheit einrahmen und dieses Geschoß ganz den ähnlich proportionierten Geschossen der Bürgerhäuser des 17. Jahrhunderts annähern. Sie tragen den Giebel nicht, sondern werden nur begrenzt von einer schmalen Leiste, die den Giebel mit den Randleisten zur abschließenden Fläche zusammenfaßt. Darüber vollenden ein wunderbar sich ausbauchendes Dach und die abgeschrägten Wände den Charakter dieses Mittelbaus als einen für sich bestehenden, in sich zusammengeschlossenen Pavillon, ein Hausindividuum im Riesenkomplex des Schlosses wie die Patrizierhäuser in ihren Straßen.

Abb. 880. *Johann Balthasar Neumann, Bischöfliche Residenz in Würzburg. Gartenfront. 1719—44.*

Im Erdgeschoß empfängt uns nicht gleich das Treppenhaus, sondern zwei große platzartige Säle; das riesige Treppenhaus öffnet sich an der Seite, aber es ist durch eine klassizistische Architektur für die Beurteilung des Neumannschen Baus verdorben. Auch der große gerundete Kaisersaal mit den Säulen, die ähnlich wie in Vierzehnheiligen vor der Wand stehen und ihre Schlingen in den Raum werfen, hat durch die an sich so festlichen und glänzenden Dekorationen Tiepolos viel von seiner deutschen Raumkonzentration eingebüßt, weil dieser geniale Theaterdekorateur die Deckenwände der Schmalseiten des Ovals zu Bühnen mit einer schweren, pomphaften und vom Raum abziehenden Staatsaktion beladen hat. Der Raum als solcher verträgt nur Musik oder eine in Tanz und Scherz und Schaulust sich ergehende Menge. Die Kirche von *Vierzehnheiligen* (Abb. 871, S. 696) wird immer den besseren Begriff von dieser volkstümlich festlichen, sammelnden und zerstreuenden Saalarchitektur geben, wo alles sich im Kreise dreht.

Noch weiter geht in der Gruppierung isolierter Einzelbauten und in der hausmäßigen Zerlegung des Monumentalbaus in Stockwerke das obere *Belvedereschloß* von *Lukas von Hildebrandt* in *Wien* (Abb. 881). Die Ehrenhofkomposition ist hier aufgehoben, statt dessen wird die Mitte auf der Eingangs- und auf der Gartenseite durch isolierte Einzelbauten hervorgehoben, auf der Gartenseite durch einen zentralen Baukörper mit Balkongalerie im Erdgeschoß, sehr ähnlich dem des Balthasar Neumann in Würzburg, nur noch um ein Mansardengeschoß bereichert. Auf der Eingangsseite ist der Eingangsbau zu einer eingeschossigen Vorhalle zu-

Abb. 881. *Lukas von Hildebrandt, Schloß Belvedere in Wien. 1721—24.*

Abb. 882. *J. B. Fischer von Erlach, Karl-Borromäus-Kirche in Wien. Fassade. 1716—37.*

sammengeschrumpft, ein kleines Gebäudchen mit drei gleichen Arkaden und einem Giebel, der ähnlich wie in Würzburg unabhängig von den Karyatidenhermen, die auf den Arkadenpfeilern stehen, die hausmäßige Gemütlichkeit des Baus bewirkt. Es ist wie ein kleines Restaurant, das sich in die Gruppe der breiten Hausbauten auf beiden Seiten einschiebt. Das Ganze ist eine durch die Symmetrie und die flankierenden turmartigen Eckbauten monumentalisierte Bautenfamilie, nicht ein einheitliches Baudenkmal, es entspricht mehr der lockeren Bautengruppierung der Bürgerhäuser an einem öffentlichen Platz als den barock monumentalen oder rokokohaft gesellschaftlichen Palastkompositionen.

Ähnliches wiederholt sich an der Fassade der *Karl-Borromäus-Kirche* in Wien (Abb. 882). Hier sind ein Kuppelbau, eine antike Tempelfassade, zwei Flügelbauten (halb Haus, halb Turm) und zwei Triumphsäulen so ineinandergeschoben, daß sie als eine Gruppe verschiedenster Bauindividuen sich wie Glieder einer Familie aneinanderschmiegen, mit der klassizistischen Symmetrie und pyramidalen Aufgipfelung, aber auch der Wärme und Verbundenheit, Vielfalt und Besonderheit einer Heiligen Familie Raffaels. Das zentral Beruhigende und kühl Abwehrende, aber auch historisch Anspielende, Bildungsvolle der renaissancehaften Übernahme von Triumphsäulen und Tempelfronten, schließlich der bildnerische, fast genrehafte Reichtum in der Gruppierung des Vielfältigen (Stadtbild als Ansicht, nicht als Orientierung) und in den Szenen der Säulen, alles weist auf eine intime Bildgesinnung des Manierismus zurück und des Naturalismus des 19. Jahrhunderts voraus. Von Barock ist hier kaum noch zu reden. Hier in Wien und in Österreich überhaupt hat neben dem Klassizismus italienisierender Wandgestaltung ein sehr flächenbetonender Wandschmuck das Rokokorahmenwerk ersetzt, das *Bandelwerk*, eine sehr graziöse Fortsetzung des Roll- und Beschlagwerkes des 16. Jahrhunderts. Daneben steht die Plastik *Raffael Donners*, ruhig und besonnen in der Bewegung, klassizistisch zurückhaltend, weich und hingebend und empfindungsvoll in sich versunken. Den dekorativen Gestalten ist ein über die architektonische Bestimmung hinaus persönliches und beschauliches Leben eingehaucht. Manches gemahnt an Poussin, darüber hinaus an Iphigenienstimmung im Sinne Goethes. Sein *Heiliger Martin* am Preßburger Dom (Abb. 883) ist kein Triumphator mehr wie Schlüters Kurfürst, sondern ein Volksfreund, elegisch in der Stimmung, weich in der Behandlung und mit der Anmut eines wienerischen Operettenprinzen.

Abb. 883. *Georg Raphael Donner, St. Martin. Preßburg, Dom. 1732.*

Diese volkstümliche, schon fast biedermeierische Stimmung hat verhindert, daß in Wien der höfische Stil des französischen Rokoko Fuß gefaßt hat. Auch im spätesten Wiener Barock herrscht eine Renaissancestimmung vor. Die Heiterkeit und Unbefangenheit der Frührenaissance mischt sich mit einem feinen Klassizismus. Auch bei Balthasar Neumann sind die Rokokoelemente nur eine leichte Beimischung höfischer Eleganz echten Rokokos. Im ganzen ist alles handfester, ungezwungener, beschaulicher und wohnlicher.

Die reinsten Äußerungen des Rokoko haben wir an den Höfen in Dresden und Berlin, eben dort, wo der Gegensatz von Hof und Volk, von Imperium und Untertanen am schroffsten war und deshalb auch — ähnlich wie nach der karolingischen Renaissance — sich die fremden Einflüsse am leichtesten durchsetzen konnten. Gerade weil in der deutschen Entwicklung das bürgerlich-volkstümliche Element so stark bestimmend war, bestimmend auch für die Herrenschicht — so daß sich das Regieren sehr volkstümlich und patriarchalisch zuweilen mit dem Krückstock vollzog —, war für die fürstliche Hofhaltung die Nachahmung des französischen Hofes geboten und wurde ein Produkt der Bildung. Dennoch waren die produktiven Kräfte stark genug, auch die Fremdsprache des Rokoko in einen deutschen Dialekt umzubilden.

Die Volkstümlichkeit des deutschen Barock hat bewirkt, daß sich das deutsche Rokoko nach außen hin viel aufgeschlossener und heiterer gibt als in Frankreich, so daß es eine reine Rokoko-Außenarchitektur nur in Deutschland gibt, wofür der *Zwinger* in *Dresden* (Abb. 884, 885), die schönste Rokoko-Außenarchitektur überhaupt, Zeuge ist. Hier in Dresden ist ähnlich wie in Nancy ein Platz für höfische Festlichkeiten architektonisch geformt, aber nicht wie in Nancy als Endziel einer Flucht mit repräsentativem Mittelpunkt, dem Portalrisalit eines Palastes, sondern als geschlossenes Viereck mit laubenartigem Umgang wie die Plätze einer deutschen Stadt, mit turmartigen Eingängen (Abb. 884), die ganz individuell als Einzelbauten sich in diese Umgänge einschieben, wie die Stadttürme, die wehrhaft das Leben der Stadt bewachen. Es ist das Prinzip des Berliner Schlosses, nur eleganter und heiterer in den Einzelformen. Dünne, schlanke Säulen nehmen steile, die Wand ganz aufbrechende, von feinen Profilen umrahmte Öffnungen zwischen sich, die von Kartuschen

Abb. 884. *Matthäus Daniel Pöppelmann, Der Zwinger in Dresden. Torturm. 1711—22.*

kielbogig überdeckt werden. Die Gebälkfragmente der unteren Säulen kehren sich gegen das Portal, protestieren gegen ihre das Individuum aufhebende Verbindung und leiten mit den Statuen, die sie auf ihrem Rücken tragen, in die wie bei gotischen Strebepfeilern vertiefte Vertikalgliederung des zweiten Geschosses empor. Mit Statuen, die auf den Ecken die Strebepfeilerentwicklung vertikal weiterleiten, mit der prachtvoll aufschwingenden, turmhelmartigen Haube wird die Analogie zum Einturm gotischer Fassaden Deutschlands vollkommen.

Die Pavillons (Abb. 885) aber sind das vollkommenste Seitenstück zu den richtungslos raumumschließenden Chören deutscher gotischer Hallenkirchen. Auch sie schieben sich (wie die Mittelbauten der deutschen Barockschlösser) ganz als selbständige Rundbauten in den Umgang ein. Die vertikalen Stützenformen sind hier flacher, als Pilaster, einem breiten Pfeiler vorgelegt, an dessen sich ausbauchender Wand sie den Raumkern abzulesen erlauben, sie sind weniger aktives, stolz wehrhaftes Glied als an den Türmen. Und sie sind, ganz wie Dienste an den gotischen Bauten, zu dreien gebündelt und einzeln ohne Zusammenhang mit dem Pfeiler oder der Wand nicht mehr denkbar. Durch Aufsätze mit Vasen zwischen den Geschossen, durch Statuen auf dem Dach, durch emporschwingende Giebel ist alle Horizontalteilung und Last völlig aufgehoben. Niemals wieder sind die Elemente gotischer Formgestaltung, Wanddurchbrechung, Allöffnung, Vertikalgliederung, Dienst- und Stabsystem, Fialen und Wimperge so rein wiederholt; Säulenstatuen sind den unteren Pilastern vorgelegt und konversieren miteinander. Aber es ist geschehen im Sinne nordischer Hallen, nicht kultisch steif und steil, sondern hausmäßig breit und mit nur leicht betonter Mitte allseitig zwanglosem Verkehr geöffnet, und darüber hinaus das häusliche Behagliche, stimmungsvoll Umschließende betonend durch flächigere Formen der Pilaster, den saalartigen Grundriß, das gewölbartige Dach und naturalistischere Einzelformen. Im strengen Gliederbau wird der architektonische Zwang gemildert durch die natürlich-sinnliche Körperlichkeit der lockeren Faunsgesellschaft und die vielen Blumengehänge, die die scharfe aufstrahlende Bewegung wieder in tausend Tropfen locker und frei nach unten sprühen lassen.

Das Gegenstück zu diesem Bau ist Friedrichs des Großen Schloß zu *Sanssouci* (Abb. 886). Einstöckig lagert sich der Bau mehr in die Breite, vom Gebälk stärker nach oben zusammengefaßt. Die gotisierenden Steilfenster öffnen sich zwischen Doppelhermen, deren Satyrn mit dem Pfeilergenossen plaudern und zum Nachbarn sich verneigen. Gegen das Gebälk wehren sie sich mehr,

Abb. 885. *Matthäus Daniel Pöppelmann, Der Zwinger in Dresden. Wallpavillon. 1711—22. (Plastischer Schmuck von Balthasar Permoser.)*

Abb. 886. *Georg Wenzeslaus von Knobelsdorff, Schloß Sanssouci bei Potsdam. 1745—47.*

als sie es tragen. Es ist der Geist Schlüters, der in dieser heiteren Außenarchitektur weiterlebt. Die Mitte nimmt wiederum nicht ein Portalbau, sondern ein Rundbau ein, der sich gegen den in Terrassen aufwärtsführenden Zugang sperrt. So ist alles stärker hausmäßig abgeschlossen, beruhigter, gelagerter, privater. Im Innern aber ist der schönste Raum ein reiner Rundraum (Abb. 887), tiefbraun wie mit Rembrandtschen Helldunkelfarben getäfelt, kein Festsaal, sondern ein abgeschiedenes, den Menschen ganz in sich konzentrierendes Rundgemach. Seine Möbel bilden Bücherschränke, und selbst die Tür, durch die man hineintritt, wandelt sich, wenn sie geschlossen ist, wieder zum Bücherschrank. Man ist ganz abgeschlossen und ganz allein. Eintritt ist verboten. Ein geistreiches Ornament schwingt um die Flächen und über die Decke, aber es löst die Flächen nicht auf, noch wandelt es sie in gesellschaftliches Spiel. Es sind Ranken, Zweige, die graziös und geistreich — wie die Wissenschaft, Poesie und Musik, die hier der Geist erzeugt — um alles den Zauber einer poetisierten Natur weben. Sie sind selber leicht wie Gedanken und selber Gedanken, die stärker noch als in Frankreich den Philosophen zu den Geheimnissen der Natur hinziehen. Auch die adlige Gesellschaft schmückt das höfische Leben der Galanterien mit den Blumen der Natur und den Erzeugnissen aller Jahreszeiten. Es ist der Geist der Idyllen Geßners, Uz' und Ewald von Kleists. Die Natur, im französischen Rokoko nur geahnt, ist hier schon da.

Abb. 887. *Georg Wenzeslaus von Knobelsdorff, Schloß Sanssouci bei Potsdam. Bibliothek. 1746—47 nach Entwurf von A. Nahl ausgestattet.*

DRITTE ABTEILUNG

DER SENTIMENTALE NATURALISMUS

AUFLÖSUNG DES ROKOKO. STURM UND DRANG

Ludwig XV. 1715—74 (die Pompadour, Dubarry). Ludwig XVI. 1774—92; Marie Antoinette. Aufklärung: Voltaire 1694—1778. Diderot und d'Alembert, Herausgabe der Enzyklopädie 1751—80. Lessing 1729—81. Kant 1724—1804. Klopstock 1724—1803. Herder 1744—1803. Der junge Goethe (Götz, Werther). Jean Jacques Rousseau 1712—78. Französische Revolution 1789.

Der Maler *Boucher* hat an der Ausmalung von Rokokoräumen stark mitgewirkt. Obwohl wir unsere Vorstellung vom Rokoko als Daseinsform der Menschen stärker von den Bildern Watteaus bestimmt finden als denen Bouchers, so gilt dieser doch nicht weniger als Vertreter des Rokoko in der Malerei als Watteau. Und in einem Punkte ist er es vielleicht mehr als dieser: die Malerei nicht in der Form des Tafelbildes zu geben und für den privaten Gebrauch zu entwerfen, sondern als Teil der Architektur und als öffentliche Angelegenheit zu denken. Von ihm stammt die Fülle der Entwürfe für Wandteppiche und die Fülle der Supraporten und Wand- und Deckenbilder, in denen ein — für diesen Zweck mit Recht — oberflächlicher, ungeheuer gewandter und erfindungsreicher Dekorateur das Dasein der Bewohner und Benutzer der Räume mit mythologischen Szenen in eine göttliche Sphäre erhebt. Und dennoch bedeutet seine Malerei Auflösung und Verfall des Rokoko. Seine Bilder sind nicht mehr verhalten und voller Haltung, sondern ausgelassen und üppig, mehr rubenshaft als in der zarten andeutenden Weise des Poussin, mehr barock als Rokoko, mehr antik als gotisch, d. h. unbefangener im schwelgerischen Ausbreiten von Fleisch und Körper, entfesselter in genießerischen und hingegossenen Leibern — vorzugsweise liegen seine Göttinnen bäuchlings auf Wolken- oder Stoffpolstern; in kühlem silbrigen Gesamtton werden von Rubens erlernte rote Schattentupfen zu Reizpunkten für das genußsüchtige Auge. Es fehlt nicht das französische Andeutende, das Damenhafte im gepflegten Flor des Nackten, das

Abb. 888. *François Boucher, Diana im Bade. Paris, Louvre. 1742.*

Abb. 889. *François Boucher, Die eingeschlafene Schäferin. Paris, Louvre. 1745.*

Gewagte und Versprechende von kühnen Haltungen, der Reiz der Überraschung und das Irritierende einer Ansicht, die noch nicht alles gibt, was der Anblick verspricht (Abb. 888). Aber die Zweideutigkeit seiner Bilder beruht nicht darin, daß er das Sinnliche moralisiert, die körperliche Schönheit und Gebärde durch Geste und Blick feine und geistige Dinge sagen läßt, kurzum, daß er das Sinnliche vergeistigt, sondern daß er der formalen körperlichen Schönheit und Grazie, auf die er sich meisterhaft versteht, noch ein Mehr an Sinnlichkeit und erotischen Reizen in der andeutenden Weise des Zynikers hinzufügt. Bei ihm wird das Zweideutige ausgesprochen frivol, die Rückwendung vom Rokoko zum Barock, von Watteau zu Rubens, von gotischer Feinheit zu renaissancehaft antiker Sinnlichkeit führt stärker an die Natur heran, aber — und das macht seine Kunst so französisch — mit den Mitteln einer raffiniert geistreichen, spielenden und anspielenden Intellektualität.

Diese anspielend geistreiche Kunst führt ihn mehr als andere Künstler zu dem Stoff, in dem schon immer die Natursehnsucht einer gekünstelten Lebenshaltung Form und Unform, Antike und Gegenwart zu vereinen suchte, zum Hirtenidyll (Abb. 889). Er ist der eigentliche Maler des Rokoko-Pastorale; Rokoko, weil seine Hirten und Hirtinnen gespielte Figuren, Komödianten sind, niedlich, gepflegt, prinzenhaft verzärtelt, in blumig spitzenbesetzten Seidengewändern, in einer Natur, die aus den Rokokolandschaften die schaumig duftigen Hintergründe, die spielenden Ranken und rahmenden Büsche übernimmt. Es sind Kulissen, die ohne jeden echten Wuchs für eine Maskerade hergerichtet sind. Aber doch Pastorale, Hirtenpoesie, mit der halb ironischen, halb sehnsüchtigen Anerkennung einer besseren, einer unschuldigeren Welt, eines Jenseits der Kultur, dessen zwang- und formlösenden Zauber wenigstens im Spiel für einige Augenblicke empfunden zu haben, der raffinierten höfischen Gesellschaft mindestens den Genuß eines erfrischenden Bades bieten mochte. In dieser Zeit entstehen in Versailles die ländlich-dörflichen Bauten mit Viehställen und Milchwirtschaften, in denen Marie Antoinette ihren Gästen Milch

Abb. 890. *François Boucher, Mlle. O'Murphy. Paris, Sammlung Bemberg. 1744 (?).*

Abb. 891. *François Boucher, Das Frühstück. Paris, Louvre. 1738.*

aus Tassen kredenzte, deren Gestalt der Form ihrer eigenen Brüste nachgebildet war. Und so ist es auch in den Pastoralen Bouchers; auch in dieser künstlich aufgeputzten Natur ist die Losung: cherchez la femme. Die Unschuld, die dem Hirten Gegenstand des Schwärmens ist, die ihm Blumen windet oder hold entschlafen ist, ist so gekleidet, so posiert, so arrangiert,

Abb. 892. *J.-B.-S. Chardin, Köchin, Geschirr scheuernd. Paris, Baron Henri de Rothschild. Um 1738.*

daß für den Blick des Hirten und des Beschauers des Bildes sich dieselben Reize andeutend enthüllen, mit denen seine Göttinnen so geschickt hauszuhalten verstanden. Was bei Watteau nie, bei seinen Zeitgenossen, den de Troy, Natoire, Nattier kaum empfunden wurde, die Verderbtheit einer höfischen Gesellschaft, bricht hier plötzlich — unheilverkündend — durch; verderbt, weil ein luxuriöser, aber höchst anmutiger Lebensstil, seiner selbst unsicher geworden, Konzessionen macht mit Mitteln, die nicht anders denn als Verstellung empfunden werden können. Denn es müssen Konzessionen sein an eine Bewegung, die hinter diesem frivolen Spiel zukunftweisend steht, zu deren Sprecher sich Rousseau macht, und die dem höfischen Spiel auch einen Ernst unterlegt, der neue Bildformen bedingt. Die Kunst spielt nicht nur mit der Natur und einer neuen Heimlichkeit, sie wird auch intimer und naturalistischer. Die Überraschungsposen der mythischen Bilder Bouchers sind nur die Kehrseite von Darstellungen, in denen ein Akt oder eine Frau im häuslichen Gewande, d. h. leicht und locker gekleidet, es sich auf dem Kanapee bequem macht, also so ganz für sich und zu Hause wiedergegeben scheint (Abb. 890). Zwar sie scheint es nur, denn sie rechnet, das sagt jeder Blick und jede Gebärde, mit dem Beschauer, sie rekelt sich auch nicht aus gemütlicher Heimstimmung, sondern sie kokettiert, und die Stimmung ist voller Lüsternheit. Aber sie kokettiert mit dem, was fremd und neu ist, dem Interieur und seinem Behagen. Es überrascht und überrascht nun auch wieder nicht,

Abb. 893. *J.-B.-S. Chardin, Stilleben. Paris, Louvre. Um 1730—40.*

Abb. 894. *Maurice Quentin de La Tour, Die Schauspielerin Mlle. Fel. St. Quentin, Museum. 1757.*

Abb. 895. *J.-B. Greuze, Der zerbrochene Krug. Paris, Louvre. 1777 ausgestellt.*

als eines der feinsten Bilder Bouchers eine Familie beim Kaffeetisch — fast wie im Biedermeier — gemalt zu finden (Abb. 891). Es überrascht nicht, weil bei einem sehr anmutig familienhaften Arrangement die Kunst doch die Personen feiert und dem Raum nur eine kleine Hintergrundsfläche konzediert, die Farben glatt und glasig, ernst, aber kühl und reich bildet und die Gebärden voller höfisch verbindlicher Wendungen zur schönen Gruppenbildung verwendet. Dies Bild ist noch nicht das Neue, aber es erklärt, warum *Chardin* in dieser Zeit möglich ist.

In ihm scheint die holländische Interieur-, Genre- und Stillebenmalerei von neuem auferstanden, die neue Intimität, der neue Naturalismus mit einem Schritt erreicht. Zwar hat seine Stillebenmalerei in den Tierbildern von *Desportes* und *Oudry* Vorgänger. Aber die dekorative, großspurige und trophäenhafte Aufmachung dieser Bilder, die mit ihren Jagddarstellungen oder Jagderinnerungen, mit ihrem großen Format und dem teppichmäßigen Arrangement den Glanz höfischer Feste über diese toten Objekte der Natur gießt, hat wenig mit den Stilleben Chardins zu tun. Auch kann man in ihnen nicht Abkömmlinge jener späten holländischen Genrebilder sehen, der *Mieris, Ochtervelt, Netscher*, in denen bunt und preziös, glatt und porzellanen gemalte Köchinnen die Geräte und Gemüse ihrer Küche zu einer festlichen Ausstattung um sich versammelt haben und mit dem Beschauer kokettieren. Ein Hauptgenre waren die Fensterbilder, das Fenster als Rahmen für die Pseudorepräsentation dieser Feen. Bei Chardin (Abb. 892) ist vielmehr Gegenstand und Milieu ganz echt und schlicht, wie bei den Gebrüdern Le Nain; die Malerei ist locker, atmosphärisch, mit einem Anflug von Wärme des Gelb und Rot, das die kühleren Weiß und Blau umhegt. Hier ist gegenüber der höfischen Welt des Rokoko deutlich das Recht eines Neuen, einer anderen Welt betont. Aber die Form wurzelt im Rokoko und ist Watteau sehr nahe. Das Werk Chardins ist ein Übergang. Der Raum ist knapp, er rahmt, er hebt die Figur, aber bezieht sie nicht in sich ein. Ein Tisch, ein Stuhl, den auch ein Plastiker in Porzellan oder Biskuitmasse bilden könnte, ist fast alles an Ausstattung des Raumes. Ein schwärzlicher, wenig differenzierter Ton faßt alles hinter der Figur als Grund, raum- und luftlos zusammen. Davor steht die Figur, stehen zarte dünne Figuren, natürlich im Tun, weil ihnen die schlichte Anmut einer Haltung, einer Geste Natur geworden ist. Wo sie steifer erscheinen als die Rokokodamen, ist es die durchgeistigte Stille der Figuren Watteaus, eines Gilles, die vielsagende beredte Stille, die sich äußert. Die schlichte Beziehung von Mutter und Kind ist immer eine Konversation, eine Zwiesprache, in der beiderseits durch irgendeine leichte körperliche Wendung auch dem Gespräch überraschende Wendungen und Feinheiten gegeben werden. Auch wo nur eine Person gemalt ist, ist immer noch jemand da, dem die gespannte und gebeugte, die ansprechende oder erwartungsvolle Haltung gilt. Die Farbe, von einer ausgesuchten, lichten schwebenden Feinheit, eine Farbe aus lauter Zwischentönen und Farbandeutungen ist nicht eine über die Figuren hingleitende Musik wie bei Vermeer, sie ist den Figuren stärker eigen, eine Gepflegtheit des Kostüms, eine Art sich zu äußern, ist Diskretion des Geistes. Auch in seinen Stilleben (Abb. 893) zerrinnen die Objekte nicht zu farbigen Buketts, sondern bleiben sauber geschieden wie Personen, mit der edlen Patina einer Statue, eines diskret ausgebleichten Kupfertones, wenn es ein Kessel ist, des Graugelbs eines Hasenfelles, das wie die Farbe des Lederhandschuhs einer Dame sanft getönt ist, oder des Blau und Weiß eines Topfes, die sich einander nähern auf der Linie einer zurückhaltenden farblosen Farbigkeit. Auch diese Objekte nehmen Haltung an, schlank gestreckt, ein toter Hase oder ein lebloser Krug, sie sammeln um sich die anderen Objekte, die um sie herumgestreut sind, in einer absichtslos wirkenden kunstvollen Ordnung. Es sind geistige Bezüge zwischen ihnen wie ein stummes Gespräch. Es ist Rokoko, das seinen Geist und seine Feinheit auch dem stillen Leben der Nature morte vermittelt.

Das Porträt gewinnt aus dieser Intimisierung eine neue Kraft des Physiognomischen. *Quentin de La Tour* beschränkt sich in seinen geistreichen Pastellimprovisationen gern auf das Gesicht (Abb. 894); die Eleganz des Körpers und der Geste spielt kaum mehr eine Rolle. Mit einem Minimum an Mitteln, einigen nur so hingetupften, unfaßbaren Flecken lichtblauer und weißer Kreide deutet er die ebenso unfaßbaren, beweglichen Züge einer beredten vielsagenden Physiognomie. Das Leere spricht fast noch mehr als das Gefüllte, denn es läßt dem Geheimnis des skeptischen und ironischen Geistes, der hinter den Zügen des Gesichtes wittert, vollen Spielraum. Er erlöst selbst das konventionell runde, hübsche und modische Frauengesicht des Rokoko von seiner Oberflächlichkeit, legt den ganz rokokohaft den Beschauer ansprechenden liebenswürdigen Augen und Mund eine neue Bewußtheit eigener Bedeutung unter; die Lichter, die uns anstrahlen, kommen aus verborgeneren und tieferen Gründen. Und zugleich ist eine neue große Offenheit in ihnen, die Menschlichkeit verschenkt. Die schöne Seele des 18. Jahrhunderts ist in französischer Fassung hier vorweggenommen: die Freundin, die mit Schönheit und Grazie, die sie entfaltet, geistvoll den Schicksalswagen des Freundes lenkt. Rokokohaft ist das Geistige der Physiognomie, von zartem kühlen Farbenduft des Pastells wie von Blüten-

Abb. 896. *J.-B. Greuze, Der väterliche Fluch. Paris, Louvre. 1765.*

Abb. 897. *E.-M. Falconet, Pygmalion und Galathea. Schloß Maisons-Laffitte. (Kopie nach dem 1763 ausgestellten Original im Louvre.)*

staub umzittert; dem Auge kaum faßbar und doch die Wirkung bestimmend, glühen einige intensivere Pünktchen von Rot und Rosa aus der Morgenfrische des Ensembles, geistreich aufblitzend wie ein aufschlußreiches Wort in scheinbar achtlos hingeworfenen Bemerkungen. Aber alles was Rokoko ist: Farbbukett und Schönheitstyp, Flüchtigkeit des Moments und Heiterkeit der Oberfläche bekommt einen tieferen, einen Hintersinn: die Reflexion über sich selbst, die Ironisierung des Scheins, die Ahnung der Ferne hinter dem Augenblick. La Tour malt, was Voltaire ist. — Wie groß und bedeutend diese Kunst ist, aus dem flüchtigsten und buntesten Schein des Augenblicks Wesentliches zu entwickeln, ahnt man erst, wenn man die sehr bedeutende Kunst des Nachfolgers La Tours, *Perronneaus*, daneben hält. Diese ist reich und solide, ernst und verhalten, sie legt den Geist stärker bloß, aber auf Kosten der Geistigkeit der Malerei.

Was sich bei Boucher, Chardin, La Tour ankündigt, von allen Grazien des Rokoko gesegnet, von allen Feinheiten der Kunst erfüllt, von allen Vorbehalten des Geistes eingeschränkt, das wird mit der Enge eines Programms lauter und deutlicher, massiver im malerischen Vortrag, mehr inhaltsbestimmt und gesinnungstüchtig als kunstgeboren von *Jean-Baptiste Greuze* ausgesprochen: daß die Unschuld auf dem Lande wohnt, daß die Malerei moralische Pflichten hat, daß von der Verderbtheit der höfischen Gesellschaftskultur der Weg zur Moral nur über die natürlichen Gefühle der Glieder einer Familie führt, daß diese nur noch bei dem Volke auf dem Lande zu finden ist. Der Mensch sei erst gut, dann schön. Die Kunst muß versuchen, diesen Weg zur Natur, zum guten Menschen, zum Glück der Einfalt und Einfachheit zu zeigen. So malt er Landmädchen, die mit dem Esel Früchte des Feldes zur Stadt bringen, die aus der Quelle Wasser geschöpft haben und denen der Krug zerbricht (Abb. 895). Er malt sie in ruhiger, stiller Haltung, statuenhaft, fast klassisch vor den Linien einer strengen Architektur, ruhiger, größer als im Rokoko, mit großen Unschuldsaugen, geschlossen in den Formen und in solider Glätte eines graukühlen Unschuldsweiß. Alle Schwebungen und Andeutungen der Malerei sind einer klaren Deutlichkeit gewichen. Dennoch glaubt man dem Künstler weder die Natur noch die Unschuld. Man sieht nur, diese Natur ist ein Ideal, ein Ideal von Menschen, die gewohnt sind, der Frauenschönheit zu opfern und mit ihr ins Gespräch zu kommen. Es ist ein Ideal der Natur, gesehen im Geschmack der raffiniertesten Kultur; nur nicht mehr bewußtes Spiel, geistreich, frivol wie bei Boucher, dessen Nähe man in den Reizen spürt, die das lockere, scheinbar ländliche Kostüm enthüllt, und in der Symbolik, die die Geste des zerbrochenen Kruges andeutet; es ist eine sentimentale Naivität, verschämte Zweideutigkeit und fader Selbstbetrug.

Ähnlich ist es mit den großen dramatischen Szenen aus dem Familienleben der Bauern. Die Dorfbraut, der Fluch des Vaters (Abb. 896), der bestrafte mißratene Sohn, der kranke Großvater von den Kindern und Enkeln gepflegt. Es sind pathetisch rührselige Geschichten, neu dadurch, daß sie nicht mehr bei den Heroen der Geschichte: Alexander, Dido, Kleopatra spielen, sondern in der einfachen Bauernhütte, wo Hennen mit ihren Küchlein auf dem Fußboden ihr Futter picken, wo Menschen mit verarbeiteten Zügen und Kinder mit unschuldsvollen Mienen wohnen, wo den Kindern das Hemd aus der Hose guckt und Großvater, Großmutter, Mutter und Kind in einer Stube zahlreich versammelt sind. Ein Übermaß von Herzlichkeit rührt Alte und Junge und eint sie, und ein Unmaß von Zorn reißt sie auseinander. Es ist aber alles so unmäßig und übermäßig, so pathetisch und aufdringlich, weil es nicht nur dasein, sondern zugleich empfohlen werden soll als ein Vorbild wahrer Menschlichkeit. Die Mittel aber, mit denen bildnerisch diese neue, nur bei dem Volk zu findende Menschlichkeit gepredigt wird und wodurch diese Bauernszenen moralisierend und ideenerfüllt werden — erfüllt mit den Ideen Rousseaus und der Französischen Revolution — sind durchaus alte, allgemeinfranzösische, die bis zur Karikatur verschärfte Geste und Mimik, und — auch darin wie bei Boucher ein Zurückgehen — barocke, die pathetische Sprache der Comédie française, nicht mehr geistreich spielend, sondern rhetorisch. In der heftigsten Szene, dem Fluch des Vaters, lassen sich mit Leichtigkeit beiderseits der Mitte des Bildes barocke Gruppen herauslösen, die auch ein Plastiker bilden könnte. Man denkt an die antike Gruppe des farnesischen Stieres. Das Fatale ist nicht das Pathos, die Glätte der Malerei, die bühnenhafte räumliche Anordnung, die der Tragödie abgelauschte Rhetorik der Gesten, sondern daß dies alles einem Inhalt gilt, in dem man Wahrheit, Ungesuchtheit, Einfachheit und Schlichtheit sucht, das Ungekünstelte einer Herzenssprache, die dem kunstvollen Barockstil zuwiderläuft. Auch hier ist das Alte noch in der Form übermächtig, das Neue noch Programm, die Heftigkeit aber, mit der es pathetisch und rührselig demonstriert wird, erinnert an die aufgeregten Volksstücke des Sturm und Drang. Bei Boucher wie bei Greuze ist das Barocke der Kunstmittel eine Rückkehr sowohl zur Antike (gegenüber den Gotismen des Rokoko) wie zur Natur (gegenüber den geistreichen

Abb. 898. *Jacques-Ange Gabriel, Petit Trianon in Versailles. 1762—68.*

Raffinements des Rokoko), bei Boucher mehr im sinnlichen, bei Greuze mehr im menschlichen Bezug.

Zwischen ihnen steht die Plastik des *Etienne-Maurice Falconet* und die Architektur der Zeit Louis' XVI. Bei Falconet ist ein feiner Klassizismus beruhigter nackter Gestalten mit Empfindsamkeit des Gebarens verbunden, einer Scheu und in sich gekehrten Besinnlichkeit, die bei einer Badenden Schamhaftigkeit und physische Vorsicht beim Eintritt in das kühle Wasser in natürlicher Weise vereint. Empfindsam ist die sehr delikate, sehr dem Moment und der Lebendigkeit des Körpers entsprechende Behandlung des Fleisches; wie bei Chardin ist in delikatester Weise der statuarische Aufbau mit der Zufälligkeit der Situation eines Genrebildes verschmolzen. Die Reinheit des Umrisses und die Offenheit der Formen sind stärker Symbol der Unschuld, als Ausdruck und Motiv es sind. Glücklicher als in den täppischen Andeutungen Greuzes ist hier das Anmutige reizender Gestalt mit Verinnerlichung und Abschluß gegen außen verbunden. Ein Thema wie das des in seine Statue verliebten Pygmalion (Abb. 897) ist wie für ihn und den neuen Geschmack geschaffen, um Rokokogalanterie in Leidenschaft und kokette Haltung in empfindsame Szene zu verwandeln und den sinnlichen Reiz entkleideter Natur durch den Gedanken an die Reinheit der Kunst zu läutern. Welche Unschuld! rief man diesem durch die Liebe des Künstlers zum Leben erweckten Marmorkörper zu. Geistvoll interpretierte man für den Leser von Rousseaus Neuer Héloise die Galathea als den Typ der Schönheit mit dem Marmorherzen, die sich schließlich erweichen läßt. Im Reiterdenkmal Peters des Großen in Leningrad läßt er den antiken Heros einen Felsen hinaufsprengen und verwandelt so auch das barocke Denkmal in eine dramatische Szene, die in der Landschaft spielt, Davids Bildnis Napoleons, der über den großen St. Bernhard reitet, vorwegnehmend So ist bei Falconet auf ungezwungenere Weise der antiken (barocken oder hellenistischen) Form und den alten Themen der höfischen Welt Rousseausche Empfindung und Natur beigemischt, um die sich Greuze von seiten des Gegenstandes so stark bemühte.

Dieselbe Grazie in der Zurückhaltung nach außen, in der feinen Intimität und in der Rückkehr zu einem klassischen System, das der Architektur Ludwigs XIV. in den antiken Formen sich wiederum so viel nähert, als es auf die bewegten Kurven des Rokoko und seine Überraschungen verzichtet, finden wir wieder in dem anmutigsten Bau dieser neuen Gesinnung, dem *Petit Trianon* in Versailles von *Jacques-Ange Gabriel* (Abb. 898). Ein rechteckiger Baublock treibt an der Empfangsseite zwischen zwei Flügeln einen antiken Portikus hervor, zwischen dessen den ganzen Bau durchziehenden Säulen (der Kolossalordnung Palladios) die Fenster die Wand durchbrechen. Es erinnert am stärksten an die Innenarchitektur der Schloßkapelle zu Versailles und ist insofern Rückkehr zum antikisierenden französischen Barock; noch immer vornehm, voller Haltung, repräsentativ. Dennoch ist ein anderer Geist in dieser Fassade, stärkerer Verzicht auf das Öffnende der Bogenformen und der Gesamtgestaltung, stärkerer Verzicht also auf die geheime Gotik und was in ihr das Rokoko hervortrieb. Der Bau vertieft sich nicht in der Mitte, sondern stellt die kühle abwehrende Säulenpracht aus der Fassade heraus. Die Fläche regiert sowohl im Umriß des Säulenrisalites, der sich beruhigend fast zum Quadrat zusammenschließt, als in der Fensterform, die in feinster Proportion der quadratischen Obergeschoßfenster zu den länglichen Rechteckfenstern des unteren Teiles eine wunderbare innere Geschlossenheit, ein Beisichsein des Hauses bedingt. Dieser Einblick in ein Inneres, das doch für sich bleibt, hebt die Kühle in der Feinheit der Säulen und Proportionen wieder auf und läßt sie atmen und leben wie die Körper Falconets.

Abb. 899. *Thomas Gainsborough, Miß Robinson. London, Wallace Collection. Zwischen 1774 und 1788.*

Was in Frankreich Übergang war von einer fruchtbaren Bewegung zu einem folgenreichen Programm, von einer weltformenden Kulturtat zur welterschütternden Idee, von höchster Entfaltung aristokratischen Lebensgenusses zur Revolution, alles das war in England seit jeher Zustand und Ausgleich zwischen Mächten, die selbst zu erzeugen die produktive Kraft in keinem Fall genügte. Deshalb hat England in der bildenden Kunst nie schöpferisch in die künstlerischen Bewegungen eingegriffen. Die Substanz hat es stets vom Festland empfangen, zuletzt noch von van Dyck (nachdem Holbein vorangegangen war) eine Porträtkunst, deren physiognomische Erfassung des Individuellen mit den Reizen holländischer Stoffmalerei und mit lässig aristokratischem Standesausdruck eine ebenso berückende wie innerlich kraftlose Verbindung einging. Diese Doppelstellung, in der das Höfische das Ländliche absorbierte, das Gesellige die Eigenheiten des Individuums, die Repräsentation die Nonchalance, dann eine Vornehmheit, in der die Zwanglosigkeit selbst ein Zeichen des Adels, die Freiheit ein Gesetz war, bewirkten, daß in dieser Übergangszeit die englische Kunst produktiv wurde, nicht in dem Sinne, daß sie einen neuen Stil erzeugte, daß sie überhaupt neue künstlerische Ideen hervorbrachte, sondern daß sich in dieser Atmosphäre eigene Talente entfalteten. Diese schufen etwas im englischen Sinne Eigenes und Vollkommenes und konnten für die Welt des Festlandes Vorbild werden; Vorbild dadurch, daß hier verwirklicht war, was jenseits des Kanals im Werden nach Neuem tastete und Wunsch- und Ideenbild war. Greuze muß in seinen Frauentypen ganz stark von englischer Kunst Anregungen empfangen haben. Die größten Maler der englischen Kunst werden annähernd gleichzeitig mit Greuze geboren, *Reynolds* und *Gainsborough,* beide Epigonen van Dycks, beide in ihrem Epigonentum vollkommen, weil sie in dieser Zeit des Übergangs nicht übergingen, sondern beharrten und nur bemüht waren, das vollkommen und schön auszudrücken, was in diesem Übergang miteinander rang, in ihnen aber kampflos und verbunden als Sein der nationalen Kultur da war. Nach den Mitteln dazu brauchten sie nicht zu suchen, diese lieferten ihnen die Oberflächenmalerei van Dycks

Abb. 900. *Joshua Reynolds, Mrs. Siddons als Tragische Muse. London, Grosvenor House. 1784.*

für die Menschenerfassung, die venezianischen musikalischen Harmonien, besonders Tizians, für die Stimmung genußvollen Daseins, die tiefen Gründe Rembrandts für die Bezüge des Menschen zur Natur und die Maler des französischen Rokoko für die Ausbreitung menschlicher Grazie vor dem Beschauer, der wie ein Besucher vor die Bilder tritt. Dabei neigt Reynolds mehr zu den ausgeglichenen Formen venezianischer Renaissancestimmung als zur stillen Vertiefung Rembrandtscher Verinnerlichung, während Gainsborough von der spritzigen Lockerung und tänzerischen Bewegtheit des Rokoko einiges übernimmt. Der Grundton aber ist immer der: Personen der höchsten Gesellschaft sitzen einsam oder en famille vor einer Landschaft (Abb. 899), die mit ihren weichen, verschmolzenen Tönen noch allgemein oder unbestimmt genug ist, um nicht mehr als eine Folie für die repräsentative Menschendarstellung zu sein, aber doch auch Weichheit, Duft und Tiefe genug hat, um einer träumerischen Stimmung die Weite und Freiheit seelischer Bewegung zu lassen. Man denkt dabei an den *englischen Garten*, der jetzt auch auf dem Festlande den architektonischen Garten der zu Mauern und Pyramiden zurechtgeschnittenen Bäume und Hecken verdrängt, eine mit Kunst erzeugte und vorbedachte, eine gepflegte Wildnis geschlängelter Wege, überraschender Ausblicke und zärtlich hübscher Gesträuchgruppen und Baumriesen, die, heute in einen Garten gepflanzt, nach Jahren so aussehen müssen, als wären sie in der Einsamkeit des Waldes oder der Heide schicksalsvoll gealtert. In dieser Landschaft sitzen einsam, weltverloren die Damen Gainsboroughs in großer Toilette, einem duftigen Spitzengewande, das die Figur ganz verhüllt, kühl und keusch in feinen weißen und blauen Farben, die wie bei Watteau im Licht zerstäuben. Das Gesicht ist weniger rund und typisch als das der französischen Rokokodamen, es ist eckiger, geschärfter, rassiger und beseelt von einem verlorenen Blick, dessen Abwesenheit aber nicht in Gründe eines tiefen Gefühls hineinführt, sondern sich mit der Abwesenheit aristokratischer Weltabwehr glücklich verbindet. Die den Blick umflorende Sentimentalität ist nicht so zweideutig, verderbt unschuldsvoll wie bei Greuze, aber doch nicht weniger ein Schönheitsmittel der Gestalt wie der ätherische Farbenzauber des Gewandes. Eine weiche, schwimmende Malerei eint Figur und Landschaft stärker als in Frankreich, ohne sie ganz ineinanderzufügen. Alles ist beim ersten Blick kostbar und bezaubernd, aber es hält nicht vor: der gespielte Weltschmerz und die Koketterie mit dem Gefühl ist ohne Geheimnisse. Auch im Malerischen gibt es wohl Feinheiten, aber keine Überraschungen. Verglichen mit französischen Bildern hat alles eine gleichmäßige Kultur der Oberfläche, aber wenig Substanz. Die alten Elemente, das Aristokratische und Gesellschaftliche, sind ohne Entschiedenheit, die neuen, Natur und Gefühl, sind ohne Kraft

HONORÉ FRAGONARD, MÄDCHEN AM LESEPULT
WIEN, ALBERTINA. LETZTES DRITTEL 18. JH.

und Tiefe, und zwischen beiden gibt es keine Spannungen und Entwicklungen, sondern nur einen Ausgleich. Deshalb gehen diese Bilder schnell ein. *Reynolds'* Kunst ist weniger nervös, in der Haltung ruhiger, zuweilen von klassischer Einfachheit und Klarheit des Aufbaus, in männlichen Bildnissen oft breit und großformig, in der Farbe dunkler und gehaltener, im Ausdruck frischer bewegt oder pathetischer in der Deklamation. Er schafft für die kommende Zeit den Typ der Tragödin (Abb. 900), die mit tiefer Ergriffenheit eine Rolle spielt, eine lyrische Ausdrucksfigur, die die heroische märtyrerhafte Haltung der Kleopatren und Didos des Barock ablöst, aber die mythische, vorbildliche, auf den Beschauer berechnete Pose durch eine ebenso berechnete Porträtwirkung ersetzt. Die lockere, bräunlich warme Helldunkelmalerei der Männerbildnisse schafft nicht einen Raum um die Figuren, sondern erweicht nur die an sich sehr kräftigen Physiognomien. Das berühmteste und wohl auch schönste Bildnis, das der Nelly O'Brien (Abb. 901), ist für seine Kunst und die überleitende Bedeutung von der gesellschaftlichen Haltung zur intimen Stimmung außerordentlich aufschlußreich. Ganz frontal, wie ein Madonnenbild, sitzt sie vor dem Betrachter; ganz klassisch baut sich der Umriß pyramidenhaft auf, ganz monumental bedacht die Horizontalkurve des Hutes das Gebäude. Aber sie sitzt vor der Landschaft, vor weichen, Tiefe versprechenden Gründen, und dennoch nicht in ihr. Ein feines Licht streift über sie hin und läßt den Hut einen zarten und durchsichtigen Schatten werfen, der das Gesicht leicht verhüllt. Das sind Rembrandtsche Mittel der Entrückung des Menschen in sein eigenes Innere. Aber dieser Schatten führt die Psyche der Person nicht in sich selbst zurück, sondern dämpft nur die Züge, distanziert sie, ist ein Mittel vornehmer Zurückhaltung, nicht der Verinnerlichung und Beseelung. Im Kostüm ist Ländlichkeit, Bequemlichkeit und Ausruhen, eine Decke liegt über den Knien, keine Spur von Andeutung körperlicher Reize findet sich; aber die strenge Führung der Umrisse, die Symmetrie und die reinen Horizontalen sind eine vorgefügte Form, in die der Mensch hineinwächst, ein Rahmen von objektiven Lebensgewohnheiten, in deren Gesetzmäßigkeit die Freiheit des Individuums sich einfügt und adelt. Die im Licht zerfließenden Farben der Decke und die rhythmischen Kontraste heller und dunkler Flächen sind nicht wie bei den Rokokodamen Schmuck und Wirkungsmittel der Person, aber auch nicht Ausdruck einer Stimmung oder Gegenstand einer Reflexion wie bei Rembrandt, sie sind wie eine Atmosphäre von Schönheit und Kostbarkeit, in der sich das Leben der Person schlicht und absichtslos entfalten darf, ohne an Bedeutung einzubüßen. Alle Intimität ist nur ein Mittel, diese Bedeutung unauffällig

Abb. 901. *Joshua Reynolds, Nelly O'Brien. London, Wallace Collection. 1760.*

Abb. 902. *William Hogarth, Nach der Hochzeit. London, Tate-Gallery. 1745.*

zu machen. Entspannung und Behagen auf der einen Seite, Sicherheit und unauffälliger Geschmack auf der anderen machen diese Bilder sympathisch und imponierend; aber sie locken in keine Höhen und Tiefen und sind ganz unproblematisch. Sie haben Niveau.

Man hat die Kunst der Gainsborough und Reynolds auch als Epoche des englischen Rokoko bezeichnet, was einen Schein der Berechtigung hat, wenn man an die schwärmende Grazie Gainsboroughs im besonderen und die gesellschaftliche Haltung dieser Kunst im allgemeinen denkt. Es trifft aber nicht zu, selbst wenn man die Sentimentalität von Familienszenen und dramatischen Heldinnen, die rührenden Unschuldsgesten der Kinder Reynolds', die niedlichen zigeunerhaften Bauernmädchen und als Dienstmädchen verkleideten Aristokratinnen Gainsboroughs und all die komfortablen Behaglichkeiten des Landlebens nur für eine spezifisch englische Note in diesen Bildern hält. Das Rokoko und Spätbarock ist viel reiner in den Bildern des älteren *Hogarth* zu finden (Abb. 902), sowohl in seinen selbstbewußten, breit und mit Verve hingesetzten Bildnissen als in den Szenen aus dem Leben der Stutzer, die in Gebaren und Kostüm das Genußdasein und den Frauenkult des Rokoko darstellen. Aber diese Übernahme eines reinen Rokoko bedeutet Protest und Ablehnung. Protest in den Porträts, die im Selbstbewußtsein des repräsentativen Bildnisses nicht den geschmeidigen Höfling, sondern Charakterfestigkeit und Tatkraft bürgerlichen Lebens zum Ausdruck bringen, wie in der „Mariage à la mode", der Heirat nach der Mode, die das Rokokodasein des Elegant mit einem ingrimmig drastischen Humor geißelt. Diese Ablehnung des Rokoko ist die Grundlage für die Kunst des Reynolds und Gainsborough und Wegbereiter für das neue Naturempfinden, das in der Mischung mit den von der Gesellschaftskultur des Rokoko verbliebenen Elementen spezifisch englische Gesinnung und Kultur zur Entfaltung bringen konnte.

Es handelt sich in diesem Übergang um die Wendung zu einer neuen intimen und naturalistischen Kunst, für die die holländische in demselben Maße Vorbild werden konnte, wie die französische zurücktreten mußte. Für diese Wendung war aber keine besser vorbereitet als die deutsche Kultur mit ihrem volkstümlichen Barock und ihrem vom Mittelalter und von der Reformation entwickelten Individualismus. Was in England nur Ingredienz einer Mischung, in Frankreich nur neuer Reiz gesellschaftlichen Auftretens, Grundlage einer öffentlichen Rhetorik oder Gegenstand für eine äußerst verfeinerte Farb- und Formverkleidung der Oberfläche war, ist in Deutschland das Vorherrschende und setzt sich mit der Form auseinander. Hier ist die Unschuld, die die andern suchen, nicht kokett und gespielt, sondern einfach da, ehrbar und reizlos. Die Rokokoform im Bilde und im Leben dringt als Fremdes hier hinein, wird auch von den Schichten eines soliden Bürgertums aufgenommen, aber vermag die Gesinnung nicht aufzulockern und versteift sich deshalb selbst zum Zopfstil. Der Maler *Ziesenis* malt Regenten, Feldherren und Damen des Hofes mit Haltung und Anstand, mit einer offenen, kräftigen Farbigkeit des Kostüms, aber ohne den Schaum und Farbenschmelz englischer Porträts, ohne die geistreiche Verve der französischen, eher etwas trocken, ehrlich und sympathisch (Abb. 903). Er registriert viel mehr, als er verschönt, und legt den Eindruck, den seine Kunst erweckt, auch dem Ausdruck seiner Gestalten unter, den einer klaren und festen Tüchtigkeit.

Chodowiecki, dessen Feinstiche und mikroskopisch kleinformatige Illustrationen mit ihrer handwerklichen Solidität so sehr der auf sich selbst bedachten und befangenen, ladestocksteifen Haltung seiner Figürchen entsprechen, wandelt die Feinheit der Rokokoform in Pedanterie und Sorgfalt im Kleinen, die Leichtigkeit und das Schwebende in die zurückhaltende Geste, die nicht viel Worte macht, den Doppelsinn in die Ehrlichkeit einer offenen Mitteilung. In diesen Mitteilungen ist von vielen Dingen die Rede, belanglosen und belangvollen, am seltensten aber, wovon auf französischen Rokokobildern immer, von Liebe. Deshalb ist Unschuld hier kein Ideal, denn sie ist in dieser ehrbaren Welt gar nicht in Frage gestellt. Chodowiecki hat Rokokobilder gemalt, Gesellschaftsspiele im Freien, die vom Rokoko nur das gerade noch übrig behalten, daß sie von Bildern der Watteauschule, Pater, Lancret angeregt sind. In diesem Blindekuhspiel und Hahnenschlagen sind alle, Herren und Damen, wie Kinder bei der Sache, es sind Volksfeste, keine Liebesgärten. Die Menschen sind auch viel mehr in der Landschaft, obwohl diese noch immer nicht über die flüchtig kulissenhafte Behandlung hinausgeht. Diese Landschaft ist im wesentlichen grün, sachlich grün, Wiese und Park, nicht wie bei Watteau tausendfarbige Begleitung eines schönen Lebens. Die Bilder berichten, sie ersetzen eine illustrierte Zeitung, sie schmücken nicht Räume und wären als Supraporten ungeeignet. So ist hier schon dasselbe Verhältnis des Malers zu seinem Gegenstand da, das im 15. Jahrhundert und in Holland Landschaft und Natur, Interieur und zwangloses Fürsichsein der Menschen hervorgebracht hatte, das sympathische Zusehen und Mitleben mit dem unverschönten, sich natürlich gebenden Dasein der Menschen in ihrer eigenen Welt. Diese Einstellung wandelt selbst die geselligen Inhalte des Rokoko in Natur. So malt Chodowiecki Gesellschaften im Innenraum ganz unter sich, ohne jeden Bezug auf den Beschauer, sehr räumlich, vertieft im malerischen Sinne und vertieft in

Abb. 903. *J. G. Ziesenis, Wilhelm Graf zu Schaumburg-Lippe. Bückeburg, Schloß. Um 1764—68.*

Abb. 904. *Daniel Chodowiecki, Häusliche Lektion. Darmstadt, Landesmuseum. Um 1760.*

irgend etwas, was den Geist beschäftigt, in einem etwas spitzig und schillernd sie umsprühenden, im Dämmer des Innenraumes aufzuckenden Licht. Die Farblosigkeit dieses Helldunkels, die Trokkenheit schwarzgrauer Töne, die weniger Geist als etwas Geisterhaftes haben, nicht die sinnliche Wärme holländischer Interieurs, sie sind sicherlich nicht nur Folge des schlichten, hausbackenen Kostüms dieser ehrbaren Bürgersleute, sondern der Stimmung in diesem Kreise. Diese ist dieselbe wie die des Malers: nicht sich in Szene setzen, nicht Eroberungen machen (beim Nachbarn oder dem Beschauer des Bildes), sondern hingegeben sein einem Geistigen, das sie beschäftigt. Das Pädagogische spielt eine besondere Rolle (Abb. 904). Oder aus dem Hintergrunde des Zimmers klingt Musik eines Duettes, das ein junges Paar produziert. Zwei im Vordergrunde sitzende Gestalten, ein Mann und eine Frau, sind bei dieser Musik. Hier ist also Geist, der nicht sich produziert, sondern selber als ein Inhalt den Menschen zugetragen wird, dem sie zuhören; kein Ständchen wie bei Watteau, sondern reine beziehungslose Musik. Diese Bilder haben ihren Reiz, aber er liegt nicht im Sichtbaren, sondern in der Menschlichkeit, die sich kundgibt und die plötzlich kundgibt, daß die Wahrheit und Ehrlichkeit, die Innerlichkeit und Geistigkeit, die hier geschildert werden, nur so stark zum Ausdruck kommen können, weil die Bilder auf äußeren Schein verzichten, weil sie kunstlos sind. So wird plötzlich die deutsche Kunst, die noch eben die glänzendsten und festlichsten, vielleicht genialsten Architekturschöpfungen hervorgebracht hatte (Zwinger in Dresden, Vierzehnheiligen, Sanssouci), ärmlich, nicht entfernt zu vergleichen mit der englischen und französischen, einfach weil sie alles das ernst nimmt, was dort als Bekenntnis auf leichtgeschürzten Lippen lag.

Was vom Rokoko an künstlerischen Formen in diese Bilder einging, die Betonung der Personen, die sich von dem kulissenhaft gestalteten Hintergrund des Milieus abheben, die Pikanterien des Kostüms, die Kurvigkeit der Zeichnung und Bewegtheit des Lichtes haben den Wert der Bilder nicht erhöht, sondern in vieler Hinsicht verhindert, daß sich das sympathisch Menschliche und Vertiefte, das hier in Erscheinung tritt, ganz entfaltete, sich seine Form, seinen Raum schuf. So malt der Prager *Norbert Grund* kleine Watteausche Szenen, Spiele im Freien, halb im Sinne Chodowieckis als unschuldiges eifriges Tun, halb als Landschaften, in denen die Figuren wie Seifenblasen in einer lichtblauen und grünlichen Atmosphäre verschwimmen. Er nähert sich der Landschaftsbetrachtung Guardis. Aber die wesenlose Kulissenhaftigkeit der landschaftlichen Gründe verhindert, daß diese Bilder ganz Landschaft werden, und ist schuld, daß sie zwischen Wesen und Nichtigkeit, Natur und Dekoration in der Schwebe bleiben. Ein kleiner Maler, *Herrlein*, malt Bauern, ohne das Pathos und die Rührung des Greuze, im Wirtshaus, in der Kirche, im Gespräch (Abb. 905). Auch hier läßt es die glatte kühle Hintergrundsbehandlung nicht zur Einheit von Gestalten und Milieu kommen, durch die allein wir erst, ohne jeden Bezug auf uns, das Leben dieser Bauern in ihrer Eigenart, in ihrem Milieu hätten mitleben können. Rokokofarben in lichtem Rosa, schlanke Glieder und eine in der glatten Malerei doppelt gepflegt wirkende Besonnenheit des Gebarens putzen Dreck und Erde von ihren Füßen. Sie sind zu gebildet und zu ehrbar, um ganz Bauern zu sein. Von den Malern um Goethe füllt *Seekatz* (Abb. 906) dekorative Rokokokartuschen mit Genreszenen, in denen Kinder sich recht kindlich und dörflich benehmen (*Morgenstern*, Abb. 907), aber es fehlt in den zu Rokokoornamenten zugespitzten Lumpen (wie bei Callot) und der rundenden Komposition und Formung das Letzte, was Land und Volk offenbarte. Ein anderer, *Justus Juncker*, malt geistig beschäftigte Personen in ihrem Heim, Maler und Gelehrte (Abb. 908). Obwohl der Raum sehr tief ist, ist er doch in der Rokokobehandlung nur Hintergrund, die Leere, die hinter der Gestalt klafft, nicht der Innenraum, der den Menschen birgt und seine innere Persönlichkeit spiegelt. Es bleiben immer Porträts, deren Eitelkeit weniger im Ausdruck der Personen als in der porzellanen kühlen Glätte der Malerei liegt. Ein ungeheuer fruchtbarer Kleinmaler, *Dietrich*, malt zopfige Rokokobilder in der Art der späten Holländer und versucht sich in allen Tonarten, Landschaften, Tierbildern, Interieurs, Genrefiguren der holländischen Malerei, wobei alles einen nicht reizlosen Einschlag von Rokokozierlichkeit bekommt (Abb. 909). In dieser Hinwendung zur holländischen Kunst — das sahen wir — liegt ein richtiger Instinkt. Aber daß es so einfühlend und nachahmend geschieht, beweist doch, daß dieser neue werdende, in Deutschland gesinnungsmäßig verankerte Naturalismus, diese neue Ungezwungenheit des Gebarens und diese Freiheit der Person nicht Ausdruck einer äußerlich, physisch faßbaren und sichtbaren Lebenskraft ist, nicht selber

Abb. 905. *J. A. Herrlein, Vesperstunde einer Bauernfamilie. Frankfurt a. M., Städelsches Institut. 3. Viertel 18. Jh.*

Abb. 906. *J. K. Seekatz, Musizierende Kinder. Dessau, Museum. Um 1758.*

bäurisch, derb, erdhaft, sondern ein Bedürfnis des Geistes, das Äußere nicht wichtig zu nehmen, sich in eine eigene abgeschlossene Welt und Stille zurückzuziehen und in der Natur zu leben durch eine teilnehmende Versenkung des Geistes in Mit- und Umwelt. Es ist die Freiheit, die der Geist verlangt, Freiheit zur Bildung, die äußere Form und äußeren Schein zerstört. Auch die Wendung zur Antike als Mittel der Überwindung des Rokoko ist hier nicht wie bei den Franzosen neues Körpergefühl, eine neue Grazie, sondern ein historisch bildungsmäßiges Abrücken von ihr, ein Zusehen, wie in ihren Statuen eine Stille und innere Beschlossenheit Symbol des eigenen Geistes scheint, ein Übersehen alles Vitalen, Heroischen in ihr. Edle Einfalt, stille Größe! Das ist nicht weit von der ehrbaren Anspruchslosigkeit der Personen auf diesen Zopfbildern entfernt. *Raffael Mengs* malt nicht nur in diesem Sinne seine antiken Szenen — auch er von Barockform und Rokokoesprit noch nicht ganz verlassen, er faßt auch schon das Antike als historisches Kostüm und eröffnet die Reihe kostümgetreuer Historienbilder des 19. Jahrhunderts.

Überblicken wir diese Kunst des Überganges in Frankreich, England und Deutschland, so wird jetzt schon deutlich, daß der kommende Naturalismus mit seiner neuen intimen Bildgesinnung, seinem Individualismus, seiner Freiheit — es wird der Naturalismus des 19. Jahrhunderts — ein sentimentaler sein wird. In keinem dieser Länder ist die neue Schicht, die Träger der sich anbahnenden Kultur wird, so einfach, so frei und natürlich, so mit der Erde und Landschaft verbunden, daß sie mit dem, was sie als Natur sinnenfällig schildert, die eigene physische Existenz und das eigene Leben zum Ausdruck bringen kann, wie es zur Zeit Dürers und der Holländer des 17. Jahrhunderts bis zu einem gewissen Grade der Fall war. Diese neue Natur ist geistgeboren, ein Wunsch- und Wahnbild. Sie verleugnet in keinem Augenblick des 18. Jahrhunderts, daß sie von der geistreichsten Kunst, die es bisher gegeben hatte, dem Rokoko, herkommt. Nach zwei Seiten hin dokumentiert sich diese Geistesgeburt, dieses sentimentale Naturgefühl. Einmal darin, daß man alles Natürliche nur als Ideal, nicht aus eigenem Lebensgefühl heraus kennt, daß deshalb alles Bäurische, Derbe, alles Wilde und Exotische ideal aufgefaßt wird, verzärtelt, gepflegt, gesäubert, gesehen unter einem Begriff von allgemeiner Menschlichkeit, der alle moralischen Bindungen, Skrupel und Zagheiten und alle äußeren Sauberkeiten eines verständigen, vernünftigen, gezähmten Kulturmenschen in sich birgt. Die wilde und rauhe Natur der kommenden Zeit ist völlig stubenrein. Der Bauer wird salonfähig.

Das zweite ist, daß man in der Natur vor allem Innerlichkeit, Seele, Stimmung sucht, etwas, was den Geist derer, die diese Natur suchen und ihren Begriff aufstellen, erfüllt. Man will fühlen und legt Gefühle, die man aus der eigenen Innerlichkeit schöpft, all den Wesen unter, die man für die natürlicheren und deshalb besseren hält. Eine der wichtigsten Errungenschaften dieser gefühlssüchtigen Zeit wird die Stimmungslandschaft des 19. Jahrhunderts. So geht man nicht nur an die Natur heran mit einer sentimentalen Einstellung, romantisch, sehnsüchtig, sondern man schildert sie selber als sentimental, auch die Bauern sind voller zarter Gefühle und Empfindungen. Gefühl ist alles.

Diese Sentimentalität ist in den verschiedensten Ländern eine andere und mit ihr das Verhältnis zur Natur. In Frankreich ist die geistgeformte Kultur — die Kunst, das Raffinement, die gesellschaftliche Disziplin — am höchsten, deshalb die Spannung zur Natur am größten. Hier werden die Programme des Zurück-zur-Natur am schärfsten formuliert, hier ist die witzige, geistreiche Reflexion und Kritik an sich selbst am höchsten ausgebildet, eine Kritik, in der die geistreiche Rokokoandeutung sich selbst nicht einmal aufzugeben brauchte; hier ist kraft der nach außen hin sich betätigenden Lebenshaltung und Gesellschaftsdisziplin auch die politische und diplomatische Aktion, sind Rhetorik und Organisation der Gemeinschaft am besten verankert. Frankreich vollzieht für die neuen Ideen die Revolutionen. Aber kraft eben dieser gesellschaftlichen Haltung und Geistesdisziplin macht es mit diesem Programm und Ideal nie Ernst. Es sucht hinter der Natur doch immer die Gesellschaft und die Frau, es sucht auch im ganzen 18. und 19. Jahrhundert das Rokoko oder ancien régime, und mit ihm die Mise-en-scène, die Wirkung nach außen in den Geschöpfen seiner Kunst. Infolgedessen opfert es der Natur nie Form und Oberflächenreiz. So bleibt es — viel. mehr, als man bisher zuzugeben geneigt war — im 18. Jahrhundert stecken und wird gerade dadurch zur Bewahrerin der Tradition alles dessen, was in der Haltung des Menschen und in der Schönheit der Oberfläche malerische Kultur verlangt. Es behält

Abb. 907. *J. L. E. Morgenstern, Bauernhof. Frankfurt a. M., Städelsches Institut. 1784.*

Abb. 908. *Justus Juncker, Maleratelier. Frankfurt a. M., Städelsches Institut. 1752.*

auch das geistreiche Spiel zwischen Inhalt und Form, Sinnlichkeit und Moral bei, das dem Rokoko seine letzte geistigste Würze gab, es bleibt zweideutig. Nur daß diese Zweideutigkeit jetzt die zwischen Natur und Geist, Freiheit und Form, Unschuld und Raffinement, Einsamkeit und Gesellschaft wird. Sie spielt immer nur mit der Natur, auch da, wo es nur die geistvollste und sublimste Malerei ist, die es tut.

England hat seine Natur, den Park, das Landleben, ein Polster für seine komfortablen Neigungen, einen Teppich für seinen Luxus. Es bleibt sich immer gleich, zahlt immer mit gleicher Münze seinen Beitrag für die Entwicklung des Naturgefühls im 19. Jahrhundert. Es hat am wenigsten Entwicklung.

Nur in Deutschland durchdringt das sentimentale Naturgefühl Kunst und Leben ganz und wandelt die Kultur des Barock in einer klaren und offenen Entwicklung zu neuem Naturalismus. Für die geistige Haltung des späten 18. und des 19. Jahrhunderts wird es maßgebend, und für die Erkenntnis des Wesens und der Entwicklung dieses Naturalismus steht es an erster Stelle, und dies gerade trotzdem und weil seine bildende Kunst im Formalen und Technischen der französischen nachsteht und von dieser mehr als in einer Phase lernt. Denn diese oft erschreckend geringe Qualität der malerischen Materie, das Überwiegen des Inhaltes über die Form, der Seele über den Körper des Bildes ist nur der Ausdruck dessen, daß dieses Naturgefühl ein sentimentales ist, daß das Innere mehr gilt als das Äußere, die Seele mehr als der Schein. Darum verkörpert es die Grundhaltung des 19. Jahrhunderts am stärksten: daß nicht mehr die Kunst der Oberflächengestaltung, des Auftretens mit der Beredsamkeit der Geste und dem verführerischen Glanz des Kostüms die Führung hat, sondern die Kunst, die Seele sprechen zu lassen, Gefühle zu äußern, Dichtung (Lyrik) und Musik. Deutschland schenkt der Welt Kant, Goethe, Beethoven (und alle ihm vorangehenden und folgenden großen Musiker), Hegel, Wagner, Nietzsche.

Deutlich scheiden sich zwei Epochen, die vorbereitende (in der Dichtung und Philosophie grundlegende) und die erfüllende. Die eine, die des 18. Jahrhunderts und der Romantik des frühen 19. Jahrhunderts, schildert den sentimentalen Menschen, der Natur romantisch ersehnt, den Geist, dessen Traum und Gedanke Natur ist, und doch als Geist, der auf den Höhen der Bildung steht, als Vernunftwesen, der Gesellschaft und ihren Lebensformen gram oder entrückt, versunken oder eingegraben in sein eigenes Innere. In dieser geistigen Betätigung ist er der Natur, die seinen Gedanken Inhalt und Zentrum ist, selbst so fern wie Faust, der müde dieser naturfremden Geistesbildung sich lebensdurstig unter das Volk mischt und alle seine Liebe und Sehnsucht auf dieses Unschuldsideal eines naiven Gretchens wirft, um es in demselben Augenblick, wo er es zu besitzen glaubt, verlassen zu müssen und einem Bildungsideal — Helena — nachzujagen. Diesen Menschen, der nur seine Gedanken über die Natur zu fassen vermag, nicht die Natur selbst, der nur lyrisch sich der Natur bemächtigt, schildert die bildende Kunst in zwei Formen: einmal als den gefühlvollen Menschen des 18. Jahrhunderts, als den geistigen Menschen, das Genie, und als den Aristokraten, der sich die geistige Haltung dieses Bildungswesens zu eigen macht und seiner Lebensform einverleibt. Sie schildert ihn im Stil des 18. Jahrhunderts, d. h. im wesentlichen noch immer als Gestalt, die bildbestimmend im Vordergrunde steht; die Umgebung, in der er steht, bleibt Hintergrund und Kulisse. Oder sie schildert den abstrakten Menschen, das Ideal aller natürlichen Äußerungen des Menschen, natürlicher Moral, natürlicher Gefühle, natürlicher Sinnlichkeit; ein Ideal, das sie in der Antike verkörpert findet, in der Nacktheit und Harmonie aller Lebensäußerungen der antiken Statue. So wird der Klassizismus statt Rückkehr zur Form ein Ideal der Natur. Auch die Antike wird sentimental aufgefaßt. Bei den Alten ist Natur! In diesem Menschen, den die Kunst schildert, ist immer eine Art Selbstporträt des 18. Jahrhunderts, ein lyrisches Bekenntnis gefühlvoller oder moralischer Art.

Abb. 909. *Ch. W. E. Dietrich, Schäferszene. Dresden, Gemäldegalerie. 1751.*

Das 19. Jahrhundert geht an die Natur selbst heran und interpretiert sie nur sentimental, der Bildungsmensch malt nicht mehr sich, sondern was er als Natur beobachtet, Geschichte, Landschaft, seine eigene Umgebung. Er projiziert sein Ideal von Seele und Reinheit, von Natur und Freiheit in diese

Abb. 910. *Jean-Honoré Fragonard, Das von Amor geraubte Hemd. Paris, Louvre. Um 1760—70.*

Umgebung. Die Kunst des 19. Jahrhunderts beseelt dieses von außen Gesehene oder interpretiert es in seinem psychologischen Gehalt, deutet es oder fälscht es. Aber sie ergreift es doch mit dem Auge und sieht selbst das Unsichtbare, Geschichte und Übernatur, das Märchenhafte als ein Äußeres. Damit wird mit dem Lyrismus des 18. Jahrhunderts zunächst manche Feinheit abstrakter Formen, zum Teil nachlebender Formen des 18. Jahrhunderts, über Bord geworfen, das zufällig Gegebene in seiner kunstlosen Erscheinung festgehalten, aber zugleich auch der Blick geschärft nicht nur für das Sein, sondern auch den Wert der äußeren Erscheinung und schließlich erzogen, auch im Gegebenen und Zufälligen der Natur die Möglichkeit von Reizen und Form für das Auge zu entdecken. So mündet die Sentimentalität des neuen Naturgefühls in einem neuen Kunstgefühl und führt zur Entdeckung der Farbwerte in der Erscheinung, zum Impressionismus.

Die erste Tat in dieser Reihe ist die Rechtfertigung des geschilderten geistigen Menschen im 18. Jahrhundert, des Genies gegenüber dem Höfling, eine Rechtfertigung, die negativ mit einer Kritik und Entlarvung des schönen Scheins der Rokokowelt beginnt, mit einer Aufhebung der Regeln und rationalen Form durch eine genial auflösende Technik, und die positiv dem Menschen einer unhöfischen, unaristokratischen Welt das Lebensrecht durch das Recht an Bildung zugesteht. Dieses ist der *Sturm und Drang* in der Malerei. An seiner Spitze steht Fragonard.

Fragonard verhält sich zu Watteau wie Frans Hals zu Rubens. So wie in der ganzen revolutionären holländischen Malerei die Inhalte des Barock, das Heldenleben der Fürsten, vulgarisiert, von dem öffentlichen Pathos auf die menschlich intimen Kehrseiten und Hintergründe zurückgeführt wurden, so wird es jetzt auch das höfisch gesellschaftliche Leben des Rokoko, werden es die Galanterien und Frauenhuldigungen im zeitgenössischen oder mythologischen Kostüm. Fragonard läßt hinter die Kulissen dieser schönen und graziösen Welt sehen, er deckt ihre Intimitäten und geheimen Wünsche auf. Aus den fêtes galantes, den galanten Festen, wird ein genre érotique, werden erotische Genrebilder. Er travestiert gleichsam diese öffentlich-höfischen Galanterien der Herren und Koketterien der Damen, indem er die Paare unter sich zeigt und bloßstellt, einen Pascha, der fett und wollüstig auf einem Sofa sitzt und sich die Novizen seines Harems vorführen läßt, einen Kavalier, der aus der Froschperspektive die Enthüllungen genießt, die ein auf der Schaukel schwebendes Fräulein nolens volens seinen Augen zuträgt, die verbotenen Küsse, die zwischen Tür und Angel von einem Liebespaar getauscht werden, den ertappten Burschen, der im Schlafzimmer des Mädchens von den wütenden Eltern aus dem Kleiderschrank geholt wird, den Maler, der mit dem Malstock die Kleider des verschämten Modells aufmunternd lüftet. Es ist immer eine ganz heimliche Situation, die hier geschildert wird, ein von gedunsenen Schatten angefüllter Saal, in dem der Pascha sich auf einem riesigen Sofa rekelt, ein Versteck im Dickicht eines Parkes, ein Schlafzimmer mit verwühlten Kissen des Bettes. Auch mythische Szenen werden derart intimisiert, eine Venus auf dem Bett, der Amor das Hemd raubt (Abb. 910). Das Mythische wird, von einer dämmrig verschwimmenden Malerei unterstützt, zur realistischen Entkleidungsszene (im frivolen Tone des jungen Goethe: „schnell hilft dir Amor, sie entkleiden"). Oder badende Najaden tollen in ausgelassensten Spielen umher und sind ganz unter sich. Es ist immer auch eine Bloßstellung und ein Witz, frech und ausgelassen, frech und travestierend vor allem auch durch einen über die Dinge hinjagenden, ungeheuer respektlosen Pinselstrich. Dennoch ist es französisch und bleibt selbst noch stark im Rokoko stecken durch eine neue Zweideutigkeit, die nicht nur darin besteht, daß hier immer mehr gesagt ist, als gezeigt wird, sondern daß diese Bloßstellungen verbotener Intimitäten der Öffentlichkeit nicht mit satirischer Schärfe, sondern mit lächelndem Behagen vorgetragen werden, daß die Heimlichkeit und anekdotische Verdichtung des Dargestellten nicht der Anteilnahme an fremdem, entrückten Leben dient, sondern derselben Anregung wie die dekorativen Rokokobilder. Deshalb ist auch die Malerei, die noch immer kecke und überraschende Farbimprovisationen bietet, wenn auch nicht entfernt die Fülle und Feinheit Watteauscher Farbenmusik, doch substanzloser, dekorativer hingewischt als etwa die des Frans Hals, die in ihrer Schmissigkeit immer dem Objekt mit verblüffender und doch hingebender Treffsicherheit gerecht wird. Diese Malerei Fragonards dient mehr dem dekorativen Anreiz als der Charakteristik, indem sie besonders in den Naturszenen, in denen Nuditäten enthüllt werden, die Formen der Landschaft aufwühlt wie die Kissen eines Bettes. Es sind Rokokoszenen, gesehen durch ein Schlüsselloch. Dies ist der bekannteste und beliebteste Fragonard, zugleich der, der zeigt, wie gleich in den revolutionärsten Äußerungen des Neuen — denn so frech und umstürzend gegenüber der Form wird selbst die Kunst der Revolution nicht — die französische Kunst im alten Geiste verharrt.

Abb. 911. *J.-H. Fragonard, Der Maler Hubert Robert (?). Germain Seligmann, Paris. Um 1770.*

Dennoch gibt es auch den andern Fragonard, den, der den neuen Menschen des 18. Jahrhunderts, das Genie, schildert (Abb. 911), einen Menschen, ausschnittmäßig, als zufällig gesehene Halbfigur, in einem Buche lesend oder inspiriert, im einfachen schlichten Rock, ein Halstuch vagabundenhaft umgeknotet, die Haare wirr und ungepflegt, in jener etwas schwungvollen Ungepflegtheit, die fortan für Genies, vor allem für Musiker Pflicht und

Abb. 912. *Jean-Honoré Fragonard, Die Wäscherinnen. Amiens, Musée de la Picardie. Um 1770—80.*

Standestracht wird. Das wird mit ebenso genialem Pinselstrich hingestrichen, sorglos um das Äußere, aber begabt für das Erfassen geistiger Erregung und Regsamkeit, eine faustische Erscheinung, obwohl es kein deutscher Mensch ist und von keinem deutschen Künstler gemalt. Wenn noch etwas daran französisch ist, dann eine große Kunst, das scheinbar ganz Entrückte und Vertiefte mit Grazie und Verve der Welt zu präsentieren. Es geschieht auch das mit den etwas dekorativen, in den Konturen noch immer rokokohaft ausschwingenden und kurvigen Pinselstrichen.

Noch bedeutungsvoller ist die genial freche Art, mit der eine Rokoko-Ideallandschaft und ein Parkausschnitt in ein Requisit täglichen Lebens verwandelt werden (Abb. 912). Zwischen einem monumentalen Löwen und einer Göttin hängen Wäscherinnen ihre Wäsche zum Trocknen auf. So leicht wie diese Mägde den mythologischen Kram nehmen, ist das Bild hingestrichen mit frischen, unverblümten Farben von Weiß und Graugrün — die an Manet vorausdenken lassen. Für jene Zeit gewiß ein ebensolches Wagnis wie die ungeschminkten Farben der Impressionisten.

Zu diesem revolutionären Sturm und Drang paßt die Sentimentalität am wenigsten. Dennoch fehlt auch sie nicht. Die Jungfrau, die Erinnerungszeichen in den Baum schnitzt, und die halb mythischen Liebespaare, die durstig im rasenden Lauf zur Liebesquelle springen — eine Allegorie der Leidenschaft, die der Sturm und Drang predigt. Daß diese Leidenschaft echter wäre als das galante Spiel des Rokoko, wird man vor diesen Bildern Fragonards nicht empfinden. Das Neue, die stürmische Bewegung, gewinnt wohl in der flüchtig verblasenen Malerei an Überzeugungskraft, aber darüber hinaus bleibt eine ganz dekorativ verschönende Körperdarstellung und eine merkwürdig verblasene, süßlich aufgelichtete Tapetenfarbe. Die Landschaft ist eitel Schaum, mit dem Puttengekräusel zusammen Ausklang der Barockdekorationen.

Abb. 913. *Hubert Robert, Ruinenlandschaft. Paris, Louvre. Letztes Viertel 18. Jh.*

Die Landschaftsauffassung des Sturm und Drang ist in Frankreich durch *Hubert Robert* vertreten (Abb. 913). Er geht aus von der architektonischen Gesinnung des Barock, vom Architekturbild und dem Park, er travestiert diese, indem er sie mit gemeinem Volke füllt, als ob schon jetzt die höfischen Paläste und Gärten säkularisiert, in Volkshäuser und Volkswiesen verwandelt wären. Und er zeigt sie im Verfall, als Ruinen, in breiter, skizzenhafter Technik und in dunklen, sachlich braunen Tönen. (Wie bezeichnend, daß er das noch bestehende Prunkstück barocker Fürstenarchitektur, die Große Galerie des Louvre als Ruine malt; Ruinen als verdientes Schicksal!) Zugleich opfert er mit diesem Ruinenzauber und den düster schwermütigen Tönen der Empfindsamkeit des Jahrhunderts und der Ruinensentimentalität seiner Zeit. Weniger auf die Stimmungen des Lichtes eingestellt als die Holländer des 17. Jahrhunderts, äußert sich seine neue sachliche Haltung in einer mehr historischen Objektivität. Dennoch hat auch diese die dekorative Haltung des Rokoko noch nicht ganz überwinden lassen. Dem Rokokogekurve und der Auflockerung der Formen kam das Ruinöse entgegen, und er faßt es mit der Flüchtigkeit des Striches noch immer hintergründig, tapetenhaft; überraschend und geistreich wie die Barockperspektiven sind die Raumdurchblicke. Ähnlich hatte auch Fragonard die Gärten der Villa d'Este in Tivoli gesehen und aquarelliert, aber üppiger und saftiger, als eine genialischere Natur. Robert hat auch Interieurs gemalt, von denen das Künstleratelier die neue Intimität des Genietums am besten spiegelt (Abb. 914). Ein Zeichner, der uns den Rücken zukehrt, in Hemdsärmeln, in einer Haltung, die blitzartig inspiriert erscheint, obwohl der Künstler nach dem Modell — einem antiken Venuskopf — zeichnet. Auch etwas Pygmalionstimmung ist darin. An der Genialität des zwanglosen Negligés, in dem sich der Künstler zeigt, nimmt auch das Zimmer teil, die Bilder hängen schief an der Wand, Zeichnungen haben sich losgelöst und rollen sich zusammen, Kleidungsstücke und Töpfe liegen überall unordentlich herum, als Zeichentisch dient — so scheint es — ein Spinett (so zu hausen wird für das Genie des 19. Jahrhunderts Pflicht). Man denkt an das Atelier Ostades, wo dieselbe Wüstenei, aber ohne Genialität war. Auch hier ist der Raum nicht von warmer Dämmerung erfüllt, sondern von einem sehr feinen,

Abb. 914. *Hubert Robert, Der Künstler im Atelier. Jules-M. Féral, Paris. Letztes Viertel 18. Jh.*

Abb. 915. *N. B. Lépicié, Fanchons Morgentoilette. Saint-Omer, Museum. 1773.*

Abb. 916. *Jean-Antoine Houdon, Büste von Buffon. Paris, Louvre. 1783.*

intellektuellen grauweißlichen Licht. Zugleich erkennt man das 18. Jahrhundert daran, wie der Raumtiefe entgegen die Gegenstände des Bildes mit dem Zeichner im Zentrum (wie in einem Chardinschen Stilleben) in einem feinen Rhythmus flächenhaft über die Wand hinhuschen. Rokokodekoration ist im Sturm und Drang zur geistreichen Wirrnis geistig und gegenständlich bedeutsamer Dinge verwandelt. Lichtführung und Farbverteilung sind noch immer prickelnd nervös.

Als weibliches Gegenstück zu dieser Künstlergenialität betrachte man ein Bild des Malers *Lépicié* (Abb. 915), der als das kleinere Talent gegenüber Fragonard nicht den frechen, genialen Pinselstrich besitzt und auf das Gegenständliche sorgfältiger eingeht, aber durch dieses Gegenständliche stärker das neue Ideal von Natürlichkeit und Freiheit der Zeit offenbart; ein Mädchen aus dem Volke, eine Magd in ihrer Dachkammer; auch hier Kleidung und Utensilien bunt und liederlich überallhin verstreut, die Farbe lehmig gelb und schlicht, dazu Magd und Gemach von einer sehr starken, absichtslosen Intimität. Und dennoch nicht ohne dasselbe feine Arrangement des 18. Jahrhunderts wie bei Robert, keine Entrückung in die Tiefe, sondern eine von geheimen Rhythmen getragene Streifenkomposition, in der das Modell zwischen Randstilleben sich sehr anmutig aufbaut und dem Blicke darbietet. Die schlichte, auf keinen Beschauer rechnende Ankleideszene bot dem Menschen des 18. Jahrhunderts so viel glückliche Momente, daß die Schlüssellochperspektive auch hier entscheidend wirkt. Daß es alles so unauffällig und unaufdringlich ist, zeigt den Fortschritt über Greuze und ist ganz französisch. Jedenfalls ist es nicht das Volksmäßige allein, das hier den Gegenstand bedingt, und deshalb wirkt das Bild auch nicht sentimental.

Geist und Bildung, die mit der Verachtung des schönen äußeren Scheins das neue Naturgefühl proklamierten und das Genie selbst als Naturprodukt — äußerlich als Naturburschentum, innerlich als Inspiration — deklarierten, erzeugen als Spiegel ihrer selbst das Interesse für die geistige Physiognomie. Auf dieser Grundlage erwächst das Werk des geistigsten Porträtisten, den Frankreich hervorgebracht hat — das Werk *Houdons*. La Tour ist geistreicher, aber nicht so geistig. Er erfaßt mehr den flüchtigen Augenblick, nicht wie Houdon die ganze geistige Existenz, die sich in jedem Augenblick in ihrer ganzen Fülle auf die Lippen drängt. Houdon durchleuchtet die Augen mit dem Glauben an eine Zukunft und der Schärfe der Gewißheit an ihre Realisation und umgürtet Nasenflügel und Mund mit dem Lächeln des Witzes und der Kritik. Echt französisch und im Sinne des 18. Jahrhunderts drängt dieser

Geist nach außen, mit einer programmatischen, unermüdlichen und suggestiven Beredsamkeit, die enthusiastisch und sarkastisch zu gleicher Zeit ist, einer Kunst des Bonmots, die nicht mehr unterhalten, sondern überzeugen will, mit Lächeln töten und mit Tiefsinn verlebendigen. Er bildet die großen Gesellschaftskritiker und Natur- und Freiheitspropheten Voltaire, Diderot und den Naturforscher Buffon, der im hymnischen Stil die Geschichte der Natur schreibt (Abb. 916). Er bildet sie so, daß jeder Zug in ihrem Gesicht zuckt und vibriert, und doch so voller Geist in jedem lebendig bewegten Zug, daß hier der Augenblick sich verewigt, weil er zu allen Zeiten mit seiner Beredsamkeit überzeugt. Der Improvisation des Fragonardschen Striches entsprechend liebt Houdon die Improvisation in Ton, die das Leben in seiner fließenden Fülle bewahrt.

Abb. 917. *Jean-Antoine Houdon, Büste von Madame Houdon. Paris, Louvre. 1787 (?).*

Auch in Frauenbildnissen knüpft er an La Tour an und schreitet in der Emanzipation des Geistigen über ihn hinweg. Es sind Bildnisse von Frauen, deren Anmut und Schönheit von Intelligenz gebändigt und gezügelt wird, die mit leisem Spott die Gaben in der Hand behalten, die sie nur verschenken, um selber Geist in Bewegung zu setzen, Frauen des Salons, die mit der Sicherheit, die der Geist verleiht, die Geister anfeuern und den Streit der Meinungen zur Harmonie einer geistigen Geselligkeit verknüpfen. Am freiesten hat er seine eigene Frau dargestellt (Abb. 917), aus vollem Halse lachend, einfach frisiert, mit etwas wirr aufgelösten Haaren, das volle saftig-vitale Gesicht durch das Lachen verzogen, wenn nicht verunschönt, etwas wie eine Hille Bobbe von Frans Hals, und dennoch von dieser weit entfernt durch eine unnachahmliche, ironische Freiheit des Geistes im herzhaft befreienden Lachen.

Die Bemühungen um den Menschen — Mensch im Gegensatz zum Höfling — stehen auch in Deutschland an erster Stelle, auch hier geht die Literatur voran mit Lavaters physiognomischen Fragmenten. Das Bild der Kunst dieser Generation wird durch die Porträtgalerie des ganzen geistigen Deutschlands aus der Hand von *Anton Graff* bestimmt, neben ihm stehen Physiognomiker wie der Bildhauer *Messerschmidt* und der Maler *Joh. G. Edlinger.* Diese Bildnisse haben einen anderen Charakter als die der Franzosen, sie sind innerlicher im Sinne der Schilderung eines Menschlichen, dessen Letztes nicht nach außen dringt, sondern im Busen bewahrt wird, sie haben deshalb auch nicht den nach außen wirkenden Glanz und nicht die dem

Abb. 918. *G. M. Kraus, Selbstbildnis. Weimar, Schloßmuseum. Um 1770.*

Abb. 919. *Anton Graff, Die Tänzerin Mara. Weimar, Schloßmuseum. Letztes Viertel 18. Jh.*

Rokoko nahestehende, wenn auch andere Worte formulierende Beredsamkeit. Ihr Ausdruck ist Herzenswärme, Sympathie mit allem Lebenden, Weltoffenheit; Geist und Klugheit sind vorhanden, aber bringen sich selbst zum Schweigen, um die große Seele und Empfindung allein sprechen zu lassen (Abb. 918). „Seid umschlungen Millionen, diesen Kuß der ganzen Welt." Auch hier ist die Form noch die des klar und groß aufgebauten Barockporträts, aber der Sinn ist ein anderer: Form und Farbe — letztere grau und stumpf — wollen nichts sein, alles möchte sich im Blick der großen weit geöffneten Augen zusammendrängen, der nicht herrschen, sondern Liebe schenken soll. Es gibt Frauenbildnisse von *Graff* (Abb. 919), in denen auch eine aufrührende, aufrüttelnde Malerei die Barockperücke in Schwung setzt und dadurch, daß sie die Substanz verhaucht, sie geistig inspiriert — das große Gefühl als Zeichen des Genies, der Aufruhr als Zeichen des Lebens.
Auch die deutschen Maler kehren sich von den repräsentativen Höhen des Lebens ab und steigen in die Niederungen herab, Niederungen, die zugleich Abgründe des Psychologischen sind. Sie vermeiden ganz, weil sie ein Rokoko mit seiner Zweideutigkeit nie gehabt haben, das sie darauf hätte führen können, die Wagnisse der Zote. Auch das wenige, was von Bauernmalerei da ist, derber, farbloser, ernster geworden, z. B. bei *Kraus*, ist sehr belanglos. Sie suchen die Abgründe des Psychologischen, in denen Geist und gebildete Innerlichkeit in den Naturzustand zurücksinken und Vernunft zerstört wird, Zustände, die zwischen Genie und Wahnsinn liegen und so von der Bildungssphäre in Natur herabgleiten, die an Karikatur grenzt. *Messerschmidts* Charakterstudien (Abb. 920), der Griesgrämige, der Schalksnarr, der Hochbetagte, der tiefverborgene Kummer, der Zuverlässige, der tröstlich lächelnde Greis sind derbe Temperamentsdarstellungen mit ähnlich hinhauender Modellierung hin-

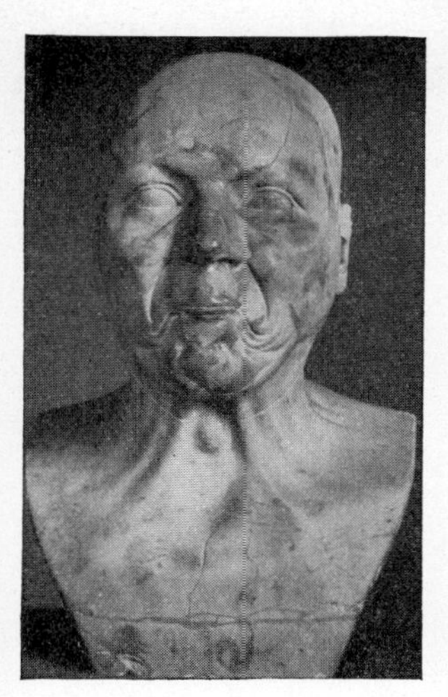

Abb. 920. *Fr. X. Messerschmidt, Der tiefverborgene Kummer. Wien, Barockmuseum. Um 1770—80.*

Abb. 921. *J. G. von Edlinger, Alte Frau. Stuttgart, Württembergische Staatsgalerie. Nach 1800.*

gesetzt, wie Frans Hals sein Lumpengesindel malt. Aber sie sind wiederum nicht Äußerungen sich selbst bejahenden, launigfrechen, niederen Lebens, wirklich Naturäußerungen, sondern ganz aus dem Geist heraus geboren, Konstruktionen und Travestie des Geistes selber, Möglichkeiten abstrakter Gefühle des Menschen, der aus der Idee des 18. Jahrhunderts geboren hier in stürmender und drängender Heftigkeit als Grimasse dem Schönheitsideal fürstlicher Erhabenheit entgegengehalten wird. *Edlinger* malt mit flockig-zittrigen Flecken, verstört, und mit braunen, fiebrig-schwelenden Farben Charakterköpfe, hinter deren dumpf-stierenden Augen Wahnsinn zu lauern scheint (Abb. 921). Auch wenn es alte Bauern sein sollen, macht aus ihnen die Malerei Ruinen des Geistes. In einem Familienbild hat Edlinger den deutschen Beitrag zur Darstellung des Genies geliefert (Abb. 922). Aufgebaut in einem noch immer barocken Schema — die neue Form ist noch nicht gefunden — sitzt der Vater mit seinen zwei Kindern, das kleine Mädchen schmiegt sich in seinen Schoß, der erwachsene Knabe sitzt am Spinett. Aber die Zärtlichkeit, die die Figuren gegenseitig verbindet und die Gruppe zum intimen Kreis zusammenschließt, gilt nicht kindlichem Spiel. Der zärtliche Blick des Vaters enthält den Glauben an das Genie des Sohnes.

Im deutschen Barock spielte die kirchliche Architektur eine besondere Rolle. In der Zeit der Verzopfung des Höfischen erlebt die Architekturmalerei in Süddeutschland bei Malern, unter denen *Maulpertsch* besonders hervorragt, eine Wandlung vom Kultbild zum Stimmungsbild durch malerische Mittel, die an den jungen Rembrandt erinnern und das Pathos von Heiligenmartyrien in nebulose Vorgänge weiter, in Dunkel und Dampf gehüllter, von Blitz und Donner durchzuckter Räume einstellen. Es ist eine schon stark pantheistische Umbildung kultisch-personaler Glaubensvorstellungen in eine kosmische Weltenraumphantasie mit einem noch stark idealisierten barocken Pathos wie in Klopstocks Messias. *Januarius Zick* vulgarisiert jetzt die religiösen Inhalte (Abb. 923) ebenso wie die mythischen, auch wieder mit Anlehnung an Rembrandt, malt Geburtsszenen und sehr zwanglose Göttergelage an

Abb. 922. *J. G. von Edlinger, Buchhändler Strobel und seine Kinder. München, Neue Pinakothek. Um 1790—95.*

Decken von Kirchen und Palästen. Bezeichnend ist auch hier das Grau und Braun, die Erdigkeit der Tinten. Was aber auch ihm nicht gelingt, ist, den Raum der Szenen zur Ablösung vom Beschauer zu vertiefen und ihm Substanz zu geben; es bleiben wie in Frankreich in den Interieurs verallgemeinerte, schattenhafte Hintergründe und aus derben, aber allgemeinen Formen der Figuren entwickelte Flächenrhythmen. In dieser noch dem Rokoko verhafteten Beziehungslosigkeit von Figur und Natur malt er einen an einer Waldecke bequem hingestreckten Wanderburschen. Auch dieser ist nicht selbst Natur, sondern das Genie, das Einsamkeit sucht und sich an den Busen der Natur wirft, seine Schriften in der Hand und in sie vertieft. Es ist kein Geringerer als Jean Jacques Rousseau, der die Preisaufgabe von Dijon löst (Abb. 924).

Auch die Landschaft (*Ferd. Kobell, Phil. Hackert, J. J. Schillinger*; Abb. 925, 926, 927), die unmittelbare Landschaft, und zwar aufgefaßt als Wildnis, kraus und buschig, steinig und unwegsam oder auch wild, voller Schroffen, belebt durch Wasserstürze und Wolkendramatik, nimmt in Deutschland einen großen Raum ein, echter gefühlt, gegenständlicher und deshalb farbig und architektonisch reizloser als die Ruinenzauber von Robert. In der Substanz ist sie noch immer wesenlos, entwickelt aus fremden, holländischen Vorbildern und den tapetenhaften Kulissen des Rokokoschaumes, subjektiv wie das Naturgefühl, das sentimental eine Natur fordert, die man weder ist noch kennt. Der historische Sinn aber, der sich in Roberts Ruinendarstellungen meldete, führt in Deutschland zu einer herzhafteren topographischen Aufnahme ländlicher und historischer Bezirke, in einer schlichten, trockeneren Manier.

Abb. 923. *Jan. Zick, Abraham und die Engel. München, Neue Pinakothek. Um 1760—70.*

Da das, was die Worte Sturm und Drang besagen, mehr die Form als den Gehalt, mehr den barocken Überschwang in der Form, der am wenigsten neu ist, als das neue Menschheits- und Naturideal, mehr die Geste als das Geistige des Genies, mehr das Lodernde als das Verstörte der Nachtseiten der Natur bezeichnet, so hat man diesen Ausdruck bisher nur auf einen Maler angewandt, bei dem diese explosive Äußerung des Sturm und Drang am deutlichsten zutage trat, *Joh. Heinr. Füßli*, von dem Lavater an Herder schrieb: „Sein Blick ist Blitz, sein Wort Wetter.“ Seine Vorliebe für Michelangelo, d. h. für die starke, ausdrucksvolle Geste zeigt die Nähe zum Barock und die übertrieben pathetische Form, in der viel Oper oder Theater steckt. Er hat Shakespeare illustriert. Das Wesentliche ist, daß er das Religiöse ins Phantastische, das Gebundene ins Schweifende, das objektiv Jenseitige ins visionär Transzendente übersetzt. Er malt Menschen in Traumzuständen (Abb. 928), einen beängstigenden Spuk, der, dem Bewußtsein des Menschen entsprungen, dieses Bewußtsein zugleich am stärksten außer sich, als Naturvorgang, der Kontrolle der Vernunft entrückt zeigt. Er weist damit dem 19. Jahrhundert den Weg zum Märchen, wiederum mit stark revolutionärer Tendenz, die Form und Ratio zerstört und den Menschen in seiner tiefsten Wahnbefangenheit zeigt. Die effektvoll aus barocker Form verbogene Gestalt der Träumenden im Nachtmahr, die getüftelt konstruierte, malerisch-visionäre Charakteristik der Gespenster — Kunstdichtung über ein volkstümliches Thema wie das Hexengewürge im Faust — zeigen wiederum, wie hier hohe Geistesbildung sich bemüht, die Fragwürdigkeit des Geistes zu erweisen. Seinen Beitrag zum Geniekult hat er in einem Bilde gegeben, in dem der Maler dem Dichter Bodmer gegenübersitzt, bedeutsam hingeflegelt, die Hand tiefsinnig an die Stirn gelegt; aber nicht ein frecher Landsknecht wie der Heydthuysen von Frans Hals, mit dem seine herausfordernd zwanglose Haltung zu vergleichen wäre, sondern ein äußerlich und geistig wohlgebildeter Jüngling, der die Freiheit des Genies mit berechneter Gebärde vertritt. Zwischen ihm und dem voltaireähnlich charakterisierten Bodmer im Schlafrock erscheint ein Kopf, halb Büste wie auf den Schreibtischen eines Gelehrten, halb Vision eines urwäldlichen Barden, ein Beispiel jener Urwäldlichkeit, die man sich

Abb. 924. *Jan. Zick, Rousseau findet die Lösung der Preisaufgabe von Dijon. Sammlung Löwenthal, Berlin. 1757.*

Abb. 925. *Ferdinand Kobell, Landschaft. Stuttgart, Württembergische Staatsgalerie. 1780.*

Abb. 926. *Ph. Hackert, Wasserfall bei Isola di Sora. Magdeburg, Kaiser-Friedrich-Mus. Um 1780—90.*

nicht mehr mit Satyrn und Waldmenschen, sondern mit Genies, Sängern und Volksliederdichtern, mit Volksgeistern und Volksseelen bevölkert denkt. Es sind die Barden, von denen die Nachkommen bald feststellen mußten, daß sie ein Produkt des eigenen Geistes waren wie der Ossian Macphersons. Französischer Geist wäre solcher gänzlich unfrivolen Sentimentalität nie fähig gewesen, ihn bewahrte davor die Skepsis und die Formkultur des ancien régime.

Nur einen Künstler hat Europa in dieser Zeit hervorgebracht, der alle revolutionären Ideen und alle Neuerungen des Geistes mit voller Schärfe ausspricht, ohne ihr die Kunst zu opfern, und in der Kunst der größte des Jahrhunderts bleibt, ohne ihr den Gehalt zum Opfer zu bringen: *Goya.* Zwei Momente kamen ihm dabei zu Hilfe, einmal daß er die umstürzlerischsten Gedanken — wie seinerzeit Dürer — graphisch geäußert hat in den großen Radierfolgen der Caprichos, Desastres de la Guerra, der Tauromachie, der Proverbios, sodann daß er als Spanier das Erbe des Velasquez und der ganzen spanischen Malerei aufnehmen konnte, dessen tiefste Bedeutung von jeher gewesen war, mit der Auflösung der Welt in die malerische Erscheinung die tiefste Verachtung alles Menschlichen zu verbinden. Diese Verachtung, die um so stärker war, je übermenschlicher und gespreizter sich die Menschen benahmen, erzeugte eine den Menschen bis in die geheimsten Falten seiner Seele durchschauende Menschenkenntnis und wurde durch die eindringende Psychologie wiederum vertieft. So malt Goya die königliche Familie wie Velasquez mit einer ganz unhöfischen und unhöflichen Wahrhaftigkeit und noch um einige Grade derber, satirischer als sein großer Vorgänger und bewundertes Vorbild; man glaubt eine Sammlung von häßlichen Scheusalen und Karikaturen vor sich zu haben. Zugleich hat er eine Fülle von geistig bedeutsamen Porträts hinterlassen, in deren feinen gespannten Physiognomien anders als in den effektvollen Bildern Fragonards oder den Gefühl ausströmenden Graffs das Geistige prüfend überlegen und zurückhaltend gleichsam auf der Lauer liegt. Das Thema seiner revolutionären Kunst und seiner Satire ist immer die Bête humaine, die Vertiertheit des Menschen, eine Hinwendung

Abb. 927. *J. J. Schillinger, Felsenschlucht. Sepiazeichnung. Weimar, Schloßmuseum. Ende 18. Jh.*

zur Natur, die weder hymnisch noch sentimental sein will, sondern nur wahr und grausam wie die Natur selber. Der Stil aber, in dem er malt und zeichnet, ist der des 18. Jahrhunderts, derselbe wie bei Fragonard, dekorativ flächig, geistreich und zuckend in der Verteilung der Helligkeiten und Dunkelheiten, nervös und flüchtig in der Strichführung. Von dem festlichen Dekorateur Tiepolo hat er die Kunst gelernt, das Licht vibrieren zu lassen, mit Andeutungen den Duft der bewegten Oberfläche zu erhalten. Aber was bei diesem eine Kunst war, mit den spröden Mitteln von Schwarz und Weiß die Flächen zum Schillern und Glänzen zu bringen, wird bei ihm ein Mittel, mit der raumlosen Flachheit der Vordergrundszeichnung die Sagbarkeit des Inhaltes zu steigern, mit plakatartiger Deutlichkeit und Grellheit uns die Dinge ganz nah vor die Augen zu rücken, durch Verteilung von Schwarz und Weiß den Inhalt ins rechte Licht zu setzen und mit andeutendem Strich nur gerade das

Abb. 928. *Heinrich Füßli, Der Nachtmahr. Basel, Prof. Ganz. 1781.*

Abb. 929. *Francisco de Goya, Radierung aus den Desastres de la Guerra. 1810—31.*

Abb. 930. *Francisco de Goya, Die nackte Maja. Madrid, Prado. Zwischen 1800 und 1802.*

physiognomisch Wichtige der Szene wie bei den besten gezeichneten Porträts eines Holbein, van Dyck, Rembrandt zu markieren. So sind sie alle wie das Blatt mit dem kaltschnäuzigen Husaren (Abb. 929), der sich sadistisch an dem Anblick des gehenkten Opfers weidet. Der Gehenkte bildet, blitzartig erhellt, den Mittelpunkt einer monumentalen Komposition, zu dem auf der einen Seite vorbereitend und spannungweckend die Andeutung zweier anderer Opfer, auf der andern Seite der Blick der vertierten Kanaille hinführt, ein Monument, das zum Revolutionsplakat geworden ist.
Auch in seinen Gemälden ist Goya technisch Sohn des 18. Jahrhunderts, in der Auffassung Wegbereiter einer neuen Zeit. Die Maja (Abb. 930) nimmt

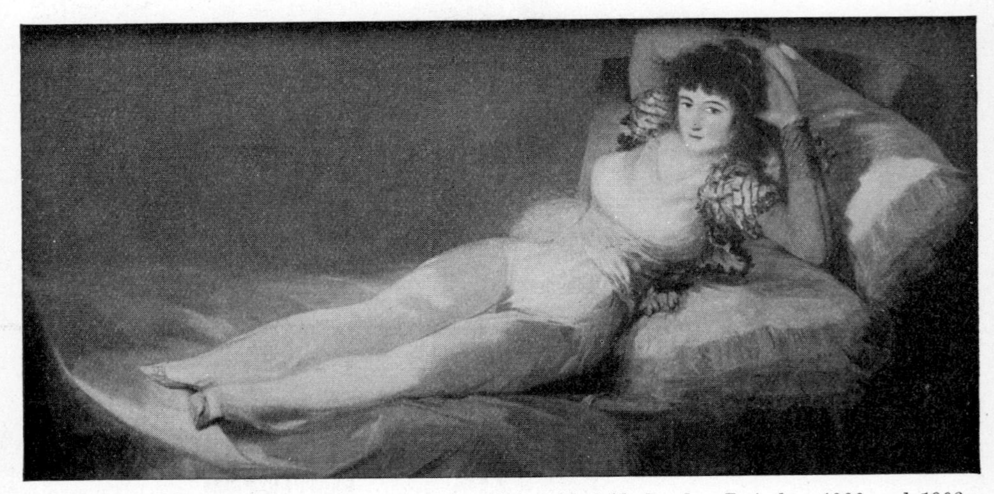

Abb. 931. *Francisco de Goya, Die bekleidete Maja. Madrid, Prado. Zwischen 1800 und 1802.*

das alte Thema der venezianischen Venusbilder wieder auf. Bei der Hervorhebung des glatten gemalten Körpers auf einem leichten und lockerer gemalten Grund, der fehlenden Räumlichkeit hinter Gestalt und Bett und in den kühlen, auf Grau und Grün gestellten Tönen könnte man an Boucher denken, bei der Reinheit der Zeichnung und Harmonie der Formen an den Klassizismus der Nachfolger Bouchers, an Falconet, Houdon und andere. Und doch ist etwas ganz anderes darin, was revolutionär und diabolisch wirkt, eine Modellierung, die mit ihrer Wirklichkeitsnähe das Modell verrät, eine Wahrheit von der Kraßheit des Adam und der Eva von Jan van Eyck, ein Blick voller Herausforderung und Berechnung, eine psychologische Intensivierung, die den Körper in Szene setzt und über die schöne Form hinaus in Abgründe des Menschlichen sehen läßt. Die zweite Fassung der bekleideten Maja (Abb. 931), die mehr noch als die äußere Hülle das Psychologische variiert (der herausfordernde Blick ist einem kalt abwesenden der Erschöpfung gewichen, die Haare sind zerzaust), läßt keinen Zweifel darüber, daß die Charakteristik dem Künstler die Hauptsache war.

Die Erschießung der Insurgenten (Abb. 933) gehört in denselben Stoffkreis wie die Desastres de la Guerra. Auch hier ist der in großen Flächen arbeitende bühnenhafte Stil des 18. Jahrhunderts verwendet worden, in großen Silhouetten eine plakatartige Wirkung zu erzielen und die malerisch unkörperliche Farbfläche der Figuren zur Verstärkung der aufreizenden Idee und Ausdruckskraft des Inhaltes zu verwenden. Die groß, breit und feurig aufgetragenen Farben bekommen einen neuen Stimmungswert. Vor dem Schieferblau des Nachthimmels schreit das Weiß des Exekutierten zu ihm auf und lodert das Rot des Blutes racheheischend heraus.

Abb. 932. *Francisco de Goya, Teppichentwurf: Der Herbst. Madrid, Prado. 1786.*

Es ist eine Stimmungskunst der Farben, die Goya schon in seinen Frühwerken, den dekorativen Jahreszeitenbildern für den Escorial (Abb. 932, 934) ausgenutzt hatte, in denen die Freuden des Landlebens, ländliche Spiele und ländliche Arbeiten, in großer und noch stark rokokohaft blumiger Weise geschildert werden, ein verzopftes Rokoko in der Art von Chodowiecki, nur mit ganz anderer Meisterschaft im malerischen Vortrag hingesetzt. Die mehr cha-

Abb. 933. *Francisco de Goya, Die Erschießung der Aufständischen von Madrid. Madrid, Prado. 1809.*

rakterisierende als schmückende Darstellung erinnert schon an die Italienbilder der Biedermeier voraus. Man spürt die Zeit, die sich für Volkssitten und Volkstrachten interessiert, und spürt in den gestelltesten Posen noch ein Stück historisch-ethnographischer Betrachtung. Unter diesen Szenen ist die Darstellung des Winters trotz der dekorativen Baumzeichnung und der rhythmischen Komposition schon ganz ein Stimmungsbild von tiefer Ausdruckskraft geworden, das an C. D. Friedrich gemahnt.

In Goyas Spätbildern (Abb. 935) tritt das phantastische Element, das schon immer folgerichtig aus der elementaren Großartigkeit seiner satirischen Anschauung ins Dämonische und Satanische emporwuchs, noch stärker hervor durch eine alle Formen zu einem trüben Menschenbrei zerkochende Malerei. Fast farblos, nur mit höllischem Schwarz gemalt, steigert sich hier die Ausdruckskraft der Farbe zu einer alles Menschliche abgründig verfinsternden Karikatur. Die Grenze

Abb. 934. *Francisco de Goya, Der Winter. Teppichentwurf. Madrid, Prado. 1786.*

Abb. 935. *Francisco de Goya, Hexensabbat. Madrid, Prado. Um 1815.*

zwischen Stumpfsinn und Wahnsinn, Weib und Hexe, Mensch und Tier, Dreck und Finsternis, Form und Materie, Erde und Unterwelt, Natur und Fratze ist von der Souveränität des Geistes in der Malerei überall verwischt.
Daß Goyas Satire so scharf und wahr, so rückhaltlos und grausam sein konnte, wird man nicht nur der Tatsache zuschreiben, daß ähnlich wie zu Zeiten des Frans Hals die Spanier einen Befreiungskampf gegen die französische Herrschaft führten, sondern letztlich seinem spanischen Temperament. In der prachtvollen Serie der Stierkampfradierungen und Lithographien ist der Vorkämpfer für eine neue Menschlichkeit nicht mehr beteiligt als der Maler, der die überraschenden und momentanen Bilder im vollen Sonnenlicht erhascht, und als der Spanier, der ungerührt auf die entsetzlichen Verstümmelungen von Mensch und Tier mit Spannung wartet. Geistiges verstehen kann nur der ganz, der es in sich selber besitzt. Wenn Goya von einem neuen revolutionären Ethos getrieben die Grausamkeit menschlicher Raubtiernatur bloßlegt, so tut er es mit der Kühle und Selbsterkenntnis des Spaniers, der mit dem Degen seiner Satire auf das Herz des Gegners zielt. Aus dieser Kühle und Unsentimentalität heraus beherrscht er auch die Mittel der Malerei wie der Toreador seine Waffe, und rettet die malerischen Errungenschaften des Barock und des Rokoko über das 19. Jahrhundert hinaus in eine neue sachliche Einstellung allem Menschlichen gegenüber. Das eigentliche 19. Jahrhundert und seine Sentimentalität hat in ihm am wenigsten einen Vorläufer, so sehr er revolutionär mit alten Vorstellungen von der Göttlichkeit im Menschen aufgeräumt hat.

KLASSIZISMUS UND ROMANTIK

Hof zu Weimar. Karl August 1758—1828. Goethe 1749—1832. Schiller 1759—1805. — Josef II. von Österreich 1780—90. — 1792 Frankreich Republik, 1794—95 Nationalkonvent, 1795—99 Direktorium (Koalitionskriege, Bonaparte), 1799—1804 Konsularregierung. Napoleon Kaiser der Franzosen 1804—15. 1806 Schlacht bei Jena und Auerstädt. 1813—15 deutscher Befreiungskrieg. Wiener Kongreß 1815 (Metternich). Heilige Allianz zur Wahrung des Friedens und Unterdrückung demokratischer Bewegungen, gestiftet 1815. 1821—29 griechischer Befreiungskrieg (Lord Byron).

Nach den Ansätzen zu einer im niederländischen Sinne naturalistischen Kunst, wie sie im Sturm und Drang mit der Rousseauschen Losung „Zurück zur Natur" sich mannigfach geäußert und auch im Schäferstück des Rokoko

Abb. 936. *Fr. A. Tischbein, Dame vor dem Spiegel. Skizze. Kassel, Gemäldegalerie. Um 1800.*

schon sich angekündigt hatte, hätte man erwarten können, daß in der Folgezeit dieser Naturalismus sich verstärkt, vertieft und durchgesetzt hätte. Statt dessen erhebt sich ein neuer Klassizismus, getragen von einer Griechensehnsucht und einem Griechenglauben, der in der Nachahmung der Antike das allein seligmachende Ziel der Kunst sah. Muß es nicht scheinen, als sei die Bewegung zur Auflösung der statuarischen und architektonischen Form, die Wendung zur Grenzenlosigkeit des Gemütes, zur Aufgelockertheit und Unbestimmtheit der Landschaft, zur Freiheit und Zwanglosigkeit einfacher, bäurischer Lebensformen damit aufgehoben und mit der Rückkehr zur reinen Form der Antike nach rückwärts gewendet?

Um diese Frage zu entscheiden, müssen wir diesen Klassizismus daraufhin ansehen, wie weit seine Nachahmung der Antike eine Rückkehr zur Form und nicht vielmehr eine gänzlich unantike, sentimental-naturalistische Umbildung der antiken Vorbilder ist.

Diese Zeit — es ist die Generation der um 1750 geborenen Künstler — stellte sich mit der Rückkehr zur Antike in einen bewußten Gegensatz zu der Hofkultur des Barock und Rokoko. Nur verkannte sie ihr eigenes Wesen, wenn sie diesen Gegensatz gerade in der neuen, sich antik gebärdenden Haltung fühlte. Denn der Säulen- und Pilasterapparat und alle Einzelformen der Architektur des Barock und Rokoko waren ebenso antik, waren Renaissance wie die feierliche oder festliche und repräsentative Haltung der Kirchen- und Palastbauten im ganzen. Nie wieder war ja die Lebenshaltung und die künstlerische Form dem antiken Barock so nahe gekommen wie in der Kunst des Rubens; und die mythologischen Bilder und Statuen des Rokoko standen dem Hellenismus ganz nahe.

Vielmehr führte man mit dem neuen Klassizismus zunächst nur den Kampf fort gegen die geistige Feinheit und Eleganz der gesellschaftlichen Kultur des Rokoko und die geistreichen, aller irdischen Schwere enthobenen Beziehungen, die im Leben ihren Ausdruck fanden in den Huldigungen und Scherzen eines raffinierten Frauendienstes, in der Kunst in der Immaterialität des zarten Rahmenwerkes und in den versteckten, verschnörkelten und doch alles Einzelleben in die geheime Ordnung der Architektur einflechtenden Verbindungen.

Mit einem neuen Ideal der Ruhe und Stille fand man in klassischer oder für klassisch gehaltener antiker Kunst Vorbilder, um diese Bewegtheit und Laune der Geselligkeit des Rokoko aufzulösen, einer Geselligkeit, die das Individuum jeden Augenblick für die nimmer rastende Verpflichtung gesellschaftlicher Beziehungen beanspruchte. Der Erfolg dieser Auflösung war, daß nun auch der Sinn für die Verbindung körperlicher Formen überhaupt verlorenging, daß man die Körper einzeln konstruierte und die Glieder des einzelnen Körpers nicht mehr in ihrem organischen Zusammenhang verstand, da man sie ja nicht körperlich erlebte, sondern gemütlich, aus dem Seelischen heraus. Wie zur Zeit des Manierismus konstruierte man die Motive mathematisch und ertötete die Unmittelbarkeit des plastisch Organischen in der Kälte einer abstrakten Konstruktion.

Was man in der Antike suchte, war nicht neue Form und Lebenshaltung, sondern Natur. Wie schon im 15. Jahrhundert fand man in der Antike gegenüber den geistigen und geistvollen Entkörperungen des gotischen dort, des rokokohaften ornamentalen Beziehungssystems hier, eine neue Erdwirklichkeit, die Festigkeit und Greifbarkeit der Masse, die Schwere des Erdverbundenen, die Realität des Diesseitigen.

Diese Antike war deshalb im Leben ebenso da wie in der Kunst, in dem antikisierenden Kostüm, einem unter der Brust gegürteten einfachen und schmucklosen, hemdartigen Gewand, über das ein einfacher Schleier geworfen wurde. Schon bei den Meistern des Louis-Seize-Stiles, bei Vien, Falconet und bei Greuze finden wir es. In einer reizenden Skizze von *Friedr. Aug. Tischbein* (Abb. 936) probiert eine Dame vor dem Spiegel dieses neue Kostüm und übt sich, dem toten reizlosen Stoff durch die Bewegungen des Körpers Anmut und Ausdruck zu verleihen — die neue Gesinnung gleichsam, die die Antike anprobiert. Dieses Kostüms und dieser Haltung bemächtigt sich die vornehme Gesellschaft, um die neue Empfindsamkeit verinnerlichten Menschentums und familiärer herzlicher Beziehungen mit der anerzogenen Anmut höfischer Kultur in lässigen, rhythmischen Gebärden einer imaginären Öffentlichkeit vorzuführen. Nur in Deutschland ist dieser empfindsame Klassizismus, der in einer stillen und beruhigten Form Empfindungen gleichsam tanzt, ganz rein zum Ausdruck gekommen, ein Gegenstück zu Goethes klassisch-empfindsamer Dichtung im Tasso und in der Iphigenie. Unter seinen Vertretern, dem effektvoll posierenden *Füger*, der theatralischen *Angelica Kauffmann*, dem zopfig-trockenen *Friedrich August Tischbein* ist letzterer in seiner dem Weimarer Hof gewidmeten Kunst am überzeugendsten. Von der verwandten sentimental-vornehmen englischen Porträtkunst unterscheiden sich seine Bildnisse durch die schlichtere Aufmachung im Kostüm der Figuren und in der Farbe und dem Glanz der Malerei. Die Geistigkeit und Beseeltheit der dargestellten Personen wirkt dadurch aufrichtiger. Kraft angeborener und traditioneller Körperdisziplin wird die Bewegung der Körper selbst zu rhythmischem Ausdruck des Gefühls mit einer aus Rücksicht auf die Welt gedämpften Zartheit. Möge es sich um Einzelbildnisse handeln, eine fürst-

Abb. 937. *Fr. A. Tischbein, Der Erbprinz von Sachsen-Weimar und seine Geschwister. Sammlung Fürst zu Waldeck. 1798.*

Abb. 938. *Jacques-Louis David, Der Schwur der Horatier. Paris, Louvre. 1784.*

liche Persönlichkeit mit vergeistigten Zügen eines Privatmannes, der auf einem Spaziergang ausruht oder nachdenklich im Lesen eines Buches einhält, oder eine Familiengruppe in „zärtlichem Verein" (Abb. 937), die angeborene Rücksicht dieser Menschen auf Welt und die ererbte und anerzogene Kultur ihrer Haltungen und Gebärden äußert sich im Wohllaut eines gebildeten Linienflusses, zu dem empfindsame und ermattete Umrisse musikalisch zusammenlaufen. Die absolute Harmonie aller aufeinander gestimmten Bewegungen bewirkt, daß das Bildschema des 18. Jahrhunderts — eine landschaftliche Folie, die trotz schwimmender und weicher Töne noch immer nur Hintergrundskulisse darstellt — und eine auch in der größten Absichtslosigkeit der Welt zugekehrte Haltung oder Gruppierung sich dennoch mit dem Ausdruck reiner Innerlichkeit verträgt. Es gemahnt etwas an die Kunst des Fra Angelico und die Stimmungszartheit des Gentile da Fabriano, jenes Übergangs der Gotik in die neue Wirklichkeitsdarstellung der Renaissance. Es bedeutet einen Sieg der Sturm- und Drangrevolution, daß die höfische Welt in Deutschland sich auf die Ebene der Bildung und Humanität herabließ.
Aber es ist nur ein Nebenweg, in der bildenden Kunst nur deshalb so bedeutsam, weil sie sichtbar die Lebenssphäre darstellt, in der Goethe eine Zuflucht für seine Griechensehnsucht und Iphigenienstimmung fand. Daneben steht eine härtere, entschiedenere Gesinnung, die die Revolution fortsetzt und sich aus anderen Motiven heraus antiker Stoffe und einer scheinbar antiken Formensprache bediente. Sie geht aus von Frankreich, dem Lande der Revolution; ihr Führer in der bildenden Kunst ist *Jacques-Louis David.*
Als revolutionäre Sprache war die Wirkung dieser Kunst auf die Masse und auf die Öffentlichkeit angewiesen, auch wenn sie dem unöffentlichen Dasein der natürlichen Pflichten, der Zurückgezogenheit und des Lebens in der Familie das Recht vor der höfischen Konvention erkämpfen wollte. Dazu aber bedurfte es der eindringlichen Gebärde, für die Gebärde bedurfte es des Körpers wie in der Antike, und für die Wirkung nach außen des hallenden Resonanzbodens, von dem sich die Gebärde laut und vernehmlich abhob. Diese Sprache des rhetorischen Pathos einer großen Gebärde war dem Franzosen aus der Tradition der Kunst Ludwigs XIV. und des Stiles der Comédie française, aus den Aufführungen der Tragödien des Corneille und Racine vertraut. Die Ideen selbst aber von Menschlichkeit, Freiheit, Brüderlichkeit als politisches Programm, als philosophische Lehre einer kommenden Zeit hatten die Allgemeinheit, die Abstraktheit, die nur den Menschen schlechthin, nicht das Individuum umfaßte, nur die vom Milieu gelöste, im freien Raum

Abb. 939. *Jacques-Louis David, Die Sabinerinnen. Paris, Louvre. 1799.*

oder dem leeren Hintergrund vorgeführte Gestalt, nicht den besonderen Raum, das Heim und seine Stimmung. Was aber konnte geeigneter sein, diese Allgemeinheit des neuen Menschen, des naturhaften Menschen auszudrücken als die antike Statue. In ihr war Natur, nackte Natur, ohne die Verbildung einer Mode, eines närrischen Kostüms. In ihrer Individualitätslosigkeit war sie der Mensch schlechthin, in ihrer klassischen Formenschönheit waren die Maße der Vernunft, des Vernünftigen, d. h. aber des sich gesetzlich Ergebenden ohne Willkür und Verschnörkelung. Ebenso war die schlichte, einfache Säulenarchitektur der dorischen Tempel in ihrer nackten Schmucklosigkeit der ideale Hintergrund für diese Vernunft des gesetzmäßig natürlichen Daseins. So spielt sich die Szene des Schwures der Horatier (Abb. 938) wie ein antikes Relief als ein Stückchen antiker Geschichte mit antiker Allgemeinheit der Körper, Physiognomien, Kostüme vor einer kahlen, tönenden Säulenhalle ab. Aber was diese Antike weiter besagt, was aus der Antike gemacht wird, ist in der Tat neue Menschlichkeit, die Weiterführung der sentimentalen Kunst des Greuze und ein Weg in die historische Anekdote des 19. Jahrhunderts. Nicht eigenwertige und eigenlebende Bewegungen verbinden die Figuren zu einem Relief wie in der Antike, wie bei Rubens, sondern psychisch-anekdotisch verknüpft stehen die drei Gruppen im Bühnenraum, die schwörenden Jünglinge links, der mit sentimentaler Gebärde und Augenaufschlag

Abb. 940. Ph. Fr. Hetsch, Cornelia, die Mutter der Gracchen. Stuttgart, Württembergische Staatsgalerie. 1794.

die Schwerter reichende Vater, die klagenden Frauen rechts. Selbst die strammen Gebärden der soldatischen Jünglinge sind nicht Körperentfaltung, Plastik, sondern innerlich gemeint, Ausdruck des moralischen Entschlusses, dessen menschlich ergreifende und familiäre Bedeutung durch die Geste des Vaters und die Klagen der Frauen verstärkt wird. Es ist Greuzesche Theatralik antik verbrämt. Wie bei Greuze ist die vorbildliche Gebärde in dieser Zeit Ausdruck einer innerlichen moralischen Haltung, nicht sinnlich, sondern sittlich gemeint. Daß in der deutschen Kunst des *Carstens*, der *Wächter* und *Hetsch* die Gebärden konstruierter, körperlich lebloser sind, das Anschauliche lahmer, das Moralische und Sentimentale offensichtlicher, ist nur ein Beweis dafür, daß die Franzosen stärker in der Tradition verharren, dem ancien régime verpflichtet bleiben. In Deutschland machen die Dramen Schillers die bildende Kunst der Zeit überflüssig. David behält etwas vom Pathos und der Gebärdensprache des 17. Jahrhunderts; ja selbst die Rokokofrivolität wird durch den sittlichen Entschluß der Moralkämpfer nicht tot gemacht. Der Kampf der Sabiner und Römer (Abb. 939) ist voll von sentimentalen Rührszenen der Frauen und Kinder, die sich zwischen die kämpfenden Männer werfen, so geschickt freilich, daß genau in der Mitte der Figurenreihe der Greuzesche Effekt entblößter Brüste steht. Wenn die Deutschen *Hetsch* oder *Wächter* schöne Frauen malen, dann ist es immer, um in der antikisierenden Tracht mit strengen Linien die Würde der Menschheit zu wahren und eine moralische Idee zu demonstrieren, so z. B. wenn die Mutter der Gracchen (Abb. 940) die Geschmeide, die ihr eine Frau anbietet mit dem Hinweis auf ihre Kinder als ihren schönsten Schmuck zurückweist, oder um eine sentimentale Stimmung über den Verfall historischer Größe vorzuführen, wie Wächters Muse auf den Ruinen Athens. David entwickelt aus der Sprödigkeit, mit der Madame Récamier (Abb. 941) dem Beschauer auf den festen, eleganten Linien eines Empiresofas den Rücken zukehrt, das Denkmal einer schönen Frau, die mit der kühlen, antiken Grazie der Salondame kokettiert. Dem rauhen, männlichen Pathos dieser republikanischen Kämpfer, deren

Abb. 941. *Jacques-Louis David, Madame Récamier. Paris, Louvre. 1800.*

Abb. 942. *Jacques-Louis David, Paris und Helena. Paris, Louvre. 1788.*

moralische Leistung in erster Linie darin besteht, sich vom Geschrei der Frauen nicht rühren zu lassen, mußte die Liebespoesie am fernsten liegen. Die Schilderung idealer Liebespaare, an der sich die Künstler dennoch versuchen, fällt denn auch in bezug auf das Liebenswerte der Dargestellten recht linkisch und kühl aus. Doch unterscheiden sich die nationalen Temperamente gerade hier recht deutlich. *Hetsch* schildert Paris und Helena wie ein junges, neu vermähltes Paar, bei dem der junge Ehemann die Leier schlägt, die Frau schließlich ungeduldig den jungen Mann am Kinn kraut; alles ist Anekdote und Empfindsamkeit. Bei *David* (Abb. 942) ist zwar auch die seelische Rührung des vor breiter Szenerie aufgebauten Paares die Hauptsache, aber die Körper sind reiner durchgezeichnet und in ihrer konstruierten Schönheit stärker dem Beschauer entgegengehalten. In der berühmten Gruppe des *Canova*, Amor und Psyche (Abb. 943), des Künstlers, mit dem die italienische Kunst noch einmal in dieser Zeit europäische Geltung gewinnt, sind die Körper und Arme zu einer im Kuß sich ausdrückenden Gefühlskundgebung verschlungen, aber mit solcher Sorgfalt zu einer kunstvollen Pose geformt, daß diese Rücksicht auf den Beschauer im weltvergessenen Gefühl als Theater wirkt und die künstlich verschlungenen Arme die beiden Köpfe umrahmen wie der Ausschnitt der Bühne eine Aufführung.

Abb. 943. *A. Canova, Amor und Psyche. Paris, Louvre. 1793.*

Die Frauenbildnisse dieser Zeit — Frauen vereint mit ihren Kindern — geben durch die Energie der Form und einen kräftigen Realismus den Eindruck gesunder, mütterlicher Natur. Aber das ist bezeichnend, daß in Frankreich die malenden Damen dieser Zeit, Madame *Vigée-Lebrun* (Abb. 944) und Madame *Labille-Guillard* auch hier wieder verstehen, wie bei einem Madonnenbild das Kind der Mutter so einzuordnen, daß deren Gestalt das Bild beherrscht und mit strahlendem Lächeln ganz für den Beschauer da sein kann, während in deutschen Bildern, z. B. von *Abel* (Abb. 945), die Kinder mit ihrem naivdreisten Gebaren die Mutter in ein fröhliches Spiel hineinziehen. In *Carstens'*

Abb. 944. *E.-L. Vigée-Lebrun, Mutter und Kind. Paris, Louvre. 1787 ausgestellt.*

Nacht mit ihren Kindern (Abb. 946) wird durch das Motiv des Schutzmantels der Frauenakt trotz der abstrakt philosophischen Formengebung ganz zum Symbol der Mütterlichkeit und durch die Einstellung in einen Raum, den die Parzen um die Figur herum bilden, in die Ideen von Tod und Leben, Werden und Vergehen einbezogen. Die Menschlichkeit ist als Schicksal aufgefaßt.

Ähnlich wird von *Schadow* im Grabmal des Grafen von der Mark (Abb. 947) die repräsentative Idee des Nischengrabes und der davor aufgestellten Grabtumba mit dem Entschlafenen in eine tragische Szene voll tiefer Schicksalsideen umgewandelt. In natürlicher Haltung liegt der kindlich Entschlafene vor der kahlen Wand, in deren Nische drei Frauen in ungelenken Bewegungen wie bei einer Handarbeit sich besprechen. Gerade in der Einfachheit aller architektonischen Linien wird das Menschliche besonders eindringlich. Der Aufgebahrte scheint von zauberbegabten Weibern bewacht, deren formelhaft abgerissene Gespräche in der Schicksalsidee des Grabreliefs eine Deutung bekommen: ein Jüngling, vom Hades in die Unterwelt herabgezogen, wendet sich verzweifelt zu Minerva, der Verkörperung von Kraft und Geist im Leben, zurück. Der über dem Toten ganz unarchitektonisch und unrhythmisch aufgehängte Kranz ruft die Vorstellung von mitfühlenden Menschen herbei, die eben noch am Grabe trauernd geweilt haben. So wird in dieser bedeutsamen Schöpfung des größten deutschen Künstlers dieser Zeit die abstrakte Grabarchitektonik ganz mit menschlichem Gefühl und unmittelbarer Wirklichkeitsnähe getränkt. *David* aber macht mit der großen Regiekunst des Franzosen aus der anekdotisch-geschichtlichen Darstellung des ermordeten Marat (Abb. 948) trotz wunderbar kraftvoller Charakteristik der Person und des historischen Augenblicks und einer satten, tiefen Malerei ein Monument, dessen große Flächen und feste Linien die realistische Person zum moralisch-erhabenen Vorbild eines sterbenden Stoikers erheben. Und während Schadow mit seinen sinnenden und genialisch unbekümmerten Feldherrn- und Monarchenstatuen in die Verbürgerlichung des offiziellen Lebens kräftig

Abb. 945. *J. Abel, Gräfin Maria Theresia Fries mit ihren Kindern. Nürnberg, Germanisches Museum. 1811.*

Abb. 946. *A. J. Carstens, Die Nacht mit ihren Kindern. Weimar, Schloßmuseum. 1795.*

vorwärts schreitet und der Romantik entgegeneilt, wendet sich David mit dem historisch wahren und doch pomphaft inszenierten Krönungsbild und mehr noch mit dem Reiterbildnis Napoleons auf dem Großen St. Bernhard in die große Zeremonienkunst Ludwigs XIV. zurück. Dieses Gemälde ist ein Denkmal, dessen Form sogar aus der vorrevolutionären Epoche übernommen ist, dem Denkmal Falconets für Peter den Großen. Nur die geringere Fülle des Lebens, das stärker Konstruierte der pompösen Haltung verrät die Entfernung des Künstlers von der Zeit, wo barocke Fürstenverherrlichung noch lebendig war. An Stelle der ruhmredigen Inschrift ist in den Boden eingedrückt eine historische Anspielung: Bonaparte, Hannibal, Carolus Magnus — die drei großen Alpenbezwinger. Und die peinlichere, glattere, festere Malerei ersetzt barocken Schwung durch porträthaftere Wirklichkeitsbetonung. Sie konnte es um so mehr, als die dargestellte Monumentalität Wirklichkeit geworden war im Cäsarismus Napoleons, und politisch in Frankreich dieselbe Stärke des Traditionellen zum Ausdruck kam, die die Malerei befähigte, in Form und Farbe die Tradition barocken Schwungs fortzuführen. So schafft die republikanische Malerei Davids den Empirestil.

Die Architektur der Zeit hat nicht einen neuen Stil geschaffen, wohl aber charaktervolle Bauten hervorgebracht, die gerade durch ihre Stillosigkeit eine würdig-ernste Stimmung und ausdrucksvolle Physiognomie haben, und zwar letzteres gerade in Deutschland. Die *Alte Münze* von *Heinrich Gentz* (Abb. 949) möge das verdeutlichen. Die Wucht des Körperlichen in den Gemälden, die sich doch ganz genremäßig in eine intime Situation und ihren Schauplatz, einen Innenraum, einbaute, wird hier durch einen festen Baublock gewährleistet, dessen flächige Behandlung und durch Ausschneiden aus der Masse gewonnene, ganz nach innen weisende Fensterbildung den Hauscharakter mit solider Bürgerlichkeit betont. Die Verschlossenheit weist auf die Entschlossenheit hin, mit der der Block — weniger repräsentativ als selbstbewußt — nicht mit einer Fassade, sondern einem Hausteil, einem eigenen Treppenhaus an die Straße tritt. Auch die dorischen Säulen treten nicht repräsentativ nach außen, sondern sind

Abb. 947. *G. Schadow, Grabmal des Grafen von der Mark. Berlin, Dorotheenkirche. 1791.*

Abb. 948. *Jacques-Louis David, Der ermordete Marat. Brüssel, Gemäldegalerie. 1793.*

diesem Eingangshaus einverleibt, sind schon im Inneren, dessen Öffnung sie bewachen wie Haustiere. Die dem Arkadenschema enthobenen Bogenfenster im Mittelgeschoß verhindern jede vertikale, repräsentativ wirkende Rhythmisierung der Fenster und betonen statt dessen wie im Bürgerhaus der Renaissance die horizontalen Stockwerke, deren Fenster trotz des feierlichen Triumphbogen- oder Palladiomotivs (eine betonte Mittelöffnung zwischen zwei schmäleren) durch ihre Abstraktheit nicht Glieder, sondern Ausschnitte, Fenster bleiben. Es ist auch hier nicht ein individuelles und behagliches Haus, sondern das abstrakt Hausmäßige, das sich mit kubischer und linearer Festigkeit programmäßig zur Geltung bringt. Die Tatsache, daß man Teile eines sinnvollen Ganzen (Bögen und Öffnungen) auseinanderreißt, Systeme verschiedener Bedeutung (Bögen und Rechteckfenster) kombiniert, beweist, wie wenig man den struktiven Sinn dieser Formen fühlte. Zugleich aber erreicht man durch dieses Verfahren etwas, was den eigentlichen Reiz dieser Bauten ausmacht: eine zaghafte Großartigkeit, eine spröde Wucht, eine bewußte Willkür, die an eine konstruierte Landschaft erinnert, ein Bauwerk, das zugleich ein Gemälde ist. Das wird besonders deutlich an dem *Frauenzuchthaus* in *Würzburg* (Abb. 950). Es ist ein Bau, bei dem die Bestimmung des Gefängnisses sich als Stimmung düsteren Ernstes nach außen kundgeben sollte. Und die blockmäßige Wucht, die große leere Fläche des Mittelgeschosses, die umklammernde Quaderung des Erdgeschosses und die wie Höllenrachen aus der Unterwelt sich aufklappenden Öffnungen über dem Erdboden tun es auch. Zugleich aber bewirkt ein breiter Inschriftstreifen im Mittelfeld und ein Löwenkopf mit einem Türring im Maul, daß man an eine Kommode denkt; das Gebäude wird plötzlich klein, die Härte wird krampfhaft und entspringt einer großen Schüchternheit. Und schließlich sieht man die heterogenen Systeme der drei Geschosse als ein farbiges Bild, wie die Pläne einer Landschaft, in deren leerem Mittelgrund einsam und verloren ein griechischer Tempel steht, fern, unerreichbar, ein Ziel der Sehnsucht und ein Bild der Verlorenheit, abgesperrt durch die kahlen Zäune der harten Rustikabarrieren im Vordergrunde. Das reale Gefängnis wird zum Symbol des Menschen, der eingeengt und eingepreßt in die Enge seiner Wirklichkeit in eine Ferne von Schönheit und Griechentum träumt. Denn diese Tempelfront an dieser Stelle ist nicht bauliche Wirklichkeit, ist zwecklich sinnlos, nicht einmal ein Schmuck, denn sie zieht das Auge ganz auf sich. Sie hat die Realität des Traumes. Das Ganze ist ein Bild von Caspar David Friedrich.

Die offiziellere Kunst, besonders in Frankreich, wird durch den Historismus der neuen Zeit und die abstrakt rechnerische Art bestimmt, die den barocken Palästen nicht mehr gestatten wollte, das repräsentative System der Säulen und Gebälke aus dem Baukörper als der repräsentativ-plastischen Gesamtmasse zu entwickeln, sondern den freistehenden Säulentrakt, sei es in Form der Tempelfront, sei es in der des Tempelumgangs, des Peristyls, verlangte. Diese legte man Bauten gleich welcher Bestimmung, einer Börse, einem Theater vor, ohne sich des Kontrastes zwischen Bestimmung des Baus und Ausdruck der Formen bewußt zu sein.

Falsch wäre es, die Romantik, in die der deutsche Klassizismus mit den beiden tiefen und bedeutenden Künstlern *Philipp Otto Runge* und *Caspar David Friedrich* hineinsteuert, als Gegensatz zu der antikisierenden Haltung des Klassizismus aufzufassen. Dazu ist die Flucht in Griechenethos und Römermoral selbst zu sentimental und Wunschbild, ist selbst zu sehr Romantik. Und umgekehrt ist die bildnerische Form der Romantik selbst zu sehr kubisch fest und linear bestimmt, glatt und gläsern in der Oberfläche, konstruktiv im Bildaufbau. Es ist zunächst nur ein Wechsel in der Stimmung. Eine lyrische Deklamation löst das energische Pathos des Willens, die ästhetische Ergriffenheit des Dichters und Sängers die moralische Entschlossenheit des Helden ab. Die leeren, hallenden Gründe mit den dorischen Säulen, die karg und einsam ihren Mann stehen, weichen verblümten und vernebelten Landschaftsgründen. Aber Menschen und Landschaften sind noch immer ideale Konstruktionen, deren antike oder renaissancehafte Allgemeinheit einem schwärmerischen Menschheitsideal Bedeutung verleihen soll. Die alte Bildhaltung, mit der man vor untiefem, kulissenhaften Hintergrund die Personen dem Beschauer empfehlend entgegenhielt, ist noch immer durch eine programmatische Haltung bestimmt, mit der Dichter und Sänger uns ihre innere Ergriffenheit, das Göttliche im Menschen darstellen. Deshalb zeigt *Schick* diesen neuen Typus im Bilde Apolls und der Musen oder des dichtenden Virgil. Der Geniebegriff des Klassizismus und der Romantik, der die Literatenhaftigkeit des 19. Jahrhunderts begründet und die neue Idee vom Wert des Schöpferischen nur im Literarischen oder Musikalischen, den Wert des Lebens nur im gefühlsgetränkten Nacherleben dichterischer Surrogate erblickt, hat in diesen Bildern Gestalt gewinnen sollen. Deshalb mußte das Bild farbig und formal so reizlos werden, denn nicht die Gestalten und ihre Umgebung sind der Inhalt, sondern was der Dichter spricht und die

Abb. 949. *H. Gentz, Die Alte Münze in Berlin. 1798—1800. (1886 abgebrochen.) Nach einem Stich.*

Abb. 950. *P. Speeth, Frauenzuchthaus in Würzburg. 1809—10.*

Musen und Faune hören, die hinzuzudenkende Poesie oder Musik.

Die eigentlich romantische Stimmung aber — denn Romantik ist immer die sehnsuchtsvolle Erfassung in der Phantasie von etwas, womit man sich tätig nicht in Beziehung setzen kann — besteht darin, daß die Formen, die im Barock und Rokoko Benehmen und Zusammensein der Menschen regelten und schon im Leben da waren, ehe die Kunst sie reinigte und steigerte, durch Entfernung von ihrer Lebensgrundlage zu selbständigen Produkten des Geistes werden, Formen an sich, abstrakte Konstruktionen, Formen der Aussage (Kategorien). Diese prägt man Inhalten auf, die ihrem innersten Wesen nach Verfall der Form bedeuteten und irrational waren, die einfach Konstatierung oder Hingabe im Nacherleben verlangten. In dieser rein geistigen Form, mit der man spielte, ohne zu merken, wie traditionsgebunden, wie in den Gleisen des 18. Jahrhunderts befangen man sich äußerte, fühlte man eine neue Freiheit des Individuums, des Subjektes verwirklicht, fühlte man sich gelöst von allen Ansprüchen der Wirklichkeit wie in einer ironischen Haltung des Geistes. Dabei spürte man auch der Natur gegenüber die innerliche Gelöstheit des Subjektes, die Entfernung und Idealität. So wird Natur zur Ferne schlechthin, und die romantische Ironie zum Eingeständnis der Sentimentalität, der Natur als eines Wunschbildes des Geistes. Die Ferne wird zum Ausdruck des Abfalls der Kultur von der Natur; die Natur selbst bleibt ein Produkt des Geistes. In diesem Sinne die Formen des ancien régime — die repräsentative Figurenkomposition und die flüchtige Ferne des Hintergrundes — umgebildet zu haben, aus den formalen Konstruktionen und den Menschen des Vordergrundes die Beziehung auf die Natur als den eigentlichen Bildinhalt zu gewinnen, ist das Verdienst der beiden größten romantischen Malerpersönlichkeiten der Zeit, von Philipp Otto Runge und Caspar David Friedrich.

Im Bilde seiner Eltern (Abb. 951) hat *Runge* im Ganzen und in den Figuren, in ihrer Form und Folge, der Bildanlage eine ganz strenge Komposition aufgeprägt, aufgenötigt; denn es handelt sich um ein zufälliges Vorübergehen eines spazierengehenden alten Paares, dessen Heraussehen aus dem Bilde nicht dem Beschauer, sondern irgendwelchen im Bilde unsichtbaren Bekannten zu gelten scheint. Ehrlich und sympathisch, karg und herb, aber auch häßlich und zerfallen sind die Züge dieser Menschen, gebeugt und unförmlich sind Haltung und Gestalt der Frau, altmodisch, sackartig, jeder Anmut bar die Kleidung von Großeltern und Kindern, stachlig und krautig die Pflanzen neben ihnen, schmutzig trübe die Farben — es ist also alles Natur im

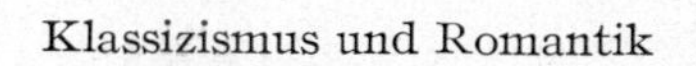

Abb. 951. *Philipp Otto Runge, Die Eltern des Künstlers. Hamburg, Kunsthalle. 1806.*

Abb. 952. *Ph. O. Runge, Der Morgen. Zweite Fassung. Hamburg, Kunsthalle. 1808.*

unhöfischen, unrepräsentativen Sinne, formlos und dennoch subjektive Form, Kunst im höchsten Maße. Die Altersfalten sind in festumschriebene Flächen wie ein Ornament eingeschrieben, der Mantel der Frau ist wie zu einem Kanonenrohr geballt, und alle Figuren sind nach der Leitlinie des Spazierstockes in eine sich abstufende strenge Parallelität eingefügt. In dieser Parallelität aber ist deutlich gesagt: je gealterter der Mensch und je geistiger sein Wesen, desto mehr entfernt er sich von der Natur; denn Haltung und Gebärde führen über die Kinder hin zu den Pflanzen und in die untere Bildhälfte, wo die Nähe von Kind und Pflanzen das Geheimnis der Identität von Mensch und Natur andeutet und die naturverschließende Wand sich öffnet in die Ahnung einer landschaftlichen Ferne. Die Subjektivität des Künstlers, die Konstruktion des Geistes schafft hier erst die Natur und gibt ihr erst die Bedeutung, sie selbst ist noch gar nicht da. Und dieselbe Konstruktion führt mit ihrer Abstraktheit in eine Allegorie, einen Gedanken, dessen Inhalt Natur ist.

Literarisch ist bezeugt, welche Bedeutung für die Romantik die Arabeske, d. h. die von aller Wirklichkeitsbedeutung abgelöste Spielform des Geistes hat, ein Produkt der Freiheit und der Ironie, in dem kunstvoll Elemente der Natur sich zu Hecke und Dickicht verwirren. So sind Runges Versuche zu verstehen, aus einem Louis-seize-Ornament eine Naturallegorie zu schaffen (Abb. 952), in deren Ranken Kinder mit den Wurzeln und Kelchen der Pflanzen zur Lebenseinheit sich verweben, wo im Strahlen der Sonne Putten sich wie Seifenblasen dem Licht vermählen und ein Kind auf unendlich weiter Ebene wie ein Gewächs die Glieder dem Himmel entgegenstreckt. Der Kranz von Putten und der Genius, der über dem Kinde schwebt, huldigen der Kindlichkeit und dem unbewußten Leben und führen den Blick in die dampfende Ebene des Grundes und in die Lichtfülle des Himmels hinein. Damit wird aus einer Poussinschen Figurenkomposition und einer Claude-Lorrainschen Landschaft ein neues Verhältnis der Figurenaktion auf der Vordergrundsbühne zu der Hintergrundslandschaft geschaffen, nicht ohne daß beide durch die abstrakt

Abb. 953. *Ph. O. Runge, Ruhe auf der Flucht. Hamburg, Kunsthalle. 1805—06.*

Abb. 954. *Caspar David Friedrich, Das Kreuz im Gebirge. Dresden, Gemäldegalerie. 1808.*

sinnbildliche Beziehung an künstlerischem Eigenwert sehr viel eingebüßt haben. Denn körperliche Schönheit will hier nur Träger und Bewunderer des Kindlichen sein und als Figur selbst im Kosmischen verfließen.
Man wird bemerkt haben, wie sehr hier in einer abstrakteren, klassizistischeren und zugleich märchenhafteren Form das Thema der Anbetung des Kindes nachklingt. Runge hat es selbst als Ruhe auf der Flucht auch einmal gemalt (Abb. 953). Es ist das alte Lied: zwei uns zugekehrte Figuren im Vordergrund, eine Art klassizistisches Relief, dahinter eine verschwommene, wenig belebte Landschaft. Aber diese Anordnung hat einen neuen Gehalt und einen neuen Sinn bekommen. Eine mantegneske perspektivische Konstruktion schiebt die harte, grobschädlige Gestalt des Josef mit dem

Abb. 955. *P. Prud'hon, Entführung der Psyche. Paris, Louvre. 1808 ausgestellt.*

Esel zu einer brutalen, kompakten Masse zusammen; alles hat eine feste und volkstümliche Energie. Dunkle Schatten machen sie zur Folie für das Licht dahinter. Aber auch das Licht auf der Seite Marias hebt sie nicht hervor, sondern läßt sie mit Blumen und einem Baum zu einer arabeskenhaften Einheit zusammengehen, deren schummerige Malerei in die Atmosphäre des Hintergrundes verfließt. Die beiden Hauptfiguren werden Rahmen für die Landschaft, deren Unscheinbarkeit durch diesen Menschenrahmen Bedeutung gewinnt. Der Vordergrund ist jetzt für den Hintergrund da. Das Verhältnis kehrt sich um. In der Bahn, die zwischen Josef und Maria hindurchführt, liegt das Kind, ihm gilt die Andacht der Erwachsenen, es selbst führt in die Landschaft hinein, und seine Gebärden gelten, langend und staunend, den Blüten und blütenhaften Putten des Baumes über ihm, dessen Zweige sich in die Traumwolken des Himmels hinein verlieren. Auch mit der Seele strömt alles Menschentum in die Landschaft und in die Natur hinein; durch die Menschen ist sie da und ist sie erst, was sie ist. Die neue Bildhaltung, die Einfühlung ist hier im Bilde selbst symbolisiert. Die Verbindung von Kind und Blume, die die Beseelung der Landschaft noch mit äußeren Mitteln ausdrückt, macht sie klein und groß zu gleicher Zeit, macht sie zum Märchen und zum Mythos. Die Wesenlosigkeit der Landschaft, die mehr Ahnung als Gegenwart, mehr Jenseits als Diesseits gibt, mehr Erhebung der Seele als Ergötzung der Sinne, läßt irdische Ferne und überirdische Hoffnung ineinanderspielen und gewinnt aus der Nichtigkeit des Seins der Menschen ihre kosmische Bedeutung. Die Natur wird pantheistisch, die Malerei philosophisch.

Mit diesem Bilde sind wir bei *Caspar David Friedrich.*

Auch er verwebt die Elemente des Vordergrundes, die Zweige kahler Bäume zu einer Arabeske (Abb. 36, S. 52), er macht sie zu einem Gitter und Fenster, von dem aus erst das eigentliche Bild gesehen wird: die Landschaft. Die frierende Kahlheit dieser Bäume, die nicht mit ihren plastischen Formen zum Bilde hinauswachsen, sondern mit dunklen Silhouetten vor einem Dahinter stehen, ihre zeichnerisch ausdrucksvoll langenden Linien, ihre kalte Schattenexistenz enthalten mit dem Standpunkt der Sicht auch die Intensität der Sehnsucht. Figuren stehen im Vordergrund gebannt oder schauend und sehnend gebeugt, der Tiefe und Ferne, wo Landschaft und Natur sich öffnen, hingegeben.

Aber auch diese Landschaft ist abstrakte Ferne, nicht gefüllte und lebendige Nähe (Abb. 954). Sie ist selbst nicht da, sie kündet sich nur an durch aufgehende

Abb. 956. *P. N. Guérin, Aurora und Cephalus. Paris, Louvre. Um 1820.*

Röte der Sonne oder des Mondes, durch Strahlen, die zwischen Wolken und Nebeln hervorbrechen. Oft schiebt sich zwischen diese Boten des Alls und die Nähe des Standpunkts gegenüber dem All noch eine Schicht, ein Gitter von Segeln und Stangen, von Türmen und Häusern oder von Trümmern gotischer Ruinen und führt die Sehnsucht des Werdens durch die Melancholie des Verfalls. Auch diese Natur, deren Ankündigungen durch Strahlen, Wolken, Nebelschwaden im Hintergrund mit der Bestimmtheit einer klassizistischen, zeichnerischen und dünnen Malerei die Klarheit des Vordergrundes haben, bleibt Geheimnis, das Gefühl zu ihr wird Andacht und pflanzt ein Kreuz neben sich auf. Wenn sie dennoch auf den Beschauer wirkt, so nicht durch sich selbst, sondern durch den Standpunkt und die Menschen im Vordergrunde, weil sie Produkt des Gefühles ist, un état d'âme, wie die Franzosen von ihr rühmen. Der Bildhauer *David d'Angers* sagte vor einem Bilde Friedrichs: Ein Mann, der die Tragödie der Landschaft entdeckt hat! Der Franzose konnte die romantische Stimmung in Friedrichs Bildern nur im Sinne der heroischen Landschaft und des Theaters verstehen, für die subjektive Form und die besondere romantische Bildanlage mußte ihm die Voraussetzung abgehen. Die romantische Gesinnung ist für die Franzosen immer eine deutsche Angelegenheit geblieben. Was später Romantik in Frankreich heißt, ist ein historischer Realismus mit Lokalfarbe und einer den Klassizismus aufhebenden Farbenglut. In dieser Zeit aber äußert sich die Romantik, deren Stimmung durch Philosophie und Literatur nach Frankreich vermittelt war (Werthers Leiden war ein Lieblingsbuch Napoleons) noch immer in einem romantisierten Rokoko. *Prud'hons* Psyche in den Lüften (Abb. 955) ist ein schlafender weiblicher Akt von der Feinheit der Zeichnung eines Correggio, dessen Sinnlichkeit durch klassizistische Glätte, dessen bewußt graziöse Haltung durch die Unschuld im Schlaf wie bei Bouchers Schäferinnen und Greuzes Landmädchen wieder zweideutig wird. Die romantische Überleitung von der Figur zu den Elementen mit Hilfe von Putten und Engeln führt nicht zur Ahnung des Kosmischen, sondern zur huldigenden Umkränzung und duftigen Einbettung, an der sich auch die Malerei des Künstlers bewähren kann. Wo auf den deutschen Bildern sich die Gestalt verflüchtigt zum Gefühl, aus dem erst die Landschaft geboren wird, verdichtet sich hier die romantische Natur zur mythischen Gestalt, die ganz Schönheit und für den Beschauer da ist. Einen Sonnenaufgang aber schildert *Guérin* so (Abb. 956): aus dem Frühlichtschimmer des nächtigen Wolkenhimmels erhebt sich ein bis zum Gürtel entblößtes Mädchen und hebt mit balletthaft erhobenen Armen Blumen empor, um sie auf den auf Wolkenpolstern elegant hingegossenen Cephalus zu streuen, dessen Hand ein

Abb. 957. *F. P. S. Gérard, Amor und Psyche. Paris, Louvre. 1798 ausgestellt.*

Amorknabe, ihn zu wecken, erfaßt hat. Auch hier macht das über die straff geformten Körper hinspielende Licht und Dunkel die Liebesgeschichte nicht kosmischer und nicht keuscher, nur sentimentaler und andeutungsreicher. Es sind neue poetischere Mittel für die alte ganz unpoetische Darstellung des Nackten. Und *Gérards* Amor und Psyche (Abb. 957), in dem Amor mit behutsamster Empfindsamkeit die unschulds- und seelenvolle Psyche küßt, wird durch seine Unwirklichkeit, die nur Unwahrheit ist, nicht zum Märchen, sondern bleibt nach wie vor ein Schäferspiel. Das entschleierte Bild zeigt nicht wie zu Sais dem Romantiker sich selbst, sondern was die Menschheit im 18. Jahrhundert nicht müde geworden war zu sehen. Am meisten romantische Requisiten hat *Girodets* Beerdigung der Attala (Abb.958). Da ist der Einsiedler und der Wilde aus Kanadien, der Europens übertünchte Höflichkeit nicht kannte, da ist die Felsenhöhle mit geisterhaftem Licht, das durch den Felsenspalt quillt. Draußen ein Kreuz im einsamen Gebüsch. Aber es ist nicht romantische Ironie zwischen vordergründiger Form und fernem unfaßbaren Gehalt, sondern Rousseausche Sentimentalität, die mit rhetorischer Klage die noch im Tode vollendet anmutigen Linien einer knospenden Mädchengestalt rühmt. Es ist eine romantische Oper, bei der der Beschauer unter den Wehmutsklängen der Trauermusik die schöne Schauspielerin bewundert. Nur eine Inschrift deutet auf den Zusammenhang mit der Natur, die Verse Hiobs: Ich bin verdorrt wie die Blume und hingewelkt wie das Gras auf dem Felde. (J'ai passé comme la fleur, j'ai séché comme l'herbe des champs.) Daneben gedeiht das Schlachten- und Soldatenbild des *Antoine-Jean Gros* (Abb. 959), bei dem die romantische Stimmung wohl zur Auswahl grausiger Szenen führt, wie im Bilde Napoleons, der die Pestkranken auf Jaffa besucht und ihre Beulen betastet, und bei dem die neue Naturanschauung den Hintergrund mit den Vordergrundfiguren durch kühnere Lichteffekte aufgeregter zusammenbindet. Die romantische Freiheit lockert wohl die Szene und macht die Malerei wahrer, aber ohne die alte Fürstenverherrlichung aufzuheben. Napoleon ist noch immer Held und Heiliger, der Sohn des Schicksals. Aber

Abb. 958. *A.-L. Girodet, Beerdigung der Attala. Paris, Louvre. 1808 ausgestellt.*

Abb. 959. *A.-J. Gros, Bonaparte besucht die Pestkranken von Jaffa. Paris, Louvre. 1804 ausgestellt.*

es ist kein Weg ins romantische Zwielicht, sondern in die Helligkeit der ruhmredigen historischen Anekdote. Aus dieser Einstellung und der mit ihr bewahrten Kunst der Form und Farbe erwächst die Rubens und dem jungen Rembrandt ebenbürtige Kunst *Géricaults.* Sein Floß der Medusa (Abb. 960) schildert mit barocker Großartigkeit und rhetorischer Leidenschaft ein Zeitereignis im Sinne der Berichterstattung des 19. Jahrhunderts, nicht romantisch, sondern von einer schaurig packenden Aktualität, dessen stofflich sensationelle Wahrheit gerade durch die traditionellen Elemente barocker Formensprache um ihre Kraßheit gebracht und zur Kunst erhoben wird.
Daneben sind die Schlachtenbilder *Wilhelm von Kobells* (Abb. 961) dürftig in ihrer äußeren farbigen Erscheinung und ihrem dramatischen Leben, denn es sind romantische Landschaften. In der Belagerung von Kosel geschieht nichts. Auf einem deutlichen Vordergrund sind arabeskenhaft die frierenden Bäume und ein Stab von Offizieren und Begleitmannschaften zerstreut, die alle ins Bild hineinsehen. Sie schauen in die verhüllte Ferne, wo sich im Morgengrauen die Konturen einer Stadt wahrnehmen lassen. Auch hier entsteht die Landschaft und die Bildspannung aus der Bewußtseinshaltung der Vordergrundfiguren. Deutschland hatte keinen Imperator und Ruhmesfürsten, nur Freiheitshelden, die romantische Dichter und Philosophen waren. Für diese war nicht die Tat ihre Welt, sondern die Welt, die der Geist aus Freiheit gebar, ihre Tat.
Was die deutschen Maler erstrebten und nur im Wunsch und in der Sehnsucht ganz erfaßten, die Landschaft, floß den Engländern aus ihrer Tradition von selber zu. Ihre Kunst hatte weder nötig, sich zu entwickeln, noch tat sie es. Die Porträtkunst eines *Romney,* besonders im Bilde der Lady Hamilton, erfüllt Reynolds'sche Tragödinnen mit stärkerer Glut der Raserei oder gibt dem aristokratischen Typ einen kräftigeren Einschlag bürgerlicher Solidität, die des Schotten *Raeburn* stellen die Persönlichkeit mit ungebrocheneren Farben kräftiger vor uns hin, die des *Thomas Lawrence* befestigen mit tiefem Rot und Schwarz die Solidität der Erscheinung oder weiten die Landschaft um die von romantischen Abendlichtern umflossene Erscheinung. Aber es bleibt — nur mit Nuancen des Sturm und Drang, des Klassizismus und der Romantik variiert — immer dasselbe englische Bildnis, einfach und weich in der Malerei, dekorativ verschönt im geschmackvollen Ensemble der Farben, repräsentativ in der Ansicht für den Beschauer, bequem und gelassen oder schön im Gefühl.
Von Anfang an war in England die Landschaft da, eine polsterweiche Rückenlehne für die Menschen, ein Teppich für die fließenden Umrisse der Damen,

Abb. 960. *Th. Géricault, Das Floß der Medusa. Paris, Louvre. 1819.*

eine traum- und gefühlsdurchflochtene Resonanz für die schwärmerischen Empfindungen, nur keine Natur und Realität. Mit noch weicherem Pinsel als über die Menschen ging der Maler über sie hin, zärtlich wie die Dargestellten ihre Rasenteppiche und ihre Parks, die Hintergründe ihres komfortablen Daseins liebten. Aber es waren doch nur Hintergründe und blieben es, auch wenn die Maler wie Gainsborough sie selbständig darstellten mit ländlicher Staffage im krauswelligen Terrain zwischen alten Baumriesen und saftigem Gebüsch. Es schließt sich doch immer wieder alles zur Kulisse flächig zusammen, mit duftigem Baumschlag, wie ihn nur Watteau duftiger und lebensschmückender gemalt, mit einem Ton, zu dem die Holländer das Braun, die Venezianer das Gold und die Natur ein wenig Grün beigesteuert hatten. Es blieb immer schöne Malerei und wurde nie jene herbe, physiognomisch bestimmte, dem Menschen ferne Natur, die den Romantiker mit Ehrfurcht und Schauder erfüllte. Wohl verstärkte die Romantik das Gefühl für die leeren Räume und weiten Flächen, durch die *John Crome* zuweilen an C. D. Friedrich heranrückt, und für das Gelöste und Unbestimmte, durch das *John Constable* und *Turner* zu Vorläufern moderner Landschaftsmalerei wurden. Aber die europäische Bedeutung ihrer Malerei beruht doch gerade darauf, daß sie die Malkunst des Barock und Rokoko, den schönen sinnlichen Schein und die weiche dekorative, nie verletzende und nie schreckende Malerei auch dem frischeren Sehen oder den romantischen Stimmungen nicht opferten, die sie in ihr Werk hineinnahmen. Die Ferne, die sie geben, ist immer dieselbe einer weichen, unanstößigen verflauten Wesen- und Substanzlosigkeit der Natur. An die Stelle des Subjektivismus des Gefühls und der Idee setzt *Constable* (Abb. 962) den der freien, skizzenhaften Technik, der Wahl und des Ausschnittes der Motive, durch die viele seiner Bilder den Reiz unmittelbarer Impression von der Natur erhalten haben. Ein frischeres Grün als bei seinen Vorläufern und den Holländern verstärkt den Eindruck der Unmittelbarkeit. Aber auch dieses Grün ist gedämpft, von jenem tiefen matten Ton, der auch diese Landschaften wie einen Gobelin an die Wand verweist, durchwoben von zarten Farben, die die Landschaft nicht zum Blühen bringen, sondern wie auf venezianischen Bildern nur zu einem

Abb. 961. *W. v. Kobell, Die Belagerung von Kosel. München, Neue Pinakothek. 1808.*

angenehmen farbigen Leuchten, das das Leben verschönt. Und wieviel Architektur, rhythmisch zusammengefaßte Silhouette, wieviel Claude Lorrain ist nicht in diesen Bildern! Aber durch diese sich einschmeichelnde Ordnung in der Freiheit konnte die Kunst Constables so anregend für die europäische Landschaftskunst werden, mehr freilich für Frankreich, das Land der Kunst, als für Deutschland, das Land der Natur.

Abb. 962. *J. Constable, Das Kornfeld. London, National Gallery. 1826.*

Turner ist romantischer und origineller (Abb. 963). Man spürt stärker in ihm den pantheistischen Unendlichkeitsdrang, die Vorliebe für das Nebulose und Verschwommene, die unausschöpfbaren Weiten und elementaren Ausbrüche in der Natur. Indem auch er diese aus der dekorativen Anlage — er fängt mit Claude Lorrain an — und der wattigen Malerei englischer Kunst entwickelt und die Flächen zunächst mit dem herkömmlichen Goldbraun belegt, bleibt die Grenze zwischen Leere und Unendlichkeit, zwischen Dekorativem und Elementarem, zwischen Rauch und Atmosphäre, Schaum und Meer immer offen. Die Künstlichkeit der weichen tonigen Zusammenfassung (des 18. Jahrhunderts) dämpft und verschleiert die Erhabenheit der Schroffen und Abgründe der dargestellten Natur. Wie anders bestimmt und klar zeichnete Friedrich die Andeutungen der Ferne und des Unendlichen, um dann aus der Realität der Menschen oder der Situation im Vordergrunde das romantische Gefühl und aus ihm die Bedeutung der Ferne zu entwickeln. Das Neue im Sinne des 19. Jahrhunderts liegt viel mehr in seiner menschlich tieferen, malerisch bescheideneren Kunst. Turner gewinnt den Weg zu einer neuen, klareren Naturanschauung durch Auflichtung der Farben, aus der er mit immer stärkerer Auflösung des Gegenstandes die neuesten und merkwürdigsten Farbsensationen gewinnt. Ein magisches Weiß dient als Grundfarbe, halb Licht, halb geheimnisvoller Stoff, umschwebt von Gelbs und Rots und Schwarz in seltsam zerfetzten, flackernden Kombinationen, Nebelstimmungen, wie sie das Auge gerade in England zuweilen erhascht, aber geisterhaft mit Erlkönigpoesie durchwebt, zuweilen auch mit feenhafter Staffage und phantastischen Architekturen gefüllt, ein berückendes und verblüffendes Schauspiel. Und dennoch fehlt der eigentliche Reiz der

Abb. 963. *J. H. W. Turner, Einfahrt in Venedig. London, National Gallery. 1844 ausgestellt.*

Abb. 964. *Fr. Overbeck, Vermählung Mariä. Posen, Museum. 1836.*

romantischen Ferne. Man spürt auch hier noch die allgemeine, konstruktive Hintergrundslandschaft des Rokoko. Manche Bilder könnten Vergrößerungen aus Watteauschen Fêtes champêtres sein, farbig ist vieles schon bei Tiepolo da. Man spürt weder die unmittelbare Anschauung noch die Sehnsucht und die Andacht des Romantikers vor den Geheimnissen der Natur. Man sieht vielmehr überall den Zauberer dahinter, der das Kaleidoskop dreht und die geschmackvolle Buntheit den verblüfften Zuschauern zu einem Feenreich interpretiert. Er ist ein Sonderling, dessen Kunst wiederum den Faden vom Rokoko zur neuesten Zeit spannt, über das 19. Jahrhundert hinweg.

Auf die Revolution folgt in den zwanziger Jahren des 19. Jahrhunderts die Restauration. In Frankreich wird die Restauration, die durch die Exzesse der Revolution gefördert wurde, schon eingeleitet durch das *Empire* — die Cäsarenherrschaft des großen Napoleon. Die Errungenschaften der Revolution werden kodifiziert. Dem Bedürfnis nach Freiheit und der Herrschaft des Schreckens folgt ein Bedürfnis nach Ruhe und Legitimität. Mit der Kirche, die man durch eine Religion der Vernunft hatte ersetzen wollen, wird ein neuer Bund geschlossen.

In Deutschland war der Drang nach Freiheit und Natur durch und durch romantisch, ein Schweifen in eine Ferne, die zugleich eine Leere war, unfaßbar, ungreifbar, grenzenlos und unerreichbar, eine Traum- und Scheinwelt. Vor ihr stand — als Realität — eine Welt der Enge und der Befangenheit, einer reizlosen Nähe und ärmlichen Bescheidung. Der Überschwang der Phantasie, der ins Universum der Natur strebte, war kein Unternehmer- und Eroberergeist, der die Welt ergriff, sondern ein religiöses Schwärmen, das Erlösung aus dieser Enge suchte, indem es ein Jenseits hinter der Wirklichkeit der Natur ahnte und mit unbestimmter Sehnsucht im All umherirrte. Müde dieses Schweifens, Suchens, Irrens, kehrte man zurück von der Freiheit zur Bindung, von der Grenzenlosigkeit zur begrenzten Form, von religiöser Naturschwärmerei zum

Abb. 965. *Fr. Pforr, Der Graf von Habsburg und der Priester. Frankfurt a. M., Städelsches Institut. 1810.*

zweifelsfreien Glauben — zur Kirche und zum Katholizismus. Die religiöse Welt wird im Kultbilde der Heiligen und ihrer Legenden (Abb. 964) wieder zur Realität festbestimmter Gestalten. Das religiöse Bild der kirchlichen Kunst erlebt eine Auferstehung. *Cornelius, Overbeck* und die *Nazarener* in Deutschland, *Ingres* in Frankreich malen wieder kirchliche Bilder mit dem Vertrauen auf die Wirksamkeit der Heiligen und mit dem Glauben an ihre Realität.

Abb. 966. *J. H. F. v. Olivier, Kapuzinerkloster in Salzburg. Leipzig, Städtisches Museum. 1826.*

Damit schwand der Glaube an die Chaos-Natur des Genies, die Sterne und Welten gebären könnte, der Glaube an die Macht des eigenen Geistes und Gefühles als des Zentrums der Welt. Man wird demütig, die Gesinnung wird mönchisch. Nicht zufällig illustriert *Pforr* in einem kleinen Bilde die Legende vom Grafen von Habsburg (Abb. 965), der den Priester auf sein Pferd sitzen läßt und es selbst am Zügel geleitet, damit er einem Sterbenden die letzte Kommunion erteilen könne, und stellt *Schnorr von Carolsfeld* den Heiligen Rochus dar als einen Mönch, einen Heiligen Bruder und Krankenpfleger, der den Armen Almosen austeilt. Und was mehr ist, die Malerei selbst wird bescheiden, demütig, hingebend und kindlich im Stil. Man sieht nicht mehr souverän über die Dinge hinweg, träumt nicht ins All hinein, sondern wie der Klosterbruder im Garten des Kapuzinerklosters, das *Ferd. v. Olivier* gemalt hat (Abb. 966), umhergeht, um zu sehen, ob jede Pflanze auch mit der rechten Sorgfalt gehegt und gepflegt ist, so widmet sich der Maler jedem Ding und Wesen in der Natur und zeichnet es mit der liebevollen Sorgfalt durch, die ihm der Glaube gebietet, daß es ein Geschöpf Gottes ist. Und man stärkt sich mit Gebet zu dieser Aufgabe, die Pflicht des Künstlers, nicht Recht des Genies ist. Man malt wieder für die Armen des Geistes, für Kinder und in kindlicher Manier, wie in einem Bilderbuch und

Abb. 967. *Fr. Pforr, Einzug Rudolfs von Habsburg in Basel. Frankfurt a. M., Städelsches Institut. 1809 oder 1810.*

wie die Miniaturisten alter gläubiger Zeiten, die mehr belehren als erfreuen wollten. So ist Pforrs Einzug des Grafen von Habsburg in Basel (Abb. 967) ein Bilderbogen, mit viel Kunst ganz vereinfacht und naiv geworden, mit bunten Farben wie ein Druck, der auf Jahrmärkten verkauft wird. Man hat nicht den Ehrgeiz, originell zu sein und etwas Neues oder Phantastisches zu entwerfen, man kehrt zurück zur Tradition im Inhalt und in der Form; Heiligenleben und Ritterfeudalität werden Themen dieser Restauration des Übermenschlichen; die Form holt man sich von den großen Lehrmeistern der Geschichte, von Raffael und Dürer, den Meistern einer kirchlichen Kunst, die man für gotisch hält, und gibt dem Nationalen in der Kunst mit der Verbeugung vor dem Altdeutschen ein besonderes Gewicht. Das Hauptwerk der Nazarener, die Fresken der *Casa Bartoldi* in Rom, sind in der Komposition und der großen Zeichnung der Figuren ganz den Fresken Raffaels im Vatikan und den Teppichkartons desselben Künstlers nachempfunden. Ebenso sind *Cornelius'* Fresken in der Glyptothek in München von Raffael und Michelangelo inspiriert. Sein überzeugendstes Werk, die apokalyptischen Reiter, übersteigern Dürers Gedanken in die große Formenwelt des römischen Frühbarock.

Abb. 968. *P. v. Cornelius, Joseph deutet die Träume Pharaos. Fresko aus der Casa Bartoldi. Berlin, National-Galerie. 1816—17.*

Diese Fresken mit ihren großen Wandflächen und großen Formen heben die intime Bildform, den im Individuum und seinem nachfühlenden Geist lebenden poetischen Gehalt wieder auf, werden wieder repräsentativ und belehrend, werden Predigt und Vorbild mit der nach außen sich wendenden zentralen, hierarchischen Anordnung, so daß Cornelius selbst eine Legende, die Traumdeutung Josephs (Abb. 968), wie ein Heiligenbild mit thronender Mittelfigur und symmetrisch angeordneten Nebenfiguren schildert, *Philipp Veit* die sieben fetten Jahre (Abb. 969) wie die symbolischen Figuren des Mittelalters, als eine Caritas, eine Mutter, die, von je zwei anderen Kindern seitlich begleitet, ihrem kleinsten die Brust gibt. Mit dieser hieratischen, streng gruppierenden und verbindenden Kunst wird auch das Individuum wieder entthront,

Abb. 969. *Ph. Veit, Die sieben fetten Jahre. Berlin, National-Galerie. 1816—17.*

FRANZ KRÜGER, AUSRITT DES PRINZEN WILHELM VON PREUSSEN IN BEGLEITUNG KRÜGERS. BERLIN, NATIONALGALERIE. 1836

TAFEL XV

nicht die Einsamkeit — der Mönch am Meer, die Waldesnacht, die unendliche Weite —, sondern die Enge, das Zusammenleben im Kloster werden das Ideal. Der Eremit wird zum Mönch. Selbst das Porträt wird verallgemeinert und in die feine, abstrakte Umrißlinie der Zeichnung eingefangen — das Beste, was diese Nazarenerkunst hervorbrachte. Dem Realismus der lebendigen, seelisch bewegten Bildnisse von Schadow folgt die flächenverbindende, abstraktere und ausgleichende Kunst von *Rauch*, in dessen Bildnissen der Ausdruck der einer besonnenen und versonnenen Idealität ist (Abb. 970).

Abb. 970. *Chr. Rauch, Büste König Friedrich Wilhelms III. v. Preuß. Posen, Museum. 1823.*

Von der Landschaft, die zu deuten, zu suggerieren, zu beschwärmen die Figuren der Vordergründe romantischer Bilder da waren, wendet man sich zurück zur Gestalt, deren feste Ordnung oder prozessionshafte Reihung den Vordergrund wie eine Architektur füllt und beherrscht, und führt aus der Ferne wieder den Blick in die Nähe, indem man zwischen der Figurenbühne des ersten Planes und dem landschaftlichen Grunde einen festen Strich zieht, beide wieder wie in den Bildern der italienischen Neo-Gotik, der Präraffaeliten, in die Höhe baut und fest gegeneinander abhebt, gern mit Wänden, Zäunen, Hecken das Vordere gegen das Hintere verschließt und schon in den Größen der Bildflächen, die man den beiden Plänen überläßt, dem Nahen und Begrenzten des Vordergrundes alle Wirkung zuschiebt. So riegelt *Ferd. von Olivier* im Kapuzinerkloster (Abb. 966) die Ferne mit der Hauswand des Klosters und mit Gebüsch und Tannen zu, läßt den Vordergrund wie auf barocken Ideallandschaften mit übertriebener Perspektive aus dem Bilde heraus auf uns zuquellen und schneidet aus der Weite einer Alpenlandschaft die bescheidene, sorglich bestellte und friedfertige Enge eines Gartens heraus.

Aber auch diese Neo-Gotik ist nur halbe Gotik und gelangt nicht zu einem neuen monumentalen Stil, weil das sentimentale Naturgefühl, die neue Humanität in ihr weiterlebt und alle Bemühungen um einen neuen Stil wieder mit sanfter Hand in die Natursentimentalität zurücklenkt. Daß man nicht das hohe Mittelalter zum Vorbild nimmt, sondern die Neo-Gotik des 15. Jahrhunderts, daß man unter Altdeutsch Dürer und seine Vorläufer, unter Renaissance vor allem Perugino und Raffael versteht, alles das befördert den geheimen, echt deutschen Protestantismus, der auch dieser Kunst das Gepräge gibt. Der katholische

Abb. 971. *J. Schnorr von Carolsfeld, Die Familie des Johannes bei Maria und Joseph. Dresden, Gemäldegalerie. 1817.*

Abb. 972. *J. A. Ramboux, Adam und Eva. Köln, Wallraf-Richartz-Museum. 1818.*

Glaube dieser Juden und Protestanten, die sich zur katholischen Kirche bekehrten, will religiöse Stimmungen; sie wollen religiös schwärmen, mystische Geheimnisse mit frommem Schauder in künstlerischer Form genießen, aber sie wollen nicht die Realität der festen Ordnung des Kultus und der Kirche. Von dem religiösen Leben in Rom, dem Leben, das wirklich Tradition hatte und mit der Wirklichkeit des Tages und der Herrschaftsidee der Kirche verknüpft war, fühlen sie sich abgestoßen. Dorothea Veit schilt ihren Sohn, den Maler *Philipp Veit*, scherzhaft: deutsch-rebellisch-katholisch oder catolicamente rebellisch und christianamente deutsch. Deshalb malen diese Maler auch in erster Linie nicht Heiligenbilder, sondern fromme Bilder, Bilder, auf denen Menschen beten und schwärmen oder vor dem Mysterium und seinen Trägern einen andächtigen Respekt bezeugen. Das Menschliche in den heiligen Gestalten liegt auch ihnen näher als das Heilige. Ein Besuch der Eltern Johannis mit ihrem Knaben bei der Heiligen Familie (Abb. 971), ein Besuch, der sich mit herzlichem Begrüßen ganz freundnachbarlich abspielt, die Umarmung, die Joseph dem jüngsten seiner Brüder in der Wiedererkennungsszene von *Cornelius* (Fresken der Casa Bartoldi) angedeihen läßt, verraten deutlicher die eigentliche Gesinnung dieser Neu-Katholiken und Neu-Gotiker als die gequälten hieratischen Bildgebäude, die mit Raffaels Disputa wetteifern. Ganz menschlich, als Volksszene, vollzieht sich die Verteilung der Almosen auf *Schnorrs* Rochusbilde. Auch in den mythischen Szenen mit thronenden und meerfahrenden Herrscherpaaren dringt das Familiäre durch, wenn sich auf Cornelius' Fresken in München Herr Pluto und Frau Proserpina und Poseidon und Amphitrite sittig und liebevoll bei der Hand fassen. An Adam und Eva interessieren nicht die Akte, nicht der Sündenfall, sondern das idyllische Familienleben nach der Vertreibung aus dem Paradies (Abb. 972).

Man verwarf zwar die Überhebung des Genies und verlangte auch von ihm Demut und Gebet, mehr religiöse Gesinnung als künstlerisches Können, aber im tiefsten Herzen war noch immer der künstlerische Genius und das Geistige diesen Neu-Romantikern wesentlicher als der Körper und seine Geste, deren auch die Heiligen zum

Abb. 973. *K. Fr. Schinkel, Hauptwache in Berlin. 1816—18. Jetzt Ehrenmal.*

Abb. 974. *J. A. Krafft, Der Müller Wilder. Hamburg, Kunsthalle. 1819.*

Ausdruck ihrer Heiligkeit nicht entraten können. Joseph deutet die Träume, der König und die Hofleute hören ergriffen oder nachdenklich zu (Abb. 968). Das ist das Rembrandtsche Thema des genialen Knaben in raffaelischer Fassung. Auf der Meerfahrt Poseidons, ein Thema, bei dem ein Barock- oder Rokoko-Maler die Meerjungfrauen die schönsten Haltungen hätte entfalten lassen, hört eine dieser Jungfrauen einer Harfenistin zu, die auf einem Delphin reitend unentwegt musiziert. Orpheus rührt mit seiner Leier nicht nur die Frauen der Unterwelt, sondern auch Greise und Höllenhunde. Des Sängers Fluch hat noch immer mehr Kraft als kirchliche Beschwörungen. Es sind eben doch Romantiker, Neu-Romantiker, diese nach Ordnung und Festigkeit der Form strebenden Reaktionäre, auch ihre Religiosität ist aus dem Gefühl und dem Geist geboren, ist sentimental. Deshalb die Rückwendung in die Vorzeit, in das Altertümliche, in alles das, was den Reiz der romantischen Ferne und die Unbekanntheit des Ungegenwärtigen hatte. Und hinter dieser Sehnsucht stand noch immer als letztes Ziel Natur. Bauern sind es, die sich zu den Almosen des Heiligen Rochus drängen. Bauern malt man in der Umgebung Roms, malt italienische Bauern, weil hier sowohl die romantische Ferne des Fremden, das Exotische, mitspielte als auch eine in Form und Farbe sich stolzer gebärdende Menschheitsform es erlaubte, in jedem Landmädchen eine Madonna zu sehen (Abb. 46, S. 63). Die mönchische Befangenheit, die Demut, mit der man jedes Wesen scheu und respektvoll ansah, die Keuschheit, mit der man das Menschliche in anderen als etwas Unberührbares achtete, alles das vertiefte und betonte nur die neue humane Haltung, jedes Wesen an und für sich als Eigendasein gelten zu lassen, eine Stimmung, der die reine Zeichnung, die glatte Modellierung und die Unsinnlichkeit der Farbe Ausdruck gab. Und mit derselben Andacht geht man auch an die Landschaft heran, taumelt nicht mehr ins Weite,

Abb. 975. *Fr. G. Kersting, Die Stickerin. Weimar, Schloßmuseum. Um 1812.*

Abb. 976. *J. A. Klein, Bauer, sein Pferd tränkend. Nürnberg, Städtisches Museum. Um 1820.*

sondern stolpert über jeden Stein und jeden Strauch, um ihn zu fassen und zu halten. So füllt man die Vordergründe mit Blumen und Pflanzen, deren jedes Blatt der Liebe und sorgfältigsten Durchmalung wert ist, und malt mit derselben Andacht auch jeden Berg und Baum, jedes Haus und jede Kapelle des Hintergrundes durch, um diesen, den man dem Programm nach entwerten wollte, mit der Malerei dem Auge ganz nahe zu bringen und mit lauter Köstlichkeiten zu erfüllen.

So vollzieht sich, unbewußt, fast wider Willen, ein außerordentlicher Fortschritt in der Malerei dieser Zeit, die mehr als alle klassizistischen und stürmerischen und drängenden Programme eine Erlösung vom 18. Jahrhundert, eine Befreiung vom Barock und Rokoko bedeuteten. Indem man an die Stelle pantheistischer Naturschwärmerei die Realität religiöser Gestalten setzen wollte, verhalf man auch den Gegenständen der Natur zu einer neuen Realität; sie wurden jetzt erst existent, erlöst vom Barockschaum und Rokokoduft einer dekorativen Malerei, man gibt ihnen die natürliche und frische Farbe und erlöst sie vom konventionellen Ton. Mit der Keuschheit und Demut der Gesinnung und der Malerei rückt man trotz der repräsentativen Anordnung alle Wesen aus der Rokokoatmosphäre, die sie dem gesellschaftlichen Leben unterwarf, heraus und stellt sie in ihr Eigenleben hinein. So ist der Schritt ins 19. Jahrhundert bei diesen sich vor die Rückseite des Wagens spannenden Künstlern stärker als je. Ja selbst die Romantik wird durch die romantische Religiosität aufgehoben; in der neuen sorgfältigen und minutiösen Durchmalung des Einzelnen meldet sich eine neue Sachlichkeit, die diese an sich so bescheidenen, oft bis zur Hilflosigkeit unkünstlerischen Kunstwerke der Gegenwart wert gemacht hat.

Besonders aufschlußreich ist darin die Architektur *Schinkels* (Abb. 973). Seine Wachhäuser und Museen konzentrieren stärker als die Bauten Gillys und der Generation um 1750 die Wirkung auf den Vordergrund der Säulen. Die Stimmung der Entsagung in den schmucklosen, strengen Formen wird stärker als die der Sehnsucht, der Ernst besiegt die Ironie, die plastische Haltung die malerische Auflösung. Mit der Rückwendung zu Frührenaissanceformen in den Palästen, zu gotischer Backsteinarchitektur in den Kirchen gibt er durch seinen Einfluß erst recht das Signal zur Stilnachahmung in der monumentalen Baukunst (*Gärtner, Klenze*). Auch in diesen Bauten — anders als in seinen noch romantischen Bildträumen gotischer Architekturen — herrscht eine mönchische Armut und Zurückhaltung. Aber die bei Schinkel besonders feinen Flächenproportionen (*Schauspielhaus Berlin*) führen auch hier auf ein zugrunde liegendes Gefühl für Wohnlichkeit und Sachlichkeit, so daß Schinkel schon jetzt als Monumentalbau ein Warenhaus mit der sachlich bestimmten und überzeugenden Nüchternheit geometrischer Flächenaufteilung konzipieren konnte.

Hat man dies alles durchschaut, dann wundert man sich nicht mehr, Kunstwerke zu finden, in denen das Naturgefühl ähnlich der holländischen Malerei des 17. Jahrhunderts, aber ganz anders klar, ohne weiche, versinnlichende Töne, frisch im Sehen, feine und überzeugende Genrebilder und Landschaften hervorgebracht hat. Das nazarenische Streben nach Form und Gebundenheit ist auch da, es äußert sich in einer Bescheidenheit kahler Flächen, in einer unverhüllten Durchsichtigkeit der Räume, durch die die Figur zeichnerisch vor dem kahlen Grund entfaltet wird, und in einer schönen, rhythmischen Disposition der Flächen und harmonischen Abwandlung der Farben. Aber indem die Objekte genau und einzeln durchgemalt, die Hintergründe mit derselben Realität und Sorgfalt gezeichnet werden wie die Gestalten, die sie foliieren, die Farben alle von derselben Gleichmäßigkeit der Abwandlung und der taghellen Frische eines kühlen feinen Tones sind, bekommt alles eine sichere und feste Wirklichkeitsbedeutung, eine Verkettung von Grund und Gestalt zur Einheit der Natur, eine Ordnung und Übersehbarkeit in der Absichtslosigkeit und Schlichtheit des Gegenstandes, daß auch hier die Wege in die Zukunft sehr klar sich vorzeichnen.

Vier Bilder mögen das erläutern. Der alte Müller von *Johann Aug. Krafft* (Abb. 974): Bäurisches Leben, silhouettierend und fast medaillenhaft vor führenden Hintergrundslinien entfaltet, einfacher Hausrat — ein Glas Wasser als Bürge der Genügsamkeit — zu kubisch-geometrischer Form verdichtet, aber alles in sich beschlossen und zusammengeschlossen durch die Flächenverteilung und einen durch keine Schönfärberei gefälschten grüngrauen Ton. Es ist kaum noch sentimental, es sei denn in der Veredelung, die Flächen- und Tonabwägung über das schlichte Wesen breiten; eine Andacht, die im eifrigen Lesen widerklingt.

Abb. 977. *François Rude, Der Auszug. Am Arc de l'Etoile in Paris. Seit 1832.*

Die Stickerin von *Kersting* (Abb. 975). Ein kahler Raum. Das Mädchen am Fenster dreht uns den Rücken zu, ist ganz bei der Arbeit, nur im Spiegel erscheint das anmutige Profil ihres Gesichtes. Fast geometrisch sind die Flächen geteilt, aufeinander bezogen, die Gestalt ist mit klarem Umriß in die Begegnung der Wände eingestellt. Kein dunkler Schummer hüllt das Mädchen in den Raum des Zimmers. Aber auch hier bindet die gleichmäßige Behandlung von Gestalt und Grund alles zur Einheit, und überwindet die sorgsame Abstufung der alles Bunte meidenden Töne die Kahlheit des klassizistischen Gerippes. Es ist trotz Rechnung und Regel ein zwanglos intimes, ganz für sich existierendes Genrebild, schlichte Natur und auch kaum sentimental. Und ist es doch: der Gedanke, der leise durch das Gemüt des Mädchens klingt, macht es dazu. Er enthält Musik und Kunst; man sieht auf dem Sofa Laute und Noten, an der Wand ein umkränztes Bild, die Huldigung an den Genius. Es ist C. D. Friedrich.

Ein Bauer, sein Pferd tränkend, von *Joh. Ad. Klein* (Abb. 976). Eine leere Wand mit einer Futterraufe bildet den Hintergrund, davor in klarer Silhouette ein Pferd, das ein Fuhrmann tränkt — einfachste bäurische Situation, groß gesehen und bedeutungsvoll hervorgehoben. Aber wiederum sind Grund und Figur zur Einheit gebracht im Licht, im Ton, in der Güte peinlich sorgfältiger Durchführung, in der Haltung von Mensch und Tier, ohne jede Beziehung auf den Beschauer, nur der Faßbarkeit des aufnehmenden Betrachters als Bildsicht, Sachausbreitung, Verdeutlichung entrollt und von einer kräftigen Realität der Farbe und des Gegenstandes.

Die drei Kirchen beim Pantheon von *G. W. Issel*: Klar aufgebaut sind Turm und Chor der blicknahen Kirche, horizontal ist gegen das Vertikale ein niedrig schlichtes Haus gelegt. Rundformen sind mit großer Präzision formuliert, Gradflächen wie mit dem Lineal gezogen und ausgerichtet. Trotzdem ist keine Monumentalität da, sondern in klarer Fassung ein stiller Winkel, im grauen Ton des Alltags zu feinem Flächenspiel harmonisiert. Eine leichte Ahnung von Sentimentalität: die Altertümlichkeit der Objekte, eine Poesie des Historischen, die in der gehaltenen Andacht des Aufbaus sich betont.

Mit dieser Schlichtheit, Enge und eingehenden Realitätserfassung sind wir beim Biedermeier, sind es in Deutschland mehr als in Frankreich.

In Frankreich ist der Gegensatz von Klassizismus oder Romantik (David und Prud'hon) und der Kunst der Restaurationszeit nicht so stark und greifbar wie in Deutschland, weil die Rückwärtswendung von der Revolution zur Legitimität, zur Kirche und zur Ritter- und Schlachtenpoesie — die in Deutschland einen märchenhaft-kindlichen Ausdruck in Nibelungenillustrationen gefunden hatte — hier schon in der Epoche des Empire, der Napoleonszeit sich vorbereitet hatte und in der Gestalt Napoleons und den Schlachtenbildern einen realen Gegenstand fand, deren Darstellung schon aus berechtigtem Nationalstolz zu echterer pathetischer und ruhmverkündender Form

Abb. 978. *J. A. D. Ingres, Apotheose Homers. Paris, Louvre. 1827.*

emporwachsen mußte. Der stärkste Ausdruck dieser nicht neugotischen, sondern neubarocken Kunst sind nicht die Schlachtenbilder von *Horace Vernet*, sondern das Relief von *François Rude* am Arc de l'Etoile, der Auszug der Freiwilligen (Abb. 977), ein Barock, das von dem revolutionären Pathos des David die moralisch hinreißende Geste und starke realistische Momente, von der Restaurationszeit die nationale Begeisterung und den pompösen Reliefstil empfängt; ein Werk, das künstlerisch überzeugend ist wie ein Bild von Rubens, aber keinen neuen Stil im Sinne des 19. Jahrhunderts schafft, es sei denn eine plakatartige Wirkung auf die Masse. Auch die Bildnisse des *David d'Angers* kehren mit pathetischer Steigerung der sehr verallgemeinerten Bildnisse bedeutender Männer (auch Goethes) zu der barocken Genie-Auffassung des französischen Sturm und Drang zurück.

Abb. 979. *J. A. D. Ingres, Madame Rivière. Paris, Louvre. 1805.*

Was an der französischen Restaurationsmalerei interessiert, ist nicht die geschichtliche Antinomie der Ideen des 19. Jahrhunderts, die Verflechtung von rückwärts gerichtetem Programm und fortschreitender Naturverwirklichung, sondern die Tatsache, daß sie einen großen Künstler hervorgebracht hat, *Ingres*. Er ist das Gegenstück zu den Nazarenern. Aber deren Kunst ist eine deutsche Angelegenheit, seine eine europäische; obwohl zu untersuchen bleibt, wieweit die allgemeine Geisteshaltung — Ingres berief sich auf Phidias, Raffael und Beethoven — von Deutschland ihren Ausgang genommen hat. Seine Heiligenbilder oder in der Form von Heiligenbildern komponierten repräsentativen Szenen wie die Apotheose Homers (Abb. 978) zeigen dieselben Unmöglichkeiten wie die der deutschen Künstler, eine Mischung von Konstruktion und Zufall, großer Anlage und kleinlicher Nahsicht, von Idealität und Porträt. Aber sie haben darüber hinaus eine größere Verve in der Behandlung des Nackten und eine bewußtere Repräsentation. Auch die Apotheose Homers gilt der Huldigung des Genius, aber die Huldigung ist stärker als die Sentimentalität, das Mythische stärker als das Musikalische. Im Vordergrund geht das Historisch-Mythische in die porträthaftere Wirklichkeit französischer Dichter über, à la gloire de la France.

Auch seine Bildnisse, die die neuen Mittel einer peinlich sorgfältigen Malerei und fest betonenden Linienzeichnung dazu verwenden, schlichte Physiognomien auf die Fläche zu heften und mit Zurückdrängung alles Räumlichen die Wirklichkeit der körperlichen Gegenwart zu betonen, treten mit größerem

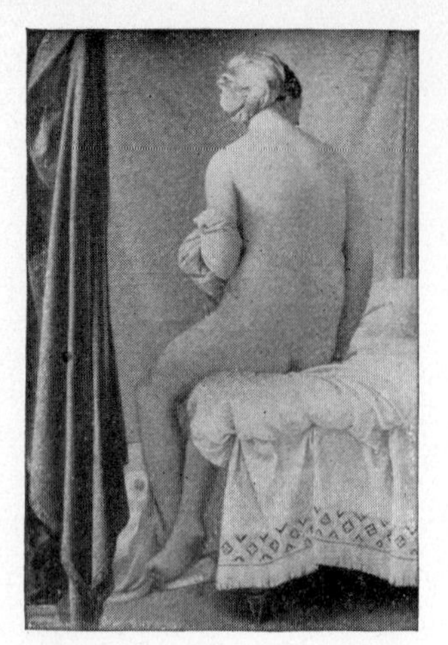

Abb. 980. *J. A. D. Ingres, Die Badende. Paris, Louvre. 1808.*

Anspruch der Entfaltung der Persönlichkeit vor uns auf und erlauben deshalb, auch mehr Kunst auf sie anzuwenden (Abb. 979). Diese besteht nun darin, aus dem Gegensatz von Verwirklichung und Flächenabstraktion, Deutlichkeit des Gesagten und Abstraktheit der Linie, Unmittelbarkeit des Lebens und Verfestigung im System, Schlichtheit des Gegebenen und Brillanz der Flächen, Realitätsbezeichnung der Farben und ausgesuchten Harmonien überall Überraschungen, Verwicklungen und Lösungen, angenehme Dissonanzen und verblüffende Harmonien, kurzum noch einmal geistreich aus der klassizistischen Gebundenheit eine raffinierte Freiheit zu entwickeln. Die Zeichnungen Ingres' stellen vielleicht das Äußerste dar an Ineinanderwirken von Stil und Spiel, Schlichtheit und Reichtum, Natur und Kunst.

Ganz fassen wir die französische Note dieses Nazarenertums in den Bildern, in denen Ingres den Reiz der Ferne, den fremdes Volksleben den Neuromantikern bot, in einer monumentalen Bildauffassung zum Ausdruck bringt. Der Italiensehnsucht der Zeit hatte in einer banalen Art, mit viel Aufputz und stimmungsvollen Farben *Léopold Robert* gehuldigt, in einer Malerei, in der die dekorativen Tendenzen des 18. Jahrhunderts noch stark nachwirken. Ingres nimmt zum Thema das Leben im Harem. Er malt den Akt oder eine Ansammlung von Akten, das türkische Bad. Er malt eine Odaliske liegend in der Haltung eines antiken Flußgottes, eine andere vom Rücken gesehen, in schmalem Bildfeld, aufgerichtet sitzend, fast stehend (Abb. 980). Er malt sie unsinnlich; nicht nur kühl und keusch im Umriß, hart und porzellanen in der Modellierung, befangen und zurückhaltend in der Farbe — vom Lichten ins Dunkle geht es mit einem zaghaften Ergrauen, an wenigen Stellen, wo Leinen sich ballt, leuchtet Weiß und Farbe blechern auf. Unsinnlich wirkt auch die kühle Beobachtung, mit der eine intime Szene, ein realer Körper und eine dem Leben abgelauschte Stellung wiedergegeben sind, unsinnlich wirken die Modellnähe und die sorgsam glatte Malerei, die scheinbar nichts will als dem Modell als Maler gerecht werden. Und dennoch enthält diese Malerei etwas, was sie unendlich kostbar und raffiniert macht, dasselbe, was sie ins 18. Jahrhundert zurückführt, in die Schlüssellocherotik Fragonards und die Unschuldssentimentalität des Greuze. Daß diese Unschuld hier die der Malerei ist, jener nazarenisch-demütigen Malerei, die in der deutschen Kunst die nackten Schultern eines Modells nicht ertrug, und daß die Andeutungen und Versprechungen nicht dem Gedanken und Witz überlassen sind, sondern sich aus den Versprechungen der Haltung, der spröden Farbverteilung, dem Werden der Helle aus dem Schummer des Dunkels ergeben, macht die Zweideutigkeit dieser Bilder nur noch raffinierter. Schließlich empfindet man, daß die Farbeindrücke, die sanfte Tönung, der hinhauchende, glättende Pinselstrich nicht nur Malerei, sondern pygmalionhafte Geständnisse des Malers an sein eigenes Werk sind. Der Geist des 18. Jahrhunderts ist es, der durch die Befangenheiten des 19. Jahrhunderts hindurch die Kunst erhält und dem Beschauer mit dem Reiz des Spröden Genüsse des Rokoko verschafft.

BIEDERMEIER UND STIMMUNGSNATURALISMUS

Pariser Julirevolution 1830. Louis Philippe, der „Bürgerkönig", 1830—48. Pariser Februarrevolution 1848. 1851 Staatsstreich Louis Napoleons. 1833 Gründung des deutschen Zollvereins. Friedrich Wilhelm IV. 1840—61. Ludwig I. von Bayern 1825—48. Märzrevolution in Wien und Berlin 1848. Deutsche Nationalversammlung in der Paulskirche in Frankfurt 1848 (Großdeutsche und Kleindeutsche). 1866 preußisch-österreichischer Krieg.

Nach der Kunst der Restaurationszeit, der auch politisch eine Aufhebung der durch die Revolution und die Freiheitskriege erworbenen Rechte der Völker entsprach, erscheint die Kunst der Biedermeierzeit — seit etwa 1830 — als eine revolutionäre Rückwendung zur Natur und ihren Freiheiten, obwohl sie in der Form so bescheiden und wohlanständig ist, wie es nicht einmal der Zopfstil des 18. Jahrhunderts war. Immerhin gab es eine Julirevolution in Frankreich (1830) und in Deutschland die Karikatur einer solchen Revolution in den Märztagen von 1848. Die Kunst hat in zwei Darstellungen die Spuren davon hinterlassen, in *Delacroix'* Bild der Barrikade (Abb. 981) und in *Rethels* Holzschnitt (Abb. 982) aus der Totentanzfolge. Im Bilde von Delacroix wird das Volk geführt von einer mythischen Gestalt der Freiheit mit den „gewaltigen" entblößten Brüsten („aux puissantes mamelles"), die schon den Zeitgenossen auffielen, eine Gestalt mit hinreißender schwungvoller Gebärde wie eine Nike von Samothrake, rubenshafter in der Fülle und Frische des Fleisches, volkstümlich nur insofern, als ein leichter Beigeschmack von Mädchen von der Straße nicht fehlt, aber doch so barock, so denkmalshaft, daß die prachtvoll charakterisierten Freiheitshelden aus dem Volke daneben verblassen und die hinreißend gemalte Schreckensszene sich in eine pompöse und verlockende Gestalt verdichtet. Auch die Malerei ist feurig und breit wie die des Rubens und erhebt die Greuel der Vernichtung zu zündendem Blut- und Farbenrausch. Die Großartigkeit verdankt das Bild seiner Rückständigkeit, der Mischung barocker Allegorie mit zeitgenössischer Geschichte.
Rethel schildert dieselbe Situation im Holzschnitt, auch nicht ohne altertümliche Technik — von den Nazarenern herkommend, wählt er Dürers Holzschnittmanier — und nicht ohne Allegorie: der Anführer des aufrührerischen Volkes ist der Tod selber in seiner knöchernen Gestalt. Aber diese Technik entspricht dem Volke und seinen Taten, sie ist selber volkstümlich, derb, einfach, zuhauend und schlagkräftig, jeder Strich sitzt. Und der Tod ist selber ein Volksmann, ein wilder Geselle und Hetzer — kein Augenschmaus, sondern notwendiges Glied im Ganzen. Das Blatt will Revolutionsplakat sein und wie jedes Revolutionspamphlet nicht Wahrheit, sondern Wirkung, nicht Tatsächliches, sondern Radikales, nicht Zustände, sondern Ideen geben. Diese Idee ist nun freilich eine andere als in Frankreich; es

Abb. 981. *Eugène Delacroix, Die Freiheit führt das Volk. Paris, Louvre. 1831.*

ist letzten Endes die, daß das Volk, das die Freiheit seiner Gedanken und die Friedfertigkeit seiner Arbeit, kurzum seine Menschlichkeit zur Geltung bringen will, sich selbst das Grab gräbt, wenn es dies mit den Waffen in der Hand tut. Es ist eine Absage an den Revolutionsoptimismus der Franzosen, aber deshalb in der Gesinnung viel stärker neue Zeit und neunzehntes Jahrhundert, und in der Form restlos und echt.

Deshalb müssen wir, wenn wir Wesen und Sinn der Biedermeierzeit verstehen wollen, uns an deutsche Bilddokumente halten; den Franzosen bleibt die aus der Vergangenheit zeitlos in die Zukunft hinüberschreitende Kunst.

Die Revolution, die die um 1800 geborene Generation vollzieht, ist also so friedfertig wie möglich, aber sie ist da. Sie besteht darin, daß man die hohen Herren mit den Augen des Kammerdieners sieht, von der Froschperspektive aus. Der Maler schlägt sich auf die Seite des Volkes, wie *Krüger*, als er 1839 die Parade auf dem Opernplatz malte (Abb. 983). Die höfisch-militärische Parade wird hier ein Volksfest, ein Straßenbild und eine Kollektion von zeitgenössischen Porträts bei dem zuschauenden Volk. Dieses nimmt fast den ganzen Vordergrund ein, es steht dem Auge des Malers und des Beschauers am nächsten, und noch wieder besonders nahe der Theaterfriseur Warnecke, der alte

Abb. 982. *A. Rethel, Auf der Barrikade. Aus dem Totentanz. 1848.*

Invalide Benicke, ein Schusterjunge, ein Blumenmädchen und Achmed, der Mohr des Prinzen Albrecht. Biedermeierisch ist die Ordnung, die das Bild durchwaltet, keine Rangordnung, sondern Aufgeräumtheit, die Ordnung einer sauberen Buchführung, und eine geputzte Malerei, die den Glanz der minutiösen Technik über Gerechte und Ungerechte gleichmäßig ausbreitet. An der übertriebenen Perspektive und der Einzeldurchzeichnung jeder Figur erkennt man, wieviel diese zeitgenössische Wahrheit und der nüchterne Wirklichkeitssinn der Restaurationsmalerei verdanken, wie sehr man aber über das Abheben der Figuren vom Grund hinausgeht in ununterbrochener Perspektive, die die Figuren ins Milieu verschiebt. Eine Klarheit und Dinglichkeit, eine durch keinen schönen Ton, keine dekorative Farbe verklärte Realität wie auf diesem Bilde hatte die Kunst bis dahin noch nicht gesehen. Hier ist auf alles, was Stil ist, verzichtet zugunsten einer der Berliner Malerei besonders eignenden wissenschaftlichen Sachlichkeit. Das Bild hat nicht einmal Atmosphäre — auch das ein Resultat der nazarenischen Heiligenmalerei. Es hat diese Atmosphäre nur gegenständlich, in der Gemütlichkeit, mit der sich Zuschauer zwanglos untereinander mischen — eine typisch biedermeierische Humanität.

Krüger malt gern die hohen Herrschaften zu Pferde (Tafel XV), beim Ausritt im Tiergarten oder zur Jagd. Er malt sie gern in Zivil, verschweigt das Gesicht, läßt sie nur vom Rücken sehen und verschwendet die ganze Liebe des Malers und Sorgfalt des Pinsels auf Pferd und Hunde: vom Reiterdenkmal bleibt ein porträtmäßig durchgeführtes Tierstück. Der Hofmaler wird zum Pferdemaler und hinterläßt seine Kunst dem Maler *Steffeck*, der ein reiner Pferdespezialist wird.

So wie Krüger die Monumentalbauten auf dem Paradebilde nur als Wände einer Straße malt, von der Seite, schief gesehen, überschnitten, verdreht, verkleinert, so sieht man jetzt ganz allgemein die Denkmäler der Vergangenheit als Träger eines gemütlichen Ensembles, im Verkehr der Menge, verbaut und verdeckt von schiefen und behaglichen Bürgerbauten, als behaglichen Winkel und Kleinstadtidyll, wofür man *Gärtners* Königsbrücke, *Oldachs* Johanneskirche, *Ruths'* Baumhaus in Hamburg vergleiche (Abb. 984, 985). Man legt Gewicht auf die Risse und Sprünge, die Fugen und Verwitterungen, die Ziegel auf dem Dach, das Moos an den Kanten, kurz auf alles, was der Architektur den Charakter einer gealterten und bekannten Physiognomie gibt. Auch hier bilden sich Spezialisten wie *Rudolf von Alt*, die ihr Leben lang sich auf der Jagd nach Motiven befinden, in denen historische Denkmäler eingeschmolzen sind in die kleine und kleinste Welt der Gassen und Märkte behaglicher Provinzstädte.

Das Verhältnis der Zeit zur Architektur ist aus diesen Bildern vollständig zu verstehen, eine unarchitektonische Gesinnung, die es selbst einem so genialen

Abb. 983. *Franz Krüger, Parade auf dem Opernplatz in Berlin. Berlin, Schloß. 1839.*

Architekten wie *Semper* nicht erlaubte, in seinen Renaissancebauten einen eigenen Stil zu entwickeln. Daß die Anleihen, die er für seine Monumentalbauten macht, gern der Frührenaissance entnommen werden, liegt in der Gesinnung der Zeit für das Kleine und Zierliche begründet.

Die nüchterne und sachliche Beobachtung, mit der man im Architekturbild an alle diese Objekte herangeht, ein Wirklichkeitssinn, der weder im 15. Jahrhundert und in der Reformationszeit durch die Tradition religiöser Inhalte und mittelalterlicher Formen, noch in der holländischen Malerei des 17. Jahrhunderts durch die nachwirkende Barockfestlichkeit und Farbensinnlichkeit möglich war, erfüllt erst jetzt die Forderung des Naturgefühls, die Objekte und Wesen der Natur ganz in ihrem Eigenleben zu erfassen, sie nicht zu korrigieren und nichts von ihnen zu wollen. Erst jetzt wird Ernst gemacht mit der Einsicht, daß Natur ihrem Wesen nach der Gegensatz zur Kunst ist. Mit dieser Einsicht erst schafft man Natur als Realität, nachdem sie im 18. Jahrhundert nur eine Fiktion des Geistes war, und überwindet man den abstrakten Menschen des Klassizismus, die Humanität als Idee, indem man zu sich selbst, zu seiner Welt, seiner Umgebung kommt. Diese eigene Welt und Natürlichkeit des Menschen sieht nun freilich anders aus als in Holland im 17. Jahrhundert oder zu Dürers Zeiten. Es ist keine bäurisch derbe, saftige, vitale Natürlichkeit, die die Formen der Gesellschaft und Konvention sprengt, sondern eine Genügsamkeit, die Form und alles nach außen Glänzende verachtet, die ihren Reichtum in sich selbst, einer Innerlichkeit, hat und auf Bildung, d. h. der Fähigkeit, geistig nachzuerleben, beruht. Die Menschen, die man in den schlichten Zimmern der Biedermeierwohnungen sieht, nehmen sich keine Freiheiten heraus wie die derben Rüpel in den holländischen Interieurs von Ostade und Brouwer, sie leben nicht wie die Tiere mit Fressen und Saufen und Wiederausspeien des Genossenen, sie sitzen nur, wie gebildete Menschen tun, anspruchslos beieinander, eine Tasse Kaffee genügt zum Genusse des Lebens, und auch an dieser ist nicht die Mahlzeit das Wichtige, sondern die menschliche herzliche Art, mit der sie dargeboten und entgegengenommen wird (Abb. 986). Diese Räume selber sind schlicht und ärmlich, farblos, ohne Schwüle und Lichteffekte, die Möbel in einfachen Linien ohne Ornament.

Abb. 984. *J. Oldach, Johanneskirche in Hamburg. Hamburg, Kunsthalle. 1828.*

Wo ein Klingelzug, ein Kissen, eine Decke bunter und reicher erscheint, ist dieser Reichtum, wie an den gehäkelten Hauben und Kragen der Frauen, ein Zeichen der Bescheidenheit und Genügsamkeit. Es ist das Selbstgemachte, das in dem stillos unmöglichen Aufputz rührend wirkt, dieselbe Handarbeit, mit der die Frauen auf den Bildern ihre Zeit füllen, oder es sind Sprüche und Herzensäußerungen, die auf den Dingen des äußeren Lebensapparates eingezeichnet sind. Blumentöpfen und den Blumen des Gartens sieht man Pflege und Herzlichkeit an, die ihnen wie auf den Bildern *Spitzwegs* der Blumenfreund angedeihen läßt, der mit der Gießkanne diese gezähmte und private Natur begießt. Reizend kommt das auf *Engerts* Vorstadtgarten (Abb. 987) zum Ausdruck. Auch hier eine Frau mit der Handarbeit in der gepflegten Enge ihres Gartens. Sie ist nicht einsam, in keiner Wildnis, sondern die Stauden bilden mit ihr zusammen eine Familie, von denen jedes Glied, in dieser Enge sich genügend, glücklich ist. Wie stark aber ist gegenüber Runges abstrakteren und ideenvolleren Pflanzen hier die Realität, wie nah kommen wir ihrem lebendigen Sein!

Abb. 985. *V. Ruths, Das ehemalige Baumhaus in Hamburg. Hamburg, Kunsthalle. 1850.*

Es gibt Bilder, in denen das Lob der Genügsamkeit selbst noch wieder eine Idee ins Bild hineinträgt, ein Bild von *Hans Speckter*, das einen Blick von

Abb. 986. *C. J. Milde, Prof. Classen und Familie. Hamburg, Kunsthalle. 1840.*

rückwärts auf die stehenden Besucher einer Theatergalerie gewährt, das kleine Bild von *Hosemann,* auf dem ein kauziger Bürger in einer baumlosen Sandebene auf einer Bank und vor einem Tisch, gelehnt an ein zwischen dürren Bäumen ausgespanntes Laken, seinen Garten genießt. Eine Pfeife Tabak und ein Kännchen Kaffee sind alles, was er zum Leben braucht. Und das Bild mit dem Poeten in der Dachstube von *Spitzweg* (Abb. 988). Hier liegt der arme Poet am Tage in seinem Bett, da der Ofen mit dem Papier, das allein zum Heizen zur Verfügung steht, nicht warm zu kriegen ist. Ein zerrissener Schirm ist aufgespannt gegen den Regen, den das schiefe Dach durchläßt. Dennoch ist der arme Poet glücklich, denn seinem Geiste kann diese Armut nichts anhaben, begeistert skandiert er seine Verse nach dem Versmaß, das er an die Wand geschrieben hat. Seine Welt sind die Bücher, die sich rings um ihn türmen. Auch diese Stube besitzt eine mit frischer Anschauung gesehene Realität, festen Raum und greifbare Dinge. Dennoch ist nicht das Interieur der Gegenstand des Bildes, sondern wieder ein neues Bekenntnis zum Genie: dem Bohemien, der sich voll des Geistes über alles Äußere hinwegsetzt, der lieber hungert, als die Freiheit seines Geistes den Äußerlichkeiten des Lebens — Ehren und Gelderwerb — zu opfern. Diese Stimmung, die eine Grundhaltung des künstlerischen Schaffens des 19. Jahrhunderts wird und aus dem Geniekult des 18. Jahrhunderts herausgewachsen ist, ist hier so echt dargestellt, daß man begreift, daß das Äußere auch der Bilder, soweit es etwas scheinen und bedeuten wollte, diesen Künstlern zunächst verächtlich sein mußte. Man könnte einwenden, daß sich diese Geisteshaltung hier selbst ironisch nimmt. Aber diese Ironie des Künstlers ist doch nur ein Teil der Selbstironie, mit der sich diese Menschen über die äußere Misere hinwegsetzen. Die ro-

Abb. 987. *E. Engert, Im Hausgarten. Berlin, National-Galerie. Um 1820—30.*

mantische Freiheit des Geistes, die romantische Ironie verdichtet sich durch die Beziehung zu den Realitäten des Daseins — den Tücken des Objekts — zum Biedermeierhumor.

Abb. 988. *Karl Spitzweg, Der arme Poet. München, Neue Pinakothek. 1839.*

Zugleich entsteht eine neue Art der Absonderung, Einsamkeit und Individualität, die Verschrobenheit des Bildungsmenschen, das Original, das in seine innere Welt eingekapselt, als Leser, Dichter, Sammler alles Äußere auch der eigenen Erscheinung vernachlässigt, und dessen Physiognomie durch die Verbohrtheit und Einkapselung des Geistes in seine eigenen Angelegenheiten eine an das Manische streifende Verzerrung erfährt. So malt *Schrödter* den Don Quichotte des Geistes als einen in Folianten vergrabenen Kauz. Seine verschrobene Haltung ist nicht wie bei dem Heydthuysen von Hals Herausforderung, sondern Einkapselung. Man sieht, wie sich hier die Fäden rückwärts spinnen zu Dürers Melancholie und Hieronymus. Sieht man dann, wie ja auch auf anderen Bildern die Frauen neben ihrer Handarbeit noch ein Buch auf den Knien haben, wie die Originale, die *Hasenclever* um einen runden Tisch in seiner Lesegesellschaft versammelt, oder *Hosemanns* Laubenbesitzer in der Zeitung lesen, wie *Danhauser* um den musizierenden Liszt eine in allen Schattierungen der Schwärmerei verzückte Gesellschaft schildert, wie auf *Schwinds* Bild eine Fürstin zu dem Maler auf das Gerüst hinaufsteigt, um ihm einen Augenblick den Pinsel abzunehmen, wie *Speckters* Theaterbesucher von dem Schauspiel hingenommen sind, dann versteht man, daß hier mit aller Sachlichkeit und Wirklichkeitstreue doch nur der sentimentale Bildungsmensch des 19. Jahrhunderts selbst gemalt ist. Und aus der Ironie einiger Maler — Spitzweg, Hasenclever, Schrödter — spürt man das Eingeständnis heraus, daß von außen gesehen, die Erscheinung dieser Menschen doch recht komisch ist, die sich einbilden, geistig die Welt zu besitzen und zu beherrschen, wenn sie sie in Form von Druckerschwärze vorgesetzt erhalten. *Spitzweg*

Abb. 989. *G. F. Waldmüller, Blick auf Ischl. Berlin, National-Galerie. 1838.*

Abb. 990. *E. Schleich, Abendlandschaft. Marburg, Kunsthistorisches Museum. Um 1850—60.*

hat auch mit leisem Humor das sentimentale Verhältnis dieser Menschen zur Natur geschildert, in dem Dachstübchen, aus dem sich eine Jean Paulsche Gestalt herausneigt, um die Blumen vor dem Fenster zu genießen und zugleich einen Blick des Fräuleins zu erhaschen, das gegenüber am Fenster sitzt, im Kakteenbesitzer, der die Natur im Blumentopf zu Spezialitäten züchtet, oder dem prachtvollen biedermeierischen Ehepaar, das sich im Walde an einer Quelle niedergelassen hat, wo er nun zärtlich die Flöte spielt und seinem Naturgefühl damit Ausdruck gibt.

Dieses sentimentale Naturgefühl erhält jetzt erst seine Substanz und wird jetzt erst wahrhaft produktiv. Jetzt erst entsteht das Landschaftsbild, die intime Landschaft als Realität, gesehen mit jener wundervollen Frische und Exaktheit, die die Bilder des Biedermeier haben, oder auch mit der Unmittelbarkeit der erinnerungsbereiten flüchtigen Reiseskizze. Unübersehbar ist die Fülle von Künstlern, die in Hamburg (die *Gensler, Wasmann, Ruths*), in Berlin (*Blechen, Menzel*), in München (*Bürkel, Rottmann, Spitzweg*), in Wien (*Waldmüller, Engert, Rudolf v. Alt, Pettenkofen*) kleine und intime Ausschnitte aus der Natur festhalten und in die sorgfältige Malerei die ganze Liebe hineinlegen, mit der sie diesen Winkel in der Natur nicht nur gesehen, sondern erlebt und umfaßt haben. Die Nähe, das Eingehen auf die Individualität, auf Sein und Schicksal jedes Baumes und Strauches, das Dagewesensein und Wiederkommenwollen ist in diesen Naturausschnitten mitgemalt (*Waldmüller*, Abb. 989). Auch die Düsseldorfer Maler, *Schirmer, Lessing, Preller, Achenbach*, die, von den Nazarenern herkommend, die Traditionen der Ideallandschaft weiterführen, füllen jetzt die idealen Kompositionen mit dichteren und wahreren Objekten, suchen die Realität der idealen Landschaft in Italien und Griechenland und haben Skizzen von einer ganz unmittelbaren Nähe zu den Objekten hinterlassen. Aber so freudig das Auge auch das Grün des Laubes — das bisher nie so im Freien gesehenes Grün war —, das Braun der Stämme, die Krausheit der Silhouetten und den Reichtum der Sprünge und Risse in den Borken der Bäume faßt, und so sehr dies Braun zu dem Grün stimmt und die Stämme zu einer in schöner Gleichmäßigkeit vertieften Raumsituation (der

Abb. 991. *Adolf Menzel, Das Balkonzimmer. Berlin, National-Galerie. 1845.*

Mit Genehmigung der F. Bruckmann A.-G. in München

ADOLF MENZEL, PRINZESSIN AMALIE VON PREUSSEN,
SCHWESTER FRIEDRICHS D. GR., STUDIE ZUM FLÖTENKONZERT. 1852

Abb. 992. *Adolf Menzel, Théâtre du Gymnase. Berlin, National-Galerie. 1856.*

Poesie der Dachstuben vergleichbar) zusammengehen, das ist doch alles nicht das Wesentliche. Wesentlich ist, daß es sich eben nicht zur Teppicheinheit, zur farbigen Harmonie verbindet, daß Wesen neben Wesen, natürliche Existenz neben Existenz steht, daß alles einzeln begrüßbar und benennbar bleibt. Wesentlich ist, daß wir die aus Liedern und Reiseberichten bezeugte Wanderlust, das Freiheitsgefühl in der Natur, den Glauben, daß hier alles reiner, unmittelbarer, echter sei (wie eine Blume so schön, so hold, so rein), mitempfinden, und daß es dies alles um so mehr ist, je mehr der Mensch und seine Kunst die Hand davon gelassen haben. Deshalb kann auch der Künstler nichts Besseres tun, als nur wiedergeben, was Natur ihm schenkt, ohne zu verschweigen und hinzuzusetzen.

So ist schon in der scheinbar höchsten Sachlichkeit diese Sentimentalität, diese innere, nachbarliche und menschliche Verbundenheit mit den Wesen der Natur mitzudenken, um die Bilder ganz zu verstehen, und wir können sie auch ablesen aus der Behaglichkeit der Situationen, dem Anheimelnden der Wald- und Wiesenwinkel und der physiognomiegesättigten Wiedergabe der Bäume, die nur auf Grund einer intimen und freundschaftlichen Bekanntschaft möglich ist. Maler wie *Schwind* und *Spitzweg* verstehen es, aus Wirklichkeitselementen die Poesie dieser Naturverbundenheit zu erdichten, der eine in der Idealität einer Märchenillustration, der andere mehr in der konstruktiven Art einer Puppentheaterdekoration.

Eine andere Art von Sentimentalität, d h. einer von der Natursehnsucht des Gebildeten (des Städters) aus gesehenen Natur, fassen wir leichter in den vielen Bauern- und Kinderbildern, die die Zeit hervorgebracht hat. Bauern und Kinder bilden nicht nur die ländliche Staffage, besonders auf den Bildern *Waldmüllers*, sondern Bauernszenen werden das eigentliche Thema des Biedermeier-Genrebildes, bei *Waldmüller, Eduard Meyerheim, Bürkel, Kirner*, und im Bauernbild selbst spielen noch wieder die Kinder die größte Rolle. Landkinder sind auch die Kinder auf den Bildern *Ludwig Richters*, des Malers, der in einer volkstümlich schlichten Holzschnittmanier dieses Kindergenre des Biedermeier zum reinsten Ausdruck gebracht hat. Alle diese Leute auf dem Lande und in erster Linie die Kinder strömen über von Herzigkeit, alles was man an Humanität des Gefühls in der Stadt nicht mehr fand, legte man

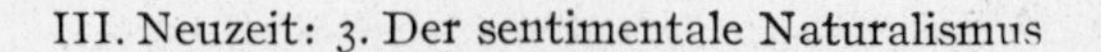

Abb. 993. *Adolf Menzel, Friedrichs des Großen Tafelrunde in Sanssouci. Berlin, National-Galerie. 1850.*

in diese biederen Landbewohner hinein. Und so wie man sie von innen heraus der eigenen Sentimentalität entsprechend verzärtelte, so auch von außen. Man zeigt die Bauern nie bei der Arbeit, nie im schmutzigen Kittel mit Kot und Erde an den Stiefeln, sondern sonntäglich herausgeputzt, sauber und noch einmal gesäubert durch die blitzblanke Malerei. Man zeigt sie bei Festen, in der schmucken Tracht, findet in diesen Trachten — in denen man das herabgesunkene Kulturgut von hohen und zuweilen fremden Standesmoden nicht

Abb. 994. *Adolf Menzel, Flötenkonzert Friedrichs des Großen in Sanssouci. Berlin, National-Galerie. 1852.*

mehr erkennt — die Bewahrung volkstümlicher Eigenart, die zu erhalten fortan besonderer Dienst an der Heimat wird, zeigt sie ausruhend oder städtischen Besuch empfangend. Und ebenso sauber sind die Kinder, keine schmutzigen Nasen, keine zerrissenen Hosen, alles strahlend, innerlich und äußerlich. Und so sauber, sonnig und geputzt ist schließlich auch die Landschaft. Sie leuchtet und lacht dem Beschauer entgegen, wie ein Garten, jederzeit bereit, den Städter in ihren Schoß aufzunehmen, ohne daß er fürchten muß, sich auf Dornen und Disteln zu setzen. *Waldmüllers* schöne Landschaft von Ischl (Abb. 989) gibt diese Biedermeierlandschaft, gesehen von einem Standpunkt mit einer geruhsamen Bauernfamilie, mit einem Auslug durch Bäume auf die friedlich bestimmte und nahe, bekannte und freundliche Alpenlandschaft, so sauber herausgepellt, so lächelnd im zarten Grün und Braun der Töne, daß man spürt, wie sie zum Empfang städtischer Gäste ihr Sonntagskleid angezogen hat. Diese Biedermeierlandschaften sind gemalte Sommerfrischen, in denen der Städter ländliches Behagen und Freiheit, kurzum Natur auf seine Weise unanstößig genießt. In der Sauberkeit der Malerei steckt die innerliche Ferne zur Natur, eine Gute-Stuben-Romantik.

Die Biedermeiermalerei entwickelt sich; eine jüngere Generation, die der um 1800 geborenen folgt, gelangt zu einer freieren Malerei und Anschauung, einer stärkeren Zusammenfassung der Gegenstände, Farben und Töne der Bilder, und sie entwickelt sich zu freierer Natur. Mit dem Abgehen von der Ver-

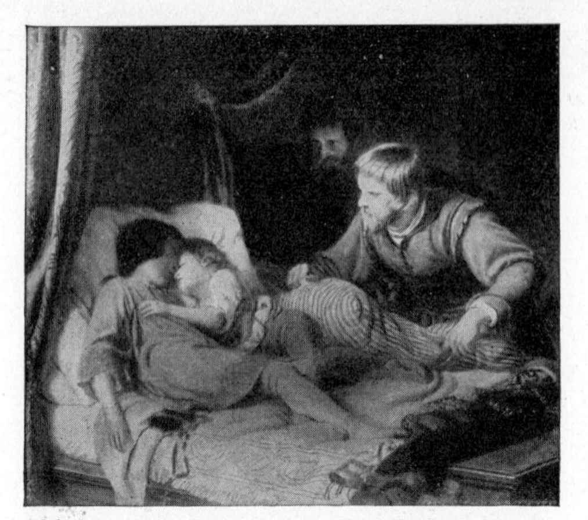

Abb. 995. *Th. Hildebrandt, Die Ermordung der Söhne Eduards IV. Posen, Museum. 1835.*

einzelung der Gegenstände und der Sauberkeit der Technik wird das Naturgefühl nicht unsentimentaler, sondern — das ist das Entscheidende — die Freiheit in der Beherrschung der Mittel, das Zusammensehen der Bildelemente zu einer Einheit, einem Fluidum, führt zur Stimmungslandschaft des 19. Jahrhunderts. In dieser werden die Farben musikalisch ausgenutzt zu Stimmungstönen, in denen die Molltonarten des Düsteren, Schwarzgrauen, Braunen, Erdigen, Abendlichen vorherrschen, und diese Farben und Töne werden dem Objekt angepaßt: unwegsamen Mooren, Heiden, Steppen, düsteren Wäldern und zerfallenen ärmlichen Strohhütten; Landschaften, die von Zigeunern bewohnt sind oder leer sind und unzugänglich. Es sind Landschaften, über deren Weiten und Öden die Melancholie des Bildungsmenschen liegt, der sich aus seiner Welt in eine Natur von Freiheit und Einsamkeit sehnt und in dieser doch nur die Verlassenheit und den Weltschmerz des Entwurzelten zu fühlen vermag. Was bei Spitzweg noch mit krausem Aufputz durch Humor sich auflichtet, immer aber schon die Farben musikalisch, dem Schwärmen der Staffage entsprechend, zusammenfließen läßt, wird bei *Pettenkofen* zu intimen Naturausschnitten aus Pußta und Steppe (auf diesen Bildern darf eine Zigeunerin ihren Jungen lausen), bei *Schleich* (Abb. 990) zur Moorlandschaft der bayrischen Hochebene, bei *Ruths* zur Moor- und Heidelandschaft. Mit der Stimmungsmusik der Farben zieht auch eine neue malerische Kunst in die Bilder ein. Diese hat einen Maler hervorgebracht, der alle Faktoren des Könnens und Sehens dieser Biedermeierzeit zur höchsten Höhe emporführt: *Adolf Menzel.* Von allen Wirklichkeits- und Naturfanatikern ist er der fanatischste. Es gibt nichts, was, weil es nun einmal da ist, ihm nicht wert wäre, gezeichnet oder gemalt zu werden. Falsch wäre es, auch hier nur wissenschaftliche Nüchternheit und berlinische Trockenheit zu sehen. Denn in der Wissenschaft der Zeit selbst lebt ja die sentimentale Achtung vor allem, was Natur ist und was von Natur, die noch immer alles am besten macht, hervorgebracht ist.

Abb. 996. *P. Delaroche, Die Söhne Eduards IV. Paris, Louvre. 1830.*

Abb. 997. *Eugène Delacroix, Das Gemetzel von Chios. Paris, Louvre. 1834 ausgestellt.*

Die scheinbar wissenschaftliche Exaktheit ist in erster Linie Treue, der eine Liebe entspricht, jene Liebe, die das Sein des anderen achtet und gewähren läßt. Daß Menzel den kleinsten und totesten Dingen mit seiner Zeichnung — gerade weil sie gegenständlich, nicht malerisch, charakterisierend, nicht dekorativ ist — eine individuelle Physiognomie, eine Situation, ein Leben einflößt (was kann z. B. ein von ihm gemalter Handschuh sagen), das macht

Abb. 998. *Eugène Delacroix, Die Einnahme von Konstantinopel. Paris, Louvre. Zwischen 1838 und 1841.*

sie groß und bedeutend, und daß er in unermüdlicher Arbeit seine Hand zu einem nie versagenden Instrument erzieht, gibt ihm die Mittel in die Hand, nun auch souverän den Stimmungswert der Situationen malerisch auszudrücken. Denn in erster Linie ist er Psychologe, und als solcher in der Lage, was das 18. Jahrhundert forderte und das 19. Jahrhundert wollte, sich in alles Lebendige einzufühlen, und um so mehr, je natürlicher und humaner dieses Lebendige ist. Er ist nicht gefühlloser als die rührseligen Maler seiner Zeit. Die Wiener *Danhauser* und *Fendi* mögen in gefällig hellen Tönen auch die Gefälligkeit weiblicher Wesen in rührseligen Geschichten preisgeben, oder die Düsseldorfer die nazarenischen Formen mit Tränen und offensichtlichen Gefühlen erweichen, — er ist nur wahrer, der Natur mehr hingegeben, er versteht es, den Objekten die Stimmungen abzulesen, die Situationen zu interpretieren und auszudrücken, was er nicht könnte, wenn er diese Stimmungen nicht selbst hätte. Er ist nur einfach reicher als alle, weil er ganz im Sinne des 19. Jahrhunderts nie selbst etwas will von den Situationen, sondern sie schon immer ganz als Dichtung, als Malerei, als Gegenstand des Ein- und Nachfühlens faßt.

Was Schwind in seiner Morgenstunde mit der lyrischen Stimmungsfigur und mit konstruktiven Bildelementen erreicht, die dem bescheidenen Zimmer und dem schlichten Mädchen einen Hauch von Märchenüberwirklichkeit geben, erreicht Menzel im Balkonzimmer (Abb. 991) mit einfachsten Mitteln — eine Gardine, ein Stuhl, ein Spiegel sind alles Mobiliar, das das Auge sieht — und mit der Malerei: eine Malerei, die ganz gesehen, dennoch die Stimmung des Morgens und des Frühlings, die in das Zimmer hineinweht, mit den duftigsten Tönen auffängt. Die unter der Lampe versammelte, in Mitteilungen verbundene Abendgesellschaft übertrifft alle Biedermeiermalereien an Traulichkeit und Verbundenheit, denn die Malerei verbindet die Menschen, und das gemalte Licht faßt sie in sich. Auch Menzel malt die Menschen im Theater, Bauern im Dorftheater, Pariser im Théâtre du Gymnase (Abb. 992). Aber wo

Abb. 999. *Eugène Delacroix, Algerischer Harem. Paris, Louvre. 1834.*

Abb. 1000. *Jean-Baptiste Camille Corot, Mantes-la-Jolie. Reims. Zwischen 1865 und 1870.*

Abb. 1001. *J.-B. C. Corot, Erinnerungen an Mortefontaine. Paris, Louvre. 1864.*

wäre so wie in diesem Théâtre du Gymnase die Stimmung des Theaters, die schwüle und heiße Luft, die fieberhafte Spannung, die Abgerücktheit des Spiels auf der Bühne und die Einheit von gespieltem Leben und gelebtem Spiel verwirklicht? Die wunderbare vergeistigte Farbwahl und Farbdisposition, auf deren Harmonie die Einheit beruht (eine Harmonie, die aus Blau und Gelb entwickelt wird), darf nicht darüber hinwegtäuschen, daß hier in einem ganz geistigen Sinne das Gegenständliche die Hauptsache bleibt, nur malerisch ausgedrückt durch die gewittrig dunkle, blitzdurchzuckte Atmosphäre der Töne, die tragische Spannungen andeutet, und durch die Verknüpfung von Hell und Dunkel mit der zu den Schauspielern hinführenden Erhellung. Diese psychologische Stimmungskunst hat Menzel zum größten Historiker des 19. Jahrhunderts gemacht.

Denn das Wesen der Geschichtsschreibung des 19. Jahrhunderts besteht darin, alles Mythische und Hoheitsvolle zu vermenschlichen, die großen Ereignisse und Helden der Vergangenheit zu Privaterlebnissen und Privatleuten herabzuziehen, intime Erlebnisse in ihrem Dasein aufzuspüren und durch Aufdeckung der psychologischen Hintergründe die Schicksalsbedeutung der historischen Ereignisse abzuschwächen und sie zu menschlich bedingten, menschlich verständlichen individuellen Handlungen umzudeuten. So entsteht die historische Anekdote. Die Achtung aber vor der Natur dieses Geschehens, die Aufgabe der Kunst (auch Geschichte ist in diesem Sinne eine Kunst), die räumlich fernsten Menschen und Länder dem Schauen nahezubringen und nacherlebbar zu machen, verpflichtet jetzt auch, die zeitliche Ferne mit derselben Treue darzustellen wie die örtliche. Nicht die erziehlich vorbildliche und kultische Bedeutung für uns, die in früheren Zeiten immer zu einem die körperliche Haltung ausdrückenden Idealkostüm geführt hatte, war das Ziel, nicht einfach die Vergegenwärtigung durch Kostüme, Physiognomien und Gebräuche der eigenen Zeit, durch die man die heiligen Geschichten im 15. und 17. Jahrhundert säkularisierte und trivialisierte, genügte jetzt der Naturtreue, sondern auch die zeitliche Ferne und die vergangene Wirklichkeit wollen berücksichtigt werden, um der Achtung vor dem von der Natur Gegebenen zu genügen. Dazu gehörte eingehendes Quellenstudium — Menzel hat das größte Repertoire solcher Quellenstudien hinterlassen —, dazu gehörte Einfühlungsgabe, um die Quellen zum Sprechen zu bringen. Dieselbe Gabe, jedes Objekt der Natur in seiner Individualität zu erfassen, die (als Tugend des 19. Jahrhunderts verstanden) größte Bildungsfähigkeit, deshalb eigentlich größte Charakterlosigkeit voraussetzte, befähigt Menzel, die Äußerlichkeiten des Kostüms, mit denen geringere Künstler ihr historisches Gewissen beruhigten, mit der treffsichersten inneren und äußeren Charakteristik zu verbinden (Tafel XVI).

Die Wege zu seiner psychologischen und naturalistischen Geschichtsmalerei lassen sich verfolgen. Sie beginnen bei *Kaulbach*, der in die Geschichtsbilder im Treppenhaus des Berliner Neuen Museums, die nach dem Muster von Raffaels Schule von Athen und Disputa monumental aufgebaut sind, sentimentale Rührszenen und historische Porträts einfließen läßt, das Ganze ein nicht ganz reinliches Gemisch von Konstruktion und Geschehen, von Symbolik und Anekdote, wozu noch ein Körnchen Frivolität in keuscher nazarenischer Umrißzeichnung kommt. Es steigert sich bei *Rethel*, der, den Malern des Früh-Naturalismus im 15. Jahrhundert ähnlich, auf die Intensität des körperlichen Vorganges im Raum, auf die Arbeit des gemeinen Mannes, auf die Nebenszenen großes Gewicht legt, prachtvoll im Hannibalzug über die Alpen den Kampf der Soldaten mit der Natur schildert, aber doch noch in einem zeitlos idealen Stil, der mehr der der Überlieferung der Geschichte, als Vergegenwärtigung der Vergangenheit ist, mehr altertümliche Chronik als historisch treue Darstellung.

Abb. 1002. *J.-B. C. Corot, Die Dame mit der Perle. Paris, Louvre. Um 1870.*

Erst *Menzel* gibt die historischen Ereignisse mit der Treue, daß man glaubt, dabei zu sein und zusehen zu dürfen, daß man sie sich gar nicht mehr anders vorstellen kann; er gibt sie auf Grund eines ununterbrochenen Fleißes im Quellenstudium und einer — vielleicht bis dahin unübertroffenen — Rekonstruktionsfähigkeit. Diese ist um so bedeutender, als für diese Natürlichkeit des Gewesenen ihm kein Kompositionsschema, das er abwandeln konnte, zur Verfügung stand. Dabei — und das muß heute mehr denn je betont werden — hat weder die Malerei noch die Regiekunst gelitten, sondern die Bilder sind durch die Beziehung aller malerischen Werte und Kompositionsfaktoren zu einer ganz starken Einheit gebracht, bei der man sich nur bewußt sein muß, daß die Grundlage dieser Einheit die geistige des Geschehens und die Stimmung einer historischen Situation ist.

Es wäre verlockend, die großen historischen Bilder Menzels daraufhin durchzusehen, mit welchen Mitteln Ziel und Mittelpunkt des Geschehens hervorgehoben, die Episoden berücksichtigt, die Individualitäten aller Beteiligten charakterisiert, die Stimmung des Theaters, der Überraschung, der Trostlosigkeit, des Entschließens, der Geselligkeit, der Verlassenheit mit malerischen Mitteln ausgedrückt sind. Aber wir begnügen uns mit den beiden bekanntesten, der Tafelrunde Friedrichs des Großen (Abb. 993) und dem Flötenkonzert in Sanssouci (Abb. 994), weil beide aus der Stimmung der Biedermeierzeit heraus den Monarchen und Helden als Mann des Geistes und Musiker, als einen Privatmann jener Bildungssphäre zeigen, aus der heraus das sentimentale Naturgefühl der Zeit entsprang. Bei beiden darf man an Rembrandts Anatomie, Nachtwache und Staalmeesters denken, beide gehen über diese hinaus an historischer Objektivität und Zusammenschluß aller Faktoren zum Gesamtgeschehen, beide verzichten stärker auf die barocke Porträtrepräsentation, die bei Rembrandt auch in der Überwindung noch mitspielt, beide aber steigern vor allem das Geistgeborene der Situation, in deren Mitte der Genius steht und sich hören läßt. Die malerische Kunst bewährt sich gleich in der verschiedenen Charakteristik und Stimmung, in Format und Aufbau; der hellen, geistreichen, kühl zugespitzten der Tafelrunde, die mit grauen und blauen Tönen und vielen Senkrechten sich in die Höhe baut (es schwirrt von Spannungen zwischen den Geistern, die sich im witzigen Wort überbieten, unterstützt vom Blitz und Schein der Tafelgeräte), und dagegen des breit und dunkel gedämpften, mit rötlich warmem Licht die Sinne umnebelnden Flötenkonzertes, auf dem hingesunken ein Kreis von Hörern dem Spiel des Genius lauscht. Wunderbar ist die Charakteristik der Personen und der Reichtum der Charaktere, in der Tafelrunde der Gegensatz des überlegen strahlenden Monarchen und des beflissenen, quecksilbrigen Voltaire und wiederum der Generäle, die in ihrer ruhigen Haltung dem Anspruch des Geistes gegenüber sich auf die Vorrechte verlassen, die die Wucht des Körpers und die Strammheit der Uniform liefert; im Flötenkonzert der Unterschied zwischen schmachtenden Frauen und pflichtmäßig sich langweilenden Haudegen, zwischen Sentimentalen und Kritischen. Das ganze Bild drückt etwas von der beklommenen Schwüle aus, die herrscht, wenn eine Gesellschaft jemandem zuzuhören verpflichtet ist, dem sie nicht widersprechen darf. Und wie mühelos, wie unabsichtlich alles sich reiht, wie richtig die Akzente verteilt sind, wie gleichmäßig alles durchgearbeitet ist, nirgends ein Zuviel oder Zuwenig. An Inhaltlichkeit haben sie nicht mehr als die religiösen Bilder Raffaels oder Michelangelos, die Gruppenbildnisse und alttestamentlichen Szenen des Frans Hals und Rembrandt. Sie haben nur einen anderen Inhalt und deshalb auch eine andere Form, das ganz psychologisch durchleuchtete historische Leben in seiner letzten Vergegenwärtigung, um das sich das 19. Jahrhundert bemühte. In dessen Darstellung ist Menzel absoluter Meister.

Abb. 1003. *Th. Rousseau, Am Waldrand von Fontainebleau. Paris, Louvre. 1855 ausgestellt.*

Wohl haben sich gerade belgische Künstler, *Wappers, Gallait, Leys,* um die Historisierung der Vergangenheit durch Kostümechtheit und psychologische Vermenschlichung bemüht und großen Einfluß auf die Entwicklung des Geschichtsbildes gehabt, dessen Rühr- und Renommierstück immer die Hinterbliebenen an der

Abb. 1004. *J. F. Millet, Der Mann mit der Hacke. San Franzisko, Mrs. W. H. Crocker. 1862.*

Leiche eines Nationalhelden war. Gemalte Unglücksfälle wurden diese Historienbilder schließlich genannt (vgl. *Gallaits* Brüsseler Schützengilde an der Leiche Egmonts und Horns). Aber dasselbe, was auch an den schönen Genrebildern *Henry de Brackeleers* das Besondere ausmacht, eine Anknüpfung an die niederländische Tradition, eine malerischere Betonung der Oberfläche, eine kostümlichere Schönheit hat bewirkt, daß das historisch Echte und Wahre hier doch hinter dem offiziell Zurechtgemachten, dem Festspielartigen und dem Altertümlichen der Kostüme für sich genommen, zurücksteht. *Menzel* verdankt ihnen nichts, das geschichtliche Bewußtsein der Zeit ihm aber alles. Menzel war klein und unansehnlich von Gestalt, ein Zwerg und Sonderling, ein Weiber- und Menschenfeind, unbeweibt und ohne Familie. Daß gerade er alle Weiten der Malerei der Biedermeierzeit, d. i. aber des 19. Jahrhunderts, durchmessen und ihre Forderungen am restlosesten erfüllt hat, mag daran liegen, daß er in seiner Person auch der Grundhaltung des 19. Jahrhunderts gegenüber der Kunst am meisten entsprach: von der Einsamkeit und Freiheit des geistig ganz auf sich selbst gestellten Individuums aus, alle menschlichen Werte von Bild und Dichtung her zu verlangen, gelöst von den Menschen, ja Menschen hassend, sein ganzes Liebes- und Lebensbedürfen an die Kunst zu verschenken und von der Kunst sich schenken zu lassen. Was an dieser lebens- und menschlichkeitsreichen Kunst scheinbar nüchtern und sachlich ist, ist doch wohl nur die Kunst, hinter der Wahrheit der Gestalten und ihres Gefühles die eigene Sentimentalität zu verbergen.

Die französische Malerei unter dem Titel Biedermeiermalerei miteinzubegreifen, ist leicht, wenn man die vielen kleinen Provinzmaler und die geringeren Talente heranzieht, nur daß, was wir Biedermeier nennen, hier juste milieu, die rechte Mitte, heißt, ein Ausdruck, in dem die Genügsamkeit, Pedanterie, Liebe zum Kleinen und Sauberkeit des Sehens und Malens unter dem Gesichtspunkt der Form miteinbegriffen sind. Daß sich auch bei diesen schon der Unterschied zwischen der deutschen und französischen Malerei bemerkbar macht, mag ein Vergleich zweier rührseliger Anekdotenbilder lehren, das eine aus der Düsseldorfer Schule, von *Theodor Hildebrandt* (Abb. 995), das andere von dem Historienmaler *Delaroche* (Abb. 996). Beide haben denselben historischen Gegenstand, die Ermordung der Söhne Eduards zum Thema, beiden sieht man das Gestellte und Arrangierte an, beide versuchen mit historischen Kostümen die historische Treue zu suggerieren. Aber was bei dem deutschen Maler eine sorgfältig gemalte, aber farbig reizlose intime Rühr- und Kinderszene wurde — selbst die gedungenen Mörder lassen sich ein Weilchen rühren — ist bei Delaroche

Abb. 1005. *Gustave Courbet, Steinklopfer. Dresden, Gemäldegalerie. 1851.*

voller Spannung und Andeutung (die Mörder selbst sind nicht sichtbar) und Zurschaustellung zweier hübscher Knaben, bei denen man an van Dyck denkt, in einer farbig weichen, effektvollen Malerei. Kurzum, hier ist wieder alles aus dem Barock und Rokoko verblieben, über das Gesehene hinweisende Andeutung, repräsentatives Bildnis und dekorative Verschönerung. Was hier sentimental und anekdotisch die traditionellen Faktoren billig und affektiert zur Wirkung bringt, wird zur großen Kunst in der Hand eines Malers, der gerade heute wieder als Farbkünstler die Welt erregt: *Eugène Delacroix*. Auch er ist Geschichtsmaler, der, mit der Romantik Géricaults und Ingres' zusammenhängend, noch die großen weltgeschichtlichen Ereignisse und die große dramatische Form im Sinne Kaulbachs und Rethels vor der intimen psychologischen Wahrheit Menzels bevorzugt, aber doch im Sinne der Biedermeierhistorie des 19. Jahrhunderts Zeitkolorit im Kostüm und historische Eindringlichkeit und Vermenschlichung durch rührende Einzelszenen im Ganzen des Geschehens zu geben sich bemüht, wobei das Rührselige gestreift, aber durch das Grausige übertäubt wird. Aber was die Bilder bedeutsam macht, ist nicht die geschichtliche Wahrheit, sondern die traditionelle Form, im Massacre de Chios (Abb. 997) der Aufbau zweier Gruppen, der einen, wo weibliche Körper um das sich bäumende Pferd mit wirkungsvoller Zurschaustellung des Nackten sich gruppieren, der anderen, wo sich die Angehörigen einer Familie zur Pyramide zusammendrängen wie die heiligen Familien des Barock. Am Rande der ersten Gruppe liegt eine hingemetzelte Frau am Boden, über die sich ein nacktes Kind geworfen hat, als suche es die Brust. Nicht nur dies erinnert an die trunkenen Bacchantinnen des Rubens, auch der Türke, der die Frauen an sein Pferd gebunden hat, macht die Erinnerung an Rubens' Frauenraub wieder lebendig. Schließlich spürt man, daß auch die Gräßlichkeit der Hinschlachtungen die blühenden und erregenden Effekte der Martyrien des Barock und die feurige prunkende Farbe die Festlichkeit der Rubensschen Dramatik wiederholt. Das Historische intensiviert und modernisiert mit inhaltsreichen Schaumomenten diese dekorativen barocken Effekte, aber das, womit die unleugbar große Kunst des Malers prunkt, ist nicht das Neue, sondern das Alte, ist Tradition, und das Französische daran, daß mit den Rubensschen Effekten der Entblößung des Fleisches mehr Versteck gespielt wird. Ein zweites Bild, den Tod des Sardanapal, in dem die Anhäufung von nackten Frauenleibern sich mit einer Fülle spannender blutrünstiger Vorgänge verbindet, hat Delacroix selbst sein zweites Massacre genannt. Die Einnahme von Konstantinopel (Abb. 998) ist das männliche Gegenstück zum Massacre de Chios, Verklärung des Heldischen in einer heiligenbildartigen Anordnung, dramatisiert durch das geschichtliche Moment

Abb. 1006. *Gustave Courbet, Das Atelier des Malers. Paris, Louvre. 1855.*

des Einreitens der Kreuzritter in Konstantinopel und die ihnen sich betend zu Füßen werfenden Besiegten. Auch diese Dramatik erinnert an die Jüngste-Gerichts-Dramatik barocker Bilder, ist noch ganz bühnenhaft mit scharfer Trennung von Vordergrund und Hintergrund aufgebaut und dem 19. Jahrhundert schmackhaft gemacht nur durch die sentimentalen Mitleidsregungen der Ritter, die rührseligen Bittgebärden und die kostümcharakterisierenden Farben. Schließlich hat Delacroix auch seine Formel, eine echt französische für das Genrebild gefunden, Frauen in ihrem Heim (Abb. 999). Es sind hübsche Odalisken in farbigen Kostümen, in bequemen, aber gefälligen Haltungen dem Beschauer präsentiert; die farbige dekorative Wirkung hat durch die Besonderheit der fremden Kostüme den Reiz des Befremdenden erhalten, einfühlende Naturbeobachtung und rokokohafte Frauendarstellung finden sich zusammen, und aus letzterem schöpft die Kunst des Meisters. Das Exotische ist hier nicht viel anderes, als bei Watteau das Kostüm der Komödianten war. Delacroix selbst hat seine Stellung zur Kunst treffend charakterisiert, wenn er den Landsleuten predigte, die wahre Antike bei den Arabern zu suchen. Er verwirft den Klassizismus zugunsten des Naturalismus seiner Zeit, um in der Natur selbst nur wieder das Klassische, Helden, Nacktes und Kostümschönheit zu finden, Dinge, die er in der ihn umgebenden zeitgenössischen Wirklichkeit vermißte. Einen kranken Rubens, einen aufgeregten Veronese hat man ihn treffend genannt.

Auch die Kleinmeister, *Decamps* und *Fromentin*, die im Orient etwas wie die Zigeunerstimmung und Wüstenmelancholie der späten Biedermeiermaler suchen, geben in ihren feinen Bildern mehr den Reiz der Tonschönheit von

Abb. 1007. *Gustave Courbet, Die Rehe im Walde. Paris, Louvre. 1866.*

Weiß und Braun oder rhythmischer und festlicher Bewegungen mit feinem edelsteinhaften Aufleuchten schöner Farben auf dem sonnendurchglühten Grund des Wüstensandes. Das Leben der exotischen Völker lernt man aus diesen Bildern nicht kennen.

Sie geben mit den Raffinements des Exotismus die Naturintimität so, wie sie die *Schule von Barbizon* in der „paysage intime", der intimen Landschaft, als Gegenstück zu der Biedermeierlandschaft in Deutschland entwickelte. Auch hier steht ein ganz großer Künstler an der Spitze: *Corot*; groß, weil auch er die intime Landschaft zwar will, aber die Malerei ganz rein und edel pflegt. Er malt historische Stätten, die Tiberinsel, die Kathedralen von Mantes (Abb. 1000), von Chartres, er malt sie als Historiker und als Naturalist, der die monumentale Architektur in einen lockeren krausen Stadtwinkel (Spitzweg ähnlich) verwandelt, in kleinen Formaten sie in die Ferne schiebt und Wasserflächen davorlegt, sie mit Bäumen einrahmt, mit Atmosphäre umhüllt und in eine Landschaft verwandelt. Aber wie er sie malt! Er stellt Flächen gegen Flächen, harmonisiert sie mit einem delikaten Ton, legt den Duft feiner Morgennebel um sie, fügt die Bäume des Vordergrundes zu einem lockeren Rahmen und legt zwischen die Vision des Architekturbildes und den zarten Rahmen der Bäume eine Schicht von zartester durchsichtiger Bläue, deren kristallene Transparenz die festen Formen der Architektur zu einer luftigen Fata Morgana entschweben läßt. Die historische Bestimmtheit der Objekte und die einer neuen frischen Naturansicht entnommenen kühlen Morgenfarben weißer Flächen, silbriger Töne, lichtester Bläue verbinden sich mit der Gehaltenheit Poussins und der elegischen Weitsicht Claude Lorrains. Noch deutlicher ist das Altertümliche seines Stiles in den reinen Landschaften (Abb. 1001), in denen — allmählich etwas zur Manier geworden — sich die Watteausche Schaumnatur der in Luft aufgelösten Rahmenbäume zu einem Durchblick in eine Atmosphäre öffnet, in der Nymphen märchenhaft wie Elfen oder wie Nebelgeister huschen, Erlkönigpoesie in kühlgrauer sumpfiger Natur mit dekorativer Stimmung sich mischt, und die „Bäume mit Neigen" ihren Weihrauch auf das Leben streuen. Auch hier ist die Feinheit einer zarten, schwebenden Tonigkeit erkauft mit Verzicht auf die bodenfeste Realität der Natur und mit der Rückkehr zu den Hintergrundsdekorationen des Rokoko. Frankreich bleibt auch mit Corot im 18. Jahrhundert verankert. Ganz für sich, als Nebenprodukte hat Corot weibliche Figuren gemalt (Abb 1002), mädchenhafte Gestalten in einem seltsamen Kostüm, italienische oder bretonische Landmädchen oder Zigeunerinnen in phantastisch buntem Aufputz. Aber auch aus diesen Genrebildern mit exotisch-ethnographischem Einschlag und aus der Unschuld ihrer Mienen entwickelt Corot die Harmonien einer Mona-Lisa-haften Haltung und einer Farbstimmung, in der wie bei Vermeer van Delft auf der Grundlage zarten Blaus die feinen Rosa- und Orange- und violetten Farben sich zu einer matten kreideweichen Tonschönheit zusammenschließen. Auch hier nähert sich die Biedermeiercharakteristik der Kostümschönheit und Figurenrepräsentation Watteauscher Tänzerinnen und Komödianten.

Die Meister der *Schule von Barbizon, Rousseau, Dupré, Daubigny* fassen die Natur wohl fester, bräunen und röten die Töne zu Abendstimmungen oder lassen sie mit Blüten durchwirkt tiefer aufleuchten, treffen auch den Zauber sumpfiger Einöden und unscheinbarer stiller Winkel. Aber nicht nur, daß bei Rousseau Ruysdaelsche Empfindung wiederkehrt, auch er gibt in einem seiner schönsten Bilder, dem Sonnenuntergang im Louvre (Abb. 1003), einen aus Stämmen und Blättern geflochtenen Rahmen für zart verschwebende Fernsichten, und Daubigny faßt gern große Gebüschflächen mit ihrem Blütenschaum zu Naturteppichen zusammen.

Zu diesen Landschaftern gesellen sich eine Reihe von Tiermalern, *Troyon, Rosa Bonheur, Charles Jacques.* Auch von diesen sind die beiden ersteren den Holländern stark verpflichtet; sie gießen mit weicher Malerei viel Licht und Farbenzauber über Kühe, Pferde, Schafe und holen aus der Bewegung der Tiere viel barocken Schwung heraus. Jacques, der sich auf Schafe und Hühner spezialisiert, hat mehr die stille und feine Tonschönheit des Corot und Dupré, aber auch etwas von der Rokokosentimentalität der Schäferpoesie. Die bedeutendste Erscheinung unter den Tierdarstellern ist ein Plastiker, *Louis Barye,* der in sehr breiten malerischen Skizzen wilde Tiere in kräftig animalischer Spannung erfaßt, und in seinen Skulpturen die realistisch beobachteten Wesenszüge zu einer so intensiven schwellenden Form steigert, daß man ihn am besten als den Delacroix der Tierplastik faßt. Er ist mit Delacroix annähernd gleichaltrig.

Die Wandlung zu größerer Freiheit, echterer und umfassender Einheit und einer Trübung der Atmosphäre und der menschlichen Stimmung, die die Natur spiegelt, ein Pessimismus und ein Unbefriedigtsein, die sich in den deutschen Bildern und in der Schule von Barbizon weltschmerzlich äußerten, führt in Frankreich zu einer neuen revolutionären Haltung im Werk der drei größten Künstler der mit Menzel gleichaltrigen Generation: *Daumier, Millet, Courbet.* Es handelt sich nicht nur darum, daß alle drei durch die Tat ihrer Malerei Partei nahmen für einen neuen untersten, den vierten Stand, für die Arbeiter, und die Zigeunerromantik hinter sich lassen (auch der Bauer wird jetzt bei der Arbeit gezeigt), daß sie in diesem untersten Stand, in seinen

Abb. 1008. *Gustave Courbet, Die Welle. Paris, Louvre. 1870 ausgestellt.*

häßlichen, schlecht gekleideten, schmutzigen Menschen die Menschlichkeit entdecken und von ihr gerührt werden (wie Millet schrieb), daß sie sich in Opposition gegen den Zeitgeschmack stellten oder fühlten oder als Revolutionäre (als Sozialisten) den heftigsten Widerstand fanden, sondern daß sie auch in der Form einen revolutionären Ausdruck gaben, voran die schneidende Satire der *Daumier*schen Lithographien. Revolutionär ist aber auch die plakatartige Vergrößerung eines Stiles, der mit der Wucht seiner Gestalten die Eindringlichkeit der Sprache ersetzen will, mit der ein Volksredner die Anteilnahme an dieser neuen Seite der Menschlichkeit ausdrücken würde, und zugleich die Achtung vor dieser Menschlichkeit selber erwecken will. Die Gebundenheit der französischen Kunst an die großen Formen des Mittelalters, der Klassik oder des Barock ermöglichten es diesen Künstlern, diese große Form in einer Bildhaltung zu entwickeln, die gerade das Weichste, Stimmungsvollste zum Ziele hatte. Wiederum ist es das Festhalten an alten Formen, das mit vollendeten Kunstmitteln aus der zeitbedingten psychologischen, passiven Stimmungskunst die modernste Tendenz und das politische Pamphlet entwickelt. Alle drei Künstler wurzeln im Naturgefühl dieser Zeit, sie haben die weiche verfließende Malerei der Stimmungskunst, Daumier in der Form ferner zerlaufener Flächenbilder, vor denen die dunklen Figurensilhouetten fast geisterhaft sich abheben, Millet in der Form dampfender Atmosphäre über trübseligen Schollen des aufgeworfenen Ackerbodens oder graukalten Nebels im feucht herbstlichen Wald, der sich um die Figuren hüllend legt, Courbet in dunklen schwarzen Abendschatten, die auch seine Gestalten verfinstern. Sie haben die dunklen trüben Töne, die das Gemüt des Beschauers und die Figuren auf den Bildern selber niederdrücken, Daumier ein Braun, das von grell gelblichen Lichtflächen durchweht an nächtliche Brände und Höllenfinsternisse erinnert, Millet die trübe Bräune vermoderter Hölzer im Walde, herbstlicher Wege und abgeernteten Ackers, über den der Rauch verbrannten Strohs streift, Courbet ein Schwarz und Schwarzgrün, dessen Zähigkeit mit der Erdfarbe schwarzen Bodens zusammengeht. Sie haben die Melancholie des Abends und des Menschen, der allein auf weiter Flur ist, keine poetische Zigeunermelancholie mit Gesang und Geigen, sondern die gebeugte gedrückte Haltung der von der Arbeit Heimkehrenden oder in der Arbeit erschöpft und keuchend Ausruhenden oder des im Tun Gebeugten und Bedrückten — die Wäscherin von Daumier, die Ährenleserinnen, Holzholerinnen, der Mensch mit der Hacke von Millet (Abb. 1004), die Steinklopfer von Courbet (Abb. 1005). Sie haben den Gedanken an

Abb. 1009. *Honoré Daumier, Das Drama. München, Neue Staatsgalerie. Zwischen 1860 und 1879.*

Abb. 1010. *Honoré Daumier, Pygmalion und Galathea. Lithographie aus „Histoire ancienne". 1841.*

den Tod — Millets Totengerippe, das den stürzenden Holzschlepper packt, Courbets Verwundeter, das Begräbnis zu Ornans. Sie haben auch alle Themen der Zeit, den Sammler und Kauz, der wie ein Dieb in der Nacht vor Blättern und Büchern stehenbleibt und wenigstens ihren Inhalt stiehlt, die Menschen im Theater (Abb. 1009), die das tragische Spiel auf der Bühne, Eifersucht, Mord und Totschlag, so miterleben, daß sie mit verzerrten Gesichtern, zum Herzzerspringen aufgeregt, sich auf die Bühne stürzen und eingreifen möchten, den Revolutionshetzer, Bild geworden im Lichtschein, der wie ein Gewehrschuß das Bild durchkeilt, den Genius mit den flammenden wirren Haaren und dem Eulengesicht des Kauzes (Berlioz), den Maler im Kreis der Modelle vor der Staffelei (Courbet, Abb. 1006), die Sommerfrischlerinnen am Rand der Seine (Courbet, Jeunes filles au bord de la Seine), die Hirtin bei ihren Schafen, die Bauern auf dem Felde. Aber sie haben das alles ganz anders als nur zeitgemäß.

Sie haben es spezifisch französisch. Aller Dunst, alle Schatten, alle Fernsichtflächen saugen nicht die Figuren in sich ein, werden nicht Landschaft, Milieu, Geschichte, sondern stellen die Figuren heraus, heben sie von sich ab und verstärken diese Wirkung nur dadurch, daß bei Daumier die von greller Hintergrundsfläche abgehobene Gestaltsilhouette schwer und dunkel zusammengepackt ist und den Blick zwingt, den Knäuel der Form zu entwirren, daß der Dunst der Milletschen Ebenen und Wälder die Figur, die wie ein Ton aus der Ferne nach vorn getragen ist, noch nicht ganz frei gibt und das Auge nötigt, diese Befreiung zu versuchen, und daß Courbet den Rand der Figuren verstärkt, damit sie nicht im harzigen Schwarz des Grundes steckenbleiben. Und alle diese Figuren verkünden die Bedrücktheit und Not ihres Tuns in einer Haltung oder Gebärde, die neben ihrer Ausdruckskraft die Wucht monumental geballter Form und feierlicher Rundungen hat (Daumier) oder die klare Festigkeit eines antiken Reliefs (Courbets Steinklopfer) oder die gehaltene, aufrecht stumme oder rührend gebeugte, immer sakrale Haltung gotischer Statuen, wie Millets Bauern. Mit Recht hat man Courbets Begräbnis von Ornans mit einem holländischen Schützenstück verglichen, so porträthaft und fordernd sichtbar stehen die Bauern wie eine Mauer zusammen.

Und wie mit den Formen ist es mit den Farben. Die Licht- und Schattengegensätze auf Daumiers Bildern malen große Transparente mit dämonischen Silhouetten auf die Fläche, die das Auge allein schon anziehen; sie sind groß und kühn wie Muster, die ein Scheinwerfer auf den Nachthimmel zeichnet. Courbet (Abb. 1007) entwickelt aus dem dunklen tiefen Grün des Waldes, dem

Abb. 1011. *Honoré Daumier, Die Dramatikerin. Lithographie aus „Die Blaustrümpfe". 1844.*

schwärzlichen Schiefergrau der Felsen, dem Braunschwarz des Felles der Rehe und dem vielteiligen Laub im Frühling aufbrechender Sträucher einen Teppich, über dem man das Tieridyll und den Waldeszauber und den Mangel an leuchtenderen Farben vergißt, so gobelinhaft farbig ist es in sich selbst. Und Millet schmilzt die gedämpften, lichten, corot- und watteauhaften Farben der Gewänder seiner Frauen so in die Harmonien der schlichteren Stimmungstöne der Landschaft ein, daß die Musik des Abendgeläutes im Angelus aus diesen Farben fernher erklingt. Die Zeitgenossen, und unter ihnen sehr beachtliche, haben an Millet diese Doppeltheit von Schönheit der Gebärde und Süßigkeit der Farbe einerseits und Herbheit des Erdigen und Bäurischen andererseits empfunden und als einen Tadel so formuliert, daß diese Bauern ihre Arbeit verrichteten wie Priester eine heilige Handlung. Aber es ist altes französisches Erbgut und gehörte schon zur Doppelsinnigkeit der mittelalterlichen Kunst, die Bedeutsamkeit der sinnlich sichtbaren Form in eine andersartige oder gegenteilige Bedeutung aufzulösen. Dem Realismus des 19. Jahrhunderts entspricht es, daß diese — wie sehr mittelalterliche und christliche! — soziale Haltung hier nicht nur Haltung und Stimmung aufeinanderbezieht, sondern auch die Schwere und Festigkeit der monumentalen Form und die Wucht der Bewegung dem Ausdruck des Zähen und Schwerfälligen im bäurischen Wesen anpaßt. Denn es ist mit jeder idealen Form auch immer zugleich ein charakteristischer Zug der Dargestellten getroffen. Vor allem aber erhebt die Großheit der Form — so daß alle Welt hier Michelangelo sagte, wie man bei Delacroix Rubens sagen muß — doch nur die Bedeutung dieser armseligen Menschen und spricht künstlerisch aus, was man mit der Idee des Sozialen meinte. Es ist etwas von der Großartigkeit eines Jüngsten Gerichtes in diesen Darstellungen, bei denen die Ärmsten der Welt auferstehen nicht kraft des Winkes eines Gottes, sondern dank der formenden Kraft des Genies. Am stärksten spürt man bei Millet, wie die Form und traditionelle Bildschönheit, auf die Natur dieser mühseligen Welt angewendet, auch nur ein Ausdruck der Sentimentalität ist, mit der seit dem 18. Jahrhundert Natur verehrt und begehrt wurde. Echte Arbeiter und echte Bauern sind auch hier nicht; aber in dieser Sentimentalität, mit der hier die Niederungen der Welt erfaßt sind, ist die Formkraft des Geistes stärker als das Gefühl.

Darüber hinaus hat *Courbet* dem französischen Ideal des Nackten stärker als Daumier und Millet gehuldigt, auch in dem Doppelsinne, daß er in einem starken Naturalismus derbe, unschöne Leiber auf die Leinwand bringt, Percheron- und Hottentottenschönheiten, wie man gesagt hat, daß er, wie in den am Seineufer formlos hingegossenen brutalen Frauenzimmern, von dem Kult des Erotischen abzuschrecken glaubte und doch mit der Kraft seiner Malerei so viel elementare, anziehende Natur in diese Dinge hineinlegte wie in die Wellen (Abb. 1008), die er malte. Es bleibt dem Blick nichts übrig, als bewundernd zu genießen. Bezeichnend ist das Bild seines Ateliers (Abb. 1006), ein in riesigem Format vergrößertes Maler- und Innenraumbild, ähnlich dem des Ostade. Der Maler ist umgeben von all seinen Modellen — interessanten, naturalistischen Gestalten.

Abb. 1012. *Honoré Daumier, Lithographie aus der Folge „Erinnerungen". Um 1840—50.*

Aber es ist zugleich eine Allegorie damit gegeben, und eine Huldigung an den Maler. Hinter ihm steht eine nackte Frau, die sich mit einem Tuche deckt, halb Modell, halb Genius, und sie steht genau im Mittelpunkt des Bildes. Wiederum denkt man — mit allem Respekt vor der kraftvollen Malerei — an Greuze.

Die eigentliche Kunst aber, Sinnliches zu Zeichen der Deutung zu machen, bei jedem Zerrbild an ein Urbild zu denken und den Geist in Bewegung zu setzen, ist in *Daumiers* zeichnerischer Satire. Sie kämpft für die Freiheit gegen den Zwang der Gesetze: gegen die Gesetzgeber, Monarchie und Parlament, gegen die Unterdrückung der Presse, gegen Kirche und Obrigkeit, gegen den Zwang im Leben, aber auch gegen den Zwang in der Kunst, gegen Akademie und Klassizismus. Daumier tut es mit Mitteln, die auch im Ausdruck diese Satire als eine biedermeierische empfinden lassen, so wenn er Pygmalion vor seiner Statue im Atelier zeigt (Abb. 1010), Pygmalion kauzig und ungepflegt wie Spitzwegs Hintertreppengenies, und die Galathea mit trivialem Gesicht und den Formen einer Bürgerfrau, bei der der Fettansatz bedenklich zu werden beginnt. Er hat gerade eine Prise genommen, sie beugt sich zu ihm herab, dasselbe zu tun. Er zeigt den holden Schläfer Endymion als schnarchenden, wüsten Hirtenjungen mit riesiger Nase in einer poetischen Mondscheinlandschaft. Das Satirische aber besteht nicht nur in der Einfalt, der Trivialisierung der Situation, der Verzerrung und Übertreibung des Häßlichen, sondern schon in der überlegenen Freiheit der Zeichnung, die mit geringsten Mitteln arbeitet und statt der Hingabe an die Natur das Spiel des Witzes mit ihr in jedem Strich, jedem Licht, jedem Schatten bezeugt. Diese Freiheit steigert sich in seinen Satiren zu immer bewußterer und willkürlicherer Zeichnung, einem quirlend und wirbelnd ausfahrenden Strich, mit dem er an den Grundfesten jeder Gestalt rüttelt, und einer gellenden Licht- und Schattenverteilung, aus der Hohngelächter der Hölle ertönen. Seine Satire, die sich an den Harlekinaden des Rokoko gebildet hat, gewinnt allmählich die Größe mittelalterlicher Dämonie zurück. Sie steht in der französischen Tradition, wo jede Formlosigkeit und Verzerrung doch zugleich ein Zeichen des Bösen ist und neben die Achtung vor dem kauzigen Original zugleich die Kritik an der Abweichung von der Norm tritt. Denn das ist das Vieldeutigste, daß Daumier, indem er die Antike auf den Boden der Biedermeiergenügsamkeit herabzieht, diese selbst gleichzeitig travestiert und der Vernichtung durch den Witz preisgibt. In dem im Mondschein schlafenden Endymion, im Pygmalion trifft er nicht nur den Klassizismus, sondern zugleich auch die Natur- und Geniesentimentalität seiner Zeit. Er hat sich lustig gemacht über den Kinderglauben des Biedermeier und gezeigt, daß Vater sein schwerer ist als es werden, hat die Freuden des Landlebens persifliert in dem Ehepaar, das mit der Angel am Tümpel im Garten des Landhauses sitzt, und über die Freiheit des Genius, indem er nach einer dramatischen Aufführung als Autor einen selbstbewußten Blaustrumpf mit der Brille auf der unförmigen Stupsnase vor den Augen der entsetzten Zuschauer erscheinen läßt (Abb. 1011). Und er hat schließlich das Biedermeierischste, das Lob der Genügsamkeit im Leben des Geistes mit echt französischer Formel — mit der man Spitzwegs Dachstube vergleiche — ein für allemal erledigt: ein Greis mit Zipfelmütze, ein Bauerngesicht mit Klobennase und Breitmaul glotzt stillvergnügt, die Hände gefaltet, auf das Rokokobild eines busenfrohen Mädchens (Abb. 1012). Auch hier ist wieder alles vieldeutig. Frauenkult und höfische Empfindung werden trivialisiert, zugleich aber auch das Triviale persifliert. Die Ironie, die in Spitzwegs Darstellung durch den Humor zum positiven Bekenntnis wieder zurückkehrte, daß das im Geiste und durch Bildung vermittelte Gefühlsleben mit der Natur das wahre Leben sei und über alle Härten der äußeren Wirklichkeit hinweghebt, ist hier als Donquichotterie des Geistes erkannt. So wie diese Satire in der Auflösung der Formen, der Herabziehung aller Hoheiten doch ganz künstlerische Form ist und mit dem Pamphlet und der revolutionären Kraft ihres Stiles aktiv das Leben bestimmen will, sich deshalb nicht an die Natur als eine Zuflucht des Geistes, sondern an die Arbeiter als einen Stand und eine Realität des Lebens wendet, für die sie durch die Form der Kunst einen Rang im Leben fordert, so führt sie mit Hilfe traditionsgebundener Formenkunst zu einer neuen Anerkennung der künstlerischen Form als Lebenswirklichkeit hinüber. Die Brücke zum Impressionismus und Expressionismus ist geschlagen. Die Einsicht aber in die zum Pessimismus führende Selbsteinkapselung des Ichs und der nur im Geiste möglichen sentimentalen Naturhingabe wird ihm Symbol in der Gestalt des Don Quichotte, des in der Wüste und Einöde der Natur umherirrenden Ritters des Geistes, der selbst schattenhaft, wie ein Projektionsbild verzerrt, in der Trübe schweifender Flächen schließlich jeden Halt und jede Wirklichkeit verliert und zum Phantom wird. Daß aber die Aktivität des Geistes, die in der Charakterisierungsfähigkeit, der Deutungsschärfe, der Subjektivität und Ausdruckskraft der künstlerischen Mittel hier in Erscheinung tritt, so negativ und revolutionär ist, setzt sie mit der pessimistischen Stimmungsmalerei der Zeit wieder in Verbindung, einer Kunst der Stimmung der Verzweiflung und der Verzweiflung an der Stimmung.

NEU-RENAISSANCE UND IMPRESSIONISMUS

Bismarck (1815—98). Deutsch-Französischer Krieg 1870—71. Reichsgründung. Reichstag. Gründerzeit (Strousberg). Ludwig II. v. Bayern 1864—86. Kulturkampf. 1861 geeinigtes Königreich Italien; Cavour. 1869 Kirchenstaat aufgehoben. — Napoleon III. 1852—70, Kaiserin Eugenie. Stadterweiterung von Paris (Haussmann). 1871 Kommune in Paris. Frankreich wieder Republik.

Bedeutete die Epoche der Biedermeierzeit — der dreißiger bis sechziger Jahre des 19. Jahrhunderts und der Generationen von 1800 und 1810 — die Verwirklichung all der Natursehnsucht, der Humanitäts- und Freiheitsideen, für die das 18. Jahrhundert die Ideen und Programme geliefert hatte, eine Verwirklichung, die besonders in Frankreich immer wieder zu Revolutionen geführt hatte, so bedeutet die Kunst der folgenden Generationen — der Böcklin, Feuerbach, Puvis de Chavannes und Moreau in der Frühzeit, Leibl, Thoma, H. v. Marées, Manet, Degas, Renoir, Cézanne, Monet, Rodin und Meunier in der Spätzeit angehören — eine Umkehr und Rückkehr zu großer Form, zum Stil und wiederum zu einer Art von Restauration vergangener Kunstformen, die national bedingt in Deutschland die der deutschen Renaissance, in Frankreich die des französischen Rokoko sind. In beiden Ländern ist diese Restauration ähnlich wie in der Nazarenerkunst gesättigt mit Motiven des Naturalismus des 19. Jahrhunderts, seiner Naturschwärmerei und Sentimentalität, seiner Realitätsmalerei und seiner anekdotischen Geschichtserfülltheit, in beiden vollzieht sich zugleich gerade in der Rückkehr zum Stil der Übergang zu einer neuen Kunst. Da Deutschland die Ideen des 19. Jahrhunderts am reinsten verkörperte, so fassen wir auch das Wesen dieser Umkehr zum Stil und zu einer neuen Monumentalmalerei in der deutschen Kunst am leichtesten.
Die Umkehr vollzieht sich im Inhalt, in der Form und in der Stimmung. Im Inhalt insofern, als in der ersten Generation statt der Trivialität des Gegenwarts- und Alltagsnaturalismus und der anekdotisch-trivialisierten Geschichte wieder das Übermenschliche in mythischer oder heroischer Form zum Gegenstand der Malerei wird, die Darstellung idealer Gestalten des antiken oder christlichen Mythos, großer historischer Personen oder allgemeiner symbolischer Verkörperungen menschlicher Geschicke und Zustände. In der Form insofern, als die menschliche Gestalt in ihrer großen Haltung und körperlichen Schönheit wieder das Bild beherrscht und von dem Hintergrunde als wesentlicher Gehalt des Bildes abgehoben und dem Beschauer in der Art der Kult- und Heiligenbilder entgegengehalten wird. Die Einheit von Mensch und Umwelt wird wieder aufgelöst in die Zweiheit von Gestalt und Folie. In der Stimmung insofern, als die trüben Stimmungstöne einer neuen, lichten, hellen und offenen Farbigkeit des Bildes Platz machen, als das Bild wieder schmücken und erfreuen soll und wieder eine dekorative Haltung gewinnt, sowohl durch die nicht mehr naturcharakterisierende, sondern schönfärbende Malerei, als auch durch die heiteren, Lebenslust und Lebensform ausstrahlenden Geschöpfe, die uns aus den Bildern ansehen. Der größte Dekorateur der

Abb. 1013. *Arnold Böcklin, Euterpe. Darmstadt, Hessisches Landesmuseum. 1872.*

französischen Malerei des 19. Jahrhunderts, *Puvis de Chavannes,* stammt aus dieser Zeit. Aber diese Stilisierung vollzieht sich mit Einschmelzung der Ideen des 19. Jahrhunderts in die ideale Gestalten- und Formenwelt dieser dekorativen Kunst. Eingeschmolzen werden die historisch-anekdotischen Beziehungen oder die sentimentalen Stimmungen; in den großen Gebärden ist immer zugleich eine Handlung, ist immer etwas erzählt, die formvollen Haltungen sind immer zugleich Ausdruck einer Stimmung, und auch die Beziehung auf die Geisteshaltung des 19. Jahrhunderts, des Lebens in einer poetisch-musikalischen Welt, findet in der Bevorzugung musizierender Menschen und tragischer Darstellerinnen ihren Ausdruck. Eingeschmolzen wird vor allen Dingen das Naturgefühl des 19. Jahrhunderts. Die idealen Wesen sind zugleich Naturwesen, die dekorativen freudespendenden Elemente sind wirklich elementar, Naturvorgänge, wie vor allem das Sprühen des Gischtes im bewegten Meer und der Reigen der vom Wind bewegten Wellen. Die mythischen Gestalten, Faune, Satyrn, Nixen, Zentauren sind mit einem Realismus erfaßt, als handele es sich um wilde Tiere. Auch die frischen Farben sind aus der Natur mit neuer Intensität herausgesehen, das Gelb der Birkenstämme, das Smaragdgrün der Rasenflächen, das rötliche Braun der Rehfelle und die metallisch funkelnden Farben auf wasserüberrieselten moosigen Steinen. Vor allem wird eine innere Einheit zwischen den Gestalten des Vordergrundes und der Hintergrundslandschaft geschaffen, indem der elementare Charakter der Personen in Einklang gebracht wird mit den Elementen selbst, vor denen sie stehen, aus denen sie emportauchen und in denen sie leben. Es entsteht ein neuer Naturmythos, in dem der Ausdruck, die Naturstimmung Mensch geworden ist und Gestalt gewinnt. Das Kindermärchen der Biedermeierzeit wird zur groß geformten Naturverkörperung für Erwachsene.

Zugleich aber bilden sich die zukunftsweisenden Elemente. Die dekorative Farbabwägung führt zum Farbsehen in der Natur selber, zu einem Eingehen und Intensivieren der Farbkontraste, die das Auge bemerkt, wenn es vom Gegenstand absieht. Die konstruktive Freiheit der Bildschöpfung befördert die Abkehr von der Gegenstandsbefangenheit des Biedermeiernaturalismus. Da die Gesinnung noch immer von der Naturverehrung und Stimmung ausgeht, die neue Form also nicht aus einer neuen Lebensform geboren ist — wo sie es ist, wird sie auch jetzt manieristisch, parvenühaft und unselbständig —, so formt sie nicht die Haltung der Dargestellten, sondern wird sie vor allem Bildform, Sichtbarmachung und Klärung der darstellerischen Werte, Aufteilung der Bildfläche in formale Werte, kubische, flächige und farbige.

Das rein Dekorative einer Wandgestaltung sowohl wie die Selbständigkeit der Farb- und Formwerte gewinnt an Bedeutung. Impressionismus und Expressionismus liegen im Keim in einer gegenständlich wie formal scheinbar entgegengesetzten Kunstrichtung verborgen.

Alle die erwähnten Faktoren aber sind am stärksten verwirklicht von *Arnold Böcklin.* Wir wählen drei Bilder aus, um das zu erläutern.

Euterpe (Abb. 1013): Es ist die Stimmungsfigur des 19. Jahrhunderts, der in Musik lebende weibliche Genius, in lässig verschränkter Haltung an einem Felsen sitzend, schwärmend in der Einsamkeit der Natur und Freundin aller Geschöpfe der Natur (ein Reh grast zu ihren Füßen). Aber sie ist entfaltet wie auf einem Relief, strahlend im roten Gewande, groß im Umriß, und sie besitzt etwas von der Schönheit tizianischer Frauen. Der Naturausschnitt, in dem sie sitzt, steigt in die Höhe und schließt mit Bäumen als Gegenstück zum Felsen und Gebüsch vor dem blauen Himmel hinter den Figuren den Raum ab. Und dennoch ist es nicht eine der Verehrung dargebotene Frauengestalt vor neutralem Grunde wie im Barock; sondern wie auf der einen Seite — dem 19. Jahrhundert entsprechend — das Sinnen die Gestalt über die preisgegebene Schönheit hinweghebt, so dienen die Kraft der Realität, mit der Felsen, Bäume, Wiese, Himmel gegeben sind, die Gleichmäßigkeit der Durchmalung von Gestalt und Hintergrund doch wieder dazu, die Einheit von Natur und Mensch herzustellen, den Frieden und das Leuchten der Natur in der Gestalt zu verkörpern. Zugleich sind die dekorativen Farbwerte, die horizontal sich entsprechenden Sandgelbs an den Bäumen und Felsen, die vertikal sich antwortenden Blaus des Himmels und des Tuches an den Flöten, die von dem Rot des Mantels ausstrahlenden und umhersprühenden Rots an den Felsen, auf dem Fell des Rehs, an den Rinden der Stämme lauter selbständige Farbbezüge, Farbkonstruktionen, die über die bloß personenschmückende und hervorhebende Bedeutung zu selbständigem Bildgehalt sich einen. An den Gegenständen völlig natürlich wirkend, leiten sie ein völlig neues Farbsehen der Natur ein und weisen dem Impressionismus die Wege. Auch die Flächenbeziehungen und Aufteilungen sind nicht von einer formalen Haltung der Figur oder der Naturobjekte, einer Pose und Architektur bestimmt, sondern selbständige Flächendispositionen, die die Überschaubarkeit und Klarheit der Situation unterstützen. In der Figur selbst ist eher etwas Unedles, in Form und Haltung. Diese selbständige dekorative Wirkung der Farben und Bildformen unterscheidet dieses Bild grundsätzlich von den Gesellschaftsbildern des Barock, aber auch von

Abb. 1014. *Arnold Böcklin, Triton und Nereide. Berlin, National-Galerie. 1875.*

den Heiligenbildern der alten Niederländer und alten Deutschen, denen die Kraft und Ungebrochenheit der Farben nahekommen wollen. Sie nehmen Wirkungsmittel des Expressionismus voraus.

Triton und Nereide (Abb. 1014) geben eine Biedermeieranekdote, ein mythologisches Familienidyll, der wachsame Gatte und die ruhende Frau, die spielen möchte und dem Mann eine Handvoll Wasser ins Gesicht zu spritzen sich anschickt. Es sind elementare Naturwesen: der Triton mit seinen Seetanghaaren, seinem Robbenleib, seinem scheuen Pferdeblick, wie ein Meerwesen, das Naturforscher bei einer Südsee-Expedition entdeckt haben. Zwar heben sich die beiden Gestalten wie ein Denkmal vor dem Meeres- und Himmelshintergrund ab und wachsen, den Horizont überragend, zu mythischer Größe von Urwesen empor, aber sie wachsen mit ihren Breiten-, Höhen- und Tiefenerstreckungen in Meer und Himmel und den Zug der Wolken und Wellen hinein, mit ihren Farben der Triton in den Felsen, die Frau in das Glänzen und Schäumen des Wassers, mit ihrem Charakter der Triton in das Wilde und Elementare des Meeres, die Frau in die geruhsame Weite und sonnige schillernde Oberfläche. Auch hier sind die Horizontalen, Vertikalen und Schrägen, die Richtungen und Gegenrichtungen, die Parallelen und Divergenzen unabhängige Bildelemente, die Sichtbarkeit klärend, nicht die Gestalten veredelnd. In der intensiv und den Figuren gleichwertig durchgemalten Fläche des Meeres und Himmels bildet sich ein aus den Farbgegensätzen des dunklen Mannes- und hellen Frauenkörpers aufgebautes Farbspiel, das im lockeren Farbnetz der Wellen wieder impressionistische Landschaftseffekte vorwegnimmt.

Im Bilde „Ruggiero und Angelica" (Abb. 1015) sind ein gerüsteter Heros und ein Frauenakt dem Beschauer entgegengestellt. Was könnte mehr im Sinne des Barock und Rokoko sein! Aber alles ist charakteristisch im Sinne einer poetischen Novelle, bei der selbst das Auge des abgeschlagenen Drachenkopfes zu fragen scheint, wie es wohl ausgehen mag. Monumental füllen die Figuren das Bildfeld, Landschaft und Natur schrumpfen zur reinen Folie zusammen, der Drache ringelt sich wie ein Sockel um die Füße der Gestalten. Dennoch steht alles in der Luft und hellen Sonne; der in die Tiefe zielende Drachenschwanz und der wie die Figuren klar und fest gemalte Wolkenhimmel holen den Raum heran. Die Figuren selbst werden vor dem Wolkengrau zu reinen Farbkontrasten blauschimmernder Rüstung und rosig weißer Haut, umspielt von dem edelsteinfarbigen Schillern der Drachenhaut. Und die Silhouette der Gruppe ist eine an sich so flächig reizvolle Bildgestalt, daß sie auch ohne Binnenzeichnung der Leiber wirken würde, ein Fingerzeig für das moderne Plakat.

Abb. 1015. *Arnold Böcklin, Ruggiero befreit Angelica. Düsseldorf, Städtische Galerie. 1879.*

Die modernen — impressionistischen und expressionistischen — Farb- und Formgestaltungen bei Böcklin haben bewirkt, daß Böcklin erst nach der Jahrhundertwende verstanden und gefeiert wurde, nachdem der Impressionismus und eine neue dekorative Bildhaltung sich durchgesetzt hatten. Die Monumentalisierung der Biedermeieranekdote und sein ganz aus dem Geiste des 19. Jahrhunderts geborenes Naturgefühl waren schuld, daß sich seine Anhänger, nachdem die neue Zeit sie gehörig versachlicht hatte, ebenso eifrig von ihm abwandten — der Fall Meier-Graefe —, und daß sie, unfähig, historisch zu werten, behaupteten, Böcklin sei ein ebenso schlechter Maler wie sie Historiker.

Abb. 1016. *Anselm Feuerbach, Mandolinenspieler. Bremen, Kunsthalle. 1868.*

Böcklin war als Schweizer so mit bäurischer Grundhaltung des Lebens und mit der Natur verwachsen, daß er in der Mythisierung der Natur den großartigsten Ausdruck für das Naturgefühl des 19. Jahrhunderts überhaupt fand. *Feuerbach,* Sohn eines klassischen Philologen, vertritt stärker die Bildungssphäre des 19. Jahrhunderts; so ist er auf der einen Seite sentimentaler, auf der andern formaler und klassizistischer. Seine Themen sind die Kinder, das Familienidyll, die Tragödinnen, die Philosophengesellschaft und Musik, Musik, die auch in den Kinder- und Familienbildern die Grundlage der Stimmung und der Naturergriffenheit abgibt (Abb. 1016). Sein letztes Bild, das Konzert, stellt in großen, dem Beschauer zugewendeten Gestalten vor einer Renaissancehalle musizierende Frauen dar, schön gewandet, aber dennoch ohne venezianische Verlockungen, fast wie Fra Angelicos Engel keusch und ganz den Tönen hingegeben, Verkörperungen des Gefühls, das den Menschen des 19. Jahrhunderts von Musik mitgeteilt wurde; Musik ein Leben, nicht erheiternde Begleitung des Daseins. Er hat dem Genius Kränze geflochten in der Darstellung seiner eigenen Person, nicht wie Böcklin, der den Maler darstellt, horchend auf überirdische mystische Klänge, die der Tod auf der Geige spielt, sondern selbstbewußt und verzärtelt wie van Dyck. In der Gesinnung stehen seine Selbstporträts *Lenbachs* effektvollen Bildnissen repräsentativer Persönlichkeiten der Zeit nicht fern, wenn auch der Ernst der künstlerischen Arbeit sie von diesen weit trennt. Auch Feuerbach steigert überall die Figur zu großer Form, setzt sie mit großem Umriß vor die flächigen und tonigen Gründe eines poetischen Winkels in der Natur, aber beide, Menschen und Natur, gehen nicht so zusammen wie bei Böcklin; sie werden formal, indem die Natur mehr Fläche, mehr nur Hintergrund bleibt als bei Böcklin und in einer anderen Existenzschicht als die rund und voll herausgemalten Figuren. Auch er komponiert in großen Massen, aber diese dekorative Haltung bezieht sich nicht auf das ganze Bild, sondern wird von der einzelnen Gestalt selbst vollzogen, wobei es ohne Anlehnungen an

Abb. 1017. *Anselm Feuerbach, Das Gastmahl des Plato. Berlin, National-Galerie. 1873.*

Tizian, Michelangelo, Veronese, an Renaissance und Barock nicht abgeht. Er hält sich an ein Modell, malt es naturalistisch, porträthaft und gibt Anekdotisches und Dramatisches, aber immer mit einer edlen, gewollten und doch mehr oder weniger leeren Pose. Die großen Farbflächen, mit denen er die Bilder belebt, sind nicht wie bei Böcklin unabhängig von den Figuren aufeinander bezogen, sondern kostümliche Schönheit und Hintergrundsbegleitung, gedämpft, matt, dekorativ — in der veralteten dekorativen Schönheit verblichener Gobelins. Zugleich verfällt er mit dieser äußerlichen und altmodischen dekorativen Anordnung dem äußeren Pomp mit Geräten und Gestalten überladener Innenräume, die die Kunst der geringeren Künstler der Zeit (*Makart, Begas*) zu parvenühaftem Schwelgen in massivem Prunk geführt hat — so im *Gastmahl des Plato* (Abb. 1017). Wenn er dann auch zu dem äußerlichen Apparat dekorativ gereihter nackter Gestalten oder pompöser mythologischer Vorgänge im Sinne des Barock greift, dann klafft eine Lücke zwischen der vorsichtigen, gedämpften und unsinnlichen Zeichnung und der der Vergangenheit abgesehenen Körper- und Bewegungspracht. Das Schönste bleiben doch stimmungsvolle Einzelfiguren wie die *Iphigenie* in Stuttgart (Abb. 1018), bei der die gewollt edle Haltung die Schauspielerin nicht vergessen läßt, aber die Empfindung des 19. Jahrhunderts, die schweifende Sehnsucht, die die Natur ebenso wie das Land der Griechen mit der Seele sucht, schön gespielt wird. Der Rhythmus der Figurenhaltung geht mit den dekorativen Linien des Bildes und den gedämpften, bestäubten Farben von Mattblau und Mattgrau wundervoll zusammen. Mit dieser Kunst, die nicht Natur groß fassen und Kunst stilvoll bilden, sondern ein Leben schön leben möchte, nähert er sich den Franzosen, denen er durch die Lehre bei *Couture* von Jugend auf verpflichtet war. Er nähert sich *Puvis de Chavannes.*

Abb. 1018. *Anselm Feuerbach, Iphigenie. Stuttgart, Württembergisches Landesmuseum. 1871.*

Auch dieser ist ein Kind des sentimentalen Naturgefühls des 19. Jahrhunderts: Genoveva, die über das vom vollen Mond beschienene schlafende Paris hinträumt (Abb. 1019), eine Stimmungsfigur wie Iphigenie, der arme Fischer im Kahn mit der Angel in der Hand, still und andächtig wie die Bauern Millets, das Landvolk, das in der Schneelandschaft den Holzvorrat für den Winter einholt. Auch er steigert alles zu großen Formen und Flächen, Landschaft sowohl wie Gestalten, und baut alles, auch wo ein matter Ton die Nacht- und Abendstimmungen andeutet, in konstruktiver Durchsichtigkeit auf. Aber er tut es innerhalb der französischen Tradition. Er geht vom Hintergrund aus, der architektonischen Situation, architektonisiert (und gotisiert) die Landschaft mit strengen Flächen, säulenhaften Bäumen, wandgliedernden Tönen. Er erinnert in der Landschaft zuweilen an Brueghel. Das Dekorative kommt vor dem Natürlichen und Symbolischen, die zarte Dämpfung der Farben ist Rücksicht auf Raum und Leben, dem die Wand dient. Die Figur, auch wo sie in idealer Haltung dominierend vor dem Grund steht, ist doch dem Gesetz der Wand unterworfen, in Farbe und Konstruktion. Wie Böcklin aus der naturalistisch beseelten holt er aus der französisch geformten Figur konstruktive Gerüste (körperlich und farbig) heraus, die dem Gesetz der Wand entnommen und architektonisch gedacht sind (Abb. 1020). So führt die Monumentalisierung der ländlichen Szenen und Landschaften Corots zu Poussin zurück, aber durch die Intensivierung der Landschaft voraus zu einer neuen Farbigkeit und Betonung der Hintergründe und einer von der

Abb. 1019. *Puvis de Chavannes, Genoveva wacht über Paris. Paris, Panthéon. 1898.*

Figurenhaltung unabhängigen konstruktiven Bildanlage, bei der weniger die Farbimpression als die reine abstrakte Dekoration maßgebend wird. Figur und Grund wachsen nicht als Natur und Ausdruck, sondern als Wand und Glied zusammen. Dazu kommt als besonderer Reiz seiner Bilder die gotisch-rokokohafte, vergeistigte Figur, die in steiler Haltung stumm dasteht und doch viel in Schwebungen sagt, eine Stummheit, die in einigen Bildern der psychologischen Verfeinerung durch die konstruktive Flächigkeit die Geistigkeit der Abstraktion hinzufügt.

Moreau vertritt die andere Seite französischen Geistes, die Erotik und Anspielung delikater Beziehungen. Auch er fügt im Sinne des 19. Jahrhunderts ein historisches und anekdotisches, sentimentales Element hinzu. Indem dieses sich psychologisch kompliziert und die sentimentale psychische Haltung selber das Erotische zum Inhalt hat, wird die Salome das gegebene Thema für diese Novellistik (Abb. 1021). In der Form zeigt sich auch hier die Akzentuierung der reliefhaft aufgebauten Gestalt vor raumarmem Hintergrund, einer Gestalt, die ihre Reize hinter der Stimmung oder Vision verbirgt, in die sie — wie die Gestalten Böcklins — versunken ist. Diese Reize sind raffinierter als bei Böcklin hinter Geschmeiden und Edelsteingehängen angedeutet. Aber auch hier findet ein Ausgleich zwischen Grund und Figur statt, indem beide in gleicher Weise mit den Geschmeiden und kostbaren, edelsteinartigen Farben gefüllt sind und das Gegenständliche in einer Gesamtatmosphäre von Kostbarkeit und Sinnenanregung versinkt, zu der die perverse Gehirnerotik der Blut- und Grausamkeitsvisionen den Ton angibt. Mit dem zu weit getriebenen Aufwand gegenständlicher Kostbarkeiten verdirbt die parvenühafte Luxuskunst einer Jeunesse dorée den mit großem Raffinement entworfenen Bildern die reine künstlerische Haltung. Aber die weitgetriebene L'art pour l'art-Stimmung dieser Bilder ist ein Gegenstück zu den impressionistischen Elementen der Farbenkunst jener Zeit.

Abb. 1020. *Puvis de Chavannes, Marseille eine griechische Kolonie. Lyon, A. Poyet. Um 1867.*

Sie erinnert an die mit Prunk überladenen Bilder der Neo-Gotik, vor allem die des Crivelli (Abb. 45, S. 62), und ist in ihrer Weise auch eine Art *Präraffaelitismus*, raffinierter im Psychologischen und in der farbigen Auflösung, d. h. rokokohafter und französischer als die gleichzeitige Bewegung in England, die dort eben-

Abb. 1021. *G. Moreau, Salome. Paris, Louvre. 1876 ausgestellt.*

falls als stilisierende Kunst eine Gegenbewegung gegen ein englisches Biedermeier mit Künstlern wie *Madox Brown, Holman Hunt* und den bedeutendsten *Dante Gabriel Rossetti* und *Burne-Jones* eröffnete. Die englische Anekdotenkunst der *Wilkie, Leslie, Etty* enthält wohl gegenüber den idealisierten Bauern und Landmädchen des 18. Jahrhunderts mehr historische Bestimmtheit oder Beobachtung von volksmäßigen Szenen, unter denen die des italienischen Volkslebens eine Rolle spielen, aber weder in Form noch in Farbe ist die Wahrheit einer neuen Naturanschauung, sondern noch immer die Weichheit und geschmackvolle Buntheit einer durch prächtige Kostüme geförderten Farbigkeit. Auch die Rührseligkeit der Anekdote hatte im 18. Jahrhundert schon in der sentimentalen Stimmung der Porträts und Genrebilder ihre Vorläufer. Sie endet in den, Natur und Märchen mit wolkigen Stimmungen zu Riesenformaten aufschwemmenden, symbolistischen Malereien des Malers *Watts,* die ein Gegenstück zu Daumiers visionären Gestalten sein würden, wäre nicht alles Phantastische und Visionäre rein im Gegenständlichen steckengeblieben und mit derselben verblasenen Malerei ausgedrückt, die Turners Landschaften so schematisch macht. *Ford Madox Brown* und die *Präraffaeliten* setzen dieser verblasenen Phantastik und nebulosen kosmischen Symbolik eine neue Festigkeit der Zeichnung, eine neue Bestimmtheit der Farbe, einen neuen figuralen Stil entgegen, darin Böcklin verwandt, und eine neue dekorative Haltung des Bildes, in der das Rückgreifen auf englische Buchmalerei des Mittelalters eine Gotisierung bewirkt und die Bilder des *Burne-Jones* in die Nähe von Puvis de Chavannes rückt. Dabei gelangt Brown kaum weiter als die deutschen Nazarener mit seiner altertümlich illustrativen, bilderbuchähnlich erzählenden Manier (Abb. 1022). Was an realistisch historischen Elementen darüber hinausgeht, wirkt nur wie falsches Theater. *Rossetti* stilisiert die englischen Bildnisse des 18. Jahrhunderts in Botticellis Engel- und Madonnentypen um, in der Sentimentalität des Ausdrucks religiöse Schwärmerei und weltlichen Sinnenhunger pretenziös mischend (Abb. 1023). *Burne-Jones* gotisiert am stärksten, Botticelli und Fra Angelico leiten seine Hand. Er wählt für seine historischen

Abb. 1022. *F. M. Brown, Die Fußwaschung Petri. London, National Gallery. 1852.*

Abb. 1023. *D. G. Rossetti, Fazios Geliebte. London, National Gallery. 1863.*

Anekdoten, die er mit Figuren vor aufsteigender, wenig tiefer Architektur steil in die Höhe baut, Gestalten der mittelalterlichen Dichtung (Legende von König Arthur, Abb. 1024) und setzt ähnlich wie Böcklin Gegensätze von Mann und Frau in mannigfachen Kontrasten der Kleidung, Haltung, Psychologie gegeneinander. Auch hier ist das Anekdotische schmachtender und mit einem Stich ins sentimental Erotische, alles Formale unselbständiger, stilnachahmend, die Beziehung von Figuren zum Raum dinglicher und mit vielen kleinen Kostbarkeiten überladen. Aber mit einer unglaublich gleichmäßigen Durcharbeitung aller Einzelheiten findet er sich durch die Vielheit der Dinge zu einer mit dunkel gedämpfter Tonigkeit verstärkten dekorativen Einheit durch, die für ornamentale linienhafte Ornamentik von Dingen und Büchern anregend geworden ist und über Kunstgewerbler wie *Morris* zum Jugendstil hinführt. Das Neue, vielleicht auch Verhängnisvolle für die Zukunft liegt in der ganz starken kunstgewerblichen Vereinigung von Hintergrund und Figur; was nicht gleichbedeutend ist mit dekorativer Schönheit. Das Ganze ist reich ziseliert wie eine Goldschmiedearbeit.

Die Rückkehr zum Stil, die die ältere Generation glaubte nur mit einer Übersteigerung der Inhalte, einer Restauration mythischer, religiöser, heldischer Gegenstände leisten zu können, vollzog eine jüngere Generation an der Realität des Tages. Sie monumentalisiert das Genrebild, ihr Ideal ist auch jetzt noch die Natur, der Bauer oder das Leben des Menschen in der Natur, der nackte Mensch in paradiesischer Unschuld in der Waldeslandschaft. Noch immer steht dahinter der sentimentale Glaube an ein besseres, reineres, stärkeres Leben abseits der Geschäfte und des Betriebes, abseits des Menschengewimmels und der Kulturbelastungen der großen Städte. In diesem Sinne malt *Leibl* seine bayrischen, *Thoma* seine schwarzwälder Bauern und versucht *H. v. Marées*, die leibliche Existenz des Menschen ohne mythologischen Apparat auf einfachste Formeln eines Seins im Raume, eines Atmens in der Natur, eines starken körperlichen Tuns beim Manne, eines milden empfindsamen Ruhens bei der Frau zu bringen. Auch die historische und volkstümelnde Liebe zu alten und charakteristischen Trachten, die Heimatkunst meldet sich weiter zu Wort. Aber indem man die große Form, die feste Malerei, die figurale Gestalt und Gebärde sucht, führt der durch den Naturalismus der Biedermeierzeit erzeugte Wirklichkeitsfanatismus zu einer Bevorzugung der Kraft vor der Rührung, der starken Sonderart vor der Drolligkeit des Sonderlings, der herben Bodenständigkeit vor der sonntäglichen Liebenswürdigkeit. Die Größe, Klarheit und Strenge der neuen Bildform, die schon

Böcklin zu einer wuchtigen Schilderung des elementar Natürlichen seiner mythischen Wesen (Zentauren und Najaden) und der Elemente, in denen sie leben, geführt hatte, befähigt jetzt diese Maler, auch der Wahrheit und Wirklichkeit der Bauern ins Gesicht zu sehen. Damit bereitet sich eine sachlichere Auffassung der Natur vor. Sie ist bei *Leibl* so stark — er ist darin der modernste Künstler der ganzen Zeit —, daß man verkannt hat, wieviel Biedermeier-Naturgefühl und wieviel, Böcklin Zug um Zug parallel gehendes, Kunstgefühl in seinen Bildern steckt. Die Bildform ist wie bei Böcklin die klare, fest silhouettierte Ausbreitung der Figuren vor raumlos flächigem, foliierenden Hintergrund, einer in schlichtem, besinnlichen Tun erfaßten Einzelgestalt (ein hühnerfütterndes Mädchen) oder eines Paares, dessen Beziehungen zueinander weniger in inhaltlich anekdotischer Verknüpfung als in großen Gegensätzen der Gestalten, der Lebensalter, der Charaktere, des Ausdrucks formuliert werden: Ungleiches Paar, Alte und junge Bäuerin von Leibl, Mutter und Tochter von Thoma, Rosseführer und Nymphe, die Lebensalter von Marées. Auch bei diesen Künstlern führt die Erziehung zur Landschaft durch die vorausgehende Epoche zu einer Konstruktion des Hintergrundes, aber im Sinne eines Naturausschnittes und zu einer nah gesehenen, festen und den Figuren gleichwertigen Malerei. Stärker noch als bei Böcklin und Feuerbach wird die Bildfläche in ein System von führenden Linien konstruktiv zerlegt, in das die dem Auge zugeführten Gestalten eingepaßt werden, ein System von Grundflächen und Vorderflächen, die farbig aufeinander bezogen werden, von Stimmungswerten in den Farben, Formen, Achsen und Richtungen der rahmenden Dinge, die auf die Stimmungen der Menschen bezogen und gerichtet werden. Aus allem ergibt sich eine neue Schaubarkeit, eine innere Bildarchitektur und ein Selbstwert der Bildformen, die von der Lebensform der Gestalten und der Klarheit des Gegenständlichen relativ unabhängig sind, ja sich mit der stärksten und kraftvollsten Verhäßlichung und Individualisierung und dem intensivsten Eingehen auf das Detail vertragen. Da die Farben, die diese Flächen füllen, nicht die metallisch leuchtenden, blühenden Böcklins sind, auch nicht die verklärt gedämpften von Feuerbach und Puvis de Chavannes, sondern erdfeste und schlicht-rauhe, Schwarz und Rot wie Kupfer und Eisen, Blau und Braun wie Bettzeug von Bauern, erdiges Grün wie die Haut unreifer Pfirsiche, so ist die Wirkung weniger eine dekorative als ein Einspannen des Geistes in ein formales Bildgefüge, das über die Bewunderung der Personen und über die Sentimentalität der Anekdote gleichmäßig hinausführt. Durch die Ablösung der Bild- von der Lebensform, die Verwendung der Personen als Träger reiner Bildwerte gelangt man zugleich zu einer neuen Bewertung des künstlerischen Schaffens. Trotz intensivster Hingabe an die Realität des Objektes, trotz stärkster Sympathie

Abb. 1024. *Ed. Burne-Jones, König Cophetua. London, Tate Gallery. 1884.*

Abb. 1025. *Wilhelm Leibl, Die Dachauerinnen. Berlin, National-Galerie. 1874.*

für die Natürlichkeit und Bodenständigkeit der Situation und der in ihr lebenden Wesen tritt die künstlerische Produktivität, das Arbeiten an und mit der Natur mit großer Wucht in die Erscheinung. Schon die Betonung der Realität bekommt einen neuen Ausdruck von Arbeit, bohrender Beobachtung, Umsetzung in Malerei; darüber hinaus spürt man den Künstler als Architekten, als Konstrukteur, und beginnt, was man, vom Naturalismus herkommend, als stilisiert zu verwerfen geneigt war, als Kraft des Geistes, als Malerei, als Kunst zu würdigen.

Alles dies verdeutlichen zwei Bilder von *Leibl*, zwei Dachauerinnen (Abb. 1025) und die drei Frauen in der Kirche (Abb. 1026). Die Bäuerinnen sitzen vor einer Wand, die in ein strenges geometrisches Flächensystem zerlegt ist, um die groß vor uns ausgebreiteten Figuren zu foliieren. Diese sitzen mit ihren charakteristischen, aber unförmigen Trachten einander gegenüber, anekdotisch im Zwiegespräch verbunden. Aber dieser Dialog wird ganz gestalthaft durch Charakter-, Farb- und Formengegensätze ausgedrückt: jung und alt, lebensunsicher und lebenserfahren, verstimmt und heiter, beschattet und aufgelichtet, zurückhaltend und entgegenkommend. Und dies alles wird mit dem Grund durch Kontraste und Entsprechungen verhaftet: das beschattete Gesicht sitzt auf hellem, das lichte, lächelnde auf dunklem Grund, dem einen gesellt sich ein dunkles festes Bild, dem andern ein heller, lichter Krug hinzu. Diese stillebenhaften Zugaben aber weiten zugleich die Augen und lenken sie auf die Bildfläche als Ganzes. Auch ist der Hintergrund mit derselben toniglockeren, weichen und doch festen Malerei durchgeführt wie die Figuren selber; die Farben der Hintergrundsflächen sind aus denselben schwarzen und kupfernen Tönen entwickelt, die die Trachten ernst und malerisch bedeutsam machen, und sie sind in aufeinander bezogenen Punkten zu einer farbigen Bildkonstruktion im Ganzen ausgewertet. So ist nur noch die Tatsache, daß überhaupt Bauern, ihre Sorgen, ihre Freuden, ihre Kostüme das Darstellungsideal bilden, ein Zeichen der Naturschwärmerei des 19. Jahrhunderts. Bildmäßig und in der Auffassung ist das Werk schon ganz sachlich und konstruktiv.

Die drei Bäuerinnen in der Kirche geben ein Thema, bei dem wir an die Sonntäglichkeit der Bauern der Biedermeierzeit, an die Priesterlichkeit der Bauern Millets und an die Gläubigkeit der Nazarener denken müssen, an letztere besonders in der jetzt ganz glatt und alle Einzelheiten mit peinlichster Genauigkeit registrierenden Malerei. Das Neue ist auch hier der strenge Bildaufbau großsilhouettierter Gestalten vor klarem leerem Hintergrund, die Ausdruckskraft des Umrisses und der Gebärde und der Aufbau der Situation

Mit Genehmigung der F. Bruckmann A.-G. in München

ARNOLD BÖCKLIN, ENTWURF ZUM GEMÄLDE „VENUS ANADYOMENE“
DARMSTADT, MUSEUM. 1873

TAFEL XVII

aus großen charakterdeutenden und bildformenden Gegensätzen. Alle Form aber dient nicht der Verschönerung der Menschen und der Natur, sondern der Klarheit der Erkenntnis ihrer Unform (vom Standpunkt der Menschenschönheit sind sie alle drei häßlich, grob, das Kostüm der Vorderen barbarisch hart in den Farben) und einer im herben Rhythmus der Linien, dem Geschiebe der Formen, den Kadenzen der Farbflächen unglaublich reichen und doch einheitlichen Wirkung für das Auge. Wie es vom blaukarierten Kleid und buntgeblümten Tuch der vordersten, zum braunen Streifenstrom der mittleren, zum Schwarzdunkel der letzten geht, von der lässig Gebeugten, über die inbrünstig Gebückte zur straff Aufgerichteten, wie das Tun der Hände sich ähnlich rhythmisch folgt, die Wände die Seitenfiguren kontrastierend foliieren, die Grenze zwischen Hell und Dunkel die in der Charakteristik und Empfindung stärkste Figur als Mittelpunkt heraushebt, das ist alles in gleicher Weise fast wissenschaftlich charakterdeutend, sachlich Gegebenheiten konstatierend wie architektonisch aufbauend und mit Leben füllend, einem Leben, das die herbe und kraftvolle Dialektrauheit der Bauernsprache spricht. Zugleich gibt es nichts, was auch nur in irgendeiner Weise aus der unglaublich festen Bildkonstruktion herausfiele. Und auf diese, mehr noch als auf die sachliche Erkenntnis der Personen, geht Interesse und Bewunderung des Beschauers. Ja auch die feste glatte Technik ist nicht mehr Geltenlassen der Wesen in der Natur, sondern Gestaltungsmittel des Künstlers; ein Stil, der zugleich den Gedanken an die Arbeit und das Werkzeug aufruft und für den Eindruck mitwirken läßt.

Abb. 1026. *Wilhelm Leibl, Die drei Frauen in der Kirche. Hamburg, Kunsthalle. 1881.*

Hans Thoma ist im Gegenständlichen eine Parallelerscheinung zu Leibl. Seine besten Bilder sind Bilder von Bauern und Bäuerinnen, die er vor einem in architektonischer Bestimmtheit sich aufbauenden Hintergrund (gern ist es ein Plankenzaun) in großer Silhouette und klar entfalteter Bewegung ausbreitet (Abb. 1027). Auch die mythologischen und religiösen Szenen, die er unter Böcklins überragendem Einfluß aufgreift, verbauern; ein Heiliger Georg, eine Flora sind ein Dorfjunge und ein Landmädchen, in eine ideale Rüstung oder ein Idealgewand gesteckt. Auch seine Malerei ist von großer und edler Tonschönheit und herber Charakteristik, aber er hat nicht den Abstand und die sachliche Unbeirrtheit dieser Welt gegenüber, obwohl er selbst von Bauern stammt, oder vielleicht gerade weil er vom Bäurischen zur Kultur strebt. Seine Bauern sind empfindungsvoller, und sie sind gegenständlicher durchgemalt,

Abb. 1027. *Hans Thoma, Mutter und Schwester des Künstlers. Karlsruhe, Badische Kunsthalle. 1866.*

mehr Person, und sie haben mehr Form im Sinne einer edlen, aus ihrem Charakter nicht zwanglos sich ergebenden Haltung. Die künstlerische und konstruktive Haltung seiner Bilder ist deshalb nicht so stark und rein wie die der Gemälde Leibls. Die Haltung seiner Personen geht auf Kosten der Haltung des Bildes. Es ist mehr biedermeierische Gemütlichkeit in ihnen, aber auch mehr klassizistischer Formalismus. Überflüssig, beides, das nur rückständiger ist, deutscher zu nennen als die Kunst Böcklins oder Leibls.

Am kompliziertesten ist die Situation bei *Marées*. Dem Lebensalter nach steht er zwischen Böcklin–Feuerbach und Thoma–Leibl. Seine Gestalten sind Idealfiguren, darin den mythischen Figuren Böcklins verwandt, aber sie sind nicht mythisch und nicht göttlich, sie wollen weder übermenschliche Bedeutung vorstellen noch Natur personifizieren, sondern wie die Bauern Leibls und Thomas schlicht und bedeutungslos das Leben in der Natur auf den einfachsten, vielleicht sogar natürlichsten Ausdruck bringen: das Nackte in der Landschaft. Die neue Form, Menschen in einfachen Gegensätzen — stehend, sitzend, liegend; Greis, Mann, Jüngling, Kind; Mann und Weib — vor ruhigen Flächen und architektonischen Gliedern, die aus der Landschaft gewonnen werden, auszubreiten, ist bei ihm am programmatischsten vorgeführt (Abb. 1028, 1029). Aber die Plastik der Figuren, die einfachen Motive des Seins im Raum, die Einflüsse des Aufenthaltes in Rom in einem Kreis von Deutsch-Römern führten zu einer Physiognomielosigkeit des Nackten, zu einem Klassizismus der Haltungen, die mit dem Naturgefühl der Zeit und der dekorativ farbreichen Bildanlage zu vereinen eine ewige Problematik in die Kunst Marées' hineinbrachte. Die Schwierigkeit, rein formale, antiken Reliefs und Statuen entnommene Haltungen mit den naturalistischen Aufgaben der Zeit zu verknüpfen, hat zu einem Probieren und Experimentieren mit den eigenen Bildern geführt und schließlich die letzte vom Künstler gesuchte Vollendung versagt. Er bemüht sich, die klassischen Motive zu individualisieren, aber es geschieht doch mehr negativ als positiv, indem er die Korrektheit der Zeichnung absichtlich zerstört, hie und da eine Form einhackt, dort durch Falten verstört, bald mehr, als ein angenehmer Umriß verträgt, vorquellen läßt, bald die Proportionen verschiebt und verzerrt, kurz mit denselben absichtlichen Verzeichnungen arbeitet, die Böcklin der Bildflächenkomposition zuliebe radikaler und sinnvoller anwendet. Er versucht durch psychische Beziehungen — Werbung, Abschied — die rein plastischen Werte in menschliche umzusetzen und durch Einbeziehung der Figuren in den Hintergrundsraum eine plastische Isolierung durch eine malerische Bildeinheit zu ersetzen. Er tut dies durch einfachste Achsenbeziehungen und räumliche Verschiebung

Abb. 1028. *Hans von Marées, Pferdeführer und Nymphe. München, Neue Staatsgalerie. 1881—83.*

der Figuren, die aber entweder nur ein einfach gegenständliches und inhaltsleeres Sein im Raum bewirken oder an dem grundlegenden Stilprinzip scheitern, die Figuren hell und klar vor dunklem Grund auszubreiten. Es gewinnt

Abb. 1029. *Hans von Marées, Die Werbung. Triptychon. München, Neue Staatsgalerie. 1885—87.*

überzeugende Kraft, wenn er durch die gleichmäßig intensive und leuchtende Tiefe der Farben von Körper und Grund eine satte und teppichhafte Farbeneinheit hervorzaubert. Dann steigert der Hintergrund in seiner Abstraktheit das Grün und Blau der Landschaft in eine sakrale, glasfensterhafte Glut, oder es bauen sich im Parallelismus der Linien in der Art des Puvis de Chavannes dekorativ architektonische Gerüste auf. Die Not, in der Bildkonstruktion und Teppichfarbigkeit des Ganzen Modellierung und Haltung isolierender plastischer Motive zu wahren, merkt man dennoch seinen Bildern an. Dieser Problemreichtum und eine ganz hohe künstlerische Kraft schützen ihn vor jeder Banalität. Die Bilder haben eine in Form und Farbe leuchtende Seltsamkeit, die mehr als die Abstraktheit der Form die Selbständigkeit der Bildwerte betont. Im Suchen nach neuen konstruktiven Bildformen, die nicht die feste, klare Ganzheit der Böcklinschen und Leiblschen Bilder haben, kommt die neue Selbständigkeit der künstlerischen Arbeit, die Freiheit gegenüber dem Gegenstand und der Wert der Produktivität gegenüber der Nachahmung ganz stark zum Ausdruck. Sie sind so stark, daß man Marées zu den Expressionisten und ihrer Naturdeformation gerechnet hat, und vergißt, daß sein Griechentum nur die letzte Erfüllung des Strebens ist, in der antiken plastischen Form das ideale Leben in der Natur zu fühlen und der Nacktheit die Unschuld wiederzugeben, indem man sie als den natürlichen Zustand des Menschen darstellt.

Gerade dies aber gelang der französischen Malerei leichter und intensiver. Leichter, da bei ihr der barocke und rokokohafte Frauenkult nie durch Sentimentalität und Anekdotenkunst ganz verdrängt war; intensiver insofern, als sie das Thema der von Frauen verschönten Geselligkeit und der

Entfaltung frauenhafter Reize mit dem Gegenwartsrealismus der Biedermeierzeit und dem revolutionären Eintreten für die untersten Schichten des Lebens in Beziehung setzt. Indem man einfach die Frauen und den Verkehr mit Frauen, die keine andere Bestimmung haben, als der Sinnenfreude zu dienen, d. h. Halbwelt in irgendeiner Form, zum Gegenstand des Bildes wählt, und indem man sie in der neuen personenentfaltenden und hervorhebenden Malerei der Zeit und in jener naturhaft wirklichen, selbstverständlichen Art, wie Leibl seine Bäuerinnen, dem Beschauer entgegenhält, wird auch Charakter und Wesen, Kostüm und Körper, Verkehr und Stimmung dieser Menschen natürlich und selbstverständlich. Die groß aufbauende, konstruktive Malerei wirbt für sie, wie es schon die großen Formen der Bilder Courbets, Daumiers, Millets für die Arbeiter taten. Man schildert sie nicht mehr sentimental wie Gavarni als arme, elende Geschöpfe, die im Alter als Verlorene um eine von Reichtum und Genuß erfüllte Jugend trauern, sondern ohne jeden moralischen Beigeschmack als Geschöpfe der Lust, und gewinnt durch sie dieselbe Heiterkeit und Liebenswürdigkeit der Stimmung wie Böcklin durch seine Tritonen und Najaden. Indem die Palette sich zusehends auflichtet, die Naturhintergründe immer mehr einer durchleuchteten, im vollen Lichte durchsonnten Natur entnommen werden, alles in Helligkeit statt in Trübe gesehen wird, entsteht auch hier ein wunderbarer Einklang von Mensch und Anekdote, von Stimmung der Personen, Stimmung der Natur und Stimmung des Bildes in seinem farbig-konstruktiven Aufbau. Ja indem die Selbständigkeit der Bildwerte, der farbigen Impressionen in diesen französischen Bildern am weitesten getrieben wird, entsprechend der schon im Biedermeier vorhandenen Tendenz, auch in den rührendsten und romantischsten Szenen (Delacroix) und der hingebendsten Naturanschauung (Corot) die kostümliche Farbenschönheit, die Oberfläche, die Haut der Dinge nicht zu vernachlässigen, gelingt es, das Anekdotische und Gegenständliche durch den mitschwingenden sinnlichen Reiz, den Personen und Situationen ausströmen, mit einer neuen und bis dahin unerhörten Selbständigkeit der sinnlich erfreuenden Farbwerte, der Impressionen in Beziehung zu setzen. So erlebt das Rokoko mit seiner farbenreichen Gesellschaftsmalerei und Frauenverherrlichung eine Auferstehung, es wird geradezu jetzt wieder entdeckt (literarisch durch die Brüder Goncourt). *Manets* konversierende Paare im Freien lassen in einer naturalistischeren Form das Konversationsstück des Rokoko wiederaufleben, Nanas Toilette vor den Augen ihres Verehrers ist ein aus Leben und Kunst des Rokoko bekanntes Thema, *Degas'* Ballettänzerinnen wiederholen die Tänzerinnenbilder des Rokoko mit einer neuen Beobachtungsschärfe und

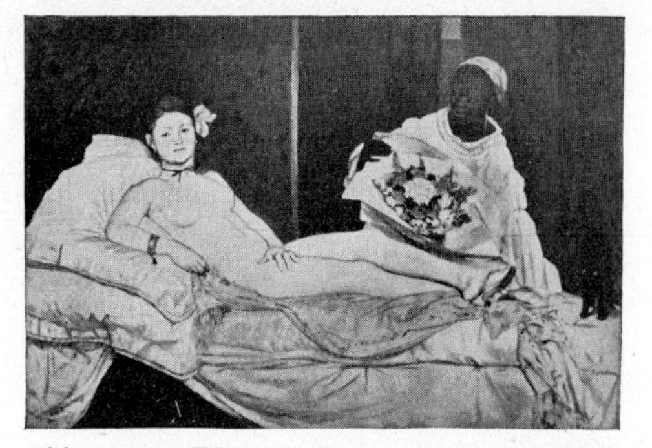

Abb. 1030. *Edouard Manet, Olympia. Paris, Louvre. 1865.*

Abb. 1031. *Edouard Manet, „Chez le père Lathuille". Tournai, Musée des Beaux-Arts. 1879.*

Objektivität, und *Renoirs* Akte im Freien kommen der Boucherschen Auffassung und der Watteauschen Rosafarbigkeit und schaumig-weichen Malerei am nächsten. So spannt sich ein einziger Bogen in dieser Malerei von der französischen Tradition (Klassizismus und Rokoko) über den Naturalismus des Juste milieu, den Konstruktivismus der Böcklin- und Leibl-Generation zum Impressionismus.

Manets Frühbilder Olympia (Abb. 1030) und Frühstück im Walde (Tafel XVIII) erläutern dies. Er ist der Schrittmacher in dieser Bewegung. Die *Olympia* wiederholt das alte Thema venezianischer Frauenbilder, die Venus auf dem Bett (Tizian), bei denen das Freudenmädchen zum Rang der Göttin erhoben und körperlich und geistig in einer idealen Form dem Beschauer gezeigt wird. Olympia aber ist ein Geschöpf der Zeit, sie hat die Beine fest übereinandergelegt, die Hand deckt mit unedler dreister Spreizung der Finger den Körper, und sie hat gerade noch so viel an, Schuhe, Armband, Haarband, Blume in den Haaren, daß die Nacktheit als gewerbsmäßige und aufreizende Absicht erfaßt wird. Die modellmäßige Wirklichkeit und sogar ein Rest von Biedermeierintimität — die Katze am Fußende des Bettes, die Dienerin, die einen Strauß bringt — machen das Bild anekdotischer als eine Venus von Giorgione und Tizian.

Abb. 1032. *Ed. Degas, Die Tänzerin mit dem Blumenstrauß. Paris, Louvre. Um 1880.*

Die Farben sind von einer neuen Frische und Offenheit, durch keinen künstlichen Ton, keine Raumatmosphäre gedämpft oder verschmolzen, klar und hell wie auf Biedermeierbildern. Dennoch ist das Bild in Form und Farbe viel mehr Konstruktion, viel weniger gesehen als die klassischen Vorgänger in der venezianischen Malerei. Schon der Körper der Olympia ist flacher, liegt nicht im Raum, sondern steht silhouettiert vor dem Hintergrund, die Körpermodellierung in einem leuchtenden Elfenbeinton ist mit farbigen Schatten vollzogen, deren Bewegung wie über den Strand verlaufende Wellen als selbständiger Wert empfunden wird. Der anekdotische oder Subordinationswert der Dienerin löst sich ganz in korrespondierende Bildwerte auf, in ein Thema von Gegensätzen wie bei Böcklin und Leibl: dreist und schüchtern, weiß und schwarz, nackt und bekleidet, Form und Farbe. Die Bildakzente halten sich die Waage. Schließlich wird zwischen dem Blumenstrauß und der mit Blüten durchwirkten mauvefarbenen Decke alles mit Farbwerten erfüllt, deren palettenhafte Reinheit durch die unrealistisch-flächige, aus dem Pinselstrich geborene Frische und Kraft ganz zusammengeht mit der dem Gegenstand entlockten Aufforderung zur Sinnenfreude und von dem tiefen Schwarzgrün des Hintergrundes getragen wird. Die heutige Menschheit sieht nur diese in der farbigen Feinheit und ungebrochenen Leuchtkraft bis dahin unerhörte Bildschönheit und leitet daher die Unschuld des Gegenstandes ab. Die Zeit Manets sah nur die Kühnheit, Dinge mit Hilfe der Kunst zu entschleiern und zu legitimieren, von denen man wußte, aber nicht sprach, und bei denen der französische Betrachter sich in seiner Geheimexistenz plötzlich mitgetroffen fühlte. Durch die Kunstmittel eines großen veröffentlichenden Stiles wurden diese zur öffentlichen Angelegenheit gemacht und für selbstverständlich erklärt. Ein Sturm der Entrüstung brach los. Die Wahrheit liegt in der Mitte. Beides zusammen gibt erst Manets Tat. Insofern ist Manet hier der Fortsetzer Fragonards und sein Bild von derselben Vielbezüglichkeit und Anspielungsfülle, die alles Französische so geistreich macht.

Deshalb muß man auch bei dem *Frühstück im Freien* die von Pauli wiedergewonnene Erkenntnis besitzen, daß die Gruppe im Walde sitzender Männer mit der nackten Frau im konstruktiven Gerüst der Gruppe und der Einzelkörper auf einen Stich von Marc Anton nach Raffael zurückgeht, daß also auch hier eine ideale und mythische Situation zu einer biedermeierischen (fast spitzwegischen) Stimmung des Lebens in der Natur umgedeutet wird, und daß echt französisch durch die Darstellung der Maler und ihrer Modelle

Abb. 1033. *Ed. Degas, Die Dame in Grau. Paris, Dr. Georges Viau. Um 1870.*

mit einer Selbstverständlichkeit, die jedes moralische Bedenken ausschließt, zugleich ein Manifest für die Freiheit der Liebe hinzugefügt wird. Achtet man dann noch auf die teppichhaft zerlaufenen Farben des Hintergrundes und die symmetrische bauliche Anordnung der Bäume, dann liegt auch hier das Geheimnis des Bildes darin, daß eine durch und durch konstruktive Anlage doch zu der Klarheit und Schaubarkeit einer ganz natürlichen, anekdotisch stimmungsvollen Situation zurückgekehrt ist, und daß mit Hilfe satter, aber weicher Farbflächen und eines die Augen auf die Bildränder ziehenden Stillebens aus Kleidern und Früchten der Selbstwert der Farben gesteigert ist. Falsch wäre es, deshalb das Gegenständliche auszuschalten. Wie bei Böcklin gehört es dazu, um, was bei Böcklin zu elementarem Naturleben zusammengeht, hier aus der feinen erotischen Atmosphäre in die sinnliche Wirkung der Farben überzuführen. So wird auch das Persönliche hier stärker zum Objekt.

Der Fortschritt geschieht in der Weise, daß in den späteren Bildern die schwere harzige Farbigkeit Courbets durch eine lichte, sonnendurchleuchtete und gelockerte abgelöst wird, daß die auf der Fläche liegenden Farbtupfen der Anschauung einer Freilichtnatur entnommen werden (Abb. 1031). Dabei bleibt der konstruktive Bildaufbau großsilhouettierter Gestalten vor nahem, raumverneinenden Grund. Die Einheit aber mit diesem Grund und damit zugleich eine sprühende Farbflächigkeit, die den Schein einer stärkeren Landschaftlichkeit und einer Natur nur noch zum Anlaß nimmt, wird dadurch gewonnen, daß jetzt die Folie sich nicht mehr neutral hinter den Figuren zurückzieht, sondern mit dem flammenden Reichtum der in einer unbestimmten atmosphärischen Fläche liegenden Farbtöne das Gesetz der Bildgestaltung abgibt. Auch die Figuren werden zusehends flacher, wie von fern gesehen, auch sie zerfließen atmosphärischer und werden zur edelsten Malmaterie durch unendlich duftige Farben, die die Umgebung und das Licht auf sie hinspült. Nie vergeht bei Manet dabei das Persönliche ganz, ebensowenig die psychische Beziehung, die Anekdote. Das Wesentliche ist vielmehr, daß auch hier mit feinster psychischer Augenblickserfassung von Personen um etwas geworben wird, was in gleicher psychischer Ebene liegt wie die zarten kostbaren Farbsensationen, um die das Auge werben muß. Denn auch diese Malerei ist zu geistig, als daß dem Auge die Fülle und Feinheit einfach geschenkt würde, die sie enthält. An die Stelle aber der geistreichen Rückbeziehung auf veraltete Formen und die Mehrdeutigkeit der Verwandlung tritt die Zartheit einer malerisch und psychologisch gleich bedeutsamen Andeutung. Damit rückt diese Kunst von der Kraft und Ehrlichkeit der Kunst Böcklins und Leibls ab und in die eigene französische Tradition hinein und knüpft wieder an das 18. Jahrhundert an. Es gibt Pastelle von Manet, die nur mit den geistreichsten Bildnissen La Tours verglichen werden können, nur daß der Vergleich zeigen würde, wieviel mehr Distanz Manet schon zu seinen Personen hat, wie er Physiognomie und Psyche mehr im Fluge, im Vorbeigehen erhascht, um zu verweilen bei einem Sprühregen und einem selbst erzeugten Gewebe von Farben, die die Porträts mit seinen Stilleben und Landschaften in eine Reihe setzen. Auch diese Stilleben und Landschaften sind aus den lockeren, duftigen Hintergründen der Figurenbilder abgeleitet, flächig konstruktiv aufgebaut, um die Farben in eine Sehebene zu bringen und unter sich in Beziehung zu setzen. Das scheinbar impressionistische Sehen ist in Wirklichkeit nur ein Vorwand, um Gesehenes in Erzeugtes aufzulösen und die Farben fleckig und zerspritzend in ein reines Reich der Töne entschweben zu lassen.

Bei *Degas* ist es leicht, die impressionistischen Elemente aufzuzeigen (Abb. 1032), die Auflösung einer Figur in einen Farbenstaub, der von Schmetterlingsflügeln gesammelt in die künstlichen Lichtstrahlen der Ballettbühne hineingeworfen zu sein scheint, die Auflösung einer Bewegung zu aufblitzender Lichtvision vor einem schroffen Dunkel, die Beziehung zum Rokoko in den Tänzerinnen, bei denen die beschwingte, aufschwebende Bewegung durch die ätherische Malerei noch leichter und gelöster wird, die Trivialisierung der vortänzerischen, huldigenden Rokokobewegungen zu überraschenden Zufallstellungen, Rückenansichten, Pausen, in denen Figuren sich rekeln, gähnen. Alles das zu sehen, ist leicht. Schwerer ist es zu bemerken, wie die Hintergründe mit ihrer scheinbaren Raumtiefe, aus denen die Bewegungen heraussprühen, doch nur eine aus unfaßbarer Dunkelheit kristallisierte Wand sind, rhythmisch mit Lichtbalken gegliedert; wie die Gestalten nach einem freien Raummaß sehr berechnet verteilt, zuweilen in eine feste Taktfolge zusammengefaßt sind, und die Farben einen künstlichen Puder darstellen, an dessen Herstellung Emailleure und Edelsteinschleifer beteiligt gewesen zu sein scheinen. Die große Kunst dieses Impressionisten ist es, diese Rhythmik und Formenkonstruktion geheimzuhalten, sie nicht zur Dekoration erstarren zu lassen, alle Vibrationen und momentanen Reize, die das Auge überraschen können, aus ihnen zu entwickeln und die größte Überraschung aus dem gegebenen Licht zu gewinnen,

Abb. 1034. *Auguste Renoir, Badende. Oslo, J. Stang. Letztes Viertel 19. Jh.*

einem Rampenlicht, das von unten kommend alle Formen gleichsam auf den Kopf stellt und in die Seltsamkeit eines photographischen Negativs verwandelt. Diese Gesetzmäßigkeiten und diese Figurenbetonung vor flüchtigem Grund in seinen Renn- und Ballettbildern sind dieselben, nur reicher, subtiler, komplizierter, wie in frühen Porträts und Figurenbildern, auf denen er ähnlich Leibl einfachste Personen, Hinterhausgestalten (Plätterinnen) auf eine Wand gleichsam aufquetscht, und reizlose, schmutzige Gelbs durch ein Verdrücken der Farben in eine Art Pastellstaub verwandelt und zu nervöser Wirkung bringt. Ein Bildnis wie das der Frau mit dem schwarzen Schal (Abb. 1033) enthält ganz das Prinzip, eine Gestalt ohne Verschönerung groß als Fläche vor einem ganz nahen Grund zu entfalten und in einer kaum hübschen, aber sehr intelligenten Physiognomie eine Geistigkeit auszudrücken, die die ausgesuchtesten Harmonien von Schwarz und Sandgrau auf dem spritzerreichen Grund mit dem nervösesten Leben verbindet. Auch hier sind Bild und Gestalt eine Einheit geworden, und von einer Feinheit, um die sich der Amerikaner *Whistler* mit seinen kunstgewerblich aufgeputzten Symphonien von Silber und Blau und Schwarz und Weiß vergeblich bemühte.

Zu Manet und Degas tritt *Renoir* (Abb. 1034) als der unkomplizierteste und unreflektierendste. Bei ihm handelt es sich einfach darum, der neugewonnenen Farbigkeit und der neueroberten Selbstverständlichkeit des Modells das höchste Maß an sinnlich erfreuender Schönheit abzugewinnen: einen nackten Körper so schwelgend im Fleisch, so duftig in den Farben, so leuchtend in farbig umspülter Haut zu gestalten wie nur möglich, und im Hintergrund dem Hellen ein Dunkleres, dem Getönten ein Gebrochenes, dem Strahlenden ein Aufsaugendes, dem Formschwellenden ein formlos Zerrinnendes entgegenzuhalten, daß zwar auch beide untrennbar zusammengehören, aber nie so zur Bildselbständigkeit konstruktiv zusammenfließen wie auf den Bildern der beiden andern. Er hat am meisten Rokoko, steht am meisten in der Tradition. Wohl geht die oft ganz unbegreiflich zarte, hauchfeine, schattenlose und edel durchsichtige Farbigkeit von Grund und Erscheinung über alles hinaus, was Boucher gemalt hat, und ebenso die Modellnähe, die Nacktheit, Nacktheit als ein Gut, über das man verfügt, und schließlich die psychische Stimmung (die Erwartung einer Blume, die gepflückt sein möchte); aber die starke Modellierung, die schmückende,

Abb. 1035. *Paul Cézanne, Junger Mann mit roter Weste. Lausanne, Sammlung Reber. 1888.*

die Figur erleuchtende Farbigkeit, die abhebende Kraft des Grundes sind Faktoren einer traditionellen Bildgestaltung, deren Mittel nur unendlich verfeinert, kostbar geworden sind, und deren Gestalten neues Leben und Atem gewonnen haben. Intellekt und Geist spielen bei ihm die geringste Rolle, die Farben gehen dem Beschauer ein wie Früchte, die einem in den Mund hineinwachsen. Haben seine frühsten Bilder eine an Manet erinnernde Breite und Tiefe der Farbe, aber anders animalisch aus dem Grunde aufquellend, unbeschreiblich blühend und mit der sinnlich frohen Schönheit weiblicher Gestalten zu einer sonnenreifen Pracht sich entfaltend, so versucht er in späteren Bildern Grund und Figur in eins zu beziehen durch einen die Figur gleichsam umspinnenden Rosaton, der nicht nur die Formen umschleiert und fader macht, sondern auch die Gesamterscheinung des Bildes auf einen etwas limonadenhaft-süßlichen Ton abstimmt. Die Höhe der Kunst liegt dort, wo sie von dem großgestaltenden Figurenstil der nachbiedermeierischen Zeit getragen wird.

Abb. 1036. *Paul Cézanne, Stilleben. Paris, Georges Wildenstein. Um 1870.*

Im Gegensatz zu Renoir geht *Paul Cézanne* am stärksten vom Hintergrund, d. h. der gesamten Bildfläche als dem farb- und formbestimmenden Prinzip aus; bei ihm ist das konstruktive Prinzip am offensichtlichsten und am weitesten getrieben, bei ihm regiert die Farbe als selbständiger Bildfaktor, losgelöst von der Gegenstandsmodellierung und unabhängig von der Dinggestalt; sie bestimmt Ausmaß, Richtung und Form seiner Flächen. Dieses Ausgehen von der Bildfläche, ihrer gleichmäßigen Füllung, ihrer konstruktiven Durchformung führt ihn zur Landschaft. Die Figurenbilder, die es von ihm gibt, Bauern beim Kartenspiel, ein Knabe in bunter Kleidung in einer Zimmerecke sinnend sitzend (sehr biedermeierisch), verraten mit einem Hinblick auf Leibl am schnellsten Verwandtschaft und Eigenart der Cézanneschen Form (Abb. 1035): es sind dieselben großen Flächen vor einem Hintergrund ausgebreitet, der sich kaum von ihnen distanziert. Große führende Richtungen ordnen die Massen und schaffen Beziehungen zwischen den nahen und entfernten Teilen des Bildes. Aber wo Leibl sich immer mehr bemüht, das Charakteristische der Figuren zu steigern, ihre leibliche Existenz — ohne die Bildkonstruktion aufzugeben — zum Äußersten zu treiben, verflacht bei Cézanne die Figur immer mehr, die Flächen füllen sich stärker mit Farbe, verlaufen ineinander, alles Weiß und Grau, das Formen modelliert, wird mit Blau gefüllt und alle Farben werden immer stärker zu reinem Klang in großen, wattigen Flächen geläutert. Schließlich bleibt nur eine in irreguläre geometrische Figuren zerlegte Bildfläche, in der die Figuren versinken oder aus der sie emportauchen, je nach der Aufmerksamkeitsrichtung des Beschauers, wie die Figuren in einem Bilderrätsel.

Abb. 1037. *Paul Cézanne, Landschaft mit Brücke. Paris, Gaston Bernheim-de-Villers. Um 1882.*

Von allen Malern dieser Zeit bewahrt also Cézanne am meisten Freiheit den Objekten gegenüber, schaltet er am souveränsten mit ihnen und benutzt sie für seine produktive, malerische Bildanlage. So gelangt er zum Stilleben (Abb. 1036), dessen tote Objekte leichter und innerlich reibungsloser sich formal und farbig arrangieren ließen, und erreicht auch im Stilleben Neues durch souveränes Ausschalten von Raum und Körperlichkeit zugunsten einheitlicher Flächigkeit, die in Farbtöne zerlegt, sich mit leuchtenden und schmelzenden, Objekte nur noch andeutenden Farben füllen. Diese verleugnen in nichts mehr die Palette und die Malerei, den Pinselstrich. Die Harmonien freilich dieser Farben, in denen gern ein leicht geschwärztes Blau die Führung hat, sind unbeschreiblich. Und schließlich, indem er alles Figürliche, sei es auch noch so groß gesehen, in die Bildfläche versinken läßt wie Baumstämme und Blätter in einem Wald, gelangt er zu einer Landschaft (Abb. 1037), in der die Natur des 19. Jahrhunderts in den letzten Zuckungen liegt, um einen Farbteppich, ein reines Kunstprodukt zu gebären. Diese Natur verliert zunächst den Raum, in dem Geschöpfe leben können, sie wird zur Wand, gewonnen aus einer aufsteigenden Bergschicht, aus Stämmen, die dichtes Laub zur undurchdringlichen Fläche eint, durch Hausflächen, die im Gebüsch versacken, oder durch eine Streifenkomposition zurückfluchtender Pläne, die an Perspektive möglichst alles verschweigt, an Farbstreifen und Flächennähten das möglichste betont. Er nimmt den Landschaften die Luft zum Atmen und das Vegetative zum Wachsen, er sengt sie aus mit einem wunderbaren orangegelben Sandton, läßt sie ermatten mit staubgraugrünen Gobelinfarben oder verwandelt sie mit verbogenen Stäben in einen Theatervorhang. Wo das Grün satt und fett aufleuchtet, da hat es eine unirdische, künstliche Existenz. Die gedämpften Farbtöne, die großen Farbflächen, die Teppichflachheit der Bildanlage, das konstruktive Schalten mit den Naturelementen, alles das würde Cézanne zur dekorativen Malerei geführt haben, von der er, nach vielen Bildern zu schließen, oft genug ausgegangen ist, wenn er nicht in einem den „Impressionisten" Manet, Degas, Renoir, denen er aus dem Wege ging, sich doch anschlösse: in dem Bemühen, die Dekoration zu vermeiden und der konstruierten Bildfläche die ganze Unmittelbarkeit und Individualität eines Natureindruckes, einer Impression zu verschaffen. Er erreicht dies, indem er von einer Naturanschauung ausgeht, die Flächigkeit aus der Ferne gewinnt, die Flecken ineinanderrinnen läßt, mit unbestimmten, von der Undeutlichkeit des Sehens bestimmten Farben, Fläche und Raumandeutung vereint wie bei einem Spiegelbild, das uns den Spiegel und das Gespiegelte zu gleicher Zeit gibt und so das Gerüst mit der Freiheit und Lockerung der Naturvision verbindet. Ja er steigert diese und gewinnt höchste Lebendigkeit nie ausschöpfbarer Farbvibration, indem er mit dem Zerfasern der Konturen, dem Zerlegen der Flächen in Flecke, der Flecke in Striche ein unauftrennbares Gewebe unendlicher Farbnuancen schafft, die selbst die Eintönigkeit einer Wüstenfläche mit seltsamstem Klingen erfüllen würden. So führt Cézanne in der Verselbständigung der Bildwerte und dem freien produktiven Schalten mit den Naturelementen am weitesten, seine Malerei ist mehr reine Malerei, ist mehr Kunst als die der andern, Kunst als menschliches Erzeugnis genommen, Kunst auch als Gegensatz zur Natur. Sie ist dies vielleicht gerade, weil sie auch am stärksten in der Vergangenheit wurzelt. Denn das muß auch hier wieder betont werden, daß es die seit dem 18. Jahrhundert in Frankreich nie ganz überwundene Kultur des Barock und Rokoko ist, die die Sinnlichkeit der Bildauffassung, die dekorative Anlage und die Farbigkeit der Oberfläche beförderten, und daß die befreiende Wirkung der Naturauffassung des 19. Jahrhunderts, befreiend gegenüber dem Höfischen und Übermenschlichen, für die Franzosen eine Befreiung zur reinen Oberflächenkunst wurde. Indem die Franzosen immer möglichst einen Umweg um die Natur herum machten, durch die die deutsche Kunst hindurchging, gelangten sie wie bei einer Autostraße, die um eine lebensgefüllte Stadt herum- statt hindurchführt, für die Bestrebungen der Gegenwart schneller zum Ziel.

Man kann Cézanne nicht einen Landschafter nennen, weil für die Bildform, die ihm vorschwebt, es gleichgültig ist, ob Menschen, Dinge, Bäume oder Terrains ihm den natürlichen Anlaß und Farbenträger stellen. Die Zeit selbst drängte zum großen figuralen Stil. Die reinen Landschafter, *Monet*, *Sisley*, *Pissaro*, von denen Monet übrigens auch mit großgesehenen Figurenbildern in enger Anlehnung an Manet beginnt, haben deshalb auch nicht die Bedeutung der Großen: Manet, Degas, Renoir, Cézanne. Die große architektonische Bildkonstruktion, die bei Cézanne selbst oder gerade in der Landschaft vorhanden ist, tritt hinter der Beobachtung atmosphärischer oder luminaristischer Erscheinungen zurück. Dennoch läßt sich auch hier das formende Prinzip beobachten: anfangs ein klares Bauen raumtragender Flächen gegen raumabschließende, die mit hellen, aber leuchtenden und weichen Farben zu festen Abschlußwänden der Bilder formuliert werden. Allmählich immer mehr ein Zusammenrücken der Pläne zu einer einzigen farbflimmernden Bildfläche, einem Landschaftsteppich, dessen natürliche und landschaftliche Motivation Monet gern aus Terrainwänden mit Städtebildern, die sich im Wasser

Abb. 1038. *Claude Monet, Die Fassade der Kathedrale von Rouen. Paris, Louvre. 1884.*

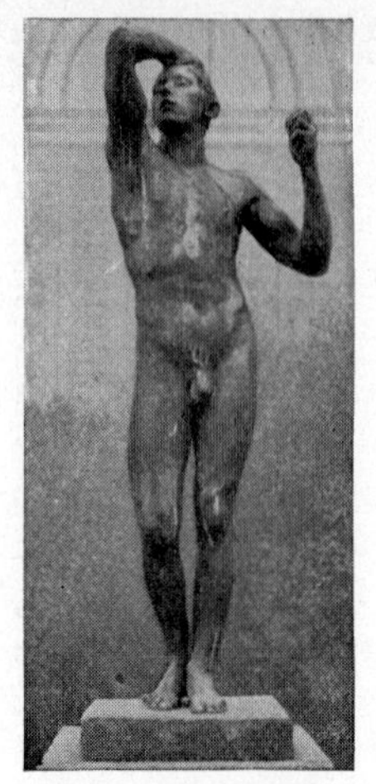

Abb. 1039. *Auguste Rodin, Das Eherne Zeitalter. Paris, Musée du Luxembourg. 1877.*

spiegeln, oder aus lichtdurchleuchteten, undurchdringlichen Nebelmauern gewinnt (Abb. 1038), Pissaro aus dunsterfüllten buschigen Situationen, deren Farbenkomplexe er — wie auch Monet — mit starken Zerlegungen und Zerspaltungen zu einem perlmutterhaft funkelnden Farbenflimmer auflockert. Nur geht Pissaro in der Künstlichkeit der Farbtupfen über Monet hinaus und schlägt die Brücke zum Neo-Impressionismus. Indem auch hier die Seele der Landschaft dem farbigen Schein, der Stimmungsraum der optischen Fläche geopfert wird, verliert Natur als Natur ihre Bedeutung. Diesen Farbenregen, den die Kunst jetzt sucht, vermag künstliche Beleuchtung ebenso zu geben. So entdeckt man in Frankreich in dieser Zeit den Zauber der Großstadt, des technisierten und künstlichen Lebens.

Die Zeit drängt zum großen figuralen Stil. Deshalb ist es kein Wunder, daß sie sich auch plastisch ausgedrückt hat. Neben der gehaltenen klassizistischen Wanddekoration von Puvis de Chavannes steht die rokokohaft sprühende und launige Bauplastik von *Carpeaux*. Fast alle Maler und gerade die malerischsten — *Degas, Renoir* — haben auch modelliert, denn sie gingen von der Figur aus (wie übrigens auch Böcklin). Und sie haben modelliert wie der Bildhauer, der von allen Künstlern der Zeit die größte europäische Bedeutung gehabt hat und das 19. Jahrhundert in universalster, d. h. nicht nur spezifisch französischer Weise auf den Gipfel schöpferischer Leistung führte: *Rodin*. Er ist der einzige Bildhauer des 19. Jahrhunderts, der neben Michelangelo bestehen kann. Aus der großen monumentalen Einstellung der Zeit — Figur entfaltet auf klarem Grund — schöpft er die große Form, aus der Verbundenheit mit dem Naturgefühl des 19. Jahrhunderts gewinnt er das Verhältnis zur Materie, Erde und Marmor, Körper und Fleisch, Bewegung und Stimmung, und überwindet er alles Zeitbedingte (Zopf, Empire, Biedermeier) zugunsten echter und tiefster Menschlichkeit, gewinnt er eine Beseelung, die jeden Muskel, jede Haltung, jeden Schritt, jede Drehung, jede Neigung zum Ausdruck werden läßt. Die konstruktive Phantasie der zeitgenössischen Kunst führt ihn immer auf ein Motiv, das plastisch aus der Gesamtsilhouette und der Gebärde entwickelt ist, aber wie bei Degas, Leibl, Cézanne nie eine nur schöne repräsentative Haltung wird, sondern voller Charakteristik, Überraschungen, neuer Würfe und voller Aussagen über inneres Wesen, Schicksal oder zufälliges Ereignis bleibt. Was dem Plastiker so nahe lag, die Gestalt zu zeigen, sie sich vorstellen zu lassen, sie nach außen hin zu entwerfen, vermeidet er spielend. Selbst bei reiner Frontalstellung entwickelt sich die Figur zu einer schicksalsdeutenden Versenkung in einen eigenen, gegen die Welt des Beschauers abgeschlossenen Lebensbereich. Sie ist dem Betrachter selbst da entrückt, wo sie aus dem Raum, der den Beschauer enthält, Stücke an sich reißt gleich dem Hintergrund, auf dem erst die ge-

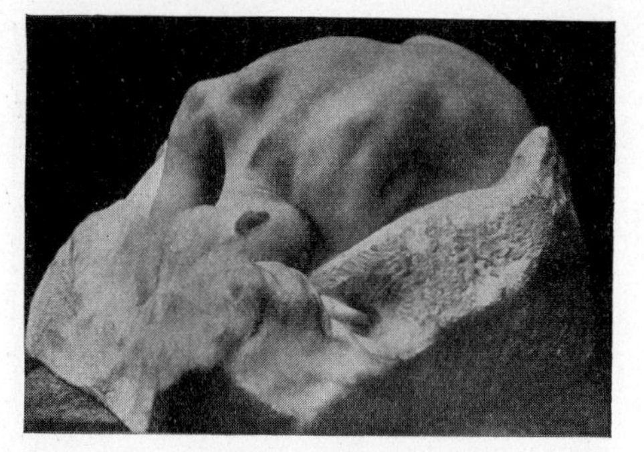

Abb. 1040. *Auguste Rodin, Danaide. Paris, Musée Rodin. 1890.*

malten Figuren seiner Mitstrebenden, der großen Maler, ihre Bildexistenz bestreiten. Denn diese Plastiken, die so ganz in sich geballte Form, große Silhouette, auf sich selbst bezogene Gebärde sind, sind doch mit einer sie umhüllenden Schicht, einem Daseinsgrund zusammenempfunden, den ihre Oberfläche im erweichten, durchsichtigen Flor der Marmorhaut und im zitternd-welligen Fluten bronzener Leiber verkündet. Zuweilen läßt Rodin den Block stehen als einen solchen Grund, und er wird dann die Materie, das Element, aus dem das Leben erst aufwächst, aus dem es emportaucht oder in das es hineinsinkt. Selbst der Boden, auf dem die Statuen stehen, ist nicht bloß Sockel, sondern Schauplatz und Erde, aus der die Gestalt ihre Kräfte zieht: von da hinauf oder da hinab! In der Plastik, in der die Materie, die Rundung im Raum die Person leben läßt und ein Zerrinnen in Farbwerte nicht zuläßt, bei der auch die Formwerte eine Seins- und Wesensbedeutung haben, hat deshalb stärker als in der französischen Malerei die Beziehung zur Natur und die ganze Empfindungswelt Ausdruck gewonnen, und sosehr sie französisch ist in den schwebenden und überraschenden Feinheiten der Formen, der geistigen Andeutung ideeller Beziehungen, der sinnlichen Freude am Körper rein an sich, hier ist doch am stärksten Verwandtschaft zu der in der deutschen Kunst (Böcklins, Leibls, H. v. Marées') zum Ausdruck kommenden elementaren Naturstimmung. In Deutschland ist diese Kunst und diese Seite am begeistertsten aufgenommen und von *Kolbe* weitergeführt worden.

Das *Eherne Zeitalter* (Abb. 1039) ist eine Gestalt, die gotisch und rokokohaft in ganz klarer Entfaltung der Gebärde und herrlicher Gewichtsabwägung aufschwebt und doch ganz aus der Strenge der Form zur Freiheit des Werdens, aus der Gebundenheit der Massen zur Lockerheit des Lebens, von der Repräsentation zur tiefsten Selbstverklammerung und Innerlichkeit entwickelt ist. Die Schwebungen der Formen, die auf der Oberfläche wie Degassche Farben frühlingszart ans Licht quellen, wallen auf zum Ausdruck des Gesichts, dem Ausdruck eines pflanzenhaft zum Leben aus dumpfem Druck aufbrechenden Bewußtseins — Symbol der Natur und des Geistes zu gleicher Zeit. Der Boden, dem die Knospe entwächst, das Licht, in das sie sich hinein öffnet, gehören mit zur Gestalt, die auf und vor ihnen mit dem großen lebensgefüllten Umriß sich entwickelt.

Die *Danaide* (Abb. 1040) sinkt hinein in einen Marmorgrund, der stehengeblieben ist. Wo die Haare sich von der Gestalt lösen, fließen sie als Materie wie flutendes Wasser in die bröcklige Erdscholle — eine Verbundenheit von Mensch und Natur wie auf Bildern Böcklins. Wunderbar klar rundet sich für den Plastiker das Ganze zum Block; aber mit dem Reiz einer Tänzerin

Abb. 1041. *Auguste Rodin, Die Bürger von Calais. Paris, Musée Rodin. 1884—88.*

von Degas und doch deutlich in den Linien des Gerüsts ist eine ganz komplizierte Stellung und eine an jeder Stelle die Luft um sich atmende Haut zum Ausdruck eines Lebensgefühls geworden, das in der letzten Entfesselung des Fleisches die Einheit mit der Natur sucht — das ewige Bemühen des Geistes im 19. Jahrhundert, Ertrinken, Versinken, aber nicht nur höchste Lust, sondern zugleich ein schmerzliches Bemühen, eine Danaidenarbeit. Was Bernini in gewagter Religionsmystik theatralisch gab, ist hier ganz Gestalt und ganz Leben geworden.

Die *Bürger von Calais* (Abb. 1041) geben eine historische Szene in lauter Einzelgestalten und ausdrucksvollen Gebärden, d. h. in dem großen figuralen Stil, der den Bildhauer auf den Plan ruft. Das besondere, bis zur Verzerrung getriebene Leben dieser Statuen hat die Drastik und Naturnähe der Bauern Leibls und die Wucht und Großartigkeit Michelangeloscher Gerichtsszenen. Im Aufbau der Einzelfigur wie im Gerüst des Zusammenseins verbirgt sich die geheime Rhythmik und Form vor der Kraft des Lebens. Nirgends ist eine Rechnung auf den Beschauer, aber überall die Deutlichkeit der großen vielsagenden Gebärde. Rodin wollte, daß diese Gruppe auf den Boden der Straße, nicht auf einen Sockel gestellt werde; denn es geht auch hier um eine Scholle, die die ihre ist und die sie dem Feind abtreten sollen. Auch hier muß der Seewind mitgefühlt werden, der in den zerklüfteten Gewändern wühlt. Auch diese Gruppe schneidet mit den Löchern zwischen Gestalten und Formen einen Grund aus dem Raum, in dem sie stehen, heraus. Sieht man diesen sturmdurchwühlten Raum und Boden mit, versteht man erst ganz die erdig gelockerte, klumpig schwere und wuchtend feste Bildung dieser Menschen, ihr Verwachsensein mit Meer und Scholle, von der zu weichen, die zu übergeben schon mehr Tod für sie bedeutet als der, den auf sich zu nehmen sie entschlossen waren. Durch diese Naturbezogenheit in Oberflächenbildung und innerem Leben faßt Rodins Kunst alle Anschauungen und Ideale des 19. Jahrhunderts gestalthaft zusammen. Nur der Reichtum seiner plastischen Motive, die Überraschungen seiner Empfindungen weisen auf die Verselbständigung auch der plastischen Werte voraus. Als stärkste bildhauerische Erscheinung steht neben ihm *Constantin Meunier*, dessen Arbeitergestalten (Abb. 1042) durch die großsilhouettierte Form, das in dieser Form erfaßte charakteristische Gebaren und durch die lebendig fließende Oberfläche dem Gegenwartsmenschen das Ethos verschaffen, das Courbet und Millet erstrebten. Aber die alle Pose überwindende innere Bildeinheit Rodins hat er nicht. Eine starke, aber mehr äußerliche Monumentalität triumphiert über das innere Leben.

Mit Genehmigung von Franz Hanfstaengl, Kunst- u. Verlagsanstalt in München

EDOUARD MANET, DAS FRÜHSTÜCK IM GRÜNEN
PARIS, MUSÉE DES ARTS DÉCORATIFS. 1863

TAFEL XVIII

So sehr in den Bildern ein neues großes Formgefühl zu einem monumentalen Stil drängte, diese Monumentalität erhielt ihre Nahrung nicht aus einer neuen großen Gemeinschaftsgesinnung. Im Sinne des individualistischen 19. Jahrhunderts herrschte doch immer das einzelne Werk und sein den einzelnen Menschen erfüllender Gehalt. Von den Künstlern her gesehen, ist es die Zeit der großen schöpferischen Persönlichkeiten, die außerhalb der Gesellschaft und meist gegen ihre Zeit standen.

Eine eigene Architektur vermochte diese Zeit so wenig hervorzubringen wie das 19. Jahrhundert überhaupt. Auch sie hat keinen Stil geschaffen, sondern nur nachgeahmt. Charakteristisch ist nur, daß dem sinnenfreudigen, lebensbejahenden Geist der Zeit entsprechend die Renaissance-Motive in einem üppigen, schwülstigen Barockcharakter stärker hervortreten, in jener prunkvollen, an Makart erinnernden Weise, die durch *Garniers* Opernhaus in Paris besonders einflußreich geworden ist.

Abb. 1042. *Constantin Meunier, Lastträger. Bronze. 1893.*

In Deutschland hätte das große monumentale Ereignis der Reichsgründung auch auf die Monumentalkunst belebend und zeugend wirken können. Aber hier zeigt sich am stärksten die Kluft zwischen der herrschenden Schicht und den freischaffenden künstlerischen Kräften, zwischen Regierung und Bildung. Die offizielle Kunst erschöpfte sich in den Aufgaben einer äußerlichen Repräsentation der neuen Macht des Reiches und fand für ihre Siegesalleen und Staatsbauten nur Künstler geringen Ranges. Sie suchten in Musterbüchern die Motive für eine Haltung, die ihnen von oben aufgenötigt nicht aus ihrem eigenen Genie kam. Als ernstestes Zeugnis für die offizielle Kunst und zugleich als Zeichen der Not der Künstler, den offiziellen Ansprüchen und den Bedürfnissen der Zeit und des Volkes gerecht zu werden, ragt *Wallots* Reichstagsgebäude in die Gegenwart hinein; ein Gegenstück zu dem in der Massenbewältigung selbstständigerem Brüsseler Justizpalast von *Joseph Poelart*, der der großen Form-Auffassung der Böcklin- und Manet-Generation nahekommt. Zu einer neuen, flächigen und impressionistischen Umbildung überlieferter Monumentalbauten gelangte eigentlich nur der Wiener *Otto Wagner*, der für die moderne Baukunst ähnlich anregend gewirkt hat wie die großen Impressionisten für die Malerei (Abb. 1043).

Faßt man Impressionismus als ein neues Sehen der Natur, ein Sehen der Dinge in

Abb. 1043. *Otto Wagner, Kirche am Steinhof in Wien. 1906.*

ihren Medien, in Atmosphäre und Licht, ein Bauen des Raumes mit Valeurs, ein Bestehenlassen der reinen Erscheinung der Welt, dann ist dieses Sehen in der Biedermeiermalerei zum Teil schon da (wie stark z. B. in Menzels Stube!) und wirklich Sehen. Die Bedeutung dieser — soweit es die französischen Maler betrifft — Impressionisten genannten Künstler liegt aber gerade in der Verbildlichung, der Überwindung der Natur zugunsten der Kunst, nicht im Auffangen der Erscheinung. Darin vollziehen sie den Schritt in die Zukunft. Es ist die Einseitigkeit und Traditionsbedingtheit der französischen Maler, daß dieses Abgehen von der Natur zugunsten einer Objektivierung der Bildfaktoren nur nach der sinnlich passiven Seite sich vollzog. Eine neue objektive Weltsicht, eine Enthumanisierung der Natur in einem weltanschaulichen Sinne vollzog sich in einer neuen Generation. Diese stellt sich der Natur gegenüber auf eine neue Basis, deren Grundlage die Sachlichkeit wird.

Diese neue und sehr als revolutionär empfundene Malerei, deren Hauptvertreter Max Liebermann wird, wurde gefördert durch die holländische Malerei, die in der Neu-Renaissance-Epoche ebenfalls ihre nationale Renaissance erlebte. Wie die Deutschen an die deutsche Renaissance und die Franzosen an das Rokoko, so knüpfen Künstler wie *Joseph Israels, Maris, Mauve* an die große holländische Tradition Rembrandts und der großen Landschafter des 17. Jahrhunderts an und verwischen mit der atmosphärischen Stimmung, den grauen Helldunkeltönen und den Raumtiefen eine Komposition in großen Flächen, die in den Landschaften von Mauve und Maris oft zu spüren ist und die Poesie der Landschaft zuweilen ins Märchenhafte steigert. So verunklärt auch Israels den klaren und großen Figurenaufbau, der die Beseelung und Stimmung ins allgemein Menschliche erhebt, wie in seinem Bild „Allein in der Welt" im Mesdag-Museum im Haag. Ähnlich wie die Kunst des Ungarn *Michael Munkácsy*, der wie Leibl im Dunkel schwerer Farbe realistische Inhalte breit und bedeutend aufbaut, schlagen sie die Brücke vom revolutionären Pathos der Millet, Courbet und Daumier zu der proletarischen Milieuschilderung der kommenden Generation.

VIERTER TEIL

GEGENWART

ERSTE ABTEILUNG

WEGE ZUR NEUEN SACHLICHKEIT

1882 Dreibund Deutschland-Österreich-Italien. 1884 Gründung deutscher Kolonien. Soziale Bewegung und Gesetzgebung (1883—87). Wilhelm I. † 1888. Friedrich III. 1888. Wilhelm II. 1888—1918. — Englisches Kolonialreich. Eduard VII. 1901—10. Burenkrieg 1899—1902.

PROLETARISCHE MILIEUSCHILDERUNG UND PLEINAIRISMUS

Um die große Wende in der Entwicklung der Kunst ganz zu verstehen, die bei den Malern der Gründerzeit in Deutschland und den Impressionisten in Frankreich sich vorbereitete, in der folgenden Generation sich vollzog, müssen wir einen Augenblick auf die Wandlungen in der Gesamtkultur blicken, die diese Kunst trägt. Zwei Momente werden entscheidend, die sich gegenseitig bedingen und stärken, die Entwertung der Humanität und die steigende Bedeutung der industriellen Produktion. Auf der einen Seite steht die zunehmende Entfernung der Menschen untereinander, das gegenseitige Sichgleichgültigwerden und damit ein zunehmender Mangel an gegenseitiger Teilnahme und Mitgefühl. Wir wollen dies die zunehmende Entmenschlichung nennen. Der Gründe dafür sind viele. Wir nennen die Großstadt mit der Entfremdung der Menschen untereinander, die nicht mehr durch gemeinsame Interessen verbunden sind, die auf einem Haufen zusammenwohnen, ohne sich zu kennen, und sich begegnen, ohne voneinander Notiz zu nehmen. In gleicher Weise wirken Großbetrieb und Großhandel, Fabrik und Warenhaus. Auch hier gemeinsame Angelegenheiten von Menschen, die teilnahmlos aneinander vorbeigehen und nur durch die Sachen, die sie erwerben oder produzieren, durch die Organisation, an ihren Platz gestellt sind oder zu dem Warenstand gezogen werden. In der unpersönlichen Form des Aktienkapitals vollzieht sich die Beteiligung von Menschen an großen Unternehmungen, ohne daß sie auch nur zu wissen brauchen, welche menschlichen Kräfte, leitend oder arbeitend, von Freuden und Nöten ganz zu schweigen, sich in ihnen manifestieren. Die Humanität sinkt im Kurs, trotz sozialer Einrichtungen und humanitärer Bestrebungen; denn auch diese laufen darauf hinaus, durch unpersönliche Institutionen, Versicherungen und Hygiene, den einen ein menschenwürdiges Dasein zu verschaffen, den andern den Anblick von Leiden und somit das Mitleiden zu ersparen. Ja die Sentimentalität der Kunst selber vergrößerte die Entfernung zwischen den Menschen, indem ihre sentimentale Bildungswelt die Teilnahme aneinander durch Surrogate, durch gemalte, geschriebene, musizierte Dichtungen vermittelte und den Literaten zum Typus vorbildlichen Lebens erhob, den Literaten, der sich vom realen Leben um so mehr abwandte, je mehr er von der Literatur Leben erhoffte. Mit einem Buch, einem Bild,

Abb. 1044. *Max Liebermann, Schusterwerkstatt. Berlin, National-Galerie. 1881.*

einem Musikinstrument in der Hand, die alle der Substanz nach dieselbe Sachlichkeit besaßen wie die Waren, die er im Warenhaus kaufte, in der Fabrik produzierte, gewann der Mensch die Freiheit von den Menschen, deren Leben und Leiden ihm der Sinn der Zeichenwelt dieser Objekte vortäuschte. Mit der Fragwürdigkeit dieser Humanität aber wird jetzt auch die Bildung und die Menschheitsform des gebildeten Menschen, des produktiven oder rezeptiven Literaten, selber fragwürdig.

Auf der andern Seite tritt die Sache für den Menschen in eine neue Bedeutungssphäre ein und hilft weiter das Menschliche und die Teilnahme am Menschen als dem Mitmenschen und Nachbarn entwerten und verdrängen. Sache aber bedeutet alles, was der Mensch ge- oder verbraucht, ist deshalb der Gegensatz sowohl zum Übermenschen (Gott, Heiliger, Herrscher), den man respektiert und dem man huldigt, als zum Menschen oder jedem Naturwesen, die man gelten läßt und deren Leben man mitlebt oder nachfühlt. Sachen sind also die vielen Dinge, die der Mensch verzehrt, verbraucht, sich einverleibt, die er konsumiert und genießt, Sachen, die der rasende Verkehr ihm aus allen Erdteilen in immer neuen Spielarten, unabhängig von Jahreszeiten und Entfernungen zuträgt, Sachen, die in immer neuen Variationen die Industrie erzeugt und auch den Ärmsten in den Schoß wirft. Der Sachapparat, der den Menschen umgibt, wächst ins Phantastische. Zur Sache gehört aber auch alles, was zum Verbrauch als Hilfsmittel dient, das Gerät, das Geschirr, die wiederum für jeden Verbrauchsgegenstand spezialisiert und variiert werden wie die Kleidung, die für jedes besondere Tun ihre besondere Form erhält. Zur Sache gehört letztlich alles, was ihren Gebrauch vermittelt, der Apparat, oder was zu ihrer Herstellung dient, das Werkzeug, die Maschine, die Fabrik. Denn die Sachen, vor allem soweit sie nicht Konsum-, sondern Gebrauchsgegenstände sind, wachsen nicht von selber, sondern sie werden von Menschen erzeugt, sie werden konstruiert; von ihrer Produktion bekommt die Industrie ihre Aufgaben, und durch die Bedeutung der Sachen im heutigen Leben schwillt der Apparat der Industrie zur herrschenden Lebensmacht überhaupt an; das Leben wird versachlicht und industrialisiert. Damit verliert aber auch der Naturbegriff, die fühlende, seelische Teilnahme am organischen Wesen, die Achtung vor allem, was die Natur hervorbringt und wachsen läßt, seine götzenhafte Bedeutung. Die Verachtung alles Rationellen, von Menschen Berechneten, von Menschen Konstruierten wird in einer Zeit sinnlos, in der die Konstruktion von Apparaten, der Bau von Kraftwerken und Fabriken, der Ersatz der Naturprodukte durch Kunstwerke die Hauptsache wird. Diese Menschheit müßte sich selbst aufgeben, wollte sie nicht diese produktiven Kräfte als einen posi-

Abb. 1045. *Max Liebermann, Die Flachsscheuer. Berlin, National-Galerie. 1887.*

tiven Wert einschätzen und alles, was Kunst, Werk, Gestaltung durch den Menschen ist, ebenso hoch oder höher werten als Natur und Natürlichkeit. Sie muß versuchen, diesen Sachen in allem, worin sie das Bewußtsein des Menschen beanspruchen, so viel geistige Bedeutung mitzuteilen oder abzuringen, daß diese Sachbedeutungen, die wir, soweit sie ins Bewußtsein treten, Geist nennen, den Menschen ebenso erfüllen wie einstmals die kultischen Werte der Verehrung oder die menschlichen des Mitfühlens. Soweit dabei diese Sachen dem Bewußtsein durch das Auge zugeführt werden, entstehen die neuen sachlichen Aufgaben für die bildende Kunst.

Ihre Aufgabe wird also eine doppelte: eine zerstörerische, die sich gegen Natur und Humanität des 19. Jahrhunderts richtet, eine Zerstörung der Sentimentalität, eine Entmenschlichung der Natur und des Menschen selber; und eine positive: sachliche Werte — des Konsums oder der Produktivität — an die Stelle der humanen Werte des Nacherlebens zu setzen; nicht das Wahrgenommene in seiner Wesensbedeutung, als Individualität, zu vermitteln, sondern das Wahrnehmen selber, die beobachtenden und erkennenden Fähigkeiten des Menschen auszulösen; die Reizwerte der Oberfläche, Licht und Farbe zu steigern, die Formen flächiger und räumlicher Art zum Selbstwert zu reinigen; zugleich den Künstler bei der Arbeit zu zeigen, die Produktivität, das künstlerische Schaffen, die Kraft des Könnens, Material und Pinselstrich, Konstruktion und Erfindung, Gestaltung und Vollendung im Kunstwerk als selbständige Werte zur Anschauung zu bringen.

Die erste Phase dieses Prozesses ist die naturalistische Milieuschilderung der Freiluftmalerei, die am konsequentesten von *Liebermann* durchgeführt worden ist. Seine Malerei unterscheidet sich zunächst dadurch von der der Böcklin- und

Leibl-Zeit, daß er die Stilisierung dieser Künstler, das große Formprinzip wieder aufgibt. Er malt nicht mehr Figuren vor einer Fläche, er gibt nicht mehr die Figuren im Relief und verflacht nicht mehr den Hintergrund, sondern er malt Figuren im Raum und wählt einen Ausschnitt aus der Wirklichkeit ohne konstruktives Arrangement für den Beschauer. Insofern malt er wie Menzel. Aber die Menschen im Raum und der Raum selbst sind andere als bisher. In der Schusterwerkstatt (Abb. 1044), in der Flachsscheuer in Laren (Abb. 1045) sind die Menschen nicht Bauern, die noch mit dem Boden, der Natur verbunden sind und die in einer großen Geste des Ausruhens die Arbeit als eine Last oder ein Schicksal hinter sich herschleppen, für sich aber das Recht der Person bedeutsam betonen, sondern es sind Arbeiter, Arbeiter in einer Werkstatt, einem Betrieb, und in zufälliger Haltung, mit an sich bedeutungslosen, nur durch die Arbeit, durch die Sache geforderten Bewegungen. Sie sind psychisch und körperlich nur im gleichen Tritt und Trott des Arbeitsganges etwas, als Person gleichgültig. Wollten wir an ihrem Leben und Tun mitfühlend teilnehmen, wir würden durch diese Teilnahme nie zu den Menschen kommen, nie zu einem Gefühl oder zu sentimentalen Anlässen, sondern immer selbst wieder nur zur Arbeit und gearbeiteten Sachen. Die Sentimentalität des 19. Jahrhunderts ist überwunden, das Menschliche als Gegenstand des Bildes entwertet. Das Neue, Moderne und zeitgemäß Lebendige, Arbeit und Betrieb, werden Gegenstand der Anschauung und bildwürdig. Bildmäßig ausgedrückt aber wird dieses Untergehen des Menschen in einem sachlichen Geschehen durch eine Anordnung im Raum, die von Glied zu Glied, von Bewegung zu Bewegung, von Form zu Form lauter Verkettungen im Raum schafft, die den Blick nicht mehr am einzelnen haften, sondern ihn hin und her, vor und zurück, verquer und zwischendurch irren läßt wie in einem Maschinensaal, wo alles in durcheinandergreifenden, miteinander verbundenen Bewegungen surrt und schwirrt. Der Mensch wird nur eine Funktion in einer allbezüglichen sachlichen Relation. Ein letztes tut das Licht. Es verklärt nicht die Physiognomien, es klärt nicht die Gestalten, es modelliert nicht die Körper, es streift sie nur von allen Seiten, zerkratzt sie und schafft eine zitternde, fleckige, lichtdurchstaubte Atmosphäre, ein Milieu, das alles Persönliche und Menschliche vollends verschluckt. Dieses Licht ist kein Naturereignis, keine Himmelsoffenbarung mit Auf- und Untergang, es ist einfach ein Maximum an Beleuchtung, durch breite Atelierfenster in den Raum hineingelassen, den es bis in die letzten Winkel erhellt, durchsichtig macht, brauchbar für die nüchterne Erkenntnis des Geschehens seitens des Betrachters des Bildes wie für die im Bilde Arbeitenden. Grau, staubig, nüchtern ist die Atmosphäre in diesem Licht, kein Farbenteppich wie bei den Impressionisten, keine Farbkonstruktion wie bei Böcklin und Leibl. Die graue, unpoetische Atmosphäre einer Großstadtstraße und eines Arbeitssaales treffen hier zusammen. In diesem Raum gibt es keine Heimlichkeiten, er ist kein Heim, kein Interieur, aus dem man die Menschlichkeit seiner Bewohner herauslesen kann. Er ist nicht einmal Raum im Sinne einer nacherlebbaren Raumgestalt, sondern nur zufälliger Ausschnitt aus einem Medium, einem Milieu, das die Figuren zum Betrieb vereint, das schief orientiert ist,

gegen das Licht gesehen, ein Hin und Her, ein Zwischendurch.
Was ist es nun, was diese Bilder trotz der großen Nüchternheit, die die Versachlichung in sie hineinbringt, so faszinierend macht? Wir sehen es in folgendem, soweit sich das künstlerische Geheimnis überhaupt entschleiern läßt. Daß hier eine ganz neue Wahrheit, eine Objektivität des Gesehenen vorliegt, mag als ethische Qualität gewürdigt werden — diese Kunst ist aufrichtiger, als es bisher je eine war. Der künstlerische Reiz liegt sicherlich in einer anderen Ebene. Das Sehen als solches, das Erfassen der Welt mit dem Auge, unabhängig von dem Gefühlswert, den die dargestellten Wesen für uns haben, ist um vieles reicher geworden. Die fleckige, auflösende Technik gibt die Erscheinung von Gestalten, die in jedem Augenblick erst für uns werden, wir bekommen sie nicht fertig präsentiert; die zufälligen Überschneidungen, Andeutungen, Verwebungen, Beziehungen lassen immer von neuem suchen, entdecken, ergänzen. Es gibt keine Stelle im Bilde, bei der nicht hinter dem Gesehenen noch etwas wäre, das der aufnehmende Geist ergänzt, errät, erhascht. Das Sehen ist von äußerster Lebendigkeit. Zugleich erfüllt sich der Staub der Atmosphäre mit einem unfaßbar zitternden Reichtum bewegt scheinender Lichtpunkte und Flecken, so daß das Auge immer von neuem gereizt und aufgestachelt wird. Es ist der Reiz der Großstadtstraße, die den Geist zur höchsten Wachheit und Reaktionsfähigkeit erzieht. Bemühte sich die Stilkunst von Böcklin bis Leibl, durch die Bildkonstruktion die äußerste Klärung der Gegenstandswahrnehmung herbeizuführen, ein Prinzip, das von *Fiedler* zum Kunstprinzip überhaupt erhoben, von den Marées-Epigonen *Adolf von Hildebrand, Pidoll,* aufgenommen und zur dekorativen Abschwächung des Inhaltes benutzt wurde, das auch den französischen Impressionisten, soweit es das geistreiche französische Sehen zuließ, nicht fremd war — so wird jetzt die äußerste Verunklärung aller Gegenstandsbeziehungen das Mittel, das Auge sich in nimmer rastender Bewegung tummeln zu lassen.

Abb. 1046. *Max Liebermann, Polospiel. Hamburg, Kunsthalle. 1902—03.*

In späteren Bildern (Abb. 1046) wird das Huschende der Erscheinung, die Flüchtigkeit der Bewegung, das Zerrinnen der Formen immer weiter getrieben, so daß Reiter in der Landschaft, Szenen, in denen sich bisher der höchste Stolz und das blendendste Auftreten menschlicher Personen kundtun konnten, nur noch ein Anreiz für das Auge werden, im Moment eine zuckende, als verwischte Flecken dem Auge enteilende Bewegung zu fassen, oder daß Landschaften wie vom vorüberfahrenden Schnellzug aus gesehen jene sich übereinanderschiebenden Streifen bilden, aus denen das immerfort vor- und wieder rückblickende Auge die Physiognomie der Gegend zu erhaschen versucht. Eine neue Spannung — nicht der inhaltlichen Entwicklung und Dramatik,

Abb. 1047. *Fr. von Uhde, Lasset die Kindlein zu mir kommen. Leipzig, Städtisches Museum. 1884.*

sondern des Sehens selber, der Funktion des Geistes — gibt diesen Bildern ihren Reiz. Dazu kommt wiederum in späteren Bildern, besonders Strandbildern, der Reiz der Andeutung durch die verwischende, farbenausbleichende Wirkung der Mittagsatmosphäre am Strand, wo alle Kontraste völlig ausgesengt sind und das Auge zarteste und differenzierteste Nuancen erfassen muß, will es noch etwas sehen oder auch nur den farbigen Reiz genießen.

Liebermann steht fast allein in dieser Konsequenz, mit der er die produktive Seite des Sehens durch Reizwirkungen, Spannungen und Verunklärungen steigert, in der Skizzenhaftigkeit und alla prima-Schnelligkeit des Hinwerfens, in der Betonung des Standpunktes des Malers („Wie ich es sehe!"). Er verbindet sie mit einer neuen pastosen subjektiven Technik, die auch die Arbeit und Produktivität des Künstlers zeigt und alles Gegenständliche um seine repräsentative oder naturhafte, anekdotische oder gefühlvolle Bedeutung bringt, d. h. zum Objekt des Sehens selber, vom Gegenstand aus gesehen, herabwürdigt, vom künstlerischen Prozeß aus gesehen, erhebt. Es gibt Mitstrebende, die die Großstadt in Regen und Laternenflecken, ihren Staub, ihr Gewimmel malen, wie *Skarbina, Lesser Ury,* die Menschen geschäftig bei der Arbeit mit Hafengewimmel und Werftenbetrieb, wie *Kallmorgen* und *Carlos Grethe,* die es wagen, statt blühender Gärten und Landschaften den Betrieb eines Bahnhofes mit rasenden Maschinen, Dampfmilieu und Schienensträngen zu porträtieren, wie *Baluschek, Pleuer,* aber sie haben nicht die Sachlichkeit Liebermanns, sie bleiben Epigonen Menzels, der in seinem Eisenwalzwerk schon das Arbeitsmilieu und Maschinengetümmel für seine Generation unübertrefflich und grandios geschildert hatte. Aber Menzel liegt doch daran, das Elementare von Naturkräften herauszuarbeiten, sowohl nach Seite des Arbeiters in großen kraftvollen Arbeitsposen (wie *Courbet* und vor allem der Belgier *Meunier* in seinen den Arbeiter heroisierenden Plastiken [Abb. 1042] und *Laermans* in dem Brueghelschen Rhythmus seiner Arbeiterkolonnen) als auch nach der Seite des Milieus hin in einem blendenden Feuerwerk, das die Poesie der Mond- und Sonnenaufgänge aus Essen und Hochöfen herauslockt und über die Stätten nüchterner Sachlichkeit gießt.

Die Franzosen, die in diesen Betrieben und dieser Betriebsamkeit des Auges und des Dargestellten vergebens die Frau des 18. Jahrhunderts und die Frauen von Manet, Degas, Renoir gesucht hätten, bleiben vollends jetzt zurück, so viel sie auch für die gegenstandsauflösende Technik beizusteuern hatten. Die Arbeiter, die *Léon Lhermitte* oder *Bastien-Lepage* bei der Arbeit malen, räumlicher und zerschundener, unkonventioneller und zufälliger gesehen als die Courbets und Millets, gehen doch nie wie bei Liebermann so ganz in dem Milieu auf,

Abb. 1048. *Käthe Kollwitz, Weberzug. Radierung.* 1895—98.

irgendeine „Schönheit" drängt sich doch nach vorn und die Malerei bleibt in großen blühenden Flächen gefällig. Die Interieurs von *Vuillard* vollends sind zarte, aufgelöste Gespinste feiner Innenraumstimmungen, in denen statt der frischen Morgenluft Menzelscher Biedermeierräume eine kultiviertere Atmosphäre von menschlicher und sachlicher Gepflegtheit waltet, Puvis de Chavannes und Monet räumlich und atmosphärisch gesehen und nur noch ein Hauch.

Der einzige, der als Persönlichkeit, wenn auch nicht in der malerischen Qualität, neben Liebermann genannt werden kann, ist *Fritz von Uhde*. Neben dem Juden, der nichts zu verlieren hat, der Offizier, der zu gewinnen und eine Sache zu verfechten gewohnt ist. Wie später Fritz von Unruh verficht er stärker als Liebermann, der nur malt, die neue weltanschauliche Haltung mit einer Malerei, die das religiöse Bild revolutioniert, Christus als eine Art Naturapostel durch die Hütten der Ärmsten gehen läßt (Abb. 1047), in das Arbeitermilieu, und daran erinnert, daß, wenn Christus heute leben würde, er überall dort zu finden wäre, wohin die Menschen, die sich seine Gefolgschaft nennen, ihm zu folgen sich sträuben oder weigern würden. Wichtiger ist, daß die malerischen Mittel, mit denen er das religiöse Bild in das ernüchternde, versachlichte moderne Milieu hineinstellt und ihm allen überirdischen Glanz, alle Hoheit und Kirchlichkeit nimmt, dieselben sind wie bei Liebermann, ein wirres, wenn nicht wüstes Durcheinander von Menschen in schief und gegen das Licht gesehenen, zufällig ausgeschnittenen Räumen, die von derselben staubig grauen, oft sehr fein durchgemalten Atmosphäre erfüllt und zusammengefaßt werden wie bei Liebermann. Was in seinen unreligiösen Bildern, in Kinder-

Abb. 1049. *Adolf von Hildebrand, Der Wittelsbacher Brunnen in München. Vollendet 1894.*

stuben mit aller Biedermeiergemütlichkeit und Kindersentimentalität gründlich aufräumt und im Wirrwarr kindlichen Spiels die Lebendigkeit des lichtdurchfleckten, tumulterfüllten Milieus erzeugt, erlahmt in den — als Programm und Tendenz so bedeutsamen (für ihre Zeit ungeheuer bedeutsamen) — religiösen Bildern an der Stelle, wo er Christus deutlicher malt. Die Wehleidigkeit eines humanitären Sozialismus wirft die Sentimentalität des 19. Jahrhunderts auf neue Menschen, neue Volksschichten und führt von der Versachlichung des Bildes wieder ab. Uhde tritt damit an die Spitze eines Kreises von Künstlern, bei denen durch eindrucksvolle, ungeschminkte oder übertreibend krasse Elendsschilderung für alles Partei genommen wird, was außerhalb der Gesellschaft und der Gesetze, in den Ecken der Großstadtstraßen, auf den Höfen der Hinterhäuser, in den Kaschemmen, unter den Brücken und hinter den Zäunen der Laubenkolonien sich tummelt oder verkriecht. *Hans Baluschek* in der Malerei, *Zille* und *Käthe Kollwitz* (Abb. 1048) in der Zeichnung formulieren aus demselben Milieu heraus wie Liebermann, dem Arbeiter- und Großstadtmilieu, eine Anklage gegen die Gesellschaft und die Besitzenden, eine Anklage gegen die soziale Verfassung. Aber dieser proletarische Naturalismus führt formal und in der Stimmung stärker in die Sentimentalität des 19. Jahrhunderts zurück, als er auf die Sachlichkeit, die auf dem Marsche ist, vorausweist. In der Parteinahme für Straße und Straßenmädchen bildet sich eine Art von Hurenromantik, die der neuen sachlichen Einstellung, allem Vorhandenen ohne Vorurteile nüchtern konstatierend in die Augen zu sehen, zugleich entgegenkommt und entgegenarbeitet.

Die negative, die kämpferische Seite aber dieser proletarischen Tendenzkunst, die Vernichtung alter Werte, der feudalen (Offizier, Corps, Bürokratie), der naturalistischen (bürgerliches Behagen und Naturschwärmerei) findet eine eigene Kunst und ein eigenes Organ im *Simplizissimus*. Die Modernität seiner Satire bestand darin, daß der Erkenntnisreiz der flüchtigen Momentauffassung verbunden wurde mit einer schlagfertigen Erfassung der Schwächen der Menschen (*Thöny, Th. Th. Heine*), so daß nicht so sehr diese Schwäche (welche die frühere Karikatur übertrieb), sondern das Spiel des Geistes mit dem Wesen der Dargestellten bewirkt, daß diese Menschen erledigt werden. In gleicher Weise wird eine besondere Art des Sehens (Silhouettenprojektion) oder die Handhabe der künstlerischen Darstellungsweise (Stilisierung) zum Mittel, die Personen in die Hand des Künstlers zu geben wie Marionetten (*Bruno Paul, Th. Th. Heine, Gulbransson*).

In eigenartiger Weise hat die Ernüchterung dieses Pleinairismus auf die Idealkunst der Deutsch-Römer, der Böcklin- und Marées-Epigonen, gewirkt, deren Hauptvertreter der Bildhauer *Adolf von Hildebrand* ist. Das Elementare und Anekdotische tritt hinter einer rein formalen, klassizistisch kühlen Darstellung nackter Gestalten zurück, deren Modellnähe sie dennoch von griechischen Statuen unterscheidet. Mit der Arbeit auf eine Ansicht hin, auf Reliefmäßigkeit, bedürfen sie einer bestimmten Anlehnung an Architektur. Auch sie leben nur in einer Gesamtsituation, die Adolf von Hildebrand in seinen Brunnen (Abb. 1049) ausdeutet oder schafft. Er wird damit in der Folgezeit für die architektonische und kunstgewerbliche Bewegung sehr fruchtbar.

Ähnlich entseelt *Trübner* Leibls Kunst, deren malerische Schönheit er bewahrt. Er ersetzt das kräftige Ethos der Bauern durch großstädtische und gleichgültige Figuren und löst sie später in eine malerische Gesamthaltung auf, deren samtig dunkelgrüner Ton infolge Leibls Einfluß nicht zu einem rechten Freilicht gelangt.

KOLORISTISCHE FREILICHTMALEREI. NEO-IMPRESSIONISMUS UND JUGENDSTIL

Überwindung und Entwicklung der Grau- und Elends-, Milieu- und Atmosphäre-Malerei, die allen Verschönerungen des Lebens durch die Kunst revolutionär entgegenarbeitet, geschieht in Anknüpfung an die Farbkunst und Hellmalerei der französischen Impressionisten. Was bei diesen sich durch Aktivierung des neutralen Grundes, durch eine aufblühende Farberfüllung und Farbzerspaltung vollzog, auf denen die Farbflächigkeit der Personen sich entfaltete, wird jetzt in die raumdurchwaltende, Personen aufsaugende Atmosphäre selbst hineingespielt, ein Tanzenlassen von farbigen Lichtern und Flecken in einer glutdurchsonnten Atmosphäre oder in der verdickten Luft rauchiger und menschenüberfüllter Lokale, eine Wiedergabe farbiger Schatten und sprühend blitzender Lichter im Freilicht der Landschaft oder im bunten Lampengefunkel künstlicher Beleuchtungen. Auch dieses Farbsehen, durch das sich die Welt plötzlich in ein großes Reizbecken schwimmender und wogender Farbtupfen verwandelt, ist nicht einfach passiv, sondern ein bewußtes Absehen von der Personen- und Gegenstandsbedeutung der dargestellten Wesen, die zu Flecken in der Natur, zu Farbträgern werden, ein Sehenwollen und Steigern der Farbandeutungen in der Natur, die das biedermeierische Sehen zur Gestalt verdichtete, das neue, Milieu-einende und impressionistische Sehen aber zum Farbflockenhaufen aufzupft. Immer subjektiver streicht der Maler über Gestalten, Wesen, Konturen hin, wirft er Farbmassen aufs Bild, macht er den Pinselstrich sichtbar und unterstützt das flutende Leben der jeder Formverfestigung widerstrebenden, schillernden und flockigen Farbatmosphäre durch die körnig bröcklige und rauhe, dick und pastos aufgesetzte Farbmaterie. Das wechselnde Tageslicht, das an den Rändern der Farbmaterie sich entzündet, Schatten wirft, Reflexe erzeugt, hält noch einmal das malerische Zittern des gemalten Eindrucks in Bewegung. Man hat kein Interesse mehr an der sozialen Tendenz, an absichtlich verhäßlichten oder an verkommenden Menschen, man schildert elegante Bewegungen eines Schauspielers (D'Andrade, Abb. 1050), blühende, lebensfrohe Akte, gut gewachsene Menschen in strahlenden farbfrohen Kostümen einer heimatlichen Tracht, aber läßt durch überraschendes Auftauchen im Farbdickicht des Lichtmilieus, durch zuckend plötzliche momentane Bewegungen und raffiniert andeutende Charakteristik auch hier den Reiz der schnellen Erfassung und wechselnden Bewegtheit über schöne Pose und Haltung des Dargestellten siegen. Auch sie verflüssigen sich im Farbgerinnsel des Ganzen.

Der menschliche Körper, der Akt wird im besonderen Maße ein Medium, das helle glitzernde Freilicht auf Flächen entlanggleiten zu lassen, die in ihrer Helle Nuancen von erlesenster malerischer Feinheit hergeben und den sinnlichen Reiz der Haut mit dem Strahlen des Lichtes vermählen (Abb. 1052). Zugleich aber wird die Auflösung des Menschlichen und Personenhaften durch eine bisher unerhörte Betonung des Fleisches — der Materie und der Oberfläche — befördert, alle Haltung wird aufgegeben, die Menschen werden gleichsam als Klumpen ins Bild hineingeschmissen wie die Farben auf die Leinwand, das Fleisch wird als solches mit einer unglaublichen stofflichen Auflockerung zum Blühen gebracht, und das erotische Element in der Beziehung der Personen untereinander und im Ausdruck der Personen unter sich unverhüllt entwickelt. Entschleiernde Objektivität und mit den Farbgenüssen sich verbindende Sinnlichkeit gehen Hand in Hand. Auch der menschliche Körper wird zum Objekt, zur Sache.

Am ehesten machen diese Künstler in der Verflüchtigung des Wesens und in der Versachlichung der Gestalt halt beim Porträt, besonders beim Selbstporträt (Abb. 1051). Aber die Aufrauhung und farbige Intensivierung und die flüchtige Augenblicksgeste und Augenblicksmimik wirken nach zwei Seiten: hin zu einer Abschwächung der menschlichen Erscheinung zum Stilleben, und zu einer Verfeinerung und Belebung des Psychischen, und das nicht selten so, daß das Gesicht aus einer stillebenhaften Umgebung mit einer Intensität physiognomischer Augenblicksäußerung herausschreit, die Reiz, Spannung und Erregung um sich breitet. Dieses Ausgehen vom Bilde als Reizträger und Erregungsschicht für das aufnehmende Bewußtsein und als Objekt für das vom Gegenstand unabhängige Schaffen des Künstlers bewirkt, daß es keine Spezialisten mehr gibt, deren Vorliebe durch die Lebensbedeutung des Gegen-

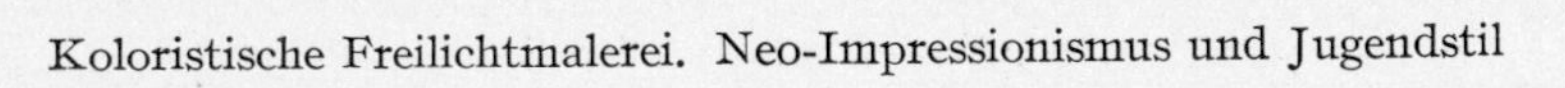

Abb. 1050. *Max Slevogt, D'Andrade als Don Juan, das Champagnerlied singend. Stuttgart, Württembergische Staatsgalerie. 1902.*

standes bedingt wird; Stilleben, Landschaft, Szenen und Bildnisse spielen dieselbe Rolle. In der Entwicklung der künstlerischen Laufbahn wie in der Entwicklung des einzelnen Bildes gilt in gewisser Weise: sie beginnen mit dem Menschen und endigen bei der Landschaft oder dem Stilleben. Die drei Künstler, die dieses Farbsehen und sinnliche Genießen der Natur am bedeutendsten vertreten, sind die Deutschen *Slevogt* und *Corinth* und der Schwede *Zorn.*

Slevogt ist von diesen dreien der unproblematischste, „jenseits aller Richtung", ein glänzender Kolorist, der alles, was bei Liebermann ins Graue verschlägt, mit einer Manets heller und blondblauer Palette nahekommenden, köstlichen und erfrischenden Farbigkeit erfüllt; zugleich ein Zeichner voller Phantasie, den die Welt des Schauspiels und der Oper lockt, und der aus dem szenischen Geschehen Impressionen voll sprühenden Lebens, sprühender Farbe und sprühender Andeutungen herauslockt. Schließlich tobt er sich in Illustrationen aus, die mit Schwarz-Weiß den tollen Wirbel farbiger Flecken, jagender Bewegungen und tumultuarischer Vorgänge buch- und formzerstörend zwischen die Seiten einschieben. Sorglos in der Technik, frei und unbekümmert dem Eindruck hingegeben, ist er in der stärksten Gegenstandsauflösung doch am meisten den Alten verpflichtet, Rembrandt, dessen Skizzentechnik er zur Bildtechnik erhebt, den Impressionisten, deren Farbeinstellung ihn erfüllt, der Natur, von der er sich die Farbimpressionen schenken läßt, und sich selbst: er entwickelt sich kaum, er malt nur.

Lovis Corinth ist die stärkste Persönlichkeit, revolutionär in der Auflösung der Form, der bewußten Herabwürdigung menschlicher Person zu sinnlich impressionierendem Fleisch, der Einschmelzung praller schwerer Leiber in die flimmernde, fleckendurchtanzte Atmosphäre. Er ist durchaus ein Kämpfer. Nicht umsonst hat er Florian Geyer mit der Fahne in wunderbarer Charakteristik des zum letzten entschlossenen Helden und sich selbst in Rüstung dargestellt (Abb. 1051). „Ich hab's gewagt!", die Devise dieser Bilder, muß unter alle die brutalen, mit verbissenem Zynismus und leidenschaftlicher Selbstprostitution ausgestellten Akte und erotischen Szenen geschrieben werden. Falsch wäre es, in diesen Bildern nur den Ausfluß eines unbändigen, kraft- und sinnenstrotzenden, unreflektierten Temperamentes sehen zu wollen. Porträts und Frühbilder beweisen, daß er Zartestes, Geistigstes und Raffiniertestes zu sagen in der Lage war. Er hätte ein Rembrandt werden können, er zog es vor, auf den Bahnen des Rubens

Abb. 1051. *Lovis Corinth, Selbstporträt im Panzer. Posen, Museum. 1911.*

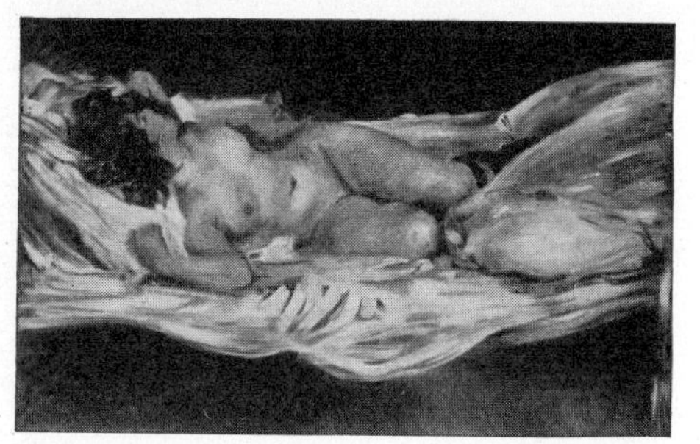

Abb. 1052. *Lovis Corinth, Mädchenakt im Bett. Bremen, Kunsthalle. Um 1895.*

weiterzugehen, ein proletarisierter Rubens, ein Rubens der Halbwelt und der auslösenden Impression. Seine Bilder sind — herausfordernd und protestierend — ein Bekenntnis zu dem proletarischen Naturalismus Liebermanns und Uhdes und ein entschlossener Weg zur Auflösung aller Natur, auch der menschlichsten, in Rausch und Reiz der Sinne. Daß man es als Kampf, als Ab- und Zusage so wenig spürt, liegt daran, daß er zugleich der größte Maler dieser Generation ist; ein Könner ohnegleichen, die Form, den Akt beherrschend wie Rubens (Abb. 1052), um mit ihm in jener formvernichtenden Freiheit schalten zu können, die ihn auch nicht einmal in eine banale, veraltete „Pose" zurückfallen läßt. Er fühlt das Licht, die Farbe, die Nuance in den Fingerspitzen, die den Pinsel führen. So entsteht bei ihm aus dem Farblosen ein Fließen, Glitzern, Gleiten, Schweben und Leuchten des Lichtes von unwiderstehlicher Kraft und unausschöpfbarem Reichtum und schließlich die zu Schaum und Chaos eines ganz starken Farbenrausches zusammengekochte Wolkenmasse seiner späten Stilleben und Walchenseelandschaften.

Der Schwede *Zorn* opfert am wenigsten in seiner breit hinstreichenden, die Farbkontraste geschickt abwägenden malerischen Technik von der Formschönheit der Gestalt und der Farbschönheit des Kostüms (Abb. 1053). Durch das neue Farbsehen bekommt jetzt alles eine neue kostümliche Farbigkeit, das Holz einer Treppe, die Planke eines Zaunes so gut wie der schwarze Rock eines Bauernmädchens; durch das atmosphärische Binden werden die Farben immateriell, im Luftigen schwebend, aus Unergründlichem ausbrechend, im Dunst auflodernd. Aber in allem formt sich mit breiten berechneten Farbmassen sowohl das Milieu wieder zum farbfreudigen Heim wie die Gestalt zur scharmanten Person. Die Atmosphäre farbiger Lichter und Impressionen ist mehr ein Mantel, ein Schleier als ein Mensch und Wesen verschlingendes Chaos, ein Schleier, hinter dem

Abb. 1053. *Anders Zorn, Auf der Treppe. 1898.*

der Bezirk einer kraftvollen, durch Tradition verfeinerten Naturwelt geahnt und geliebt wird. In demselben Sinne malen auch eine Reihe tüchtiger nordischer Maler die Landschaft. Sie nähern sich stärker den Franzosen *Besnard, Cottet* und dem Spanier *Zuloaga*, die ebensowenig Form und Gestalt der neuen objektivierenden Gesinnung zu opfern vermögen und mit herb breiten und tiefen oder süß dekorativen Farbflächen den Gegenstand auch mehr ehren als vernichten.

Wieder einmal wird es die Aufgabe der deutschen Kunst, kraft ihres Individualismus und ihrer Naturnähe, die gegen Form und dekorative Einordnung sich sperrte, die revolutionäre Umschichtung von einem anerkannten Prinzip zu einem um Geltung ringenden mit protestantischem Ernst zur letzten Konsequenz zu führen und mit denselben freiheitlichen Tendenzen, die im Naturgefühl sich äußerten, von der Natur selbst zu befreien und ihre Gegenständlichkeit aufzulösen. Ja, man kann sagen, daß nur die Naturbegeisterung und Naturliebe diese Künstler in die Lage versetzte, aus der Natur selbst, aus der Atmosphäre, dem Freilicht, die Elemente herauszuholen, die bestimmt waren, Natur zugunsten der farbigen Reize und für sich seiendes Wesen zugunsten der Tätigkeit des Geistes zu zerstören — eine Liebe, die sozusagen, je stärker sie ist, um so mehr bestimmt ist, ihren Gegenstand zu quälen.

Die Franzosen umgekehrt gehen von der Farbe und von der Form aus, sie haben zuerst die architektonisierte Form des schönen Oberflächenscheines und zwingen in diese die Natur mehr als Vorwand denn als Gegenstand hinein. Sie bleiben damit in ihrer Tradition, die die Natur in diesem deutschen Sinne nie ganz gekannt hat, und gehen auf der konstruktiven Bahn der Impressionisten weiter. Sie geben sich jetzt nicht mehr die Mühe, in dieser Konstruktion den Schein der Menschengestalt und der Landschaft zu wahren, sondern gehen — und damit überwinden sie auch das 18. Jahrhundert, dem sie viel oder alles verdanken — vom Farbfleck, vom Farbton, von der Linie, von der Fläche, vom Gerüst aus. Alles dies wird jetzt selbständig und zu einem selbständigen System konstruiert, unabhängig nicht nur vom Naturvorbild, sondern auch von der Lebensform, der Haltung, dem Kostüm; es wird selbständige Konstruktion und Bewegung des Geistes, Gegenstand reinen Farb- und Formgenusses und reiner Bildproduktion.

Abb. 1054. *Curt Herrmann, Winterlandschaft. Marburg, Kunsthistorisches Museum. Nach 1900.*

Abb. 1055. *Giovanni Segantini, Das Pflügen. München, Neue Pinakothek. 1890.*

Es geschieht in drei Formen, dem Neo-Impressionismus von *Seurat,* dem dekorativen Exotimus von *Gauguin* und dem japanisierenden Impressionismus von *Toulouse-Lautrec.* Alle drei bedeuten den Sieg der Farbe und eines Fin-de-siècle-Raffinements, alle drei zugleich ein Ende des Impressionismus und einen Weg zu einem Konstruktivismus, der den Expressionismus — die Kunst als geistige Schöpfung, als Ausdruck und Äußerung der produktiven Kraft des Schaffenden — einleitet. Von diesen dreien hat der Neo-Impressionismus am meisten System, Gauguin am meisten Geschmack, Toulouse-Lautrec am meisten Geist.

Das System des *Neo-Impressionismus* (Abb. 47, S. 65) besteht darin, das Bildrechteck aufzuteilen in ein konstruktives Flächen- und Liniengerüst von möglichst geometrischer Bestimmtheit, in Flächen und Linien, die zwar noch Körper, Räume und Gegenstände bedeuten, aber weder sind noch scheinen. Diese Flächen und Linien erfüllt er mit Farben, die zwar noch Licht und Schatten bedeuten, aber es ebenfalls nicht mehr sind, sondern reine Farben, von der Palette genommen, vom Künstler gewählt und aufeinander bezogen. Er zerlegt diese Farben in Flecke, die Geflimmer und Luftvibration zu sein scheinen, in der Tat aber Punkte und Farbenzusammenstellungen sind, die kein Auge in der Natur zu entdecken vermag. Damit ist erreicht, daß die Natur sich der Kunst unterwerfen muß, daß nur der das Bild zu genießen vermag, der den Respekt vor der Natur verloren, aber vor der produktiven, ja rationellen Kraft des Künstlers gewonnen hat und willens ist, einen unendlich reichen, strahlenden, kostbaren, ausgewählten Farbschleier und ein gefügtes Liniennetz mit den Sinnen aufzunehmen, Natur darunter nur noch zu ahnen, und diese Ahnung für mehr zu nehmen als die Gegenwart der Natur. Von allen Neo-Impressionisten hat sein Erfinder *Seurat* (Abb. 47, S. 65) am meisten System, d. h. systematische Form und Farbkonstruktion (er rationalisiert die

Abb. 1056. *Vincent van Gogh, Garten in Arles. Essen, Folkwang-Museum. 1888.*

Fleckensicht der Bilder Monets und Pissaros), aber auch am meisten Originalität und Persönlichkeit, Originalität in der Farbe, gelbbrauner Sandtöne, die durch das Spektrum aller Farben gesiebt sind und die kein anderer hat, in Flächenformen, die ihrer Seltsamkeit mit der Ratio des Systems spotten, und in stilisierten Varieté- und Zirkusimprovisationen, in denen die Strenge der Form die Leichtfertigkeit des Gegenstandes parodiert. Seine Kunst ist raffiniertestes Großstadterzeugnis. Seine Anhänger stecken die Ziele seiner Naturzerstörung durch Formverstärkung zurück und versuchen die neo-impressionistische Technik dem Leuchten der Atmosphäre oder dem Blühen der Landschaft dienstbar zu machen, *Signac* und der Belgier *van Rysselberghe* in einer geschmackvoll zartblauen und blumigen Art, ersterer auch mit sehr freier luftiger Aquarelltechnik, der Deutsche *Curt Herrmann* (Abb. 1054) mit festerer kristallklarer Farbe und freierem Schwung der Linien und Flächen, wobei der Versuch der Einigung mit dem Leben der Blumen und der Landschaft eine ewige Problematik von Kunst und Natur erzeugt, *Paul Baum* in einer sinnig poetischen Erfüllung der Räume heimatlicher Landschaften mit flimmernder Atmosphäre. Der Italiener *Segantini* (Abb. 1055) benutzt das System, um die Hochgebirgsnatur zu einer neuen Wahrheit der in der klaren Luft leuchtenden Farben zu führen. Er erobert ein neues Stoffgebiet für die Naturauffassung des 19. Jahrhunderts mit einer Verkleinerung der Farbpunkte, die ihre Künstlichkeit und Systematik verbirgt. Er vereint den Verismus Liebermanns mit der Leuchtkraft Böcklinscher Landschaften.

Nur einer schreitet auf der Bahn des Konstruktiven weiter, indem er zugleich einen spezifisch deutschen Ausdruck für die Anwendung dieser Systematik auf die Darstellung der Natur findet, *van Gogh*, in dieser Kunst des Geschmackes und des Geistes ein Genie (Abb. 1056). Er steigert die abstrakten Kurven, Flächen, Räume zu jähen Perspektiven, faßt Linienbündel in Bildecken zu gespreizten Strahlen zusammen, kräftigt die Punkte zu dicken, saftigen Linien, die der Pinsel herumquirlt und flammen läßt, eckt und kantet die Formen aus wie bei einer Holzschnitzerei, der man überall das Messer ansieht, verstärkt die Farbe, daß sie brennt und lodert, und zwingt die Natur, sich in starke und reine Flächen, Farben, Linien so einzufügen, daß sie die Ausdruckskraft eines Skelettes und eines Grundrisses mit dem Schrei der in einem Schmelztiegel geläuterten Farben verbindet. Die Leidenschaft aber, die von seiten des Dargestellten wie vulkanisch eruptive Weltentstehung wirkt, ist in Wahrheit die Leidenschaft des künstlerischen Ausdrucks, mit der hier von Menschen, Dingen und Landschaften geredet ist, ist Expression eines Künstlers, Ausdruck einer Besessenheit, die zum Äußersten in Farb- und Formeindruck entschlossen ist. Alle Form bekommt die Großheit einer gebauten Architektur, alle Farbe die Übersteigerung des Plakates, und alle Technik das Pathos der Genialität.

Gauguin (Abb. 1057) verzichtet auf die Auflockerung der Fleckentechnik, er entwickelt die Farbe in großen Flächen; er malt flach wie Cézanne, aber abstrakter, künstlicher in der Färbung der Flächen, dem Aufbau der Farbkontraste und Farbharmonien; wie ein Gewebe eines Teppichs primitiver Völker stehen die Farben bunt und leuchtend in großen Streifen nebeneinander, Grund und Gestalt gehen mit gleich intensiven Farbtönen zu dekorativer Einheit zusammen. Keine Atmosphäre läßt die Grenzen der Flächen verschwimmen und den Raum unbestimmt sich weiten; Licht ist nicht auflösendes Medium; sondern durchscheinend wie bei Glasfenstern läßt es die Farben schwellen und abklingen. Die Figuren, nackte Frauen, rückt er aus der Sphäre des Menschlichen heraus, nicht indem er wie Corinth das Fleisch betont, sondern indem er die Fremdheit exotischer Typen, des Halbtierischen, und die Formenstarre archaischer Plastik und der strengen architektonischen Achsen, der Vertikalen und Horizontalen, zum Reiz der Seltenheit und des Befremdenden für den Kulturmenschen ausnutzt. Primitivität und Formenstrenge sind nicht Ausdruck des Klaren und Einfachen, sondern Raffinement. Seltsam und erregend sind die Farben, merkwürdig unklar und verschwiegen, wo sie offen zutage zu liegen scheinen, müde, wo sie strahlen, Zwischentöne, wo sie die Fläche lichtlos und raumlos klar färben, Delikatesse, wo sie sich feierlich geben. Ebenso raffiniert ist die Form, lockend und erwartungsvoll, wo sie ewig

Abb. 1057. *Paul Gauguin, Barbarenmärchen. Essen, Folkwang-Museum. 1902.*

und gebannt erscheint, primitive Halbwelt, mit Augen des Parisers genußsüchtig gesehen, wo sich die Gestalten wie Götter und Götzen gebärden, berechnet und voller Andeutungen, wo sie naiv auftreten. Über allem liegt eine Kulturmüdigkeit, die mit Hilfe der neuen konstruktiven und bildschöpferischen Malerei um neue Reize und Genußmöglichkeiten aus der Primitivität wirbt. Die Einfachheit des Gegenstandes, der exotischen Natur, zu der man ähnlich wie zu den Arbeitern und dem Straßenvolk herabsteigt, und die höchste Kompliziertheit des Schaffenden begegnen sich von zwei Seiten her und erzeugen noch einmal aus der Gegensätzlichkeit ungeschminkter Natur und der Geschminktheit künstlerischen Raffinements ein Produkt von entnervender Zweideutigkeit.

Toulouse-Lautrec (Abb. 1058) ist in allem das Gegenteil, völlig unromantisch, gänzlich unfeierlich, überaus intellektuell. Er steigert den Reiz der spannenden rätselratenden Augenblickserfassungen flüchtiger und undeutlicher Erscheinungen, indem er in seinen Zeichnungen das Psychologische überspitzt; er wählt es aus der künstlichen Atmosphäre schauspielerischer Vorführungen, in denen varietéhaft und parodisch der Geist sich in vieldeutigster und bewegtester Physiognomik produziert. Er wählt dazu ein zeichnerisches System, das mit spinnwebenfeinen Strichen einen Körper skizziert, aus dem die Physiognomie aufwächst, deutet mit diesen Strichen Bewegungen an, die mimisch schon viel sagen, versteckt mit gewagtesten Verkürzungen und aussetzenden Linien das Gesagte wieder hinter der Andeutung, reizt mit kräftigen Druckern das Auge auf die Physiognomie des Gesichtes und lenkt es zugleich von der Deutung der Züge durch diese stechenden Punkte ab. Mit wenigen Strichen läßt er unendliche Reflexe des Rampenlichtes über das Gesicht hinhuschen und macht die Form schillernd und schlüpfrig wie die Ausdrucksmomente des Gesichts. Die Erkenntnis kommt nie zum Ziel, sie bleibt lebendig und Bewegung des Geistes in verfeinertster Form. Die Kunst Watteaus und La Tours, das Vielsagen mit wenig Mitteln, ist hier Selbstzweck geworden. Der erkannte Gegenstand ist weder schön noch sympathisch, nichts was zur Verehrung oder zum Mitleben auffordern würde, auch wenn man seiner habhaft würde. Denn die Einblicke, die hier von der Kunst gegeben werden, sind Entschleierungen einer Wahrheit, psychoanalytische Entdeckungsfahrten in das Reich der Halbwelt und des Halbtiers. Keine Stilisierung der käuflichen

Abb. 1058. *H. de Toulouse-Lautrec, Im Moulin Rouge. Paris, Gaston Bernheim-de-Villers. 1892.*

Abb.1059. *Alfred Messel, Warenhaus A. Wertheim in Berlin. 1904.*

Frauen zur Venus und Madonna, kein Spielen mit Unschuld und Sentimentalität, sondern Frechheit und Gemeinheit unverblümt, im Hintergrund der Bonhomme als Opfer oder der Zuhälter als Henker und im verschlossenen Kabinett alle Laster der „Elles". Die raffinierte Kunst der psychologischen Andeutung verbindet sich auch in diesen Bildern mit dem Ausdruck der dargestellten Objekte, sie ist selbst wie ein Augenzwinkern oder Winken mit dem kleinen Finger des licht- und polizeischeuen Gesindels; Reiz der Aufforderung mit allen Abgründen und Gefahren der Fahrt ins Ungewisse. Diese Sympathielosigkeit von Menschen, die sich selbst zum Objekt anbieten, erlaubt dem Künstler, nun auch bildnerisch mit ihnen konstruktiv frech und zynisch zu schalten und ein Linien- und Farbsystem flächig zu entwerfen, das alle Keckheit, alles Aufstachelnde und alle widerliche Süße, von der man weiß, daß sie Gift ist, malerisch entwickelt. Der Ausschnitt, den er wählt, ist nicht Zufall des Sehens, sondern zynische Freiheit des Malers, der mit diesen Menschen macht, was er will, ein Gesicht mitten durchschneidet, in der Oberfläche des Gewandes abstrakte Andeutungen des Drunter gibt, die Konturen von Hut und Haaren zu schnoddrigem Ornament, einem Cancan von Ornament verbiegt, die Silhouette — man könnte es mit van Gogh vergleichen — auseckt und aufzwirbelt, daß eine Giftblume, von Dornen umgeben, übrigbleibt, mit Strichen die Farbe spritzen läßt und die Figur zerstreicht. Er breitet Farben in Flächen über das Bild, in denen ein Orangerot impertinent und ein Nachtgrün wie die widerliche Süße von Absinth locken und abstoßen zu gleicher Zeit, und schafft so in allem ein Äußerstes von Raffinement subjektiver Geistbetätigung und aufreizender Bildflächenkonstruktion. Die Verfassung des Fin-de-siècle-Menschen ist hier am reinsten getroffen und berücksichtigt.

Das Ergebnis dieser Versachlichung der Natur und der Menschen durch Einbeziehung in die reine Bildkonstruktion sinnenreizender und genußbietender Oberflächen hat als wichtigstes Ergebnis, daß die Sachen selber, Geräte, Möbel, Vasen, Dosen, Stoffe und schließlich Haus und Wohnung mit neuer Bedeutung in das künstlerische und kulturelle Bewußtsein der Zeit eintreten. In dreifacher Beziehung: Erstens, daß man Sachen, eine Vase, ein Glas als eine Kostbarkeit empfindet, in die sich zu versenken und zu verlieben, denen das Leben eines Sammlers zu widmen so wichtig wird wie das Eingehen des Literaten auf die durch Bildung vermittelten Lebensinhalte fremder Menschen, daß also das Kunstprodukt und der Gebrauchsgegenstand die Bedeutung der Natur an sich reißen. Zweitens, daß der konstruktive Sinn nicht mehr gestattet,

Abb. 1060. *Aubrey Beardsley, Die Augen des Herodes. Aus „Salome“. Um 1894.*

als Ideal einer Wohnung die geniale Unordnung, den vertrockneten Makartstrauß und die über die Möbel geworfenen Tierfelle anzusehen, sondern sich auf eine gesetzmäßige Ordnung im Verhältnis der Teile zueinander, sei es des einzelnen Dinges oder des Hauses oder der ganzen Stadt, besinnt. Und drittens, daß man aus der Flächen- und Farbenentwicklung in den Bildern die Kraft schöpft, den Schmuck der Sachen aus der Oberfläche und Zusammensetzung der Sachen selbst zu entwickeln, nicht mehr die Sachen geistig zu vernichten, indem man sie mit Blumen und Landschaften, Porträts und Genrebildern zu Trägern poetischer Naturvermittlung macht, sondern mit Flächen, Farben, Linien aus ihnen selbst eine neue Sachschönheit zu gewinnen.

Sachlich ist es, daß die neue kunstgewerbliche Arbeit das Material betont, mit kostbaren Hölzern, Steinen und Metallen die im Gegenstand gegebenen Flächen intensiviert und durch den Eifer der auf die Dinge verschwendeten Arbeit die Bedeutung der Sachen erhöht. Die materialerzeugte Sachschönheit findet ihre Wirkungsmittel im impressionistischen Reiz der Überraschung, den schwebenden Konturen, der Bewegungsandeutung, die die Überlaufglasur bei einer Vase erzeugt, der Fleckenwirkung des Craquelé, im zufälligen Fleckenmuster einer verrührten Leimschicht, mit der man Vorsatzpapiere erzeugt, in Farbtönungen der *Gallé*-Vasen, im irisierenden Schimmer von *Tiffany*-Gläsern, in den Maserungen edler Hölzer. Unsachlich bleibt es, daß man den Gebrauchsgegenstand jetzt selbst wie ein Bild bewundert, daß Übermenschen in Kunstsalons Überstühle sitzen, eine Vase in der Hand tausendmal herumdrehen und in Verzückungen geraten, als wäre es das selige Leben. Das Ziel ist: mit diesen Überraschungen, seltenen Farbzusammenstellungen und kostbaren (echten!) Materialien Luxusdinge von demselben Reichtum zu erzeugen, wie ihn die Bilder des Neo-Impressionismus und der anderen konstruktiven Künstler bieten. So wie die freie Kunst — bei *Gauguin* ganz stark zu spüren, bei dem Wiener *Klimt* zur Manier entartend — ins Kunstgewerbliche übertritt, so schweift umgekehrt die Sachgestaltung ins Bildmäßige über (besonders stark bei dem Franzosen *Lalique*). Mit der Impression und Konstruktion wird das Bild versachlicht, wird die Sache zur Neo-Impression — und verliert damit noch immer das, was sie zur Sache machte, ihre Gebräuchlichkeit. Bezeichnend für diese Bildmäßigkeit von Architektur und Kunstgewerbe ist, daß sich die Architekten aus den Kreisen der Maler rekrutieren (*Pankok, Bruno Paul, Peter Behrens, Riemerschmid*).

Aber sowohl diese Verliebtheit in den künstlerischen Effekt der Sache wie die konstruktiven Tendenzen, die von der Fläche der Sache selbst ausgehen, machen den Weg frei für eine neue Sach-Architektur und für einen neuen Stil.

Das erste große Beispiel für diese Architektur, ein Beispiel der kunstgewerblichen Luxuskunst, ist das Haus Wertheim von *Alfred Messel,* der neue Stil ist der *Jugendstil.*

Das Bedeutsamste am *Warenhaus Wertheim* (Abb. 1059) ist zunächst, daß es ein Warenhaus ist, eine Stätte des im 19. Jahrhundert verachteten Geschäfts, ein Behälter von Sachen, ein unromantisches Lokal großstädtischen Be- und Vertriebs, eine Organisation, bei der selbst die gemütlichen Beziehungen des Verkäufers zum Käufer wegfallen, ein Ausdruck vollkommener Anonymität und Unpersönlichkeit; ebenso bedeutsam, daß diese Stätte jetzt erwählt wird zum Träger einer einheitlichen, alle Pracht und Modernität entfaltenden künstlerischen Gestaltung — wie bisher nur Kirche und Palast. Große durchgehende Vertikalteilungen fassen den Bau zum einheitlichen Ausdruck einer Riesenhalle zusammen, die Riesenfenster, die die Verwendung des Eisens als Baumaterial ermöglicht, geben den Charakter der Allöffentlichkeit. Die Heraushebung eines Kopfteiles an der Front eines Platzes aus der Gebäudeflucht in der Straße fügen den Bau städtebaulich in die Gesamtsituation ein und geben ihm die Bedeutung des der Menge jederzeit geöffneten Monumentalbaus. Er wird Ersatz der Kirche durch die gemeinsame Sache als das Menschen zusammenführende Prinzip. Daß die Seitenfluchten an gotische Markthallen wie das Rathaus in Thorn, der Frontbau an den Zwinger in Dresden erinnern, ist in dem Marktcharakter des deutschen Hallensystems wohl begründet. Das Moderne liegt im Prinzip der Gestaltung aus dem Block (der Frontbau im Ganzen), aus der Fläche, aus der Linie; in der Überwindung des personenhaften Säulen- und Gliederbaus; das Besondere, Kunstgewerbliche, Luxuriöse in der Verwendung konstruktiv impressionistischer Mittel, der Aufrauhung von Flächen durch eng zusammengeschobene lineare Pfosten, zart und malerisch verlaufendes Ornamentgewebe, zufällig, überraschend aufgesetzte dekorative Formen. Der Frontbau hat den Reiz eines neo-impressionistischen Gemäldes, dessen Flimmern bei Abendbeleuchtung zum schönsten Bilde wird. Im Innern eint eine Riesenhalle mit umlaufenden Emporen den Bau, überbrückt von Bogen, deren gedrückte Kurven eine dauernde Spannung lebendig erhalten. Mit zerstreuten Reliefplatten, farbigen Streifen, die zufällig abbrechen, kostbaren Materialien ist auch hier ein farbig impressionistischer Eindruck von luxuriöser aber nicht vordringlicher Pracht geschaffen, ein Oberflächeneindruck, dessen Materialkostbarkeit oder stofflich wirkende Auflockerung dem Feilbieten von Stoffen und Materialien entgegenkommt. Nur eins muß gesagt werden, was auch

Abb. 1061. *August Endell, Haus Elvira in München. 1898.*

von den in Farbenräuschen schwelgenden Schaufensterdekorationen gesagt werden muß, daß Außenbau und Innenraum einseitig von kostbaren Dingen, kunstgewerblichen Dingen zeugen, aber weder von der Nüchternheit des Geschäftes noch der Praxis gebräuchlicher Dinge noch von der Anpreisung im Sinne des Plakates und dem Käuferfang. Es ist mehr ein Ausstellungsgelände für kostbare und das Auge berauschende Gegenstände, bei denen das Auge schwelgen kann, ohne daß ein Kaufzwang besteht. Die Wandlungen des Warenhauses (Abb. 1107, S. 888) in neuester Zeit verraten, welche ganz anderen, sachlichen Möglichkeiten bestehen.

Der *Jugendstil,* wie ein Missionar ein Opfer seiner Mission und von denen erschlagen, die die Früchte seiner Mission geerntet, hat Wesen und Bedeutung in folgenden künstlerischen Ausdrucksformen. Er ornamentalisiert die Natur mit denselben Mitteln, wie es die Bilder taten: Fläche, Farbe, Linie. Auf diesem Wege leistet die von England ausgehende, von *Morris* geführte kunstgewerbliche Bewegung Hilfestellung, die an die kunstgewerblich neogotische Kunst von Burne-Jones anknüpft. Sie bezieht von der englischen Park- und Naturliebe den Reichtum ihrer Motive, findet von der Luxus- und High-Life-Stimmung und dem Naturarrangement sehr leicht den Weg zur neuen Stilisierung der Natur selbst und war durch die Oberflächenfreude der englischen Kunst und die Behaglichkeit des Lebens für alles besonders gerüstet, was Ausstattung und Schmuck des Heims und den Komfort betrifft. Das kostbare Buch wird eine englische Spezialität und findet in *Beardsley* (Abb. 1060) ein dekoratives Talent, das in der Stimmung die High-Life-Perversität des Toulouse-Lautrec, in der Psychologie die geistreich andeutende Kunst so mit reinem Linienspiel, Schwarz-Weiß-Impressionen, punktierender Auflösung und konstruktiver Stilisierung verbindet, daß ein berückendes Bildarrangement an Schriftbild und Buchseite sich vollendet anpaßt. Diese Verbindung von Modernität der Psychologie und einer gotisierenden Altertümlichkeit, von impressionistischer Freiheit und dekorativem Geschmack enthält selbst noch wieder eine Fülle von Reizmomenten.

Abb. 1062. *Moskau, Treppengeländer im Haus der „Woks“. Um 1900.*

Der Jugendstil entmenscht auch die Bauformen, indem er beginnt, die Massen- und Gewichtsproportionen zu vernachlässigen, die wir der Kenntnis des menschlichen Körpers entnommen haben, und auf die körperliche Symbolik von Fuß, Leib, Kapitell der Säule und der den Bau durchwaltenden menschlichen Kräfte von

Tragen und Lasten zu verzichten. Er bildet Möbel und Gebäudeflächen aus dünnen Stäben, die sich mit anderen in ornamentalen Schweifungen verbinden und in vertikaler oder horizontaler Entwicklung auf den Eindruck statischer Sicherheit keine Rücksicht mehr nehmen. Er wird dadurch der stärkste Vorläufer moderner Eisenstabkonstruktionen und hat in eisernen Gerippen von Fenstern und in Eisengittern sein Bestes gegeben (Warenhaus Printemps in Paris von *René Binet*, Untergrundbahnhöfe in Berlin, Wien und Paris). Das eigentlich Zeitbedingte und deshalb Vergängliche aber liegt darin, daß er der kunstgewerblich impressionierenden Wirkung zuliebe das Möbel oder Gebäude nicht zweckmäßig, sondern originell bildet, bewegt und schwankend, gleitend und entgleitend in den Linien und Flächen, verdreht und gewunden, asymmetrisch und schief, mit reichen Verschlingungen und farbig wirkenden Durchbrüchen, mit spritzenden Wellen, flimmernden Netzen und zackigen Spitzen (Abb. 1061, 1062). Diese Möbel und Wände reißen den Bewohner so in Tanz und Taumel hinein, daß ein Wohnen in ihnen unmöglich ist. Die Elemente sind dieselben wie die, die schon die Malerei verwendet, um den Eindruck konstruktiv zu steigern, der Flammenstrich des *van Gogh*, die Konturenausschweifungen des *Toulouse-Lautrec* und deutscher Maler wie *Habermann, Franz Stuck, Ludwig von Hofmann.* Habermann bildet die Verdrehtheit der Umrisse und der schlüpfrigen Farbgänge zum Ausdruck der Perversität luxuriöser Halbweltdamen aus, Stuck spannt eine reichlich banale Böcklinsche Naturmystik von Schlangendamen und Bacchantenzügen und nächtige Farbenmystik in die bewegte Jugendstilornamentik und modernisiert sie. Hofmann entwickelt in farbendurchsonnten Landschaften bacchische Tänze und löst antike Reliefschönheit in moderne Linien und Farben auf. Die ernsten, zukunftsweisenden Seiten des Jugendstiles, denen auch *Hodler* eine besondere Form seiner architekturalen Kompositionen verdankt, kommen am stärksten in der Architektur *Henry van de Veldes* zum Ausdruck (Abb. 1063), dem es gelingt, mit Verzicht auf allen aufgelegten Schmuck und alle veraltete Bausymbolik Gebäude aus einem Guß, aus einer Masse heraus gleichsam zu kneten und im Gleiten der Flächen, den Drehungen der Formen überall funktionelle Beziehungen zwischen den Teilen zu schaffen. So wird der Bau zum reinen Behälter, die Formen erinnern wiederum an die gleitenden und funktionellen Formen von Eisen und von Maschinen, das Gebäude nähert sich dem Apparat und erhält durch die Beschwingtheit jugendstilmäßiger Formen eine ewige rastlose Bewegtheit.

Abb. 1063. *Henry van de Velde, Theater auf der Werkbundausstellung in Köln. 1914.*

Abb. 1064. *Edvard Munch, Die tote Mutter. Bremen, Kunsthalle. Um 1890—1900.*

Die ernste Seite des Jugendstil-Linearornaments tritt auch bei einer Gruppe von Künstlern in Erscheinung, die stärker, als es die Sinnen- und Oberflächenkultur des Impressionismus zuzulassen scheint, mit Linien und Farben eine Stimmung, eine psychische Ergriffenheit, eine intime, rührende Szene, fast Anekdote, kurzum romantische Lyrik des 19. Jahrhunderts ausdrücken. Das Zeitgemäße liegt auch hier immer zunächst in einer geheimnisvollen, andeutenden und verschwiegenen Art, einer Ätherisierung der Formen und Personen durch Auflösung alles Gegenständlichen in Licht- und Schattennebel. So besonders bei *Eugène Carrière,* wo die Lichter und Schatten wie Nebelschwaden kurvig gleiten und wogen und eine einfache Szene — eine Mutter, die ihre Kinder küßt — in ein Schicksalsdrama von Maeterlinck verwandeln. Bei *Munch* (Abb. 1064) wird Ausdruck und Geheimnis subjektiver und konstruktiver durch mystisch wirkende und stilisierende Vereinfachung und durch formelhafte Entgegensetzung von Tod und Leben, Krankheit und Mitleid, Mutter und Kind. Aber auch durch irr und jäh abstürzende, taumelnde und schwankende Linienzüge, durch gleichsam hilfeschreiende und beunruhigende, seltsame und kränkelnde Farbtöne. Indem diese sich zu Massen ballen und sowohl in der Flächenführung wie in der Farbe schon ganz unabhängig von der Natur werden, wird Munch entschiedener als alle anderen der Wegbereiter einer Kunst, die das Bild des Menschen in einen Begriff, eine Formel verwandelt. Die Ausdruckskraft dieser Formel liegt in der Aussage des Künstlers, in der subjektiven Expression der Schöpfung, nicht des Gegenstandes. Etwas von dieser Kunst lebt auch in den Plastiken *Georg Minnes* (Abb. 1065), dessen abgezehrte, sich in Innerlichkeit verkrampfende Gestalten sowohl durch die gleitend zerstörerische Formgebung als auch in der verrenkten Bewegung über das Maß des natürlich Möglichen hinaus- und zur bewußten Formung und Ausdruckskraft des künstlerischen Willens übergehen. In allem aber ist immer das Höchstmaß von Erregung und Nervenanspannung der Sinn der Kunst, um so mehr der

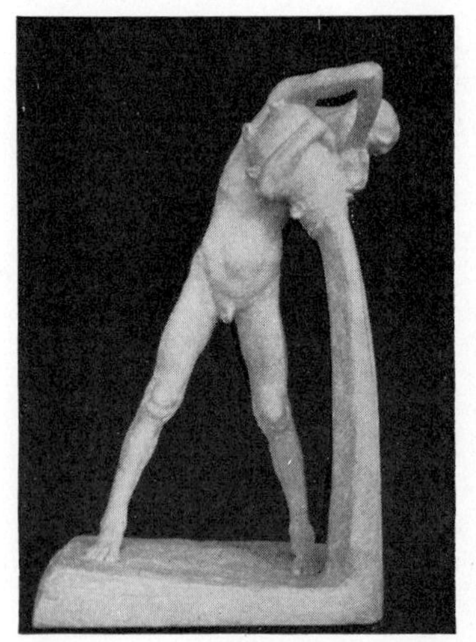

Abb. 1065. *G. Minne, Knabe mit Wasserschlauch. Essen, Folkwang-Museum. 1898.*

Kunst, als wie bei Maeterlinck das Dargestellte selbst von einer banalen Alltäglichkeit ist wie das Kranksein und Sterben von Menschen aus dem Hinterhaus. Erst Gedanke und Besinnung des Schaffenden und die künstlerischen Mittel machen es zum Mysterium. Im Grunde ist das ein viel feinerer und zeitgemäßerer „Symbolismus" als die Phantastik wiederauferstandener Unterweltsvisionen von *Klimt,* dem Wiener, und *James Ensor,* dem Belgier. Märchenphantastik und romantische Stimmungsvisionen, die im 19. Jahrhundert Religion und Glaubenstradition ablösten, leben hier fort. Durch Steigerung des geheimnisvoll andeutenden Elementes, durch die subjektiv schaltende Phantasie, den Reiz der Erfindung und die Seltsamkeit ist das Gegenständliche zwar abgeschwächt. Aber Farb- und Lichtraffinements, bei Klimt ein sublimierter Jugendstil extravagantester Art, ein flächig dekorativer und kunstgewerblicher Luxus strafen die Ernsthaftigkeit der Symbolik Lügen.

Abb. 1066. *Max Klinger, Tote Mutter. Radierung aus „Vom Tode". 1889.*

Vollends gescheitert ist die für ihre Zeit so bedeutungsvolle, uns heute nicht nur fremde, sondern auch unzeitgemäß erscheinende Kunst von *Max Klinger.* Auch er sucht nach symbolischen Gedankenerregungen, auch er strebt zum kunstgewerblich Reichen mit den Raffinements vielfältiger und kostbarer Materialien selbst in der Plastik (Beethoven); auch er stellt die plastischen Figuren, die er malt, in ein farbiges Milieu blauer, gelber und roter Stunden. Aber für die künstlerischen Reize der Andeutung und Farb- und Lichtmystik fällt ihm der an der Figur haftende Plastiker ins Wort, und an der Ausnutzung psychologischer und kunstgewerblicher Raffinements hindert ihn sein Böcklin-Epigonentum. Er bleibt im Naturalismus des 19. Jahrhunderts verwurzelt. Seine so wahre Theorie, daß diese neue Gedanken erregende Kunst auf Graphik, d. h. Skizze, Andeutung, angewiesen ist, verleugnet er selbst in seiner Kunst, indem er sogar in der Graphik die Luxusfülle kostbarer Farbwirkungen und die Naturwirklichkeit körperlicher Formen mit umständlicher Technik zum Äußersten treibt (Abb. 1066). Er mystiziert nicht das Triviale, sondern banalisiert das Mystische. In einem freilich wird er auch darin wegweisend. Indem er die künstlerische Arbeit, das Handwerk und das Material in dieser Werkfülle zur Erscheinung bringt und vorbildlich wird für die Entwicklung der graphischen Technik als einer eigenen Sprache, die die photographisch treue Reproduktion des Holzschnitts des 19. Jahrhunderts erledigt, bringt auch er gegenüber der Naturwahrheit des 19. Jahrhunderts den Wert der künstlerischen Arbeit und die Freiheit der Technik vom Gegenstand wieder zu Ehren und führt zu Hodler und zum Expressionismus.

HEIMATKUNST UND EXPRESSIVE MONUMENTALKUNST

Wie immer, wenn eine Kunst die Wirkungselemente übersteigert und sich von ihrer Lebensgrundlage entfernt und in Luxus entartet, so folgt auch dieser Fin-de-siècle-Kunst mit ihrer höchsten sinnlichen Verfeinerung, Bewegtheit und psychologischen Überspitzung ein Rückschlag und eine Umkehr. Sie ist auch diesmal eine Art von Restauration alter, von der neuen Kunst überwundener Werte, aber ebenso auch diesmal eine Aufwertung des Alten mit den Zinsen, die das neue aufgehäufte Kapital der künstlerischen Mittel abwirft. Die Rückkehr zum Alten führt zu einer Restauration der Natur des 19. Jahrhunderts, des Biedermeier, seiner Intimität, seiner Stimmung, aber auch zu einer neuen Art von Repräsentation und Anspruch auf Monumentalität; formal führt sie zu einer neuen Einfachheit und Klarheit, einem Purismus, der nach der Größe, nicht nach Vielfältigkeit und Genußanregung strebt. Dabei geht die Entwicklung selbst — soweit man beobachten kann — von der Stimmung zur Monumentalität, von der Natur zur Architektur, von der Gemütlichkeit zur Repräsentation.

Die Rückkehr zur Heimatlichkeit stimmungsvoller Natur vollzieht sich in der Heimatkunst. Und zwar entdeckt man auf Grund des neuen Farb- und Liniengefühls den Reiz bis dahin übersehener schlichter Gegenden: in *Worpswede* (*Heinrich Vogeler, Hans am Ende, Otto Modersohn, Mackensen*) und seiner Künstlerkolonie den farbigen Stimmungsreiz der Bauernhäuser im Moor; man entdeckt ihn, weil der Impressionismus und Jugendstil gelehrt hatten, die Birkenstämme gelb, das Schwarz des Moorwassers blau zu sehen und das Rot des Backsteins und das Grün der Wiesen mit neuem phosphoreszierenden Leuchten zu empfinden, auf den Fellen der Tiere die farbigen Lichter und Schatten ihre Flecken malen zu lassen und im Baumgestämme und Gezweig neue Rhythmen der Linien hervorzuzaubern. In *Dachau* (*Ludwig Dill, Adolf Hölzel*) dämpft man zwar die Farbe stärker und knüpft an die Tonmalerei der Stimmungskunst der Münchener Landschaftsmalerei der 50er Jahre an, aber empfiehlt diese Einöden mit neuem Reiz zart farbiger Nuancen. Im hessischen *Willingshausen* (*Thielmann, Bantzer*, Abb. 1067) nutzt man die Schwälmer Tracht zu Farb- und Linienfesten aus. *Ubbelohde* entwickelt aus den Elementen neuer Linienkunst besonders in der Radierung eine feinfühlige Interpretation der hessischen Landschaft. Und

Abb. 1067. *Carl Bantzer, Schwälmertanz. Marburg, Kunsthistorisches Museum. 1898.*

Abb. 1068. *Carl Larsson, Im Schlafzimmer der kleinen Mädchen. Aus „Das Haus in der Sonne". Um 1895.*

Walther Leistikow führt die vorher öde erscheinende märkische Kiefernlandschaft in die Kunst ein, indem er das Rot der Kiefernstämme zwischen Blaugrün der Nadelkronen, farbigen Schatten und reizvollsten Farbspiegelungen in den Seen aufflammen läßt und den mystisch andeutenden Reiz flächig dekorativer Laubmassen und schwankender Stämme, die schwer und dunkel neben geisterhaft leuchtenden Hausflächen stehen, zu neuen, nervöseren Stimmungseffekten ausbildet. Am stärksten überträgt der Schwede *Carl Larsson* die dekorativ zeichnerischen Jugendstilelemente und die Helligkeit farbiger Lichtflecken auf eine gesund und herzlich mit der Natur verbundene Familiengemütlichkeit, ein Freiluftbiedermeier („Das Haus in der Sonne", Abb. 1068). Die Wirkung dieser Heimatkunst war um so größer, als sie die Errungenschaften des Neuen mit der Poesie des Alten glücklich verband. Aber wie immer, wo das Poetische die Grundlage für die Malerei abgibt, verführt es dazu, die Herzenstöne den Farbtönen voranzustellen und die Kunst zu vernachlässigen. Eine nachhaltige Wirkung hat keiner dieser Maler ausgeübt, und an die Dichtung eines Knut Hamsun reicht auch keiner von ihnen heran.

Befruchtet hat diese Heimatkunststimmung den Wohnbau, den sie von der Großstadt auf die Siedlung, vom Mietshaus und Mietspalast auf das Landhaus verweist. Getragen von der auf die Sache gelenkten Einstellung der kunstgewerblichen Bewegung erfüllt sich diese Wohnbaukunst mit neuer Vertiefung der Motive echter Wohnlichkeit und Einordnung in die landschaftliche Umgebung. Auch hier spielt die Farbe der Ziegel, der Hölzer, der Rhythmus der Linien und Flächen, die Gepflegtheit und Zusammenstimmung der Dinge bis ins kleinste eine neue Rolle, obwohl ein neuer Stil auch von den besten der Architekten, *Hermann Muthesius* (Abb. 1069) und *Ludwig Hoffmann* nicht erzeugt wird, vielmehr ein biedermeierisch klassizistischer Hausstil nur versachlicht und kunstgewerblich stärker durchgearbeitet wird. Muthesius schließt sich dabei stark an die Kunst des Wohnens im englischen Landhaus an, Hoffmann überträgt die Elemente wohnlich heimlicher Geschmackskultur auf Großbauten, besonders auf Schulen, die jetzt in ihrem architektonischen Ausdruck gleichsam vorwegnehmen, was sich in neuen pädagogischen Zielen von Wald- und Wiesen-Erziehungsheimen und in der Wandervogelbewegung kundgibt. Der lockere, waldhafte und malerische Gruppenbau, zu dem Hoffmann und diese Zeit streben (vgl. das Märkische Museum in Berlin von Hoffmann, das Nationalmuseum in München von *Gabriel von Seidl*), führt zu einem Ideal der Stadtbaukunst, deren Vorbild die gemütlich-winklige alte deutsche Stadt mit krummen, reiche Blicke und Haltepunkte bietenden Straßen wird (*Camillo Sitte*). Von *Schultze-Naumburg* wird zugleich — wiederum stark rückblickend —

Abb. 1069. *Hermann Muthesius, Das Haus des Architekten in Nikolassee bei Berlin. 1906.*

der falschen Repräsentation der offiziellen und Maurermeisterbauten das geschmackvolle, einfache, gewachsene Gebäude der guten alten Zeit entgegengehalten und eine Heimatschutzbewegung eingeleitet, die ebensoviel befreiend Gutes wie hemmend Belastendes für die neue Zeit in sich barg. Farbschimmer, Freiluftdunst, Stimmungsreiz verbinden die Heimatkunst noch stark mit Impressionismus und Jugendstil. Die Gegensätzlichkeit zu diesen wird erst ganz stark in der sich anschließenden Bewegung eines Purismus, der auf jedes Ornament möglichst ganz verzichtet, durch strenge Gesetzlichkeit geometrischer Flächen die Wirkung von Vornehmheit und Schlichtheit zu gleicher Zeit anstrebt und mit einer auf Haltung und Repräsentation bedachten Monumentalisierung des Baukörpers zu einem feinen Klassizismus zurückstrebt. Die bedeutendsten Vertreter dieses Purismus, dieser neuen Stille und Größe sind *Josef Hoffmann, Heinrich Tessenow* (Abb. 1070) und *Peter Behrens* (Abb. 1071). Die Säulen- und Tempelfront wird wieder in ihr Recht eingesetzt. Aber auch in diesem Klassizismus setzt sich das Neue durch. Zunächst eine neue Betonung der kubischen Formen vor den menschlich-symbolischen: Säulen werden zu Pfeilern, verlieren ihren dynamischen Ausdruck, die Räume und Flächen zwischen ihnen werden ebenso maßgebend wie die körperlichen Formen der baulichen Massen. Ein neues Gefühl für die Proportionen von Flächen bildet sich und das Verantwortungsgefühl für das Ganze des Bauwerks und seine Stellung im Gesamtbilde des städtebaulichen Komplexes. Eine neue öffentliche Gesinnung verneint die Rechte des Individuums auf verantwortungslosen Lebensgenuß, dem Reiz folgt die Ordnung. Noch wichtiger ist, daß mit dieser kubisch flächigen Proportionskunst ein Ausdruck der Schlichtheit gewonnen wird. Jedes einzelne Haus der Siedlung tritt infolgedessen als Individuum zurück; die Einheit des vielen Unwesentlichen schafft — entsprechend der Bildwirkung, die die Massenerscheinungen für das Auge im pleinairistischen Bilde erhielten — jetzt auch einen Stil des Lebens im kollektiven Sinne, einen Ausdruck der Einheit des Zusammenwohnens in der Siedlung, in der jedes Haus einzeln unwesentlich, nur eine Nummer ist, das Ganze aber von der überzeugenden Kraft des Einverständnisses. Das hat Tessenow ausgezeichnet gelöst, wobei der Nachdruck noch auf dem Wohnen im bürgerlichen Sinne, dem Eigenheim der Heimatkunst liegt, die Form aber auf Rationalisierung, Zusammenfassung, Anpassung aneinander zielt.

Abb. 1070. *H. Tessenow, Festspielhaus der Bildungsanstalt für rhythmische Gymnastik in Hellerau. 1910—13.*

Noch wichtiger ist, daß man mit dieser Flächen- und Kubenkunst, mit rationalisiertem Block und Linie, herangeht an die neuen Aufgaben der versachlichten Zeit — Fabrik und Kraftwerk, Bahnhof und Geschäftshaus; und mit der puristischen Gesinnung diese Bauten radikal reinigt von allem, was Füllsel mit einer persönlichen oder naturvermittelnden Kunst bedeutet. Bilder im Sinne des 19. Jahrhunderts, Landschaften, Anekdoten, Stimmungen in diese Arbeitsräume zu stellen, sie mit hoheitsvollen Genien oder mit blumenreichem Ornament zu schmücken, das sei, sagt *Tessenow,* als ob man neben einer Kreissäge ein Beethovensches Quartett spielen lasse oder den Leim mit kölnischem Wasser anrühre. Die Entmenschung der Bauformen, ihre Geometrisierung und Stereometrisierung stieß hier, wo es sich nicht um Empfangshallen, um repräsentatives oder gemütliches Wohnen, um Herrschen oder Genießen handelte, auf den geringsten Widerstand, wenn man auf die alten gewohnten Ausdrucksformen der Architektur verzichtete. Zugleich stellte eine Fabrikanlage mit ihren durch den Zweck, nicht durch Repräsentation geforderten Baukomplexen neue Aufgaben, die durch rein rhythmische Verteilung der Baukuben in der Milchschen Fabrik in Luban in Posen, einem Frühwerk von *Poelzig,* gelöst sind. Das Denken in Flächen erlaubt, dem Fenster eine zweckmäßige, die erwünschte Lichtzufuhr ermöglichende Breite zu geben und es zur beherrschenden, monumentalen Zweck-

Abb. 1071. *Peter Behrens, Turbinenhaus der AEG., Berlin. 1909.*

Abb. 1072. *Paul Bonatz und F. E. Scholer, Hauptbahnhof in Stuttgart. 1913—27.*

gestalt im ganzen Bau auszuprägen. Durch die Funktionslosigkeit der Formen können Glas und Eisen als wirksame Faktoren des Eindruckes zu ihrem Recht kommen. Das Zutagetreten von maschinellen Einrichtungen und Apparaten führte auf Flächen und Kurven von bisher der Kunst unbekannter Form und eigener, dem menschlichen Organismus fremder Ausdruckskraft maschineller Funktion. Dies alles in dem grandiosen Bau der AEG. berücksichtigt zu haben, ist das große Verdienst von *Peter Behrens* (Abb. 1071). Ein neuer Stil ist gefunden. Ein rationeller, zweckmäßiger und doch formenstrenger und monumentaler Bau: die Fabrik, ein Sachbau, wird dargestellt mit entmenschlichten, sachlichen und ganz als Produktion des Menschen, als Konstruktion wirkenden Formen. Konstruktive Kunst an der Fabrik und konstruktive Arbeit in der Fabrik, rationelle Schöpfung und rationelle Produktion finden sich zusammen. Daß sie es noch nicht ganz tun, daß in den an den Seitenwänden überbetonten Vertikalen noch zuviel Haltung, Stolz gotischer Strebepfeiler, daß im Giebel der Fensterfläche noch zuviel Repräsentation, zuviel Tempelhaftes, zuviel Feierliches (was das Gegenteil vom Arbeitshaften ist), daß in den Fenstern, ihren Proportionen, ihrer Verteilung noch zuviel Wohnstimmung ruht, alles das empfinden wir heute als veraltet, ja als rückwärtig, denn in vieler Hinsicht war der Jugendstil in der Überwindung dieser Faktoren schon weiter. Dasselbe, was uns heute an dem Stuttgarter Bahnhof von *Bonatz* (Abb. 1072) zu monumental ist, zu wenig Spannung und Getriebe des Bahnhofs enthält, was in vielen Staudämmen und Kraftwerken zu sehr „Haus in der Sonne" geblieben ist, alles das soll durch neue Sachlichkeit überwunden werden, auf die diese Monumentalisierung der Sachbauten, der Bauten der Arbeit und des Verkehrs mit Riesenschritten zueilt.

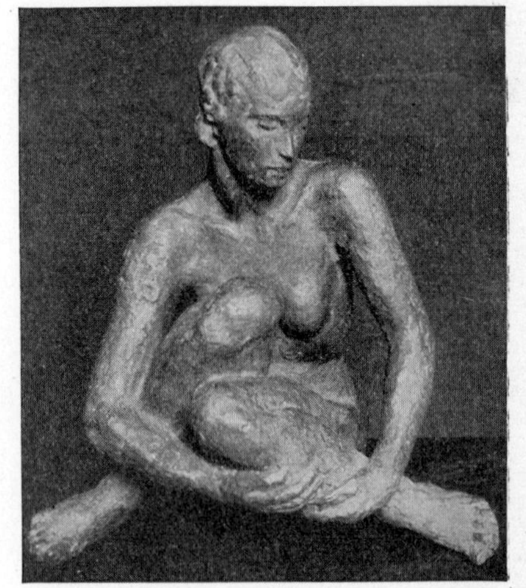

Abb. 1073. *Georg Kolbe, Sitzende Frau. Bronze. Marburg, Privatbesitz. 1926.*

Liegt es so im Wesen der Zweckbauten selber, daß sie die produktiven Elemente dieser Restaurationskultur von sich aus befördern, so tritt im Palastbau, den Villen der reichen Industrie- und Kapitalfürsten und den der Kunst und der Geselligkeit gewidmeten Festbauten das rückwärts gewandte klassizistische Element einer mit Säulen- und Pilasterfassaden arbeitenden Architektur stärker hervor, und entsprechend auch in den zum Schmuck dieser

Abb. 1074. *A. Maillol, Sitzende Frau. Perpignan, Hôtel de Ville.*

Bauten gewidmeten Bildern. Es zeigt sich in der Form in der Rehabilitierung der menschlichen Gestalt, im Inhalt in der Rehabilitierung der gesellschaftlichen, kultischen und nationalen Mächte. Auch dies geschieht nicht ohne Anpassung an die modernen Formprinzipien, d. h. nicht ohne eine Entmenschlichung durch Verselbständigung der Farbfläche, der kubischen Form und der künstlerischen Konstruktion. Die gesellschaftlichen Elemente eines Neu-Rokoko versuchen Künstler aus dem Kreis der *Scholle* und andere zu rekonstruieren (Kurhaus in Wiesbaden von *Fritz Erler*; der Russe *Konstantin Somoff, Bruno Paul*). Ideal bewegte Gestalten in beschwingtem Schritt lebensformender und lebensgenießender Tänze werden dargestellt von Tag- und Jahreszeitengenien oder historisch kostümierten Gesellschaften in idealen Park- und Seelandschaften oder kostbar geschmückten Boudoirs. Aber schon der von keiner echten Lebenskultur getragene Tonfall im Gegenständlichen, eine mit bunten Kostümen, burlesken Einfällen, parodischen Aufführungen sich äußernde Faschingsstimmung zieht die Inhalte auf eine allgemeine, gegen Eintrittsgeld und Verzehrgebühr für jedermann käufliche Beteiligung herab. In der Form aber verflachen die Gestalten zu papiernen Existenzen tapetenhafter Farbflächen, die mit ihrer kreidig weichen, freilichthellen Leuchtkraft sich mit der bis auf das letzte Utensil hin in gleichem Stimmungston durchgeformten Umgebung verbinden und dafür sorgen, daß in dieser modernen Restaurantkultur, diesem Nebeneinandersitzen sich völlig fremder Menschen, Geist und Sinne nicht nur durch Speisen und Getränke, sondern auch von der Umgebung durch Augengenüsse reichlich beschäftigt werden, wenn die Konversation im echten gesellschaftlichen Sinne versagt. Musik wird obligate Begleitung dazu. Frankreich, das, wie wir sahen, die gesellschaftliche Kultur des 18. Jahrhunderts immer bewahrt hat, macht diese Übertreibung des rein Dekorativen gerade im Gasthaus nicht mit. Ein Café mit den

Abb. 1075. *Renée Sintenis, Polospieler. Bronze. Rotterdam, Boymans-Museum. 1929.*

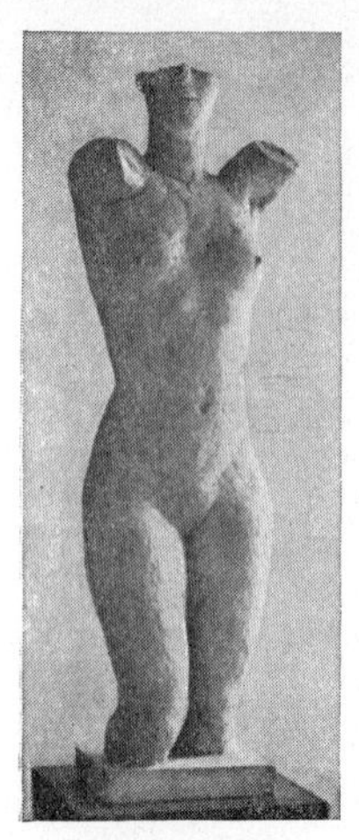

Abb. 1076. *Karl Albiker, Weiblicher Torso. Marburg, Kunsthistorisches Museum. 1923.*

stillosesten Wänden und Möbeln, den unbequemsten Sitzgelegenheiten genügt dort, um geistige Konversation zu machen. Erst der amerikanische Fremdenstrom hat bewirkt, daß auch Paris sich in diesem Sinne verwandelte.

Ernsthafter und höher einzuschätzen sind die Bestrebungen, durch den Klassizismus einer neuen, griechenähnlichen Körperkultur dem Leben eine neue Haltung zu geben. Die stärkste Formel für diesen ästhetischen Formenkult ist in Stefan Georges Blättern für die Kunst der Satz, eine Geste müsse dem Deutschen wichtiger sein als ein gewonnener Krieg. Ihnen hat *Tessenow* seinen edlen Bau in *Hellerau* gewidmet (Tanzschule des Dalcroze, Abb. 1070). Sie haben nicht bewirken können, daß das versachlichte Leben der Gegenwart eine neue heroische Form bekam, sondern nur Feindschaft gegen dieses Leben erzeugt und eine neue Romantik, die abseits der Straßen und Plätze in Freiluftbädern, Turnhallen, Tanzschulen und religiös gestimmten Konventikeln höheres Leben suchte, indem der Mensch ein Kunstwerk aus sich zu machen strebte. Sie haben aber eine neue Plastik hervorgebracht, in der vom Lebensgrunde, vom Heroischen und Repräsentativen gelöst, die reinen kubischen Formen und die reinen Funktionsbeziehungen, die in der Gliederbewegung des Menschen zum Ausdruck kommen, zum Selbstzweck künstlerischer Gestaltung werden. Man entdeckt das rein Plastische um seiner selbst willen, kommt damit der griechischen Plastik so nahe wie nie zuvor im 19. Jahrhundert und bleibt ihr doch unendlich fern. Was bei den Griechen den Menschen erhöhte, nur seiner Würde, seiner Feierlichkeit, seiner heldischen Betätigung körperliche Form gab und worin er seinen Herrschaftswillen kundtat, alles das erleidet jetzt der Mensch dadurch, daß er seine Menschlichkeit preisgibt im Zwang der reinen Form. Die Bildwerke der bedeutendsten Plastiker dieser neuen Gesinnung, von *Kolbe* (Abb. 1073) und *Maillol* (Abb. 1074), demonstrieren das jedes auf seine Weise. Eine reiche Bewegung der Glieder wird dadurch so kunstvoll, daß sie in all ihren Teilen aufeinander bezogen, gegeneinander abgewogen und als Ganzes in eine strenge kubische Form, oder besser einen stereometrisch vorgeformten Raum hineinwächst, dessen vom Künstler gedachte und gesetzte Grenzen von ihr nicht überschritten werden dürfen. Das Wesentliche aber ist, daß alle Formen so ineinander verkeilt sind, alle Glieder-

Abb. 1077. *A. Gaul, Löwendenkmal. Posen, Zoologischer Garten. 1910.*

Abb. 1078. *Edwin Scharff, Kriegerehrenmal, Neu-Ulm (Schwaben). 1932.*

richtungen und Gliedbewegungen so ineinanderlaufen, daß nicht mehr eine Person bleibt, nicht mehr eine Kraftäußerung oder Gebärde, mit denen sie repräsentiert, stolz oder huldvoll, reizend oder ergeben, sondern ein selbständiges reiches und zwingendes Formen- und Kräftespiel. Dennoch sind wir bei diesen Skulpturen dem Menschen wieder so nahe wie kaum je in den Gemälden, seinem Leben, seiner Empfindung. Aber was wir nachfühlend empfinden, ist kein anekdotisches Sentiment, sondern die Aufgabe, ein Kunstwerk darstellen, ein Kunstwerk sein zu müssen. Die Empfindung, die diese weiblichen Statuen beseelt und die nichts zu tun hat mit dem Ausdruck des Körpers selbst, ist viel mehr Besinnung und Erleiden; ist ähnlich wie bei Michelangelo, aus dem Konflikt von Mensch und Stein, von Leben und Kunst gewonnene Hochgestimmtheit oder Tragik darüber, daß der Mensch mit seiner Menschlichkeit zum Objektsein bestimmt ist, nicht mehr im Sinne des Fleisches wie bei Corinth, sondern im Sinne reiner Form. Es ist Freude und Qual, Träger zu sein von Anregungen, die die dargestellten Gestalten selbst nichts angehen, sondern den schaffenden Künstler und den aufnehmenden Ästheten. Es ist letzten Endes Schicksal und Tragik des Menschen als Modell. Bei *Kolbe* äußert sich dieser Konflikt und diese Empfindung so, daß er, an Rodin anknüpfend, durch die Weichheit der Form und der Seele die Duldsamkeit und Ergebung in diese Aufgabe, Kunst zu sein, betont; bei *Maillol* so, daß er, an Gauguin anknüpfend oder ihm verwandt, das Schwere und Starre archaischer Formen in Konflikt setzt mit der dumpfen Vitalität physischer Leiblichkeit, deren ausbrechende Kräfte immer wieder von der Formbestimmtheit auf sich selbst zurückgeworfen werden und zuweilen in dumpfer Verzweiflung enden. Ist bei Kolbe die menschliche Empfindung von seiten des Dargestellten stärker, aber der Konflikt durch die duldsame Ergebung der Person weniger ausdrucksvoll, so bei Maillol die Kühle der Konstruktion und reinen Form zunächst strenger und doch der Kampf zwischen Leben und Form gewaltsamer und ausdrucksvoller. In jedem Muskel bricht er mit derselben Gewalt hervor wie in der ganzen Gestalt.

In Deutschland verzichten die Nachfolger Kolbes, *Haller, de Fiori, Albiker, Renée Sintenis* (Abb. 1075) stärker auf die Modellempfindsamkeit zugunsten der reinen Form. Unter ihnen ist Albiker am originellsten; es ist zuweilen, als ob seine Modelle ihre Verpflichtung dem Künstler gegenüber lächelnd

Abb. 1079. *Ernst Barlach, Die Kupplerin. Bronze. Duisburg, 1920.*

erfüllen und bewußt mit ihren Gliedern spielen. Andererseits ist die Bildung einer weiblichen Statue als Torso (Abb. 1076) ohne Ruinensentimentalität und ohne den Reiz der Andeutung, vielmehr einfach künstlerisch souveräne Konzentration auf die äußerste Formkompaktheit.

Weniger problematisch wird diese Kunst bei *Gaul* (Abb. 1077), der die neue kubische Monumentalität mit schöner Differenzierung in der Ballung auf die Darstellung der Tiere überträgt, bei denen keine Empfindsamkeit sich gegen die auferlegte Form wehrt. Auch hier gehen die Jüngeren *Scharff* (Abb. 1078), *Scheibe,* und noch weiter *Mataré,* in der Unabhängigkeit der Form vom dargestellten Gegenstand über Gaul hinaus. *Barlach* (Abb. 1079) andererseits überträgt die großförmigen Klötze seiner Holzplastik ausdrucksvoll auf die vitalen Äußerungen von Bauern und verknüpft seine Kunst stärker nach rückwärts mit der Bauern- und Arbeitermonumentalität der Belgier (Brueghel, Meunier, Laermans) als mit der des kommenden Expressionismus.

Mit Maillols wuchtiger Formengebung sind wir nahe bei *Hodler.* Er bringt die neue Monumentalität des Religiösen und des Nationalen. Kraft einer ihm angeborenen Vorliebe und Begabung für das stark Körperliche ist er für den plastisch monumentalen Ausdruck auch im Gemälde besonders vorbereitet. Er stellt nackte und feierlich gewandete Figuren (Abb. 1080) zu einer architektonisch sich wölbenden oder reigenhaft wandelnden Schar zusammen und gewinnt aus dem rhythmisch stampfenden Schritt von Kriegern die Form eines modernen heroischen Kriegsbildes, den Rückzug der Schweizer bei

Marignano (Abb. 1081) und den Auszug der Jenaer Studenten 1813 (Abb. 1082) — modern, obwohl er in dieser Restauration des religiösen und vaterländischen Monumentalbildes auch formal am stärksten sich rückwärts wandelt, zu dem neogotischen Stil der italienischen Früh-Renaissance. Er erinnert stark an Signorelli. Modern ist zunächst die Rhythmisierung der modernen Massendarstellung; er gibt nicht einzelne Helden, sondern Kolonnen, Gleichschritt und Gleichtritt — Parallelismus. Zeitgemäß ist das Flächige der Figuren und die konstruktive Anlage der Bewegungen. Sie werden dadurch ebenfalls entmenscht, zu Marionetten, ein Freiheitsschauspiel als Puppenspiel. Die Bewegungen werden verrenkt und verschränkt, hineingeschraubt in das rhythmische Gerüst der Wandaufteilung oder des architektonischen Überbaus, so daß auch hier ähnlich wie bei Maillol ganz starke pathetische Gebärden und Körper erstarren in einer Gesetzlichkeit, in der sie wandeln und die keine moralische, sondern eine künstlerische ist. Dadurch wird schließlich das Religiöse, das sowieso nicht Darstellung von Heiligen, sondern von ergriffenen Menschen in der Natur ist, ein Kultus der Form, es bleibt

Abb. 1080. *Ferdinand Hodler, Der Tag. Bern, Museum. 1898—1900.*

Abb. 1081. *Ferdinand Hodler, Rückzug der Schweizer bei Marignano. Entwurf. Neufchâtel, Sammlung Ruß-Jung. 1892.*

Abb. 1082. *Ferdinand Hodler, Auszug der Jenaer Studenten 1813. Jena, Universität. 1908.*

vom Glauben nur noch die Gebärde. Eine starke, plakatartige und vom Gegenstand unabhängige Farbe vor einer Landschaft, in der die Farben wie bei van Gogh noch einmal rein und stark aufglühen, macht die Gestalten erst recht zu Trägern dekorativer Werte. Vor allem aber wird bei Hodler die bildnerische Kraft des Künstlers, des Konstrukteurs, bis in die letzten Intensitäten der Modellierung hinein ganz stark fühlbar. Man hat die Empfindung, hier findet nicht ein großer Gegenstand seinen Interpreten, sondern holt sich der formende Geist einen seinem Formungestüm entsprechenden Stoff heran. Die im katholischen Frankreich dieser religiösen Restauration entsprechende Kunst von *Maurice Denis* ist im Inhalt viel befangener, eine Mischung von Nazarener- und Präraffaelitentum; in der Form von einer lichten, zaghaft dekorativen Blässe wie die Fresken von Puvis de Chavannes. Sie beweist nur, daß die künstlerischen Faktoren dort am stärksten sind, wo sie vom Lebensgrunde einer kultischen Gebundenheit getrennt sind. Nicht die geschmackvolle, dünne Dekoration von Maurice Denis, sondern die wuchtige, starke, laute und formelhafte Kunst von Hodler führt zum Expressionismus.

Abb. 1083. *Erich Heckel, Triptychon: Genesende. Essen, Folkwang-Museum. 1913.*

ZWEITE ABTEILUNG

EXPRESSIONISMUS UND NEUE SACHLICHKEIT

Der Weltkrieg 1914—18. Russische Revolution 1917. Deutscher Zusammenbruch 1918. Versailler Friedensvertrag. Völkerbund seit 1919. Ruhrkrieg 1923—25. — Spanische Revolution 1931. 1922 Mussolini; Marsch auf Rom. Ausbreitung des Faschismus in Europa; in Deutschland Nationalsozialistische Arbeiterpartei. Weltwirtschaftskrise. 1933 Übernahme der Regierung in Deutschland durch Adolf Hitler.

Von der monumentalen Gesinnung *Hodlers* (Abb. 1080—82) und der zeitgenössischen Architektur übernimmt der Expressionismus die laute und heftige Sprache, breite Striche, mit denen formendeutende Flächen umrahmt werden, große und schreiende Farbballen, die das Bild vollends in ein Plakat verwandeln, übernimmt er den Stil einer sich an die große Öffentlichkeit wendenden Kunst. Aber er tut es im Sinne des Manifests, nicht um Monumentalität zu posieren und sich architektonisch dem Leben einzufügen, sondern um das Recht des Bildes auf Eigenwirkung und das Recht des Künstlers auf individuelle und originelle Äußerung, auf Expression, wieder durchzufechten. Der mit starken Flächenkontrasten arbeitende Holzschnitt erobert sich die Buchillustration und wird zur Unterstützung stark aktueller Schriften ein eigenes Propagandamittel (*Masereel*). In einem neuen und konsequenten Versuch, mit reinen und starken Farben ein Bild unabhängig vom Gegenstand aufzubauen, knüpft man an den Impressionismus und den Neo-Impressionismus wieder an, obwohl man sie bekämpft; Gauguin und van Gogh werden Vorbilder. Am Lebenswerk von *Christian Rohlfs* läßt sich sehr schön dieser Weg vom Milieurealismus sonnendurchfleckter Waldräume zum Neo-Impressionismus, zur monumentalisierten Fleckenwirkung im Sinne van Goghs und zur plakatartigen Flächenverstärkung verfolgen. Man eifert, die kunstgewerbliche Geschmäcklerei, die das Bild nur im Zusammenfließen mit der Umgebung duldete, zu überwinden. Eine erste Phase des Expressionismus zeigt noch die Herkunft aus der dekorativen Stilkunst, in Frankreich *Vlaminck* (Abb. 1084) und *Derain,* die eine zu Farbflächen zerronnene Ideallandschaft mit neuer Freiheit

Abb. 1084. *M. de Vlaminck, Nordfranzösisches Dorf. Dortmund, Museum für Kunst und Gewerbe. 1923.*

zerlaufener Form und neuer Kraft dunkelgrüner, gegen Weiß seltsam abgesetzter Töne zum expressiven Bilde umgestalten; in Deutschland *Weißgerber, Franz Marc* (Abb. 1085), *Macke, Eberz, Nauen* und andere, die in neuen stark farbigen und großflächigen Kompositionen von der dekorativen Haltung die Süßigkeit und glasfensterhafte Buntheit der Farben behalten. Die eigentlichen Expressionisten *Matisse, Picasso, Braque, Delaunay, Nolde, Jawlensky, Pechstein, Kirchner, Heckel* (Abb. 1083), *Schmidt-Rottluff, Kokoschka, Beckmann* wollen die kraftvolle, brutale, die aufrüttelnde Farbe oder Linie; nicht die Stimmung, sondern den Schrei. Mit diesen Schreien setzt man die Form- und Farbkonstruktionen fort, die auch in der Reaktion der vorausgehenden Monumentalkunst die Bildhaltung bestimmten, zerstört aber mit Vehemenz alles das, was im Impressionismus noch — als Träger oder Spender der Impressionen — Mensch oder Natur war, was in der Stilkunst wieder Person und Heiliger wurde. Konsequent versucht man alle Gegenstände überhaupt, die als Naturgrundlage des Bildes gelten könnten, zu vernichten oder zu beseitigen. So wird diese Kunst eine bewußt deformierende oder eine rein abstrakte (gegenstandslose) Kunst der reinen Farb- und Formfetzen und der künstlerischen Sprache, der Expression.

Diese Deformation geschieht zum Teil mit Mitteln, die nicht ganz neu, vielmehr neu nur in der Konsequenz sind, mit der man sie anwendet. Sie macht sich am stärksten und intensivsten fühlbar in der Darstellung der einzelnen Menschengestalten in der Skulptur. *Lehmbruck* (Abb. 1086), der an Maillol in seinen schweren und ernsten Jugendwerken anknüpft, verdünnt und zerrt die Jünglings- und Mädchengestalten in die Länge und legt mit rein künstlerischen linearen Richtungsmomenten in die Gestalten eine starke Empfindsamkeit. Diese wirkt zugleich wie eine Befremdung der Dargestellten selber über eine Notwendigkeit und Nötigung, die sie in eine geheimnisvolle Erhöhung über sich selber hinauswachsen läßt.

Die Malerei knüpft an Gauguin an, indem viel radikaler, ohne jede sentimentale Vergötterung und Verschönerung, Neger und Südsee-Insulaner und am liebsten nicht sie selbst, sondern ihre Götzen das Menschenbild liefern, und auch nicht, um in der

Abb. 1085. *Franz Marc, Rote Pferde. Essen, Folkwang-Museum. Um 1910—12.*

Kulturferne ein Bild reinerer Natur zu geben, sondern das Fremde. Vom Standpunkt des menschlich Nachfühlbaren aus gesehen sind diese Menschenbilder — ob Wilde oder Götzen — nicht oder schwer verständlich; das menschliche Gesicht wirkt schon deformiert (*Nolde*, *Pechstein*, Abb. 1088). Oder man steigt noch tiefer, als es schon die Pleinairisten und Toulouse-Lautrec taten, in Niederungen des Menschentums herab, ein Menschentum von Wüstheit, fleischgewordener Unförmlichkeit, tierisch-sinnlicher Verkommenheit, wie *Georges Rouault* oder *George Grosz* (Abb. 1087); dieser entwickelt daraus einen neuen Stil satirischer Menschheitskomödie, die nicht so sehr diese Wüstheit geißelt, wenn er das „wahre" Gesicht der herrschenden Klasse zeigt, als die sentimentalen Vorstellungen von Hoheit und Güte des Menschen. Es ist eine Satire auf die Humanität, ein Gegenstück zur Schonungslosigkeit der Psychoanalyse; Ersatz der menschlichen Seele durch Reflexe und Komplexe. Noch stärker im sachlichen Sinne ist die Entmenschung, wenn die menschliche Physiognomie in der Form der Maske erscheint (*Nolde*), als ein Ding, von Menschen gemacht, zur Grimasse verzerrt und willkürlich deformiert. Die Maske in ihrer vergröbernden Form nimmt voraus, was der Expressionismus zum künstlerischen Prinzip erhebt, die Verzerrung, Verbeulung, Verquetschung, Verbildung der Gestalten und Physiognomien. Diese Deformation ist am stärksten da, wo die Teile eines Gesichts aus Würfeln, Kugeln oder sonstwelchen Linien, Flecken, Körperkonstruktionen zusammengesetzt sind (*Schmidt-Rottluff*, Abb. 1089). Hier ist nicht Einpassung der Gestalt in ein konstruktives Gerüst wie noch bei Cézanne oder van Gogh, von Hodler ganz zu schweigen, sondern eine Selbstherrlichkeit dieses Gerüstes, dieser Konstruktionen, die die Gestalt zerstört und willkürlich mit ihr schaltet. Man zertrümmert die Form (*Delaunay*, *Severini*, *Boccioni*), wirft wie in der Anatomie Arme, Beine, Köpfe, Hälse und Leiber nach verschiedenen Richtungen umher

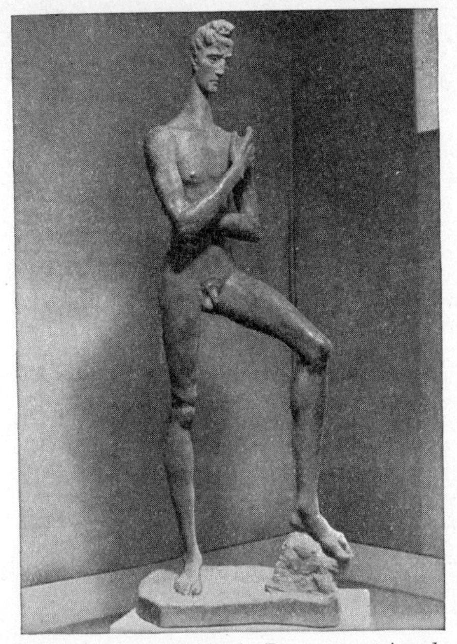

Abb. 1086. *Lehmbruck, Der emporsteigende Jüngling. Berlin, Galerie Flechtheim. 1913.*

Abb. 1087. *George Grosz, Kaltes Buffett. Chikago, Art Institute. 1929—30.*

Abb. 1088. *Max Pechstein, Der Götze (Palau). 1917.*

(*Chagall*, Abb. 1090), legt sie übereinander, erzeugt mehrere Bilder desselben Gegenstandes oder seiner Formteile, die sich gegeneinander verschieben, verdecken, verwirren und verflecken wie bei einem Rad, dessen Speichenbilder und Nachbilder in der Bewegung als ein rastloses Durcheinander bewegter optischer Formandeutungen gesehen werden (*Picasso*). Schließlich verzichtet man auf jeden Gegenstand, läßt Farben auf der Fläche verlaufen, als ob Likörflaschen auf einem weißen Tischtuch umgefallen sind (*Kandinsky*), zeichnet mit dünnen Linien phantastische Gespinste, haucht Farben dazwischen und darüber (*Klee*, Abb. 1091), setzt vielfältig gebrochene und reich geschliffene Farbkristalle nebeneinander, deren Gesamtheit in einer einzigen Raumschicht liegt, deren Einzelkuben nach den verschiedenen Seiten vor- oder zurückspringen in einer gänzlich irrationalen, unwirklichen Perspektivenverwirrung (*Feininger*, Abb. 1092), oder konstruiert aus geometrischen, grad- und krummflächigen Farbflecken kaleidoskopische Farbsymphonien (*Molzahn*, Abb. 1093). Nur ganz von fern, wie ein flüchtiger Gedanke bricht hie und da die Ahnung einer Gestalt, eines Gegenstandes durch, nicht mehr Vertretung oder Ersatz einer Wirklichkeit, sondern höchstens ein abstrakter Begriff einer solchen. Das Wesentliche aber ist, daß zwar überall durch die Gegenstandslosigkeit Verwandtschaft und Herkunft dieser Kunst von einer rein schmückenden, ornamentalen oder dekorativen gespürt wird, aber der Sinn gerade die Überwindung aller Kunstgewerblichkeit, aller Ordnung und Einordnung des Bildes ist. Dieser Überwindung dient Irrationalität, Heftigkeit und Vielfältigkeit der vom Gegenstand gelösten reinen Formen und Flächen, die Originalität der Farben, die Kühnheit ihrer Zusammenstellungen, die Phantastik der Gespinste, die Überraschungen der Zerspaltungen und Zusammenwürfelungen, die Konzentration aller Bildwirkungen zu einer starken und freien Bildflächenkomposition. In dieser Aufgabe, ohne Gegenstands- und Handlungsbeziehungen eine Einheit zu schaffen, die nicht die Logik einer geometrischen Figur, sondern Reichtum und Individualität einer Gestalt, eines Gebildes hat, liegt die schwierigste Aufgabe des Expressionismus, und wo sie gelöst ist, die größte künstlerische Leistung. Daß sie gelöst ist, beweisen Sammler und Liebhaber, die sich mit diesen Bildern umgeben haben und auch heute noch nicht enttäuscht sind, wo jeder im 19. Jahrhundert verwurzelte Literat den Expressionismus tot sagen darf, selbstgefällig und dankbar, daß er nun nicht mehr sich zur Zukunft zu bekennen braucht.

Abb. 1089. *Karl Schmidt-Rottluff, Sommer am Meer. Essen, Folkwang-Museum. 1919.*

Die Überwindung des Kunstgewerblichen und die Stärkung des Bildgehaltes geschieht vielleicht am stärksten durch den Ausdruck, eine Fortführung der Bildwirkungen des van Gogh, einen Ausdruck, der nicht mehr der der dargestellten Menschen oder der naturhaften Elemente ist, sondern der der Bildmittel, der Linie, ihres Tastens oder Flammens, ihrer Zagheit oder ihrer Kraft, der Farben, ihrer Glut oder ihrer Sanftheit, ihrer Pracht oder ihrer Bescheidenheit, der Räume und Kuben, ihres Gewühls oder ihrer Verbindung, ihrer Kantigkeit oder ihres Flusses. Es ist

Abb. 1090. *Marc Chagall, Ich und das Dorf. Essen, Folkwang-Museum. 1923.*

Abb. 1091. *Paul Klee, Die Zwitschermaschine. Berlin, National-Galerie. 1922.*

letzten Endes der Ausdruck des Künstlers selber, die Leidenschaft und Erregtheit, das Zittern oder Stammeln, das Auftrumpfen oder Sichergeben, das Herrschen oder Träumen des gestaltenden Geistes und seiner künstlerischen Sprache. Denn nie zuvor hat man sich so über jede Wirklichkeit hinweggesetzt, nie ist so rücksichtslos, so willkürlich das Recht der Gestaltung, der freien Schöpfung, der Wert der Kunstmittel, die Bedeutung der Schöpfung gefordert und durchgesetzt und der künstlerische Ausdruck in seinem Temperament und in seiner Produktionskraft dem Naturgefühl und der Naturnachahmung des 19. Jahrhunderts entgegengehalten worden. Damit ist zugleich Anschluß an den Sieg der Industrie über die Natur, der Konstruktion über das Werden, des Produktes und der Sache über den Organismus und das Wesen erreicht worden. Auch in dieser Produktionsäußerung und Temperamentskundgebung strebt man von der Ordnung und Einordnung weg zur Freiheit und Entfesselung der schöpferischen Persönlichkeit, von der Logik zur Leidenschaft. Die Kraft ist stärker im Zerstörerischen als im Aufbau, im Revolutionären als im Organisatorischen. Obwohl das expressionistische Kunstwerk das künstlichste und naturfreieste, ein wirklichkeitsentbundenes Gebilde ist, vermeidet man den Ausdruck sorgfältiger Arbeit, erprobten Könnens, künstlerischer Berechnung. Man will den Ausdruck der Unmittelbarkeit, den herausgestoßenen Schrei, den stürmischen Wurf, die Unbekümmertheit der Naivität. Deshalb begeistert man sich für alle stammelnden und naiven Äußerungen künstlerischer Gestaltgebung, für alle kindlichen Versuche, der Natur nahe zu kommen, in denen die ungeübte Hand, der Zwang des Materials und der Fläche und der Glaube an die Existenz des Symbols zu ähnlichen (und doch so ganz anders wirklichkeitsvertretenden)

Abb. 1092. *Lyonel Feininger, Scheunenstraße. Essen, Folkwang-Museum. 1918.*

Abb. 1093. *Johannes Molzahn, Blühender Kelch. Marburg, Privatbesitz. 1920.*

Zeugnissen der schaffenden Subjektivität geführt haben, Kinderzeichnungen, Malereien dilettierender Zollwächter (*Henri Rousseau*), bäurische Hinterglasmalereien, Kunst der Wilden und der Primitiven und schließlich selbst der Geisteskranken. Da im Schaffen der Expressionisten selbst nicht immer zu unterscheiden ist, wieviel von der Zügellosigkeit und Willkür der Formzerstörung Freiheit und Überlegenheit des Geistes, bewußte Kunst oder Nichtkönnen und Schnellfertigkeit ist, so hat diese Tendenz zu einer Expansion der Kunstübung, einer Überwucherung mit expressionistischen Manifesten gerade in der Graphik geführt, die mehr als alles andere die große Enttäuschung an der Bewegung bewirkt haben.

Abb. 1094. *O. Kokoschka, Bildnis der Herzogin von Rohan-Montesquieu. Essen, Folkwang-Museum. 1908.*

Von den wirklichen Künstlern aber muß gesagt werden, daß infolge dieser Gelöstheit vom Gegenstand und dieser zur künstlerischen Produktion und Selbstäußerung hinüberwechselnden Wertsetzung die Eigenart der Schöpfungen, die Originalität der Ausdrucksweisen, die Spanne zwischen den einzelnen Künstlern nie größer war als im Expressionismus. Breit, unüberbrückbar ist der Abstand zwischen *Nolde*, der pathetisch Masken und verzerrte Fratzen mit glühenden Farbmassen entwirft, Negerköpfe mit gedunsenen Formen farbig zu Masken erstarren läßt und religiöse Themen so deformiert, daß der in der Verzerrung verstärkte Ausdruck der Szene mit dem der Formklumpen und Farbballen und der pathetischen Ausdrucksweise sich mischt, und zwischen *Klee* (Abb. 1091), der fein und nervös spintisiert, im Labyrinth seiner Linien- und Farbvisionen wie mit

Abb. 1095. *Georges Braque, Zuckerdose. Wien. Sammlung Wolff. 1924.*

zitternden Fingern herumtastet und hinter seltsamen Farben und Linien Geheimnisse andeutet, oder zwischen der bäurisch-wuchtigen, elementaren Formgebung und erdhaften Farbgebung *Schmidt-Rottluffs* (Abb. 1089) und der geistesscharfen, schnittig-kristallinischen Feinarbeit von *Feininger* (Abb. 1092) oder dem zerwühlten, quellenden oder nervös zitternden Pinselstrich *Kokoschkas* (Abb. 1094) und der besonnen abwägenden, geschmeidigeren und farbschöneren Art *Hofers* (Abb. 48, S. 66).

In diesem Individualitätenreichtum unterscheidet sich auch diesmal der deutsche Expressionismus von dem französischen; er ist vielseitiger, expansiver und in der Deformation gegenstandsgebundener, obwohl er entscheidende Anstöße von der Kunst der Hauptmeister des französischen Expressionismus empfangen hat, von *Matisse, Picasso* und *Braque* (Abb. 1095). Form und Farbe in ihren inneren Beziehungen immer mehr vom Gegenstand zu lösen, aber auch in sich zu verfeinern, zu sublimieren und zu betonen, lag ja auf der Linie, die von den Impressionisten über den Neo-Impressionismus und Gauguin zur Gegenwart führte. So ist in den Werken dieser Künstler, von denen *Picasso* (Abb. 1096) vielleicht als Spanier besonders gerüstet war das Menschliche zu verachten und das rein Geistige zu pflegen, mehr innere Form und System, bei *Matisse* (Abb. 1097) oft eine erstaunliche Kunst, ganz große, eintönige Flächen schon durch den besonderen Klang der Farbe in Schwingung zu setzen und mit den spröden Umrissen deformierter Körper eine seltsam erregende Wirkung auszulösen, ja in der stärksten Deformation noch hintergründig, von ferne den Reiz des Nackten mitschwingen zu lassen. Die „futuristische“ Formzertrümmerung eines Delaunay und Picasso läßt noch stark die Systematik der Formpunkte des Neo-Impressionismus durchblicken und in der

Abb. 1096. *Pablo Picasso, Großer Harlekin. Sammlung Reber, Lausanne. 1924.*

Kunst von Picasso und seinen Nachfolgern, *Braque, Juan Gris, Fernand Léger* ist immer dasselbe System in der Konsequenz der Auflösung des Gegenstandes in reine Farbflächenkompositionen zu spüren, aber immer auch eine besondere und anziehende Farbnuancierung und viel Geschmack.

Abb. 1097. *Henri Matisse, Asphodelos-Stillleben. Essen, Folkwang-Museum. 1907.*

Mit der Steigerung reiner Bildelemente zu intensiver und konzentrierter Bildwirkung, bei der der Genuß für das aufnehmende Auge und die Anteilnahme an der Besonderheit der künstlerischen Sprache entscheidend werden und das Kunstwerk als Gegenstand eines Konsums und einer Produktion sich den von der Industrie erzeugten Sachgütern anschließt, mit dieser Steigerung war zugleich eine neue Haltung des Bildes im Raum gegeben: nicht mehr Teilnahme oder Respekt zu fordern von anderen Menschen, sondern sich einzureihen in die sachliche Unsgehörigkeit der Dinge, der Dinge, die wir täglich brauchen, und der Gegenstände, mit denen sich unser Geist beschäftigt. Daß in den Produktionsfaktoren der Ausdruck noch in erster Linie auf Individualität, Freiheit, Gefühlsäußerung geht, daß sich der Künstler selbst als Mensch vordrängt, das scheinen noch überwindbare Restbestände aus dem Inventar der liberal-humanistischen Weltansicht des 19. Jahrhunderts.

Abb. 1098. *W. Kandinsky, Entstehende Verbindung. Marburg, Privatbesitz. 1923.*

Auch diese Überwindung geschieht noch innerhalb dieser Bewegung selbst. Von Matisse zu Picasso und seiner Gefolgschaft, von Nolde zu Feininger und dem ganzen Bauhauskreis geht deutlich eine Bewegung gerade innerhalb der produktiven Seite des Expressionismus von der Phantastik zur Logik, vom Ausdruck zur Konstruktion, von der Fläche zum Kubus, vom Erlebnis zum Erzeugnis (*Kandinsky*, Abb. 1098). Schließlich entstehen Werke, die zwecklos, spielerisch mit geistreicher verblüffender Zuspitzung, Differenzierung, Kontrastierung, mit regelrechten Flächen und Linien ein Bild geben, das im Grunde nichts ist als ein Bauriß, eine Entwurfszeichnung für eine Ingenieurkonstruktion, eine Skizze eines Erfinders (*Moholy-Nagi, Lissitzky*). Auf einmal sind

Abb. 1099. *Alexander Archipenko, Frauenakt. 1913.*

wir auch im freien Bilde in der Werkstatt der Technik und Industrie, in der Bejahung der Sachschöpfung durch den Geist. Mit dieser Konstruktion zieht auch der Gegenstand wieder ins Bild ein, ein Würfel, ein Ei, ja man klebt Bilder aus realen Gegenständen, Zeitungsfetzen, Knöpfen, Bindfäden zusammen (*Kurt Schwitters*), Gegenständen, die selbst dem Getriebe und der Produktion von Sachen entstammen und den letzten Rest der Illusion zerstören, als handele es sich im Bilde um den Schein der Natur und nicht um die neue Parole: dem Kunstwerk das Künstliche, das Kunstprodukt. Besonders auffällig wird dies in der Skulptur, die ja ihre Werke greifbar, dinglich in unseren Raum stellt, und zwar nicht nur in den scharf geschliffenen Kuben und Schrauben, in die die menschlichen Gestalten bei *Archipenko* (Abb. 1099), *Belling* (Abb. 1100), sich rückverwandeln, sondern auch in den Drahtgewinden, Eisenstangenmustern und Bindfadenreliefs (*Hans Arp, Lipschitz*), die die Phantasie in die Fabriken und Werkstätten lenken.

Damit sind wir schon bei der *Neuen Sachlichkeit:* einer neuen Darstellung von wirklichen Gegenständen, deren Sachbedeutung es zu erkennen gilt, und einer neuen völlig denaturierten und despektierten Architektur und Gerätekunst. Berücksichtigt man, daß die Form, in der die neueste Kunst ihre Bilder malt, eine ähnlich glatte, genau und peinlich modellierende ist wie in der Nazarenerzeit und im Früh-Biedermeier, eine ähnlich körperfeste und scharfe wie bei Böcklin, Leibl und bei Hodler, daß andererseits die produktive Entwicklung in der Kunst vom Gegenstand zum Farbfleck, von der Wirklichkeitsfestigkeit zur Auflösung in Flecken und Schimmer, in Oberfläche und Schein führte, dann muß diese neue Wirklichkeitsdarstellung zunächst als ein Rückschlag wirken, eine Rückkehr zur Natur. So knüpfen im traditionsgebundeneren Frankreich *Utrillo* (Abb. 1101) in seinen Landschaften an den biedermeierischen Klassizismus von Corot, *Picasso* (Abb. 1102) mit seinem Neuklassizismus an die romantische Zeichnung des Prud'hon und die nazarenerhafte des Ingres an, der heute eine Art Renaissance erlebt. Aber schon die

Abb. 1100. *R. Belling, Dreiklang. Mahagoni. Berlin, National-Galerie. 1924.*

Abb. 1101. *Maurice Utrillo, Das Rathaus in Yvry. Paris, Sammlung Kars. 1923.*

Art, wie jetzt Natur gemalt wird, Blumen und Menschen, läßt das bezweifeln, läßt mindestens erkennen, daß, wenn solche Momente, Parallelen zur politischen Umkehr, vorhanden sind, sie die Errungenschaft der Entwicklung, die Sachlichkeit in sich aufgenommen haben. Die bedeutendsten Vertreter dieses Neuen in Deutschland, *Alexander Kanoldt* und *Dix*, zeigen das deutlich. In den Stilleben von Kanoldt (Abb. 1103) ist die Vorliebe für strenge kubische Formen, für das Unnatürliche, Konstruierte, das Seelenlose und Unorganische im Bildaufbau entscheidend. Ihnen zuliebe wählt er von Pflanzen solche, die mit ihrer glatten, scharfrandigen Struktur allem Kristallinischen, Geschliffenen am nächsten kommen, Kakteen, Schilfblätter, Gummibäume. Ihren Ausgangspunkt nimmt die Formgebung nicht von den Blumen, sondern von den Töpfen, die so gesehen und gestellt werden, daß eine ganz reine sphärische oder prismatische Form sich klar und streng modelliert, ihr Rand eine reine Ellipsen- oder Kreisform darbietet. Das Bild bleibt nach wie vor eine Konstruktion, nur daß in ihm die gegebene Form konstruierter Sachen, das abgemalte Industrieprodukt schon als Gegenstand der Formgewolltheit des Bildes entgegenkommt. Man sehe, wie im Stilleben von *Hofer* (Abb. 48, S. 66) lauter kubisch oder geometrisch reine, aber auch lauter Gebrauchsdinge den

Abb. 1102. *Pablo Picasso, Frau in blauem Schal. Lausanne, Sammlung Reber. 1923.*

Gegenstand eines kubischen Arrangements abgeben und in ihrem Zusammensein in nichts mehr an gemütliche menschliche Situationen erinnern wie die abgegessenen Tafeln der holländischen Stilleben. Auch Landschaften verwandelt Kanoldt in kristallartig geschichtete Blöcke, die in ihrer Gesamtheit einer Fabrikanlage ähnlicher sehen als einer monumentalen historischen Stätte. „Das sind Schornsteine", sagte ein Schornsteinfeger von den Türmen des von Kanoldt gemalten San Gimignano. Die Formverfestigung, die Glätte und Genauigkeit der Malerei ist nicht wie bei den Nazarenern Demut des Mönches vor der von Gott geschaffenen Natur, sondern Präzision des erkennenden und konstruierenden Mechanikers, des Werkmeisters in einer optischen Fabrik. Mit dieser Schärfe geht *Dix* an die menschliche Gestalt heran, von keiner Hochachtung vor der Schönheit, keiner Anteilnahme an dem Menschen erweicht, und legt das Wirkliche, eine aller Illusion entkleidete scheußliche Wirklichkeit, bloß wie ein Arzt bei einer Sektion. Die Psychoanalyse wird schonungsloser denn je, weil eingehender und gegenständlicher, eine Differentialanalyse, die nur sachlich konstatieren, keine Entschädigung durch Farbenmusik bieten will. Malt er sich selbst als Künstler neben dem Modell, so ist das Modell mehr als je zuvor reines Objekt der Analyse, nicht mehr Vorwurf für ein Kunstwerk schöner Formen, der Maler ein Operateur und Demonstrator. *George Grosz* (Abb. 1087, S. 875) häuft in seinen Bildern und Zeichnungen solche scharf gesehenen illusionszerstörenden Tatsachen im Stil der gänzlich unbeteiligten, sachlichen Reportage (von denen der Mensch ja auch in der Zeitung um so mehr und lieber verschlingt, je scheußlicher die Tatsachen sind) und zieht dem Menschen die Pelle ab, um hinter die Kulissen zu zeigen. *Max Ernst,* der neben einer Venus, auch diese halb gehäutet, ein gehäutetes anatomisches Präparat eines Menschen zeigt, stellt in dieser subkutanen, unter die Haut gehenden Malerei in demselben Bilde Altes und Neues, Illusion und sachlich gesehene Wirklichkeit zusammen. Aus diesem Stil konstruktiver Schärfe, sachlicher Konstatierung, menschlichkeit- und naturtötenden Sehens und Produzierens gewinnt man einen neuen Stil der Darstellung von Geräten, Apparaten, Maschinen, eine fabrikhafte Gegenständlichkeit, ohne Umnebelung mit Lichtstimmungen und dampfenden Nebelschwaden, ohne jede Sentimentalität. Es

Abb. 1103. *A. Kanoldt, Stilleben. Marburg, Kunsthistorisches Museum. 1927.*

Abb. 1104. *G. de Chirico, Der große Metaphysiker. Meryon, Barnes Foundation. 1924.*

Abb. 1105. *H. Poelzig, Großes Schauspielhaus. Berlin. 1918—19.*

ist nur ein Ausdruck dieser Absage und Zusage, Feindschaft und Stellungnahme, wenn man auch Menschen kubisch so konstruiert, daß sie wie Gelenkpuppen und Automaten aussehen, denen in das Gehirn eine Telefonanlage, in das Herz ein Uhrwerk eingebaut ist. Der Italiener *Chirico* (Abb. 1104) zeigt ein Denkmal auf der Straße, das alle Ähnlichkeit mit einer elektrischen Station besitzt. *Belling* formt Plastiken, die einem Läutewerk einer Eisenbahn oder eines Telefons ähnlich werden. Ob wir das noch als Bild, als Skulptur, als Gegenstand der Versenkung hinnehmen, ist gar nicht das Entscheidende. Entscheidend ist vielmehr, daß hier der Versuch gemacht wird, alle Ehrfurcht und Scheu, die der Kulturmensch dem Kunstwerk entgegenträgt, auf die Sachsphäre zu übertragen, die — früher verachtet, durch das Ideal der Natur völlig entwertet — den Menschen heute in Gebrauch und Produktion allerseits umgibt; entscheidend ist der Versuch, ihn zu verpflichten, die Bedürfnisse seines Geistes, die energetischen des Entwerfens und Konstruierens (der künstlerischen Produktion), die theoretischen der Weltanschauung, die ästhetischen des Farb- und Formsehens an diesen bisher so kunstarmen und prosaischen Sachen zu betätigen. So wird der freie Künstler, der Maler und Bildhauer, zum Erzieher für die Benutzer der Apparate und für die Konstrukteure, der Wegbereiter einer Ingenieurkunst. Möglich, daß sich die freie Kunst damit selbst aufhebt. Denn wenn eine Plastik nicht viel mehr gibt als ein gut und künstlerisch konstruiertes Telefon, wozu bedürfte es dann noch der Plastik!

Diese Entscheidung hat in der Tat die neueste, sachliche Architektur getroffen, wenn sie nicht nur aus Warenhäusern und Fabriken, sondern auch aus den Wohnungen alle Bilder und überflüssigen Schmuckzutaten entfernt und nur den reinen Nutzraum — geformt und gefärbt und durchlichtet und mit Apparaten gefüllt — als Gegenstand architektonischer Schöpfung übrigläßt. Diese Sacharchitektur, die, wie wir sahen, sich schon lange vorbereitet hat, gilt es zuletzt noch zu verstehen. Dieser Purismus stellt also zunächst die Gebräuchlichkeit der Architektur wieder her und reinigt sie von der Bildhaftigkeit, zu der der Expressionismus sie geführt hätte, wenn er überhaupt architektonisch sich geäußert hätte. Eine Ausstellung expressionistischer Entwürfe, die nach dem Kriege einmal durch Deutschland wanderte, zeigte eine Sammlung von phantastischen Schöpfungen. Diese hätten aus einem Wohnkomplex einen Jahrmarktsrummelplatz gemacht, auf dem, wie die Schaubuden mit ihren Reklamebildern, schon die einzelnen Gebäude Anlaß genug zum Schauen und Staunen gegeben hätten. Am bezeichnendsten für die Maßlosigkeit der expressionistischen Bildphantasie sind *Bruno Tauts* Entwürfe einer Sternenarchitektur und eines Umbaus der Alpen; Gedanken, die in kühnster Form besagen, daß für das neue produktive Bewußtsein auch die erhabenste Natur erst schön wird, wenn sie Menschenwerk, Konstruktion geworden ist. Realer sind *Poelzigs* Entwürfe für ein Festspielhaus in Salzburg und das ausgeführte Große Schauspielhaus in Berlin (Abb. 1105). In ihnen müßte eine Art indisch-arabischer Stalaktitenarchitektur mit expressionistischen, von bengalischen Beleuchtungen hervorgezauberten Farbeffekten dazu führen, den Betrachter, der sich ernsthaft in sie vertiefte, für das eigentliche Schauspiel unempfänglich zu machen. Von dieser Architektur, die rein Bild sein möchte, die den Menschen noch immer seiner Gebrauchs- und Tätigkeitssphäre entrückt (wie die Landschaften und Genrebilder des 19. Jahrhunderts), befreit also die neue Sachlichkeit mit den schmuckfreien Flächen und strengen Linien und Kuben ihrer baulichen Komplexe.

Sie befreit aber radikaler als alle Architektur bisher auch von jedem Ausdruck des Menschlichen und Repräsentativen, indem mit Hilfe ganz neuer statischer Möglichkeiten, die Eisen und Beton als Baumaterial gewähren, die funktionellen Kräfte und körperlichen Analogien von Tragen und Lasten nun nicht mehr nach außen in Erscheinung zu treten brauchen, sondern alle außen zutage tretenden Flächen nichts mehr sein wollen als Raumabschluß, Raumbedeckung, Raumgestaltung — Raum verstanden als brauchbare Verweil- und Bewegungssphäre des Menschen. Man verzichtet auf eine Fassade, d. h. einen symmetrischen, frontalen, vom Giebel oder Pyramidendach gekrönten Körper, der sich nach außen zeigt wie ein repräsentierender Mensch, verzichtet möglichst auf alle turm- und gliedartigen Vertikalen, die Haltung und damit Würde und Stolz symbolisieren, verzichtet auf die Wärme und Gemütlichkeit eines Daches, das an die Form einer Kopfbedeckung erinnert.

Abb. 1106. *W. Gropius u. A. Meyer, Faguswerk, Alfeld a. d. Leine. Kraftzentrale. 1914.*

Abb. 1107. *Haag, Geschäftshaus. Von W. E. Buys und Jos W. Lürsen. 1928.*

Der Verzicht auf eine Fassade und ihre Symmetrie erlaubt wiederum, den praktischen Bedürfnissen entsprechend, die Baukuben in verschiedener Größe, rück- und vorspringend, aufsteigend und absinkend zu gruppieren. Indem man zwischen festen Mauerstreifen Fensterstreifen durchführt, die unverbunden durch Horizontalglieder jeden Ausdruck von Tragen und Lasten, ja überhaupt nur von Schwergefühl, wie es der Mensch von der Haltung seines Körpers her kennt, verleugnen, wird der Betrachter gezwungen, auch diese Gebäudeteile rein als Flächen, als praktische Raumabschlüsse oder Lichtöffnungen zu sehen. Der Bau verliert sein Oben und Unten, wird wie eine Kiste umkehrbar, hört auf, wie ein Mensch auf dem Boden zu stehen oder zu liegen, wird Sache; die Stockwerke als Ausdruck der Nutzungsmöglichkeiten der Räume treten ganz rein und unverhüllt in Erscheinung. Zugleich wird es möglich, mit Fensterflächen jeder Größe zu arbeiten und den Bau zu durchleuchten, wie es der praktische Zweck einer industriellen Tätigkeit und des Zusammenarbeitens vieler Menschen in einem Raum erfordert. Ein neuer Begriff von Öffentlichkeit bildet sich; nicht mehr der der geöffneten, gastlichen Portale, die, den Bau allseitig öffnend, über die wirkliche Gebrauchsmöglichkeit und Zugänglichkeit der Räume hinwegtäuschen, sondern der Allsichtbarkeit öffentlichen Getriebes, das auch Gegenstand öffentlichen Interesses sein muß. Keine Intimitäten mehr, keine feierlichen Abschlüsse gegen die Außenwelt, die gleichsam nur Bilanzverschleierungen sind, sondern offenes Zutageliegen der öffentlichen Arbeit zur Kontrolle für die Öffentlichkeit. So entstehen die neuen Schalterräume der Banken und Postämter mit ihren offenen Glaswänden und die neuen Warenhäuser mit ihren alloffenen Warenauslagen. Die gemeinsame Arbeit, die in der Fabrik infolge der durchgehenden Wellen und „Laufenden Bänder" einen einzigen Raum für viele Menschen erfordert, die im Büroraum einen ständigen Verkehr zwischen den Tischen bedingt, überhaupt die gemeinsame Arbeit vieler Menschen in einem Betrieb, findet in den nur durch Glasscheiben, Windschütze, Geräuschfänger unterteilten Einheitsräumen ihren Ausdruck. Die Milieumalerei Liebermanns ist konstruktive Sacharchitektur geworden. Sie verdankt Architekten wie *Walter Gropius* (Abb. 1106) und *Mies van der Rohe* die stärksten Anregungen.

Abb. 1108. *Le Corbusier, Haus der Weißenhof-Siedlung. Stuttgart. 1927.*

Es entsteht das stockwerkreiche Büro- oder Mietshaus an der Straße, am Platz, im Gewimmel des Großstadtverkehrs (Abb. 1110, Abb. 49, S. 67). Die steinernen und die gläsernen Flächen, die Stockwerke ohne jede andere Beziehung zueinander als die der Parallelität, des Nebeneinander (wie das Leben der Bewohner), ergeben große Horizontalen, Gleitbahnen des Verkehrs, Umführungen um die Ecke, die den Stadtgänger an dem Haus vorbeiziehen wie

Abb. 1109. *Le Corbusier, Haus der Weißenhof-Siedlung. Stuttgart. 1927.*

die Schienenstränge auf dem Pflaster. *Erich Mendelsohn* ist in solchen Ecklösungen besonders zügig. Der Eingang versteckt sich, die Geschoßstränge führen über ihn hinweg und sausen um die Ecke herum; nicht eine Aufforderung einzutreten für den Fremden, sondern nur Orientierung für den Wissenden. Keine repräsentative Note, die zum Halten, zum Ansehen, zum Respekt nötigt, sondern großartige Einheit, Wahrheit und Zweckausdruck in sich und in der Flucht der Straßen.

Das neue Warenhaus entsteht (Abb. 1107). Auch hier Stockwerke statt der Vortäuschung festlicher Riesenhallen; große Horizontalflächen, nüchtern, geometrisch, wie es das Geschäft erfordert, keine kunstgewerbliche Pracht, kein falscher Stolz; Flächen, die mit ihren Auslagen Plakate sind und sich mit ihnen vertragen; Horizontalfluchten, die diesmal an der Ecke ihr Ziel finden; ein Vertikaltrakt wie ein Ausrufungszeichen, Verleitung zum Eintritt, man spürt den Lift an dieser Stelle; kein Turm, sondern ein Schacht, gekrönt von einer Fläche, keinem Helm, sondern dem Träger des Namens und leuchtender Lichtreklame. Holland hat von solchen modernen Bauprogrammen dank großer finanzieller Mittel und kraft einer alten sachlichen Tradition, die von *Berlage* wieder aufgenommen und von einer Reihe jüngerer Architekten (*Oud*) fortgesetzt wurde, besonders viel großzügig und geschmackvoll verwirklicht.

Es wird wenige Kunstfreunde geben, die von der Kraft und stilschöpferischen Bedeutung dieser Bewegung im Nutzbau und im Kunstgewerbe nicht überzeugt sind. Das Problem aber ist der neue Wohnbau, ein Bezirk, in dem Widerspruch und Feindschaft sich am stärksten geäußert haben. Denn das Wichtigste ist, daß man mit diesen Prinzipien jetzt auch an die Villa, das Einzelwohnhaus, den Siedlungsbau (*Ernst May*) herangeht; an das Wohnhaus, das bisher der stärkste Hort aller Personifizierung in der Architektur war, Hort vor allem der Gemütlichkeit. Dieses Haus behandelt man als reinen Behälter, würflig, rechteckig, ohne Glieder und Gewichtsverhältnisse des Oben und Unten, es wird zur Wohnkiste (Abb. 1108, 1109). Man öffnet die Wände mit großen Fenstern wie die eines Operationssaales oder eines Ateliers und verjagt mit dem hellen, bis in die letzten Winkel dringenden Licht alle Stimmungen, alle Dämmerungen, alle Orte zum Träumen. Man stattet es aus mit Apparaten und Maschinen und gibt den Betten, den Stühlen, die früher standen, die Arme öffneten, uns empfingen, die also selber eine Art von Humanität besaßen und

Abb. 1110. *Berlin, Der Alexanderplatz im Umbau.*

Gemütlichkeit um sich verbreiteten, mit Stahlröhren und Gurten den Charakter von Apparaten, die man auf- und niederklappen kann, die keinen Platz mehr zu beanspruchen haben als Mitbewohner, sondern weggestellt oder hervorgeholt werden, je nachdem sie gebraucht werden. Ja wie in einem Schaltersaal verbannt man — wie es *Le Corbusier* in seinem Haus in der Weißenhof-Siedlung in Stuttgart getan hat — selbst aus dem Wohnhaus die Heimlichkeit der Einzelräume, der Absonderungen und Zuflüchte, der Intimitäten und Einsamkeiten. Ganz unabhängig von der Frage, ob das für das Auge schon befriedigend wirkt, ob wir darin wohnen möchten, erhebt sich die Frage, welchen Sinn das Ganze hat. Übersehen wir diese Räume, so ist unverkennbar, daß sie die Bedeutung der „guten Stube" und des gemütlichen Interieurs an Räume abgetreten haben, die mit ihren Apparaten, ihrer Helligkeit an ein Atelier eines Zahnarztes, eines Mechanikers, eines Künstlers erinnern — in Künstlerateliers finden wir dieselbe Unterteilung eines großen Arbeitsraumes in Wohnräume durch niedrige Wände, durch Verschläge. Das heißt aber nichts anderes, als daß die Räume, in denen wir im alten Sinne wohnen, mit der Familie leben, träumen, nichtstun, uns gemütlich finden, zu Nebenräumen werden und in die Verschläge verwiesen werden, daß der Hauptraum ein Arbeitsraum, ein Atelier ist, daß es ein Wohnen für den produktiven Menschen werden möchte, nicht für den Rentner, den Träumer, den Nichtstuer, und daß sich dieser produktive Mensch mit den weiten, jedem Einblick gewährenden Fenstern als ein Funktionär der Öffentlichkeit, als Arbeiter am Gemeingut des Volkes oder der Menschheit fühlt. So sehr in diesem Übergriff auf den eigensten und engsten Bezirk des Menschen und seine Sonderrechte diese Bewegung über das Ziel hinausschießen mag, so sehr offenbart sich gerade in diesem Radikalismus die geheime Triebfeder dieses neuen Stiles: eine Umschichtung des Bewußtseins und der Geltung der Menschen herbeizuführen. Die Freiheit von aller rationellen Tätigkeit, die Sehnsucht nach der Natur und das Leben in Dichtungen als Menschlichkeitssurrogaten sollen entthront werden, ebenso aber auch das Leben in Empfängen und repräsentativer Gastlichkeit und Festlichkeit; es soll dafür die Arbeit und der Arbeiter, die Produktion von Sachen und der ganze Sachapparat eine neue Bedeutung gewinnen. Das wird nur gelingen, wenn man in sich so viel Geistigkeit zu entwickeln vermag, daß sie den Menschen als bewußtes Wesen zu erfüllen imstande ist, daß nicht nur das rein Geistige in der Schöpfung wie im Produkt, sondern auch das sachlich Gegenständliche und die Handarbeit, die Betätigung an Apparaten diesen neuen Wert, den die Kunst verspricht, zu halten vermag. Der bildende Künstler vertritt dabei eine doppelte Aufgabe: einmal an der Vergeistigung dieser Sachen durch Formung, die das Auge zwingt und befriedigt, mitzuarbeiten, zugleich aber Vorbild zu werden für eine produktive Lebenshaltung, bei der die Kluft zwischen Hand- und Geistesarbeit überbrückt wird und das Leben im Arbeitsraum, im Atelier, das Leben ist. Der Künstler als Erzieher! Denn wenn im Produkt die Sache triumphiert, wenn die dargestellte Menschheit selbst ganz zum Objekt herabgewürdigt ist, so doch nur, weil sowohl der Schaffende wie der Aufnehmende dadurch erst ganz die eigene Freiheit des Geistes bewahren und seine Kraft bewähren kann. Gerade in Deutschland ist die Entwicklung der Kunst durch die Entwicklung zur Sachlichkeit einer neuen Architektur bedingt. Deutschland schreitet sowohl an Konsequenz wie Umfang und Intensität dieser Bewegung diesmal an der Spitze, nur hier gibt es einen *Werkbund* (als Bund der Sachveredlung, Sachvergeistigung), nur hier gab es ein *Bauhaus*, das alle künstlerischen Kräfte in der konstruktiven Aufgabe der Formung des Lebens durch den Bau zusammenfassen wollte. Selbst Amerika steht dahinter zurück, weil es zwar die Versachlichung, aber nicht die Vergeistigung der Sache in gleicher Intensität, zwar die Mechanisierung des Daseins, aber nicht die Kunst in der Mechanisierung in gleicher Weise angepackt hat. Aber eins ist gewiß, daß die Devise Le Corbusiers: vers une architecture, einer neuen Architektur entgegen, nicht zum Ziele führen wird, wenn nicht das ganze Leben eine neue Architektur empfangen wird. Auch dazu wird Kunst (Kunst kommt von Können) und Geist gehören. Daß aber die Kunst allein, daß Industrie und Handel und Wandel diese Architektur des Lebens herbeizuführen bisher nicht in der Lage waren, hat die Vergangenheit gezeigt. Neue politische Kräfte und Verfassungen der Völker sind am Werk, Staat und Volksganzes im Sinne einer solchen Architektur durchzuformen und das Bewußtsein des einzelnen Menschen mit der Idee des Ganzen zu erfüllen, seinen Wert nach der Fähigkeit zu bemessen, sich dem Ganzen dienend einzuordnen. Die Grundlagen für einen monumentalen Stil in der bildenden Kunst sind damit gegeben. Die Zeit wird lehren, wieviel von den Kräften des bisher Erreichten, der Straffheit im Ganzen bei großer Einfachheit im Einzelnen, des Denkens im Großen und der Schätzung der produktiven Kraft in diesen neuen Stil eingehen wird.

CHRONOLOGISCHE GESAMTÜBERSICHT

VERZEICHNIS DER
WICHTIGSTEN KÜNSTLER UND WERKE

ERKLÄRUNG KUNSTGESCHICHTLICHER
FACHAUSDRÜCKE

QUELLENNACHWEIS DER VORLAGEN

CHRONOLOGISCHE GESAMTÜBERSICHT

ERSTER TEIL: SPÄTE UND NACHLEBENDE ANTIKE

2.—5. Jh.	ALTCHRISTLICHE KUNST (S. 71—90). Kunstzentrum Rom. Fortleben spätantiker Kunstformen, auf christliche Inhalte übertragen.
Seit 5. Jh.	BYZANTINISCHE KUNST (S. 91—116). Kunstzentren Byzanz und Ravenna. Erstarrung antiker Kunst. Blütezeiten 5.—6. Jh. u. 10.—11. Jh. Weiterleben bis ins 15. Jh. (in Rußland bis ins 19. Jh.).

ZWEITER TEIL: MITTELALTER

5.—11. Jh.	PRIMITIVE KUNST (VÖLKERWANDERUNGSZEIT) UND ENTWICKLUNG ZUR ROMANISCHEN KUNST, BESONDERS IN FRANKREICH (S. 119—137). Einströmen primitiver Kunst in die alten Kulturräume durch das Vordringen der germanischen Völker. Verschmelzung mit der Antike zu einem selbständigen neuen Stil.
8.—9. Jh.	KAROLINGISCHE KUNST (S. 215—230). Kulturmittelpunkte: Der kaiserliche Hof (Aachen) und die Klöster (St. Gallen, Fulda u. a.). Kopierende Aufnahme der spätantiken, altchristlichen und frühbyzantinischen Kunst; in der spätkarolingischen Kunst Rückbildung der übernommenen Formen zum Primitiven.
10.—11. Jh.	OTTONISCHE (VORROMANISCHE) KUNST (S. 231—249). Kulturträger: Der kaiserliche Hof, die Bischöfe und die Klöster. Hauptzentren: Niedersachsen, Köln, Regensburg, Reichenau. Archaische Umbildung der karolingischen Renaissance.
Ende 11. bis Anf. 13. Jh.	ROMANISCHE KUNST (S. 138—177, 250—284, 340—355, 359—368, 626). Ausbildung eines archaischen kirchlichen Monumentalstiles in Frankreich; Ausbreitung und Umbildung in Deutschland, England, Italien und Spanien.
Ende 12. bis 14. Jh.	GOTIK (S. 177—214, 284—339, 340—358, 368—375, 627—628). Werden eines klassischen kirchlichen und höfischen Monumentalstiles; Gliederung und funktionelle Belebung des Körpers in Architektur und Bildkunst. Ausbildung in Nordfrankreich in der zweiten Hälfte des 12. Jhs. Übernahme im ganzen Abendland; Sonderentwicklungen in den einzelnen Ländern (Deutschland, England, Italien, Spanien).

DRITTER TEIL: NEUZEIT

Ende 14. bis Anf. 16. Jh.	FRÜHNATURALISMUS UND REFORMATIONSKUNST (Frührenaissance und Spätgotik). Aufhebung der mittelalterlichen Monumentalform durch eine intime, naturdarstellende Kunst, in Italien mit starker Anlehnung an den römischen Naturalismus (Frührenaissance). Ablösung des Bildes von kirchlicher Funktion. Verweltlichung des Heiligenbildes. Ausbildung des Tafelbildes und der Perspektive. Bürgerliche Kultur. Führende Länder: Italien, Deutschland, Burgund und die Niederlande.
Ende 14. Jh. bis 1. Hälfte 15. Jh.	PRUNKSTIL UND NATURALISMUS (S. 379—412). Verweltlichung der kirchlich-monumentalen Kunst durch reiche Volksszenen, Umzüge, Prachtgewänder usw. Revolutionärer Protest-Stil durch Verhäßlichung

	der Heiligen und Charakterisierung der Heiligen als Privatpersonen (der Heilige im Gehäuse). Ansätze zu reformatorischen Bewegungen in der Kirche.
2. u. 3. Viertel 15. Jh.	VOLKSTÜMLICHER VORBAROCK (S. 412—430). Repräsentativwerden der volkstümlichen Szenen und Gestalten mit Verstärkung der Form und Bewegung. Rückkehr zu einem kirchlichen und höfischen Stil. Früheste illusionistische Wandmalerei.
2. Hälfte 15. Jh.	DIE NEOGOTIK DES 15. JH. (S. 431—448). Rückkehr zu einem kirchlich-höfischen Stil im Sinne der späten Gotik. Manieristische Durchsetzung mit naturalistischen Motiven.
1. Viertel 16. Jh.	DIE KUNST DER REFORMATIONSZEIT IN DEUTSCHLAND (S. 448-478). Wiederanknüpfen an den Naturalismus der Frühzeit des 15. Jhs. Verstärkung der Intimisierung (Innenraum und Landschaft). Weltanschauliche Rechtfertigung im Sinne der Reformation (Dürer).
Um 1500.	DER ANDACHTSSTIL IN ITALIEN (S. 478—503). Feierlicher Raumstil. Ersatz des Kultbildes (Heiligenbildes) durch Darstellung andächtiger Personen in der Natur. Pantheistische Tendenz (Leonardo).
Anf. 16. bis Mitte 18. Jh.	BAROCK UND SENSUALISTISCHER NATURALISMUS Verstärkung der sinnlichen Reize in der Kunst. Ausbildung der malerischen Mittel zu illusionistischer und atmosphärischer Raumdarstellung. Helldunkel- und Lichtmalerei.
1. Hälfte 16. Jh.	FRÜHBAROCK IN ITALIEN (Hochrenaissance) (S. 504—539). Neue kirchlich-kultische Kunst. Das Papsttum als bestimmende Macht und Auftraggeber. Vorort Rom. Ersatz der gotisch-repräsentativen Formen durch antike; weniger Nachahmung als Wahlverwandtschaft. Nachleben intimer Elemente des Naturalismus (die geistige Persönlichkeit [Humanismus], Familienszenen, Innenraum, Landschaft). Barocke Tendenzen in Form und Bewegung (Raffael, Michelangelo, Tizian).
2. Viertel 16. bis Anf. 17. Jh.	DER MANIERISMUS (Spätrenaissance) (S. 540—561, 630—631). Zusammenprall des italienischen Frühbarock mit dem Naturalismus der Reformationskunst. Widerspruch von Inhalt und Form. Verselbständigung und Verkünstelung der Form. Am stärksten in den nordischen Ländern (niederländischer Manierismus). Wachsende Gegenreformation; Zurücktreten der bürgerlichen Kultur gegenüber der fürstlichen.
Ende 16. bis Ende 17. Jh.	HOCHBAROCK (S. 561—583; 638—676). Zunehmende Bevorzugung der barock-plastischen repräsentativen Formen vor der intimen Natur- und Menschlichkeitsdarstellung. Dekorative Ideallandschaft. Steigerung der Bewegung in Form und Ausdruck (Pathos). Hauptländer: die südlichen Niederlande (Rubens, van Dyck; sinnenfrohe Körperdarstellung und echteste Nachempfindung des antiken Barock), Italien (akademisch-klassizistische und theatralische Tendenzen), Frankreich (klassische Proportionskunst mit starken mittelalterlichen Tendenzen, geheime Gotik einer höfischen Kunst).
17. Jh.	SENSUALISTISCHER NATURALISMUS (S. 583—618, 631—638). In Holland Opposition gegen die höfische Kunst (Frans Hals). Reinigung des Manierismus von den barock-repräsentativen Formen, Befreiung und Wiederbelebung des Naturalismus. Neue intime Kunst mit einer malerischen Helldunkel- und Farbdarstellung (Rembrandt). Verselbständigung der Farb- und Flächenwerte einer stillebenhaften Spätkunst. Ende des Jahrhunderts Erstarrung und Manieriertwerden in glatter Feinmalerei und affektierter Repräsentation (französischer Einfluß). In Spanien Parallelbewegung (Velasquez).
Ende 17. bis Mitte 18. Jh.	SPÄTBAROCK UND ROKOKO (S. 676—708). Das führende Land: Frankreich. Entwicklung der höfischen Elemente des Klassizismus und des Barock. Geistreiche Verfeinerung und graziöse Bewegtheit der Formen. Zunehmende malerische Tendenz mit niederländischem Einfluß (Watteau). Ausbreitung in Europa. In Deutschland Sonder-Rokoko durch Einmischung volkstümlich-bürgerlicher Elemente; naturalistische Verlebendigung und Formauflösung des Ornaments; zunehmende Verdrängung des italienischen Einflusses durch französischen.
Mitte 18. bis Ende 19. Jh.	DER SENTIMENTALE NATURALISMUS Rückkehr zum Naturalismus mit sentimentaler Natursehnsucht aus einer bürgerlichen Bildungskultur heraus.

2. Hälfte 18. Jh.	AUFLÖSUNG DES ROKOKO. STURM UND DRANG (S. 709—745). Zynisch-erotische Darstellung der mythischen und höfischen Szenen, besonders in Frankreich. Ruinensentimentalität, Schäferpoesie und sentimentales Bauerngenre. Psychische Intensivierung des Porträts und Geniedarstellung. Malerische Auflösung der Form. Verzopfung in Deutschland und Italien. Satirisches Rokoko in England (Hogarth), sentimentale Gesellschaftsporträts, der „englische Park". In der spanischen Kunst großartige Menschheitssatire (Goya).
Letztes Viertel 18. u. 1. Viertel 19. Jh.	KLASSIZISMUS UND ROMANTIK (S. 745—777). Empfindsame und sentimentale Auffassung der Antike als natürliche und allgemeine Menschlichkeit. Antikisierende Gebärdensprache als Ausdruck moralischer und politischer Ideen. Weiterbildung zu einer romantischen, gefühlvollen Naturauffassung in Frankreich. In Deutschland philosophische Natursymbolik (Runge) und pantheistische Darstellung nebuloser Fernsichten als Ausdruck des Gefühls sentimentaler Personen (C. D. Friedrich). Anschließend Restauration religiöser und nationaler Kunst in neugotischen Formen. Anlehnung an die Neogotik des 15. Jhs. (Frührenaissance). Ähnliche Durchsetzung der kirchlichen Kunst mit naturalistischen und intimen Motiven wie im 15. Jh. Entwicklung einer neuen Wirklichkeitsdarstellung durch plastisch-zeichnerische Detailmalerei.
2. u. 3. Viertel 19. Jh.	BIEDERMEIER UND STIMMUNGSNATURALISMUS (S. 777—804). Neuer Naturalismus und Wirklichkeitsbeobachtung. Klein- und Feinmalerei: Interieur, Landschaft und Genrebild. Sentimentalität in der Sauberkeit und Verniedlichung der Naturauffassung. Das Märchen. Ausbildung des psychologisch interpretierenden anekdotischen Geschichtsbildes. Stimmungskunst im Geschichtsbild; in der Landschaft die pessimistisch-düstere Einöde. In Frankreich stärkere Formung in Inhalt und Farbe (Corot, Millet, Daumier, Courbet). Anfänge des sozialen Tendenzbildes. Die revolutionäre Satire (Daumier).
2. Hälfte 19. Jh.	NEURENAISSANCE UND IMPRESSIONISMUS (S. 805—834). Restauration des großfigurigen Bildes und der monumentalen Form. Sentimental-mythische Naturinterpretation (Böcklin). Monumentalisierung des Genrebildes und der Anekdote (Feuerbach, Leibl). Dekorative Wandgestaltung (Puvis de Chavannes, Marées). Ablösung der Bildformen von den repräsentativen Formen; Verselbständigung der formalen Bildwerte, Flächenkomposition und Farbbeziehungen (Impressionismus: Manet, Degas, Renoir, Cézanne).

VIERTER TEIL: GEGENWART

Letztes Viertel 19. Jh. bis etwa 1910.	WEGE ZUR NEUEN SACHLICHKEIT. Befreiung der Kunst von sentimental nachfühlbaren Motiven (Entmenschlichung). Zunehmende Verselbständigung der künstlerischen Werte, der Reize für das Auge (Impressionismus) und des Ausdrucks künstlerischer Gestaltung (Expressionismus). Überwindung der Natur durch Kunst und Technik. Sachgestaltung mit unpersönlichen und abstrakten Formen. Das Kunstwerk als Gegenstand des Konsums und der Produktion.
Letztes Viertel 19. Jh.	PROLETARISCHE MILIEUSCHILDERUNG UND PLEINAIRISMUS (S. 837—845). Entmenschlichung der Natur durch Schilderung des Menschen bei der Arbeit, im Betrieb, im Milieu. Menschen als Massenerscheinung. Die Großstadtatmosphäre. Reiz der Andeutung, des zufälligen Ausschnittes. Momentbilder. Subjektivismus des Standpunktes und der Technik. Soziale Elendschilderung.
Um 1900.	KOLORISTISCHE FREILICHTMALEREI; NEO-IMPRESSIONISMUS UND JUGENDSTIL (S. 845—861). Verstärkung der Farbwirkung in der atmosphärischen Malerei. Farbigkeit der Schatten und Lichter. Ungegenständlichkeit. Farbfleckensystem (Pointillismus und Linienkonstruktion [Jugendstil]). Abstrakte Flächen- und Linienbeziehungen in der Architektur. Material- und Farbbetonung im Kunstgewerbe. Kunstgewerbliche Sachverfeinerung. Symbolismus als Reiz des Geheimnisvollen. Warenhausarchitektur.
Seit etwa 1900.	HEIMATKUNST UND EXPRESSIVE MONUMENTALKUNST (S. 862—872). Rückkehr zur Menschlichkeit und Natur mit impressionistischen Farbmitteln

und konstruktiver Linienkunst. Entdeckung künstlerischer Werte in der gegenständlich schlichten Landschaft. Konstruktive Monumentalkunst (Hodler). Form und Bewegung als Selbstzweck. Neue rein plastische Skulptur. Kubische Monumentalisierung der Zweckbauten.

Seit 1910. EXPRESSIONISMUS UND NEUE SACHLICHKEIT (S. 873—892).

Entmenschlichung durch Verzerrung und Gestaltzertrümmerung. Plakatartige Farbsteigerung und reine gegenstandslose Malerei. Ausdruck durch Farb- und Flächenkomposition. Das Bild als Äußerung des künstlerischen Temperamentes. Das Bild als reines Objekt des Geistes. — Zunehmende Rationalisierung der Formbestandteile. Annäherung an die technische Werkzeichnung. Neue Gegenständlichkeit geräte- und apparathafter Gestalten. Das Maschinelle als Bildgegenstand. Verwandlung des Menschen in Apparat. Völlige Aufhebung der Vermenschlichung in der Architektur: Abstrakte kubische Formen, Glas und Eisen. Wohnraum ohne repräsentative und gemütliche Form. Wohnkiste und Wohnmaschine.

VERZEICHNIS DER WICHTIGSTEN KÜNSTLER UND WERKE

In dieser Übersicht ist die Einteilung des Stoffes nach den Kapiteln des Textes beibehalten, doch bedeuten die Kapitelüberschriften nicht in jedem Fall und nicht in vollem Umfang eine Charakteristik der erwähnten Künstler, da deren Lebenswerk nach vorn und rückwärts meist über den betreffenden Stilabschnitt herausreicht. Einzelne Werke sind nur bei den ganz großen Künstlern genannt, oder wenn diese Werke einen Zyklus darstellen, der wie ein Bauwerk auch unabhängig vom Künstler Interesse verdient.

Die in runde Klammern gesetzten Zahlen hinter den Überschriften der einzelnen Abschnitte weisen auf die entsprechenden Seiten des Textes hin. Zahlen, die in eckiger Klammer stehen, geben die Seite an, auf der ein Kunstwerk abgebildet ist. Die Zahlen am rechten Rande außerhalb des Textes dienen zum leichteren Auffinden der Stichworte bei Benutzung des Registers. Häufiger vorkommende Abkürzungen sind:

Anf.	Anfang	gest.	gestorben	Mus.	Museum
Bibl.	Bibliothek	gew.	geweiht	Nat.Bibl.	National-Bibliothek
beg.	begonnen	Hl.	Heilig	Nat.Mus.	National-Museum
Cod.	Codex	Jh.	Jahrhundert	Samlg.	Sammlung
Gal.	Galerie	Kais.-Friedr.-Mus.	Kaiser-Friedrich-Museum	Univ.-Bibl.	Universitäts-Bibliothek
geb.	geboren			voll.	vollendet

Einige besondere Abkürzungen, die nur für bestimmte Abschnitte gelten, finden sich am Kopf der betr. Abteilung. Bestimmte Stichworte, die in einem Abschnitt fortlaufend wiederkehren, sind nur am Anfang oder in der Überschrift einmal ausgeschrieben und dann abgekürzt (z. B.: S. für Sarkophag in Abschnitt B der ersten Abteilung des ersten Teils).

ERSTER TEIL: SPÄTE UND NACHLEBENDE ANTIKE

ERSTE ABTEILUNG

DIE ALTCHRISTLICHE KUNST (S. 71–90)

A. KATAKOMBENMALEREI. *Rom:* Domitilla-Katakombe, 3. Jh., mit Flaviergalerie. / Calixtus-K. [S. 76] (Calixtus gest. 222) mit Lucinakrypta, Ende 2. Jh., und Sakramentskapelle, 2.–3. Jh. / Priscilla-K., 1.–2. Jh., mit Capella graeca. / Prätextatus-K., 2. bis 4. Jh. / Coemeterium Majus [S. 79], 2.–4. Jh. / K. des Petrus und Marcellinus, 3.–4. Jh. / Privatgruft an der Via Latina, 4. Jh. / Domitilla-K., 4. Jh. / *Neapel:* K. von S. Genarro dei Poveri, 1.–5. Jh. / *Sizilien:* Syrakus, 3.–6. Jh. / Girgenti, 4.–5. Jh. / Palermo, 3. bis 5. Jh. / Palazzolo, 2.–5. Jh. / *Sardinien:* Cagliari, 3. Jh. / *Malta. Ägypten:* Alexandria, K. von Karmuz, 3.–4. Jh. / K. von Abu el Achem, 3. Jh. / K. von Achmim. / K. von Antinoe.

B. SARKOPHAGE. *a) Hellenistischer Einschlag, 3.–4. Jh.* 1.) Statuarischer Stil: Szenen durch Bäume getrennt, Verstorbene in ganzer Figur wie auf griechischen Grabstelen. Rom, Lateran, S. von d. Via Salaria; Brignoles (Var), S. aus La Gayole. / 2.) Malerischer Stil (vgl. Katakombenmalereien): durchlaufender Relieffries. Rom, Lateran, Jonas-S. [S. 14]; Rom, Lateran, Weinernte mit Guten Hirten. / 3.) Dekorativer Stil: strigiliert, Figurenfelder am Rand und in der Mitte. Rom, Konservatorenpalast, Guter Hirte und Genien. / *b) Römischer Klassizismus, 4. Jh.* 1.) Statuarischer Stil: architektonisch gegliederte, in statuarische Figurengruppen zusammengefaßte repräsentative Darstellungen; Säulen- oder Nischensarkophage: Rom, Grotten von St. Peter, S. des Junius Bassus, gest. 359; zahlreiche Beispiele in Rom [S. 81], Ravenna, Arles [S. 82], Marseille, Paris, Mailand, Tolentino, Ancona (letztes Viertel 4. Jh.). / Laubensarkophage: Rom, Lateran; Arles; Narbonne. / 2.) Historisch-malerischer Stil: buchrollenartige Aneinanderreihung von Szenen, schwache Betonung von Mitte und Rändern, zuweilen mit Porträtmedaillon, architektonischem oder illusionistischem Hintergrund. Hauptbeispiele in Rom, Lateran [S. 80]; Arles; Aix; Manosque. / *c) Alexandrinische Gruppe.* Rom, Vatikan, Porphyrsärge der Helena, 1. Hälfte 4. Jh., und der Constantia, Mitte 4. Jh.

C. ARCHITEKTUR- UND FREIPLASTIK. Rom, Lateran, Guter Hirte [S. 78], 3.—4. Jh.; Sitzfigur, Ende 3. Jh. / Saloniki, Galeriusbogen (297). / Venedig, S. Marco, und Rom, Vatikan, Tetrarchengruppen, um 300. / Rom, Thermenmuseum, lehrender Christus sitzend, 3.—4. Jh. / Rom, Konstantinsbogen, 6 Reliefs, 315. / Rom, Vatikanische Grotten, Petrus-Sitzfigur (Konsul), Kopie 4. Jh. / Barletta, Valentinian I., zwischen 364 und 375. / Mailand, S. Ambrogio, Holztür mit Davidzyklus, unter Ambrosius (379—386). / Konstantinopel, Hippodrom, Sockel des Theodosius-Obelisken, 390. / Porträts öffentlicher und privater Personen christlichen Glaubens als Büsten, Standbilder usw., seit 4. Jh. / Palmyrenische Grabstelen, ab 1. Jh.—275.

D. KLEINKUNST. Berlin, Kais.-Friedr.-Mus., Pyxis mit lehrendem Christus, 4. Jh. / Brescia, Museo cristiano, Reliquienkasten, sog. Lipsanothek, 2. Hälfte 4. Jh. / Monza, Domschatz, Stilicho-Diptychon, um 395. / München, Nat.Mus., Diptychonflügel mit Himmelfahrt Christi [S. 19], sog. Reitersche Tafel, um 400. / Mailand, Samlg. Trivulzio, Diptychonflügel mit Himmelfahrt Christi und Frauen am Grabe, um 400. / Mailand, S. Nazaro, Reliquienkasten, 4. Jh. / New York, Samlg. Kouchakji, Silberkelch von Antiochia, 4. Jh. / Madrid, Real Accademia de Historia, Missorium Theodosius' I., 388. / Paris, Samlg. Rothschild, Kamee des Honorius und der Maria, 398. / Brescia, Museo cristiano, Goldglas mit 3 Porträts, um 400.

E. ARCHITEKTUR. *a) Römische Basiliken* (flachgedeckt): St. Peter [S. 84], beg. von Constantin, gew. 326. / S. Giovanni in Laterano, beg. von Constantin (313—37). / Sta. Maria Maggiore [S. 87], Langhaus 3. Viertel 4. Jh., Querschiff und Altarhaus 13. Jh. / S. Paolo fuori le mura [S. 85], Neubau beg. 386. Nach Brand wiederhergestellt im 19. Jh. / Sta. Pudenziana, unter Papst Siricius (384—398). / S. Clemente, Unterkirche, Ende 4. Jh., Schranken und Kanzelanlage, jetzt Oberkirche, 514—23. / *b) Außerrömische Basiliken:* Bethlehem, Geburtskirche, um 330. / Jerusalem, Grabeskirche, 336 gew., in die basilikale Anlage einbezogen der Rundbau der eigentlichen Grabeskirche. / Perge (Kleinasien), Basilika, 4. Jh. / Thebessa (Theveste, Algier), Klosteranlage, 4. Jh. / Apollonia (Kyrenaika), Basilika, 4.—5. Jh. / *c) Zentralbauten.* Rom: Sta. Costanza [S. 88], Mausoleum der Konstanza, vor 354. S. Stefano Rotondo [S. 88], gew. vom Papste Simplicius (468 bis 482). S. Giovanni in Fonte, Neubau unter Sixtus III. (432—440). / Neapel, S. Giovanni in Fonte, 4.—5. Jh.

F. MOSAIKEN UND WANDMALEREIEN (Katakombenmalerei vgl. Abschnitt A.). Rom, S. Giovanni in Fonte, zwischen 432—68. / Rom, Sta. Costanza [S. 89, 90], Mitte 4. Jh. / Rom, Sta. Maria Maggiore, Mittelschiff [S. 87, Tafel II], 2. Hälfte 4. Jh. / Rom, Sta. Pudenziana, Apsis [S. 83], unter Papst Siricius (384—398). / Rom, S. Giovanni e Paolo, Malereien, um 385. / Mailand, S. Aquilino, 2. Hälfte 4. Jh. / Neapel, S. Giovanni in Fonte, 4.—5. Jh.

G. BUCHMALEREI. Berlin, Staatsbibl., Quedlinburger Itala, 4.—5. Jh. / Rom, Vatikanische Bibl., Josuarolle, Kopie des 6. (?) Jh. im Stil des 4. Jh.

ZWEITE ABTEILUNG

I. NEUGRIECHISCHE (FRÜHBYZANTINISCHE) KUNST (S. 91–107)

A. ARCHITEKTUR. *a) Zentralbau.* Saloniki, Hagios Georgios, 3. Jh., Apsis 5. Jh. / Ravenna, Grabkapelle der Galla Placidia, um 450. / Baptisterium der Orthodoxen, unter Erzbischof Neon (449—450). / Aix, Riez, Fréjus (Südfrankreich): Baptisterien, 5. Jh. (?). / Ravenna, Baptisterium der Arianer, Anf. 6. Jh. / San Vitale [S. 102—104], gew. 547. / Konstantinopel, Hagios Sergios und Bakchos, 527; Hagia Sophia [S. 102], Baumeister Anthemios von Tralles und Isidor von Milet, 532—537, Einsturz der Kuppel und Ostkonche 558, Neuweihe 562; Hagia Irene, 2. Drittel 6. Jh., Umbau nach Einsturz 740; Apostelkirche, 2. Drittel 6. Jh. (zerstört). / Saloniki, Hagia Sophia, 2. Hälfte 6. Jh. / Mailand, S. Lorenzo, zwischen 559 und 563. / *b) Längsbau.* Rom, Sta. Sabina, unter Coelestin I. (422—432). / Konstantinopel, Studiosbasilika, 463. / Saloniki, Eski Djuma, 5. Jh.; Hagios Demetrios, beg. 5. Jh., Hauptbauzeit 6. Jh., Umbau 7. Jh. / Ravenna, S. Apollinare Nuovo [S. 99], nach 500; S. Apollinare in Classe [S. 98], voll. 549. / Parenzo, Dom, 535—43. / Grado, Dom, 6. Jh. / Rom, S. Lorenzo fuori le mura, Hinterkirche, Neubau unter Pelagius II.

(578—590); Sta. Agnese fuori le mura, zwischen 625 u. 638. / Ägypten, Menasheiligtum, 395—408. / Syrien: Kalat Siman, 2. Hälfte 5. Jh. Turmanin, um 500. Kalb Luzeh, 6. Jh.

B. SARKOPHAGE. *a) Neugriechische S.* Kleinasien-Byzanz, „Sidamara"-S., Ende 4. bis Anf. 5. Jh. (Berlin, Kais.-Friedr.-Mus., „Christusrelief" [S. 97]). / Ravenna, S. mit Einzelfiguren oder Symbolen in Muschelnischen oder mit Architravarchitektur als Rahmen eines durchgehenden Relieffeldes, 5. Jh. / *b) Barbarisierte S.* Ravenna, Relieffeld in profiliertem Rahmen, 2. Hälfte 5.—8. Jh. / Aquitanische S. in Béziers, Bordeaux, Elne, Moissac, Narbonne, Nimes, Paris, Toulouse, 6.—8. Jh.

C. ARCHITEKTUR- UND FREIPLASTIK. Konstantinopel, Ottomanisches Mus., Relief mit Victoria, 4.—5. Jh. / Konstantinopel, Arkadiussäule, 403—421. / Rom, Sta. Sabina, Holztür, um 430. / Venedig, S. Marco, Ciborium, Mitte 5. Jh. / Ravenna, Dom, Kanzel des Erzbischofs Agnellus, zwischen 556 und 569. / Koptische Grabstelen, Architekturplastik, Porträts, Rundplastik, in Museen zerstreut, 3.—7. Jh.

D. KLEINKUNST. Elfenbeindiptychon von etwa 400—600, darunter: Probianus, Berlin, Staatsbibl., um 400. / Erzengel, London, Britisches Mus. [S. 96], 5.—6. Jh. / Kaiser zu Pferde, Paris, Louvre, Samlg. Barberini, um 500. / Kaiserin, Florenz, Bargello, um 500. / Areobindus, Besançon, Mus., und Paris, 506. / Anastasius, Paris, Cab. des Méd., 517. / Christus und Maria thronend, Berlin, Kais.-Friedr.-Mus., 6. Jh. — Ravenna, Erzbischöfliches Mus., Maximianskathedra, zwischen 546 und 556. / Monza, Domschatz, Ampullen aus Palästina, 6 Jh. / Trier, Domschatz, Relief mit Kaiserprozession, 2. Hälfte 7. Jh.

E. MOSAIKEN UND WANDMALEREIEN. Rom, Sta. Sabina, unter Coelestin I. (422—432); Sta. Maria Maggiore, Triumphbogen [S. 93], unter Sixtus III. (432—440). / Ravenna, Grabkapelle der Galla Placidia [S. 94], 2. Hälfte des 5. Jh.; Baptisterium der Orthodoxen [S. 95], zwischen 449 und 458; Baptisterium der Arianer [S. 100], Anf. 6. Jh.; S. Apollinare nuovo [S. 100], um 500, Veränderungen 2. Drittel 6. Jh.; S. Apollinare in Classe [S. 101], etwa 535—549; S. Vitale [S. 105, 106], um 547. / Parenzo, Dom, 535—543. / Rom, SS. Cosma e Damiano, Wandmalerei, 526—534; Comodillakatakombe, Wandmalerei, 1. Hälfte 6. Jh.; Venantius-Oratorium am Lateransbaptisterium, unter Johann IV. (640—642). / Ravenna, Erzbischöfliche Kapelle, Anf. 6. Jh. / Saloniki, Hagios Demetrios, 2. Hälfte 7. Jh.

F. BUCHMALEREI (Alexandria und Syrien oder Kleinasien). Rom, Cod. Vat. Gr. 699: Kopie des 9. Jh. nach der christlichen Weltkunde des Kosmas Indikopleustes, um 547. / Paris, Nat.Bibl., Psalter Cod. Gr. 139, Kopien des 9.—10. Jh. nach Werken des 4.—5. Jh. / Wien, Nat.Bibl., Genesis [S. 107], um 500. / Rossano, Bischöfl. Bibl., Purpurevangeliar, 6. Jh. / Florenz, Bibl. Laurenziana, Rabulaevangeliar, 586. / Etschmiadzin (Armenien), Patriarchalbibl., Evangeliar 229, 6. Jh.

II. MITTEL- UND SPÄTBYZANTINISCHE KUNST (RUSSLAND EINGESCHLOSSEN) (S. 107—116)

A. ARCHITEKTUR. Konstantinopel, Gül-djami (Rosenmoschee), nach 842. / Skripu (Böotien), Klosterkirche, 873—874. / Nea, Palastkirche des Basilius Macedo, gew. 881. / Eregli (Heraklea), Metropolis, 9. Jh. / Lawra (Athos), Katholikon, gegründet 963, voll. etwa ein Jh. später. / Klosterkirche der Kaisariani am Hymettos, 10.—11. Jh. / Hosios Lukas (Phokis), Große Kirche [S. 109], 1. Viertel 11. Jh.; Kleine Kirche [S. 111, 116], Anf. 11. Jh. / Kiew, Sophienkathedrale, gegründet 1037. / Nowgorod, Sophienkathedrale, gew. 1052. / Daphni (bei Athen), Klosterkirche, um 1050. / Athen, Theodoroskirche, um 1050. / Konstantinopel, Chorakirche, um 1100; Hagios Pantokrator, 12. Jh. / Athen, Panagia Gorgopiko (kleine Metropolis), 12. Jh. (?). / Wladimir, Mariä-Himmelfahrts-Kathedrale, 1185—1189; Demetrius-Kathedrale, 1194—97. / Arta (Epirus), Panagia Paragoritissa, Anf. 13. Jh. / Mistra, Theodoroskirche [S. 110], 13.—14. Jh.; Sophienkirche [S. 112], 13.—14. Jh.; Sogenannte Aphendiko, Ende 13. Jh.; Pantanassa, Neubau 2. Viertel 15. Jh. / Moskau, Basiliuskathedrale, 1550—60.

B. MOSAIKEN UND WANDMALEREIEN. Saloniki, Sophienkirche, um 800. / Nicäa, Koimesiskirche, Altarraum, um 850 (1921 zerstört). / Kitium (Cypern), Panagia Angeloktistos, 9. Jh. / Hosios Lukas, Große Kirche [S. 40, 113, 114], 1. Viertel 11. Jh. / Nicäa, Koimesiskirche, Narthex, 1025. / Kiew, Sophienkathedrale, Mosaik u. Wandmalerei, nach 1037. / Nea Moni (Chios), Mitte 11. Jh. / Daphni, Klosterkirche [S. 113], 11. Jh. / Nowgorod, Sophienkathedrale, Wandmalerei, 12. Jh. / Nerediza (bei Nowgorod), Erlöserkirche, Wandmalerei, 12. Jh. / Konstantinopel, Chorakirche, um 1300. / Nowgorod, Verklärungskirche, Wandmalerei des „Griechen Theophanes", 14. Jh. / Mistra, Metropolis, Pantanassa

u. a. Kirchen, Wandmalerei, 14.—15. Jh. / Wladimir, Mariä-Himmelfahrts-Kathedrale, Wandmalerei v. Rubljov u. Tschorny, 1408. / Athosklöster, Wandmalerei des Penselinos und Theophanes von Kreta u. a., 16. Jh.

C. IKONEN. Moskau, Historisches Mus., Gottesmutter von Wladimir, Anf. 12. Jh. / Moskau, Mariä-Himmelfahrts-Kathedrale, Verkündigung von Ustjùg, 12. Jh.; „Christus mit den goldenen Haaren", 12.—13. Jh. / Tolga-Kloster bei Jaroslavl, thronende Madonna, 13. Jh. / Moskau, Historisches Mus., die Hl. Johannes, Georg u. Blasius, 13. Jh. / *Nowgoroder Schule:* Samlg. Ostrouchov, Prophet Elias, Ende 14. Jh. / Leningrad, Russisches Mus.: Mariä Schutz und Fürbitte, 15. Jh.; „Christus, das grimme Auge", 15. Jh.; St. Georg als Drachentöter, 16. Jh. / *Nordrussisch:* Moskau, Samlg. Ostrouchov: der Hl. Johann Chrysostomos, 13.—14. Jh. / Gottesmutter vom Typ der Elëusa, 15. Jh. / Leningrad, Russisches Mus., „Christus mit dem nassen Bart", 16. Jh. / Rom, Vatikanische Pinakothek, Taufe Christi, 16. Jh. / *Zentralrussisch (Moskau):* Moskau, Verkündigungskathedrale, die Gottesmutter vom Don („Grieche Theophanes" ?), 14. Jh. / Troize-Sergievokloster bei Moskau, Dreifaltigkeit von Rubljov, 15. Jh. / Wologda, Mus., Georg als Drachentöter, 16. Jh. / Rom, Vatikanische Pinakothek, der Hl. Nikolaos, 16. Jh. / *Stroganowschule:* Leningrad, Russisches Mus., der Hl. Johann der Krieger, von Tschirin, Ende 16. Jh. / Syrakus, Mus. des Palazzo Bellomo, Triptychon, Ende 16. Jh.

D. BUCHMALEREI. Moskau, Historisches Mus., Khludowpsalter, 9. Jh. / Vatikan. Bibl., Kosmas Indikopleustes, 9. Jh. / Athos, Pantokratorkloster, Pantokratorpsalter, 9. Jh. / Paris, Nat. Bibl., Homelien des Gregor von Nazianz, 880—885. / Vatikan. Bibl., Menologium Basils II., zwischen 976 und 1025. / Paris, Nat.Bibl., Psalter Gr. 139, 10. Jh. / Leningrad, Öffentliche Bibl. Nr. 21, Evangelium, 10. Jh. / Konstantinopel, Serail-Bibl. Oktateuch, 11. Jh. / Vatikan. Bibl., Jakobuskodex, um 1100. / Paris, Nat.Bibl., Werke des Mönchs Joasaph, 14. Jh.

E. KLEINKUNST. Limburg-Lahn, Dom, Staurothek, Emailarbeit, 967 voll. / Venedig, S. Marco, Pala d'oro, 976 gestiftet, Zutaten 11.—12. Jh.; Buchdeckel mit Hl. Michael, 10. Jh. / Sens, Kathedrale, polygonaler Elfenbeinkasten mit David- und Josephgeschichte, 10. Jh. / Paris, Louvre, Elfenbeintriptychon aus Harbaville [S. 114], 10.—11. Jh.; Silberplatte mit Frauen am Grabe, 10. oder 12. Jh. / Kairo, Georgskirche, Holztür, um 1000. / Utrecht, Mus., Elfenbeinmadonna, um 1000. / Halberstadt, Dom, Silberschüssel, 11. Jh. / Venedig, S. Marco, Buchdeckel mit Maria und Medaillons in Email [S. 115], 11. Jh. / Athos, Kloster Xeropotamu, Hostienschale der Prinzessin Pulcheria, 1028—34. / Aachen, Dom, und Venedig, S. Marco, Kuppelreliquiare, 11.—12. Jh. / London, Britisches Mus., Elfenbeineinband des Melisanda-Psalters, 12. Jh.

ZWEITER TEIL: MITTELALTER

ERSTE ABTEILUNG

VÖLKERWANDERUNG UND PRIMITIVE KUNST. ENTWICKLUNG ZUM ROMANISCHEN (S. 119–137)

A. GERMANISCHE SCHMUCKKUNST. Budapest, Nat.Mus., Schatz von Szilágy Somlyó, um 400. / Paris, Nat. Bibl., Schwert aus dem Grab des Frankenkönigs Childerich (gest. 481) in Tournay. / Budapest, Nat.Mus., Donauländische Schnallen in Kerbschnittechnik, 5. Jh. / London, Britisches Mus., angelsächsische Kerbschnittfibeln, 5. u. 6. Jh. / Nürnberg, Germ. Nat.Mus., ostgotische Adlerfibel aus Cesena, 1. Hälfte 6. Jh. / Stuttgart, Altertümersamlg., südgermanische Zierscheiben, Spangenhelme, Fibeln und Schnallen, 6.—7. Jh. / Kopenhagen, Nat.Mus., silberne Bügelfibeln aus Seeland, um 600. / Stockholm, Nat.Mus., Hängebrakteaten aus Schonen, um 600—700. / Paris, Cluny-Mus., Schatz von Fuente de Guarrazar bei Toledo: Weihekronen der Westgotenkönige Svinthilhanus (621—631) und Reccesvinthus (649—662). / München, Bayr. Nat.Mus., Grabfund aus Witislingen, 1. Hälfte 7. Jh. / Rom, Thermen-Mus., langobardische Fibeln, Goldkreuze, 7. Jh. / Lausanne, Mus., Danielschnallen, 7. Jh. / Dublin, Nat.Mus., Tarabrosche, 8. Jh. / Oslo, Mus., Osebergschiff [S. 122], um 800. / Metallgegenstände aus der Zeit des Osebergschiffes mit Tierornamentik, 8.—9. Jh.

B. CHRISTLICHE KLEINKUNST. Kremsmünster, Stiftsschatz, Tassilokelch, zwischen 777 und 788. / New York, Samlg. Morgan, metallener Buchdeckel aus Lindau, Ende 8. Jh. / Berlin, Schloß-Mus., Taschenreliquiar aus Enger [S. 129, 130], um 800. / Saint-Maurice d'Agaune, Klosterschatz, Taschenreliquiar des Teuderigus, 8. Jh. / Brüssel, Kunstgewerbe-Mus., Elfenbeinbuchdeckel aus St. Martin zu Genoels-Elderen, Ende 8. Jh. / 5 Braunschweig, Mus., Elfenbeinkasten mit Tier-Flechtbandornamentik, 8. Jh. / Kammin, Dom, Kordulaschrein, um 1000. / Oviedo, Camera Santa, Achatkasten, um 950. / Dublin, Nat.Mus., Metallener Buchdeckel aus Athlone [S. 127], 10. Jh. (?). / Dublin, Nat.Mus., Schrein für den Cod. des Hl. Molasch, zwischen 1001 und 1025. / Conques, Kirchenschatz, Statue der Ste. Foy, Goldschmiedearbeit, vor 1010. 10

C. BUCHMALEREI. *Irisch.* Dublin, Trinity College: Book of Kells [S. 125, 126], Anf. 8. Jh. / Ebenda, Book of Durrow [S. 123], um 700. / *Angelsächsisch.* a) Lindisfarne-Gruppe: London, Britisches Mus., Lindisfarne-Evangeliar, Anf. 8. Jh. / Florenz, Laurenziana, Cod. Amiatinusi, um 700. / Durham, Kathedral-Bibl., Cassiodor, Mitte 8. Jh. / Lichfield, Kathedral-Bibl., Saint-Chad-Evangeliar [S. 127], 2. Viertel 8. Jh. — b) Echternacher Gruppe: 15 Paris, Nat.Bibl. lat. 9389, Northumbrisches Evangeliar aus Echternach, Mitte 8. Jh. / Trier, Dom, Evangeliar Nr. 61, um 755. — c) Canterbury-Schule: Stockholm, Königl. Bibl., Cod. Aureus, 3. Viertel 8. Jh. — d) Südenglische Gruppe: Wien, Nat.Bibl., Cutbercht-Evangeliar, um 770. / *Merovingisch:* Leningrad, Öffentliche Bibl. lat. F. v. I. Nr. 2, Evangeliar, um 700. / Rom, Nat.Bibl., Sakramentarium Gelasianum [S. 21], um 750. / 20 Autun, Stadt-Bibl., Gudohinus-Evangeliar, 751—754. / *Südwestfranzösisch und Nordspanisch:* Paris, Nat.Bibl., Ashburnham-Pentateuch, 7. Jh. / New York, Samlg. Pierpont Morgan, Beatus, Kommentar zur Apokalypse, 926. / Gerona, Kapitelarchiv, Beatus-Kommentar, 975. / Paris, Nat.Bibl., Bibel von San Pedro de Roda, 10.—11. Jh.; Apokalypse von St. Sever, unter Abt Gregor, 1028—72. / Rom, Vatikanische Bibl., sog. Farfabibel, 11. Jh. 25

D. ARCHITEKTUR. *Italien.* Ravenna, Grabmal des Theoderich [S. 133], zwischen 493 und 526; Cividale, Sta. Maria della Valle, Mitte 8. Jh. / *Spanien.* Baños, S. Juan, gew. 661. / S. Pedro de Nave, 7. Jh. (?). / Tarrasa, S. Miguel, nach 711, im 10. Jh. erneut (?). / Oviedo, Santa Maria de Naranco [S. 132], als Königshalle erbaut noch im 8. Jh. (?), als Kirche gew. 848. Santullano, unter Alfons dem Keuschen (791—842). / S. Miguel de Liño, unter König 30 Ramiro (842—850). / Val de Dios, San Salvador, gew. 893. / S. Miguel de Escalada, 913. / Santa Cristina de Lena, 1. Hälfte 10. Jh. / Santa Maria de Lebeña, 1. Hälfte 10. Jh. / *England.* Monkvarmouth, Kirche, um 674. / Brixworth, Kirche, Ende 7. Jh. / Bradford-on-Avon, Kirche, 10. Jh. / Earls Barton, Kirchturm [S. 341], 10.—11. Jh. / Deerhurst, Kirche, vor 1056. / *Frankreich.* Vénasque, Baptisterium, 1. Viertel 7. Jh. / Jouarre, St. Ebrégisile, 35 Krypta [S. 131], 2 Teile: um 634 und Ende 7. Jh. / Savennières, Kirche, 7.—8. Jh. / Grenoble, St. Laurent, Krypta, 7.—8. Jh. / Poitiers, St. Jean [S. 131], altchristl. Baptisterium, erweitert 7.—8. Jh. / Germigny-des-Prés, Zentralkirche, gew. 806. / Cravant, Kirche, 9.—10. Jh. / St. Généroux, Kirche [S. 132], 9.—10. Jh. — *Entwicklung zum Romanischen:* Tournus, St. Philibert [S. 136], Ostpartie und Vorhalle unter Abt Stephan 40 (970—980), Langhaus-Neubau nach Brand 1007, Mittelschiff-Wölbung, Querschiff und Chorausbau, 11. bis Anf. 12. Jh. / Dijon, St. Bénigne, Krypta, zwischen 1001 und 1017. / Paris, St. Germain-des-Prés, 990—1004. / Le Mans, La Couture, Ostteile im Anf. der Regierungszeit König Roberts I. (996—1031). / Reims, St. Rémi, Langhaus 1005—49, Gewölbe und Chor 13. Jh. / Vignory, Kirche [S. 134, 135], gew. zwischen 1050 und 1052. / 45 St. Savin-sur-Gartempe, Kirche, beg. 1020 (?), voll. Anf. 12. Jh. / Jumièges, St. Pierre, Neubau 1040—67, Teile im N und W Mitte 10. Jh. / St. Bénoît-sur-Loire, Abteikirche, Vorhalle und Vorchor beg. 1062. / Nevers, St. Etienne [S. 137], 1063—99. / Mont-Saint-Michel, Kirche, Langhaus 1064—84. / Caen, St. Etienne, 1064—77, Fassade um 1080; La Trinité, 3. Viertel 11. Jh. / *Armenien.* Wagharschapat, Hripsimekirche, 618. / Mzchet, 50 voll. 639. / Thalisch, Kathedrale, 2. Hälfte 7. Jh. / Achthamar am Wan-See, Klosterkirche, 915—921. / Ani, Gregorkirche des Abughamrentz, Mitte 10. Jh. (?). / Ani, Kathedrale, 989—1001. / Ani, Erlöserkirche, voll. 1035—36. / *Georgien.* Kirchliche, der armenischen verwandte Baukunst vom 4. Jh. an. / *Kleinasien.* Koddscha Kalessi, Klosterkirche, 6. Jh. (?). 55

E. PLASTIK. *Italien:* Valpolicella, Ciborium des Magister Ursus, 712. / Cividale, S. Martino, Altar des Herzogs Ratchis, zwischen 744 und 749; Dom, Baptisterium, Antependium des Sigwald [S. 128], zwischen 762 und 786; Sta. Maria della Valle, Stuckfiguren heiliger Frauen, Ende 8. Jh. (?). / Ravenna, S. Apollinare in Classe, Eleucadius-Ciborium, unter Erzbischof Valerius (806—810). / Pavia, Museo Civico, Sarkophag der Theodora, gest. 60 820. / Rom, Sta. Sabina, Chorschranken, unter Eugen II. (824—827). / *Spanien:* Bauplastik an den genannten Bauten (vgl. Abschnitt D.), besonders Santa Maria de Naranco

[S. 132], 8.—9. Jh. / S. Miguel de Lino [S. 121], Mitte 9. Jh. / S. Pedro de la Nave, 9.—10. Jh. / Quintanilha de las Viñas, um 929. / León, S. Isidoro, Taufbecken, 11. Jh. / *England:* Pfeilerkreuze: Newcastle, um 664; Abercorn, zwischen 681 und 685; Durham, Kathedral-Bibl., Acca-Kreuz, um 740. / Peterborough, Kathedrale, „The Monk's Stone", 8. Jh. (?) / Southwell, Münster, Türsturz, 11. Jh. / *Schottland.* Kreuze wie in England: Ruthwell, um 700; Reculver, 7.—8. Jh. / Kreuz-Stelen, 7.—8. Jh. / *Irland.* Ringkreuze: Ahenny, um 850. / Clonmacnois, 914. / Monasterboice, Muiredach-Kreuz, um 914. / Kells, Durrow, Iona. / *Dänemark, Norwegen, Schonen.* Grabstelen und -obelisken: Möjbro (Uppland), Stein des Frawardar, um 500 (?). / Jellinge, Stein Gorms, um 935. / Stockholm, Historisches Mus., Steine aus Stenkyrka, um 1000. / *Deutschland:* Halle, Provinzial-Mus., Reiterstein von Hornhausen, 7. Jh. (?). / Bonn, Provinzial-Mus., Grabsteine [S. 23], 7. Jh. (?). / Wiesbaden, Mus., Türsturz von Geisenheim, 8. Jh. (?). / *Frankreich:* Jouarre, St. Ebrégisile, Krypta, Sarkophag des Hl. Agilbert, gest. 672. / Poitiers, St. Jean, Sarkophage, 6.—8. Jh.; Hypogäum, Grabmal des Mellebaudis, 7. Jh. / Metz, Mus., Chorschranken von St. Pierre, Anf. 7. Jh. / Angers, St. Martin, Christusrelief, nach 827. / Charlieu, Abteikirche, Kreuzgang, Danielrelief [S. 171], 8.—9. Jh. / Cravant, Kirche, Ornamentpfeiler [S. 131], 9.—10. Jh. / Paris, Cluny-Mus., Kapitelle von St. Germain-des-Prés, zwischen 990 und 1014. / Dijon, St. Bénigne, Krypta, Kapitelle, zwischen 1001 und 1017. / St. Génies-des-Fontaines, Türsturz [S. 172], 1020—21. / Marseille, Mus. Borély, Grabplatte des Bischofs Isarne, gest. 1048. / Dax, St. Paul, Apsisreliefs, 11.—Anf. 12. Jh. / Poitiers, Ste. Radegonde, Chorkapitelle, 11. Jh. / *Armenien:* Architekturplastik an den genannten Bauten (vgl. Abschnitt D.).

ZWEITE ABTEILUNG

DIE MITTELALTERLICHE KUNST IN FRANKREICH

(vgl. auch England S. 915ff. und Spanien S. 933ff.)

I. DIE ROMANISCHE KUNST (S. 138—177)

A. ARCHITEKTUR. *Normandie:* Caen, St. Etienne, Einwölbung, 1. Hälfte 12. Jh. — Caen, Eglise de la Trinité, Apsis um 1100, Oberbau des Querschiffs und Langhauses um 1110 bis 1130. / Lessay, Kirche, nach 1080 gegründet, fast voll. um 1100, Gewölbe 1. Hälfte 12. Jh., gew. 1178. / St. Martin-de-Boscherville, Abteikirche St. Georges [S. 162, 163], nach 1114—57. / *Burgund: a) Tonnengewölbte Basiliken:* Cluny, Abteikirche, gegründet 910, 1. Bau gew. 915, voll. unter Abt Odon (gest. 942), 2. Bau gew. 981. 3. Bau beg. 1088, Hochaltar gew. 1095, Gewölbeeinsturz (wahrscheinlich im Chor) 1125, Neuweihe 1130, Westbau voll. 1220. / St. Bénoît-sur-Loire, Abteikirche, Umbau des Chores [S. 140], Ende 11.—Anf. 12. Jh. / La Charité-sur-Loire, Abteikirche, Unterbau des Querschiffs mit Nebenchören und Querschiff-Apsiden gew. 1109; Chor, Oberbau des Querschiffs und Langhauses 1. Hälfte 12. Jh., voll. Mitte 12. Jh. / Autun, Kathedrale [S. 161], etwa 1112—32, Vorhalle beg. 1178. / Paray-le-Monial, Abteikirche [S. 139, 140], Ende 11.—1. Drittel 12. Jh. / Beaune, Kathedrale, 1. Hälfte 12. Jh. / *b) Kreuzgratgewölbte Basiliken:* Vézelay, Abteikirche Ste. Madeleine [S. 160], 1. Weihe 1104, erhalten östliche Langhaus-Joche und Teile der Vorhalle, 1120 Brand, 1132 Weihe der „Pilgerkirche" (Vorhalle), anschließend Vollendung des Langhauses. / Anzy-le-Duc, Abteikirche, Ende 11.—Anf. 12. Jh. / Avallon, St. Lazare, Mitte 12. Jh. / *Poitevinische Hallenkirchen und Ausstrahlungen:* Poitiers, Notre-Dame-la-Grande [S. 141 u. 165], Ende 11.—1. Hälfte 12. Jh. / Airvault, St. Pierre, Ende 11. bis Anf. 12. Jh. / St. Jouin-de-Marnes, Abteikirche, Ende 11.—Anf. 12. Jh. / Aulnay, St. Pierre [S. 142 u. 152], 1. Hälfte 12. Jh. / Châteauneuf-sur-Charente, Kirche [S. 143], 1. Hälfte 12. Jh. / Melle, St. Hilaire [S. 164], 1. Hälfte 12. Jh. / Parthenay-le-Vieux, Kirche, 1. Hälfte 12. Jh. / Valence, Kathedrale, 1. Hälfte 12. Jh. / *Emporenhallen (bes. Auvergne):* Toulouse, St. Sernin [S. 153], Chor und Querschiff gew. 1096, Seitenschiffs-Mauern mit Südportal (Porte Miègeville) bis 1118, Langhaus voll. 2. Hälfte 12. Jh. / Conques, Ste. Foy, 2. Hälfte 12. Jh. / Santiago de Compostela, Kathedrale (vgl. S. 933 Spanien). / Clermont-Ferrand, Notre-Dame-du-Port, 1. Bau gew. 966, Neubau 12. Jh. / Issoire, St. Austremoine, 1. Hälfte 12. Jh. / Orcival, Kirche [S. 154], 1. Hälfte 12. Jh. / St. Nectaire, Kirche, 12. Jh. / *Kuppelkirchen (Aquitanien, Angoumois, Saintonge):* Le Puy, Kathedrale, etwa 1050 bis 1150. / Poitiers, St. Hilaire, Langhaus-Umbau 1. Hälfte 12. Jh. / Périgueux, St. Front [S. 166], Anlage 11. Jh., Neubau nach Brand 1120. / Cahors, Kathedrale, gew. 1119. /

Angoulême, Kathedrale [S. 167], 1101—28. / Fontévrault, Abteikirche, Ostpartie 11 Jh., Langhaus 1. Hälfte 12. Jh. / Saintes, Ste. Marie-des-Dames, 1. Hälfte 12. Jh. / *Saalkirchen und basilikale Mischformen (Provence):* St. Gabriel, Kirche [S. 168], Ende 11.—Anf. 12. Jh. / St. Pierre-de-Rheddes, Kirche, um 1100. / St. Gilles, Abteikirche [S. 169], Ende 11. Jh. bis etwa 1140. / Arles, St. Trophime, Kirche, Neubau 1. Hälfte 12. Jh.; Kreuzgang, Nordtrakt, um 1130. / Aix, St. Sauveur, alte Kathedrale, gew. 1103. / Avignon, Notre-Dame-des-Doms, 1. Hälfte 12. Jh. / Montmajour, Abteikirche, 1. Hälfte 12. Jh. / Saintes Maries, Kirche, Mitte 12. Jh. / Vaison, Kathedrale, Neubau 1. Hälfte 12. Jh., Kreuzgang. / *Südfranzösische Zisterzienserbauten:* Fontfroide, Abtei, 2. Hälfte 12. Jh. / Sénanque, Abtei, 2. Hälfte 12. Jh. / Silvacane, Abtei, 2. Hälfte 12. Jh. / Le Thoronet, Abtei, 2. Hälfte 12. Jh.

B. PLASTIK. *Burgundisch:* Charlieu, Portal der Abteikirche, vor 1096. / Cluny-Mus., Fragmente, vor 1100. / Vézelay, Abteikirche Ste. Madeleine, Vorhalle, Kapitelle, vor 1104. / Autun, Kathedrale, Nordportal, Westportale [S. 145, 147—150], Kapitelle, Fragmente in Museen [S. 174] und Privatsammlungen [S. 157], 1. Viertel 12. Jh. / Vézelay, Abteikirche, innere Portale [S. 151, 175] und Langhaus-Kapitelle [S. 157], um 1130. / Cluny-Mus., Kapitelle, nach 1125 (?). / Charlieu, Abteikirche, Vorhalle [S. 176], Mitte 12. Jh. / Avallon, St. Lazare, Portal, nach 1145. / Autun, Mus., Statuen des Lazarusgrabes, um 1180. / *Südwestfranzösisch.:* Toulouse, St. Sernin, Hochaltar und Chorumgangreliefs [S. 173], um 1096; Südportal vor 1118. / Moissac, St. Pierre, Kreuzgang, seit 1100; Vorhalle [S. 169], 2. Viertel 12. Jh. / Souillac, Kirche, innere Westwand, 2. Viertel 12. Jh. / Beaulieu, Kirche, Portal [S. 146], 2. Viertel 12. Jh. / Angoulême, Kathedrale, Fassade [S. 144], 1. Hälfte 12. Jh. / Poitiers, Notre-Dame-la-Grande, Fassade [S. 141], 1. Hälfte 12. Jh. / Aulnay, St. Pierre, 1. Hälfte 12. Jh. / St. Michel-d'Entraigues, Kirche, Tympanon, um 1137. / Blasimont, Kirche, Portal [S. 158], Mitte 12. Jh. / Parthenay-le-Vieux, Kirche, Fassade, Reiterreliefs [S. 156], 2. Viertel 12. Jh. / *Provencalisch und Ausbreitung nach Westen:* St. Gilles, Abteikirche, Fassade [S. 38, 158, 169—171], vor 1100—42. / Arles, St. Trophime, Kreuzgang, Nordtrakt, um 1130. / Romans, Kirche, Portal, 2. Viertel 12. Jh. / Arles, St. Trophime, Fassade [S. 156, 157], Mitte 12. Jh. / Toulouse, Mus., Apostelstatuen und Kapitelle vom Kapitelsaal von St. Etienne (Meister Gilabertus), 2. Viertel 12. Jh.; Säulenstatuen und Reliefs vom Kapitelsaal der Daurade, Mitte 12. Jh.

C. WANDMALEREI. St. Savin-sur-Gartempe, Kirche, Ende 11. bis Mitte 12. Jh. / Vic (Indre), Kirche, 1. Hälfte 12. Jh. / Berzé-la-Ville, Kirche, Apsis, Mitte 12. Jh. / Montoire, Kapelle St. Gilles, Apsiden, Mitte 12. Jh.

D. BUCHMALEREI. *Schule von Limoges:* Paris, Nat.Bibl. lat. 8, 2. Bibel von Limoges, Anf. 12. Jh.; lat. 9438, Sacramentar aus Limoges, 2. Viertel 12. Jh. / Moulins, Mus., Bibel von Souvigny, Ende 12. Jh. / *Nordfranzösische Schule:* Valenciennes, Stadt-Bibl., Ms. 500, Vitae Sanctorum aus St. Amand, 2. Hälfte 12. Jh. / Douai, Stadt-Bibl., Ms. 340, Hrabanus Maurus de laudibus sanctae crucis, aus Anchin, 12. Jh.; Ms. 250, Augustini enarrationes in omnes psalmos, aus Marchiennes, Mitte 12. Jh. / Gent, Univ.-Bibl., Ms. 16, Liber Floridus, Schule von St. Omer, um 1120. / *Burgundische Schule (Citeaux):* Dijon, Stadt-Bibl., Bibel des Stephan Harding, 1109 vollendet; Ms. 168—170, Moralia in Job, 1111; Ms. 129, 130, 132, Kommentare des Hl. Hieronymus, um 1120.

E. GOLDSCHMIEDEKUNST. *Nordfranzösisch:* Paris, Louvre, Porphyrvase, als Adler gefaßt, Sugeriusschule von St. Denis, 2. Viertel 12. Jh. / Troyes, Kathedrale, emailliertes Reliquiar, 2. Hälfte 12. Jh. / Reims, Kathedrale, Kelch, Ende 12. Jh. / *Limoges:* Le Mans, Mus., emaillierte Grabplatte des Geoffroy Plantagenet, zwischen 1151 und 1160. / Apt, Ste. Anne, Reliquiar mit Arabeskengrund, 2. Hälfte 12. Jh. / Paris, Cluny-Mus., Platte mit Majestas Domini, Ende 12. Jh.

II. DIE GOTIK (S. 177—214)

A. ARCHITEKTUR. *Anfänge:* Beauvais, St. Etienne, etwa 1120—40. / Sens, Kathedrale [S. 196], beg. etwa 1130. / St. Denis, Abteikirche, Vorhalle, 1137—40. / Chartres, Kathedrale, Westfassade [S. 176], 2. Viertel 12. Jh. / Le Mans, Kathedrale, Langhaus-Umbau, Mitte 12. Jh. / *Frühgotik:* St. Denis, Abteikirche, Chor, 1140—43. / Paris, Notre-Dame [S. 178], beg. 1163, Chor und Querschiff gew. 1182, Langhaus fast voll. Ende 12. Jh. / Mantes, Notre-Dame [S. 187], 3. Viertel 12. Jh. / St. Germer, Abteikirche, beg. um 1130 bis 1140. — Noyon, Kathedrale, beg. nach 1131, Chor voll. 1157, Querschiff voll. 1170, Langhaus voll. 1220. / Laon, Kathedrale, beg. 1155, Langhaus letztes Viertel 12. Jh., Chorneubau 1. Viertel 13. Jh. / Braisne, St. Yved [S. 196], gew. 1216. — Chalons-sur-Marne,

Notre-Dame-en-Vaux, beg. 1157, Chorneubau [S. 201, 204] zwischen 1185—1210. / Reims, St. Rémi, Chor, Langhaus-Wölbung seit etwa 1170. / Soissons, Kathedrale, südliches Querschiff, letztes Viertel 12. Jh. — Langres, Kathedrale, zwischen 1150 und 1220. / Vézelay, Abteikirche, Chor, Ende 12. Jh. / Pontigny, Zisterzienserkirche, zwischen 1160 und 1180, Chorneubau um 1200. — Einwölbung von Lessay, Abteikirche; Caen, La Trinité; Caen, St. Etienne, 1. Hälfte 12. Jh. / Lisieux, Kathedrale, Langhaus 1160—1218. — Angers, Kathedrale, Langhaus 2. Viertel 12. Jh., Chor voll. etwa 1190. / Le Mans, Notre-Dame-de-la-Couture [S. 210], Chorwölbung und Langhaus-Umbau, letztes Viertel 12. Jh. / Angers, St. Martin, Chor, Ende 12. Jh. / Poitiers, Kathedrale [S. 211], beg. 1162. / *Hochgotik:* Chartres, Kathedrale [S. 197, 202], Chor und Langhaus, etwa 1194—1220. / Soissons, Kathedrale, Chor [S. 204] und Langhaus, 1212 Chor voll. / Reims, Kathedrale [S. 29, 179, 188, 191, 198, 203], gegründet 1211, Chor voll. 1241, Langhaus voll. vor 1300. / Amiens, Kathedrale [S. 30, 186], 1220 bis 1268. / Metz, Kathedrale, seit etwa 1220. / Reims, St. Nicaise, beg. 1231 (Anf. 19. Jh. zerstört). / Beauvais, Kathedrale, Chor, gegründet 1247, fast voll. 1272, Umbau Ende 13. Jh. [S. 199, 200]. / St. Denis, Kathedrale, Langhaus-Neubau, Mitte 13. Jh. / Paris, Ste. Chapelle, etwa 1243—48. / Troyes, St. Urbain, seit 1262. — Dijon, Notre-Dame, voll. um 1240. / Auxerre, Kathedrale, beg. 1. Viertel 13. Jh. / Lausanne, Kathedrale, gew. 1275. / Lyon, Kathedrale, Langhaus 2. Viertel bis Ende 13. Jh. (Chor beg. letztes Viertel 12. Jh.) / St. Antoine, Abteikirche, beg. Ende 13. Jh. — Clermont-Ferrand, Kathedrale, gegründet 1248. / Narbonne, Kathedrale, gegründet 1272. / Limoges, Kathedrale, beg. 1273. / Toulouse, Kathedrale, Chor, beg. 1275. / Rodez, Kathedrale, beg. 1277. / Bayonne, Kathedrale, 13./14. Jh. — Rouen, Kathedrale, Neubaubeginn nach 1200. / Coutances, Kathedrale [S. 209], beg. nach 1218. / Bayeux, Kathedrale, Chor beg. um 1230, obere Teile des romanischen Langhauses 13. Jh. / Mont-Saint-Michel, Kreuzgang [S. 210], zwischen 1225 und 1228. / Séez, Kathedrale, beg. um 1270. / Rouen, St. Ouen [S. 201], beg. 1319, Ostpartie voll. 1339. — Bourges, Kathedrale [S. 212, 214], gegründet zwischen 1190 und 1195, Chor 1. Viertel 13. Jh., Langhaus voll. nicht vor 1270. / Le Mans, Kathedrale, Chor [S. 212], 1217—54. — Candes, St. Martin, Chor Ende 12. Jh., Schiff 1. Hälfte 13. Jh. / Angers, St. Serge [S. 211], Chor, um 1225. / Airvault, St. Pierre, Chorgewölbe [S. 211], 13. Jh. / St. Maixent, Kirche, 13. Jh. / Carcassonne, St. Nazaire, Chor und Querschiff beg. nach 1267, voll. 1. Viertel 14. Jh. / Poitiers, Ste. Radegonde, Schiff, 13. Jh. / Toulouse, Jakobinerkirche (Dominikaner-Kirche), 1229—1385. / Albi, Kathedrale [S. 213, 214], beg. 1282. — Sens, Erzbischöfl. Palast, gegen 1240. / Avignon, Päpstl. Palast, 1. Kastell 1334—42, 2. Kastell 1342—52. / Poitiers, Palast der Grafen v. P. (heute Justizpalast), Großer Saal und Donjon, 1384—86 durch Guy de Dommartin wiederhergestellt.

B. ARCHITEKTUR- UND FREIPLASTIK. *Anfänge:* Chartres, Kathedrale, Westportale [S. 24], 2. Viertel 12. Jh. / St. Denis, Abteikirche, Westportale, seit 1137. / Le Mans, Kathedrale, südliches Querschiff-Portal, um 1150. / Angers, Kathedrale, Westportal, Mitte 12. Jh. / Bourges, Kathedrale, Querschiff-Portale, Mitte 12. Jh. / La Charité, Abteikirche, West- und Querschiff-Portale, Mitte 12. Jh. / Paris, Kathedrale, südliches Westportal, 3. Viertel 12. Jh. / Paris, Louvre, Statuen aus Corbeil, 3. Viertel 12. Jh. / *Frühgotik:* Senlis, Kathedrale, West-Portale [S. 208], um 1170—80. / Mantes, Kathedrale, linkes und mittleres Westportal, 3. Viertel 12. Jh. / Laon, Kathedrale, Westportale, Ende 12. Jh. / Reims, Kathedrale, Querschiff, Marienportal [S. 205] (ehemaliges Grabmal), um 1180. / Chartres, Kathedrale, Querschiff-Portale [S. 193, 195], 1. Viertel 13. Jh. / Reims, Kathedrale, nördliches Querschiff, Sixtusportal und Christusportal [S. 184, 185]; Westportal Heimsuchung [S. 206, 207]; Figuren an Chorkapellen-Strebepfeilern, 1. Viertel 13. Jh. / Paris, Notre-Dame, mittleres und nördliches Westportal [S. 182], 1.—2. Jahrzehnt 13. Jh. / *Hochgotik:* Reims, Kathedrale, Westportale [S. 179, 181, 194, 195], Hochchor und Querschiff-Hochwände [S. 27], etwa 1220—40. / Amiens, Kathedrale, Westportale [S. 190], nach 1220. / Paris, Ste. Chapelle, zum Teil Cluny-Mus., Pfeilerstatuen, 5. Jahrzehnt 13. Jh. / Paris, Trocadéro, Musikanten vom Haus in Reims, Mitte 13. Jh. / Amiens, Kathedrale, Vierge-dorée-Portal [S. 183], Mitte 13. Jh. / Chartres, Kathedrale, Krypta, Lettnerfragmente, Mitte 13. Jh. / Rouen, Kathedrale, nördliches Westportal, Mitte 13. Jh. / Reims, Kathedrale, Westwand innen [S. 189] und westliche Langhaus-Strebepfeilerfiguren [S. 191], 3. Viertel 13. Jh. / Bourges, Kathedrale, Westportale, 3. Viertel 13. Jh. / Bordeaux, Kathedrale, nördliches Seitenschiff-Portal, 3. Viertel 13. Jh. / Aubazine, Kirche, Stephanusgrabmal, 3. Viertel 13. Jh. / St. Denis, Abteikirche, Grabmal Dagoberts I., um 1263. Grabmal Roberts II. und der Constance von Arles, 3. Viertel 13. Jh. / Paris, Notre-Dame, Querschiff-Portale [S. 195], 3. Viertel 13. Jh.; Reliefs an den Chorstrebepfeilern, 1. Hälfte 14. Jh. / Auxerre, Westportale, Ende 13. Jh. bis Anf. 14. Jh. / Rouen, Kathedrale, Querschiff-Portale, letztes Viertel 13. Jh. / Bordeaux, St. Seurin,

Südportal [S. 213], 2. Viertel 13. Jh. / Le Mans, Notre-Dame-de-la-Couture, Westportal [S. 213], Mitte 13. Jh. / *Spätgotik:* Bordeaux, Kathedrale, Chorstrebepfeilerfiguren, nach 1300. / Paris, Notre-Dame, Querschiff, innen, Madonna, 1. Viertel 14. Jh.; Chor, Lettner-Reliefs, 2. und 3. Viertel 14. Jh.; Cluny-Mus., Statuen von St. Jacques von Robert de Launoy, 1. Viertel 14. Jh. / Mantes, Kathedrale, Navarra-Kapelle, innen, 4 weibliche Statuetten, 1. Viertel 14. Jh. / St. Denis, Abteikirche, Grab des Robert d'Artois (gest. 1317) von Pépin d'Huy, 1. Viertel 14. Jh. / St. Dié, Kathedrale, Kreuzgang, Madonna, 1. Viertel 14. Jh. / Toulouse, Mus., Statuen der Chapelle des Rieux, 2. Viertel 14. Jh. / Berlin, Deutsches Mus., Madonna, 2. Viertel 14. Jh. / Paris, St. Germain-des-Prés, Madonna aus St. Denis, 1340. / Amiens, Kathedrale, Statuen am Nordturm, zwischen 1373 u. 75. / Paris, Louvre, Charles V und Jeanne de Bourbon, um 1370. / Poitiers, Justizpalast, Statuen um 1390.

C. ELFENBEINPLASTIK. Paris, Cluny-Mus., Sitzmadonna, Maas-Schule, 1. Viertel 13. Jh. / Paris, Louvre, Krönung Mariä mit Engeln, Kreuzabnahme, Verkündigung, 3. Viertel 13. Jh.; Vierge de la Ste. Chapelle, letztes Viertel 13. Jh. / Villeneuve-les-Avignon, Kollegiatkirche, Sitzmadonna, Ende 13. Jh. / Fülle von Elfenbein-Altärchen, Spiegelkapseln, Kämmen und Kästen, in der späteren Zeit wichtig für Auffassung weltlicher Szenen (Minneszenen).

D. BUCHMALEREI. Paris, Bibl. de l'Arsénal, Psalter des Hl. Ludwig und der Blanche de Castille, um 1220 (vor 1223). / Paris, Nat.Bibl., Vie de St. Denis aus der Abtei St. Denis, um 1250. / Paris, Nat.Bibl., Psalter des Hl. Ludwig, Paris, 1253—70. / Paris, Nat.Bibl., lat. 17326, lat. 8892, und London, Britisches Mus., drei Evangeliare der Ste. Chapelle, Paris, um 1260. / Paris, Nat.Bibl., Roman de la Poire, nordfranzösisch, um 1270. / Paris, Nat.Bibl., Nekrologium von St. Germain, Paris um 1280. / Paris, Bibl. de l'Arsénal, Ms. 3142, Gedichtsammlung, Paris, 1285—90. / Paris, Nat.Bibl., Brevier Philipps des Schönen (Meister Honoré), Paris, um 1295. / London, Britisches Mus., Somme le Roi, ostfranzösisch (Metz), Anf. 14. Jh. / Paris, Nat. Bibl., Légendes de St. Denis, Paris, 1317. / Paris, Nat.Bibl., Bibel, geschrieben von Robert de Billyng (Jean Pucelle), Paris, 1327. / Paris, Nat. Bibl., Bréviaire de Belleville, Jean Pucelle, nach 1327, vor 1343. / Paris, Nat. Bibl., Bibel des Jean de Sy, Paris, um 1356. / Paris, Nat. Bibl., Historienbibel Karls V., Paris, 1363.

E. GLASMALEREI. Châlons-sur-Marne, Kathedrale, 12. Jh. / Poitiers, Kathedrale, 12. Jh. / Chartres, Kathedrale, Ende 12. Jh. u. 1. Hälfte 13. Jh. / Reims, Kathedrale, 1. Hälfte 13. Jh. / Sens, Kathedrale, Chor, 13. Jh. / Paris, Notre-Dame, Rosen der Westfassade und der Querschiffe, 13. Jh. / Bourges, Kathedrale, Chor und Chorkapellen, 13. Jh. / Paris, Ste. Chapelle, 2. Hälfte 13. Jh. / Carcassonne, Kathedrale, um 1320—30. / Evreux, Kathedrale, um 1314 bis Ende 14. Jh. / Rouen, Kathedrale und St. Ouen, 1. Hälfte 14. Jh. / Beauvais, Kathedrale, 14. Jh.

DRITTE ABTEILUNG

DIE MITTELALTERLICHE KUNST IN DEUTSCHLAND

I. DIE KAROLINGISCHE KUNST (S. 215—230)

A. ARCHITEKTUR. *Dreischiffige Basiliken:* Fulda, Klosterkirche, Neubau 791—822 (Rekonstruktion). / Centula, St. Riquier [S. 220], beg. 790, Weihe 799 (Rekonstruktion). / Köln, Alter Dom, gegründet um 800 (alte Miniatur im Hilinus-Codex, 11. Jh.). / Steinbach bei Michelstadt, Klosterkirche, von Einhart 821 erbaut. / Corvey, Klosterkirche, Westwerk 873—85. / St. Gallen, Klosterkirche, 1. Hälfte 9. Jh. (alter Grundriß). / Höchst, Justinuskirche, 826 beg. / Hersfeld, Klosterkirche [S. 218, 219], 831 Neubau (Rekonstruktion). / Werden, Abteikirche St. Salvator, erhalten westliche Vorkirche (Peterskirche), 943 gew. / *Zentralbauten:* Aachen, Münster [S. 216], gew. 805, Baumeister Odo von Metz. / Fulda, St. Michael [S. 217], um 820. / *Kloster- und Profanbauten:* Lorsch, Michaeliskapelle [S. 220], um 830. / St. Gallen, Klostergrundriß, 1. Hälfte 9. Jh. / Ingelheim, Kaiserpfalz, Anf. 9. Jh. v. Karl d. Gr. beg.

B. GOLDSCHMIEDEKUNST. Mailand, S. Ambrogio, Paliotto (Altarverkleidung), Rückseite, 835. / München, Staats-Bibl., Deckel des Codex aureus [S. 229, 230], Evangeliar Karls d. Kahlen, aus St. Emmeram in Regensburg, nach 870. / München, Reiche Kapelle, Arnulf-Ciborium (Tragaltar), Ende 9. Jh.

C. ELFENBEINE. *Adagruppe:* Rom, Vatikan, und London, Vict. und Alb.-Mus., Lorscher Buchdeckel [S. 34], 9. Jh. / Leipzig, Stadt-Bibl., St. Michael, 9. Jh. / Florenz, Bargello, Buchdeckel Frauen am Grabe [S. 222], 9. Jh. / Oxford, Bodleian Bibl., Christus auf Löwen und Drachen, 9. Jh. / Berlin, Kais.-Friedr.-Mus., Buchdeckel Thronender Christus, 9. oder 10. Jh. / *Reimser Schule (Liuthardgruppe):* Paris, Nat. Bibl., Deckel des Psalters 5 Karls d. Kahlen, gegen 869. / München, Staats-Bibl., Deckel vom Evangelistar Heinrichs II. [S. 223], etwa 870. / *Ältere Metzer Schule:* Paris, Nat. Bibl., lat. 9388 und 9393, Buchdeckel mit neutestamentlichen Szenen, Mitte 9. Jh. / *Jüngere Metzer Schule:* Paris, Nat.Bibl., lat. 9383, Buchdeckel mit Kreuzigung, Ende 9. Jh. / *St. Gallen:* St. Gallen, Stifts-Bibl., Elfenbeindeckel des Tutilo, gegen 900. / *Akanthusgruppe:* Cambridge, Fitz- 10 william-Mus., und Frankfurt a. M., Stadt-Bibl., Buchdeckel mit liturgischer Handlung, 9.—10. Jh.

D. WANDMALEREI UND MOSAIK. Lorsch, Torhalle und Kirche, Wandmalerei, 9. Jh. / Germigny-des-Prés, Apsis-Mosaik, 9. Jh. / Zürich, Landesmuseum, Fresken aus St. Johann in Münster in Graubünden, 9. Jh. 15

E. BUCHMALEREI. *Adaschule:* Paris, Nat. Bibl., Godescalc-Evangeliar, um 781. / Trier, Stadt-Bibl., Ada-Handschrift, um 800. / Abbéville, Stadt-Bibl., Evangeliar, vor 814 [S. 225]. / Paris, Nat. Bibl., Evangeliar aus St. Médard in Soissons, vor 827. / *Palastschule:* Wien, Schatzkammer, Evangeliar Karls d. Gr. [S. 221], Anf. 9. Jh. / Aachen, Dom, Evangeliar Karls d. Gr. [S. 227], Anf. 9. Jh. / *Schule von Reims:* Epernay, Stadt- 20 Bibl., Ebo-Evangeliar [S. 228], zwischen 816—35. / Utrecht, Univ.-Bibl., Utrecht-Psalter, 1. Drittel 9. Jh. / *Schule von Tours:* Bamberg, Staats-Bibl., Bamberger Bibel, zwischen 834—43. / Paris, Nat. Bibl., Vivians-Bibel, zwischen 846—51. / *Schule von Metz:* Paris, Nat. Bibl., Drogo-Sakramentar, vor 855. / *Schule von Corbie (St. Denis):* Paris, Nat. Bibl., Psalter Karls d. Kahlen, vor 869. / München, Staats-Bibl., Evangeliar Karls d. Kahlen 25 (Cod. aureus), 870. / Rom, Kloster S. Paolo fuori le mura, Bibel, letztes Drittel 9. Jh.

II. DIE OTTONISCHE (VORROMANISCHE) KUNST (S. 231—249)

A. ARCHITEKTUR (Niederlande s. S. 914). Gernrode, St. Cyriakus [S. 244, 245], 961 gegründet (Westbau im 12. Jh. verändert). / Quedlinburg, Wipertikrypta [S. 134], nach 961. / Wimpfen im Tal, St. Peter, Westbau des alten Zentralbaus, zwischen 979—98. / Köln, St. Pantaleon, Westbau, gew. 980. / Essen, Münster, um 1000, Krypta gew. 1051 (Lang- 30 haus und Chor später umgebaut). / Augsburg, Dom, 994—1065. / Regensburg, Obermünster, 1002—15. / Hildesheim, St. Michael [S. 245—47], beg. vor 1010, Krypta gew. 1015, voll. 1033 (Veränderungen im Langhaus 2. Hälfte 12. Jh.). / Echternach, Willibrordskirche, zwischen 1016—31. / Ottmarsheim, Klosterkirche, 1. Hälfte 11. Jh. / Paderborn, Abdinghofkirche, Westbau 1016—36, Langhaus und Krypta zwischen 1078—83. / 35 Trier, Dom, Erweiterungsbau beg. um 1040. / Limburg a. H., Klosterkirche, um 1025 bis 1047. / Speyer, Dom [S. 243], beg. 1030. / Hersfeld, Klosterkirche [S. 218, 219], zweiter Neubau nach 1037 (Langhaus gew. 1147). / Reichenau-Mittelzell, Klosterkirche, Sta. Maria, Westquerschiff gew. 1048. / Konstanz, Münster, Neubau nach 1052, Weihe 1089, Krypta Anf. 11. Jh. / Werden, Luciuskirche, gew. 1063. / Köln, St. Maria 40 im Kapitol [S. 247], Neubau gew. 1065.

B. PLASTIK. Köln, Dom, Gerokreuz [S. 234], um 970. / Gernrode, Stiftskirche, Heiliges Grab, Stuckrelief [S. 235], um 1000. / Hildesheim, Dom, Bronzetüren [S. 237, 238], voll. 1015. / Hildesheim, Dom, Osterleuchter, zwischen 1015—22. / Köln, St. Maria im Kapitol, Holztüren [S. 35, 239, 240], Mitte 11. Jh. / Augsburg, Dom, Bronzetüren 45 [S. 241], Mitte 11. Jh. / Paderborn, Diözesan-Mus., Madonna des Bischofs Imad, zwischen 1051—76. / Werden, Abteikirche: Reliefs mit Sitzfiguren in Arkaden, zwei Reliefs mit stehenden Diakonen, zwischen 1066—81; Bronzekruzifix, um 1070. / Merseburg, Dom, Grabplatte König Rudolfs von Schwaben [S. 248], um 1080. / Enger, Stiftskirche, Grabplatte des Sachsenherzogs Wittekind, Ende 11. Jh. 50

C. GOLDSCHMIEDEKUNST. *Trier, sog. Egbert-Schule, letztes Viertel 10. Jh.:* Trier, Dom, Andreas-Tragaltar. / Maastricht, Egbert-Kreuz. / Gotha, Landes-Bibl., Echternacher Buchdeckel. / *Aachen:* Aachen, Münster: Pala d'oro (goldene Altartafel), um 1000. Goldener Buchdeckel, um 1000. Silberplatte mit dem Evangelisten Matthäus von der Kanzel Heinrichs II., vor 1014. / *Regensburg:* München, Staats-Bibl., Deckel des Uta-Cod., 1. Viertel 11. Jh. / Mün- 55 chen, Reiche Kapelle, Gisela-Kreuz, 1. Viertel 11. Jh. / *Regensburg oder Reichenau-Trier:* München, Reiche Kapelle, Tragaltar Heinrichs II., Anf. 11. Jh. / München, Staats-Bibl., Einband des Sakramentars Heinrichs II., Anf. 11. Jh. / Paris, Cluny-Mus., Baseler Antependium [S. 235, 236], 1. Viertel 11. Jh. / *Essen:* Essen, Münster: Mathilden-Kreuz, zwischen 993—1011. Essener Madonna, 1. Viertel 11. Jh. Theophanu-Kreuz, zwischen 1039—56. Einband des Theophanu-Evangeliars, zwischen 1039—56. / *Hildesheim:* Unter Bernward 993—1022: Hildesheim, Dom, Bernward-Kruzifix. Hildesheim, Magdalenenkirche, Bernwardleuchter. / Unter Hezilo 1054—79: Hildesheim, Dom, Kronleuchter. Hildesheim, Kreuzkirche, Hezilo-Kreuz. / *Niedersachsen:* Ehemals Welfenschatz, Gertrudis-Kreuze, um 1040. / Ehemals Welfenschatz, Gertrudis-Tragaltar, Mitte 11. Jh.

D. ELFENBEINE. Gruppe von 16 Platten, vermutlich Reste eines Altarantependiums, das Otto I. zwischen 962—73 nach Magdeburg stiftete, in Bibliotheken und Museen in Berlin, Compiègne, Darmstadt, Liverpool, London, München, Paris, Seitenstetten, siehe Goldschmidt II, 4—16, III, 301—303. / *Mailand* (?): Mailand, Dom, Weihwasserbecher, 975 bis 980. / *Echternach:* Ehemals Wien, Samlg. Figdor, Buchdeckel mit ungläubigem Thomas und Moses, um 990. / Paris, Cluny-Mus., Buchdeckel Apostel Paulus, Ende 10. Jh. / Manchester, John Rylands-Bibl., Buchdeckel Kreuzigung, Anf. 11. Jh. / *Trier* (?): Mainz, Altertums-Mus., Sitzmadonna, Mitte 11. Jh. / *Lüttich:* Oxford, Bodleian-Bibl., Buchdeckel Majestas Domini, 1. Hälfte 11. Jh.

E. WANDMALEREI. Reichenau-Oberzell, Stiftskirche St. Georg, Wundertaten Christi (Langhaus), gegen 1000. / Goldbach bei Überlingen, St. Sylvester, um 1000. / Burgfelden (Schwäb. Alb), Weltgerichtsdarstellung, um 1100.

F. BUCHMALEREI. *Reichenau:* Darmstadt, Landes-Bibl., Gerocodex, gegen 970. / Cividale, Dom, Egbertpsalter, zwischen 977—93. / Trier, Stadt-Bibl., Egbertcodex, etwa 980. / Aachen, Dom, Evangeliar Ottos II. oder Ottos III., letztes Viertel 10. Jh. / München, Staats-Bibl., Cim. 58, Evangeliar Ottos III. [S. 231, Tafel III], Ende 10. Jh. / München, Staats-Bibl., Cim. 57, Evangelistar Heinrichs II. [S. 232], zwischen 1002—14. / Bamberg, Staats-Bibl., Bamberger Apokalypse, 1001. / *Trier oder Reichenau:* Paris, Nat.Bibl., Evangeliar aus der Ste. Chapelle, zwischen 967—83. / Trier, Stadt-Bibl., und Chantilly, Musée Condé, Registrum Gregorii, um 983. / *Echternach:* Gotha, Landes-Bibl., Cod. aureus Epternacensis, zwischen 983—91 (?). / Escorial, Cod. aureus aus Speyer, zwischen 1043—46. / *Köln:* Paris, Nat.Bibl., Sakramentar aus St. Gereon in Köln, Ende 10. Jh. / Darmstadt, Landes-Bibl., Hitda-Evangeliar, 1. Hälfte 11. Jh. / Köln, Priesterseminar, Evangeliar aus St. Maria ad Gradus in Köln, 2. Viertel 11. Jh. / Stuttgart, Landes-Bibl., Evangeliar des Gundold [S. 233], 2. Viertel 11. Jh. / Stuttgart, Landes-Bibl., Evangeliar aus St. Gereon, um 1050. / *Regensburg:* München, Staats-Bibl., Sakramentar Heinrichs II. aus Bamberg, zwischen 1002—14. / München, Staats-Bibl., Uta-Cod. aus Niedermünster in Regensburg [S. 242], zwischen 1002—25. / *Fulda:* Göttingen, Univ.-Bibl., Fuldaer Sakramentar, gegen 975. / *Hildesheim:* Hildesheim, Dom, Bernward-Evangeliar, Anf. 11. Jh.

III. DIE ROMANISCHE KUNST IN DEUTSCHLAND (S. 250—284)

A. ARCHITEKTUR. *Ende 11. und 12. Jh. Hirsauer Schule:* Hirsau, St. Aurelius, beg. 1059. / Hirsau, St. Peter und Paul [S. 251], 1082—91 (Ruinen). / Alpirsbach, Klosterkirche, Ende 11. und Anf. 12. Jh. / Petersberg bei Erfurt, Klosterkirche, 1103 bis Ende 12. Jh. / Paulinzella, Klosterkirche [S. 250, 251], 1112 bis letztes Viertel 12. Jh. / Breitenau, Klosterkirche, beg. 1113. / Thalbürgel, Klosterkirche, beg. 1133 bis Anf. 13. Jh. / Hamersleben, Stiftskirche, 2. Hälfte 12. Jh. / *Sachsen:* Quedlinburg, Stiftskirche [S. 252—254], Ende 11. Jh. bis 1129. / Hildesheim, St. Godehard, zwischen 1133 und 1172. / Königslutter, Klosterkirche, 1135 bis um 1200. / Halberstadt, Liebfrauenkirche, Neubau beg. vor 1147 bis Ende 12. Jh. (Gewölbe, Querschiff und Chor 13. Jh.). / Braunschweig, Dom [S. 279], 1173—95. / Ratzeburg, Dom, gegründet 1173. / Lübeck, Dom, gegründet 1173. / Segeberg, ehemals Stiftskirche, 2. Hälfte 12. bis Anf. 13. Jh. / Goslar, Neuwerkskirche, letztes Viertel 12. Jh. bis 2. Viertel 13. Jh. / Jerichow, Klosterkirche, um 1200. / Hildesheim, Dom-Kreuzgang, 2. Hälfte 12. Jh. / Magdeburg, Kreuzgang der Liebfrauenkirche, 2. Hälfte 12. Jh. / Königslutter, Kreuzgang, Ende 12. Jh. / *Westfalen:* Soest, St. Patroklus, Ende 11. und 12. Jh. / Balve, Pfarrkirche, Ende 12. Jh. / *Niederrhein:* Maria Laach, Abteikirche [S. 261], 1093 bis 1. Viertel 13. Jh. / Hochelten, Klosterkirche, 1. Hälfte 12. Jh. / Knechtsteden, Klosterkirche, 1138 bis um 1180. / Brauweiler, Klosterkirche, Westbau und Langhaus, 2. und 3. Viertel 12. Jh. / Klosterrath (Rolduc), Kirche, 2. Hälfte 12. Jh. / Bonn, Münster, Kreuzgang und Ostchor, 3. Viertel 12. Jh. / Köln, St. Ursula, 2. Hälfte 12. Jh. / Köln, St. Gereon, Chor um 1190. / *Trier-Lothringen:* Verdun, Kathedrale, 2. Viertel 12. Jh. / Trier, St. Matthias, beg. 1127, voll. 2. Hälfte 12. Jh.; Dom, Ostchor, Altarweihe 1196. / St. Dié, Notre-Dame und Kathedrale, 2. Hälfte 12. Jh. / *Oberrhein, Mittelrhein, Hessen und Franken:* Speyer, Dom, Umbauten um 1100 und 2. Hälfte 12. Jh. / Mainz,

Dom [S. 260], Neubau um 1100—35, Umbau 2. Hälfte 12. Jh. und Anf. 13. Jh. / Worms, Dom, Neubau letztes Viertel 12. Jh. und 1. Hälfte 13. Jh. [S. 259]. / Ilbenstadt, Klosterkirche, gegründet 1123 bis um 1200. / Maulbronn, Zisterzienserkirche, 2. Hälfte 12. Jh. / Murbach, Klosterkirche, 2. Hälfte 12. Jh. / Schlettstadt, St. Fides, 2. Hälfte 12. Jh. / Rosheim, St. Peter und Paul [S. 262, 263], etwa 1170—90. / Basel, Münster [S. 266], letztes Viertel 12. Jh. und 1. Viertel 13. Jh. / *Bayern:* Freising, Dom, Neubau nach 1161. / Regensburg, St. Jacob [S. 265], Neubau 2. Hälfte 12. Jh. und 1. Viertel 13. Jh. / Prüll bei Regensburg, Klosterkirche, 1. Viertel 12. Jh. / Walderbach, Klosterkirche, Ende 12. Jh. / *Österreich:* Klosterneuburg, Kirche, nach 1158. / Heiligenkreuz, Klosterkirche, Langhaus und Querschiff, 2. Hälfte 12. Jh. und 1. Hälfte 13. Jh. / *Doppelkapellen:* Mainz, St. Godehard, vor 1137. / Schwarzrheindorf, Pfarrkirche, 3. Viertel 12. Jh. / *Profanbauten:* Goslar, Pfalz, 11.—13. Jh. (restauriert). / Braunschweig, Burg Dankwarderode, Palas um 1175. / Eisenach, Wartburg, Ende 12. und Anf. 13. Jh. / Wimpfen am Berg, Pfalz, beg. um 1200. / Gelnhausen, Pfalz, Hauptteile etwa 1210—30. — *Übergangsstil: Zisterzienser:* Bebenhausen, Klosterkirche, 1188—1277 (spätere Veränderungen); Klausurgebäude 13.—16. Jh. / Heisterbach, Abteikirche, 1202 bis etwa 1237. / Otterberg, Klosterkirche, Neubau, 1. Hälfte 13. Jh. / Arnsburg, Klosterkirche, etwa 1200—60. / Ebrach, Klosterkirche, 1. Viertel 13. Jh. bis 1282. / Riddagshausen, Klosterkirche, etwa 1225—75. / Kreuzgänge in Zwettl, Heiligenkreuz und Lilienfeld, 1. Hälfte 13. Jh. / *Westfalen:* Soest, St. Maria zur Höhe, Umbau 1. Viertel 13. Jh. / Münster, Dom [S. 278], Neubau 1225—65. / Paderborn, Dom [S. 277], 2. u. 3. Viertel 13. Jh. (Teile aus dem 11. u. 12. Jh.). / Herford, Münsterkirche, Mitte 13. Jh. / Osnabrück, Dom, Umbau um 1254. / *Niederrhein:* Köln, St. Aposteln, Umbau nach 1194 [S. 275, 276). / Groß-St. Martin, Umbau um 1200—40. / St. Andreas, Umbau 1. Viertel 13. Jh. / Andernach, Liebfrauenkirche [S. 277], Neubau um 1210—40. / Limburg a. L., Stiftskirche, 2. Viertel 13. Jh. / Bonn, Münster, Umbau um 1220—40. / Köln, St. Gereon, Dekagon und Taufkapelle, um 1220—40. / Neuß, St. Quirin, 2. Drittel 13. Jh. / Roermond, Liebfrauenkirche, 2. u. 3. Viertel 13. Jh. / *Oberrhein, Mittelrhein und Franken:* Mainz, Westchor, Hauptweihe 1239. / Worms, Westchor, 2. Viertel 13. Jh. / Gelnhausen, Marienkirche, Neubau um 1220—30. / Bamberg, Dom [S. 271], Neubau mit Benutzung älterer Teile, 1. Hälfte 13. Jh. / Straßburg, Münster, Chor und Querschiff [S. 289] Ende 12. Jh. bis um 1240. / *Sachsen:* Lehnin, Klosterkirche, gegründet 1180, gew. 1270. / Naumburg, Dom, Langhaus und Türme um 1210—40. / *Österreich, Mähren, Ungarn:* Tischnowitz, Zisterzienserkirche, 2. Viertel 13. Jh. / Wien, Dom, St. Stephan, Westbau 2. Viertel 13. Jh. / Trebitsch, Benediktinerkirche, Mitte 13. Jh. / Wiener-Neustadt, Liebfrauenkirche, Mitte 13. Jh. / Lébény, Kirche, 3. Viertel 13. Jh. / Jaák, Kirche, Weihe 1256. / Tulln, Karner, 3. Viertel 13. Jh. / *Doppelkapellen:* Eger, Burgkapelle, um 1180—1220. / Landsberg b. Halle, Burgkapelle, Ende 12. und Anf. 13. Jh. / Freyburg a. d. U., Kapelle d. Neuerburg, 1227—28. / *Profanbau:* Dortmund, Rathaus, nach 1240.

B. PLASTIK. *Sachsen:* Quedlinburg, Stiftskirche, Grabsteine der Äbtissinnen Adelheid I. und II. und Beatrix [S. 254], 1. Hälfte 12. Jh. / Braunschweig, Löwe [S. 256], 1166 aufgestellt. / Magdeburg, Dom, Grabplatte des Erzbischofs Friedrich von Wettin [S. 255, 256], gest. 1152. / Nowgorod, Sophienkirche, Bronzetüren [S. 257, 258], 3. Viertel 12. Jh. / Berlin, Kais.-Friedr.-Mus., Emporenbrüstung aus Kloster Gröningen, um 1170. / Magdeburg, Domremter, Marmorreliefs von einem Ambo (Seligpreisungen), 3. Viertel 12. Jh. / Gnesen, Dom, Bronzetüren, Ende 12. Jh. / Hildesheim, St. Michael, Chorschrankenreliefs, Ende 12. Jh. / Magdeburg, Dom, Grabplatte des Erzbischofs Wichmann (oder Ludolf), Anf. 13. Jh. / Halberstadt, Liebfrauenkirche, Chorschrankenreliefs [S. 279], Anf. 13. Jh. / Halberstadt, Dom, Triumphkreuzgruppe, 1. Viertel 13. Jh. / Hildesheim, Dom, Bronzetaufbecken [S. 280—282], um 1220. / Braunschweig, Dom, Grabmal Heinrichs des Löwen und seiner Gemahlin [S. 283], Mitte 13. Jh. / *Westfalen:* Externsteinreliefs bei Horn, um 1115. / Freckenhorst, Stiftskirche, Taufstein, um 1129. / Münster, Dom, Vorhallenskulpturen [S. 278] (mit Ausnahme einiger gotischer Statuen), 2. Viertel 13. Jh. / Paderborn, Dom, Vorhallenskulpturen, Mitte 13. Jh. / *Rhein:* Gustorf, Pfarrkirche, Schrankenskulpturen, 3. Viertel 12. Jh. / Köln, Kunstgewerbe-Mus., Tympanon von St. Pantaleon, 2. Hälfte 12. Jh. / Köln, St. Maria im Kapitol, Plektrudis-Grabstein, Ende 12. Jh. / Brauweiler, Klosterkirche, Altaraufsatz Anf. 13. Jh. / Andernach, Liebfrauenkirche, Tympana des Südportals und des Hauptportals (Teile des letzteren in Bonn, Provinzial-Mus.), 2. Jahrzehnt 13. Jh. / *Südwestdeutschland:* Freudenstadt, Stadtkirche, Lesepult aus Alpirsbach [S. 268], um 1180. / Andlau, Klosterkirche, Portal und Außenfries [S. 267], 2. Hälfte 12. Jh. / Petershausen, ehemals Abteikirche St. Gregor, Hauptportal (Reste im Landes-Mus. Karlsruhe), 1173—80. / Basel, Münster, Galluspforte [S. 266], Ende 12. Jh. / Worms, Dom, Architektur-Plastik [S. 264], Ende 12. Jh. / Großenlinden, Kirche, Portal

[S. 264], um 1200. / *Bayern:* Freising, Krypta des Domes, Bestiensäule, 1. Viertel 13. Jh. / Regensburg, Schottenkirche St. Jacob, Nordportal [S. 265], 1220—30. / München, Nat. Mus., Skulpturen von den Chorschranken in Wessobrunn, gegen Mitte 13. Jh. / *Österreich:* Tulln, Karner, Portal, Mitte 13. Jh. / *Franken:* Bamberg, Dom, Georgenchorschranken [S. 269, 270] um 1230, Gnadenpforte (am Nordostturm) um 1230. 5

C. GOLDSCHMIEDEKUNST. *Niederlothringen (Maasgebiet):* Lüttich, Bartholomäuskirche, Bronzetaufbecken des Reiner von Huy, 1107—18. / Visé, Kirche, Hadelinus-Schrein, um 1140. / Brüssel, Musée du Parc Cinquantenaire, Alexander-Reliquiar aus Stavelot, 1145. / Tragaltar aus Stavelot, etwa 1150—60. / Paris, Louvre, Armreliquiar Karls d. Gr., etwa 1166—70. / Lille, Mus., Weihrauchfaß, etwa 1160—70. / S. Omer, Mus., Kreuzfuß, 10 um 1170. / Deutz, Kirche, Heribert-Schrein, etwa 1170—80. / Huy, Kollegiatkirche, Domitian- und Mangold-Schrein, von Godefroid de Claire, 1173. / Maastricht, Servatiuskirche, Servatiusschrein, etwa 1150—60. / *Nicolaus von Verdun:* Klosterneuburg bei Wien, Stiftskirche, Altar 1181. / Köln, Dom, Dreikönigsschrein [S. 274], um 1200. / Tournai, Kathedrale, Marienschrein, 1205. / *Schule des Nikolaus von Verdun:* Mailand, Dom, Standleuchter, 15 1. Viertel 13. Jh. / Trier, St. Matthias, Kreuzreliquiar, nach 1220. / Hugo von Oignies: Namur, Nonnenkloster Notre-Dame, Reliquiar der Petrusrippe, 1228; Buchdeckel, etwa 1230. / *Aachen:* Meister Wibert: Aachen, Dom, Kronleuchter, letztes Drittel 12. Jh. / Aachen, Dom, Karlsschrein, Ende 12. Jh. bis 1215; Marienschrein, etwa 1215—37. / *Eilbertus aus Köln und Werkstatt:* Xanten, Dom, Viktorschrein, 1129. / München-Gladbach, 20 Abteikirche, Tragaltar. / Siegburg, Pfarrkirche, Mauritius-Tragaltar. / Ehemaliger Welfenschatz, Tragaltar [S. 273], 1150—60. / *Fridericus und sogenannte Werkstatt von St. Pantaleon in Köln:* Darmstadt, Landes-Mus., Turmreliquiar, um 1170. / Ehemaliger Welfenschatz, Kuppelreliquiar, um 1175. / London, Vikt.- und Alb.-Mus., Kuppelreliquiar, um 1180. / Köln, St. Pantaleon, Maurinus-Schrein, Ende 12. Jh. / Siegburg, Pfarrkirche, 25 Anno-Schrein, zwischen 1183—1200. / *Marburg:* Marburg, Elisabethkirche, Elisabeth-Schrein [S. 283], zwischen 1235—49. / *Roger von Helmarshausen:* Paderborn, Franziskanerkirche, Abdinghofer Tragaltar [S. 273], Ende 11. Jh. / Paderborn, Dom, Tragaltar, 1100. / *Sogenannte Fritzlarer Werkstatt:* Fritzlar, Stiftskirche, Scheibenreliquiar, 3. Viertel 12. Jh. / *Hildesheim:* Hildesheim, Dom, Godehard-Schrein, 1. Hälfte 12. Jh. / Oswald-Reliquiar, 30 Anf. 13. Jh. / *Süddeutschland:* Komburg, Stiftskirche, Antependium, 3. Viertel 12. Jh. / Frankfurt a. M., Kunstgewerbe-Mus., Grubenschmelzkasten aus Kloster Gruol, 2. Hälfte 12. Jh.

D. ELFENBEINE. *Gruppe der kölnischen gestichelten Elfenbeine:* 11 Platten, vermutlich Reste von 2 Altarantependien aus Kölner Kirchen, 12. Jh. (Köln, Kunstgewerbe-Mus.; Berlin, 35 Kais.-Friedr.-Mus.; London, Vikt.- und Alb.-Mus.; New York, Samlg. George Blumenthal). / Ehemals Welfenschatz, Kuppelreliquiar, um 1175. / London, Vikt.- und Alb.-Mus., Kuppelreliquiar, um 1180. / Brüssel, Musée des Arts décoratifs, Reliquiar, Basilika mit vielen Figuren, Ende 12. Jh.

E. BUCHMALEREI. Stuttgart, Landes-Bibl., Stuttgarter Passionale, 1. Hälfte 12. Jh. (Hirsau- 40 Zwiefalten). / New York, Bibl. Pierpont Morgan, Hainricus-Missale, um 1200 (Weingarten); Berthold-Missale, 1200—32 (Weingarten). / *Salzburg:* Admont, Stifts-Bibl., Bibel von Admont, 2. Viertel 12. Jh. / München, Staats-Bibl., Perikopenbuch von St. Ehrentrud, 2. Viertel 12. Jh. / Salzburg, Stifts-Bibl. S. Peter, Antiphonar, Mitte 12. Jh. / München, Staats-Bibl., Orationale von S. Ehrentrud, 2. Hälfte 12. Jh. / *Regensburg-* 45 *Prüfening:* „Das Sechstagewerk", München, Staats-Bibl., 3. Viertel 12. Jh. / München, Staats-Bibl., Lob des Hl. Kreuzes, 1170—85. / Berlin, Staats-Bibl., Eneit-Hs., 1. Viertel 13. Jh. / München, Staats-Bibl., lat. 3900, Matutinalbuch aus Scheyern, 1206—25. / *Mainfränkisch:* München, Staats-Bibl., Psalter, Mitte 13. Jh. / Aschaffenburg, Schloß-Bibl., Evangeliar aus Mainz, Mitte 13. Jh. / *Thüringisch-Sächsisch:* Stuttgart, Landes-Bibl., 50 Psalter des Landgrafen Hermann von Thüringen, 1211—13. / Cividale, Mus., Psalter der Hl. Elisabeth, 1. Drittel 13. Jh. / *Niedersachsen und Westphalen:* Kassel, Landes-Bibl., Hardehauser Evangeliar [S. 272], 1150—70. / Hildesheim, Dom, Missale des Ratmann, 1159. / Stammheim, Gräflich-Fürstenbergische Bibl., Missale um 1160. / Gmunden, Herzog von Cumberland, Evangeliar Heinrichs des Löwen, 1173—89. / Wolfenbüttel, 55 Landes-Bibl., Cod. Helmstadensis 65, 1194. / Goslar, Rathaus, Evangeliar, um 1240. / Halberstadt, Domgymnasium, Missale des Dompropstes Semeko, 1236—40. / *Niederrhein:* Bonn, Provinzial-Mus., Einzelblätter aus einem Moralwerk des Konrad von Hirsau, letztes Drittel 12. Jh. / Brüssel, Kgl. Bibl., Evangelistar aus Groß-St. Martin, 1. Drittel 13. Jh. / Berlin, Staats-Bibl., Bibel aus Heisterbach, um 1240. / *Mittel- und Oberrhein:* 60 Hortus Deliciarum der Herrad v. Landsberg, 2. Hälfte 12. Jh. (Bruchstück in London, Britisches Mus., sonst nur in Nachzeichnungen erhalten). / Wiesbaden, Landes-Bibl.,

Liber Scivias der Hl. Hildegard von Bingen, 2. Hälfte 12. Jh. / Karlsruhe, Landes-Bibl., Speyerer Evangelistar, 1196. / Lucca, Bibl., Buch der Göttlichen Werke der Hl. Hildegard von Bingen, 1. Hälfte 13. Jh.

F. MONUMENTAL-MALEREI. Salzburg, Kloster Nonnberg, Mitte 12. Jh. / Regensburg-Prüfening, Chorbilder, um 1130; Fresken an den Vierungspfeilern, um 1160; Allerheiligenkapelle, um 1155. / Prüll, um 1200. / Gurk, Dom, Nonnenchor, 3. Viertel 13. Jh. / Schwarzrheindorf, Doppelkirche, 3. Viertel 12. Jh. / Knechtsteden, Abteikirche, 3. Viertel 12. Jh. / Brauweiler, Kapitelsaal, nach 1204. / Köln, St. Gereon, Chorapsis, Ende 12. Jh.; Taufkapelle, 2. Viertel 13. Jh. / Soest, S. Pastroklus, Hauptchor, nach Mitte 12. Jh. / Soest, St. Maria zur Höhe, um 1230. / Goslar, Neuwerkskirche, um 1238. / Hildesheim, St. Michael, Decke [S. 284], 1. Viertel 13. Jh.

G. GLASMALEREI. Augsburg, Dom, 1. Hälfte 12. Jh. / Straßburg, Münster, Querschiff, 1. Hälfte 13. Jh. / Marburg, Elisabethkirche, 2. Viertel 13. Jh. / Köln, St. Kunibert, Mitte 13. Jh.

H. TAFELMALEREI. Berlin, Deutsches Mus., Altaraufsatz aus Soest, St. Maria zur Wiese, um 1250. / Worms, Paulus-Mus., 2 Altarflügel aus der Johanniskirche, nach 1260.

I. TEPPICHE. Halberstadt, Dom, Teppich mit der Geschichte Abrahams und dem Hl. Michael, letztes Drittel 12. Jh. / Teppich mit Christus und den 12 Aposteln, Ende 12. Jh. / Teppich mit Karl d. Gr. und den 4 Philosophen, um 1200. / Quedlinburg, Schloßkirche, Teppich mit der Hochzeit des Merkur und der Philologie, um 1200.

IV. DEUTSCHE SONDERGOTIK (S. 284—339)

A. BAUKUNST. *Zisterzienser:* Maulbronn, Zisterzienserkirche [S. 288], Vorhalle, um 1210; Teile der Klausur aus der 1. Hälfte 13. Jh. / Walkenried, ehemals Klosterkirche, Neubau 1. Viertel 13. Jh. bis 1290. / Altenberg, Abteikirche, Neubau, beg. 1255, Weihe 1379. / Chorin, ehemals Klosterkirche, nach 1273 beg., 1334 gew. / Doberan, Klosterkirche, Neubau Ende 13. Jh., 1368 voll. / Zwettl, Klosterkirche, Chor 1343 beg. / *Frühgotik:* Magdeburg, Dom [S. 285—287] 1209 beg., Bischofsgang 1220—30, Weihe 1363. / Marburg, Elisabethkirche [S. 319, 320] 1235—83. / Trier, Liebfrauenkirche, 2. Viertel 13. Jh. / Wetzlar, Dom [S. 321] 2. Viertel 13. Jh. bis 2. Viertel 14. Jh. (Romanischer Westbau 12. Jh.). / Minden, Dom, Langhaus, um 1267 beg. / *Hochgotik:* Halberstadt, Dom, Neubau beg. um 1230—40, Schlußweihe 1491. / Köln, Dom, Neubau [S. 336] 1248 beg., Chorweihe 1322, Ausbau 19. Jh. / Straßburg, Münster, Langhaus [S. 323, 324] Mitte 13. Jh., Westfassade [S. 325] 1276 beg. / Naumburg, Dom, Westchor [S. 303] seit 1249. / Feiburg i. B., Münster, Langhaus um 1260 beg. / *Bettelorden:* Regensburg, Dominikanerkirche, Langhaus, um 1245 bis Anf. 14. Jh. / Regensburg, Minoritenkirche, Langhaus 2. Hälfte 13. Jh., Chor 2. Viertel 14. Jh. / Eßlingen, Dominikanerkirche, um 1250 beg., Weihe 1268. / Erfurt, Predigerkirche, um 1300 bis gegen 1370. / *Spätgotik:* Regensburg, Dom, Langhaus beg. 1275, im 15. Jh. Bauleitung der Roritzer. / Oberwesel, Liebfrauenkirche, 1308—40. / Schwäbisch-Gmünd, Heiligkreuzkirche, Langhaus [S. 321] und Westfassade beg. 1330. / Wien, Stephansdom, Chor gew. 1339, Neubau des Langhauses 1359 beg. / Oppenheim, Katharinenkirche, Langhaus [S. 329] um 1350. / Soest, Maria zur Wiese, Mitte 14. Jh. / Aachen, Münster, Chor 1355 beg. / *Parler-Werkstatt:* Schwaben, Böhmen, Franken, 2. Hälfte 14. Jh. / Prag, Dom, Chor 1344—86, seit 1353 Baumeister Peter Parler. / Schwäbisch-Gmünd, Heiligkreuzkirche [S. 321], Chor 1351 beg. / Kolin, Stadtkirche, Chor 1360 beg. / Ulm, Münster, 1377 beg. / Nürnberg, Frauenkirche, 1355 beg. / Nürnberg, St. Sebald, Chor [S. 322] 1361—72. / Ulrich von Ensingen: gest. 1419 (Ulmer Münster, Erweiterung des Langhauses, Entwurf der Vorhalle, Plan des Turms; Straßburger Münster, Oktogongeschoß des Turmes 1399—1419). / Hans Stetthaimer von Burghausen, tätig 1389—1432 (Landshut, St. Martin, 1392 beg.; Salzburg, Franziskanerkirche, 1. Hälfte 15. Jh.). / *Norddeutscher Backsteinbau:* Thorn, Johanneskirche, nach 1250 beg. / Lübeck, Marienkirche, 2. Hälfte 13. bis Mitte 14. Jh. / Rostock, Marienkirche, Ende 13. Jh. beg. / Wismar, Marienkirche, Neubau 1339 bis 2. Hälfte 14. Jh. / Prenzlau, Marienkirche [S. 323], Mitte 14. Jh. / Danzig, Marienkirche, 1343 beg., Umbau 15. Jh. / *Profanbau:* Marburg, Schloß, Kapelle, gew. 1288; Saalbau voll. 1311. / Münster, Rathaus, Fassade 1355. / Prag, Altstädter Brückenturm (Peter Parler), 1360—90. / Thorn, Altstädter Rathaus, um 1250—1393, Umbau Anf. 17. Jh. / Lübeck, Rathaus, 13. bis 16. Jh. / Stralsund, Rathaus, 2. Hälfte 13. bis 1. Hälfte 15. Jh. / Marienburg, gegründet 1280, Sommer- und Winterrefektorium Ende 14. Jh.

B. PLASTIK. *Frühgotik:* Magdeburg, Dom, Figuren und Reliefs im Chor (Portalreste), 1210 bis 1220. / Freiberg i. S., Marienkirche, „Goldene Pforte“ [S. 288, 289], um 1240. / Wechselburg, Schloßkirche, Triumphkreuzgruppe, Lettnerfiguren und Kanzel, um 1250. / Magdeburg, Dom, Paradies, um 1250. / Straßburg, Münster, Plastik des Südportals am Querschiff [S. 292, 293], 1220 bis etwa 1240; Gerichts-(„Engels"-)pfeiler im Querschiff [S. 290, 291], 1220—30; Lettner (zerstört), gegen Mitte 13. Jh. / *Hochgotik:* Bamberg, Dom, Adamspforte [S. 301, 302] (am Südostturm); Fürstenportal [S. 294, 295, 299, 300] (nördliches Seitenschiff); Heimsuchung [S. 296]; Reiter [S. 297, 298]; Grabplatte des Papstes Clemens II. und Reliefs an der Tumba, um 1235. / Regensburg, Dom, Verkündigung, etwa 1280—85. / Prüfening bei Regensburg, Klosterkirche, Grabplatte des seligen Erminold, gestiftet 1283. / Nürnberg, St. Sebald, Seitenschiffportale, 1. Viertel 14. Jh. — Mainz, Dom, Fragmente vom Ost- und Westlettner [S. 318] (heute im Kreuzgang, Diözesan-Mus. und am Südportal der Ostseite), vor 1239. / Naumburg, Dom, Stifterstatuen im Westchor [S. 36 u. 303—309] und Westlettner [S. 310—317], um 1250—60. / Meißen, Dom, Statuen im Chor und in der Johanneskapelle, 2. Hälfte 13. Jh. / Magdeburg, Reiterdenkmal Ottos I. (?), 3. Viertel 13. Jh. / Münster, Dom, Vorhalle, zwei Statuenpaare an den Schmalseiten, 3. Viertel 13. Jh. / Magdeburg, Dom, Madonna im südlichen Querschiff, um 1300. / Erfurt, Dom, Plastik am Triangel, um 1330. — Nürnberg, Germanisches Mus., Grabmal des Grafen Heinrich von Sayn, gest. 1247. / Mainz, Dom, Grabstein des Erzbischofs Siegfried III. von Eppstein [S. 332], gest. 1249. / Mainz, Dom, Diözesanmuseum, sitzende Apostel [S. 331], gegen 1300. / Bonn, Provinzial-Mus., Pietà Röttgen [S. 333], um 1300. (Spätere Varianten in Fritzlar und Wetzlar.) / Köln, St. Maria im Kapitol, Gabelkruzifix, 1304. / Berlin, Deutsches Mus., Christus und Johannes-Gruppen, aus Schülzburg und aus Sigmaringen [S. 334], 1. Viertel 14. Jh. / *Spätgotik:* Straßburg, Münster, Plastik der Westfassade [S. 326], seit 1276. / Freiburg i. B., Münster, Skulpturen der Vorhalle, Ende 13. bis Anf. 14. Jh.; Heiliges Grab [S. 329], 1. Viertel 14. Jh. / Augsburg, Dom, Grabplatte des Bischofs Wolfhart von Roth, gest. 1302. / Straßburg, Münster, Skulpturen der Katharinenkapelle, zwischen 1330 und 1340. / Rottweil, Frauenkirche, Skulpturen am sog. Kapellenturm (z. T. heute in der Lorenzkapelle) [S. 330], 2. Viertel 14. Jh. / Gmünd, Heiligkreuzkirche, Portale am Langhaus, etwa 1340—50. / Eßlingen, Frauenkirche, östliches Südportal, gegen 1350. / Gmünd, Heiligkreuzkirche, Portale am Chor, 2. Hälfte 14. Jh. / Augsburg, Dom, Südportal, 3. Viertel 14. Jh. / Würzburg, Dom, Grabmal des Bischofs Otto von Wolfskehl [S. 330], gest. 1345. / Bamberg, Dom, Grabmal des Bischofs Friedrich von Hohenlohe [S. 330], gest. 1351. / Nürnberg, St. Lorenz, Hauptportal der Westfassade, Mitte 14. Jh.; Frauenkirche, Plastik der Vorhalle, 3. Viertel 14. Jh. / Bamberg, Dom, Chorgestühl des Peterschores, letztes Viertel 14. Jh. / Prag, Dom, Standbild des Hl. Wenzel, 1373. / Prager Dombauhütte, Parler, Tumba Ottokars I. und andere Gräber, 1374—78. / Triforiumsbüsten [S. 331], zwischen 1375 und 1393. / Nürnberg, der Schöne Brunnen (Reste im Germanischen Mus. und in Berlin, Dtsch. Mus.), zwischen 1385 und 1396. / Prag, Teynkirche, Tympanon des Nordportals, Anf. 15. Jh. — Köln, Dom, Pfeilerstatuen im Hochchor [S. 337], um 1320; „Mailänder" Madonna, um 1320; Chorgestühl, 1. Hälfte 14. Jh. / Münster, Landes-Mus., Figuren vom Westportal der Überwasserkirche [S. 338], 3. Viertel 14. Jh. / Köln, Dom, Petersportal, Gewände [S. 338], um 1370 (Archivolten Ende 14. Jh.). / Hamburg, Kunsthalle, Plastik des „Grabower" Altars [S. 339] (Meister Bertram aus Minden), 1379—83. — Marburg, Elisabethkirche, Grabmal Heinrichs I. [S. 334], nach 1308; Grabmal Ottos und Johanns, nach 1311. / Kappenberg bei Bielefeld, katholische Pfarrkirche, Grabplatte des Grafen von Kappenberg [S. 334], um 1315; Madonna, um 1315. / Bielefeld, Marienkirche, Grabplatte Ottos III. von Ravensburg und seiner Gemahlin, um 1330; ehemaliger Lettner, 2. Drittel 14. Jh. / Caldern, Kirche, Kruzifix, 1330—35. / Köln, Kunstgewerbe-Mus., Madonna, um 1335. / Münstereifel, Pfarrkirche, Grabmal Gottfrieds von Bergheim, gest. 1335. / Köln, Dom, Hochaltar [S. 335], 2. Drittel 14. Jh. / Marburg, Elisabethkirche, Lettner, um 1340; Pietà [S. 335], Mitte 14. Jh. (Varianten u. a. in Breslau [S. 336] und Magdeburg). — Oberwesel, Liebfrauenkirche, Lettner, Chorgestühl, Hochaltar [S. 330], 2. Viertel 14. Jh. / Eberbach, Klosterkirche, Hl. Grab, Mitte 14. Jh. / Erfurt, Severikirche, Severisarkophag (auseinandergenommen), 3. Viertel 14. Jh. / Veste Koburg, Pietà aus Scheuerfeld, 3. Viertel 14. Jh. / Halberstadt, Dom, Figuren einer Verkündigung (Hl. Grab?), 3. Viertel 14. Jh. / Havelberg, Dom, Lettner und Chorschranken [S. 331], um 1400.

C. GOLDSCHMIEDEKUNST. *Maasgebiet:* Tournay, Kathedrale, Eleutherius-Schrein, 1247 voll. / Paris, Louvre, Altar von Floreffe, 1254. / Stavelot, Remaclus-Schrein, zwischen 1263—68. / Nivelles, Gertrud-Schrein, 1272 bis etwa 1298.

D. MALEREI. Brauweiler, Abteikirche, Fresken um 1275 bis Anf. 14. Jh. / Köln, Diözesan-Mus., und Bonn, Univ.-Bibl., 2 Graduale des Johann von Valkenburg, 1299. / Hofgeismar, Liebfrauenkirche, Altaraufsatz, um 1310. / Berlin, Dtsch. Mus., Diptychon mit Madonna und Kreuzigung, Köln um 1320. / Köln, Wallraf-Richartz-Mus., Kreuzigung, Köln um 1320. / Köln, Dom, Fresken am Chorgestühl, 1322. / Klosterneuburg, Stiftskirche, Rückseite des Verduner Altars, 1324—29. / Kassel, Landesbibl., Roman-Hs. d. Willehalm v. Oranse, 1334. / Köln, Wallraf-Richartz-Mus., Verkündigung und Darbringung im Tempel, Köln, 2. Viertel 14. Jh. / Köln, St. Andreas, Ssch.-Kapellen und nördl. Querschiff, Fresken, 2. Viertel 14. Jh. / Köln, Minoritenkirche, Fresken, 2. Viertel 14. Jh. / Heidelberg, Univ.-Bibl., Manesse-Handschrift, 1. Hälfte 14. Jh. / Osnabrück, Diözesan-Mus., Gisela-Kodex, Mitte 14. Jh. / Thorn, Johanneskirche, Fresken im Chor, Mitte 14. Jh. / Hohenfurth, Stiftskirche, Heilszyklus, nach 1350. / Berlin, Dtsch. Mus., Glatzer Madonna, Mitte 14. Jh. / Burg Karlstein, Gemäldezyklus (Tommaso da Modena, Nikolaus Wurmser, Theoderich v. Prag), 2. Drittel 14. Jh. / Prag, Nat.Mus., Liber Viaticus, um 1360. / Meister von Wittingau, 2. Hälfte 14. Jh. / Wien, Nat.Bibl., Wenzelsbibel, um 1390. / Wilhelm von Herle, tätig Köln 1358—78 (Klarenaltar um 1370). / Meister Bertram aus Minden, tätig Hamburg 1370—90 (Grabower-Altar, 1379—83). / Hannover, Prov.Mus., Goldene Tafel aus Lüneburg, 1380—90. / Schotten, Stadtkirche, Altar um 1390. / München, Bayr. Nat.Mus., Paehler-Altar um 1400.

E. GLASMALEREI. Straßburg, Münster, nördl. Ssch., letztes Viertel 13. Jh.; Langhaus (mit Ausnahme der beiden westlichen Joche), 1. Hälfte 14. Jh. / Bücken a. d. Weser, Stiftskirche, um 1300. / Köln, Dom, Stephanskapelle, Dreikönigskapelle, Johanneskapelle, Langseiten des Hochchores, Anf. 14. Jh. / Marburg, Elisabethkirche, Hochchor, Madonnenfenster, 1. Hälfte 14. Jh. / Mühlhausen, Stephanskirche, 1. Hälfte 14. Jh. / Königsfelden (Schweiz), ehem. Klosterkirche, 1. Hälfte 14. Jh. / München, Bayr. Nat.Mus., Glasfenster aus der Dominikanerkirche in Regensburg, um 1370.

ZUR DRITTEN ABTEILUNG

DIE MITTELALTERLICHE KUNST IN DEN NIEDERLANDEN

A. ARCHITEKTUR. *Vorromanisch:* Maastricht, St. Servatius, Kernbau um 900 (Umbauten 11.—15. Jh.). / Nivelles, St. Gertrud, gew. 1046. / Utrecht, St. Peter, gew. 1048, nach Brand 1076 wiederhergestellt. / Susteren, Pfarrkirche, Mitte 11. Jh. / *Romanisch:* Soignies, St. Vincent, 1. Hälfte 12. Jh. / St. Séverin-en-Condroz, Kirche, Mitte 12. Jh. / Orp-le-Grand, Kirche, Mitte 12. Jh. / Tournay, Kathedrale, Langhaus und Querschiff, Hauptbauzeit 2. u. 3. Viertel 12. Jh. / Lüttich, St. Barthélémy, 2. Hälfte 12. Jh. / Maastricht, St. Servatius, Chor und Westwerk, 3. Viertel 12. Jh.; Liebfrauenkirche, Langhaus und Chor, um 1160—80. / Klosterrath, Kirche, um 1160—80. / Utrecht, Marienkirche, um 1180 (zerstört). / Oldenzaal, Plechelmuskirche, 2. Hälfte 12. Jh. / Roermond, Liebfrauenkirche, 2. u. 3. Viertel 13. Jh. / *Gotisch:* Brüssel, St. Gudula, Chor 1220—73, Langhaus seit 1350, Fassade im 15. Jh. voll. / Gent, St. Bavo, Chor 1228 beg., Westturm 1462—1534, Querschiff und Langhaus 1533—59. / Villers-la-ville, Zisterzienserkirche, 1240—42. / Tournay, Kathedrale, Chor 1242—1325. / Utrecht, Dom, beg. 1254, Turm 1321—82 (Jan van Henegouwen). / Maastricht, Dominikanerkirche, gew. 1294. / Hal, Wallfahrtskirche, 1341—1467. / Mecheln, Kathedrale, 1342—1487 (Turm bis spätes 16. Jh.). / Antwerpen, Liebfrauenkirche, 1352—1533. / Kampen, Nikolauskirche, Rutger von Köln Bauleiter, 1369—93. / Profanbau: Gent, Gravensteen, um 1180. / Aalst, Rathaus, Anf. 13. Jh. / Middelburg, Abtei, um 1250, im 15. Jh. vergrößert. / Ypern, Kaufhalle, 1200—1304. / Aduard, Zisterzienserkloster, erhalten das Krankenhaus, voll. 1279. / Brügge, Kaufhalle, 1284—1364.

B. PLASTIK. *Romanisch:* Taufsteine aus Tournayer Stein, z. B. Dendermonde, 12. Jh. (Exportware). / Tournay, Kath., Portale am Querschiff, 3. Viertel 12. Jh. / Gent, Abtei St. Bavo, Bruchstücke von Architekturplastik, 3. Viertel 12. Jh. / Maastricht, Liebfrauenkirche und Servatius-Kirche, Tympana und Kapitellplastik, um 1160—80. / Lüttich, Archäologisches Mus., Madonna des Dom Rupert, um 1180. / Maastricht, Liebfrauenkirche, Bischof Albert von Löwen (?), um 1180—90. / Amsterdam, Niederländisches Mus., 2 Apostel aus Odilienberg, um 1180—90. / *Gotisch:* Maastricht, Servatius-Kirche, Plastik der südlichen Vorhalle, um 1230—40. / Lüttich, St. Servatius, Madonna, um 1320—30. / Tournay, Kathedrale, Westfassade, Adam u. Eva, Propheten u. Kirchenväter, 1. Hälfte 14. Jh. / Huy, Notre-Dame, Tympanon des Bethlehem-Portales, Mitte 14. Jh. / Lüttich, St. Jacques, Marienkrönung am Nordportal, 2. Hälfte 14. Jh. / Schreinplastik siehe S. 911[5] u. 913[55].

C. WANDMALEREI. Tournay, Kathedrale, 2. Hälfte 12. Jh. / Nivelles, St. Gertrud, um 1300. / Gent, Hospital der Bylocke, Refektorium, 1323—30. / Maastricht, Dominikanerkirche, 1337.

D. BUCHMALEREI. London, Brit.Mus., Bibel von Stavelot, 1093—97; Bibel aus der Abtei Park bei Löwen, 1148; Bibel von Floreffe, um 1160. / Paris, Nat.Bibl., lat. 8865, Liber Floridus, 1250—70. / Paris, Arsénal-Bibl. 6329, Somme le Roi, 1311. / Brüssel, Kgl. Bibl. 11040, Histoire d'Alexandre, 1. Hälfte 14. Jh.

VIERTE ABTEILUNG

DIE MITTELALTERLICHE KUNST IN ENGLAND

I. ANGELSÄCHSISCHE BUCHMALEREI

(Angelsächsische Architektur siehe S. 903[30])

Winchester-Schule: Chatsworth, Bibl. des Herzogs von Devonshire, Aethelwold-Benediktionar, um 975. / Rouen, Bibl., „Missale" des Robert von Jumièges, um 1013—17. / London, Brit. Mus. Harley 603, Psalter aus Canterbury, um 1000 (Kopie des Utrechtpsalters). / Oxford, Bodleian-Bibl., Caedmon, um 1000. / London, Brit.Mus., Cotton-Cleopatra C. VIII., Prudentius Psychomachia, Anf. 11. Jh.

II. ROMANISCH-NORMANNISCH 1070—1170

A. ARCHITEKTUR. *Kathedralen:* St. Albans, beg. 1077, Weihe 1115. / Winchester, normannischer Bau (nur Querhaus erhalten), beg. 1079. / Ely, östl. Querhaus u. Langhaus seit 1082, Westquerschiff [S. 342, 343] seit 3. Viertel 12. Jh. / Gloucester, beg. 1089 (Umbauten 13.—15. Jh.). / Durham [S. 341], 1093 bis um 1130 (Wölbung u. Erweiterung 13. u. 15. Jh.)./ Norwich [S. 342], beg. 1096 (Umbau 2. Hälfte 14. u. 15. Jh.). / Peterborough, Ostquerschiff u. Langhaus, beg. 1118. / Romsey, Klosterkirche, beg. um 1125. / Oxford, 12. Jh. / Malmesbury, Abteikirche, Mitte 12. Jh.

B. PLASTIK. Chichester, Kathedrale, Reliefs: Christus am Tor von Bethanien und Auferweckung des Lazarus, 11. Jh. / York, Münster, Madonna, um 1100. / London, Vikt.- und Alb.-Mus., Elfenbeinrelief: Anbetung der Könige, um 1100. / Ely, Kathedrale, Portal am südlichen SS., Mitte 12. Jh. / Kilpek, Kirche, Portale [S. 341], 2. Hälfte 12. Jh. / Malmesbury, Abteikirche, Plastik der Südvorhalle, um 1160. / Lincoln, Kathedrale, Westfassade, Reliefs, 3. Viertel 12. Jh. / Rochester, Kathedrale, Westportal, zwischen 1140—80. / Gräber und Taufsteine.

C. BUCHMALEREI. Hildesheim, Bibl., Albani-Psalter, Anf. 12. Jh. / Cambridge, Pembroke College, Evangeliar aus Bury St. Edmond, Anf. 12. Jh. / London, Sir George Holford, Leben des Hl. Edmond aus Bury St. Edmond, 2. Viertel 12. Jh. / Cambridge, Corpus Christi College, Bibel aus Bury St. Edmond, 1121—48. / London, Brit.Mus. Cotton-Nero C. IV, Psalter aus St. Swithin Winchester, um 1150—60. / Winchester, Kathedrale, Bibel, Ende 12. Jh. / London, Brit.Mus., Harley Roll YV 6. Rotulus mit dem Leben des Hl. Guthlac, Ende 12. Jh.

III. FRÜHGOTIK (EARLY ENGLISH) 1170—1250

A. ARCHITEKTUR. *Kathedralen:* Canterbury [S. 343], Um- und Neubau des Chores 1175—84. / Ripon, beg. zwischen 1153 und 1181 (Umbauten 13., 15. und Anf. 16. Jh.). / Chichester, Umbau seit 1186. / Lincoln [S. 344, 345], Neubau 1192 beg. / Wells, Querschiff und Langhaus um 1180—1239. / Peterborough, westl. Querschiff und Fassade, 1193 bis um 1214 [S. 343]. / Beverley, Münster [S. 344, 346], Chor und östl. Querschiff, um 1225—45. / Ely, Galilaea, um 1215; Presbyterium, beg. 1234. / Worcester, Chor, beg. Anf. 13. Jh. (Langhaus und Querschiff etwa 1317—77). / Salisbury [S. 345, 346, 347], 1220 bis um 1270 (Vierungsturm 14. Jh.). / Southwell, Chor, 2. Viertel 13. Jh.

B. PLASTIK. York, Mus., Statuen, um 1200. / Peterborough, Kathedrale, Abtgräber, um 1200. / Wells, Kathedrale, Plastik der Westfassade, seit etwa 1220. / London, Westminster Abbey, Architekturplastik im Querschiff, Mitte 13. Jh.; Verkündigung im Kapitelhaus, um 1252.

C. BUCHMALEREI. London, Brit.Mus., Royal 2 A XXII, Psalter aus Westminster Abbey, um 1200. / London, Brit.Mus., Arundel 157, Psalter, 1. Viertel 13. Jh. / London, Soc. of Antiquaries, Psalter des Robert of Lindeseye, 1. Viertel 13. Jh. / *Schule von S. Alban:* Dublin, Trinity College, Matthäus Parisiensis, Leben des Hl. Alban (mit Zeichnungen des M. P.), Mitte 13. Jh. / London, Brit.Mus., Cotton Nero D 1, Matthäus Parisiensis, Leben der Offas (mit Zeichnungen des M. P.), Mitte 13. Jh. / London, Brit.Mus., Royal 14 C VII,

Matthäus Parisiensis, Historia Anglorum (mit Zeichnungen des M. P.), 1250—59. / Cambridge, Corpus Christi College, Matthäus Parisiensis, Chronica Maior (Zeichnungen des M. P.), Mitte 13. Jh. / Oxford, Bodleian-Bibl., Auct. D. 4. 17, Apokalypse, 2. Viertel 13. Jh. / Paris, Nat.Bibl., Fr. 403 Apokalypse, 2. Viertel 13. Jh. / Cambridge, Trinity-College, Apokalypse, 2. Viertel 13. Jh. 5

IV. HOCHGOTIK (DECORATED STYLE) 1250—1350

A. ARCHITEKTUR. *Kathedralen:* London, Westminster Abbey [S. 348], Chor 1245 beg. / Lincoln, Engelschor 1256—1320. / Lichfield, Langhaus, Westfassade, Lady Chapel und Presbyterium 2. Hälfte 13. Jh. bis um 1330. / Tintern, Zisterzienserkirche, 1269 bis nach 1350. / Exeter [S. 349, 350], Kapitelhaus, Presbyterium, Chor und Langhaus etwa 1270 bis 1370. / York, Langhaus 1291—1338, Kapitelhaus 1342 fertig. / Wells [S. 347, 356], 10 Fassade 13. bis Anf. 15. Jh., Neubau des Chores etwa 1320—63, Verstärkungsbogen der Vierung 1338. / Beverley, Münster [S. 344], Langhaus ab 2. Joch um 1320—49. / Bristol, Chor, 1298—1332. / Ely, Oktogon der Vierung, nach 1322. / *Profanbau:* Caernarvon Castle, ab 1283, Ringmauerburg. / Warwick, 13./14. Jh., befestigtes Landhaus. / Thornton Abbey, 1282, Torbau. 15

B. PLASTIK. London, Templerkirche, Gräber von Tempelrittern [S. 348], etwa 1230—1300. / Lincoln, Kathedrale, Architekturplastik des Engelschores, um 1270. / Salisbury, Reliefs im Kapitelhaus, um 1270. / London, Westminster Abbey, Gräber Heinrichs III. und der Königin Eleonora, von William Torel, um 1290; Grabmal des Edmund, Earl of Lancaster (gest. 1296). / Hereford [S. 351], Kathedrale, Grabmal des Richard Swinfield, Ende 13. Jh. / 20 London, Westminster Abbey, Grabmal des Aymer de Valence (gest. 1324); Grabmal des John of Eltham (gest. 1334). / Beverley, Münster, Percy-Grab für Eleonora Fitz Allan (gest. 1328). / Ely, Kathedrale, Plastik der Lady Chapel, 1321—49. / Rochester, Kathedrale, Portal zum Kapitelhaus, um 1330. / Winchester, Kathedrale, Madonna, um 1340.

C. BUCHMALEREI. Belvoir-Castle, Duke of Rutland, Psalter, Mitte 13. Jh. / Oxford, All 25 Souls College, Psalter für eine Nonne der Abtei Amesbury, Mitte 13. Jh. / Oxford, Bodleian Bibl., Douce 180, Apokalypse, um 1260. / London, Brit.Mus., Add. 24686, Tenison Psalter, 1284. — *Ostenglisch:* Brüssel, kgl. Bibl., Psalter aus Peterborough, Ende 13. Jh. / London, Brit.Mus., Arundel, 83, I, Psalterfragment, um 1300. / Oxford, Bodleian-Bibl., Ormesbypsalter, älteste Teile vor 1320. / London, Brit.Mus., Arundel 83, II, Psalterfragment, 30 Anf. 14. Jh. / Malvern, C. W. Dyson Perrins, Gorleston, Psalter, 1. Viertel 14. Jh. / London, Brit.Mus., Saint-Omer-Psalter, 1320—30. / London, Brit.Mus. (Leihgabe), Loutterell-Psalter, um 1340. — London, Brit.Mus., Royal, 2. B. VII, Queen Marys-Psalter, 1. Viertel 14. Jh. / London, Brit.Mus., Royal 19. B. XV., Apokalypse, 1. Viertel 14. Jh.

V. SPÄTGOTIK (PERPENDICULAR STYLE) 1350 bis um 1550

A. ARCHITEKTUR. *Kathedralen:* Winchester, Umbau seit etwa 1320, Langhaus 1393 beg. / 35 Gloucester [S. 354], Umbau von Chor und Vierung 1337—77, Kreuzgang 1351—1412, Lady Chapel 2. Hälfte 15. Jh. / Cambridge, Kings College Chapel [S. 352], Grundsteinlegung 1446. / Windsor, Schloßkapelle St. Georg, 1460—83. / London, Westminster Abbey, Kapelle Heinrichs VII. [S. 357], 1503—19. / *Profanbau:* Oxford, Christ Church College [S. 353], 14.—16. Jh. / Oxford, Divinity School, 1445—80. / Hampton Court, 40 Schloß, beg. um 1510, voll. 1530.

B. PLASTIK. Exeter, Kathedrale, Plastik der Westfassade, 3. Viertel 14. Jh. / London, Westminster Abbey, Grabmal Eduards III. [S. 351] (gest. 1377); Kapelle Heinrichs V., um 1420. / Warwick, Kirche, Grabmal Richard Beauchamp, Earl of Warwick, um 1453. / Norbury, Kirche, Grabmal eines Ritters und seiner Frau, um 1460. / London, West- 45 minster Abbey, Plastik der Kapelle Heinrichs VII., um 1510; Grabmal Heinrichs VII. und seiner Frau, von Torrigiano, um 1515. / Alabasterplastik (Nottingham), 2. Hälfte 14. Jh. und 15. Jh.

ZUR ZWEITEN UND DRITTEN ABTEILUNG

DIE MITTELALTERLICHE KUNST IN SKANDINAVIEN

(D. = Dänemark, F. = Finnland, N. = Norwegen, S. = Schweden.)

A. ARCHITEKTUR. *Romanisch.* S. N. Holzkirchen: Urnaes, um 1090; Borgund, 12. Jh.; Hitterdal, 13. Jh. / Sigtuna, Peterskirche, 11.—12. Jh. / N. Stavanger, 1128—50, Chor 50 ab 1285. / S. Lund, Dom, Krypta 1123 gew., Hauptchor 1145 voll. / D. Ribe, Dom, nach 1176 Neubau. / D. Roskilde, Dom beg. 1191. / Zisterzienser: D. Sorö, 1161—81; S. Warnhem, um 1200; Roma (Gotland), gegründet 1134, 1. Hälfte 13. Jh.; N. Lyse, gegründet 1146; N. Hovedö, gegründet 1147. / S. Visby (Gotland): St. Marien, etwa 1250, Chor um 1400; St. Karin, gegründet 1233, Chorweihe 1391, Weihe 1412. / S. Gotland, Stenkyrka, 1255 bis Anf. 14. Jh. / N. Drontheim, Dom, Neubau seit 5 etwa 1152, Chor seit 1186. / S. Dalhem, Gotland, 2. Hälfte 13. Jh. / Zentralkirchen: D. Rundkirchen auf Bornholm; D. Kallundborg, Anf. 13. Jh.; D. Storehedinge; D. Ledöje (Doppelkapelle); S. Visby, Heiliggeist, um 1255; Visby, St. Lars, um 1260. / *Gotik:* D. Odense, St. Knud, gew. 1301. / D. Roskilde, Dom, 13. Jh. und später. / S. Linköping, Dom, beg. 12. Jh., hauptsächlich etwa 1280—1350. / S. Upsala, Dom, beg. um 1250 10 (seit 1287 Etienne de Bonneuil, Südportal, Westfassade voll. 1435). / F. Aabo (Turku), Dom, beg. im 13. Jh., Chor 14. Jh., Ausbau 15. Jh. / S. Vadstena, Brigittenkirche, 1388—1430. / S. Malmö, Peterskirche, um 1400. / D. Aarhus, Dom, 15. Jh. (ältere Teile). / D. Roskilde, Dom, Trinitatiskapelle, 1459—64. / S. Linköping, Dom, Langhaus beg. um 1300, Chor 2. Hälfte 15. Jh. (Gerlach v. Köln). / D. Helsingör, Karmeliter- 15 kirche, 15. Jh.

B. PLASTIK. Runensteine: Jellinge; Lundagard, Lund; Tulstorp, Schonen; London, St. Paul; Ende 10. bis Anf. 11. Jh. / Madonna, gefunden im Randersfjord, Bronze, um 1100. / Kruzifixe von Aaby und Lisbjerg um 1100. / Altar aus Lisbjerg um 1150 (Aarhus). / Altar aus Broddetorp, 2. Hälfte 12. Jh. / Kruzifix aus Tirstrup, 2. Hälfte 12. Jh. / Aal- 20 borg, Dom, Portal, Mitte 12. Jh. / Ribe, Dom, Portal, Ende 12. Jh. / Zahlreiche steinerne Taufbecken, bes. auf Gotland, 12. und 13. Jh. (die Meister Hegwalder, Byzantios, Sighafr). / Lund, Dom, Chorgestühl, um 1365—75. / Meister Johannes, Altar aus Oestra Ryd, 1488. / Lars Gernundson, Altar aus Lena, 1491. / Vom 12.—15. Jh. deutsche, niederländische, seltener französische oder englische Meister. 25

C. MALEREI. *Antependien, 2. Hälfte 13. bis Mitte 14. Jh.:* Hitterdal, Kinsarvik, Nes, Dale, Aardal. / *Wandmalerei:* 12. Jh. D. Jellinge. / 13. Jh. D. Saeby; D. Hjorlunde (Seeland); S. Vä (Schonen). / 14. Jh. S. Oesterlars. / D. Naestved, 1375. / 15. Jh. S. Vidtskofte (Schonen) 1430. / N. Strengnäs 1462. / D. Roskilde, Dreikönigskapelle 1464. / D. Aarhus, Dom, 2. Hälfte 15. Jh. / S. Häckerberga (von Albertus, erwähnt 1473—1508). / 30 D. Kettinge (Maribo), 15. Jh. / D. Keldby (Möen), Andreaskirche, 15. Jh.

FÜNFTE ABTEILUNG

DIE MITTELALTERLICHE KUNST IN ITALIEN

A. ARCHITEKTUR. *Romanisch. Oberitalien:* Como, S. Abondio, Neubau, um 1063—96. / Mailand, S. Ambrogio, Apsiden 9. Jh., Langhaus um 1128. / Pavia, S. Michele, Anf. 12. Jh., 1155 in der Hauptsache voll., Fassade [S. 360] nach 1170; S. Pietro in Ciel d'Oro, Westportal, gegen 1100. / Modena, Dom, 1099 Neubau beschlossen, 1184 Weihe. / Verona, 35 S. Zeno, um 1138. / Piacenza, Dom, beg. 1122. / Cremona, Dom, 1129 beg., voll. im 13. Jh. / Ferrara, Dom, beg. 1133. / Parma, Dom, beg. 1130, Langhausgewölbe seit 1162. / Verona, Dom, 1139(?)—87. / Bologna, S. Sepolcro, um 1160. / Parma, Baptisterium, 1196—1270. / *Protorenaissance in Toskana:* Pisa, Dom [S. 365, 366], 1063 von Busketos beg., Hauptweihe 1118, Westfassade durch Rainaldus 1261—70; Baptisterium, 1153 beg., Gewölbe 40 1387. / S. Miniato al Monte bei Florenz [S. 365], 11. Jh. (?), Fassade und Inneres im 12. Jh. verändert [S. 364]. / Lucca, S. Frediano, etwa 1112—47. / Florenz, Baptisterium, etwa 1150—80. / Lucca, S. Martino, Westfassade, beg. 1196. / *Rom und Unteritalien:* Rom, S. Clemente, Oberkirche beg. zwischen 1099 und 1118, voll. 1128. / Ancona, Dom, 1128 gew. / Bari, S. Nicola, 1089—1191. / Trani, S. Nicola, beg. 1094. / *Venedig:* S. Marco 45 [S. 361], Neubau, gew. 1094, voll. im 15. Jh. / *Normannisches in Süditalien:* Palermo, S. Giovanni degli Eremiti, etwa 1130; S. Cataldo [S. 364], beg. 1161; Capella Palatina [S. 363], voll. 1143. / Cefalù, Dom, gestiftet 1145. / Palermo, Dom, 1185 gew. / Monreale, Dom, beg. 1174. / Schloß Zisa, von Wilhelm I., 1154—66. / Capua, Kathedrale, beg. 1070. / Salerno, Kathedrale, 1084 gew. / Bari, Kastell von Roger II., nach 1127 (1137 und 1155 50 verwüstet, durch Friedrich II. neu erbaut). / Canosa di Puglia, Mausoleum für Bohemund, gest. 1111. / *Gotisch. Zisterzienser in Unteritalien und Toskana:* Fossanova, Zisterzienserkloster, 1187—1208. / Casamari, Zisterzienserkloster, 1203—17. / S. Galgano bei Monticiano, Zisterzienserkloster, 1218—1316. / *Neapel:* Dom S. Gennaro, 1294—1323. / Sta. Chiara, beg. 1311. / *Bettelorden:* 1) Franziskaner: Assissi, 1228—53. / Cortona, 1230 55 beg. / Pistoja, 1294 beg. / Siena, 1250—1326. / Florenz [S. 368], Sta. Croce von Arnolfo di Cambio, seit 1294, Ostpartien 1330 voll., Langhaus 14. Jh. / 2) Dominikaner: Cortona, beg. 1250. / Prato, beg. 1281. / Siena, 1293—1361. / Florenz (Sta. Maria Novella) [S. 374], beg. 1283 von Fra Sisto und Fra Ristoro, fortgesetzt von Fra Giovanni da Campi (gest. 1339), Ostteile um 1350 voll. von Fra Jacopo Talenti (gest. 1362). / *Dome in Toskana:* Arezzo, Neubau beschlossen 1277. / Siena [S. 366], 1229 beg., Fassade von Giovanni Pisano um 1282 entworfen (?), Aufbau nach 1372, 1340 Beginn eines neuen Langhauses. / Orvieto, Neubau vor 1285 beg., Fassade 1310 durch Lorenzo Maitani entworfen. / Florenz, Dom (Sta. Maria del Fiore) [S. 367, 419], Neubau 1296 durch Arnolfo di Cambio beg., 1357 Neuplanung durch Francesco Talenti, 1421 Ostbau ohne Kuppel voll., 1418—34 Kuppel vor allem durch Filippo Brunelleschi; untere Zonen des Campanile durch Giotto und Andrea Pisano. / Pisa, Campo Santo, 1188 gegründet; Umbau durch Giovanni di Simone von 1278—83 und später; Giovanni Pisano beteiligt. / Pisa, Madonna della Spina, 1323 umgebaut. / *Oberitalien:* Vercelli, S. Andrea, 1219 bis etwa 1227. / Bologna, S. Francesco, 1236—63 durch Marco da Brescia. / Venedig, Sta. Maria dei Frari, 1330 bis gegen 1417; SS. Giovanni e Paolo, 1333—90. / Padua, S. Antonio, 1232 beg., 1307 im wesentlichen voll. / Mailand, Dom, 1386 beg., Hauptteile 1418 voll.; zahlreiche, auch deutsche und französische, Baumeister; Weiterbau bis ins 19. Jh. / Bologna, Dom S. Petronio, 1388 beg., 1440 das Langhaus des ursprünglichen Planes als Kirche endgültig geschlossen, Fassade unvollendet, erste Baumeister Fra Andrea Manfredi und Antonio di Vincenzo. / *Profanbau.* Florenz: Palazzo Davanzati, 14. Jh. Bargello, älteste Teile von 1255, Ausbau 1333—45. Palazzo Vecchio [S. 419], 1299—1314. Loggia del Bigallo, 1352—58. Loggia dei Lanzi, 1376—82, vielleicht nach Entwurf Orcagnas. Or San Michele, ursprünglich Getreidebörse, zur Kirche umgebaut hauptsächlich 1366—80 durch Simone di Francesco Talenti. / Siena: Palazzo Communale, 1289—1305. Turm 1338—49 von Minuccio und Francesco di Rinaldo. Palazzo Tolomei, beg. 1205. / Perugia, Palazzo Communale, beg. 1279, im 14. u. 15. Jh. bedeutende Zubauten. / Piacenza, Palazzo Communale, beg. 1281. / Bologna, Loggia dei Mercanti, 1384 im Bau. / Castell del Monte bei Andria, Schloß Friedrichs II., beg. 1240. / Mailand und Pavia, Kastelle der Visconti; Neubauten seit 1450 bzw. 1359—66. / Castell Nuovo in Neapel, 1279—83, 1442 ausgebaut. / Venedig: Ca' d'Oro, 1421—36 von Matteo Raverti und Giovanni bzw. Bartolomeo Buon d. Ä.; Palazzo Foscari, 14. Jh.; Dogenpalast [S. 362], Südflügel 1309—40, Westflügel 1424—38 von Giovanni und Bartolomeo Buon d. Ä. / Viterbo, Palazzo Papale, 1266 beg.

B. PLASTIK. *Mittelitalien bis zum 13. Jh.:* Pistoia, S. Andrea, Architrav von Gruamonte 1166. / S. Cassiano a Settimo bei Pisa, Architrav von Biduino, 1180. / Pisa, Dom, Bronzetür am Seitenportal von Bonanus, 1180. / Monreale, Dom, Bronzetür von Bonanus, 1185. / Lucca, Kathedrale, St. Martin um 1200. / Città di Castello, Dom, Paliotto (Silber), Mitte 12. Jh. / Rom, S. Paolo fuori le mura, Osterleuchter von Niccolò d'Angelo und Pietro Vassalletto, um 1180. — *Lombardei:* Mailand, Dom, Kruzifix des Erzbischofs Ariberto (1018—45). / Verona, S. Zeno, Bronzetüren, ursprünglicher Zustand um 1100, Erweiterung um 1200. / Modena, Dom, Reliefs der Fassade, von Meister Willigelmus, 1. Viertel 12. Jh. (nach 1117?). / Ferrara, Kathedrale, Westportal, von Meister Nikolaus 1135. / Verona, S. Zeno, Westportal von Meister Nikolaus, um 1138. / Verona, Dom, Westportal von Meister Nikolaus, um 1139. / Parma, Dom, Kreuzabnahme von Benedetto Antelami, 1178. / Mailand, Dom, Apostelreliefs 1178. / Mailand, S. Ambrogio, Ciborium, erneut nach 1196. / Modena, Dom, Pontile, Ende 12. Jh. / Borgo, S. Donnino (Fidenza), Dom, Fassaden-Plastik, Schule des Antelami, 2. Hälfte 12. Jh. / Parma, Baptisterium, Portale von Benedetto Antelami, seit 1196. / Padua, S. Giustina, Portal, Ende 12. Jh. / Pistoia, S. Bartolomeo in Pantano, Kanzel von Guido Bigarelli da Como, um 1250. — *Süditalien:* Canosa, Dom, Kanzel von Accetto, 1. Hälfte 11. Jh. / Canosa, Dom, Bischofsthron von Romoaldo, 1072—89. / Bari, S. Nicola, Bischofsthron 1098. / Trani, Kathedrale, Portal und Bronzetür, um 1175 (Tür von Barisanus). / Salerno, Dom, Flügel eines Elfenbeinantependiums, 1. Hälfte 12. Jh. / Salerno, Dom, 2 Kanzeln, 1) 2. Hälfte 12. Jh., 2) [S. 369] um 1175. / Monreale, Dom, Kapitelle des Kreuzgangs, Ende 12. Jh. / Benevent, Kathedrale, Bronzetür Anf. 13. Jh. / Bitonto, Dom, Kanzel von Nikolaus 1229. / Castel del Monte, Konsolfiguren, Schlußsteine usw., Zeit Friedrichs II., 1215—50. / Capua, Museo Campano, Porträtbüsten, Zeit Friedrichs II. — *Mittelitalien, 13. u. 14. Jh.*: Niccolò Pisano [S. 369], um 1215—80 (der Große Brunnen in Perugia (1277—80) zusammen mit Giovanni Pisano und Arnolfo di Cambio). / Giovanni Pisano [S. 370], um 1250—1328. / Andrea Pisano [S. 375], 1273—1348. / Nino Pisano, tätig 1342—68. / Arnolfo di Cambio, um 1232—1301/02. / Tino di Camaino, gest. 1317 (Siena, Pisa, Neapel). / Orvieto, Domfassade, 1. Hälfte 14. Jh. (Lorenzo Maitani und Werkstatt?). / Simone Talenti, Florenz, 2. Hälfte 14. Jh. — *Oberitalien, 14. Jh.:* Giovanni di Balduccio (Mailand, aus Pisa),

1. Hälfte 14. Jh. / Pavia, S. Pietro in Ciel d'Oro, Denkmal des Hl. Augustin, 1362—80. / Scaligergräber in Verona; Familie der Campione, Mailand, Monza, Bergamo, Verona, Reiterstandbilder, 14. Jh. / Familie der Santi, Venedig, Padua, 2. und 3. Viertel 14. Jh. / Jacobello und Pierpaolo delle Massegne, Venedig, letztes Viertel 14. und Anf. 15. Jh.

C. MALEREI. *Römisch, 7.—12. Jh.:* Rom, S. Maria Antiqua, Fresken vom 6.—11. Jh. / Rom, S. Maria in Domnica, Apsis-Mosaik 817—24. / Rom, S. Marco, Apsis-Mosaik 817—44. / Rom, S. Prassede, Apsis-Mosaik und Kapelle S. Zeno, 1. Hälfte 9. Jh. / Rom, S. Cecilia, Apsis-Mosaik, 1. Hälfte 9. Jh. / Rom, S. Clemente, Unterkirche, Himmelfahrt Christi, Fresko, 847—55. / Rom, S. Clemente, Unterkirche, Legenden des Hl. Clemens, Fresko, 1084 bis Anf. 12. Jh. / S. Elia bei Nepi, Fresken der römischen Meister Giovanni, Stefano und Niccolò, 11.—12. Jh. / Rom, S. Clemente, Oberkirche, Apsis-Mosaik, gegen 1128. / Rom, S. Maria in Trastevere, Apsis-Mosaik, 1130—43. / Rom, S. Paolo fuori le mura, Mosaiken (venez. Meister), etwa 1218. / *Venedig und Oberitalien:* Venedig, S. Marco [S. 362], Mosaik der Kuppeln und oberen Wände (später verändert), 12. Jh.; Mosaiken des Atriums und der Fass., 13. Jh.; Mosaik im Baptisterium, 1. Hälfte 14. Jh. / Torcello, Kathedrale, Mosaiken, Anf. 12. Jh. / Parma, Baptisterium, Freskenzyklus, 2. Hälfte 13. Jh. / *Süditalien:* S. Angelo in Formis b. Capua, Freskenzyklus, 2. Hälfte 11. Jh. / Palermo, Cappella Palatina, Mosaik, Mitte 12. Jh. / Cefalù, Dom, Mosaik 1148 bis 1189 [S. 363]. / Monreale, Dom, Mosaik, 2. Hälfte 12. Jh. / *Mittelitalien:* Sarzana, Kathedrale, Kruzifixtafel von Guglielmo 1138. / S. Pietro in Toscanella, Fresken, 1. Hälfte 13. Jh. / Subiaco, Sacro Speco, Cappella S. Gregorio, Fresken, 1228. / Rom, SS. Quattro Coronati, Oratorium von S. Silvestro, Fresken, Mitte 13. Jh. / Siena, Palazzo Publico, Guido da Siena, Thronende Madonna, 1221. / Florenz, Baptisterium, Mosaiken des Chores von Fra Jacopo, 1225. / Lucca, Galerie, Berlinghiero, Kruzifixtafel, 1. Hälfte 13. Jh. / Assisi, S. Maria degli Angioli, Kruzifixtafel von Giunta Pisano, 1236—54. / Siena und Arezzo, Galerie, Franziskusbilder des Margaritone d'Arezzo, 2. Hälfte 13. Jh. / Rom, S. Giovanni in Laterano, Apsis-Mosaik von Jacopo Torriti, 1291. / Rom, S. Maria Maggiore, Apsis-Mosaik von Jacopo Torriti, 1295. / Rom, S. Maria in Trastevere, Mosaik zum Marienleben von Pietro Cavallini, 1291. / Rom, S. Cecilia, Jüngstes Gericht, Fresko von Pietro Cavallini, nach 1291. / Neapel, S. Maria di Donna Regina, Fresken, Cavallini-Schule, gegen 1308. / *Florenz, 14. Jh.:* Cimabue (Cenni di Pepo) um 1240—1303. / Giotto di Bondone, um 1267—1337 (Florenz, Rom um 1298, Florenz 1301, Padua [S. 42]). Arenakapelle 1305—07, Florenz, Sta. Croce, Bardikapelle nach 1317, Neapel 1330—32. / Taddeo Gaddi, gest. 1396. / Bernardo Daddi, erwähnt 1317 bis um 1350. / Giottino (Giotto di Maestro Stefano), Mitte 14. Jh. / Agnolo Gaddi, gest. 1396. / Giovanni di Milano, erwähnt 1349—69. / Spinello Aretino, um 1340—1410. / Andrea da Firenze, erwähnt 1343—78 (Dominikaner-Allegorien der Spanischen Kapelle, S. Maria Novella, Florenz [S. 372]). / Nardo di Cione, erwähnt seit 1345, gest. 1365 (Jüngstes Gericht, Paradies und Hölle in der Cappella Strozzi, S. Maria Novella, Florenz). / Andrea Orcagna (Andrea di Cione), erwähnt 1344 bis 1377 (als Bildhauer: Altaraufsatz in Or S. Michele, Florenz, 1359). / Pisa, Campo Santo, Triumph des Todes [S. 373], Weltgericht, Hölle, Einsiedlerleben, um 1360. / Pisa, Campo Santo, Fresken zur Hiobsgeschichte von Francesco da Volterra, 1371/72. / Neapel, Incoronatakirche, Fresken, 1352. / *Siena, 14. Jh.:* Duccio di Buoninsegna, erwähnt um 1250—1319. / Simone Martini [S. 371], um 1283—1344 (1317 Neapel, Assisi, Unterkirche, Martinusfresken um 1325, 1339—44 Avignon). / Lippo Memmi, nachweisbar 1317—47. / Pietro Lorenzetti, nachweisbar 1306—48 (?). / Ambrogio Lorenzetti, gest. 1348 (?) (Siena, Palazzo Pubblico, Fresken: Folgen des guten und schlechten Regiments, 1331—40). / Taddeo di Bartolo, um 1363—1422. / *Oberitalien, 14. Jh.:* Tommaso de Mutina (di Modena) geb. um 1320, Modena, Treviso, um 1350 Prag, Burg Karlstein, gest. um 1379. / Lorenzo Veneziano, erwähnt 1357—72. / Altichiero da Zevio, Verona, Padua, 2. Hälfte 14. Jh. / Avanzo, Padua, 2. Hälfte 14. Jh. / Guariento Padua, erwähnt 1338—78.

SECHSTE ABTEILUNG

DIE MITTELALTERLICHE KUNST DER OST- UND WEST-SLAWEN

(Malerei siehe S. 901 u. 902 II. B. u. C.)

ARCHITEKTUR. *Polen. Rundkirchen:* 11.—12. Jh. (Cieszyn, Strzelno). / In Krakau-Wavel, 10. Jh. / *Romanische Basiliken:* Kruszvica, 1027, Kollegiatkirche. / Tum bei Leczyca, 1127, Erzkollegiatkirche, Südportal 1161. / Koscielec, Anf. 13. Jh., Pfarrkirche. /

Zisterzienser- und Bettelorden: Wachock, 12. und 13. Jh. / Mogila bei Krakau, Anf. 13. Jh. / Sandomierz, 1226. / *Backsteingotik:* Krakau, Kathedrale (romanische Reste), Chor 1322—1366. Marienkirche, Chor 1384 beendet, Turm 1478. Fronleichnamskirche (Augustin), Chor, 1385—89. / Posen, Marienkirche, 1433—44. / Wilna, Bernhardinerkirche, 1525—94. / Krakau, Jagellon.Bibl., 1497 voll. / Florianstor, 1498. / Schloß Niedzica am Dunajec, 14.—16. Jh. / *Ukraine. Byzantinisch:* Kiew, Pečerska Lawra, 1073, dreischiffige Kreuzkuppel-Kirche. / Černyhiw, Erlöserkathedrale, Anf. 11. Jh. / Kiew, Sophienkirche, 1017—35, zahlreiche Umbauten. / *Romanisch-byzantinisch:* Ovruč-Wolhynien, 12. Jh., Kirche. / Halyč, Pantalejmonkirche, Anf. 13. Jh. / *Gotisch-byzantinisch:* Synkowíce, Kirchenkastell, 1. Hälfte 15. Jh. / Ostroh, Wolhynien, Verklärungskathedrale, 1521. / *Rußland. Epoche vor Peter d. Gr.:* Tschernigow, Kathedrale zur Verklärung Christi, 1. Hälfte 11. Jh. / *Schule von Nowgorod:* Nowgorod, Sophienkathedrale, 1045—52. / Bei Nowgorod: Juriew-Kloster, Georgskirche (um 1120), Baumeister *Pjotr.* / Bei Nowgorod, Nikolakirche auf Lipuja, 1292. / Nowgorod, Kathedrale Christi Verklärung, um 1372. / *Holzbau:* Kischi, Gouvern. Olonetz, Friedhofskapelle, Anf. 18. Jh. / *Schule von Wladimir:* Wladimir, Maria Himmelfahrtskirche, 1158—60. / Pokrow, Kirche, 1165ff. / Wladimir, Dimitrjikathedrale, um 1195. / *Schule von Moskau:* Moskau-Kreml: Die Uspensky- (1475—79), Verkündigungs- (1484—89) und Erzengelskathedrale (1505—09). Basilius-Kathedrale von Barma und Posnitz, 1555—60. Italienische Baumeister: Aristotile Fioravante, Alvise Novi, Marco Ruffo und Pietro A. Solario. Von ihnen auch die meisten Kreml-Befestigungen: Beklemyschewsky-Turm. Erlöserpforte. Facettenpalais (Granovita Palata), 1487—91 von Ruffo und Solario. Terem-Palais, 1499—1508. / Djakowo, Kathedrale Johannes des Täufers, 1529 (Zeltdachtypus). / Moskau, Smolenskikathedrale des Neujungfrauenklosters, 16. Jh. / *Böhmen* (deutsche Architekten siehe S. 912): Mathias Rejsek, um 1450—1506: Prag, Pulverturm; Kuttenberg, Ausbau der Barbarakirche.

SIEBENTE ABTEILUNG

DIE MITTELALTERLICHE KUNST IN DEN BALKANLÄNDERN

1. RUMÄNIEN

A. ARCHITEKTUR. *Walachisch:* Curteă de Arges, Hofkirche 15. Jh., byzantinischer Zentralbau. / Cozia, Großkirche, 1393 gegründet. / Snagovo, Klosterkirche, 1517. / Bukarest, Alte Hofkapelle, 1559. / *Moldauisch:* Pătrăuti, Kirche, 1487. / *16. Jh.:* Homor, Kirche, voll. 1530. / Slatina, Kloster, 1561. / Dragomírna, Kirche, Anf. 17. Jh. Architekt Dima, ein Grieche.

B. MALEREI. *Fresken:* Curtea de Arges, Biserica Domnească, 14. Jh. / Kloster Cozia, etwa 1386. / Curtea de Arges, Bischofskirche, Anf. 16. Jh. / Popânţi, Kirche, 1496. / Kloster Voroneţi (Bukowina), 1488. / Vatra Moldoviţei (Bukowina), 1532. / Suceviţa (Bukowina), Kirche, 1582—84. / Episcopia Romanului, Bischofskirche von Roman, 1542—50.

2. SÜDSLAWIEN

A. ARCHITEKTUR. *Bulgarien:* Pirdop, Elenskakirche. / Pliska, Komplex von 2 Basiliken und 2 Palästen, 9.—10. Jh. / Preslav, Kirche, Zentralbau (Ruine), Beginn des 10. Jh. / Prespa, Kuppelkirche, Beginn des 11. Jh. / Ochrida, Clemenskirche, 1295. / *Serbien:* Kuršumli, Nikolauskirche, um 1200. / Studenica, Kloster, 12. Jh. / *Schule von Raška:* Blütezeit 13. Jh. Staro-Nagoričino, Georgskirche 1313. / *Serbisch-byzantinische Schule:* Lesnovo, Gabrielkirche 1342. / Andreaskirche am Treskafluß, 1389. / *Schule von Morava:* Ab 1400. / Ravanica, Kirche 1380. / Kruševač, Kirche um 1400. / Manasija, Kirche 1418.

B. WANDMALEREI. *12.—13. Jh.:* Studenica, Nemanjakirche. / *13. Jh.:* Zica; Moraca; Sopocani; Ohrid, St. Clemens. / *14. Jh.:* Studenica, Molutinkirche; Gracanica; Decani; Matejic. / *15. Jh.:* Kalenic; Manasiga.

3. UNGARN

ARCHITEKTUR. *Romanisch:* Kalósca, Kathedrale, 12. Jh. / Apátfalva, Zisterzienserkirche, um 1232. / Lébény, Kirche, 3. Viertel 13. Jh. / *Gotik:* Jaák, Kirche, Weihe 1256. / Zsambék Prämonstratenserkirche, 2. Hälfte 13. Jh. / Kaschau (Kasa), Elisabethkirche, 13.—15. Jh. / Vajdahunyad, Schloß, 15. Jh. / Bei den Sachsen in der Zips (Oberungarn) und in Siebenbürgen eigene Entwicklung: Kirchdrauf, Kathedrale, 13.—15. Jh. / Donnersmark, Doppelkapelle, 15. Jh. / Eibesdorf, Kirchenburg, 15. Jh. / Kronstadt, Schwarze Kirche, 15. Jh.

DRITTER TEIL: NEUZEIT

ERSTE ABTEILUNG

FRÜHNATURALISMUS UND REFORMATIONSKUNST

I. PRUNKSTIL, NATURALISMUS, VORBAROCK (S. 379–430)

1. ITALIEN

A. MALEREI. *Florenz:* Lorenzo Monaco, um 1370—1422/25 (?). / Masolino da Panicale, 1385 bis 1447. / Fra Angelico da Fiesole, 1387—1455 [S. 383, 384]; Florenz, Kloster San Marco, Fresken, 1437—45. / Masaccio, 1401—28 (?), Florenz, Pisa, Rom; Florenz, S. Maria del Carmine, Fresken der Brancaccikapelle, 1426—27 [S. 394, 411]. / Paolo Ucello, um 1397 bis 1475 [S. 395]; Florenz, S. Maria Novella, Kreuzgang, Fresko. / Fra Filippo Lippi, 1406—69 [S. 401, 405]; Prato, Domchor, Fresken, 1452—64. / Domenico Veneziano, nach 1400—61, Florenz, Perugia./ Alesso Baldovinetti, 1425—99. / Andrea del Castagno, um 1410—57 [S. 414]; Florenz, S. Apollonia, Fresken der Villa Pandolfini. / *Umbrien:* Gentile da Fabriano, um 1375—1427 [S. 380], Venedig, Florenz, Siena, Rom. / Piero della Francesca, um 1420—92 [S. 48, 391, 395, 408], Perugia, Florenz, Arezzo, Rom, Ferrara; Arezzo, San Francesco, Chor, Fresken, 1455—60 [S. 395] / Fra Carnevale, tätig 1451—84 [S. 421]. / Melozzo da Forli, 1438—94, Loreto [S. 417], Urbino, Rom; Rom, SS. Apostoli Apsisfresken, 1480—81 (jetzt Quirinal) [S. 418]. / *Siena:* Giovanni di Paolo, um 1400—82. / Stefano di Giovanno (Sassetta), nach 1400—50 [S. 403]. / Domenico di Bartolo, um 1400—49. / Lorenzo di Pietro (Vecchietta), 1412—80 (siehe unter Plastik). / *Oberitalien:* Stefano da Zevio, 1393—?, Verona. / Antonio Pisano (Pisanello), um 1397—1455 [S. 382], Maler und Medailleur, Verona, Rom. / Jacopo Bellini, um 1400—70, Venedig. / Antonello da Messina, um 1430—79 [S. 49], Unteritalien, Venedig. / Vincenzo Foppa, 1427/30—1516, Mailand, Bergamo. / Andrea Mantegna, 1431—1506 [S. 413ff.], Padua und Mantua, Verona (1463), Florenz (1466), Rom (1488—90); Lehrer: Squarcione; Fresken: Padua Eremitanikirche, 1448—57, Mantua Castello di Corte, 1468—74; London Hamptoncourt, Cartons mit Triumph des Cäsar 1482—94; Kupferstiche. / Niccolo Pizzolo, Mantegna-Schüler, nach 1400 bis um 1450 [S. 402]. / Francesco Cossa, 1435 (?) bis 1478 (Tafel IV), Ferrara, Bologna; Ferrara, Palazzo Schifanoia Fresken, voll. 1470 (unter Mitarbeit von Cosimo Tura).

B. PLASTIK. *Florenz:* Nanni di Banco, um 1373—1420. / Lorenzo Ghiberti, 1378—1455, Bildhauer, Architekt, Schriftsteller. Florenz, Baptisterium, Nordtür 1403—24, Osttür (Paradiesestür) [S. 389] 1425—52. / Donatello, 1386—1466 [S. 390, 400, 424, 432], Rom 1432/33, Padua 1443—53; Florenz, Kampanile, Statuen 1416—36; Domopera, Sängertribüne 1433—38; Padua, S. Antonio, Hochaltar 1446—50 (auseinandergenommen); Gattamelata 1446—53. / Michelozzo di Bartolomeo, 1396—1472, Venedig, Mailand, Ragusa (siehe unter Architektur); Neapel, S. Angelo a Nilo, Brancaccigrabmal 1426—28 (mit Donatello), Montepulciano Dom, Aragazzi-Grabmal 1427—37 [S. 423]. / Bertoldo di Giovanni, um 1420—91. / Bartolomeo Bellano, um 1434—96/97. / Luca della Robbia, um 1400—82; Florenz, Domopera, Sängertribüne. / Bernardo Rosellino, 1409—64 [S. 424]. / Antonio Rosellino, 1427—78 [S. 424]. / Agostino di Duccio, 1418—81, Modena, Perugia; Perugia, S. Bernardino, Fassade 1457—61. / Desiderio da Settignano, 1428—64. / *Siena:* Jacopo della Quercia, um 1365—1438, Siena, Lucca, Bologna; Lucca, Dom, Grabmal Ilaria Caretta; Siena, Fonte Gaia, 1408—19; Bologna, S. Petronio, Haupttür 1425—38. / Lorenzo di Pietro (Vecchietta), um 1412—80 (siehe unter Malerei). / Antonio Federighi, um 1420 bis 1490. / *Rom:* Antonio Filarete, um 1400 bis um 1469. / *Oberitalien:* Bartolomeo Buon, tätig 1382—1442, Venedig. / Giovanni di Bartolo (Rosso) aus Florenz, gest. nach 1451, Verona. / Meister der Peligrinikapelle, Verona (Michele da Firenze), um 1430. / *Unteritalien:* Francesco Laurana, um 1425—1502, Neapel, Palermo, Südfrankreich.

C. ARCHITEKTUR. *Florenz:* Filippo Brunelleschi, 1377—1406; seit 1417 Dombaumeister [S. 419], Ospedale degli Innocenti, 1419 beg., S. Lorenzo [S. 421] 1421 beg., Sakristei von S. Lorenzo (Sagrestia Vecchia) 1421—28, Cappella Pazzi um 1430 beg., S. Spirito 1436 beg. [S. 420]. / Michelozzo di Bartolomeo (siehe B. Plastik), 1396—1472, Palazzo Medici-Riccardi um 1444—52 [S. 420], Umbau des Palazzo Vecchio (Säulenhof) 1454, Mailand S. Eustorgio, Portinarikapelle 1462—68. / Palazzo Pitti, Florenz, um 1460 beg. [S. 420]. / Leon Battista Alberti, 1404—72 bzw. 73, Architekt, Maler, Musiker, Schriftsteller; Frankreich (1428—32), Florenz (1434), Bologna (1436), Ferrara (1438), Siena und Rom

(1443), Mantua; Entwurf für S. Francesco in Rimini um 1450 [S. 422], Palazzo Rucellai, Florenz, 1446 beg. [S. 423], Plan für S. Andrea, Mantua, vor 1476 [S. 421, 422]. / Palazzo Serristori, Florenz, 1469—75 [S. 423]. / *Rom:* Sta. Maria del Popolo, 1472—77; Bracciano, Kastell Orsini, 1460. / *Oberitalien:* Mailand, Umbau des Castello Sforzesco seit 1450. / Mailand, Ospedale Maggiore, 1446 von Antonio Filarete beg. / Luciano Laurana 1420 bzw. 1425—79 aus Dalmatien; Urbino, Palazzo Ducale 1468—83.

2. NIEDERLANDE UND BURGUND (siehe auch Frankreich, S. 923)

A. MALEREI. André Beauneveu und Jacquemart de Hesdin, Paris, Nat. Bibl. 18014, Gebetbuch für den Herzog von Berry vor 1390; Psalter für den Herzog von Berry, Paris, Nat. Bibl. 13091 (Beauneveu). / Jakob Coene van Brügge, Grandes Heures (Stundenbuch) des Herzogs von Berry, Paris, Nat. Bibl. 919, 1409; Heures des Maréchal de Boucicaut, Paris, Musée André. / Melchior Broederlam, in Ypern tätig 1381—1409; Flügel der Altäre des Jacques de Baerze in Dijon 1392—96. / Jean Malouel aus Geldern, gest. 1419 in Paris, tätig in Dijon. / Henri Bellechose aus Brabant, Dijon, 1415—40 nachweisbar. / Brüder Limburg: Paul, Jehannequin, Hermand, Anf. 15. Jh.; Brevier des Johann ohne Furcht, London; Heures d'Ailly, Paris, 1405—13; Les très riches Heures du Duc de Berry, Chantilly, vor 1416 [S. 381, 410]. / Brüder van Eyck, aus Maaseyck: Hubert, 1366(?)—1426, tätig in Gent; Jan [S. 44, 396, 397, 408], 1386(?)—1441, 1422—24 Hofmaler Johanns von Bayern, seit 1425 Philipps des Guten von Burgund, 1428—29 Spanien-Portugal, seit 1430 Brügge (Gemeinsame Werke: Les très belles Heures du Duc de Berry: „Turiner Stundenbuch", verbrannt, Reste Mailand-Paris; Genter Altar [S. 398, 399], vor 1426 beg. von Hubert, voll. von Jan 1432, Gent, St. Bavo). / Petrus Christus, nach 1400—71/2, Schüler Jan van Eycks, Brügge. / Robert Campin, der „Meister von Flémalle", (?)—1444, Tournay [S. 402, 403]. / Roger van der Weyden, (?)—1461 [S. 401, 425], 1427 in der Werkstatt von Robert Campin, Tournay. / Jacques Daret, seit 1432 tätig in Tournay, Schüler und Mitarbeiter des Robert Campin gemeinsam mit Roger. / Dirk Bouts van Haarlem [S. 426], um 1400—75, tätig in Löwen. / Albert van Ouwater, Holland, Mitte 15. Jh. / Hugo van der Goes [S. 427], um 1440—82, Gent, Brügge. / Justus van Gent, seit 1464 tätig in Gent, Rom, Urbino.

B. PLASTIK. André Beauneveu aus Valenciennes, in Courtrai tätig 1360—1403 (siehe auch unter Malerei); St. Denis, Abteikirche, Gräber Philipp VI., Jean le Bon, Karl V. / Jacques de Baerze aus Dendermonde, Dijon, Mus., Altäre aus der Karthause zu Champmol 1390—92. / Claus Sluter, tätig seit 1385 in Dijon, gest. 1406; Karthause zu Champmol: Portal 1387—94, Mosesbrunnen 1395 bis vor 1406 [S. 392, 393]; Dijon Mus., Grab Philipps des Kühnen, beg. von Jean de Marville 1384, voll von Claus de Werve 1411 [S. 391]. / Claus de Werve aus Hattem (Holland), seit 1396 bei Sluter, gest. 1439; Dijon, Mus., Grab Johannes Ohnefurcht und der Margarethe v. Bayern, Auftrag 1410, beg. 1435, voll. von Jean de la Huerta und Antoine le Moiturier. / Hal, Kirche, Apostel im Chor, Sakramentshaus 1409. / Gilles de Blackere, Brügge, 1. Hälfte 15. Jh.; Gent, Kathedrale, Grabmal der Michelle des France 1433—43, mit Tydeman Maas. / Breda, Große Kirche, Grab Engelbrechts I. von Nassau etwa 1440—43. / Tournay, zahlreiche Grabreliefs gegen Mitte 15. Jh.; St. Marie Madeleine, Verkündigung, 2. Viertel 15. Jh. / Soignies, St. Vincent, Hl. Grab, Mitte 15. Jh. / Tonnerre, Hl. Grab 1453 von Jean Michel und Georges de la Sonnette. / Jacques de Gérines (Jakob de Copperslagere), Metallgießer, Brüssel; Liller Grab des Louis de Mâle 1455, zerstört; erhalten die „Gravenbeeldjes", Amsterdam, Reichsmuseum.

C. ARCHITEKTUR. Delft, Neue oder St. Ursula-Kirche, 1383—1496. / Dordrecht, Liebfrauenkirche, beg. Ende 14. Jh. / Breda, Große Kirche, Chor voll. 1410, Schiff nach 1457(?), Turm 1468—1509. / Haarlem, St. Bavo Kirche, beg. um 1400, Chor voll. 1483, Gewölbe Anf. 16. Jh. / Roermond, St. Christoffel, beg. 1410. / s'Hertogenbosch, St. Jans Kirche, beg. 1419. / Groningen, Martinuskirche, beg. 1450. / Hulst, Willibrorduskirche, Chor voll. 1474, Weiterführung 1482—1517 von Mettheus Keldermans. / Meersen, Bartholomeuskirche, um 1480 im Bau. / Brüssel, Liebfrauenkirche auf dem Sandberg, gegründet 1304, jetzige Gestalt im 15. und 16. Jh. / Brüssel, Rathaus, 1401—55 (Jacques van Thienen und Jan van Ruysbroek). / Löwen, Rathaus, 1448—63 (Matthäus de Layens).

3. DEUTSCHLAND

A. MALEREI. Konrad von Soest; Wildunger Altar, 1404. / Wynrich von Wesel, tätig in Köln 1397—1417 (Klarenaltar-Flügel). / Laurin von Klattau, tätig in Prag, Anf. 15. Jh. / Friedberger Altar, Darmstadt, Landes-Mus., mittelrheinisch, um 1400. / Ortenberger

Altar [S. 387], Darmstadt, Landes-Mus., mittelrheinisch, um 1410. / Paradiesgärtlein [S. 388], Frankfurt a. M., Städel, oberrheinisch, um 1410. / Meister Francke, tätig in Hamburg, um 1425 (Barbara-Altar aus Nykyrko, Helsingfors; Thomas-Altar der Englandfahrer [S. 406], Hamburg, Kunsthalle). / Lukas Moser, Tiefenbronner Altar, 1431 [S. 407]. / Hans Multscher, als Maler und Bildhauer tätig in Ulm seit 1427, gest. 1467 (Wurzacher Altar, Berlin, 1437; Sterzinger Altar, Werkstatt-Arbeit, 1457/58). / Konrad Witz [S. 46, 404, 409], tätig in Basel und Genf, gest. 1447 (Baseler Heilspiegelaltar [S. 389], um 1435; Genfer Altar, 1444 bestellt). / Meister des Tucher-Altars, in Nürnberg um 1440 tätig. / Meister der Spielkarten, Kupferstecher, gegen Mitte des 15. Jh. / Meister der Darmstädter Passion, um 1440 tätig. / Stephan Lochner, geb. in Meersburg, 1430—51 in Köln tätig [S. 428]. / Meister des Marienlebens, etwa 1465—90 in Köln tätig [S. 404]. / Meister von Liesborn in Westfalen, um 1465. / Meister E. S., Kupferstecher und Goldschmied, in Straßburg (?) um die Mitte des 15. Jh. tätig. / Friedrich Herlin, tätig 1459—99 in Nördlingen. / Hans Schüchlin, tätig in Ulm, gest. 1505. / Gabriel Mäleszkircher, Oberbayern, 2. Hälfte des 15. Jh. / Hans Pleydenwurff, tätig in Nürnberg 1451—72.

B. PLASTIK. Seeon, Grab des Pfalzgrafen Aribo, von Hans Heider, 1395—1400. / Nürnberg, Germ. Mus.; Tonapostel, um 1400. / Typus der ,,Schönen Madonna" (Beisp. Bonn, Prov.Mus.; Wien, Kunsthist.Mus., Krumauerin; Thorn), 1. Drittel des 15. Jh. / Limburg/Lahn, Dom, Beweinung aus Dernbach [S. 385], um 1410. / Rottweil, Lorenzkapelle, Trauernde Frauen aus Eriskirch, um 1420. / Mainz, Dom, Memorienportal, um 1415. / Köln, Dom, Grabmal des Erzbischofs Friedrich von Saarwerden (gest. 1415). / Frankfurt a. M., Liebfrauenkirche, Tympanon des Südportals, um 1420. / Nürnberg, St. Sebald, Madonna im Strahlenkranz [S. 386], um 1420. / Mainz, Dom, Grabstein des Konrad von Daun (gest. 1434). / Münster, Landes-Mus., Pietà aus Unna, Anf. 15. Jh. [S. 406]. / Frankfurt a. M., Liebighaus, Alabasteraltar aus Rimini, um 1430. / Konrad von Einbeck, Plastik der Moritz-Kirche in Halle, 1. Viertel 15. Jh. / Hans Multscher (siehe auch unter Malerei), in Ulm seit 1427, gest. 1467. / Konstanz, Münster, Treppenaufgang, genannt ,,Schneck" 1438—46. / Nürnberg, St. Sebald, Schlüsselfelderscher Christophorus, 1442 [S. 429]. / Jakob Kaschauer, Madonna des Freisinger Hochaltars (München), 1443. / Trier, Dreifaltigkeitskirche, Epitaph der Elisabeth von Görlitz (von Peter von Wederath ?), gest. 1451. / Köln, Dom, Epitaph des Dietrich von Mörs, von Konrad Kuene, 1461. / Erfurt, Severikirche, Hl. Michael, 1467 [S. 430]. / Berlin, Deutsches Mus., Madonna aus Dangolsheim, zwischen 1450 und 1460 [S. 429]. / Nikolaus Gerhard von Leyden, tätig um 1460/70 in Trier, Straßburg, Wien.

C. ARCHITEKTUR. Münster, Lambertikirche, Ende 14. bis Mitte 15. Jh. / Straßburg, Münster, Turmhelm von Johann Hültz aus Köln, 1420—39. / Brandenburg, Katharinenkirche, beg. 1401, Fronleichnamskapelle gew. 1434, Heinrich Brunsberg. / Stendal, Dom, Ende 14. Jh. bis um 1460. / Oppenheim, Katharinenkirche, W.-Chor, beg. bald nach 1400, gew. 1439. / Halle, Moritzkirche, 1388 beg., westliche Teile Mitte 15. Jh. / Amberg, Martinskirche, beg. 1421, Langhauswölbung 1483. / Nördlingen, St. Georg, beschlossen 1427, Gewölbe um 1500. / Dinkelsbühl, St. Georg, 1448—99. / Nürnberg, St. Lorenz, Chor, 1445—72, von Konrad Roriczer. / Regensburg, Dom, Fassade, 2. Hälfte 14. Jh. bis 1524 (Baumeisterfamilie der Roriczer 1411—1519). / München, Frauenkirche, 1468—88, Jörg Ganghofer. / Bremen, Rathaus, 1405—10. / Tangermünde, Rathaus, 1. Hälfte 15. Jh. / Köln, Gürzenich, 1441—47, wahrscheinlich Johann von Büren. / Lübeck, Holstentor, 1466—78.

4. FRANKREICH (siehe auch Niederlande-Burgund, S. 922)

A. MALEREI. Simon Marmion, seit 1420 in Amiens, später in Valenciennes. / Enguerrand Charanton (Quarton), geb. um 1410, in Avignon 1441 bzw. 1447—61. / Grandes Heures de Rohan, Paris. Nat.Bibl. um 1435. / Nicolas Froment, Avignon, tätig um 1450—90. / Romanhandschr. Le Cœur d'amour éspris, Wien. Nat.Bibl. um 1477. / Jean Fouquet, um 1420—81, Tours, Italien; Tafel- und Buchmalerei, Gebetbuch für Etienne Chevalier, Chantilly, nach 1452, Illustrationen der ,,Antiquités judaiques", Paris, Nat. Bibl. vor 1477.

B. PLASTIK. Vienne, St. Maurice, Plastik der Westfassade, Ende 14., 15. Jh. / Bourges, Krypta der Kathedrale, Grabmal des Herzogs von Berry von Jean de Cambrai, seit 1392. / Souvigny, Grabmäler Ludwigs II. (gest. 1410) und der Anne d'Auvergne (gest. 1416) von Jean de Cambrai. / Bernay, St. Croix, Apostel aus der Abtei Bec, Anf. 15. Jh. / Loches, Kollegiatkirche, Grabmal der Agnes Sorel (gest. 1449) von Jacques Morel. /

Châteaudun, Schloßkapelle, Plastik 1464. / Toulouse, Musée des Augustins, Madonna und Hl. Michael, 3. Viertel 15. Jh. / Albi, Kathedrale, Chorschranken, 2. Hälfte 15. Jh. / Solesmes, Abteikirche, Grablegung 1496.

C. ARCHITEKTUR. Tours, Kathedrale, Langhaus 14.—15. Jh., Westfassade beg. 1426. / Notre-Dame de l'Épine, vor 1410—70 (Langhaus und Westbau), 1509—24 (Chor). / Rouen, S. Maclou, 1437—1521, Plan 1432 von Pierre Robin. / Mont-Saint-Michel, Klosterkirche, Chor, 1450—54. / Moulins, Kollegiatskirche, Chor 1468ff. / Bourges, Haus des Jacques Cœur, Anf. 15. Jh. / Beaune, Hospital, 1443 gegr. / Paris, Hôtel de Sens, Ende 15. Jh.

II. NEOGOTIK

1. ITALIEN

A. MALEREI. *Florenz:* Benozzo Gozzoli, 1420—98 [S. 434]; Fresken der Medici-Kapelle, Florenz Palazzo Riccardi [S. 434], 1459—63, Fresken im Camposanto, Pisa, 1469—85. / Antonio del Pollajuolo, 1429—98, seit 1484 in Rom; Maler [S. 433, 437], Bronze-Bildhauer, Goldschmied, Kupferstecher. / Andrea del Verrocchio, 1435—88, Bildhauer und Maler. / Cosimo Roselli, 1439—1507; Fresken in der Sixtinischen Kapelle, Rom (Sinai, Bergpredigt, Abendmahl) 1481/82 unter Mitarbeit von Piero di Cosimo. / Sandro Botticelli, um 1444—1510 [S. 53, 440, 443, 449], Fresken der Moseslegende, Rom, Sixtinische Kapelle, 1481—83, Zeichnungen zur Divina Comedia um 1490. / Domenico Ghirlandajo, 1449—94, Rom, Sixtinische Kapelle, Berufung der ersten Jünger, Fresko, 1481—82: Florenz, S. Trinità, Fresken der Franziskuslegende, 1483; Chorkapelle von Sta. Maria Novella, Fresken des Marienlebens [S. 439] und der Johanneslegende, 1486—90. / Filippino Lippi, um 1459 bis 1504 [S. 438, 442], Rom, S. Maria sopra Minerva, Fresken der Capella Caraffa, 1489—90; Florenz, Sta. Maria Novella, Capella Strozzi, Fresken 1502. / *Venedig:* Carlo Crivelli [S. 62, 434], um 1430—95. / Bartolomeo Vivarini, um 1432—99. / Alvise Vivarini, nach 1446—1504. / *Verona:* Domenico Morone, 1442—1518. / Liberale da Verona, 1445—1526 bzw. 29. / *Mailand:* Bernardino Butinone, vor 1436—1507. / Borgognone, um 1445—1523, Fresken der Certosa di Pavia, 1488—94. / *Ferrara:* Cosimo Tura, 1430—95 [S. 441, 449]. / *Modena:* Francesco Bianchi Ferrari, 1460—1510. / *Siena:* Matteo di Giovanni (di Bartoli), 1430(?)—95. / Benvenuto di Giovanni, 1436—1518. / Francesco di Giorgio, 1439—1502, Maler und Architekt. / *Umbrien:* Niccolò da Foligno (Allunno), 1430—1502. / Fiorenzo di Lorenzo, Perugia, 1440 bzw. 1445—1525. / Pietro Perugino, 1446(?)—1523 bzw. 24 [S. 481]; Rom, Fresken der Sixtinischen Kapelle (Schlüsselübergabe), 1480—82, Perugia, Fresken im Collegio del Cambio, 1499—1503. / Bernardino Pinturicchio, 1454—1513; Fresken: Rom, Sixtinische Kapelle, 1480—82, Rom, Appartamento Borgia, 1492—95, Siena, Dombibl. 1502/03. / Luca Signorelli da Cortona, 1450—1523; Fresken Rom, Sixtinische Kapelle (letzte Taten Moses) 1482—83, Weltuntergangsfresken, Orvieto Dom 1499—1505 [S. 450, 451].

B. PLASTIK. *Florenz:* Antonio del Pollajuolo, 1429—98 (siehe auch unter Malerei); Rom S. Peter, Bronzegrabmal Sixtus IV. und Innocenz VIII. 1490—1500. / Andrea del Verrocchio [S. 432], 1436—88, siehe auch unter Malerei; Reiterdenkmal des Colleoni, Venedig 1481. / Mino da Fiesole, 1431—84. / Benedetto da Maiano, 1442—97, Bildhauer und Architekt [S. 448]. / *Venedig:* Antonio Rizzo, um 1430 bis nach 1497, Bildhauer und Architekt. / *Bologna:* Niccolò dall'Arca, um 1440—94. / *Modena:* Guido Mazzoni, 1450—1518, Tonplastik.

C. ARCHITEKTUR. *Florenz:* Giuliano da Maiano, 1432—90, Florentiner Dombaumeister 1477—90. / Florentiner Palastbauten: Palazzo Antinori. / Palazzo Pazzi 1462—70. / *Siena:* Francesco di Giorgio, 1436—1502, siehe auch unter Malerei; Festungsarchitekt in Urbino 1477, Cortona, Madonna del Calcinaio, seit 1484. / Giacomo Cozzarelli, 1453—1515. / *Rom:* Palazzo Venezia, beg. 1455. / *Oberitalien:* Mailand, Dom, Grundsteinlegung 1386, Vierungsturm seit 1490. / Certosa di Pavia, Grundsteinlegung 1396, Hauptbau des Klosters voll. 1402, Kirche seit 1451—76, Fassade 1476 bis nach Mitte 16. Jh. (unteres Stockwerk voll. um 1500).

2. NIEDERLANDE

A. MALEREI. Hans Memling, um 1433—94, Brügge [S. 438]; Brügge, Hospital, Ursulaschrein, voll. 1489. / Hieronymus Bosch, um 1450—1516, s'Hertogenbosch [S. 446]. / Meister der Virgo inter virgines, tätig 1460/70—1500. / Geertgen tot Sint Jans aus Leyden [S. 499], tätig um 1480 in Haarlem.

B. PLASTIK. Pieter de Beckere, Goldschmied, Metallgießer, Brüssel, gest. 1527; Brügge, Liebfrauenkirche. Grabmal Marias v. Burgund, 1495—1502. / Große Schnitzaltarwerkstätten in Brüssel und Antwerpen, Ende 15. bis Anf. 16. Jh.: Jan Borman, Brüssel, tätig 1479—1520 (Güstrow, Pfarrkirche, Passionsaltar, aufgestellt 1522); Pasquier Borman, Brüssel, bis 1539 (Herenthals, Ste. Waudru, Altar der Gerberinnung). 5

C. ARCHITEKTUR. Lüttich, Jakobskirche, Umbau 1513—38. / Brügge, Blutkapelle, 1533. / Antwerpen, Brunnen auf dem Handschuhplatz, Ende 15. Jh.

3. DEUTSCHLAND

A. MALEREI. Martin Schongauer, Maler und Kupferstecher, tätig in Colmar, etwa 1445—91 [S. 54, 436]. / Meister des Hausbuchs, Maler und Graphiker, hauptsächlich am Mittelrhein tätig, von etwa 1470 bis Anf. 16. Jh. (Wolfegger Hausbuch 1476—82). / Michael 10 (und Friedrich) Pacher, etwa 1430—98 [S. 439], Maler und Bildschnitzer, Tirol; Wolfgangaltar 1479—81. / Rueland Frueauf, tätig Ende 15. Jh. in Salzburg und Passau. / Jan Pollack, tätig in München 1484—1519. / Michael Wolgemut, Nürnberg, 1443—1519; auch Graphik (Schedelsche Weltchronik 1493). / Veit Stoß (siehe auch Plastik), tätig in Nürnberg und Krakau, 1445—1533 [S. 435, 445]. / Bartholomäus Zeitblom, seit 1484 in Ulm 15 tätig, 1518 gest. / Hans Holbein d. Ä., seit 1490 in Augsburg tätig, 1525 gest. / Meister der Verherrlichung Mariä, Köln, um 1470 [S. 444]. / Meister der Hl. Sippe, Köln, um 1480. / Meister des Bartholomäusaltars, Köln, um 1490 [S. 435]. / Meister von St. Severin, Köln, um 1500. / Bernt Notke (siehe auch Plastik), Lübeck, etwa 1440—1509.

B. PLASTIK. Erasmus Grasser, München, um 1450—1518. / Heinrich Yselin, Konstanz, Wein- 20 garten, 2. Hälfte 15. Jh. / Meister des Nördlinger Hochaltars, um 1470—80. / Jörg Syrlin d. Ä., tätig 1460 bis nach 1490, und Jörg Syrlin d. J., um 1455—1521, tätig in Ulm (Münster, Chorgestühl 1469—74). / Veit Stoß (siehe auch Malerei), um 1445—1533, Nürnberg, Krakau; Marienaltar, Krakau [S. 445], 1477—89; Bamberger Altar [S. 445], etwa 1520. / Michael Pacher (siehe auch Malerei), Tirol, 1435—98. / Meister des Kefermarkter Altars, 25 südostdeutsch, etwa 1480—90. / Meister Arnt, Kalkar, gest. 1491. / Bernt von Wesel, Kalkar, Anf. 16. Jh. / Bernt Notke, um 1440—1509, Lübeck; Jürgengruppe in Stockholm 1488. / Tilman Riemenschneider aus Osterode, um 1460—1531, Würzburg seit 1485 [S. 433, 440].

C. ARCHITEKTUR. Braunschweig, Dom, äußeres nördliches Seitenschiff, 1474. / Meißen, 30 Albrechtsburg, 1471—85. / Zwickau, Marienkirche, 1465—1506. / Freiberg, Dom, 1484 bis 1501. / Annaberg i. S., Annakirche, 1499—1520. / Straßburg, Münster, Portal der Laurentiuskapelle von Meister Jakob von Landshut, 1495—1505.

4. FRANKREICH

A. MALEREI. Jean Bourdichon, 1457—1521, Gebetbuch für Anna von Bretagne, Paris, Nat.Bibl. / Meister von Moulins, tätig von 1480—1520. / Jean Bellegambe, um 1470 35 bis 1534.

B. PLASTIK. Antoine le Moiturier, um 1425—92, Avignon, Dijon; Paris, Louvre, Grab des Philipp Pot (gest. 1494). / Rouen, Kathedrale, Mittelportal 1507—14 (Roulland le Roux, Pierre d'Aubeaulx); Grabmal des Kardinals George d'Amboise (gest. 1510) von denselben. / Michel Colombe, um 1430—1512; Nantes, Kathedrale, Grabmal Franz II. (gest. 40 1488) und Margarete von Foix 1502—07; Gaillon, Schloßkapelle, Kampf mit dem Drachen 1508—09. / Brou, St. Nicolas de Tolentin, Grabmäler im Chor nach Zeichnungen des Jean Perréal, ausgeführt von Conrad Meit (siehe unter Kunst der Reformationszeit, Plastik) und Jean Rollin de Lyon, 1. Viertel 16. Jh. / Jean Juste, 1485—1549, Italien, Frankreich; Grabmal König Ludwig XII. und seiner Gemahlin, Abteikirche St. Denis, 1516—31. 45

C. ARCHITEKTUR. St. Riquier (Somme), Abteikirche, Westfassade, 1475—1516. / Abbéville, St. Vulfran, beg. 1488. / Rue, Chapelle du St. Esprit, beg. im späten 15. Jh. / St. Nicolas-du-Port (Lothringen), 1496—1544. / Rouen, Kathedrale, Westfassade (Seitenportale 1. Hälfte 13. Jh.; Weiterbau 1370—1420) Mittelteil 1509—14; Südturm (Tour de Beurre) 1485—1507 [S. 447]. / Tours, Kathedrale, Westfassade 1426 beg., Türme 1507 bzw. 1547 50 voll.; Martin und Bastien François, Pierre, Gadier. / Brou bei Bourg-en-Bresse, Klosterkirche. 1506 begonnen durch Jean Perréal, 1513—32 durch Loys van Boghem voll. / Rodez, Kathedrale Notre-Dame, Westfassade Ende 15. Jh., Mittelgiebel ebenda 17. Jh. / Paris, St. Jacques-la-Boucherie, Turm, 1508—22. / Rouen, Palais de Justice, Westtrakt durch Robert Ango, 1499—1507. / Rouen, Hôtel de Bourgtheroulde, 1486—1531. / Paris, 55 Hôtel de Cluny, Ende 15. Jh., seit 1833 Mus.

III. DIE KUNST DER REFORMATIONSZEIT IN DEUTSCHLAND (DÜRER) (S. 448–477)

A. MALEREI. Matthias Grünewald (Matthias Neidhard-Gotthard?), 1503—29 nachweisbar, um 1510 in Isenheim, später Aschaffenburg, Mainz. Isenheimer Altar 1509—11 [S. 462, 463]; München, Alte Pinakothek, Die Hl. Erasmus und Mauritius aus dem Dom zu Halle, um 1525. / Albrecht Dürer, Nürnberg 1471—1528 [S. 452—461, 466—469, 473, 475—477, 500—502, 548, Tafel VIII]. Lehrzeit in der Wolgemut-Werkstatt 1486—90. Wanderjahre am Oberrhein 1490—94. Als Meister in Nürnberg seit 1494. Erste Italienreise 1495. Zweite Italienreise 1506—07. Reise nach Augsburg 1518. Niederländische Reise 1520—21. Gemälde: Selbstbildnisse Paris 1493, Madrid 1498, München 1500; Paumgartner Altar, München, um 1503; Anbetung, Florenz, 1504; Rosenkranzfest [S. 500], Stift Strahow, 1506; Adam und Eva, Madrid, 1507; Helleraltar, zerstört (Kopie Frankfurt a. M.), 1507—09; Allerheiligenbild, Wien, 1511; die vier Apostel, München, 1526; zahlreiche Bildnisse: Maximilian I., Wien, 1519; Hans Imhoff, Madrid, 1521; Jakob Muffel, Berlin, 1526; Hieronymus Holzschuher, Berlin, 1526. — Graphische Zyklen: Holzschnitte: Apokalypse bis 1498 [S. 452—454]; Große Passion Ende 15. Jh. bis 1511 [S. 455, 502]; Marienleben [S. 501], Ende 15. Jh. bis 1511; Kleine Passion, um 1510. Kupferstichpassion 1508—12; sogenannte Meisterstiche 1513—14 [S. 457—459]; Randzeichnungen zum Gebetbuch Maximilians 1515; Ehrenpforte Maximilians etwa 1515—18. / Hans (Süß, genannt) von Kulmbach, etwa 1476—1522, Nürnberg, Krakau (1514—19). / Wolf Traut, in Nürnberg tätig 1505—1520. / Bartel und Hans Sebald Beham, Nürnberg, 1. Hälfte 16. Jh. / Georg Pencs, Nürnberg, 1. Hälfte 16. Jh. / Augustin Hirschvogel, 1503—53, Nürnberg, ab 1544 Wien [S. 474]. / Hans Leonhard Schäuffelein, Nördlingen und Nürnberg, um 1480—1539/40. / Hans Burgkmair, Augsburg 1473—1531. / Martin Schaffner, Ulm, um 1480—1541. / Jörg Breu, Augsburg, um 1480—1537. / Christoph Amberger, Augsburg, etwa 1500—61. / Hans Holbein d. J. [S. 464, 474, 475, Tafel VI], aus Augsburg, 1497—1541, tätig in Augsburg, Basel, London (1526—28, 1531—41): Darmstadt, Schloß, Madonna 1526; Basel, Mus., Passionszyklus, um 1514—19; Berlin, Deutsches Mus., Georg Gisze, 1532; Dresden, Sieure de Morette, 1536; Windsor Castle, Bildniszeichnungen; Totentanz, Holzschnittfolge, wahrscheinlich 1523—26, erste Ausgabe 1538 [S. 464]. / Hans Baldung, gen. Grien, Oberrhein [S. 465, 472, 475], um 1480—1545. Tätig in Straßburg (und Freiburg 1512—17). / Meister von Messkirch, Bodenseegegend, tätig 3. und 4. Jahrzehnt 16. Jh. / Hans Fries, Freiburg i. Schweiz (Basel, Bern), nachweisbar 1487—1518. / Albrecht Altdorfer, Regensburg, etwa 1480—1538 [S. 470, 471, 473]. / Wolf Huber, etwa 1490—1553, Feldkirch und Passau (ab 1510). / Lucas Cranach d. Ä. [S. 472, 557, Tafel VI], 1472 in Kronach geb., 1553 in Weimar gest., seit 1505 Hofmaler in Wittenberg. / Bartel Bruyn, 1493—1555, Köln. / *Glasfenster:* Hans Wild von Ulm, um 1500 Glasfenster in St. Lorenz, Nürnberg.

B. PLASTIK. Adam Krafft, Nürnberg, 1455 oder 60—1509. / Peter Vischer d. Ä., Nürnberg, um 1460—1529, Gießhütte in Nürnberg mit seinen Söhnen (Peter d. J., 1487—1528): Sebaldusgrab, 1507—19. / Nikolaus Hagenower, tätig 1475 bis 1. Jahrzehnt 16. Jh., Ulm, Isenheim. / Hans Valckenauer, Salzburg, tätig zwischen 1480 und 1520. / Hans Seyfer, Heilbronn, gest. 1509. / Gregor Erhart, aus Ulm, Ende 15. Jh. bis gegen 1540 in Augsburg tätig: Blaubeuren, Hochaltar, 1493/94. / Adolf Daucher, Augsburg, etwa 1465—1523. / Loy Hering aus Kaufbeuren, etwa 1485—1555, Augsburg, Eichstädt. / Ludwig Juppe, Ende 15. bis Anf. 16. Jh. tätig am Niederrhein und Marburg [S. 465]. / Hans Backoffen, in Mainz, tätig 1509—19. / Conrad Meit, aus Worms, in der 1. Hälfte 16. Jh. tätig in Wittenberg, Mecheln, Brou (1526—32).

C. ARCHITEKTUR. Hans Hieber, Augsburg und Regensburg, „Schöne Maria" in Regensburg (Modell) 1519. / Hildesheim, Knochenhaueramtshaus 1529. / Goslar, Brusttuch, 1526. / Freiburg i. Br., Kaufhaus, 1524—32.

IV. ANDACHTSSTIL IN ITALIEN UND ÜBERGANG ZUM FRÜHBAROCK (S. 478–503)

A. MALEREI. *Umbrien:* Perugino, Pinturicchio s. Neogotik S. 923. / *Florenz:* Lorenzo di Credi, 1459 (?)—1537 [S. 480, 482]. / Piero di Cosimo, 1462—1521, Florenz und Rom [S. 497, 498]. / Leonardo da Vinci, 1452—1519, Maler, Bildhauer, Ingenieur, Festungsbaumeister, Schriftsteller [S. 492—497, Tafel IX]; Lehrzeit im Atelier Verrocchios etwa 1460—76, Übersiedlung nach Mailand 1482—99, Florenz 1499—1506, Mailand 1507—13, Rom 1513, Berufung nach Frankreich 1516, gest. in St. Cloud 1519; Anbetung der Könige [S. 492], Florenz, Uffizien, 1481; Grottenmadonna [S. 495], Paris, Louvre, 1483—1508 (?); Abendmahl im Kloster

S. Maria delle Grazie, Mailand 1495—97 [S. 493]; Mona Lisa [S. 497], Paris, Louvre, beg. um 1503; Anna Selbdritt [S. 496], um 1508—12, Paris, Louvre; Karton zur Schlacht von Anghiari, 1503—06 (nur in Nachzeichnung und Einzelstudien erhalten). / *Leonardo-Kreis:* Ambrogio de' Predis 1450/55 bis nach 1505. / Giovanni Antonio Boltraffio, 1467—1516. / Andrea Solario, um 1465/70—1520. / Bernardo Luini, 1475—1532. / Cesare da Sesto, 1477 bis 1523. / Giovanni Bazzi (Sodoma), 1477—1551, in Oberitalien ausgebildet, tätig in Siena und Rom; Fresken zum Leben der Hl. Katharina, Siena S. Domenico, 1526. / *Oberitalien:* Francesco Francia, Bologna, 1450—1517, Goldschmied und Maler [S. 482]. / Ercole de Roberti, um 1450—96. / Lorenzo Costa, Ferrara, um 1460—1535, seit 1506 Mantua; Bologna, Oratorium der Hl. Cecilie, Fresken zusammen mit Francia 1504—06. / Bartolomeo Montagna, Vicenza, nach 1440—1523. / Boccaccio Boccaccino, Cremona, 1467—1525. / Francesco Morone, Verona, 1474—1529. / Girolamo dai Libri, Verona, 1474—1556. / Bartolomeo Suardi (Bramantino), Mailand, tätig etwa 1490—1536. / *Venedig:* Gentile Bellini [S. 483], 1429—1507, 1479—80 am Hof des Sultans Mohammed II. in Konstantinopel. / Giovanni Bellini [S. 486—488], um 1430—1516. / Giov. Batt. Cima da Conegliano, um 1459—1518. / Vincenzo Catena, um 1470—1531. / Marco Basaiti, um 1470 bis nach 1521. / Vittore Carpaccio [S. 485], um 1455—1525, Bilder zur Ursulalegende [S. 484, 485], Venedig, Akademie, 1490—98. / Andrea Previtali, tätig 1480—1528. / Iacopo dei Barbari (Jakob Walch), um 1450 bis um 1515, seit 1500 in Deutschland. / Bartolomeo Veneziano, 1. Hälfte 16. Jh., Venedig, Ferrara, Mailand.

B. PLASTIK. *Florenz:* Andrea Sansovino, 1460—1529, Portugal (1491—99), Florenz, Rom, Loreto; Bildhauer und Architekt. / Baccio da Montelupo, 1469—1535. / *Modena:* Antonio Begarelli, um 1479—1565. / *Venedig:* Pietro Lombardi, 1435—1515. / Tullio Lombardi, um 1455—1532. / Antonio Lombardi, 1458 (?)—1516. (?) / Alessandro Leopardi, tätig 1482 bis 1522.

C. ARCHITEKTUR. Donato Bramante, um 1444—1514 [S. 491], Mailand, Florenz, Rom; Mailand, S. Maria della Grazie 1492—98; Rom, S. Pietro in Montorio, Tempietto 1502; S. Maria della Pace, Klosterhof 1504; Vatikan, große Nische am Belvedere und Damasushof 1505—14; Bauleitung von S. Peter seit 1506 (siehe unter Frühbarock). / *Florenz:* Giuliano da Sangallo, 1445—1516: Poggio a Caiano, Villa Medici, 1480—85; Prato, S. Maria delle Carceri [S. 490], 1485—91; Florenz, Sakristei von S. Spirito (zusammen mit Cronaca) 1488—92; Palazzo Gondi 1490—94 (98). / Antonio da Sangallo d. Ä., 1455—1534: Montepulciano, S. Biagio, 1518—37. / Simone Cronaca, 1457—1508: Florenz, S. Francesco al Monte, seit 1475; Palazzo Strozzi [S. 448], beg. 1489. / Palazzo Guadagni, 1503—06. / Todi, S. Maria della Consolazione, beg. 1508 (Cola Mateuccio). / *Rom:* Cancelleria, 1486—96 [S. 492]. / Palazzo Torlonia, 1496—1504. / *Oberitalien:* Bologneser Paläste: Palazzo Bevilacqua (Sanuti), 1481. Palazzo Fava, 1483. Palazzo del Podestà, 1492—94. / Ferrara: Palazzo dei Diamanti, beg. 1492; Palazzo Scrofa-Calcagnini 1502. / Padua, Loggia del Consiglio, beg. 1493. / Verona, Loggia del Consiglio, 1486—93. / *Venedig:* Paläste (Ende 15. Jh.). Foscari. Dario. Contarini. / Pietro Lombardi [S. 489, 490] (siehe auch unter Plastik). S. Maria dei Miracoli, 1481—89; Hof des Dogenpalastes (mit A. Rizzo und A. Scarpagnino), 1499—1511; Palazzo Vendramin-Calergi, 1509 voll. / Tullio Lombardi, um 1455—1532 (siehe auch unter Plastik). / Moro di Martino Coducci, um 1440—1504; Scuola di San Marco (Fassade von den Lombardi), 1485—95. / S. Maria Formosa, beg. 1492; Palazzo Corner Spinelli, Ende 15. Jh.

ZWEITE ABTEILUNG

BAROCK UND SENSUALISTISCHER MANIERISMUS

I. FRÜHBAROCK IN ITALIEN (RAFFAEL, MICHELANGELO) (S. 504—539)

A. MALEREI. *Raffael Santi,* geb. Urbino 1483, seit 1499 Werkstatt Peruginos, 1504 Florenz, seit 1508 Rom, gest. 1520; Maler [S. 508] und Architekt; Mailand, Brera, Sposalizio 1504; 1508—11 Stanza della Segnatura [S. 55, 57], Vatikan; 1512—14 Stanza d'Eliodoro [S. 515]; 1514—18 Fresken der Villa Farnesina [S. 512]; 1515 Baubeginn der Villa Madama, Rom, und 1517 Palazzo Pandolfini, Florenz; 1514—17 Stanza dell' Incendio und Konstantinssaal; 1517—19 Loggien des Vatikans. / *Raffael-Schule:* Giulio Romano, 1499—1546 (siehe auch unter Architektur). / Pierino del Vaga, 1499—1547. / Primaticcio, 1504—70 (seit 1531 in Frankreich, Schule von Fontainebleau).

Michelangelo Buonarroti, Bildhauer, Maler [S. 504, 518], Architekt, Dichter, geb. 1475 Caprese, 1488 Werkstatt Ghirlandajos, 1490—92 im Palast des Lorenzo Medici (Madonna auf der Treppe und Kentaurenkampf, beide Florenz, Museum Buonarroti), 1494 Flucht nach Bologna und Venedig (Bologna, Hl. Petronius, Hl. Broculus und Leuchterengel), 1495—96 Florenz, 1496—1501 Rom (Bacchus, Florenz Nat.Mus. 1497; 5 Pietà, Rom St. Peter, um 1500); 1501—05 Florenz (David, Florenz Akademie, 1503; Karton der badenden Soldaten, Entwurf für das Fresko im Palazzo Vecchio Florenz, 1504); 1505 Berufung nach Rom durch Julius II., Auftrag für das Juliusgrab (1506 Matthäus, Florenz, Akademie; Moses [S. 515], Rom, S. Pietro in Vincolis 1516; Sklaven 1516; Vollendung des Grabmals unter ständig zunehmender Beschneidung des ur- 10 sprünglichen Plans 1545); Decke der Sixtinischen Kapelle 1508—12 [S. 511, 514, 522]; um 1516 Beginn der Fassadenentwürfe für S. Lorenzo; 1521—34 Mediceer-Kapelle [S. 58, 523—525] in S. Lorenzo, Florenz; 1524—34 Bibliotheca Laurenziana (Treppe voll. 1555 bis 1568); Sixtinische Kapelle, Rom, Jüngstes Gericht [S. 510], 1534—41; Fresken der Cappella Paolina im Vatikan 1542—50; seit 1546 Vorsteher der Dombauhütte von S. Peter; 1546 15 Beginn des Neubaus auf dem Capitol [S. 527]; 1564 gest. in Rom. / *Michelangelo-Schule:* Sebastiano del Piombo 1485—1547, Venedig, seit 1511 Rom. / Daniele da Volterra, 1509 bis 1566. / Marcello Venusti, 1515—79.

Florenz: Fra Bartolommeo, 1472—1517 [S. 505]. / Andrea del Sarto, 1486—1531: Fresken im Vorhof von Ss. Annunziata, 1504—14 [S. 513]; Fresken zum Leben Johannes 20 des Täufers im Hof der Scalzikirche [S. 516], 1511—26. / Franciabigio, 1482—1525. / Jacopo da Pontormo, 1494—1557: Fresken in der Certosa di Val d'Ema, 1522—24. / Agnolo Bronzino, 1503—72. / Rosso Fiorentino, 1494—1540, Florenz, Rom seit 1523, Fontainebleau seit 1530. / Giorgio Vasari, 1511—74: Maler, Architekt, Kunstschriftsteller. / Francesco Salviati, 1510—61, Florenz und Rom. / Beccafumi, 1486—1551, Siena, Rom. / 25 *Venedig:* Giorgione, um 1478 bis um 1510 [S. 507, 535, 536]. / Tiziano Vecellio, um 1477 bis 1576, 1545—46 in Rom; Himmlische und irdische Liebe [S. 539], Rom Gal. Borghese um 1515; Mariä Himmelfahrt, Venedig, Frarikirche [S. 509], 1516—18; Pesaro-Madonna, ebenda, 1519—26; Ruhende Venus [S. 537], Florenz, Uffizien um 1538; Papst Paul III. mit Octavio und Kardinal Farnese, Neapel, Mus. 1545; Danae um 1545, 30 ebenda; Venus und Amor um 1545, Florenz Uff.; Dornenkrönung, München, Alte Pinakothek um 1577. / Bonifazio dei Pitati (Veronese), 1487—1533. / Paris Bordone, 1500—71. / Palma Vecchio, 1480—1528 [S. 538]. / Palma Giovane, 1544—1628. / Lorenzo Lotto, 1480—1556/57. / Jacopo Robusti Tintoretto [S. 542], 1518—94, zwischen 1541 und 46 Rom: Markuswunder, Venedig Akademie 1548; Tempelgang Mariä, Venedig S. Maria 35 dell'Orto, um 1555; Hochzeit zu Kana [S. 542], Venedig, S. Maria della Salute, 1561; Auffindung des Leichnams des Hl. Markus, Mailand, Brera, 1562—66; Venedig Scuola di S. Rocco, Kreuzigung, Kreuztragung, Pilatus, 1565; Rest der oberen Säle 1577—81; untere Säle 1582—87; Venedig Dogenpalast, Paradies, um 1590—92; Abendmahl, Venedig S. Giorgio Maggiore, 1593—94. / Giacomo da Ponte Bassano, 1510—92. / Paolo Vero- 40 nese, 1528—88, Verona, Venedig [S. 533]. / *Oberitalien:* Antonio Correggio [S. 516, 541], 1494—1534: Fresken in S. Giovanni Evangelista zu Parma 1520—24; Kuppelfresko, ebenda 1524—1530; Kuppelfresko im Dom zu Parma um 1530. / Gaudenzio Ferrari, um 1480—1546, Varallo Vercelli, Mailand. / Dosso Dossi, 1479—1542, Ferrara. / Alessandro Moretto da Brescia, um 1498—1554, Brescia. / Giovanni Batt. Moroni, 1520/25—1578, 45 Bergamo. / Giov. Girolamo Savoldo, 1480—1548. / Parmeggianino [S. 560], 1503—40, Parma. / Girolamo Bedoli, nach 1500—69, Parma. / Federigo Barocci, geb. 1526, gest. 1612, Rom, Urbino.

B. PLASTIK (Michelangelo siehe Malerei). Jacopo Sansovino (siehe auch unter Architektur), 1486—1570, Florenz, Venedig [S. 510]. / Benvenuto Cellini, Goldschmied, Bildhauer und 50 Medailleur, 1500—71, Florenz; Perseus, Loggia dei Lanzi, Florenz, 1545—54. / Alessandro Vittoria, 1525—1608, Venedig. / Giovanni da Bologna, 1524—1608, Douai, Florenz um 1556 [S. 512]; Neptunbrunnen, Bologna, 1564—67, Reiterstatue Cosimos I., Florenz, 1587—94, Raub der Sabinerinnen, Florenz, Loggia dei Lanzi, 1580—83. / Pompeo Leoni, um 1533—1608.

C. ARCHITEKTUR. Baugeschichte der Peterskirche zu Rom: Neubaupläne seit 1504, Neubau 55 seit 1506. Bauleiter: 1506—14 Bramante (Mitarbeiter Baldassare Peruzzi), 1514—20 Raffael, 1520—46 Antonio da Sangallo d. J., 1547—64 Michelangelo, 1564—73 Vignola, 1573—1603 Giacomo della Porta, 1603—26 Carlo Maderna, 1656—67 Bernini. / Michelangelo siehe Malerei. / Baldassare Peruzzi, 1481—1537 oder 1536, auch Maler: Rom Farnesina 1509—11; Palazzo Massimo alle Colonne 1535; Mitarbeiter an S. Peter. / Antonio 60 da Sangallo d. J., 1485—1546: Rom, Palazzo Farnese vor 1519 beg.; So. Spirito in Sassia 1538 ff.; Mitarbeiter an S. Peter. / Raffael, siehe auch Malerei: Rom, Villa Madama 1515 ff.;

Florenz, Palazzo Pandolfini 1517 beg. / Giulio Romano, auch Maler, siehe Malerei, 1493—1546: Mantua, Palazzo del Té 1525—35. / Michele San Micheli 1484—1559: Verona, Palazzo Canosa 1530—37; Venedig, Palazzo Grimani 1539; Verona, Porta Stuppa 1557. / Jacopo Sansovino, 1486—1570 (siehe auch unter Plastik): Venedig, Palazzo Corner 1532; Bibliothek von S. Marco [S. 528] 1532—54; Loggietta am Markusturm 1537—40; Dogenpalast, die goldene Treppe 1554. / Giacomo (Barozzi) Vignola 1507—73: Caprarola, Palazzo Farnese 1547—59; Rom, Il Gesù 1568—75 (Fassade von Giacomo della Porta [S. 530—31]). / Galeazzo Alessi 1512—72: Genua, Paläste der Via Garibaldi. / Andrea Palladio [S. 529—32], 1508(18?)—80: Vicenza, Basilika 1549 beg.; Palazzo Chierigati vor 1566; Villa Rotonda, Entwurf um 1550, Ausführung 1567—91; Venedig, S. Giorgio Maggiore [S. 532] 1565—1610; Il Redentore [S. 530] 1577—92; Theoret. Werk: I quattro libri dell'architettura, Venedig 1570. / Palazzo Spada [S. 652], Rom, 1550 beg., nach 1556 Fassade von Giulio Mazzoni. / Giacomo della Porta, 1541—1608(04?); Rom, 1573 Bauleitung der Peterskirche; Il Gesù, Fassade, nach 1573; S. Maria ai Monti, Rom, 1579; Villa Aldobrandini Frascati 1598—1663.

II. DER MANIERISMUS (S. 540—560)

1. NIEDERLANDE

A. MALEREI. Gerard David [S. 499], um 1460—1523, Brügge. / Quinten Massys, 1466—1530, Antwerpen. / Jakob Cornelisz von Amsterdam, vor 1470—1533. / Cornelis Engelbrechtsen, 1468—1533. / Jan Gossaert, gen. Mabuse, um 1478—1533, Antwerpen [S. 543]. / Jan van Scorel, 1495—1562, Utrecht [S. 544]. / Joachim de Patinier [S. 546], um 1480—1524, Antwerpen. / Lucas van Leyden (Maler und Graphiker), 1494—1533, Leiden [S. 545]. / Maarten van Heemskerk, 1498—1574, tätig in Haarlem [S. 544]. / Bernard van Orley, um 1492 bis 1542, Brüssel. / Marinus van Roymerswaele [S. 551], 1497—1567. / Jan van Amstel, um 1500 bis um 1540, Antwerpen. / Pieter Aertsen, 1508—75, Antwerpen und Amsterdam [S. 548]. / Pieter Brueghel d. Ä., 1525—69 [S. 61, 553], Antwerpen und Brüssel, 1553 Rom (Hauptbilder in Wien). / Jan van Hemessen, um 1500 bis nach 1575, Antwerpen. / *Utrechter Schule:* Hendrik Terbrugghen, 1587—1629; Abraham Bloemaert, 1564—1651 [S. 545, 546]; Gerard v. Honthorst, 1590—1656; Joachim Uytewael [S. 549, 550], 1566—1638. — Antonis Mor, 1519—75, Antwerpen, 1550 in Rom, Hofmaler in Madrid und London. / Frans Pourbus d. Ä., 1545—81, Brügge und Antwerpen, Porträtist. / Joachim Beuckelaer, 1533 bis um 1573, Antwerpen [S. 549]. / Steenwyck, d. Ä. und d. J.; der Ältere um 1550 bis um 1603 (in Frankfurt a. M. tätig), der Jüngere um 1580—1649 (Leiden). / Wilhelm Key, 1520—68. / Frans de Vriendt gen. Floris, 1516—70, Antwerpen. / Vredeman de Vries, 1527—1604, Architekturmaler [S. 547]. / Frans Francken d. J., 1581—1642, Antwerpen. / Cornelis van Poelenburgh, 1586—1667. / Gillis van Coninxloo (Schule von Frankenthal in der Pfalz), 1544 bis um 1607. / Lukas van Valkenborch, 1540—1622. / Jan Brueghel d. Ä., 1568—1625 (sog. Sammetbrueghel). / Marten de Vos, um 1532—1603, Antwerpen. / Paul Bril, 1554—1626, Antwerpen und Rom. / Roelant Savery, 1576—1639, Landschafter, Amsterdam und Utrecht [S. 547]. / Henrik Goltzius, 1558—1616, Haarlem. / Cornelis Cornelisz van Haarlem, 1562—1638.

B. PLASTIK. Jacques Dubroeucq, zwischen 1500 und 1510—1584, Mons im Hennegau. / Cornelis Floris (siehe Architektur). / Lancelot Blondeel (Architekt), 1496—1561, Brügge. / Hendrik de Keyser (siehe Architektur).

C. ARCHITEKTUR. Gent, Rathaus, 1527—80. / Architektenfamilien: Waghemaker, Antwerpen, vor allem der um 1520 tätige Dominicus. / Keldermans, Mecheln, 14.—16. Jh., besonders Rombout (gest. 1531), Baumeister Karls V. / Lüttich, Justizpalast, Hof 1508—40. / Mecheln, Haus „de Zalm", 1530. / Brügge, „Die Greffe", 1534—37. / Christian Sixdeniers, Breda, Schloß für Heinrich III. / Thomas Vincidor de Bologna, seit 1536: Lüttich, St. Martin, 1542; Philippeville, Festungswerke, 1543. / Sebastian van Noye (De Oya) (1493? bis 1557): Brüssel, Palais Granvella, um 1550. / Utrecht, Rathaus, um 1547. / Nymwegen, Rathaus, 1555. / Antwerpen, Rathaus, 1560. / Cornelis Floris de Vriendt, auch Bildhauer (1514—75). Antwerpen, Rathaus, 1561—64. / *Vom Renaissance-Manierismus zum Klassizismus:* Brügge, Stadtkanzlei, 1535—37. / Haag, St. Jacob, 1539—50. / Johannes Vredeman de Vries (1527 bis um 1607), Ornamentenzeichner und Architekturmaler. / Lieven de Key (um 1560—1627): Leiden, Rathaus, 1595. / Hendrik de Keyser (1565—1621): Amsterdam, Zuiderkerk, 1603—11; Delft, Rathaus, 1618.

2. DEUTSCHLAND

A. MALEREI. *Gotisierender Manierismus:* Nikolaus Manuel Deutsch, Bern, 1484—1530. / Urs Graf von Solothurn, 1485—1529, seit 1512 tätig in Basel, auch Goldschmied. / Lucas

Cranach siehe Reformationskunst. / *Klassizistischer Manierismus* (Spätrenaissance): Die sogenannten Kleinmeister (Kupferstich, Holzschnitt, zum Teil auch Architektur und Goldschmiedekunst: Bartel und Hans Sebald Beham siehe Reformationskunst Seite 925. / Georg Pencz siehe Reformationskunst Seite 925. / Peter Flötner (Ornamentzeichner) siehe Plastik. / Virgil Solis, Nürnberg, 1514—62. / Tobias Stimmer, geb. 1539 in Schaff- 5 hausen, gest. 1584 in Straßburg. / Jost Ammann, geb. 1539 in Zürich, seit 1561 in Nürnberg, gest. 1591. / Heinrich Aldegrever, geb. 1502 in Paderborn, 1527—55 in Soest. / Wendel Dietterlin, 1550—99, Kunsttheoretiker. / Lukas Kilian, 1579—1637, Augsburg (Ornamentstiche). / Matthäus Merian, 1593—1650 (Städteansichten). / Hans von Aachen, Köln, 1552—1615. / Christoph Schwarz, 1550—97. / Joseph Heinz, geb. Basel 1564, 10 gest. 1609 in Prag. / Frederik Sustris, geb. 3. Jahrzehnt 16. Jh. in Amsterdam, gest. 1591 in Florenz. / Peter Candid, geb. etwa 1548 in Brügge, von 1586—1628 in München. / Bartholomäus Spranger [S. 558], geb. 1546 in Antwerpen, gest. 1611 in Prag. / Hans Rottenhammer, geb. München 1564, gest. 1623 in Augsburg. / Matthäus Gundelach, geb. 1566 in Hessen, 1605 Prag, seit 1615 Augsburg, gest. 1653. / Adam Elsheimer, geb. 1578 15 in Frankfurt a. M., gest. 1610 in Rom. / Joachim von Sandrart, geb. 1606 in Frankfurt a. M., gest. 1688 in Nürnberg.

B. PLASTIK. *Gotisierender Manierismus:* Hans Leinberger, tätig in Moosburg und Landshut zwischen 1510 und 30. / Meister H. W., Obersachsen, 1. Viertel 16. Jh. / Benedikt Dreyer, in Lübeck tätig zwischen 1510 und 55. / Heinrich Douvermann, zwischen 1510 und 44 20 tätig in Cleve, Kalkar, Xanten. / Claus Berg aus Lübeck, tätig in Odense auf Fünen, etwa 1510—32, dann in Mecklenburg (Odenser Altar um 1520, Güstrower Apostel 1533—35) [S. 555]. / Andreas Morgenstern aus Budweis, Marienaltar Zwettl 1516—25. / Meister H. L., Oberrhein, Breisacher Hochaltar 1526 [S. 556]. / *Klassizistischer Manierismus:* Hans Daucher, Augsburg 1485—1538. / Peter Flötner, um 1485—1546, Augsburg, Nürn- 25 berg. / Pankraz Labenwolf, 1492—1563, Nürnberg. / Wenzel Jamnitzer, 1508—85, Nürnberg. / Benedikt Wurzelbauer, 1548—1620, Nürnberg (Tugendbrunnen 1585—89). / Hubert Gerhard, aus Amsterdam, etwa 1540—1620, München, Augsburg. / Adrian de Vries, geb. 1560 im Haag, gest. 1627 in Prag, tätig in Turin, Prag, Bückeburg, Augsburg u. a. / Hans Krumper, um 1570 bis nach 1634, München. / Hans Reichel, etwa 1570 bis 30 nach 1636, München, Augsburg. / Michael Kern, 1580—1649, ab 1623 in Würzburg. / Leonhard Kern, 1588(?)—1662, Schwäbisch-Hall, Nürnberg. / Jörg Zürn, Überlingen, Anf. 17. Jh. / Johannes Junker d. Ä., 1582 bis gegen 1625, Aschaffenburg. / Gerhard Gröninger, 1582—1652, Münster. / Eckbert Wolff d. J., Bückeburg, Anf. 17. Jh. / Christoph Kapup, Magdeburg, Ende 16. Jh. / Sebastian Ertle, um 1570 bis um 1612, Magdeburg. / Ludwig 35 Münstermann, etwa 1575 bis etwa 1638, Hamburg, Oldenburg. / *Medailleure:* Hans Kels d. Ä., etwa 1480—1559. / Hans Kels d. J., etwa 1510—1566. / Hans Schwarz, geb. um 1492/93. / Christoph Weiditz, tätig 2. Viertel 16. Jh. / Friedrich Hagenauer, tätig 2. Viertel 16. Jh. / Ludwig Neufarer, gest. 1563. / Hans Bolsterer, gest. 1573. / Matthes Gebel, gest. 1574. / Valentin Maler, etwa 1540—1603. / *Edelmetall:* Wenzel Jamnitzer, 1508—85, 40 Nürnberg.

C. ARCHITEKTUR. *Kirchenbauten:* Heilbronn, Kilianskirche, Turm, 1513—29 (Hans Schweiner von Weinsberg). / Innsbruck, Hofkirche, 1553—63 (Andrea Crivelli von Trient, Entwurf und 1. Ausführung). / Augustusburg, 1568—73 (Hieronymus Lotter). / Wilhelmsburg (Schmalkalden), Schloßkirche 1585—89 (Baumeister Christoph und Hans Müller, Deko- 45 rationen Wilhelm Vernuiken). / Würzburg, Universitätskirche, 1586—91 (Plan von Georg Robin). / München, St. Michael, 1583—88 (Fr. Sustris, siehe auch Malerei), Querschiff, Chor und Fassadenänderung bis 1597, Innenausstattung Wendel Dietrich. / Wolfenbüttel, Marienkirche 1604—23 (Paul Franke), Ausstattung 1620—25. / Bückeburg, Lutherische Stadtkirche, 1613—15 [S. 559]. / Köln, St. Mariä Himmelfahrt (Jesuiten-Kirche), 1618 50 bis 27 (Christoph Wamser). / *Schloßbauten:* Schloß Hartenfels bei Torgau, Hof und Treppenhaus, 1533—35 (Konrad Krebs); Neue Kapelle, 1544 gew. (Nikolaus Grohmann, Nachfolger des Konrad Krebs). / Stuttgart, Altes Schloß, beg. 1553 (Alberlin Tretsch). / Dresden, Schloß, Georgenbau 1533 beg. (der Überlieferung nach von Hans Schickentanz), Georgentor 1534, großer Hof Moritzbau 1548—50 (Caspar Vogt). / Brieg, Piastenschloß, Neubau 55 beg. 1544, Hauptarbeit 1547—86 (Jakob Parr), Vorhalle 1552—53. / Wismar, Fürstenhof 1553—54 (Baumeister Gabriel van Aken und Valentin von Lyra). / Heidelberg, Schloß [S. 687]: Gläserner Saalbau seit 1544, Inschrift 1549; Otto-Heinrichs-Bau 1556 bis nach 1559; Friedrichs-Bau 1601—07 (Johannes Schoch). / Stuttgart, Lusthaus 1580—93 (Georg Beer), 1846 abgebrochen. / Hämelschenburg bei Hameln 1588—99. Ausstattung bis 1612. / 60 Glücksburg bei Flensburg 1582—87 (Nikolaus Karies). / Aschaffenburg, Schloß 1605—14 (Georg Riedinger). / *Bürgerbauten:* Görlitz, Rathaustreppe 1537. / Schweinfurt, Rathaus

1570ff. (Niklas Hoffmann). / Rothenburg o. d. T., Rathaus, vorderer Flügel 1572 (Jakob Wolff d. Ä.). / Heilbronn, Rathaus, Fassade 1579—82. / Straßburg, Der „Neue Bau" 1582—85 (Johannes Schoch?); Kammerzellsches Haus 1589, Erdgeschoß 1467 [S. 685]. / Heidelberg, Haus zum Ritter 1592. / Frankfurt a. M., Salzhaus um 1600. / Nürnberg, Toplerhaus 1590—97; Pellerhaus 1605 (Jakob Wolff d. Ä.); Rathaus, Erweiterung 1616—22 durch Jakob Wolff d. J. / Augsburg, Elias Holl, 1573—1646: Zeughaus 1602—07; Perlachturm 1614—15; Rathaus 1615—20. / Braunschweig, Gewandhaus, Ostfassade 1591 (Hans Lampe? Balthasar Kircher? Magnus Klinge?). / Hannover, Leibnizhaus 1652 (H. Alfers). / Hameln, Hochzeitshaus 1610. / Köln, Vorhalle des Rathauses 1569—73 (Wilhelm Vernuiken [S. 559]). / Bremen, Rathausfassade 1612 voll. (Lüder von Bentheim); Essighaus 1618; Kornhaus 1591 (Lüder von Bentheim, Mitarbeit). / Paderborn, Rathaus 1612—16 [S. 683]. / Emden, Rathaus 1574—76 (Laurens van Steenwinkel). / Danzig, Zeughaus 1600—1605 (Anton von Obbergen).

D. KERAMIK. Köln-Frechen (Blütezeit 2. und 3. Viertel 16. Jh.). / Siegburg (Blütezeit 2. Hälfte 16. Jh.; Anno Knütgen). / Raeren (Blütezeit 2. Hälfte 16. Jh.; Jan Emens). / Westerwald und Hessen (Grenzhausen, Grenzau, Höhr, Dreihausen; bis ins 18. Jh.). / Kreußen (die Familie Vest).

3. FRANKREICH

A. MALEREI. Jean Clouet, tätig 1516—40. / François Clouet, um 1510—72. / *Schule von Fontainebleau:* Fontainebleau, Schloß, Fresken der Italiener Rosso Fiorentino, seit 1530, Primaticcio seit 1531, Niccolò Abbate. / Jean Cousin d. Ä., um 1490 bis um 1560.

B. PLASTIK. Jean Cousin d. Ä. (siehe auch Schule von Fontainebleau). / Jean Goujon, um 1566 gest., Rouen, Kathedrale, Grabmal des Louis de Brézé, 1535—40; Reliefs an der Fontaine des Innocents, Paris, 1547—49; Paris, Reliefs für die Louvrefassade, nach 1550; Paris, Louvre, Diana, um 1555. / Germain Pilon [S. 560], um 1536—90; Grabmal Heinr. II. u. der Katharina v. Medici in St. Denis, 1563—70. / Barthélémy Prieur, 1545—1611.

C. ARCHITEKTUR. (*Französische Renaissance.*) / Paris, St. Eustache, 1532 beg., wahrscheinlich von Pierre Lemercier d. Ä., 1642 durch Charles David voll., Westfassade 18. Jh. / Blois, Schloß, Flügel François I. mit Treppenturm, 1515—24 (Charles Viart). / Chambord, Schloß, Südfassade, 1523—35 (Peter Nepoeu, genannt Trinqueau), Weiterbau (zuerst Jaques Coqueau) bis ins 17. Jh. / Toulouse, Hôtel de Bernuys, Hof um 1530. / Pierre Lescot, um 1510—78: Paris, Louvre (West- und Südflügel), 1546—74; Bauleitung zusammen mit Goujon: Fontaine des Innocents, Paris, 1547—49. / Philibert Delorme, um 1512/15—70; ab 1540: Schloß Fontainebleau; ab 1548: Galerie Heinrichs II.; ab 1564: Paris, Tuilerien; 1567: „Le premier tome de l'architecture de Philibert Delorme." / Jacques Ducerceau, 1510 bzw. 12 bis 1584(?): „Plus exellents bastiments de France", ab 1576. / Pierre Biard d. Ä., 1559—1609: Paris, St. Etienne du Mont, Lettner, 1600. / Salomon de Brosse, um 1562—1626: Paris, Palais de Luxembourg, 1615—21; Paris, St. Gervais, Westfassade [S. 661], voll. 1621.

4. ENGLAND

A. MALEREI. Hans Eworth, 1545—78 in London. Miniaturen: Nicholas Hilliard, 1547—1619. / Isaac Oliver, etwa 1562—1617.

B. ARCHITEKTUR. Schloß Hampton Court, erster Hof ab 1515. / Longleat House, Schloß, 1567—79 von Giovanni da Padua. / Cambridge, Ehrentor beim Cajus College, 1574 beg. / Burghley House, 1577—87. / Wollaton House, Schloß 1580—88, wahrscheinlich Entwurf von John Thorpe. / Longford Castle, Schloß bei Salisbury, 1591—1602, wahrscheinlich Entwurf von John Thorpe. / Oxford, Eingangsturm der Bodleian Library, 1597—1602, Thomas Holt. / London, Kgl. Schloß (St. James Palace), 16. Jh. / Hatfield House, Schloß in Hertfordshire 1607—11, John Thorpe. / Aston Hall, Schloß bei Birmingham, 1618 bis 1635. / Bristol, Spital St. Peter (in Fachwerk), 1607—12.

III. SENSUALISTISCHER HOCHBAROCK IN FLANDERN (Rubens) (S. 561—583)

A. MALEREI. *Peter Paul Rubens*, geb. 1577 in Siegen. Unterricht bei Otho van Veen seit 1596. 1598 Meister. 1600 in Venedig in Diensten des Herzogs Vicenzo Gonzaga von Mantua. Im Auftrage des Herzogs Reisen nach Rom, Madrid, Genua. 1608 in Antwerpen. Dort 1609 Hofmaler. 1609 mit Isabella Brant verheiratet. 1622, 1623, 1625 in Paris. Im diplomatischen Auftrage der Infantin 1628—29 in Madrid. 1629—30 in London. Isabella Brant stirbt 1626. Er heiratet 1630 die 16jährige Helene Fourment. Er stirbt 1640. München, Alte Pinakothek, Rubens und Isabella Brant, um 1610. Antwerpen, Kathedrale, Kreuzaufrichtung, um 1610; Kreuzabnahme, um 1611—14 [S. 567]. München, Alte Pinakothek, Gefangennahme Simsons, um 1612—15 [S. 565]; Höllensturz der Verdammten, um 1615; das „kleine" Jüngste Gericht, um 1615; Amazonenschlacht, um

1615; das „große" Jüngste Gericht, um 1615—16; die Löwenjagd, 1616. Berlin, Kais.-Friedr.-Mus., Bekehrung des Paulus, um 1616—18 [S. 569]. München, Alte Pinakothek, Raub der Töchter des Leukippos, 1619—20 [S. 59]. Paris, Louvre, die Geschichte der Maria von Medici, 1621—25 [S. 571]. Antwerpen, Mus., Anbetung der Könige, voll. 1624. Antwerpen, Augustinerkirche, Madonna von Heiligen verehrt, um 1628 [S. 566]. 5 München, Alte Pinakothek, Rubens und Helene Fourment im Garten, um 1630. Wien, Kunsthistor. Mus., „das Pelzchen", um 1630; das Venusfest, um 1630; der Altar des Hl. Ildefonso, 1630—32. München, Alte Pinakothek, Meleager und Atalante, um 1635 [S. 573]. Paris, Louvre, die Kirmes, um 1635—36 [S. 575]. Madrid, Prado, der Liebesgarten, um 1635 [S. 576]. Wien, Kunsthistor. Mus., Selbstbildnis, um 1638. Berlin, 10 Kais.-Friedr.-Mus., Andromeda, um 1638 [S. 574]. Paris, Louvre, Helene Fourment und zwei Kinder, um 1635—38 [S. 573]. Wien, Kunsthistor. Mus., Landschaft mit Philemon und Baucis, um 1640.

Frans Snyders, Antwerpen, 1579—1657; Jagden, Tiere, Stilleben. / Jacob Jordaens [S. 580—582], Antwerpen, 1593—1678. / Anton van Dyck [S. 576—580], geb. 1599 in 15 Antwerpen. Als Knabe Schüler des Hendrick van Balen. Spätestens 1616—17 Schüler von Rubens. 1618 Meister. 1620—21 am englischen Hofe. Reisen durch Italien (längere Aufenthalte in Rom und Genua). 1628(?)—32 in Antwerpen. Mit kurzen Unterbrechungen ständig am englischen Hof. Gest. 1641 in London. / Cornelisz de Vos, 1585 (Hulst) bis 1651 (Antwerpen); Intérieurs. / Theodor Rombouts, Antwerpen, 1597 20 bis 1637, Sittenbilder. / David Teniers d. J., Antwerpen, 1610—90; Sittenbilder, Porträts. / Gonzales Coques, Antwerpen, vor 1618—84; Porträts. / Jan Siberechts oder Sibrecht, 1627 (Antwerpen) bis 1703 (London); Landschaften.

B. PLASTIK. Jérôme Duquesnoy d. Ä., 1570—1641. / Jérôme Duquesnoy d. J., Brüssel, 1602 bis 1654. / Artus Quellinus d. Ä., Antwerpen, 1609—68. / Peeter Verbruggen d. Ä., Ant- 25 werpen, 1609—87. / Lucas Faydherbe (auch Architekt), Mecheln, 1617—97. / Artus Quellinus d. J., Antwerpen, 1625—1700. / Jean Delcour, 1627—1707. / Hendrik Verbruggen, Antwerpen, 1655—1724. / Jacques Berger, Brüssel, 1693—1756. / Laurent Delvaux, 1695 bis 1778.

C. ARCHITEKTUR. Jacob Francardt II., 1582/83—1651; Mecheln, Beginenkirche, 1629—47, 30 von Faydherbe voll. / Peter Huyssens, 1577—1637; Antwerpen, Jesuitenkirche, 1621 voll. (Turm und Fassade erhalten); Brügge, Jesuitenkirche, 1641 voll. / Wenzel Coebergher, 1561—1634; Scherpenheuvel (Montaigu), Wallfahrtskirche, 1609—21, Zentralbau. / Wilhelm Hesius, 1601—90; Löwen, Jesuitenkirche, 1650—66 [S. 572]. / Hans van Xanten: Gent, Peterskirche, seit 1629. / Lucas Faydherbe, 1616/17—97, N. D. de Hanswyck bei 35 Mecheln, 1663—78; Lilienthal, Klosterkirche, 1662—74.

IV. DIE HOLLÄNDISCHE KUNST DES 17. JAHRHUNDERTS (Rembrandt) (S. 583–618)

A. MALEREI. *Frühzeit:* Jan van Ravesteyn, um 1572 (Haag) bis 1657. / Michiel van Mierevelt, 1567 (Delft) bis 1641. / Frans Hals [S. 584—587], geb. um 1580 in Antwerpen, gest. 1666, Schüler Carel van Manders; Festmahl der Offiziere von den Georgsschützen, 1616, Haarlem, Frans-Hals-Mus. Adriansschützen, um 1623—24 [S. 586], Haarlem. Georgsschützen, 1627. 40 Adriansschützen, 1633, Haarlem. Offiziere und Unteroffiziere von den Georgsschützen, 1639, Haarlem. Die Vorsteher des Elisabeth-Krankenhauses, Haarlem, 1641. Die Vorsteher, die Vorsteherinnen des Altmännerhauses in Haarlem, beide 1664, Haarlem. / Pieter Codde, 1599—1678 [S. 588], Amsterdam. / Adriaen Brouwer, 1606—38, Antwerpen [S. 51, 590, 591]. Schüler von Frans Hals. In Antwerpen 1625—27 unter Rubens. / 45 Hendrick Averkamp, 1585—1634. / Adriaen van der Venne, geb. 1589 (Delft) bis 1662, Landschaft. / Esaias van de Velde, 1590 (Amsterdam) bis 1630, Landschaft. / Pieter Pietersz Lastman, 1583 (Amsterdam) bis 1633, Lehrer Rembrandts. / Herkules Seghers, 1589, gest. in Amsterdam 1645, Landschaft.

Rembrandt und seine Zeit: Thomas de Keyser, 1596 (Amsterdam) bis 1667, Porträt. / Jan 50 van Goyen [S. 602], 1595 (Leiden) bis 1656, Landschaft. / Stilleben: Pieter Claesz, 1596 (Burgsteinfurt) bis 1661; Wilhelm Claesz Heda, 1594 (Haarlem), gest. zwischen 1680 und 82. / Salomon van Ruysdael, Haarlem, 1600—70. / Paul Potter, 1625—54. / Aert van der Neer, 1603 (Amsterdam) bis 1677 [S. 603]. / Pieter Saenredam, Haarlem, 1597—65. / Gerard Houckgeest, 1600 bis nach 1653. / Hendrick Cornelis van Vliet, 1611/12—75. / 55 *Rembrandt* Harmensz van Ryn, geb. 1606 in Leiden, gest. 1669 in Amsterdam, 1623 in der Werkstatt Pieter Lastmans zu Amsterdam. 1631 Übersiedlung nach Amsterdam. 1634 heiratet er Saskia van Uylenborgh. 1642 stirbt Saskia. 1656 Bankrott Rembrandts, er wird von seiner Haushälterin Hendrickje Stoffels und seinem Sohn Titus, die eine Kunsthandlung eröffnen, unterhalten. *Wichtige Werke:* Der Geldwechsler, 1627, Berlin, Kais.-Friedr.-Mus. / Simeon im Tempel, 1631, Haag, Mauritshuis. / Anatomie des Prof. Tulp, 1632 [S. 592], Haag, Mauritshuis. / Raub der Proserpina, um 1632, Berlin, Kais.-Friedr.-Mus. / Bildnis der Margarete van Bilderbeecq, 1633 [S. 593], Frankfurt a. M., Städel-Mus. / Saskia, 1633, Dresden, Mus. / Die Aufrichtung des Kreuzes, Die Kreuzabnahme, 1633, München, Alte Pinakothek. / Selbstbildnis mit Saskia, um 1634, Dresden, Mus. / Ganymed, 1635 [S. 589], Dresden, Mus. / Blendung Simsons, 1636, Frankfurt a. M., Städel-Mus. / Simsons Hochzeit, 1638 [S. 594], Dresden, Mus. / Saskia mit der roten Blume, 1641, Dresden, Mus. / Der Mennonitenprediger Anslo und seine Frau, 1641, Berlin, Kais.-Friedr.-Mus. / Die Nachtwache, 1642 [S. 596], Amsterdam, Reichsmus. / Heilige Familie, 1646, Kassel, Galerie. / Susanna und die beiden Alten, 1647, Berlin. / Jüngling am Fenster, 1647 [S. 599], Kopenhagen. / Der barmherzige Samariter, 1648 [S. 598], Paris, Louvre. / Die Vision Daniels, um 1650, Berlin, Kais.-Friedr.-Mus. / Landschaft mit Ruinen, um 1650, Kassel, Galerie. / Tobias und seine Frau 1650 [S. 599], Richmond, Samlg. Cook. / Mann mit dem Goldhelm, um 1650 [S. 606], Berlin, Kais.-Friedr.-Mus. / Bildnis des Jan Six, 1654 [S. 606], Amsterdam, Reichsmus. / Joseph von Potiphars Weib verklagt, 1655, Berlin. / Jacobs Segen, 1656, Kassel. / Bildnis der Hendrickje Stoffels, 1658—59 [Tafel I], Berlin, Kais.-Friedr.-Mus. / Staalmeesters, 1661—62 [S. 607], Amsterdam, Reichsmus. / David vor Saul, um 1665 [S. 608], Haag, Mauritshuis. / Selbstbildnis, um 1668, Berlin, Kais.-Friedr.-Mus. / Die Judenbraut, um 1668, Amsterdam, Reichsmus. / Rückkehr des verlorenen Sohnes, 1668 [S. 609], Leningrad. / Ferner etwa 360 Radierungen [S. 589, 595, 597, 600, 604, 605]; Handzeichnungen [Tafel XI].

Gerard Dou, 1613 (Leiden) bis 1675 [S. 595]. / Adriaen van Ostade, 1610 (Haarlem) bis 1685 [S. 602]. / Ferdinand Bol, 1616 (Dordrecht) bis 1680. / Isaac van Ostade, 1621—49.

Spätzeit: Philips Wouvermans, 1619 (Haarlem)—1668. / Gerard Terborch, 1617 (Zwolle) bis 1681 [S. 613]. / Bartholomäus van der Helst, 1613 (Haarlem) — 1670. / Karel Fabritius, um 1620 (Delft) — 1654 [S. 612]. / Jan Steen, 1626 (Leiden) — 1679 [S. 616]. / Pieter de Hooch, 1629 (Rotterdam) — nach 1684 [S. 613]. / Gabriel Metsu, 1629 (Leiden) — 1667 [S. 614]. / Willem Kalf, 1622—93 [S. 617]. / Emanuel de Witte, 1617 (Alkmaar) — 1692 [S. 617]. / Aelbert Cuyp, Dordrecht, 1620—91. / Jacob van Ruysdael, 1628/29 (Haarlem) bis 1682 [S. 610]. / Allart von Everdingen, 1621 (Alkmaar) — 1675. / Jan van de Capelle, 1624/25 (Amsterdam) — 1679. / Willem van de Velde, 1633 (Leiden) — 1707. / Adriaen van de Velde, 1636 (Amsterdam) — 1672. / Meindert Hobbema, 1638 (Amsterdam) — 1709. / Melchior d'Hondecoeter, 1636 (Utrecht) — 1695. / Jan Vermeer van Delft, 1632 (Delft) bis 1675 [S. 615, Tafel XII]. / Nicolas Maes, 1632 (Dordrecht) — 1693 [S. 614]. / Jan van der Heyden, 1637—1712. / Godfried Schalcken, 1643—1706. / Frans van Mieris d. Ä., 1635 (Leiden) — 1681.

Manierismus: Kaspar Netscher, 1639 (Heidelberg) — 1684 (Haag). / Gerard de Lairesse, 1641—1711. / Adriaen van der Werff, 1659 (Rotterdam) bis 1722 [S. 618]. / Willem van Mieris, 1662—1747 [S. 618]. / Jan van Huysum, 1682—1749.

B. PLASTIK. Bartholomäus Eggers, um 1630—92. / Gabriel Grupello, 1644—1730. / Jan Baptist Savery, 1697—1752.

C. ARCHITEKTUR. Jacob van Campen (1595—1657): Amsterdam, Rathaus, hauptsächlich 1648—54. / Haarlem, Neue Kirche, 1645—49. / Pieter Post (1598—1669) mit van Campen: Im Haag, Mauritshuis, 1633—44. / Philip Vingbooms (1609—75): Amsterdam Trippenhuis, 1662 ff. / Daniel Marot d. Ä., um 1663—1752, 1685 nach Holland: De Voorst, Jagdschloß für Wilhelm III. von Oranien, nach 1685. / Architektenfamilie Husly, besonders Jacob Otten H., um 1735—95: Weesp, Rathaus, 1772—76.

V. SPANISCHE KUNST (S. 619—638)

A. ARCHITEKTUR. (Vgl. auch II. Teil, 1. Abteilung, S. 902—904.) *Mohammedanisch:* Cordoba, Kathedrale (Moschee) [S. 620]. Nördlicher Westteil etwa 786—96, mittlerer Westteil etwa 833—48 [S. 621], südlicher Westteil mit erhaltenem Mihrab etwa 961—76 [S. 621], Ostteil etwa 988—1001, Capilla Villa Viciosa 14. Jh. [S. 622], Einbau der plateresken Kathedrale 1523—99. / Granada, Alhambra (Alkazar), beg. 1248, Hauptbauzeit 14. Jh. [S. 623, 624]. / *Mudéjar-Stil:* Sevilla, Turm der Kathedrale („Giralda") 1196. / Toledo, Puerta del Sol, Neubau um 1300. / Toledo, S. Maria la Blanca (ehemalige Synagoge) 14. Jh. / Toledo, El Transito, ehemalige Synagoge des Samuel Levy, erbaut von Meier Abdeli, 1360—66. / Sevilla, Alkazar, Hauptbauzeit 3. Viertel 14. Jh. / Sevilla, Casa de Pilatos, etwa 1490—1533. / Sevilla, Casa del Duque de Alba, 15.—16. Jh. / *Romanik und Frühgotik:* Ripoll, Klosterkirche S. Maria, 11. Jh. / Santiago, Kathedrale [S. 625].

Gegründet 1078, Ostpartie voll. 1128(?), Pórtico de la Gloria 1168—88, Weihe 1211. System von St. Sernin in Toulouse. / León, S. Isidoro, beg. letztes Viertel 11. Jh., gew. 1149. / Tudela, Kollegiatskirche, 1135—88. / Zamora, Kathedrale, 1151—74. / Salamanca, alte Kathedrale, 2. Hälfte 12. Jh. / Avila, S. Vicente, 2. Hälfte 12. Jh. / Tarragona, Kathedrale, Ende 12. bis Mitte 13. Jh. / *Gotik:* León, Kathedrale, gegründet 1199, als voll. bezeichnet 5 1273 und 1303. / Burgos, Kathedrale, gegründet 1221. / Toledo, Kathedrale, gegründet 1227, Westfassade beg. 1418, voll. Anf. 16. Jh. / Barcelona, Kathedrale, beg. 1298. / Ebenda, S. Maria del Mar, 1329—83. / Palma de Mallorca, Kathedrale, 1. Hälfte 14. Jh. [S. 625, 626]. / *Spätgotik und plateresker Stil:* Sevilla, Kathedrale, 1403—1506 auf Grund einer Moschee, seit 1530 Anbauten und Außenarchitektur durch Martin Gaínza. / Zaragoza, 10 La Seo, 15. Jh. bis 1550 auf Grund einer Moschee. / Burgos, Kathedrale. Westliche Turmhelme von Hans von Köln 1442—56, Escalera Dorada von Diego de Siloë 1519, Kuppel von Vigarní seit 1539. / Valladolid, S. Pablo, 1443—63. / Toledo, S. Juan de los Reyes, 1477 beg. von Jean Guas. / Valladolid, Colegio Mayor de Santa Cruz, 1482—92 von Enrique Egas. / Valladolid, Convento de S. Gregorio, 1488—96. / Murcia, Kathedrale, 15 Capilla de los Vélez 1507 [S. 628]. / Salamanca, neue Kathedrale [S. 627], beg. 1513 von Juan Gil de Hontañón, 1566 in Benutzung genommen. / Segovia, Kathedrale, beg. 1522 von Juan Gil de Hontañón, nach seinem Tode von seinem Sohn Rodrigo fortgesetzt. / León, Convento de S. Marcos, beg. 1514 von Juan de Badajoz [S. 628]. — Palma, Lonja, 1426—48 von Guillem Sagrera. / Guadalajara, Palacio del Infantado, beg. 1461 20 von Jean Guas und Maestro Enrique. / Valencia, Lonja de la Seda, 1483—98 von Pedro Compte. / Toledo, Hospital S. Cruz, 1504—14 von Enrique Egas. / Salamanca, Casa de las Conchas, 1512—14. / Sevilla, Ayuntamiento (Casas Capitulares), 1527—64 von Diego de Riaño u. a. / Salamanca, Universität, Prachtfassade und Hof 2. Viertel 16. Jh. / Ebenda Palast Monterrey, 1539ff. / *Manierismus und Barock:* Granada, Kathe- 25 drale, beg. 1523 (Chor) nach Plänen von E. Egas, fortgeführt von Diego de Siloë (gest. 1563) [S. 629], Fassade 1. Drittel des 17. Jh. / Jaén, Kathedrale, beg. 1532 von Pedro de Valdevira. / Malaga, Kathedrale, beg. 1538 von Diego de Siloë. / Escorial, Kloster und Palast Philipps II., beg. von Juan Bautista de Toledo und Juan de Herrera (um 1530 bis um 1597), 1563—84 [S. 636], Pantheon de los Reyes von Giov. Battista Crescenzi (1577 30 bis 1660). / Valladolid, Kathedrale, seit 1585 von Juan de Herrera. / Sevilla, Iglesia del Sagrario, 1618—62. / Granada, Alhambra, Palast Karls V., beg. 1527 von Pedro Machuca. / Toledo, Neubau des Alkazar von Alonso de Covarrubias, voll. vor 1559. / Sevilla, Lonja, 1585—98 nach Plänen von Juan de Herrera gebaut von seinem Schüler Juan de Mijares. / *Churriguerismus und Spätbarock:* Barcelona, Nuestra Señora de 35 Belén, 1681—1729. / Granada, Sagrario, 1704—20 von Hurtado Izquierdo. / Granada Cartuja, Altarraum der Kirche, 1704—20 von H. Izquierdo, Sakristei, 1727—64 von Luis de Arévalo und Fr. Manuel Vazquez [S. 637]. / Guadix, Kathedrale, 1710—96. / Cádiz, Kathedrale, beg. 1722. / Murcia, Kathedrale, Fassade, 1737 von Jaime Bort. / Santiago, Kathedrale, 1738 von Fernando de Casas y Novoa. / Ebenda, S. Clara, 40 1. Hälfte 18. Jh. von Simon Rodríguez. / Madrid, Kloster Salesas Reales, 1750—58 (heute Justizpalast). / Zaragoza, Nuestra Señora del Pilar, 1681 beg. von Fr. de Herrera d. J., 1753 fortgeführt von Ventura Rodríguez u. a. — Salamanca, Ayuntamiento und Plaza Mayor, 1720—33 von José Churriguera (um 1650—1723) und seinen Schülern Brüder Quiñones. / Santiago, Casa del Cabildo, 18. Jh. / Valencia, Casa 45 de Dos Aguas, 18. Jh. / Madrid, königl. Palast, 1737—64 von Giov. Battista Sacchetti (Pläne von Juvara).

B. PLASTIK. *Romanik und Frühgotik:* León, S. Isidoro, Arca de S. Vicente, Elfenbein, 1059. / León, Museo arqueológico, Elfenbeinkruzifix, 1063. / Silos, Kloster S. Domingo, letztes Drittel 11. Jh. / Santiago de Compostela, Puerta de las Platerías, etwa 1120—40. / León, S. Isidoro, Portale, etwa 1120—40. / Ripoll, S. Maria, Fassade, 2. Drittel 12. Jh. / S. Juan de 50 los Abadesas (Lerida), Colegiata, hölzerne Kreuzigungsgruppe 1251. / Vich, Museo, ähnliche Gruppe (Teile davon in Barcelona, Museo de la Ciudadela u. Cambridge (Mass., Fogg. Mus.) 2. Hälfte 12. Jh. — Sahagún, Christus- und Madonnenrelief, Kapitelle, 1. Hälfte 12. Jh. / Zamora, Kathedrale, Puerta del Obispo, 1154 und 1174. / Avila, 55 S. Vicente, Südportal, 3. Viertel 12. Jh. / Santiago de Compostela, Pórtico de la Gloria, 1168 bis etwa 1190. / Oviedo, Cámara Santa, letztes Viertel 12. Jh. / Avila, S. Vicente, Grabmal des Hl. Vincenz, Ende 12. Jh. / Avila, S. Vicente, Westportal, um 1200. — S. Cugat del Vallés, Kreuzgang, Kapitelle, etwa Mitte 12. Jh. / Gerona, Kathedrale, Kreuzgang, Kapitelle, etwa Mitte 12. Jh. / *Gotik:* Burgos, Kathedrale: Querschiffportale, 2. Viertel 13. Jh.; 60 Kreuzgangsportal, Kreuzgangspfeilerreliefs, Königs- und Apostelstatuen im Kreuzgang, Turmfiguren 2. Hälfte 13. Jh. / León, Kathedrale: Südportal, um 1240; Westfassade,

2. Hälfte 13. Jh.; Grab des Bischofs Manrique de Mara, 1242; Grab des Dekans Martinus Fernandi im Kreuzgang, gest. 1288. / Vitoria, Kathedrale, Westportale, Ende 13. bis 1. Hälfte 14. Jh. / Pamplona, Kathedrale, Kreuzgangportale, Ende 13. Jh. bis 14. Jh. / Leguardia, S. Maria de los Reyes, Portal, 14. Jh. / Toledo, Kathedrale, Altarhaus, Außenseite, um 1330. / Valencia, Kathedrale, Aposteltor, um 1360. / *Spätgotik und plateresker Stil:* Palma, Kathedrale, Puerta del Mar, 1380—1424 von Pere Morey, Jean de Valenciennes, Guillem Sagrera. / Sevilla, Kathedrale, Grab des Kardinal Cervantes, 1453 bis 1458, von Lorenzo Mercadante. / Sevilla, Kathedrale, Virgen del Reposo, letztes Viertel 15. Jh., Schüler des L. Mercadante. / Sevilla, Kathedrale, Puerta del Nacimiento und Puerta del Bautismo von Lorenzo Mercadante (1464—67) und Pedro Millan (um 1500). / Toledo, Kathedrale, Hochaltar von Enrique Egas (um 1455—1534) und Pedro Gumiel, seit 1482. / Burgos, Cartuja de Miraflores, Hochaltar von Gil de Siloë und Diego de la Cruz, 1496—99. / Burgos Kathedrale, Cap. de S. Anna, Altar von Gil de Siloë, um 1493. / Burgos, Kathedrale, Gräber Juans II. und der Isabella v. Castilien und des Infanten Don Alonso von Castilien, von Gil de Siloë, 1483—93. / Burgos, Museum, Grab von Don Juan de Padilla (gest. 1493), von Gil de Siloë. / Valladolid, S. Pablo, Fassade, 1489—92. / Valladolid, Convento de S. Gregorio, Fassade, 1488—96. / Barcelona, Kathedrale, Puerta de la Piedad, um 1490. / Toledo, Kathedrale, Monument des Kardinals Mendoza, um 1500. / Burgos, S. Nicolás, Altar [S. 626], Anf. 16. Jh. / Salamanca, neue Kathedrale, Puerta del Nacimiento, 1. Hälfte 16. Jh. / Bartolomé Ordóñez, gest. 1520: Barcelona, Kathedrale, Trascoro, Reliefs. / Felipe Vigarni, tätig seit 1498, gest. 1533: Burgos, Lettner am Chorumgang, Passion; Granada, Capilla Real, Altar 1528; ebenda, Gräber des Ferdinand von Aragon und der Isabella von Castilien, vor 1526. / *Manierismus und Barock:* Alonso Berruguete, um 1486—1561. / Gaspar Becerra, 1520—71. / Pompeo Leoni, gest. 1610. / Juan de Arfe, 1535—1603. / Gregorio Fernández, 1576 bis 1636. / Juan Martinez de Montáñez, 1582—1649. / Cristobal Velasquez, 1587—1616. / Alonso Cano, 1601—67. / Alonso Martínez, gest. 1668. / Pedro de Mena, 1628—93. / Josef de Mora, 1638—1725. / *Churriguerismus und Spätbarock:* José Churriguera, um 1650 bis 1723. / Francisco Zarcillo, 1707—81. / Luis Salvador Carmona, 1707—67.

C. MALEREI. *Mittelalter bis 1400:* Pedret b. Berga, Kirche, Fresken, Anf. 12. Jh. / Tahull, S. Clement, Apsisfresko, nach 1123. / Esterri d'Aneu, S. Maria, Apsisfresko, 12.—13. Jh. / Vich, Bischöfl. Mus., Antependium mit Christus und Szenen aus dem Leben des Hl. Martin, Anf. 11. Jh. / Vich, Bischöfl. Mus., Antependium mit Christus und den Aposteln, Anf. 12. Jh. / Barcelona, Mus., Antependium mit Geschichte des S. Sernin, um 1200. / León, S. Isidoro, Fresken, Anf. 13. Jh. / Salamanca, Kathedrale, Martinskapelle, Fresken 1262(?). / Ferrer Bassa, um 1285—1348. / Fresken in der Michaelskapelle des Klosters Pedralba bei Barcelona, 1345—46. / Pere Serra, 1. Hälfte 14. Jh. / *15.—18. Jahrhundert:* Luis Dalmau, Valencia, erweitert 1428—81 (Schule van Eyck). / Iacomart, Valencia, um 1410—64. / Pablo Vergos, Barcelona, gest. 1495. / Bartolomé Vermejo, Barcelona (aus Cordoba), 2. Hälfte 15. Jh. und Anf. 16. Jh. / Pedro Berruguete, erweitert seit 1483, gest. 1506. / Juan de Juanes, Valencia 1523(?)—1579. / Francisco Pacheco, Sevilla, 1571 bis 1654; Lehrer des Velasquez, auch Dichter und Kunstschriftsteller. / Luis de Morales, Badajoz, gest. 1586. / Alonso Sanchez Coello, 1531—88. / Domenico Theotocopuli (El Greco) [S. 543, 630, 631], geb. 1547 in Candia (Creta), Frühzeit Venedig, 1570 in Rom erwähnt, mindestens seit 1577 in Toledo. / Jusepe de Ribera [S. 631], um 1588 Valencia, seit 1616 Neapel, gest. 1652. / *Sevilla:* Juan de Ruelas, 1558/60(?)—1625. / Francisco Herrera d. Ä., 1576—1656. / Francisco de Zurbarán, 1598, gest. nach 1664. / Bartolomé Esteban Murillo, 1618—82 [S. 636]. / Juan de Valdés Leal, 1622—90. / *Granada:* Alonso Cano, 1601—67 (auch Bildhauer und Architekt). / *Madrid:* Diego de Silva y Velásquez [S. 632—635], 1599—1660, Schüler des Pacheco, bald nach 1622 Madrid, 1629/30 italienische Reise (um 1635 Übergabe von Breda), 1649/51 zweite italienische Reise (Porträt Papst Innocenz' X., Rom Gal. Doria), 1656 Las Meninas [S. 635]. / Juan Carreño de Miranda, 1614—85. / Matheo Cerezo, 1635—85. / Claudio Coello, 1630/35—1693. / Antonio Palomino, 1653—1726 (auch Kunstschriftsteller).

Va. PORTUGIESISCHE KUNST

A. ARCHITEKTUR. *Romanik:* Coimbra, Alte Kathedrale, Sé Velha, Ende 12. Jh. / Evora, Dom, 1185—1204. / Porto, Dom, Kreuzgang, 12. Jh., Übergangsstil. / *Gotik:* Alcobaça, Zisterzienserkirche und -kloster, etwa 1190—1220. / Thomar, Templerkirche, Zentralbau, seit 1160, noch im 12. Jh. voll. / Batalha bei Lissabon, 1385 beg., Architekten: Affonso Domingues (erster Meister), Huguet, gest. 1437/38. / Algarve, Kathedrale von Siloes, 15. Jh., Hallenkirche. / *Renaissance:* Cintra, Kgl. Palast, 14.—15. Jh. ausgebaut, Anf.

16. Jh. voll. / Belem, Hieronymitenkloster, ab 1517 durch João de Castilho (gest. vor 1553). / Derselbe: Batalha, Kirche St. Maria de Victoria. / Thomar, Christuskloster, Chor und Kapitelsaal. / Lissabon, Kirche Conceição velha, um 1520 Portal. / Belem, Turm von S. Vicente, 1514—20, Francisco de Arruda (gest. 1547). / Coimbra, Kgl. Paläste, ab 1524 durch Diogo de Castilho. / *Spätrenaissance:* Thomar, Christus-Kloster, Kreuzgang dos Filippos, teilweise durch Diogo v. Torravla und Filippo Terzi. / Coimbra, Klosterkirche S. Bento, um 1600, Baltazar Alvares, sein Bruder Alfonso u. a. / *18. Jahrhundert:* Mafra b. Lissabon, Kloster, 1706—30 bzw. 50, durch Johann Friedrich Ludwig (Ludovici, gest. 1752) und seinen Sohn, José Joaquim, gest. 1803. / Lissabon, Estrellakirche, seit 1779, Matheus Vicente. / Ajuda b. Lissabon, Kgl. Palast, nur teilweise voll., Francesco Xavier de Fabri.

B. MALEREI. Vuno Gonçalves, tätig 1450—71. / Vasco Fernández (Grão Vasco), tätig 1512 bis 1541/43. / Sántez Coelho siehe unter Spanien. / Diogo Pereira, gest. nach 1658. / José d'Alvelar, tätig 1639—56. / Domingos A. de Sequeira, 1768—1837.

VI. HOCHBAROCK IN ITALIEN (S. 638–659)

A. ARCHITEKTUR. Carlo Maderna, 1556—1629, Rom: Langhaus und Fassade von S. Peter [S. 639], seit 1607; Sta. Susanna, 1595—1603; S. Andrea della Valle, 1600—50. / Martino Longhi d. Ä., Rom, gest. 1591; Chiesa Nuova, beg. 1580; Palazzo Borghese, 1590. / Martino Longhi d. J., Rom, 1602—57 [S. 639]: S. Vicenzo e Anastasio, 1650; S. Adriano. / Lorenzo Bernini, 1598—1680, Rom, Bildhauer und Architekt. Bronzetabernakel, Rom S. Peter, 1624—33; Mitarbeit am Palazzo Barberini, Rom, 1639/40. Rom, Vatikan, Scala Regia, 1661. Kolonnaden von S. Peter, Rom, 1656—67. Rom, S. Andrea al Quirinale [S. 642], beg. 1658, 1665 Reise nach Paris, Louvre-Projekt. / Pietro da Cortona, Architekt und Maler, 1596—1669, Rom und Florenz; Rom, S. Maria della Pace, Fassade und Platzanlage, 1655—58 [S. 641]. Rom, S. Martino e Luca, beg. 1634. / Francesco Borromini, 1599—1667, Rom: S. Carlo alle Quattro Fontane [S. 640, 648], 1636—40, Fassade 1662—67. Oratorio di S. Filippo Neri, beg. 1636; S. Ivo alla Sapienza [S. 648, 649], 1642—60; Palazzo Falconieri, 1650—58. / Alessandro Algardi, 1602—54, Rom: Fassade von S. Ignazio, 1650. / Carlo Rainaldi, 1611—91, Rom: Mitarbeit an S. Agnese [S. 646, 647], 1652 beg.; S. Maria in Campitelli, 1665—67. / Bartolomeo Bianco, vor 1590—1657, Paläste in Genua. / Baldassare Longhena, Venedig, 1598—1682: S. Maria della Salute, beg. 1631 [S. 656]. S. Maria degli Scalzi, seit 1646. Palazzo Pesaro [S. 655], seit 1679. Palazzo Rezzonico, 1680. / Alessandro Tremignan, Venedig, Fassade von S. Moisè, 1686 [S. 655]. / Guarino Guarini, 1624—83, Mailand, Turin. Capella del Sudario, Turin, 1668. S. Lorenzo, Turin, voll. 1687. Turin, Pal. Larignano, um 1678. / Filippo Juvara, 1676—1736, Turin und Spanien, Palazzo Madama, Turin, 1718 beg. Superga, Turin, 1717—31. / Carlo Fontana, 1634—1714. Rom, Fassade von S. Marcello al Corso, um 1705. / Alessandro Galilei, 1691—1736, England, Florenz, Rom (Fassade von S. Giovanni in Laterano, voll. 1735). / Ferdinando Galli Bibbiena, Theaterbaumeister und Dekorationsmaler, 1657—1743, Parma, Wien, Bologna. / Fernando Fuga, 1699 bis 1781, Florenz. Rom, Fassade von S. Maria Maggiore, 1743—50.

B. PLASTIK. Girolamo Campagna, 1550—1626, Verona, Venedig. / Pietro Bernini, 1562—1629, Neapel, Rom. / Stefano Maderna, um 1576—1636, Rom. / G. Lorenzo Bernini [S. 644], 1598—1680 (siehe auch unter Architektur). Apollo und Daphne, Rom, Villa Borghese, um 1615. Grabmal Urbans VIII., Rom, S. Peter, 1642—47. Verzückung der Hl. Teresa, Rom, Sa. Maria della Vittoria, 1644—47, Rom, St. Peter, Cathedra 1656—65. / Bernini-Schule, Verzückung des Hl. Franziskus, Rom, S. Pietro in Montorio [S. 643]. / Francesco Cavallini, Rom, SS. Gesù e Maria, Grabmal Bolognetti [S. 645], 1675. / Alessandro Algardi (siehe auch unter Architektur), 1602—54. Grabmal Leo XI., Rom, S. Peter. / Giacomo Serpotta, 1656—1732, Palermo. / Camillo Rusconi, Rom, gest. 1728. / Filippo della Valle 1696—1768, Rom. / Pietro Bracci, 1700—73, Rom, Fontana Trevi, 1735 [S. 653].

C. MALEREI. Michelangelo Caravaggio [S. 657], 1560/65—1609, seit 1585 in Rom, 1606 Flucht aus Rom, Neapel, Malta, Sizilien. Bilderzyklus in Rom, S. Luigi dei Francesi, um 1592; Rom, S. Maria del Popolo, Bekehrung Pauli [S. 657] u. Kreuzigung Petri, um 1600. / *Caravaggio-Schule:* Oratio Gentileschi, 1565—1640(?); 1582—1620 Rom, dann London. / Carlo Saraceni, um 1580—1620; 1600—15 Rom, dann Venedig. / Bartolomeo Manfredi, um 1580—1620. / Domenico Feti, um 1589—1624, Rom, Mantua, Venedig. / *Bologna-Rom:* Agostino Carracci, 1557—1602, Bologna, Rom. / Annibale Carracci, 1560—1609; Fresken der Gal. Farnese, um 1597—1604 [S. 650, 658]. / Domenichino, 1581—1641 [S. 651], Rom, Fresken in S. Andrea della Valle, 1624—28. / Guido Reni, 1575—1642,

Bologna, Rom, Neapel. / Francesco Guercino, 1591—1666, Bologna, Rom, Cento, Fresko der Aurora im Casino Ludovisi, Rom, 1621. / Giov. Lanfranco, 1582—1647, Rom, Kuppel-Fresko von S. Andrea della Valle, beg. 1621, seit 1634 Neapel; Kuppel der Capella S. Gennaro im Dom, 1641. / Pietro da Cortona, 1596—1669 (siehe auch unter Architektur), Decke im Palazzo Barberini, Rom, 1633—39; Säle im Palazzo Pitti, Florenz, 1641—47; Ausmalung von S. Maria in Vallicella, Rom, 1647—65; Fresken im Palazzo Doria-Pamfili, Rom, 1651—54. / Andrea Sacchi, 1599—1661, Rom. / Carlo Maratti, 1625—1713, Rom. / Giov. Batt. Gaulli (Baciccio), Rom, 1639—1709; Ausmalung des Gesù, Rom, 1668—83; Fresken in SS. Apostoli, Rom, um 1695. / Andrea Pozzo, 1642—1709, Rom, Wien, Decken-Fresko von S. Ignazio, 1685. / *Neapel:* Giov. Batt. Caracciolo, um 1570—1637, Neapel. / Massimo Stanzioni, 1585—1656, Neapel, Decke in Regina Coeli, 1643—47. / Bernardo Cavallino, 1622—54, Neapel. / Mattia Preti, 1613—99; 1656—60 Neapel, seit 1661 Malta. / Salvator Rosa, 1615—73, Neapel, Rom. / Luca Giordano, 1632—1705, Neapel, Florenz. / Francesco Solimena, Neapel, 1657—1747. / *Oberitalien-Venedig:* Bernardo Strozzi, 1581 bis 1664, Genua und Venedig. / Daniele Crespi, 1590/95—1630, Mailand. / Vittore Ghislandi, 1655—1743, Bergamo. / Giuseppe Maria Crespi, 1665—1747, Bologna. / Alessandro Magnasco, um 1677—1749, Mailand. / Rosalba Carriera, 1675—1757, Venedig. / Giov. Batt. Piazzetta, 1683—1754, Venedig. / Giov. Batt. Tiepolo [S. 652, 653], 1696—1770, Venedig, Würzburg, Madrid; Fresken im Palazzo Dolfin, Udine, 1732; Vicenza Fresken der Villa Valmarana, um 1740, Decke der Gesuati-Kirche, Venedig, 1738—39; Fresken der Würzburger Residenz, 1751—53.

VII. KLASSIZISMUS UND ROKOKO IN FRANKREICH (S. 659—682)

A. ARCHITEKTUR. Salomon de Brosse [S. 660], um 1562—1626; Paris, St. Gervais, Fassade 1616—21 [S. 661]. / Jacques Lemercier, 1585—1654; Richelieu, Schloß und Stadt, 1627ff.; Paris, Universität und Kirche der Sorbonne, 1629—56. / François Mansart, 1598—1666; Schloß Maisons-Laffitte bei Paris, 1642—50 [S. 672, 673]. Paris, Kirche und Kloster Val-de-Grâce, 1645—65, voll. durch J. Lemercier. / Louis Le Vau d. J., 1612 (?)—1670; Paris: Hôtel Lambert, 1649/50ff. Arbeiten am Louvre 1655—70. Schloß Vaux-Le-Vicomte, 1655—61. Arbeiten am Schloß Versailles, 1661—70. / Claude Perrault, 1613—88; Paris, Ostfassade des Louvre [S. 663, 664], nach Konkurrenz mit Bernini 1665. / Jacques François Blondel I., 1617—86; Rochefort, Stadt und Festung, 1666. Paris, Porte St. Denis, 1671—72. „Cours d'architecture enseigné dans l'Académie royale", Paris 1675—83. / Jules Hardouin Mansart, 1646—1708; Paris, Hôtel des Invalides, Südfassade, 1675ff. Arbeiten am Schloß Versailles seit 1678 [S. 660] (Innenräume, Grand Trianon 1687—88 [S. 665—666], Schloßkapelle, 1699—1710 [S. 674—676]). / Robert de Cotte, 1656—1735; Verdun, Bischöfliches Palais, 1725ff. Paris, St. Roch, Fassade, 1736 [S. 662]. Lyon, Place Louis XIV., Pläne für Schlösser in Deutschland und Spanien. / Germain de Boffrand, 1667—1754; Paris, Hôtel de Soubise, Inneneinrichtung, 1735—40 [S. 677]. „Livre d'Architecture, contenant les Principes généraux de cet art", Paris 1745. / Pierre Alexis Delamair(e), 1675—1745; Paris, Hôtel de Soubise [S. 661], bis 1706. / Juste Aurèle Meissonier, 1693/95—1750, Italiener, Schüler Borrominis; Paris, St. Sulpice, Entwurf für die Westfassade, 1726. / Emmanuel Héré de Corny, 1705—63; Nancy, Place Royale und Place d'Alliance, 1751—55ff. / Jacques Germain Soufflot, 1709—80; Paris, Pantheon (St. Geneviève), 1755 bis nach 1790. — *Möbel:* André Charles Boulle, 1642—1732. / Charles Cressent, 1685—1768. / Jacques Caffieri, 1678—1755. / Jean François Oeben, gest. 1763. / Jean Henri Riesener, 1734—1806. / Adam Weisweiler, tätig 1778 bis 1809.

B. MALEREI. Jacques Callot, Kupferstecher und Radierer, 1592—1635. Les Caprices 1617. Les Misères de la Guerre, 1633 [S. 671]. / Brüder Le Nain: Antoine, um 1588—1648. / Louis [S. 671], um 1593—1648. / Mathieu, 1607—77. / Simon Vouet, 1590—1649. / Nicolas Poussin, 1594—1665, seit 1624 Rom; Arkadische Schäfer, Paris, Louvre [S. 668]; Die vier Jahreszeiten, Paris, Louvre, 1660—64. / Claude Gelée, genannt Lorrain, 1600—82, seit 1627 Rom; Odysseus führt Chryseis zu ihrem Vater zurück, Paris, Louvre, um 1648 [S. 670]; Chateau enchanté, London, Smlg. Wantage, 1664. / Gaspard Dughet (Poussin), 1613—75. / Philippe de Champaigne, 1602—74. / Pierre Mignard, 1612—95, Kuppelfresko von Val de Grâce, Paris 1663. / Eustache Le Sueur [S. 669], 1616—55. / Charles Lebrun, 1619—99, 1663 Leitung der Gobelinmanufaktur, 1679—84 Ausstattung der Säle in Versailles. / Nicolas de Largillière, 1656—1746. / Hyacinthe Rigaud [S. 667], 1659—1743. / Louis de Silvestre, um 1675—1760. / Antoine Pesne, 1683—1757, hauptsächlich am preußischen Hofe. / François Desportes, 1661—1743. / Jean-Baptiste Oudry, 1686—1755. / Jean François de Troy, 1645—1730. / Antoine Watteau [S. 680], 1684—1721; Einschiffung nach Cythere, Paris, Louvre, 1717 [S. 682]; Gilles, Paris, Louvre, um 1717—20 [S. 681]; Firmenschild des Kunsthändlers Gersaint, 1720 [Tafel XIII], Berlin, Charlottenburger Schloß. / Jean Marc Nattier [S. 679], 1685—1766. / Nicolas Lancret [S. 60], 1690—1745. / Ch. J. Natoire, 1700—77.

C. PLASTIK. Pierre Biard, 1592—1661. / Pierre Puget, 1620—94, Marseille. / François Girardon, 1628—1715. / Antoine Coysevox, 1640—1720; Paris, Louvre, Grabmal des Kardinals Mazarin, 1689—93. / Nicolas Coustou, 1658—1733. / Guillaume Coustou, 1677—1746. 5

VIII. BAROCK UND ROKOKO IN DEUTSCHLAND (S. 682–708)

A. ARCHITEKTUR. *In Deutschland arbeitende Ausländer:* Andrea Spezza, gest. 1628 (Palais Waldstein in Prag, 1621—28). / Agostino Barelli, geb. 1627 und Enrico Zuccali, 1642 bis 1724 (München, Theatinerkirche, beg. 1663). / Domenico Martinelli, 1650—1718 (Wien, Palais Lichtenstein in der Rossau; Prag, Sternberg-Palais). / Antonio Petrini, 1624/25 bis 1701 (Würzburg, Stift Haug, 1670—91). / Ch. Ph. Dieussart, gest. 1696 (Bayreuth, Altes Schloß seit 1691). / Gaetano Chiaveri, 1689—1770 (Dresden, Hofkirche [S. 694], 1738—55). / François Cuvilliés, 1695—1768 (Nymphenburg, Amalienburg, 1734—39; München, Residenztheater, 1750—53). / Philippe de la Guêpière, um 1715—73 (Solitude bei Stuttgart, 1763—67). / *Deutsche Meister:* Johann Bernhard Fischer v. Erlach, 1656 bis 1723 (Salzburg: Dreifaltigkeitskirche, 1694—1702; Kollegienkirche, 1696—1707; Wien: Schloß Schönbrunn seit 1695, Stadtpalais des Prinzen Eugen, um 1705; Palais Trautson, 1710—12, Karl-Borromäus-Kirche [S. 704], 1716—37; Hofbibliothek 1722—35). / Johann Lukas v. Hildebrandt, 1668—1745 (Wien, Palais Daun-Kinsky, 1713—16; Belvedere, 1721—24 [S. 703]; Salzburg: Mirabell, Treppenhaus, beg. 1721; beteiligt: Schloß Pommersfelden u. Würzburg, Residenz). / Johann Schmuzer, Wessobrunn, 1642—1701. / Jakob Prandtauer, 1655 (?)—1726/27 (Stift Melk a. D. [S. 694, 695] seit 1702). / Kaspar Moosbrugger, 1656—1723 (Maria-Einsiedeln, seit 1681). / Franz Beer, 1660—1726 (tätig an der Klosterkirche Weingarten 1715—23). / Peter Thumb, 1681—1766 (St. Gallen, seit 1756). / Joseph Effner, 1687—1745 (seit 1719 tätig an Schloß Schleißheim; München, Palais Preysing 1723—28). / Dominikus Zimmermann, 1685—1766 (Wallfahrtskirche Steinhausen 1727—33; Wallfahrtskirche Wies 1746—54). / Johann Michael Fischer, 1691—1766 (Stiftskirche Diessen 1732—39, Aufhausen 1736—51, Berg am Laim 1737—51, Zwiefalten 1741 ff., Ottobeuren seit 1744, Rott a. Inn 1759—63). / Gebrüder Asam: Kosmas Damian 1686—1739, Egid Quirin 1692—1750 (Weltenburg, 1716—36; München, Johann-Nepomuk-Kirche, 1733—35). / Christoph Dientzenhofer, 1655—1722 (Prag, St. Nikolaus auf der Kleinseite, 1703—53, zus. mit Kilian Ignaz D.). / Kilian Ignaz Dientzenhofer, 1689—1751 (Prag, St. Johann Nepomuk 1720—28, Karl Borromäuskirche nach 1732). / Johann Leonhard Dientzenhofer, gest. 1705 (Pläne für Kloster Ebrach 1686—87; Bamberg, Residenz 1695—1703; Banz, Klosterbauten 1698—1705). / Johann Dientzenhofer, gest. 1726 (Fulda, Dom 1704—12 [S. 693]; Klosterkirche Banz 1710—19; Schloß Pommersfelden 1711—18 [S. 688]. / Maximilian von Welsch, 1671—1745 (Fulda, Orangerie seit 1719; beteiligt an Schloß Pommersfelden [S. 688]). / Johann Balthasar Neumann, 1687—1753 (Ebrach, Treppenhaus nach 1716; Würzburg, Residenz 1719—44 [S. 701—703]; Schönbornkapelle 1721—26; Treppenhaus Bruchsal 1731 [S. 690]; Brühl 1743—48 [S. 689]; Vierzehnheiligen 1743—72 [S. 693, 696]; Neresheim 1745—92). / Andreas Schlüter, 1664—1714 (Berlin, Schloß 1698—1706 [S. 690, 698, 699], Landhaus Kamecke 1712). / Matth. Daniel Pöppelmann, 1662—1736 (Dresden, Zwinger 1711—22 [S. 706, 707], Japanisches Palais seit 1715). / Georg Bähr, 1666—1738 (Dresden, Frauenkirche 1726—38 [S. 695]). / Johann Konrad Schlaun, 1694—1773 (Münster, Clemenskirche 1744—53, Erbdrostenhof 1754—57, Schloß 1767—72). / Georg Wenzeslaus von Knobelsdorff, 1699—1753 (Rheinsberg, Schloß 1737; Potsdam, Sanssouci [S. 708] 1745—47. 10 15 20 25 30 35 40 45

B. PLASTIK. Johann Meinrad Guggenbichler, 1649—1723 (Mondsee, Salzburg). / Matth. Rauchmiller, um 1650—1720, aus Tirol (Breslau, Magdalenenkirche, Hochgrab des Adam von Arzat 1678). / Johann Moritz Gröninger, um 1650—1707, Münster. / Johann Wilhelm Gröninger, 1675 bis nach 1730, Münster. / Andreas Schlüter [S. 690—692, 700], siehe auch Architektur, 1664—1714, Königsberg-Berlin. / Balthasar Permoser, 1651—1732, Dresden, Bautzen. / Mathias Bernhard Braun, 1684—1738, Prag. / Ferdinand Maximilian Brokof, 1688—1731, Prag. / Paul Egell, 1691—1752, Mannheim. / Georg Raphael Donner, 1693—1741, Salzburg, Preßburg [S. 705], Wien. / Joseph Thaddäus Stammel, um 1700 bis 1765, Graz, Admont. / Egid Quirin Asam [S. 697], siehe auch Architektur, 1692—1750, München. / Johann Baptiste Straub, 1704—85, München. / Ferdinand Dietz, 1707—77 (Gartenplastik von Seehof 1760—65, von Veitshöchheim 1765—68). / Johann Wolfgang van der Auwera, 1708—56, Würzburg, Ebrach. / Johann Michael Feichtmayr, 1709—72, 50 55 60

Bruchsal, Ottobeuren, Vierzehnheiligen. / Johann Joachim Günther, 1717—89, Bruchsal. / Ignatz Günther, 1725—75, München. / Johann Peter Alex. Wagner, 1730—1809, Würzburg. / *Porzellan. Meißen:* Gegründet durch Johann Friedrich Boettger 1710; Johann Gregor Herold 1696—1775 (seit 1723 Gesamtleitung). Johann Joachim Kändler seit 1731 bis gegen 1764 führend. / *Wien:* Gegründet 1718 durch Claudius du Paquier. Christof 5 Conrad Hunger; Niedermayer 1747—84. Anton Grassi, 1778—1807 tätig. / *Höchst:* Gegründet 1746. Johann Peter Melchior, tätig 1767—79. / *Nymphenburg:* Gegründet 1747. Franz Anton Bustelli, tätig 1754—63. / *Berlin:* Gegründet 1751. Friedrich Elias Meyer 1761—85. C. F. Riese 1789—1824. / *Ludwigsburg:* Gegründet 1756—58. Johann Christian Wilhelm Beyer 1759—67. 10

C. MALEREI. Johann Michael Rottmayer, 1654—1730, seit 1698 in Wien (Deckengemälde in der Residenz Salzburg, Schloß Schönbrunn, Schloß Pommersfelden, Stiftskirche Melk a.D.). / Johann Baptist Zimmermann, 1680—1758, tätig in Bayern (Fresken in Diethramszell, Nymphenburg, Andechs, Weiarn, Waldsee, Steinhausen). / Kosmas Damian Asam, 1686 bis 1739, siehe auch Architektur (St. Emmeram, Regensburg, bis 1733; Kuppel zu Weltenburg 1733; Osterhofen 1733; Ingolstadt 1734). / Daniel Gran, 1694—1757, Wien (Galerie 15 des Palais Schwarzenberg in Wien 1724—26; Prunksaal der Wiener Hofbibl. 1730; Kaisersaal in Klosterneuburg 1749). / Paul Troger, 1698—1762 (Salzburg, St. Kajetan 1728; Bruchsal Marmorsaal; Melk; Dom zu Brixen 1748—50). / Johannes Zick, 1702—62 (Würzburger Residenz, Gartensaal, 1749; Bruchsal, Fürstensaal, Treppenhaus, Marmorsaal, 20 1751—54). / Matth. Günther, 1705—88 (Sterzing 1733; Tölz 1737; Stuttgart, Schloß 1757; Rott a. Inn 1763).

IX. BAROCK IN DEN ÜBRIGEN LÄNDERN

1. ENGLAND

A. MALEREI. William Dobson, 1610—46. / Sir Peter Lely, 1618—80. / Sir Godfrey Kneller, 1646—1723. / Sir James Thornhill, 1675—1734: Deckenmalerei.

B. PLASTIK. Nicholas Stone, 1586—1647. / Gaius Gabriel Cibber, 1630—1700. / Grinling 25 Gibbons, 1648—1721. / Francis Bird, 1667—1731.

C. ARCHITEKTUR. Inigo Jones, 1573—1652: Whitehall, Banqueting House; House of the Queen, Greenwich; Raynham Park, Norfolk; Treppe im Ashburnham House (Entwurf). / Christopher Wren, 1632—1723: London, St. Pauls Cathedral, 1673—1710; London, Westminster Abbey, Ausbau der Türme mit Hawksmore; Kirche St. Brides, 1681 beg.; 30 Osttrakt von Hampton Court und Kensington Palace (in Backstein); Greenwich, Palast als Hospital seit 1694 ausgebaut. / James Gibbs, 1682—1754: London, St. Martin in the Fields 1721—26; St. Mary le Strand 1717; Oxford, Radcliffe Library 1737—47; Cambridge, Senatshaus 1730. / Nicholas Hawksmore, 1661—1736: London, St. Mary Woolnoth 1716—19; Northamptonshire, Schloß Easton Neston 1713. / John Vanbrugh, 35 1664—1726: Castle Howard in Yorkshire 1702—26; Blenheim Castle, beg. 1705.

2. SKANDINAVIEN

A. ARCHITEKTUR. *Schweden:* Gripsholm, Schloß in Södermanland, 1537—96. / Vadstena, Schloß, seit 1545, hauptsächlich im 17. Jh. / Stockholm, Stadthaus Petersen am Munkbron, vor 1650. / Stockholm, Ritterhaus, nach 1650 durch Jost Vingboons (Fassade), beendet durch Jean de la Vallée (1620—96). / Stockholm, Palais Bondes, voll. 1667 durch 40 Jean de la Vallée. / Skogkloster bei Upsala, 1654—65, Pläne des Jean de la Vallée, Ausführung großenteils durch Nikodemus Tessin d. Ä. (1616 bis nach 1685). / Kalmar, Dom, 1660—90, durch N. Tessin d. Ä. beg., durch seinen Sohn voll. / Nikodemus Tessin d. J. (1654—1728), Stockholm, Schloß, besonders nach 1697, Ausstattung durch das ganze 18. Jh. / *Dänemark:* Kronborg bei Helsingör, Schloß, 1574—84 (Hans von Paeschen und 45 Anthonis von Obbergen). / Frederiksborg (Seeland), Schloß, 1602—22 (Hans van Steenwinkel und Anthonis von Obbergen), nach Bränden verändert. / Kopenhagen, „Dyvekes Haus", 1616. / Kopenhagen, Börse, 1619—25, Hans van Steenwinkel. / Kopenhagen, Trinitatiskirche, 1632—56. / Kopenhagen, Schloß Christiansborg, 1731—40 durch Elias David Häusser. / *Finnland:* Holzkirchen: Salvinen, 1632; Padasjoki, 1675; Kanhava, 1756. 50

B. PLASTIK. *Schweden:* W. Boyens (Mecheln), Freigrab Gustaf Wasas im Dom zu Upsala, 1580—81. / Heinrich Wilhelm (Hamburg), gest. 1652, Grabmal Gabriel Gustafson Oxenstierna in der Kirche zu Tyresö, 1641. / Jean Baptiste Dieussart (Dussart), Blei- und Stuckfiguren für Jakobsdal und Ulriksdal, Stockholmer Schloß und Ritterhaus. / Abraham Lamoureux (um 1674 in Stockholm), Brunnenbildwerke in Schloß Jakobsdal und Ulriks- 55 dal. / Nikolaus Millich (Flame), Treppenhausstandbilder in Drottningholm. / Burchard

Precht, Königsgestühl in der Nikolaikirche zu Stockholm, 1684. / Stockholm, Schloß: Renée Chauveau, 1663—1722; Jacques Philippe Bouchardon, 1711—53. / Pierre Hubert l'Archevêque, 1755; Hofbildhauer: Standbild Gustaf Erikson Wasas, 1773; Reiterbild Gustav Adolfs II. / *Dänemark:* Adrian de Vries, 1560—1627, Neptunbrunnen im Schloßhof zu Frederiksborg. / Abraham Lamoureux, Reiterstandbild Christians V. auf Kongens Nytorv. / Karl Stanley, 1702—66, Denkmal der Königin Luise in der Gruft zu Roskilde. / Jacques François Saly (Valenciennes), 1717—76, Reiterstandbild Friedrichs V., 1768 gegossen.

C. MALEREI. *Schweden:* Baptista van Uther, Ausschmückung der Schlösser von Kalmar und Stockholm, um 1562. / Holger Hanszon, Stockholm, Schloß, um 1586. / Ottomar Elliger d. Ä. von Gotenburg, 1633—79. / Johann Sylvius, Galerie des Schlosses Drottningholm. / David Klöcker (Hamburg), 1629—98. / Gustaf Lundberg, 1691—1786. / Alexander Roslin, 1718—93. / *Dänemark:* Jakob Binck, gest. 1569. / Hans Knieper (Antwerpen), seit 1578. / Karel van Mander III., 1605—70.

3. POLEN

A. ARCHITEKTUR. Krakau, Umbau des Schlosses Wawel, 1502—16, von Franciscus Italus (della Lore); Dom, König Sigismund-Kapelle, 1519—30, von Bartholomeo Berecci. / Posen, Um- und Erweiterungsbau des Rathauses, 1550—60, von Giovanni Batt. Quadro. / Krakau, Umbau der Tuchhalle, 1557. / Schloß Baranów, 1579—1602. / Kazimierz a. d. Weichsel, Pfarrkirche, 1589—1613, von J. Balin. / Zamość, Kollegiatskirche, um 1590, von Bernardo Morando. / Rathäuser von Tarnów, Sandomierz, Szydłowiec, 16. Jh.; Chełmno, 17. Jh. / Zamość, Marktplatz, um 1600. / Lemberg (Lwów), Bernhardinerkirche, beg. 1600, von Paulus Romanus (bis 1613 daran tätig); Kathedrale, Boimkapelle, 1609 bis 1617. / Gian Maria Bernardone, Jesuitenkirchen in Nieśwież, Kalisz und bes. St. Peter in Krakau, beg. 1599. / Ujazd, Schloß Krzyżtopór, 1631—44, von Lorenzo di Muretto da Sent. / Posen, Jesuitenkirche, 1651—1701, von P. Wasowski. / Wilna, Peterpaulskirche in Antokol, 1668—76, von J. Zaor und P. Perti. / Krakau, Domkapelle von St. Marien, von Jan Michałowicz. / Warschau, Palais Krasiński, 1676—99, von Tyllman van Gammeren u. a. Schloß Wilanów bei Warschau, 1677—94, von Agostino Locci u. a. / Warschau, Heiligkreuzkirche, seit 1682, von Giovanni Belotti. / Krakau, Annenkirche, 1689—1703, von Tyllman van Gammeren und Solari. / Schloß Rydzyna (Reisen), 1696—1704, von Pompeo Ferrari. / Warschau, Visitandinnenkirche, seit 1728, zugeschr.: Francesco Placidi. / Wilna, Katharinenkirche, um 1742, von Jan Krzysztof Glaubicz. / Lemberg, Georgskathedrale, 1746—64; Dominikanerkirche, 1749, von I. de Witte. / Buczacz, Rathaus, um 1750, von Bernard Meretyn. / Tarnopol, Dominikanerkirche, seit 1755, von August Fr. Moszyński. / Giuseppe und Jacopo Fontana, Schlösser in Warschau, Stary Otwock, Radzyń.

B. PLASTIK. Barthol. Berecci, Grabmal des Bischofs Tomicki (gest. 1535) im Dom zu Krakau. / Unbekannter Meister, Grabmal des Bischofs Samuel Maciejowski (gest. 1550) im Dom zu Krakau. / Santi Gucci aus Florenz, 2. Hälfte 16. Jh.: Liegebild Sigismunds I. August im Dom zu Krakau; Wandgrab des Königs Stephan Báthori im Dom zu Krakau, 1595. / Gabriel Slonski, gest. 1595, Portal in der Domherrngasse. / Jan Michałowicz aus Urzędów, 2. Hälfte 16. Jh., Grabmäler in Krakau, Łowicz und Posen. / Krakau, Dom, Silbersarg des hl. Stanislaus, 1671. / Clemente Molli, Säulenstatue Sigismunds III. in Warschau, etwa 1644.

C. MALEREI. Martin Kober, tätig in Polen um 1583—95. / Jan Ziarnko, um 1600. / Tommaso Dollabella, tätig in Polen seit 1600. / Bartolomäus Strobel aus Breslau, Hofmaler des Königs Władysław IV., 1634—44. / Pater Franciszek Lekszycki, gest. 1668. / Michelangelo Palloni, seit 1674 in Polen u. Litauen tätig. / Martin Altomonte, 1684—1703 in Polen tätig. / Jan Aleksander Tretko. / Jerzy Eleuter Szymonowicz-Siemiginowski. / Teodor Lubieniecki, um 1653—1729. / Krzysztof Lubieniecki, um 1659—1729. / Szymon Czechowicz, 1689—1775. / Stanisław Stroiński, 1719—1802. / Thaddäus Kuntze, um 1731—1793.

4. UKRAINE

ARCHITEKTUR. Lemberg, Griech.-Kath. Walachenkirche, 1591—1629, Paolo Romano und Ambrosius Simonis. / Dreieinigkeitskapelle, 1578 von Petrus Italus. / Umprägung des westlichen Barocks mit Hilfe byzantinischer Traditionen: Kiew, Koimesiskirche, 1613 von Sebastiano Bracci. / Allerheil. Kirche auf den Toren des Pečersky-Klosters, 1696—98 von Hetman Mazeppa. / Lubny, Kirche des Mharsky-Klosters, 1682—84. / Im 18. Jh. stärkere Annäherung an abendländische Baukunst. Vermittler: Johann Gottfried Schädel 1680—1751) und Bartolomeo Rastrelli d. J. (um 1700—71): Kiew, Glockenturm der Pečerska Lawra, 1731—45. Andreaskirche, 1747—67. / Lemberg, Georgskathedrale, 1746 beg.

5. RUSSLAND

ARCHITEKTUR. Petersburg, 1703 gegründet. Italiener, Franzosen und Deutsche als Architekten (Trezzini, Leblond, Schlüter). / Bartolomeo Rastrelli d. J. (um 1700—71), seit 1725 in Rußland: Petersburg, Palais Woronzew, 1743ff., Palais Zarskoje Selo, 1750—56, Winterpalais, 1754—62, Smolno-Stift, nur teilweise ausgeführt, 1748—55. / V. Jean Baptiste Dellamotte (1729—1800), seit 1759 in Rußland. / Alexander Filippowitsch Kokořinov (1726—72): Petersburg, Kunstakademie, 1765—72, Kaufhof (Gostinny-Dvor). / Antonio Rinaldi (um 1709—80), seit 1752 in Rußland: Petersburg, Marmorpalais (1768ff.).

6. TSCHECHOSLOWAKEI

A. ARCHITEKTUR. (Die deutschen Künstler siehe S. 937.) Giovanni Battista Matthäi (1630 bis 1695). / Giovanni Santini, gen. Aichl (1667—1723). / Maximilian Kanka (1674—1766): In Prag am Klementinum und bei S. Salvator. Schlösser und Kirchen in Leitomischl, Vinoř, Kuttenberg. Stadtkirche Donaueschingen, gew. 1747.

B. MALEREI. Karl Skreta, 1605—74. / Peter Brandl, 1668—1739. / V. V. Reiner, 1686—1743.

7. UNGARN

ARCHITEKTUR. Frics, Schloß, 1623. / Nagyszombat, Univ.Kirche, 1629—37 von Pietro Spazzo. / Kismárton, Schloß Eszterházy, von Antonio Carlone (1622—64) und Sebastiano Bartoletti. / Ráckeve, Schloß des Prinzen Eugen, 1702 von Johann Lukas v. Hildebrandt. Von diesem auch: Feltorony, Schloß des Grafen Harrach, 1712. / Budapest, Invalidenhaus, heute Stadthaus, von Anton Erhard Martinelli, 1722. / Melchior Hefele, 1716—99: Preßburg, Primatialpalais 1778 beg.; Steinamanger, Dom, 1791 beg. / Franz Anton Hillebrandt (1719—97), Hofarchitekt 1757—97. Haupttätigkeit in Preßburg (Grassalkowich-Palais, 1760), bischöfliche Residenz Nagyvárad. / Jakob Fellner, gest. 1780, Lyzeum und bischöfliche Residenz Eger. 1771—86 Schlösser in Pápa und Táta.

DRITTE ABTEILUNG
DER SENTIMENTALE NATURALISMUS IN FRANKREICH, DEUTSCHLAND UND ENGLAND

I. AUFLÖSUNG DES ROKOKO (LOUIS XVI.). STURM UND DRANG (S. 709—745)

1. FRANKREICH

A. MALEREI. Louis Tocqué, 1696—1772. / François Boucher [S. 709—711], 1703—70. / Charles van Loo, 1705—65. / Jean-Baptiste Siméon Chardin [S. 712], 1699—1779. / Louis Michel van Loo, 1707—71./ Maurice Quentin de la Tour [S. 713], 1704—88. / Jean-Baptiste Perronneau, 1715—83. / Joseph Sifrède Duplessis, 1725—1802. / Joseph Maria Vien, 1716 bis 1809. / Jean-Baptiste Greuze [S. 714, 715], 1725—1805. / Jean-Honoré Fragonard [S. 730—732, Tafel XIV], 1732—1806. / Nicolas Bernard Lépicié [S. 733], 1735—84. / Jean-Baptiste Le Prince (tätig in Rußland), 1734—81. / Antoine Vestier, 1740—1810. / *Landschaft und Architekturbild:* Joseph Vernet, 1714—89. / Hubert Robert [S. 732—733], 1733—1808. / Louis Gabriel Moreau, 1739—1805.

B. GRAPHIK. Hubert François Bourguignon, gen. Gravelot, 1699—1773. / Charles Nicolas Cochin d. J., 1715—90. / Charles Eysen, 1720—78. / Gabriel de Saint-Aubin, 1724—80. / Augustin de Saint-Aubin, 1737—1807. / Jean Michel Moreau le jeune, 1741—1814.

C. PLASTIK. Edmond Bouchardon, 1698—1762. / Jean Baptiste Pigalle, 1714—85. / Etienne Maurice Falconet [S. 716], 1716—91. / Jean-Jacques Caffieri, 1725—92. / Augustin Pajou, 1730—1809. / Claude Michel, gen. Clodion, 1738—1814. / Jean-Antoine Houdon [S. 734, 735], 1741—1828.

D. ARCHITEKTUR. Jacques-Ange Gabriel [S. 676], 1698—1782. Paris, Ecole militaire, 1751. Bauten an der Place de la Concorde, heutiges Marine-Ministerium, beg. 1754. Versailles, Le petit Trianon [S. 717], 1762—68. / Jean Antoine Giral, um 1700—87. Montpellier, Wasserschloß, Promenade du Peyrou, 1767—76. / Victor Louis, 1731—1800. Bordeaux, großes Theater, 1774—80. / Jean François Chalgrin, 1739—1811, und Jean Arman Raymond, 1742—1811. Paris, Triumphbogen am Place de l'Etoile (erst 1837 voll.). Kirche St. Philippe-du-Roule, 1774—84. / Alexandre Théodore Brogniart, 1739 bis 1813. Paris, Börse, seit 1808. / Jacques Gondoin, 1737—1818. Paris, Ecole de Médicine, 1769—86.

2. DEUTSCHLAND

A. MALEREI. a) *Deutsches Rokoko; Zopfstil. Porträt und mythologische Szenen:* Johann Georg Plazer, 1702—60. / Johann Heinrich Tischbein d. Ä., 1722—89. / Johann Georg Ziesenis [S. 723], 1716—77. / Franz Anton Maulpertsch (religiöse Bilder), 1724—96. / Anton Raffael Mengs, 1728—79. / *Genre:* Watteau und holländischer Einfluß: Christian Wilhelm Ernst Dietrich, gen. Dietricy [S. 729], 1712—74. / Johann Andreas Herrlein [S. 725], 1720—96. / Nic. Daniel Chodowiecki [S. 724], 1726—1801. / Norbert Grund (Watteausche Szenen), 1717—67. / Chr. Georg Schütz d. Ä. (Landschaften), 1718—91. / Der Kreis um Goethe in Frankfurt a. M.: Justus Juncker [S. 728], 1703—67. Konrad Seekatz [S. 726], 1719—68. Ch. Joh. Ludw. Ernst Morgenstern, 1738—1819. Joh. Georg Trautmann, 1713—69. / Salomon Gessner (Zeichner und Dichter [Idyllen]), 1730—88.
b) *Sturm und Drang. Religiöse Malerei, Wanddekoration:* Januarius Zick [S. 738, 739], 1732—97. / *Porträt und Genre:* Anton Graff [S. 736], 1736—1813. / Georg Melchior Kraus [S. 736], 1737—1806. / Joseph Georg Edlinger [S. 737, 738], 1741—1819. / Johann Heinrich Füßli [S. 741], 1741—1825. / *Landschaften:* Adrian Zingg, 1734—1816. / Phil. Hackert [S. 740], 1737—1807. / Ferdinand Kobell [S. 739], 1740—99. / Phil. Jacob Loutherbourgh, 1740—1812.

B. PLASTIK. Pieter Anton Tassaert, 1729—88. / Franz Xaver Messerschmidt [S. 737], 1732 bis 1783. / Martin Fischer (Wien) 1741—1820.

C. ARCHITEKTUR. Johann Boumann d. Ä., 1706—76. Berlin, Palais des Prinzen Heinrich, jetzt Universität, 1748—64. / Johann Seitz, 1717—79. Trier, Erzbischöfliches Palais, 1759—61. / Friedr. Aug. Krubsacius, 1718—90. Dresden, Landhaus, 1770—76. / Friedr. Wilh. von Erdmannsdorff, 1736—1800. Schloß zu Wörlitz, 1769—73. / Karl Gontard, 1731—91. Arbeiten am Schloß Bayreuth 1759—63. Seit 1764 im Dienst Friedrichs des Großen, baute u. a.: Berlin, Kuppeltürme am Gendarmenmarkt 1780—85; Potsdam, Marmorpalais 1787. / Carl Gotthard Langhans, 1732—1808. Berlin, Brandenburger Tor, 1789—91. Potsdam, Schauspielhaus, 1795.

D. KUNSTGEWERBE. David Roentgen (Möbel), 1743—1803.

3. ENGLAND

A. MALEREI. William Hogarth [S. 722], 1697—1764. / Sir Joshua Reynolds [S. 720, 721], 1723—92. / Thomas Gainsborough [S. 719], 1727—88. / George Stubbs, 1724—1806. / John Zoffany (Johann Zauffely), geb. 1735 in Frankfurt/M., gest. 1810. / George Romney, 1734—1802. / *Historienbild:* John Singleton Copley, 1737—1815. / Benjamin West, 1738 bis 1820. / James Barry, 1741—1806. / Heinrich Fuseli, s. Deutschland, Füssli [S. 941]. / *Landschaft:* Richard Wilson, 1714—82.

B. SCHABKUNST. James Mac Ardell, 1729—65. / Richard Earlom, 1743—1822.

C. PLASTIK. Thomas Banks, 1735—1803. / Joseph Nollekens, 1737—1823. / John Bacon d. Ä. 1740—99.

D. ARCHITEKTUR. George Dance d. Ä., 1700—68: London, Mansion House, 1739—53. / W. Kent, 1684—1748: Holkham (Norfolk); zusammen mit Sir William Chambers: London, Kensington Garden. / John Wood d. Ä., 1705—54: Bath, Queen Square, Circus. / John Wood d. J.: Bath, Royal Crescent 1767—69. / W. Chambers, 1726—96: London, Somerset House 1776—86; Edinburgh, Bank of Scotland 1768. / Robert Adam, 1728—92: Bürgerliche Wohnhäuser, Innendekoration. / James Adam, gest. 1794. / George Dance d. J., 1741—1825: London-Newgate, Gefängnis 1770—82 (1902 abgebrochen).

E. KUNSTGEWERBE. Thomas Chippendale, c. 1709—79; Möbelwerk publiziert 1754. / George Hepplewhite, gest. 1786; Möbelwerk publiziert 1788. / Thomas Sheraton, 1751 bis 1806; Möbelwerk publiziert 1791. / Josuah Wedgwood, 1730—95: Keramik.

II. KLASSIZISMUS UND ROMANTIK (S. 745—777)

1. FRANKREICH

A. MALEREI. Mme. Labille-Guiard, 1749—1803. / Mme. Vigée-Lebrun [S. 752], 1755—1842. / Jacques-Louis David [S. 748, 749, 750, 751, 754], 1748 (Paris) bis 1825 (Brüssel). / Germain Jean Drouais, 1763—88. / Jean Baptiste Regnault, 1754—1829. / Louis Philibert Debucourt, 1755—1832. / Louis-Leopold Boilly, 1761—1845. / Martin Drölling, 1752—1817. / Jean Baptiste Isabey, 1767—1855. / Pierre Paul Prud'hon [S. 760], 1758—1823. / Anne Louis Girodet de Roucy [S. 762], 1767—1824. / François Gérard [S. 762], 1770—1837. / Pierre Narcisse Guérin [S. 761], 1774—1833. / Antoine Jean Gros [S. 763], 1771—1835. / Théodore Géricault [S. 764], 1791—1824. / François Marius Granet,

1775—1849. / Horace Vernet, 1789—1863. / Nicolas-Toussaint Charlet, 1792—1845. / Léopold Robert, 1795—1835. / Jean Auguste Dominique Ingres [S. 774—776], 1780—1867.

B. PLASTIK. Joseph Chinard, 1756—1813. / Pierre Castellier, 1757—1831. / Antoine-Denis Chaudet, 1763—1810. / François Joseph Bosio, 1769—1845. / François Frédéric Lemot, 1773—1827. / Pierre François Grégoire Giraud, 1783—1836. / Pierre Jean David d'Angers, 1788—1856. / François Rude [S. 773], 1784—1855.

C. ARCHITEKTUR. Charles Percier, 1764—1838 (Paris, Chapelle expiatoire) und Pierre François Fontaine, 1762—1853, Paris, Triumphbogen Place du Caroussel, 1807. / Barthélemy Vignon, 1762—1846: Paris, La Madeleine. / François Debret, 1777—1850: Paris, Ecole des Beaux Arts, voll. von Felix Duban (1797—1870). / Franz Christian Gau, 1790—1853: Paris, Ste. Clotilde. / Jacob Ignaz Hittorf, 1792—1867: Paris, Bauten der Champs Elysées, St. Vincent-de Paul (mit Lepère).

2. DEUTSCHLAND

A. MALEREI. *Empfindsamer Klassizismus:* Angelika Kauffmann, 1741—1807. / Friedr. Aug. Tischbein [S. 746, 747], 1750—1812. / Friedr. Heinr. Füger, 1751—1818 (auch Miniaturen). / Joh. Aug. Nahl, 1752—1825. / Heinr. Wilhelm Tischbein, 1751—1829. / *Genre:* Georg Karl Urlaub, 1749—1809. / *Moralisierender Klassizismus:* Joh. Heinr. Ramberg, vorwiegend Zeichner, Karikaturist, 1763—1840. / Jacob Asmus Carstens [S. 753], 1754 bis 1798. / Phil. Friedr. Hetsch [S. 750], 1758—1838. / Eberhard Wächter, 1762—1852. / Josef Grassi, 1758—1838. / Josef Abel [S. 752], 1764—1818. / *Landschaft:* Joh. Christ. Reinhard, 1768—1847. / Joh. Georg Dillis, 1759—1841. / *Romantik:* Jos. Anton Koch, 1768—1839. / Joh. Erdmann Hummel, 1769—1852. / Phil. Otto Runge [S. 757, 758], 1777—1810. / Gerhard von Kügelgen, 1772—1820. / Gottlieb Schick, 1779—1812. / Caspar David Friedrich [S. 52, 759], 1774—1840. / Wilhelm von Kobell [S. 764], 1766 bis 1855. / Joh. Martin von Rohden, 1778—1868. / Schinkel siehe Architektur. / Carl Gustav Carus, 1789—1869. / Johann Christian Clausen Dahl (Norweger), 1788—1857. / *Restauration, Nazarener:* Peter Cornelius [S. 768], 1783—1867. / Julius Schnorr von Carolsfeld [S. 769], 1784—1872. / Franz Pforr [S. 766, 767], 1788—1812. / Friedr. Overbeck [S. 63, 766], 1789—1869. / Phil. Veit [S. 768], 1793—1877. / Wilhelm von Schadow, 1789—1862. / Joh. Hugo Ramboux [S. 770], 1790—1866. / Ferdinand von Olivier [S. 767], 1785—1841. / Carl Phil. Fohr, 1795—1818. / Georg Friedr. Kersting [S. 771], 1785—1847. / Joh. Aug. Krafft [S. 771], 1798—1829. / Joh. Adam Klein [S. 772], 1792—1875. / Peter von Hess, 1792—1871. / Karl Begas, 1794—1854. / Albrecht Adam, 1786—1862. / Domenico Quaglio, 1786—1837. / Georg Wilhelm Issel, 1785—1870.

B. PLASTIK. Franz Zauner (Wien), 1746—1822. / Johann Valentin Sonnenschein, 1749—1828. / Gottfried Schadow [S. 753], 1764—1850. / Landolin Ohnmacht (Straßburg), 1760—1834. / Johann Heinrich Dannecker, 1758—1841. / Alexander Trippel, 1754—1833. / Friedrich Tieck, 1776—1851. / Christian Rauch [S. 769], 1777—1857. / Rudolf Schadow, 1786—1822.

C. ARCHITEKTUR. David Gilly, 1748—1808: Braunschweig, Viewegsches Haus, 1801—04; Schloß Paretz, 1796—1800. / Friedrich Weinbrenner, 1766—1826: Karlsruhe, evangelische Kirche 1807—15; katholische Kirche 1814; Rathaus 1821. / Heinrich Gentz, 1766—1811: Berlin, Alte Münze [S. 755], 1798—1800; Charlottenburg, Mausoleum, 1810. / Friedrich Gilly, 1772—1800: Entwurf für das Denkmal Friedrichs d. Gr. / Josef Speeth, 1772—1831: Würzburger Frauengefängnis [S. 756] 1809—10. / Karl Friedrich Schinkel [S. 770], 1781—1841: Berlin, Neue Wache, 1816—1818; Berlin, Schauspielhaus, 1818—21; Berlin, Altes Museum, 1822—28; Werdersche Kirche 1824—28; Potsdam, Nicolaikirche, 1830—37. / Josef Kornhäusel, 1782 (?)—1860, Schloß Weilburg bei Baden-Wien 1820—23. / Leo von Klenze, 1784—1864: München, Glyptothek, 1816—30; Regensburg, Walhalla, 1830—42; München, Ruhmeshalle, 1843—53; Befreiungshalle bei Kehlheim, 1842—63; München, Propyläen, 1846—60. / Friedrich von Gärtner, 1792—1847: München, Ludwigskirche, 1829—40.

3. ENGLAND

A. MALEREI. Sir Henry Raeburn, 1756—1823. / John Hoppner, 1758/59—1810. / Sir Thomas Lawrence, 1769—1830. / William Blake, 1757—1827. / John Opie, 1761—1807. / George Morland, 1763—1804. / Thomas Rowlandson, 1756—1827 (Zeichner und Karikaturist). / *Landschaft:* John Crome, 1768—1821. / J. M. W. Turner [S. 765], 1775—1851. / John Constable [S. 765], 1776—1837. / *Aquarell:* John Gall Aotman, 1782—1842. / Thomas Girtin, 1775—1802. / David Wilkie, 1785—1841. / William Etty, 1787—1849.

B. PLASTIK. John Flaxman, 1755—1826. / Sir Richard Westmakott, 1775—1856. / Francis Legatt Chantrey, 1781—1841. / John Gibson, 1790—1866.

C. ARCHITEKTUR. John Nash, 1752—1835: London, Regent Street; Regents Park mit Park Crescent. / Sir John Soane, 1753—1837: London, Bank of England 1788—1835, Veränderungen der Fassade durch Cockerell. / William Wilkins, 1778—1839: London, University College; National Gallery 1832. / Sir Robert Smirke, 1781—1864: British Museum. / Ch. R. Cockerell, 1788—1863: Oxford, Taylor Buildings 1840—42. / W. H. 5 Playfair, 1789—1857: Edinburgh, Vollendung der Universität 1817—24.

III. BIEDERMEIER UND STIMMUNGSNATURALISMUS (S. 777—804)

1. DEUTSCHLAND

A. MALEREI. a) *Biedermeier-Klassizismus. Märchen, religiöse Malerei:* Bonaventura Genelli, 1798—1868. / Josef v. Führich, 1800—76. / Ludwig Richter, 1803—84. / Moritz v. Schwind, 1804—71. / Eugen Neureuther (Buch-Illustration), 1806—82. / Eduard Steinle, 1810—80. / *Historie:* Wilhelm v. Kaulbach, 1805—74. / Alfred Rethel [S. 779] (Düsseldorf), 1816—89. / 10 Emanuel Leutze, 1816—68. / *Anekdote* (Düsseldorfer Schule): Theodor Hildebrandt [S. 788], 1804—74. / Rudolf Jordan, 1810—87. / Eduard Bendemann, 1811—89. / Adolf Schrödter (Karikaturist), 1805—75. / Johann Peter Hasenclever, 1810—53. / *Ideallandschaft* (historische Landschaft): Karl Rottmann, 1798—1850. / Friedrich Preller d. Ä., 1804—78. / Joh. Wilh. Schirmer, 1807—63. / Karl Friedr. Lessing (auch Historienmaler), 15 1808—80. / Andreas Achenbach, 1815—1910. / *Das offizielle Porträt:* Eduard Magnus, 1799—1872. / Franz Xaver Winterhalter, 1806—73. / b) *Biedermeier-Naturalismus. Berlin:* Franz Krüger [S. 780, Tafel X], 1797—1857. / Karl Blechen, 1798—1840. / Eduard Gärtner, 1801—77. / Eduard Meyerheim, 1808—79. / Karl Steffeck, 1818—90. / Theodor Hosemann (Buchillustrator und Karikaturist), 1807—75. / Adolf Menzel [S. 784—787, Tafel XVI], 20 1815—1905. / *Dresden:* Ferdinand v. Raysky, 1807—91. / *Frankfurt a. M.:* Jakob Fürchtegott Dielmann, 1809—85. / Jakob Becker, 1810—72. / Anton Burger, 1824—1905. / *Hamburg:* Julius Oldach [S. 781], 1804—30. / Rudolf Friedrich Wasmann, 1805—86. / Hermann Kauffmann, 1808—89. / Christian Ernst Bernhard Morgenstern, 1805—67. / Valentin Ruths [S. 781], 1825—1905. / *München:* Heinrich Bürkel, 1802—69. / Eduard Schleich d. Ä. 25 [S. 784], 1812—74. / Karl Spitzweg [S. 783], 1808—85. / *Wien:* Erasmus Engert [S. 782], 1796—1871. / Georg Ferdinand Waldmüller [S. 783], 1793—1865. / Peter Fendi, 1796 bis 1842. / Friedrich v. Amerling, 1803—87. / Josef Danhauser, 1805—45. / August v. Pettenkofen, 1822—89.

B. PLASTIK. Ludwig Schwanthaler, 1802—48. / Ernst Rietschel, 1804—64. 30

C. ARCHITEKTUR. Friedrich August Stüler, 1800—65: Berlin, Neues Mus., 1843—55; Berlin, Schloßkuppel, 1845—52. / Gottfried Semper, 1803—70: Dresden, Hoftheater 1838—41 (1869 abgebrannt). Dresden, Mus., 1847—56. / Theophil Edward v. Hansen, 1813—91: Wien, Heinrichshof 1861—63. Wien, Parlament, 1874—83. / Eduard van der Nüll, 1812 bis 1868, und August Siccardsburg, 1813—68: Wien, Hofoper, 1861—69. 35

2. FRANKREICH

A. MALEREI. Paul Delaroche [S. 788], 1797—1856. / Eugène Delacroix [S. 778, 789, 790], 1798—1863. / Alexandre Gabriel Decamps, 1803—60. / Hippolyte Flandrin, 1809—64. / Thomas Couture, 1815—79. / Paul Gavarni (Zeichner und Karikaturist), 1804—66. / Eugène Isabey, 1804—86. / Constantin Guys, 1805—92. / Honoré Daumier [S. 800—803], 1808—79. / Jean François Millet [S. 795], 1814—75. / Gustave Courbet [S. 796—799], 40 1819—77. / Ernest Meissonnier, 1815—91. / Théodore Chassériau. 1819—56. / Camille Corot [S. 791—793], 1796—1875. / Théodore Rousseau [S. 794], 1812—67. / Jules Dupré, 1811—89. / Eugène Boudin, 1824—98. / Charles-François Daubigny, 1817—78. / A. L. Barye, 1796—1875. / Charles Jacque, 1813—94. / Constantin Troyon, 1810—65. / Rosa Bonheur, 1822—99. / Eugène Fromentin, 1820—76. 45

B. PLASTIK. A. L. Barye, 1796—1875. / Emmanuel Frémiet, 1824—1910.

C. ARCHITEKTUR. Jacques Félix Duban, 1797—1870: Paris, Ecole des Beaux Arts. / Henri Labrouste, 1801—75: Paris, Bibl. St. Geneviève, 1843—50. / Joseph Louis Duc, 1802—79: seit 1840 Bauleitung des Palais de Justice, Paris. / Léon Vaudoyer, 1803—72: Marseille, Notre Dame, beg. 1855. / Victor Ballard, 1805—74: Paris, Zentralmarkthalle (Glas-Eisen) 50 zwischen 1852—59. / Hector Martin Lefuel, 1810—81, mit Louis Tullius Joachim Visconti, 1791—1853: Paris, Louvre voll. 1863. / Paul Abadie d. J., 1812—84: Paris, Sacré Coeur seit 1874; Ste. Clotilde. / Eugène Emmanuel Viollet-le-Duc, 1813—79 (Restaurator und Theoretiker mittelalterlicher Baukunst, Schloß Pierrefonds). / Théodore Ballu, 1817—85: Paris, La Trinité 1861—67. 55

3. ENGLAND

A. MALEREI. Charles Leslie, 1794—1859. / William Dyce, 1806—64. / Richard Bonington, 1802—28. / Alfred Stevens, 1817—75. / George Frederick Watts, 1818—1904. / Ford Madox Brown [S. 813], 1821—93. / Charles Samuel Keene, 1823—91 (Zeichner, Karikaturist).

B. PLASTIK. Alfred Stevens, 1817—75. 5

C. ARCHITEKTUR. Neugotik: Strawberry Hill c. 1750. / Sir Charles Barry (1795—1860) u. W. Pugin: House of Parliament, beg. 1840. / Decimus Burton, 1800—81: Athenaeum Club, London, 1830. / Joseph Paxton, 1803—65: London-Sydenham, Kristallpalast 1852—54 (Glas und Eisen). / Sir Gilbert Scott, 1811—78.

IV. NEU-RENAISSANCE UND IMPRESSIONISMUS (S. 805—834)

1. DEUTSCHLAND

A. MALEREI. Arnold Böcklin [S. 806—808, Tafel XVII], 1827—1901. / Anselm Feuerbach 10 [S. 809—811], 1829—80. / Hans von Marées [S. 819, 820], 1837—87. / Hans Thoma [S. 818], 1839—1924. / Wilhelm Leibl [S. 816, 817], 1844—1900. / Ludwig Knaus, 1829—1910. / Benjamin Vautier, 1829—98. / Karl von Piloty, 1826—86. / Hans Canon, 1829—85. / Victor Müller, 1829—71. / Franz von Defregger, 1835—1921. / Eduard von Gebhardt, 1838—1925. / Wilhelm von Diez, 1839—1907. / Hans Makart, 1840—84. / Gabriel Max, 1840—1915. / 15 Franz von Lenbach, 1836—1904. / Albert von Keller, 1844—1920. / Otto Scholderer, 1834—1902. / Oswald Achenbach, 1827—1905. / Teutwart Schmitson, 1830—63. / Paul Meyerheim, 1842—1915. / Karl Schuch, 1846—1903.

B. PLASTIK. Kaspar Zumbusch, 1830—1915. / Reinhold Begas, 1831—1911. / Michael Wagmüller, 1839—81. / Fritz Schaper, 1841—1919. / Robert Diez, 1844—1922. / Victor Tilgner, 20 1844—96.

C. ARCHITEKTUR. Friedrich v. Schmidt, 1825—91: Wien, Rathaus 1872—83. / Heinrich v. Ferstel, 1828—83: Wien, Votivkirche, 1856—79. / Georg Dollmann, 1830—95: Schloß Herrenchiemsee für Ludwig II., beg. 1878. / Paul Wallot, 1841—1912; Berlin, Reichstagsgebäude 1884—94. / Otto Wagner, Wien [S. 834], 1841—1917: Palais Otto Wagner, 25 Wien 1889; Wiener Stadtbahn 1894—97; Postsparkasse 1905; Marmorkirche am Steinhof, Wien 1906.

2. FRANKREICH

A. MALEREI. Alexandre Cabanel, 1823—89. / Jean-Jacques Henner, 1829—1905. / Jean Léon Gérome, 1824—1904. / Puvis de Chavannes [S. 812], 1824—98. / Gustave Ricard, 1823 bis 1875. / Adolphe Monticelli, 1824—86. / Gustave Moreau [S. 813], 1826—98. / Henri 30 Fantin-Latour, 1836—1904. / Léon Bonnat, 1833—1923. / Edouard Manet [S. 821, 822, Tafel XVIII], 1832—83. / Berthe Morisot, 1841—95. / Edgar Degas [S. 823, 824], 1834—1917. / Paul Cézanne [S. 826—828], 1839—1906. / Auguste Renoir [S. 825], 1841—1919. / Claude Monet [S. 829], 1840—1926. / Camille Pissarro, 1830—1903. / Alfred Sisley, 1839—99. / Jean Frédéric Bazille, 1841—70. / Odilon Redon, 1840—1916. / Jean Charles Cazin, 1841 35 bis 1901.

B. PLASTIK. Jean Baptiste Carpeaux, 1827—75. / Paul Dubois, 1829—1909. / Auguste Rodin [S. 830, 831, 832], 1840—1917.

C. ARCHITEKTUR. Gabriel Davioud, 1823—81; Paris, Palais du Trocadéro (in Gemeinschaft mit Jules Désiré Bourdais, 1878. / Charles Garnier, 1825—98: Paris, Große Oper, 1861 40 bis 1874. / Paul Sédille, 1836—1900: Paris, Warenhaus Printemps (1881). / Gustave Eiffel, 1832—1923: Paris, Eiffelturm, 1887—89.

3. ENGLAND

A. MALEREI. Dante Gabriel Rossetti [S. 814], 1828—82. / Holman Hunt, 1827—1910. / John Millais, 1829—96. / Edward Burne-Jones [S. 815], 1833—98. / Frederick Leighton, 1830 bis 1896. / Lawrence Alma-Tadema, 1836—1912. / J. M. Whistler s. Nordamerika. S. 953. / 45 William Quiller Orchardson, 1835—1910. / Alphonse Legros (Franzose), 1837—1911. / John Pettie, 1839—93. / William Morris (Kunstgewerbe), 1834—96. / Frederick Walker, 1840—75. / William Mac Taggart, 1855—1910.

B. ARCHITEKTUR. Philip Speakman Webb, 1831—1915: Red-House in Bexley Heath für William Morris, 1859. / Richard Norman Shaw, 1831—1912: Stadt- und Landhäuser, 50 Villenkolonie Bedfordpark, 1880.

VIERTER TEIL: DIE KUNST DER GEGENWART IN FRANKREICH, DEUTSCHLAND UND ENGLAND (S. 837—892)

1. FRANKREICH

A. MALEREI. Jules Bastien-Lepage, 1848—84. / Léon Lhermitte, 1844—1925. / Albert Besnard, geb. 1849. / Jean Louis Forain, 1852—1931. / Edouard Vuillard, geb. 1867. / Eugène Carrière, 1849—1906. / Paul Gauguin [S. 853], 1848—1903. / Henri de Toulouse-Lautrec [S. 854], 1864—1901. / George Seurat [S. 65], 1859—91. / Paul Signac, geb. 1863. / Henri Edmond Cross, 1856—1910. / Henri Matisse [S. 881], geb. 1869. / George Rouault, geb. 1871. / 5 Maurice de Vlaminck [S. 874], geb. 1876. / Raoul Dufy, geb. 1878. / Marie Laurencin, geb. 1885. / André Derain, geb. 1880. / Pablo Picasso [S. 880, 884], geb. 1881. / Georges Braque [S. 880], geb. 1881. / Fernand Léger, geb. 1881. / Robert Delaunay, geb. 1885. / Maurice Utrillo [S. 883], geb. 1883.

B. PLASTIK. Albert Bartholomé, 1848—1928. / Emile Bourdelle, 1861—1929. / Aristide Maillol 10 [S. 867], geb. 1861. / Raymond Duchamp-Villon, 1876—1918. / Henri Laurens, geb. 1885.

C. ARCHITEKTUR. Hector Gimard, geb. 1867: Passy, Castelle Béranger, 1894—98. / René Binet, geb. 1866: Paris, Warenhaus Printemps seit 1921. / Eugène Freyssinet, geb. 1879: Villeneuve, Luftschiffhalle. / Auguste (geb. 1874), Gustave (geb. 1876) und Claude Perret (geb. 1880): Raincy, Kirche, 1923. / Tony Garnier, geb. 1869: Lyon, Schlachthof, beg. 1909. / 15 Le Corbusier (Pseudonym für Charles Edouard Jeanneret) [S. 889, 890], geb. 1887 in La Chaux-de-Fonds (Schweiz); Siedlung Pessac bei Bordeaux, 1925/26; Weißenhofsiedlung Stuttgart, 1927. / Henri Sauvage, geb. 1873, Paris Rue Vavin und Rue des Amireaux, Mietshäuser, 1925. / Robert Mallet-Stevens, geb. 1886: Garage Alfa Romeo, 1926. 20

2. DEUTSCHLAND

A. MALEREI. *Proletarische Milieuschilderung und Pleinairismus:* Max Liebermann [S. 838, 839, 841, 842], geb. 1847. / Fritz v. Uhde [S. 842], 1848—1911. / Gotthard Kuehl, 1850 bis 1915. / Franz Skarbina, 1849—1910. / Friedrich Kallmorgen, 1856—1924. / Heinrich Zille, 1858—1929. / Hans Baluschek, geb. 1870. / Käthe Kollwitz [S. 843], geb. 1867. / Lesser Ury, 1862—1932. *Koloristische Freilichtmalerei:* Lovis Corinth [S. 848, 849], 1850—1925. / 25 Max Slevogt [S. 847], 1868—1932. / Leopold Graf von Kalkreuth, 1855—1928. / Hans Olde, 1855—1917. / Hans v. Bartels, 1856—1913. / Leo v. König, geb. 1871. / Ulrich Hübner, geb. 1872. / Karl Moll, geb. 1861. / Ferdinand Andri, geb. 1871. / Christian Rohlfs, geb. 1849. *Neoimpressionismus:* Curt Herrmann [S. 850], 1854—1929. / Paul Baum, 1859 bis 1932. *Symbolismus und Jugendstil:* Gustav Klimt, 1867—1918. / Franz Stuck, 1863 30 bis 1928. / Ludwig v. Hofmann, geb. 1861. / Hugo v. Habermann, 1849—1929. / Fritz Erler, geb. 1868. / Angelo Jank, geb. 1868. / Emil Orlik, 1870—1932. *Heimatkunst:* Walter Leistikow, 1865—1908. / Dachau: Ludwig Dill, geb. 1848. Adolf Hölzel, geb. 1853. / Worpswede: Fritz Mackensen, geb. 1866. Otto Modersohn, geb. 1855. Hans am Ende, geb. 1864. Heinrich Vogeler, geb. 1872. / Willingshausen: Karl Bantzer [S. 862], 35 geb. 1857. Otto Ubbelohde (Radierer), 1867—1922. *Expressive Monumentalkunst:* Ferdinand Hodler [S. 871, 872], 1853—1918. / Ludwig Schmitt-Reutte, 1863—1909. / Heinrich Thorn-Prikker, siehe Holland. / Max Buri, 1868—1923. / Albin Egger-Lienz, 1868—1926. / Fritz Boehle, 1873—1916. / Cuno Amiet, geb. 1868. *Expressionismus:* Albert Weißgerber, 1878—1915. / Paula Becker-Modersohn, 1876—1907. / Franz Marc [S. 874], 1880 40 bis 1916. / Joseph Eberz, geb. 1880. / August Macke, 1887—1914. / Alfred Kubin, geb. 1877. / Otto Müller, 1874—1930. / Heinrich Nauen, geb. 1880. / Heinrich Campendonk, geb. 1889. / Adolf Erbslöh, geb. 1881. / Hans Purrman, geb. 1880. / Oskar Moll, geb. 1875. / Christian Rohlfs s. o. / Emil Nolde, geb. 1867. / Erich Heckel [S. 873], geb. 1883. / Karl Schmidt-Rottluff [S. 877], geb. 1884. / Max Pechstein [S. 876], geb. 1881. / Ernst 45 Ludwig Kirchner, geb. 1880. / Karl Hofer [S. 66], geb. 1878. / Max Beckmann, geb. 1884. / Oskar Kokoschka [S. 879], geb. 1886. / Paul Klee [S. 878], geb. 1879. *Konstruktivismus:* Lyonel Feininger [S. 879], geb. 1871. / Kurt Schwitters, geb. 1887. / Max Ernst, geb. 1891. / George Grosz [S. 875], geb. 1893. / Oskar Schlemmer, geb. 1888. / Willy Baumeister, geb. 1889. *Neue Sachlichkeit:* Alexander Kanoldt, geb. 1886 [S. 885]. / Otto Dix, 50 geb. 1891. / Karl Mense, geb. 1886. / Georg Schrimpf, geb. 1889.

B. PLASTIK. Adolf von Hildebrand [S. 844], 1847—1921. / Max Klinger, auch Maler und Graphiker [S. 861], 1857—1920. / Louis Tuaillon, 1862—1919. / Hugo Lederer, geb. 1871. /

August Gaul [S. 868], 1869—1921. / Georg Wrba, geb. 1872. / Ernst Barlach [S. 870], geb. 1870. / Franz Metzner, 1870—1919. / Bernard Hoetger, geb. 1874. / Benno Elkan, geb. 1877. / Anton Hanak, geb. 1875. / Georg Kolbe [S. 866], geb. 1877. / Richard Scheibe, geb. 1879. / Hermann Haller, geb. 1881. / Renée Sintenis [S. 867], geb. 1888. / Karl Albiker [S. 868], geb. 1878. / Ernesto de Fiori, geb. 1884. / Edwin Scharff [S. 869], 5 geb. 1887. / Wilhelm Lehmbruck [S. 875], 1881—1919. / Rudolf Belling [S. 882], geb. 1886.

C. ARCHITEKTUR. Gabriel v. Seidl, 1848—1913: Neubau Deutsches Mus. München 1906ff; Bayrisches Nat.Mus. 1894—99. / Friedrich Thiersch, 1852—1921; München: Justizpalast 1891—97. Technische Hochschule 1914. / Ludwig Hoffmann, 1852—1932; Berlin: Neues 10 Stadthaus 1909. Märkisches Museum. / Martin Dülfer, geb. 1859; Theater in Lübeck 1902. / Joseph Maria Olbrich, 1867—1908; Darmstadt, Ernst-Ludwig-Haus 1901; Hochzeitsturm 1908. Düsseldorf, Warenhaus Tietz 1907—08. / Otto Eckmann, 1865—1902 (Innendekoration, Kunstgewerbe). / August Endell, 1871—1925; München, Haus Elvira 1896 [S. 857]; Sanatorium auf Föhr 1898. Berlin, Buntes Theater 1901. / Alfred Messel, 15 1853—1909; Berlin, Warenhaus Wertheim [S. 855], 1896—1904; Entwurf für die Museumsbauten in Berlin. / Richard Riemerschmid, geb. 1868; München, Ausbau des Schauspielhauses 1901. / Bernhard Pankok, geb. 1872 (Innenarchitektur). / Hermann Muthesius, 1861—1927 (Landhäuser) [S. 864]. / Paul Schultze-Naumburg, geb. 1869 (Schloß- und Gutsbauten). / Theodor Fischer, geb. 1862; Ulm, Garnisonkirche voll. 1908; Pfullinger 20 Hallen 1913. Jena, Universität 1905—08. / Peter Behrens, geb. 1868; Petersburg, Deutsche Botschaft 1912. Berlin, Bauten der AEG. [S. 865], 1909—12. Köln, Werkbundausstellung 1914, Festhalle. / Fritz Schumacher, geb. 1869; Dresden, Krematorium 1912. Hamburg, Gewerbehaus, Kaufmännische Fortbildungsschule 1919. / Wilhelm Kreis, geb. 1873; Düsseldorf, Wilhelm-Marx-Haus 1922—24. Halle, Provinzial-Landes-Mus. 25 1910—12. Düsseldorf, Museumsbauten (Gesolei) 1926. / Joseph Hoffmann, geb. 1870; Köln, Werkbundausstellung 1914, Österreichisches Haus. Brüssel, Stocklethaus 1905 bis 1911. / Heinrich Tessenow, geb. 1876; Hellerau, Schule für rhythmische Gymnastik [S. 865], 1910—12. / Friedrich Ostendorf, 1871—1915 (Theoretiker). / Oscar Strnad, geb. 1879; Villen in Wien; Siedlung am Flötzersteig. / Paul Bonatz, geb. 1877; Stutt- 30 gart, Bahnhof 1913—27 [S. 866]. Düsseldorf, Bürohaus Stummkonzern 1913—25. / Bernhard Hoetger, geb. 1874; Hannover, Keksfabrik Bahlsen. / Hanz Poelzig, geb. 1869; Lauban bei Posen, Milchsche Fabrik 1912. Berlin, Großes Schauspielhaus 1919 [S. 886]; Verwaltungsgebäude I. G.-Farben, Frankfurt a. M., voll. 1930. / Bruno Taut, geb. 1880; Köln, Werkbundausstellung 1914, Glashaus. Magdeburg, Halle für Stadt und Land 35 1922. / Walter Gropius, geb. 1883; Ahlfeld an der Leine, Fagus-Fabrik 1914 [S. 887]. Weimar, Bauhaus 1919. Dessauer Bauhaus 1926. / Mies van der Rohe, geb. 1886; Modell eines Hochhauses in Glas und Eisen 1921. / Hans Luckhardt, geb. 1890; Siedlung Dahlem 1925. / Erich Mendelsohn, geb. 1887: Potsdam, Einsteinturm 1921. Stuttgart, Warenhaus Schocken 1926. / Ernst May, geb. 1887; Frankfurt a. M., Siedlungsbauten. Städte- 40 bau in Rußland.

3. ENGLAND

A. MALEREI. Sir John Lavery, geb. 1857. / P. Wilson Steer, geb. 1860. / D. Y. Cameron, geb. 1865. / Walter Richard Sickert, geb. 1860. / William Rothenstein, geb. 1872. / Frank Brangwyn, geb. 1867. / Aubrey Vincent Beardsley, 1872—98. / Sir William Orpen, 1878 bis 1931. / Augustus John, geb. 1879. / Charles Sims, geb. 1873. / Laura Knight, tätig 45 seit 1904. / Henry Lamb, geb. 1885. / Paul Nash, geb. 1889. / Stanley Spencer, geb. 1891.

B. PLASTIK. Jakob Epstein, geb. 1880. / Eric Gill, geb. 1882.

C. ARCHITEKTUR. Sir Reginald Blomfield, geb. 1856: Regens Street Quadrant. / W. R. Lethaby, 1857—1931: Avon Tyrell, Hampshire. / C. F. A. Voysey, geb. 1857: Perrycroft, Malvern. / Sir Raymond Unwin, geb. 1863: Letchworth Garden City Plan. / Sir Edwin 50 Lutyens, geb. 1869: Marshcourt, Hants. / Sir Giles Gilbert Scott, geb. 1880: Liverpool Cathedral.

DIE KUNST VOM 18. JH. BIS ZUR GEGENWART IN DEN ÜBRIGEN LÄNDERN

1. SCHWEIZ

A. MALEREI. Emanuel Handmann, 1718—81. / Johann Ludwig Aberli, 1723—86. / Salomon Gessner, 1730—88, s. a. Deutschl. / Jean Melchior-Joseph Wyrsch, 1732—98. / Pierre Louis de la Rive, 1735—1817. / Anton Graff, 1736—1813, s. a. Deutschl. / Christian von 55 Mechel, 1737—1817. / Angelica Kauffmann, 1741—1807, s. a. Deutschl. / Johann Heinrich Wüst, 1741—1821. / Johann Heinrich Füssli, 1741—1825, s. a. Deutschl. / Sigismund

Freudeberg, 1745—1801. / Peter Birrmann, 1758—1844. / Ludwig Hess, 1760—1800. / Johann Jakob Biedermann, 1763—1830. / Simon Daniel Lafond, 1765—1831. / Franz Nicolas König, 1765—1832. / Wolfgang Adam Töpfer, 1766—1847. / Firmin Maisot, 1766—1849. / Jacques Laurent Agaise, 1767—1848. / Josef Reinhardt, 1769—1829. / Maximilian von Meuron, 1785—1868. / Ludwig Vogel, 1788—1879. / Leopold Robert, 1794—1835, s. a. Frankreich. / Franz Diday, 1802—77. / Johann Friedrich Dietler, 1804—74. / Mars-Charles-Gabriel Gleyre, 1806—74. / Alexander Calame, 1810—64. / Barthel Menn, 1815—93. / Alfred von Muyden, 1818—98. / Albert von Meuron, 1823—97. / Gustav Casten, 1823—92. / Arnold Böcklin, 1827—1901, s. a. Deutschl. / Frank Buchser, 1828—1910. / Rudolf Koller, 1828—1905. / Benjamin Vautier, 1829—98. / Ernst Stückelberg, 1831—1903. / Otto Fröhlicher, 1840—90. / Adolf Stäbli, 1842—1901. / Arnold Steffan, 1848—82. / August Band-Bory, 1848—99. / Hans Sandreuter, 1850—1901. / Eugen Burnand, 1850—1921. / Charles Gison, 1850—1914. / Paul Robert, 1851—1923. / Ferdinand Hodler, 1853—1918, s. a. Deutschl. / Luise Breslau, geb. 1856. / Karl Stauffer-Bern, 1857—91. / Giovanni Segantini, 1858—99, s. a. Italien. / Albert Welti, 1862—1912. / Ernst Kreidolf, geb. 1863. / Wilhelm Balmer, 1865—1922. / Max Buri, 1868—1915, s. a. Deutschl. / Cuno Amiet, geb. 1868, s. a. Deutschl. / Giovanni Giacometti, geb. 1868. / Hans Brühlmann, geb. 1878. / Alfred Heinrich Pellegrini, geb. 1881.

B. PLASTIK. Friedrich Funk, 1745—1811. / Alexander Trippel, 1754—1833, s. a. Deutschl. / Jean Jaquet, 1765—1839. / James Pradier, 1792—1852. / Max Imhof, 1795—1869. / Josef Volmar, 1796—1865. / Ferdinand Schlöth, 1818—91. / Vincenzo Vela, 1820—91. / Robert Dorer, 1830—93. / Victor von Meyenburg, 1834—93. / Adèle d'Affry, 1836—79. / Karl Alfred Lang, 1847—1907. / Richard Kissling, 1848—1919. / Max Leu, 1862—99. / Rodo von Niederhäusern, 1863—1913. / Hugo Siegwart, geb. 1865. / James Vibert, geb. 1872. / Karl Albert Angst, geb. 1875. / Hermann Haller, geb. 1880, s. a. Deutschl.

C. ARCHITEKTUR. David Morf, 1700—73: Zürich, Zunfthaus Meise. / Gaetano Matteo Pisoni, 1713—82, und Paolo Antonio Pisoni, 1738—1824: St. Ursus in Solothurn 1765—70. / Nicolas Sprüngli, Ende 18. Jh.: Bern, Musikhaus; Bibliotheksgalerie. / Samuel Werenfels, 1720—1800: Basel, Würtembergerhof, Wendelstöckerhof, Reichensteinerhof (1761). / Daniel Büchel, 1726—86. / Friedrich Studer und Eduard Davinet, Mitte 19. Jh.: Bern, Haus der Eidgenossenschaft. / Karl Moser, geb. 1860: Zürich, Kunsthaus und Universität. / M. R. von Wurttemberger: Bern, Theater 1903. / Gebr. Pfister: Zürich, Nationalbank. / Hans Schmidt: Basel, Wohnhäuser. / Otto Pfleghard, geb. 1869, und Max Haefeli, geb. 1869. / Le Corbusier, geb. 1887, s. a. Frankreich.

2. BELGIEN

A. MALEREI. Jan Joseph Horemanns d. J., 1714 bis nach 1790. / Peter Joseph Verhaghen, 1728—1811. / Andries Cornelis Lens, 1739—1822. / Balthasar Pawel Ommeganck, 1755 bis 1826. / M. François Simonan, 1783—1859. / François Joseph Navez, 1787—1869. / Ferdinand de Braekeleer, 1792—1883. / Jean Baptiste Madou, gest. 1877. / Eugène Verboeckhoven. 1799—1881. / Gustav Wappers, 1803—74. / Antoine Wiertz, 1806—65. / Edouard de Biefve, 1809—82. / Louis Gallait, 1810—87. / Nikaise de Keyser, 1813—87. / Henry Leys, 1815—69. / Joseph Stevens, 1816—92. / Liévin de Winne, 1821—80. / Charles de Grou, 1825—70. / Alfred Stevens, 1828—1906. / Louis Dubois, 1830—80. / Félicien Rops, 1838—97. / Guillaume Vogels, 1836—96. / Louis Artan, 1837—90. / Hippolyte Boulenger, 1837—74. / Alfred Verwée, 1838—95. / Jan Stobbaerts, 1838—1914. / Adrien-Joseph Heymans, 1839—1921. / Henri de Braekeleer, 1840—88. / Edouard Agneessens, 1842—85. / Emile Wauters, geb. 1846. / Emile Claus, geb. 1849. / Alfred Verhaeren, 1849—1924. / Jean Degreff, 1852—94. / Frans Courtens, geb. 1853. / Jakob Smits, 1856 bis 1928. / Léon Fréderic, geb. 1856. / Theo van Rysselberghe, geb. 1862. / Eugène Laermans, geb. 1864. / Ferdinand Khnoopf, 1858—1921. / James Ensor, geb. 1860. / Auguste Oleffe, geb. 1867. / Henry Evenepol, 1872—99. / Gustave van de Woestyne, geb. 1881. / Rik Wouters (auch Bildhauer), 1882—1916. / Albert Servaes, geb. 1883. / Fritz van den Berge, 1883. / Constant Permeke, geb. 1886. / Gustave de Smet, geb. 1877. / Edgar Tytgat, geb. 1879. / Frans Masereel (vor allem Holzschneider), geb. 1889.

B. PLASTIK. Pierre Antoine de Verschaffelt, 1710—93. / Augustin Ollivier, 1739—88. / Gilles Lambert Godecharle, 1750—1835. / Eugène Simonis, 1810—82. / Charles Fraikin, 1817 bis 1893. / Constantin Meunier, 1831—1905. / Charles van der Stappen, 1843—1910. / Paul de Vigne, 1843—1901. / Jules Dillens, 1849 —1904. / Thomas Vinçotte, 1850—1923. / Jacques Lalaing, 1858—1917. / Josef Lambeaux, 1852—1908. / Jules Lagae, geb. 1862. / Victor Rousseau, geb. 1865. / Egide Rombaux, geb. 1865. / George Minne [S. 860], geb. 1866.

C. ARCHITEKTUR. Barnabé Guimard, gest. 1792, in Brüssel tätig 1765—86; Hôtel du Conseil de Brabant (Parlament) 1779—83, im 19. Jh. umgebaut. / Joseph Poelaert, 1816—79; Brüssel, Justizpalast 1866—83. / Victor Horta, geb. 1861. / Henry van de Velde [S. 859], geb. 1863: Hagen, Haus Osthaus. Paris, Théâtre des Champs Elysées. / Paul Hankar, 1861—1901: Wohnhäuser in Brüssel. 5

3. HOLLAND

A. MALEREI. Cornelis Troost, 1697—1750. / Jacques de Witt, 1695—1754. / Frans van der Miyn, 1719—83. / Adriaan de Lelie, 1755—1820. / Pieter Gerardus van Os, 1776—1839. / Jan Willem Pieneman, 1779—1853. / Johannes Bosbon, 1817—91. / Johann Bartold Jongkin, 1819—91. / Joseph Israels, 1824—1911. / Jan Hendrik Weissenbruch, 1828 bis 1903. / Hendrik Willem Mesdag, 1831—1915. / Jakob Maris, 1837—99. / Matthys 10 Maris, 1839—1917. / Willem Maris, 1844—1910. / Anton Mauve, 1838—88. / Vincent van Gogh [S. 852], 1853—90. / Jan Toroop, 1856—1927. / Suze Bischop-Robertson, geb. 1856. / Georg Hendric Breitner, 1857—1923. / Pieter Josselinde Jong, 1861—1906. / Willem Hendrik de Zwart, geb. 1862. / Marius Alexander Jacques Bauer, geb. 1864. / Isaac Israels, geb. 1865. / Willem van Konijnenburg, geb. 1868. / Jan Thorn-Prikker, 1870 15 bis 1932. / Kees van Dongen, geb. 1877. / Jan Sluyters, geb. 1880. / Piet Mondrian, geb. 1872. / Lodewijk Schelfhout, geb. 1881.

B. ARCHITEKTUR. Friedrich Ludwig Gunckel, 1743—1835: Haag, Palais des Statthalters, 1772—96. / Hendrick Petrus Berlage, 1856—1934: Amsterdam, Neue Börse 1898—1904. / Wilhelm Marinus Dodok, geb. 1884: Hilversum, Schule 1921. / Michel de Klerk (1824 20 bis 1923) und Pieter Lodewijk Kramer (geb. 1881): Haag, Kaufhaus Bijenkorf 1924. / Jakobus J. P. Oud, geb. 1890. / C. C. van der Vlugt, geb. 1894 (mit J. W. Wiebenga, geb. 1886): Groningen, Gewerbeschule 1922.

4. DÄNEMARK

A. MALEREI. Abraham Nicolai Abilgaard, 1743—1809. / Jens Juel, 1745—1802. / Christoffer Wilhelm Eckersberg, 1783—1853. / Constantin Hansen, 1804—80. / Christen Köbke, 25 1810—48. / Wilhelm Marstrand, 1810—73. / Peter Christian Skovgaard, 1817—75. / Johan Thomas Lundbye, 1818—48. / Lorens Frölich, 1820—1908. / Th. Philipsen, 1840 bis 1920. / Kristian Zahrtmann, geb. 1848. / Michael Ancher, 1849—1927. / Severin Kroyer, 1851—1909. / Viggo Johansen, geb. 1851. / L. A. Ring, 1854—1933. / Poul S. Christiansen, 1855—1933. / Joachim Skovgaard, 1856—1933. / Anna Ancher, geb. 1859. / 30 Fritz Syberg, geb. 1862. / Vilhelm Hammershoi, 1864—1916. / Johannes Larsen, geb. 1867. / Sigurd Swane, geb. 1879. / Edward Weie, geb. 1879. / Harald Giersing, 1881—1927. / O. Rude, geb. 1886. / V. Lundström, geb. 1893. / Jens Sóndergaard, geb. 1895.

B. PLASTIK. Bertel Thorvaldsen, 1770—1844: Kopenhagen, Plastik der Frauenkirche seit 1819; Rom, St. Peter, Grabmal Pius' VII. 1824—40. / Herman Vilhelm Bissen, 1798—1868. / 35 Jens Adolf Jerichau, 1816—83. / Kai Nielsen, 1882—1924. / Svend Rathsack, geb. 1885. / Johannes C. Bjerg, geb. 1886. / Adam Fischer, geb. 1888.

C. ARCHITEKTUR. Kaspar Fredrik Harsdorff, 1735—99: Kopenhagen, Verbindungshalle zwischen den Amalienborgpalästen, nach 1794. / Christian Frederik Hansen, 1756—1845. / Michael Gottlieb Bindesböll, 1800—56: Kopenhagen, Thorvaldsen-Museum. / Hans 40 Christian Hansen, 1803—83: Athen, Universität 1837—42. / Martin Nyrop, 1849—1921: Kopenhagen, Rathaus. / Carl Petersen, 1874—1923: Faaborg, Museum.

5. SCHWEDEN UND FINNLAND

A. MALEREI. Gustav Lundberg, 1695—1786. / Carl Gustav Pilo, 1711—93. / Alexander Roslin, 1718—93. / Per Hilleström, 1733—1816. / Lorenz Pasch d. J., 1733—1805. / Pehr Hörberg, 1746—1816. / Elias Martin, 1739—1818. / Carl Fredrik von Breda, 1759—1818. / Carl- 45 Johan Fahlcrantz, 1774—1861. / Peter Krafft d. J., 1777—1863. / Olof-Johan Södermark, 1790—1848. / Carl Wahlbom, 1810—58. / Ferdinand Fagerlin, 1825—1907. / Johan Fredrik Höckert, 1826—66. / Alfred Wahlberg, 1834—1906. / Georg von Rosen, 1843—1923. / Gustaf Cederström, 1845—1933. / Ernst Josephson, 1851—1906. / Carl Larsson [S. 863], 1853—1919. / Albert Edelfelt, 1854—1905 (Finnland). / Carl Nordström, 1855—1923. / 50 Nils Kreuger, geb. 1858. / Bruno Liljefors, geb. 1860. / Anders Zorn [S. 849], 1860—1920. / Prinz Eugen von Schweden, geb. 1865. / Axel Gallén, 1865—1931 (Finnland). / Leander Engström, 1886—1927. / Nils v. Dardel, geb. 1888. / Isaak Grünewald, geb. 1889. / Einar Jolin, geb. 1890. / Hilding Linnquist, geb. 1891.

B. PLASTIK. Pierre Hubert Larchevêque, 1721—78. / Tobias Sergel, 1740—1814. / Johan Niklas Byström, 1783—1848. / Bengt Erland Fogelberg, 1786—1854. / Johann Peter Molin, 1814—73. / Per Hasselberg, 1850—94. / Christian Eriksson, geb. 1858. / Carl Eldh, geb. 1873. / Carl Milles, geb. 1875. / Wäinö Aaltonen, geb. 1894 (Finnland).

C. ARCHITEKTUR. Carl Hårleman, 1700—53. Stockholm, Schloß, Interieurs; Övedskloster. / Fredrik Adelcrantz, 1716—96: Stockholm, Altes Opernhaus. / Erik Palmstedt, 1741 bis 1803: Stockholm, Börse. / Carl Wilhelm Carlberg, 1745—1814. / Fredrik Blom, 1781—1853: Schloß Rosendal. / Isak Gustaf Clason, 1856—1930: Stockholm, Nordisches Museum. / Ferdinand Boberg, geb. 1860: Ausstellung Stockholm 1897. / Ragnar Östberg, geb. 1866: Stockholm, Stadthaus 1911—23. / L. J. Wahlmann, geb. 1870: Stockholm, Engelbrechts-Kirche, Rathaus. / Eliel Saarinen, geb. 1873 (Finnland): Helsingfors, Bahnhof, beg. 1904. / Ivar Tengbom, geb. 1879: Stockholm, Högalids-Kirche; Konzerthaus. / E. G. Asplund, geb. 1885: Stockholm, Stadtbibliothek 1927.

6. NORWEGEN

A. MALEREI. Eggert Munch, ca. 1685—1764. / P. Aadnes, 1739—92. / Johann Christian Clausen Dahl, 1788—1857. / Thomas Fearnley, 1802—42. / Peder Balke, 1804—87. / Adolf Tidemand, 1814—76. / Hans Gude, 1835—1903. / Ludwig Munthe, 1841—96. / Fritz Thaulow, 1847—1906. / Christian Krogh, geb. 1852. / Erik Werenskjold, geb. 1855. / Edvard Munch [S. 860], geb. 1863. / Halfdan Egedius, 1877—99. / Henrik Sörensen, geb. 1882. / Per Krohg, geb. 1889. / Axel Revold, geb. 1887. / Alf Rolfsen, geb. 1895.

B. PLASTIK. Hans Michelsen, 1789—1859. / Julius Olavius Middelthun, 1820—66. / Brynjulf Larsen Bergslien, 1830—98. / Stephan Sinding, 1846—1922. / Gustav Vigeland, geb. 1869.

C. ARCHITEKTUR. J. A. Stuckenbrock † 1756: Kongsbergs Kirche (1740—61). / H. D. F. Linstow, 1788—1851: Oslo, Schloß und Carl Johanstraße. / Chr. H. Grosch, 1801—65: Oslo, Börse, Universität. / H. E. Schirmer, geb. in Deutschland, 1814—87: Oslo Krankenhaus. / Holm Munthe, 1848—98. / Chr. Arneberg, geb. 1882: Oslo Telegraf- und Telefonstation. / M. Paulsson, geb. 1881: Oslo, Rathaus (mit Arneberg).

7. ITALIEN

A. MALEREI. Antonio Canaletto, 1697—1768. / Pietro Longhi, 1702—85. / Pompeo Batoni, 1708—87. / Francesco Guardi, 1712—93. / Bernardo Belotto, gen. Canaletto, 1720—80. / Giovanni Battista Piranesi (Radierer und Architekt), 1720—78. / Giuliano Trabellesi, 1727—1812. / Giovanni Volpato (Kupferstecher), 1738—1822. / Paolo Girolamo Brusco, 1742—1820. / Andrea Appiani, 1754—1817. / Gaspare Landi, 1756—1830. / Raffael Morghen, 1758—1833. / Pietro Benvenuti, 1769—1844. / Vincenzo Camuccini, 1771—1844. / Pelagio Palagi, 1775—1860. / Giuseppe Bossi, 1777—1815. / Giuseppe Diotti, 1779—1846. / Giovanni Demin, 1786—1859. / Giambattista Borghesi, 1790—1846. / Francesco Hayez, 1791—1881. / Carlo Bellosio, 1801—49. / Luigi Mussini, 1813—88. / Filippo Palizzi, 1818 bis 1899. / Stefano Ussi, 1822—1901. / Giuseppe Bertini, 1825—98. / Giovanni Fattori, 1825—1908. / Domenico Morelli, 1826—1901. / Eleuterio Pagliano, 1826—1903. / Federico Faruffini, 1831—69. / Tranquillo Cremona, 1837—78. / Cesare Fracassini, 1838—68. / Cesare Maccari, 1840—1919. / Guglielmo Ciardi, 1843—1917. / Giovanni Boldoni, geb. 1845. / Giacomo Favretto, 1849—87. / Paolo Francesco Michetti, geb. 1851. / Giovanni Segantini [S. 851], 1858—99. / Ettore Tito, geb. 1859. / Armando Spadini, 1883—1925. / Amadeo Modigliani, 1884—1920. / Umberto Boccioni, gest. 1916. / Carlo Carrà, geb. 1881. / Gino Severini, geb. 1883. / Ardengo Soffici. / Giorgio de Chirico [S. 885], geb. 1888. / Ubaldo Oppi, geb. 1889.

B. PLASTIK. Giuseppe Franchi, 1731—1806. / Antonio Canova, 1757—1822. / Carlo Albacini, 1777—1858. / Lorenzo Bartolini, 1777—1850. / Carlo Finelli, 1785—1853. / Pietro Tenerani, 1789—1869. / Stefano Ricci, 1790—1837. / Carlo Marochetti, 1805—67. / Giovanni Dupré, 1817—82. / Vincenzo Vela, 1822—91. / Giulio Monteverde, 1837—1917. / Antonio del Zotto, 1840—1917. / Achille d'Orsi, 1845—1929. / Vincenzo Gemito, geb. 1852. / Ettore Ximenes, geb. 1855. / Davide Calandra, 1856—1915. / Domenico Trentacoste, geb. 1856. / Medardo Rosso, geb. 1858. / Leonardo Bistolfi, geb. 1859. / Eugenio Pellini, geb. 1864. / Adolfo Wildt, 1868—1931. / Pietro Canonica, geb. 1869. / Angelo Zanelli, geb. 1879. / Rembrandt Bugatti, 1883—1916. / Alfredo Pina, geb. 1883. / Attilio Selva, geb. 1888.

C. ARCHITEKTUR. Gaspari Paoletti, 1727—1813: Florenz, Villa Poggio Imperiale. / Giuseppe Piermarini, 1734—1808: Mailand, Scala 1776—78; Palazzo della Villa Reale, seit 1790. / Giuseppe Valadier, 1762—1839: Rom, S. Pantaleon 1816; Teatro Valle 1832; Neugestaltung der Piazza del Popolo 1816—20. / Carlo Francesco Barabino, 1768—1835: Genua, Theater Carlo Felice, Campo Santo. / Giuseppe Barbieri, 1777—1838: Verona, Palazzo del

Municipio, 1836—38. / Pietro Bianchi, 1787—1849: Neapel, S. Francesco di Paola 1815 bis 1824. / Rudolfo Vautini, 1791—1856: Brescia, Campo Santo. / Pietro Camporese d. J., 1792—1873: Rom, Umbau des Teatro Argentina 1837; Ospedale di S. Giacomo 1843. / Gaetano Baccani, 1792—1867: Florenz, Palazzo Borghese. / Alessandro Antonelli, 1798 bis 1888: Turin, Mole Antoniana. / Mariano Falcini, 1804—85: Florenz, Synagoge. / Emilio de Fabris, 1808—83: Florenz, Domfassade. / Antonio Cipolla, 1822—74. / Giovanni Battista Filippo Basile, 1825—91: Theater in Girgenti, Militello, Palermo. / Giuseppe Mengoni, 1829—77: Mailand, Galleria Vittorio Emanuele. / Camillo Boito, 1836—1914: Padua, Museum und Schulen. / Guglielmo Calderini, 1840—1916: Rom, Justizpalast. / Giuseppe Sacconi, 1853—1905. / Luca Beltrami, geb. 1854: Mailand, Banca Commerciale; Castello Sforza. / Dario Carbone, geb. 1860: Genua, Neue Börse. / Raymondo de Aronco: Turin, Ausstellungsbauten 1892, 1902. / Marcello Piacentini, geb. 1881: Rom, Banca d'Italia; Albergo degli Ambasciatori. / A. di Sant'Elia, 1888—1916: Entwürfe für eine Stadt der Zukunft. / G. Moretti, Wasserkraftwerke. / A. Foschini: Rom, Villen und Mietshäuser.

8. SPANIEN

A. MALEREI. Francisco Bayeu y Subias, 1734—95. / Francisco José de Goya y Lucientes, 1746—1828 [S. 741—745]. / Vicente López, 1772—1850. / José Madrazo, 1781—1859. / Leonardo Alenza y Nieto, 1807—45. / José Guttiérrez de la Vega, gest. 1865. / Federico de Madrazo, 1815—94. / Eugenio Lucas y Padilla, 1824—70. / Carlos de Haes, 1829—98. / Vicente Palmaroli, 1835—96. / Eduardo Rosales, 1837—73. / Mariano Fortuny, 1838 bis 1874. / Francisco Pradilla y Ortiz, 1848—1921. / Gonzalo Bilbao y Martinez, geb. 1860. / Joaquin Sorolla, geb. 1862. / Ignacio Zuloaga, geb. 1870. / Juan Gris, geb. 1887. / Pablo Picasso s. Frankreich S. 944. / Juan Miró, geb. 1899.

B. PLASTIK. José Ginés, 1768—1823. / José Álvarez de Pereira y Cubero, 1768—1828. / Antonio Sola, geb. 1801. / Ponciano Ponzano y Gascón, 1813—77. / Ricardo Bellver y Ramón, 1845—1924. / Arturo Melvida y Alinari, 1848—1902. / Agustín Querol, 1863—1909. / Eugenio Barron, gest. 1911. / Aniceto Marinas y Garcia, geb. 1866. / Miguel Angel Trilles, geb. 1866. / Miguel Blay y Fabrega, geb. 1866. / Mariano Beulliure. / Julio Antonio, 1889 bis 1919.

C. ARCHITEKTUR. Francisco de las Cabezas, 1709—73: Madrid, S. Francisco el Grande, beg. 1761. / Ventura Rodriguez, 1717—85: Zaragoza, Arbeit an der Kathedrale 1753; Pamplona, Fassade der Kathedrale 1783. / Francisco Sabatini, 1722—97: Madrid, Tor von Alcala 1764—78. / Agustín Sanz, 1724—1801: Zaragoza, Santa Cruz. / Juan Soler, 1731—94: Barcelona, Börse, beg. 1772. / Juan de Villanueva, 1739—1811: Madrid, Säulenhalle am Pradomuseum, beg. 1785. / Silvestre Pérez, 1767—1825. / Narcisco Pascual, 1808—70: Madrid, Haus der Abgeordneten. / Enrique Maria Repulles y Varga 1845 bis 1922: Madrid, Börse. / Emilio Rodriguez Ayuso, geb. 1845, u. C. Alvarez Capra: Madrid, Plaza de Toros. / Luis Domenech y Montanez, geb. 1850. / Antonio Gaudí, 1852 bis 1926: Barcelona, Kathedrale Sagrada Familia, seit 1882. / Eduardo de Adora u. Severino Sainz de la Lastra: Madrid, Bank von Spanien 1884—91. / José Puig y Cadafalch, geb. 1869.

9. PORTUGAL

A. MALEREI. Cirilo Volkmar Machado, 1748—1823. / José Costa, 1763— nach 1826. / José da Cunha Taborda, 1766—1834. / Domingos Antonio de Sequeira, 1768—1837. / Maximo Paulino de Reis, 1786—1834. / Antonio Manuel de Fonseca, 1796—1890. / Thomas José da Annunciação, 1818—79. / Francisco Augusto Metrass, 1825—61. / Miguel Angelo Lupi, 1826—83. / José da Silva Cristino, 1829—77. / Antonio Carvalho da Silva Porto, 1850 bis 1893. / Alfredo Keil, 1851—1907. / Columbano Bordallo-Pinheiro, 1857—1928. / Carlos Reis, geb. 1864. / Constantino Fernandes, geb. um 1875.

B. PLASTIK. Joaquim Machado de Castro, 1731—1822. / José Simões d'Almeida, geb. 1844. / Antonio Loares dos Reis, 1847—89. / Antonio Teixeira Lopez, geb. 1860. / Thomas Costa, geb. 1861. / Antonio Augusto da Costa Mota, 1862—1930. / Moreiro Rato, geb. 1860.

C. ARCHITEKTUR. Domingos Parente da Silva, 1836—1901: Lissabon, Rathaus. / Miguel Ventura Terra, 1866—1919: Lissabon, Abgeordnetenhaus. / Raul Lino: Wohnhäuser.

10. POLEN

A. MALEREI. Marcello Bacciarelli, 1731—1818 (seit 1765 in Polen tätig). / Jean Pierre Norblin, 1745—1830 (1774—1804 in Polen tätig). / Kazimierz Wojniakowski, 1762—1812. / Aleksander Orlowski, 1777—1832. / Antoni Brodowski, 1784—1832. / Wojciech Stattler, 1797 bis 1875. / Piotr Michałowski, 1800—1855. / Józef Simmler, 1823—1868. / Henryk Rodakowski, 1823—94. / Juljusz Kossak, 1824—99. / Artur Grottger, 1837—67. / Jan Matejko, 1838—93. / Józef Brandt, 1841—1915. / Henryk Siemiradski, 1843—1902. / Maksymiljan Gierymski, 1846—74. / Aleksander Gierymski, 1849—1901. / Józef Chełmoński, 1850 bis 1914. / Leon Wyczółkowski, geb. 1852. / Juljan Fałat, 1853—1929. / Jacek Malczewski, 1855—1929. / Władysław Ślewiński, 1855—1918. / Teodor Axentowicz, geb. 1859. / Jan Stanisławski, 1861—1907. / Apolonjasz Kędzierski, geb. 1861. / Stanisław Lentz, 1862 bis 1920. / Olga Boznańska, geb. 1865. / Józef Pankiewicz, geb. 1866. / Stanisław Wyspiański, 1869—1907. / Józef Mehoffer, geb. 1869. / Wojciech Weiss, geb. 1875. / Władysław Skoczylas, 1883—1934. / Eugenjusz Zak, 1884—1926. / Zbigniew Pronaszko, geb. 1885. / Tadeusz Pruszkowski, geb. 1888. / Ludomir Ślendzinski, geb. 1889. / Wacław Wąsowicz, geb. 1891. / Rafał Malczewski, geb. 1892. / Zofja Stryjeńska, geb. 1893.

B. PLASTIK. Giacopo Monaldi, 1730— nach 1797 (seit 1768 in Polen tätig). / André Jean Lebrun, 1737—1811 (1768—1795 in Polen tätig). / Jakób Tatarkiewicz, 1798—1854. / Marceli Guyski, 1832—93. / Wacław Szymanowski, 1859—1931. / Xawery Dunikowski, geb. 1875. / Jan Szczepkowski, geb. 1878. / Edward Wittig, geb. 1879. / Henryk Kuna, geb. 1885. / August Zamoyski, geb. 1893.

C. ARCHITEKTUR. Ephraim Schroeger, 1727—83: Warschau, Palais Tepper, 1773; Fassade der Karmeliterkirche, 1781; Umbau des Palais Primas, 1784. / Domenico Merlini, 1731 bis 1797 (seit ca. 1764 in Polen tätig): Warschau, Umbau des Kgl. Schlosses, 1770—86; Palais Łazienki, 1784—93; Palais in Jabłonna, Królikarnia u. Natolin bei Warschau. / Simon Gottlieb Zug, 1733—1807: Warschau, Evangelische Kirche, 1777—79. / Stanisław Zawadzki, 1743—1806: Warschau, Artillerie-Kaserne, 1784—89; Palais in Śmiełów, 1797; Dobrzyca 1799; Lubostroń 1800. / Piotr Aigner, 1746—1841: Warschau, Umbau der Fassade der Bernhardinerkirche, 1788; Kirche in Pulawy, 1803; Warschau, Umbau des Statthalter-Palais, 1817—18; Alexander-Kirche, 1818—26. / Wawrzyniec Gucewicz, 1753—98: Wilna, Umbau der Kathedrale, seit 1777; Umbau des Rathauses, 1781—83; Bischöfl. Palais, 1792. / Jakób Kubicki, 1758—1833: Palais Białaczew, 1800; Bejsce, 1802; Pławowice, 1804; Warschau, Palais Belvedere, 1818—22. / Antonio Corazzi, 1792—1877 (tätig in Polen 1824—41): Warschau, Palais Staszic, 1820; Palais Mostowski, 1823; Bauten des Finanzministeriums, 1824—30; Großes Theater, 1825—33. / Henryk Marconi, 1792 bis 1863 (tätig in Polen seit 1822): Warschau, Palais Pac, 1824—28: Hauptbahnhof, 1844—45. / Marjan Lalewicz, geb. 1876: Warschau, Haus der Beamten der Postsparkasse; Bank für Landwirtschaft. / Zdisław Mączeński, geb. 1878: Warschau, Kultusministerium. / Czesław Przybylski, geb. 1880: Warschau, Polnisches Theater, 1913. / Edgar Norwerth, geb. 1884: Bielany bei Warschau, Zentralinstitut für körperliche Bildung.

11. TSCHECHOSLOWAKEI

A. MALEREI. Josef Navrátil 1798—1865. / Josef Mánes 1820—71. / Karel Purkyně 1834—68. / Antonin Slavíček 1870—1910. / J. Preisler 1872—1918. / Alfred Kubin, geb. 1877. / Alfred Justitz 1879—1934. / Hugo Steiner, geb. 1880. / Emil Filla, geb. 1882. / Georg Kars, geb. 1882. / Willi Nowak, geb. 1886. / Antonín Procházka, geb. 1882. / Josef Čapek, geb. 1883. / Otokar Kubin (Othon Coubine), geb. 1883. / Rudolf Kremlička 1886—1932.

B. PLASTIK. Josef Václav Myslbek 1848—1922. / Jan Štursa 1880—1925. / O. Gutfreund 1889—1927. (Franz Metzner, Hugo Lederer, Anton Hanak: siehe unter Deutschland.)

C. ARCHITEKTUR. Jan Kotěra 1871—1923, Prag: Mozarteum, Allgemeine Pensionsanstalt — gemeinsam mit Zasche; Königgrätz: Museum. / H. Zasche, Prag: Böhm. Bankverein, Allgem. Pensionsanstalt — gemeinsam mit Kotěra. / Josef Gočár, geb. 1880, Prag: Haus zur Schwarzen Mutter Gottes, Legiobank, Wenzelskirche; Königgrätz: Stadterweiterung. / Pavel Janak, geb. 1882: Prag, Hlavkabrücke, Restaurierung und Erweiterungsbauten am Černinpalais. / A. Chocholl, geb. 1885: Prag, Villen und Mietshäuser. / Boh. Fuchs, geb. 1885: Brünn, Bankbauten, Villen. / Oldřich Tyl, geb. 1885: Prag, Messegebäude, Iwcahaus. / Ernst Wiesner, geb. 1885: Brünn, Bankbauten, Villen. / Jan Krejčar, geb. 1892: Prag, Palais Olympic, Haus der čsl. Privatbeamten. / Havliček und Honzík: Prag, Neubau der Allgem. Pensionsanstalt. / E. F. Líbra, Prag, Transformatorenhaus, Mietsblock.

12. UNGARN

A. MALEREI. Carl Markó, 1791—1860. / Miklos Barabás, 1810—98. / Josef Borsos, 1821—83. / Michael v. Zichy, 1827—1906. / Victor v. Madarász, 1830—1917. / Karl Lotz, 1833—1904. / Berthold v. Székely de Adamas, 1835—1910. / M. Munkácsy, 1844—1909. / Paul v.

Scinyei-Merse, 1845—1920. / Ladislaus v. Paál, 1846—79. / Alexander Bihari, 1856 bis 1906. / Josef Rippl-Ronai, 1861—1927. / Károly Ferenczy, 1862—1917. / Daniel Michalik, 1869—1906. / Aurel Bernath, geb. 1895. / Stefan Szönyi, geb. 1896.

B. PLASTIK. Stefan Ferenczi, 1792—1856. / Miklos Izsó, 1831—75. / Adolf Huszár, 1843—85. / Alois Stróbl, 1856—1927. / János Fadrusz, 1858—1903. / Kornel Sámuel, 1883—1914. / Imre Csikász, 1884—1914. / Paul Patráy, geb. 1896.

C. ARCHITEKTUR. Melchior Hefele, 1716—99: Preßburg, Primatialpalais, beg. 1778; Steinamanger, Dom, beg. 1791. / Michael Pollack, 1773—1855: Budapest, Nationalmuseum 1836—47. / Josef Hild, 1789—1867: Eger, Dom 1832—37. / Nicolaus Ybl, 1814—91: Budapest, Oper. / Friedrich Ferzl, 1820—84: Budapest, Palast des Vigadio. / Emerich Steindl, 1839—1902: Budapest, Parlament. / Béla Lajta, 1875—1920: Budapest, Handelsschule.

13. JUGOSLAVIEN

A. MALEREI. Ferdo Vesel, geb. 1861. / Richard Jakopic, geb. 1869. / Emanuel Vidovic, geb. 1872. / Matej Jama, geb. 1872. / Milivoj Uzelac, geb. 1892. / France Kralj, geb. 1895. / Tone Kralj, geb. 1900.

B. PLASTIK. Toma Rosandic, geb. 1880. / Ivan Mestrovic, geb. 1883. / Sreten Stojanovic, geb. 1898.

14. RUMÄNIEN

MALEREI. Theodor Aman, 1831—91. / Nicolae Jon Grigorescu, 1838—1907. / Ivan Andreescu, 1851—82. / Stefan Luchian, 1868—1916.

15. BULGARIEN

MALEREI. Jan Mrkvička, geb. 1856. / Jules Pascin, 1885—1930.

16. GRIECHENLAND

A. MALEREI. Nicephoros Lytras, 1832—1904. / Nicolai Gysis, 1842—1901. / Angelos Giallina, geb. 1857. / Theodor Ralli, 1860—1909.

B. PLASTIK. Lazarus Sohos, 1862—1911.

17. RUSSLAND

A. MALEREI. Alexej Petrowitsch Antropow, 1716—95. / Fedor Rokotow, 1730—1808. / Dimitri Grigojewitsch Lewitzki, 1735—1822. / Wladimir Lukitsch Borowikowskj, 1758 bis 1826. / Alexej Gawrilowitsch Wenezianow, 1779—1847. / Orest Adamowitsch Kiprenskij (Adam Schwalbe), 1783—1836. / Graf F. P. Tolstoi, 1783—1873. / Karl Pawlowitsch Brüllow, 1799—1852. / Alexander Andrejewitsch Iwanow, 1806—58. / Paul Andrejewitsch Fedotoff, 1815—53. / Wassilij Perow, 1833—82. / Iwan Schischkin, 1831—98. / Wassilij Wereschtschagin, 1842—1904. / Ilja Rjepin, 1844—1903. / Michael Wrubel, 1856—1910 (auch Plastiker). / Walentin A. Serow, 1865—1911. / Konstantin Somoff, geb. 1869. / Philipp Andrejewitsch Maljawin, geb. 1869. / Alexander Benois, geb. 1877. / Wassilij Kandinsky [S. 881], geb. 1861. / Alexei von Jawlenski, geb. 1867. / Wladimir von Bechtejeff, geb. 1876. / Kasimir Malewitsch, geb. 1878. / Marc Chagall [S. 877], geb. 1890. / El Lissitzky, geb. 1890. / Boris Gregorieff.

B. PLASTIK. François Gillet, 1709—91. / Fedor Schubin, gest. 1805. / Iwan Martos, 1752 bis 1835. / Michael Koslowskij, 1753—1802. / P. Ssokolow, 1765—1832. / Wassilij Malinowskij, 1779—1846. / Clodt v. Jurgensburg, 1805—67. / P. Stawasser, 1816—50. / Markus Antokolskij, 1843—1902. / Anna Golubkina, geb. 1864. / Fürst Trubezkoi, geb. 1866. / Alexander Archipenko [S. 882], geb. 1887.

C. ARCHITEKTUR. Matwej Fjodorowitsch Kasakow, 1733—1812: Moskau, Gerichtsgebäude, 1776—87; Galitzin-Hospital, 1801. / Iwan Jeg. Starow, 1743—1808: Petersburg, Taurisches Palais, 1783—88; Petersburg, Klosterkirche Alexander Newsky. / Cavaliere Giacomo Quarenghi, 1744—1817: Peterhof, Englisches Palais, 1781—89; Petersburg, Staatsbank, 1783—88. / Nikolai Alexandrowitsch Lwow, 1751—1803: Mohilew, Josefskathedrale, 1781—98. / A. N. Worochinin, 1760—1814: Petersburg, Bergakademie; Petersburg, Kasankathedrale, 1801—11. / A. D. Sacharow, 1761—1811: Petersburg, Admiralität, 1806—15; Kronstadt, Kathedrale, 1806—11.

18. LATEIN-AMERIKA

A. MALEREI. Epazojucàn, Franziskanerkloster, Fresken nach 1556. / Baltazar de Echave d. Ä., datierte Werke 1606—30. / Luis Juárez, tätig um 1610—30. / José Juarez, nachweisbar 1642—89. / Echave d. J., 1632—82. / Miguel de Santiago (Quito), um 1656. / Ricardo del Pilar (Brasilien), gest. 1700. / Gregorio Vázquez (Columbia), 1638—1711. / Nicolás Corréa, tätig um 1691. / Miguel Corréa, tätig um 1704. / Juan Corréa, 1. Hälfte 18. Jh. / Cristóbal de Villalpando, 1649—1714. / Juan Rodriguez Juárez, 1676—1728. / José Ibarra, 1688—1756. / Miguel Cabrera, 1695—1768. / Leonardo Joaquim, 1738—98 (?). / Manoel de Cunha, gest. 1809. / Nicolas Taunay, 1755—1830. / I. B. Debret, 1768 bis 1848. / Baron Felix Taunay, 1795—1881. / Ignazio Merino, 1818—76. / Luis Montero, um 1830—68. / Victor Meireilles, 1832—1903. / João Zeferino da Costa, 1840—1915. / Pedro Americo, 1843—1905. / Albert Lynch, geb. 1851. / Rodolpho Amoedo, geb. 1857. / José Clemente Orozco, geb. 1883. / Roberto Montenegro, geb. 1885. / Diego Rivera, geb. 1886.

B. PLASTIK. Zacatecas, Kathedrale, Apostel 1625. / Mexico, Kathedrale, Chorgestühl 1584 (Juan Montanor). / Puebla, Kathedrale, Chorgestühl 1719—22 (Pedro Muñoz). / Lima, San Francisco, Chorgestühl (Fray Luis Montés und P. Pedro Gómez). / José Villegas de Cora d. Ä., 18. Jh. / Zacarías de Cora, gest. 1819. / Tresguerras (siehe Architektur): Queretaro, Altäre. / Manuel Tolsa (siehe Architektur): Puebla, Kathedrale, Tabernakel; Mexiko, Kathedrale, die theologischen Tugenden; Mexiko, Reiterstandbild Karls IV., 1803 aufgestellt. / Auguste Taunay, 1769—1824: Statue des Camoãs.

C. ARCHITEKTUR. Festungskirchen: Cholula (Puebla), Franziskanerkirche, 1549—52; Tula (Hidalgo), Franziskanerkirche, 1550—53; Tepeaca (Puebla), Augustinerkirche, voll. 1580. / Acolman, Augustinerkirche, 1555. / Zacatlan (Puebla), Franziskanerkirche, 1564—80. / Yuririapúndaro, 1566—68. / Cholula (Puebla), Capilla Real des Franziskanerklosters, 16. u. 17. Jh. / Lima (Peru), Kathedrale, beg. 1539, Wiederaufbau 1755. / Cuzco (Peru), Kathedrale, 1572—1654. / Mexiko, Iglesia mayor (Kathedrale); Neubau beg. 1573 (Alonso Pérez de Castañeda), Weihe 1667, Fassade 1689 voll., Türme 1790 voll. (Don José Damián Ortiz de Castro), Kuppel 1791 (Don Manuel Tolsa, s. u.), 1813 voll. / Puebla, Kathedrale (Pläne wahrscheinlich von Castañeda), geb. 1580, Inneres voll. 1649, Fassade Ende 17. Jh. / Zacatecas, Kathedrale, 1625 voll. / Salto del Agua (Mexiko), Kirche, gegen 1750. / Mexiko, Kathedrale, Sagrario 1755 (Lorenzo Rodríguez). / Tepozotlán, Fassade des Sanktuariums voll. 1762. / Guanajuato, Jesuitenkirche, Fassade 1744—65 (Felipe Ureña). / Ocotlan (Tlaxcala), Sanktuarium gegen 1760 (Francisco Miguel). / Mexiko, Casa de los Mascarones, 1771. / Puebla, Casa del Alfeñique. / Kloster Guadalupe, Rundkirche del Pocito (Francisco Guerrero y Torres). / Francisco Eduardo Tresguerras, 1745—1833: Celaya, Layabrücke 1800—10. / Manuel Tolsa, 1757—1816: Mexiko, Kathedrale, s. o.; Mineria 1787—1813. / Buenos Aires, Kathedrale (Rivadavia), gew. 1804. / San Miguel de Allenda (Guanajuato), Kirche (Ceferino Gutiérrez), um 1840. / Buenos Aires: Teatro Colón; La Prensa; La Nación.

19. NORDAMERIKA

A. MALEREI. John Watson, 1684—1751. / John Smibert, 1684—1751. / John Singleton Copley, 1737—1815. / Benjamin West, 1738—1820. / Charles Wilson Peale, 1741—1827. / Gilbert Stuart, 1755—1828. / John Trumbull, 1756—1843. / John Vanderlyn, 1776 bis 1852. / Washington Allston, 1779—1843. / Thomas Sully, 1783—1872. / Samuel Finlay Breese Morse, 1791—1872. / Chester Harding, 1792—1866. / Thomas Doughty, 1793 bis 1856. / John Neagle, 1796—1865. / Charles Cromwell Ingham, 1796—1863. / Asher Brown Durand, 1796—1886. / Henry Inman, 1801—46. / Thomas Cole, 1801—48. / William Sidney Mount, 1807—68. / William M. Page, 1811—85. / Emanuel Leutze, 1816—68. / John Frederick Kensett, 1818—72. / Charles Christian Nahl, 1818—75. / Henry Peters Gray, 1819—77. / Worthington Whittredge, 1820—1910. / George Fuller, 1822—84. / William Morris Hunt, 1824—79. / Eastman Johnson, 1824—1906. / George Inness, 1825 bis 1894. / Frederick Edwin Church, 1826—1900. / James McDougall Hart, 1828—1901. / Albert Bierstadt, 1830—1902. / James McNeill Whistler, 1834—1903. / John La Farge, 1835—1910. / Homer Dodge Martin, 1836—97. / Elihu Vedder, 1836—1923. / Alexander Helwig Wyant, 1836—92. / Winslow Homer, 1836—1910. / Thomas Eakins, 1844—1916. / Mary Cassatt, 1845—1926. / Ralph Albert Blakelock, 1847—1919. / Albert Pinkham Ryder, 1847—1919. / Louis Tiffany, geb. 1848 (Glasmalerei). / Frank Duveneck, 1848—1919. / William Merritt Chase, 1849—1916. / Abbott Handerson Thayer, 1849—1921. / Edwin Austen Abbey, 1852—1911. / Julian Alden Weir, 1852—1919. / Theodore Robinson, 1852—95. / John Henry Twachtman, 1853—1902. / Emil Carlsen, geb. 1853. / George de Forest Brush, geb. 1855. / John Singer Sargent, 1856—1921. / Kenyon Cox, 1856—1919. / John White Alexander, 1856—1915. / Charles Harold Davis, 1856—1933. / Bruce Crane, geb. 1857. / Henry Ward Ranger, 1858—1916. / Horatio Walker, geb. 1858. / Willard Metcalf, 1858—1925. / Childe Hassam, geb. 1859. / Joseph Pennell, 1860—1926. / Gari Melchers, geb. 1860. / Maurice Prendergast, 1861—1924. / Frederick Judd Waugh, geb.

1861. / Frank Weston Benson, geb. 1862. / Arthur B. Davies, 1862—1928. / Edmund Tarbell, geb. 1862. / Cecilia Beaux, geb. 1863. / Robert Henri, 1865—1929. / William Wendt, geb. 1865. / George Benjamin Luks, 1867—1933. / Leon Dabo, geb. 1868. / Bryson Burroughs, geb. 1869. / William McGregor Paxton, geb. 1869. / Edward W. Redfield, geb. 1869. / John Marin, geb. 1870. / William F. Glackens, geb. 1870. / John Sloan, geb. 1871. / 5 Ernest Lawson, geb. 1873. / Frederick Carl Friedecke, geb. 1874. / Marsden Hartley, geb. 1877. / Paul Dougherty, geb. 1877. / Robert Spencer, 1879—1930. / Arthur Garfield Dove, geb. 1880. / Jonas Lie, geb. 1880. / Max Weber, geb. 1881. / George Wesley Bellows, 1882—1925. / Rockwell Kent, geb. 1882. / Charles Demuth, geb. 1883. / Eugene Speicher, geb. 1883. / Guy Pène du Bois, geb. 1884. / Georgia O'Keffe, geb. 1887. / Maurice Sterne, 10 geb. 1887. / Marguerite Zorach, geb. 1888. / Thomas Benton. / Preston Dickinson, geb. 1891.

B. PLASTIK. Horatio Greenough, 1805—52. / Hiram Powers, 1805—73. / Thomas Crawford, 1813—57. / Henry Kirke Brown, 1814—86. / William Story, 1819—95. / Thomas Ball, 1819—1911. / Randolph Rogers, 1825—92. / William H. Rinehart, 1825—74. / John Quincy Ward, 1830—1901. / Edward Kemeys, 1843—1907. / Olin Levi Warner, 1844 15 bis 1896. / Augustus Saint Gaudens, 1848—1907. / Philippe Hébert, geb. 1850. / Daniel Chester French, 1850—1921. / Charles Henry Niehaus, geb. 1855. / Herbert Adams, geb. 1858. / Lorado Taft, geb. 1860. / Phimister Proctor, geb. 1862. / Frederick Mac Monnies, geb. 1863. / George Barnard, geb. 1863. / Paul Weyland Bartlett, 1865—1925. / Hermon A. Mac Neil, geb. 1866. / Karl Bitter, 1867—1925. / Alexander Stirling Galder, geb. 1870. / 20 Gutzon Borglum, geb. 1871. / Arthur Putnam, 1874—1930. / Andrew O'Connor d. J., geb. 1874. / Alfred Laliberté, geb. 1878. / Jo Davidson, geb. 1883. / Paul Manship, geb. 1885.

C. ARCHITEKTUR. Hingham (Mass.), Old Ship Church, 1682. / Yonkers (New York), Haus der Philips (Stadthaus), 1682. / Williamsburg (Virginia), Kirche, 1693—1715. / Philadelphia, Gloria Dei, 1697. / Boston Old North, 1723. / Newport (Rhode-Island), Trinity 25 Church, 1726. / Charleston (Süd-Carolina), St. Michael (James Gibbs?), 1752. / Boston, King's Church, 1753. / New York, St. Paul, 1756. / Richmond (Virginia), Kapitol (Clérisseau u. Jefferson), 1785. / Boston, King's Chapel, gegen 1790. / Washington (Bauplan der Stadt von Pierre-Charles Lenfant um 1790), Kapitol: beg. 1792, Entwurf Thornton (1761—1828), Mitarbeit Sulpice Hallet, Weiterführung durch Latrobe seit 1803; 1814 30 Brand, Wiederaufbau durch Charles Bulfinch (1763—1844), voll. 1827; 1850 Umbau beschlossen, Ausführung T. Ustick Walter (1804—87), seit 1865 Clarke (geb. 1822), 1867 voll. / Thomas Jefferson (1743—1826): Charleston (Süd-Carolina), City Hall, 1801; Charlottesville, Universität von Virginia, 1819. / New York, City Hall (Joseph Mangin), 1803. / Baltimore, Börse (Godefroy u. Latrobe), um 1803. / Hartford (Connecticut), 35 First Church, 1807. / Mc Intire (1757—1810), Salem (Mass.), Gardner Pingree House, 1810. / New Haven, Center Church, 1814. / Shenectady, Universität (Jacques Ramée), 1816. / New York, Trinity Church (R. M. Upjohn), 1839—46; St. Patrick (James Renwick d. J.), 1850—79. / Salt Lake City (Utah), Mormonentempel und Tabernakel (Bringham Young), 1853—93. / Richard Morris Hunt, 1828—95: New York, Haus Vanderbilt 1883. / 40 Henry Hobson Richardson, 1838—86: Boston, Trinity Church 1877. / Charles Mac Kim, 1847—1909: New York, Neues Rathaus 1903—13; Pennsylvania Bahnhof 1910. / John Carrère, 1857—1911: New York, Stadtbibliothek 1897. / Louis Sullivan, 1856—1924: Chicago, Transportation Building 1893 (Weltausstellung). / Cass Gilbert, 1859—1934: New York, Zollhaus 1903; Woolworth-Hochhaus 1908. / Ralph Adam Cram, geb. 1863: New 45 York, St. Thomas, gemeinsam mit Goodhue u. Fergusson. / Bertram Grosvenor Goodhue, 1869—1924: New York, Intercession Church 1914. / Frank Lloyd Wright, geb. 1869: Wohnbauten, besonders Landsitze; Buffalo, Lagerhaus der Larkin Soap Co. / Chicago, Stahlhochhaus (Tacoma Building) 1887. / Chicago, Weltausstellung 1893. / New York, Flat Iron Building (D. H. Burnham), um 1900. / New York, Shelton Hotel (A. L. Harmon 50 u. White), 1922—23. / New York Radiator Building (Raymond Hood), 1924. / Ralph Walker: New York, Telephone Building; Chicago, Chicago Tribune 1928. / San Francisco, Pacific Telephone Building (Miller, Pflueger u. Cantin 1925).

ERKLÄRUNG KUNSTGESCHICHTLICHER FACHAUSDRÜCKE

Die umfassenden Stilbezeichnungen, wie Romanisch, Gotisch, Barock usw., finden ihre Erläuterung in den betreffenden, im Inhaltsverzeichnis aufzufindenden Textabschnitten.

Abteikirche, Kirche eines Klosters, das unter Leitung eines Abtes steht.

Aedikula, wörtlich Gebäudchen: besonders Fenster in Form eines Gebäudes mit Giebel.

Akanthus, distelartige Pflanze, deren Blätter den Hauptformen der griechischen Ornamentik zugrunde liegen.

Akroterien, senkrechte Aufsätze auf Giebelablauf und Giebelspitze in Form von Blattwerk oder Statuen.

Alla-prima-Malerei, Malerei, die mit dem ersten Farbauftrag (ohne weitere Übermalung) ihre Wirkung erzielt.

Altan, balkonartiger Vorbau.

Amoretten, geflügelte Kinder in Darstellungen von Liebesszenen.

Ampulle, bauchiges Gefäß für kirchliche Zwecke.

Anna Selbdritt, Darstellung der Heiligen Anna mit Maria und Jesuskind.

Annex, Anhang.

Antependium, Altarverkleidung.

Antike, die mit der griechischen als Vorstufe oder Auswirkung verbundene heidnische Kultur des Altertums.

Apotheose, die gottangleichende Verherrlichung einer Persönlichkeit.

Apsis (Apside), runder oder eckiger nischenartiger Abschlußraum in einer Kirche.

Aquarell, Wasserfarbenmalerei.

Arabeske, ein nach arabischer Art reich durchgeführtes Rankenwerk.

Archaisch, frühe Stilepoche einer Kunstentwicklung, in der die geschlossene äußere Form die Gestalt des Dargestellten bestimmt (z. B. ägyptisch-assyrische Kunst, griechische Kunst des 6. und frühen 5. Jh., romanische Kunst).

Archäologie, Altertumskunde.

Architrav, Steinbalken über den Säulen dorischer Tempel.

Archivolte, Bogen einer Arkade.

Arkade, auf Säulen oder Pfeilern ruhender Bogen. *Arkatur,* auf Säulen oder Pfeilern ruhende Bogenreihe.

Assunta, Darstellung der Himmelfahrt Mariä.

Ästhetik, Wissenschaft von der zweckfreien Bedeutung der sinnlichen Wahrnehmung, insbesondere in der Kunst.

Atlant, Stützpfeiler in Gestalt einer männlichen Figur (Atlas).

Atrium, in der Antike oben offener, hofartiger Raum im Hause; im Mittelalter Vorhof einer Basilika.

Baldachin, Schirmdach auf Freistützen.

Baluster, ausgebauchte Säulenform.

Balustrade, Brüstung mit Freistützen.

Bandelwerk, Ornamente des Spätbarock und Rokoko in Form aufgelegter Bänder.

Baptisterium, Taufkirche.

Basilika, in der Antike Versammlungshalle (für Markt oder Gericht). In der christlichen Architektur mehrschiffige Kirche mit höherem Mittelschiff, das eigene Fenster hat.

Basis, Fuß einer Säule oder eines Pfeilers.

Biblia pauperum, Armenbibel des späten Mittelalters, gibt denen, die nicht lesen können, die Heilige Schrift in vielen Bildern wieder.

Biedermeier, kleinbürgerliche Kultur im 2. Viertel des 19. Jh.

Birnstab, stabartiges Glied mit birnenförmigem Querschnitt in der gotischen Architektur.

Blattwelle, architektonische Leiste mit geschwungenem Profil, das durch Blattornament ausgedrückt wird.

Bühnenprospekt, künstlerisch entworfenes Bühnenbild.

Bukolika, idealisierte Hirtendichtungen.

Burlesk, possenhaft.

Byzantinisch, christliche Kunst und Kultur, die von Byzanz seit dem 5. Jh. ausgeht.

Campanile, Glockenturm.

Campo santo, „geweihtes Feld", Friedhof.

Chor, in der Kirche Raum für den Hauptaltar, meist östlicher Abschluß der Kirche.

Chorhaupt, runder Abschluß eines Chores.

Chorkapelle, in den Chor einer Kirche sich öffnende Kapelle.

Chorumgang, um den Chor einer Kirche herumgeführtes Seitenschiff.

Churriguerismus, Stilart des Barock in Spanien, genannt nach dem Architekten José Churriguerra.

Ciborium, geweihtes Trinkgefäß; auch Baldachin über dem Altar.

Craquelé, feine Risse, die man bei Glas oder Porzellan zu künstlerischer Wirkung erzeugt.

Dachreiter, Türmchen auf dem Dachfirst, meist auf der Kreuzung von Langhaus und Querschiff sitzend.
Dienste, dünne Säulen oder Rundstäbe, die einer Wand oder einem Pfeiler vorgelegt sind, meist zur Unterstützung des Gewölbes.
Diptychon, zweiteilige Tafel.
Dolmen, vorgeschichtliche Grabhäuser mit Steindecke aus einem Stück auf senkrechten Steinwänden.
Dom, deutscher Ausdruck für Bischofskirche.
Dorische Säule, älteste Form der griechischen Säulenordnung: Säule ohne Basis mit einfachem Wulst als Kapitell.
Dreikonchenchor, Ostteil einer Kirche mit rundem Abschluß von Chor und Querschiffsarmen.
Dreipaß, ein aus drei Bögen kleeblattförmig zusammengesetztes Maßwerk.
Dreiviertelsäulen, Säulen, die mit drei Vierteln ihres Umfanges aus einem Architekturglied herausragen.
Drolerie, belustigende Szene in dekorativen Erzeugnissen der spätmittelalterlichen Kunst.
Ecclesia und Synagoge, weibliche Gestalten als sinnbildliche Vertreterinnen der christlichen und jüdischen Kirche.
Ehrenhof, bei Schlössern und Palästen der Raum zwischen den vorgeschobenen Seitenflügeln.
Eierstab, Ornamentstreifen aus aneinandergereihten eiförmigen Gebilden.
Email, Schmelzarbeit mit Stein- u. Glasfluß.
Empire, klassizistischer Stil der Zeit Kaiser Napoleons I.
Empore, oberer zu einem Hauptraum sich öffnender Nebenraum.
Epitaph, Gedenktafel für einen Verstorbenen.
Eroten, Darstellung nackter Kinder als Begleitung des Liebesgottes Eros.
Evangeliar, Buch mit vollständigem Text der Evangelien.
Evangelistar, Buch mit Auszug aus den Evangelien für den Gottesdienst.
Exotismus, Kunstrichtung, die exotische Typen um des Reizes des Befremdenden willen darstellt.
Expressionismus, Kunstrichtung, die seit etwa 1910 die Kraft der künstlerischen Äußerung unter Nichtachtung der Gegenstandsdarstellung zu künstlerischen Wirkungen ausnutzt.
Fächergewölbe, Gewölbe mit zahlreichen Rippen, die fächerförmig angeordnet sind.
Fiale, turmartige Bekrönung eines Strebepfeilers.
Fibel, Gewandschließe.
Filigran, Verzierung von Gold- u. Silberarbeiten mit aufgelöteten dünnen Drähten.
Fin de siècle, Bezeichnung für die überfeinerte Kunst am Ende des 19. Jh.
Fischblase, gotische Verzierung in Form des Umrisses einer Fischblase.
Flamboyant (style fl.), spätgotische Form flammenartig züngelnden Maßwerkes.
Flechtband, Ornament in Form geflochtener Bänder.
Fluchtlinie, die zu einem Punkt (Fluchtpunkt) hinstrebenden Linien einer perspektivischen Konstruktion.
Forum, Marktplatz im Altertum.
Fresko, Wandmalerei auf den noch feuchten Verputz.
Fries, am antiken Tempel Gebälk über dem Architrav.
Frontalität, Darstellung einer Figur in (symmetrisch) starrer Vorderansicht.
Fünte, Kessel eines Taufbeckens.
Genrebild, menschliche Anteilnahme erweckende Darstellung einer Szene aus dem gewöhnlichen Leben.
Gewölbeschub, der seitliche Druck, den ein Gewölbe auf seine Widerlager ausübt.
Glorie, strahlender Lichtschein hinter den Figuren, zum Zeichen ihrer Göttlichkeit.
Gnadenstuhl, Darstellung Christi im Schoße Gottvaters.
Goldener Schnitt, Verhältnis zweier Strecken, bei der sich die kleinere zur größeren wie die größere zum Ganzen verhält.
Grabstichel, kantiger Metallstab, der vorn zu einer Spitze abgeschrägt ist, zur Herstellung von Eintiefungen in Holz- oder Metallplatten.
Granulation, bei Goldschmiedearbeiten Auflegen von Goldkörnern.
Graphik (griech. Schreibkunst), Zeichenkunst, besonders Vervielfältigung durch Holzschnitt, Kupferstich, Radierung, Lithographie.
Grisaille, Grau-in-Grau-Malerei.
Gurtbogen, gurtförmiger Verstärkungsbogen eines Tonnengewölbes.
Hallenkirche, mehrschiffige Kirche mit gleichhohen Schiffen.
Hellenistisch, Hellenismus, griechische Spätkultur etwa seit Alexander d. Gr.
Herme, Pfeiler mit oberem Abschluß durch eine Halbfigur oder einen Kopf.
Historienbild, Darstellung eines geschichtlichen oder sagenhaften Ereignisses.
Hochaltar, Hauptaltar der Kirche auf dem erhöhten Chor.
Holzschnitt, Bilddruck von einer Holzplatte mit erhabenen Druckflächen.
Hufeisenbogen, architektonischer Bogen in Form eines Hufeisens.

Ikon, Heiligenbild in der byzantinisch-russischen Kunst.

Ikonographie, Lehre von den Darstellungsinhalten.

Illusionismus, Wirklichkeit vortäuschende Darstellungsart.

Impressionismus, Kunstform, in der der Reiz der Oberfläche die Bedeutung des Gegenstandes überwiegt.

Initiale, durch Verzierung hervorgehobener Anfangsbuchstabe.

Inkrustation, Einlegearbeit, besonders von Stein in Stein.

Inkunabel, Wiegendruck, die frühesten Buchdruckwerke bis zum Jahre 1500.

Interieur, wohnlicher Innenraum und dessen Darstellung.

Joch, der durch einen selbständigen Teil einer Gewölbefolge bestimmte Raumabschnitt.

Jonisch, von den jonischen Kolonien ausgehender griechischer Kunststil. In der Architektur wesentliches Stilmerkmal: Säulenkapitelle mit ab- und einwärts gedrehten Spiralen.

Jugendstil, Kunststil um die Wende des 19. zum 20. Jh., benannt nach der Zeitschrift „Jugend" (München, seit 1896).

Kamee, Edel- oder Halbedelstein mit erhaben geschnittenem Relief.

Kämpfer, in der Architektur Tragplatte zwischen Last und Stütze.

Kannelierung, Riefelung einer senkrechten Stütze in der Längsrichtung.

Kanontafeln, Zusammenstellung der entsprechenden Bibelstellen aus den vier Evangelien unter dem Gesichtspunkt des gleichzeitigen Geschehens.

Kapellenkranz, Reihe von nebeneinanderliegenden Kapellen, die kranzförmig um den Chor einer Kirche gelagert sind.

Kapitell, hauptartiger oberer Abschluß einer Stütze in der Architektur.

Karikatur, Zerr- und Spottbild.

Karolingisch, die durch die Renaissancebestrebungen Karls d. Gr. bestimmte deutsche Kultur vom 8. bis Ende 10. Jh.

Kartause, Kloster der Kartäusermönche.

Kartusche, schildartige ornamentale Architekturform.

Karyatide, menschenförmige (ursprünglich weibliche) Träger in der Architektur.

Kassettendecke, durch Balken in Felder geteilte Decke.

Katakombe, unterirdische Begräbnisanlage und Gebetstätte.

Kathedrale, französische Bezeichnung der Bischofskirche.

Kehle, Kehlung, ausgehöhlte Rinne an einem architektonischen Profil.

Kielbogen (auch Eselsrücken), aus- und einschwingender Bogen in Form eines Schiffskiels.

Klassizismus, Verwendung von organischen Formen der klassischen Antike, bei denen die ursprüngliche innere Lebendigkeit nicht mehr berücksichtigt wird. (Als Stilepoche besonders um 1800.)

Knorpelwerk, Ornament des 17. Jh. mit knorpelartig verhärteten und verdickten Gliedern.

Kolossalordnung, an einer Gebäudefront eine durch alle Stockwerke durchgehende Säulenordnung.

Kommunizierende Nebenchöre, seitenschiffartige Chöre, die sich in den Hauptchor öffnen.

Konche, halbrunder, sich in einen größeren öffnender Nebenraum.

Königsgalerie, Galerie mit Königsstatuen oberhalb der Portale an den Fassaden gotischer Kirchen.

Konsole, aus einer Mauer vorstehender, gegliederter Tragstein.

Kontrapost, Ausgleich der Gewichtsverhältnisse im menschlichen Körper durch gegenseitige Abwägung der bewegten Glieder.

Kontur, Umriß.

Korinthische Säule, Säule mit mehrfach geteilter Basis und Akanthuskapitell.

Krabbe, Blattzier an den Außenrändern oder Kanten gotischer Architekturglieder.

Kragstein, aus einer Mauer vorstoßender Stein, der zum Tragen von Baugliedern dient.

Kreuzblume, blumenförmige Krönung eines gotischen Giebels oder Turmes.

Kreuzgang, in Bogengängen sich öffnender Umgang um einen an die Kirche angelehnten Klosterhof.

Kreuzgratgewölbe, Gewölbe über rechteckigem Grundriß, gebildet durch die Durchschneidung zweier gleich hoher Tonnengewölbe, die mit scharfen Graten aneinanderstoßen.

Krypta, unterirdischer Kirchenraum, meist unter dem Chor, mit der Bestimmung als Grabkirche.

Kupferstich, Druckverfahren mittels geritzter Kupferplatte (Tiefdruck).

Langhaus, längsgestreckter Gemeinderaum einer Kirche.

„L'art pour l'art": Kunst um der Kunst willen.

Laterne, in der Architektur türmchenartiger Kuppelaufsatz für die Lichtzufuhr.

Lettner, architektonischer Abschluß des Priesterraumes vom Gemeinderaum.

Linearperspektive, Perspektive mit Hilfe linear faßbarer Verkürzungen von

Körpern (Gegensatz zu Luft- u. Farbenperspektive).

Lisene, senkrechter, aus der Mauer zur Gliederung der Wand heraustretender Streifen.

Lithographie, Steindruck; Zeichnung wird mit Fettfarbe auf den Stein gebracht und geätzt; nur die nicht geätzten Stellen nehmen die Druckfarbe an.

Loggia, ein nach außen sich öffnender Anbau eines Gebäudes.

Louis-seize-Stil, Bezeichnung für den, dem Rokoko folgenden klassizistischen Stil der Zeit Ludwigs XVI.

Luminarismus, Malerei, die besonderen Nachdruck auf die Reize der Lichterscheinungen legt.

Majestas, Monumental-Darstellung einer thronenden Gottheit (Christus).

Malerisch, Darstellungsweise: Einbeziehung oder Zusammenfassung von Einzelkörpern zu einer bildmäßigen Gesamtwirkung für das Auge.

Mandorla, mandelförmige Glorie um eine Heiligenfigur.

Manierismus, Verwendung widerspruchsvoller Stilelemente. Als Stilepoche die Kunst des späteren 16. Jhs.

Mansardengeschoß, unteres, mit Fenstern ausgebautes Geschoß in einem gebrochenen Dach (benannt nach dem Architekten François Mansard).

Maß- und Stabwerk, in gotischen Bauwerken Füllung einer architektonischen Fläche mit aus Stäben zusammengesetzten Mustern.

Mausoleum, Grabmal des griechischen Königs Mausolos in Halikarnaß; danach Benennung der Grabbauten.

Medaillon, in der Architektur medaillenförmige Schmuckform.

Menhir, vorgeschichtliches Denkmal in Form eines unbehauenen aufrechten Steines.

Mezzanin, Halb- oder Zwischengeschoß.

Miniatur, Malereien kleinsten Formates (u. a. Handschriftenillustrationen).

Minnekästen, reichgeschmückte, als Brautgeschenke verwendete mittelalterliche Kästchen.

Mittelschiff, längsgestreckter Mittelraum in Kirchen, die aus mehreren parallelen Räumen bestehen.

Monatsbilder, Darstellung der 12 Monate durch eine für den betreffenden Monat charakteristische Beschäftigung.

Mosaik, aus Stein-, Glas- oder Marmorstücken zusammengesetztes Bild oder Ornament.

Mudejarstil, in der spanischen Baukunst (besonders in Süd-Spanien) ein Stil, in dem Formen der Gotik und Renaissance sich mit maurischen Elementen mischen.

Mumienporträt, porträthafte Darstellung des Verstorbenen, die über dem Gesicht einer Mumie angebracht wurde.

Münster, eigentlich: Mönchskirche (monasterium), dann auch: Hauptkirche.

Narthex, West-Vorhalle der altchristlichen Basilika.

Naturalismus, Stil, der die natürliche Ungezwungenheit des Dargestellten betont und alles Sein als beseelt oder lebenserfüllt auffaßt.

Nature morte, Stilleben.

Nazarener, Kreis von Künstlern, die sich zu Anfang des 19. Jh. in Rom zusammenschlossen mit dem Ziel einer Neubelebung religiöser Kunst.

Neogotik, Kunststil, der gotische Formen wieder einzuführen sucht.

Neogräzismus, Wiederaufleben griechischer Kunstart.

Netzgewölbe, Gewölbe, dessen Rippen ein netzförmiges Muster bilden.

Niello, Einlegearbeit von silberhaltigen, dunklen Schmelzmassen in Metall.

Nike, Darstellung der geflügelten Siegesgöttin.

Obelisk, aus Ägypten stammende Denkmalsform: vierkantiger, nach oben verjüngter Pfeiler mit pyramidenförmiger Spitze.

Orant, Darstellung eines mit ausgebreiteten Armen betenden Menschen.

Ornament, künstlerische Muster mit nur schmückender Bedeutung.

Ottonisch, Periode deutscher Kunst etwa seit Kaiser Otto I. (10. u. 11. Jh.).

Palas, Hauptteil einer mittelalterlichen Burg (Herrenhaus).

Palästra, Ringplatz und Schule für Leibesübungen im Altertum.

Palmette, Ornament in Form von Palmblättern.

Passion, Darstellung des Leidens Christi.

Pastorale, Darstellung idealisierten Hirtenlebens.

Pastos, dicker körniger Farbauftrag.

Pendentif, Kuppelausschnitte zwischen den kuppeltragenden Bögen, die vom rechteckigen Unterbau in den Kreis der Kuppelgrundfläche überleiten.

Peristyl, Säulenhof, Säulengang.

Perpendicular, Vorherrschen der Senkrechten vor den Bögen im Stab- und Maßwerk der engl. Spätgotik.

Perspektive, in einer Darstellung den Tiefenraum hervorrufende Mittel.

Pfeifenkapitell, Kapitell, ornamentiert mit senkrechten, pfeifenartigen Stäben (normannisch).

Pietà, Darstellung der Maria mit dem Leichnam Christi auf dem Schoß.

Pilaster, in der Art von Säulen gegliederte Wandpfeiler.

Plantagenetstil, in der westfranzösischen Architektur (Anjou) Übergangsstil vom Romanischen zum Gotischen, genannt nach dem englischen Herrscherhaus Anjou-Plantagenet.

Plateresk, Dekorationsstil des 16. Jh. in Spanien, der Renaissanceelemente in spielerischer Form nach Art der Kleinkunst (Goldschmiedekunst) auf große Fassadenflächen überträgt.

Plattenfries, aus Platten zusammengesetztes Schmuckband in der Architektur.

Pleinair, Freiluft.

Pointillismus, Malerei, die einheitlich gesehene Flächen aus Punkten zusammensetzt.

Polygonal, vieleckig.

Portikus, monumental ausgestalteter Portalvorbau.

Predella, mit künstlerischen Darstellungen geschmücktes Sockelstück eines Altaraufsatzes.

Presbyterium, Raum für die Priester in einer Kirche (meist der Chor).

Profil, der sich beim Durchschnitt ergebende Umriß eines architektonischen Gliedes.

Protorenaissance, Wiederaufnahme antiker Kunstformen im 12. und 13. Jh.

Purismus, Bestreben, auf Beiwerk im Kunstwerk zu verzichten.

Putten, in der bildenden Kunst dargestellte Kinderkörper, die die Situation, in der sie auftreten, verniedlichen.

Pylon, turmartiges Gebäude zu seiten des Einganges eines ägyptischen Tempels.

Quattrocento, 15. Jahrhundert.

Querschiff, der den längsgerichteten Hauptraum einer Kirche senkrecht durchschneidende Querraum.

Radierung, Bilddruck von einer Metallplatte; Zeichnung wird durch Einritzen in eine aufgetragene Harzmasse hervorgebracht und durch Säure in die Metallplatte eingeätzt.

Relief, plastische Arbeit auf einem flachen Grund.

Reliquiar, künstlerisch geformter Behälter einer Reliquie.

Renaissance, Wiedergeburt einer vergangenen künstlerischen Ausdrucksweise oder Kultur.

Restauration, Wiederherstellung vorhergegangener, durch eine Revolution überwundener Kulturform.

Rezeption, Aneignung bereits vorgeformter Kunstformen.

Rippe, stabförmige Unterlage an den Schnittflächen der Gewölbekappen.

Risalit, vorspringender Gebäudeteil.

Rollwerk, Ornament des 16. Jh. mit Bändern, deren Enden sich einrollen.

Romantik, Weltanschauung mit der Gegenwart abgewandten Idealen. Danach die Kunstepoche nach 1800 genannt.

Rose, mit Maßwerk reich verziertes Rundfenster (besonders an Fassaden gotischer Kirchen).

Rosette, rosenartige Schmuckform.

Rückchor (Retrochoir), Raum hinter dem Hochchor einer engl. Kirche.

Rustika, Mauerwerk mit hervorgehobenen Quadern, deren Oberfläche meist unbehauen ist.

Saalkirche, einschiffige, saalartige Kirche.

Sakristei, in der Kirche Nebenräume für die Priester zum Umkleiden und zur Vorbereitung für den Gottesdienst.

Säkularisierung, Verweltlichung.

Santa Conversazione, beschauliches, der Welt entrücktes Zusammenstehen von Heiligen in feierlicher Anordnung.

Sarkophag, Grabdenkmal in sargartiger Form.

Satteldach, von der Firstlinie nach beiden Seiten abfallendes Dach.

Säulenarkatur, Bogenfolge auf Säulen.

Säulentrakt, Abschnitt einer Säulenfolge.

Schaftring, profilierter Ring am Schaft eines gotischen Dienstes.

Scheitelrippe, Rippe im Scheitel eines Gewölbes.

Schildbogen, Ansatzbogen eines Tonnen- oder Kreuzgewölbes an der Wand.

Schildfläche, Wandfläche, die von einem Schildbogen begrenzt wird.

Schlußstein, durch Form oder Farbe hervorgehobener Stein im Kreuzungspunkt zweier Gewölberippen.

Schmerzensmann, Darstellung des dornengekrönten Christus nach der Geißelung.

Seitenschiff, an Kirchen die Seitenräume, die Haupträumen parallel gehen (s. Mittelschiff).

Sensualistisch, die sinnlichen Empfindungen betonend.

Silhouette, Schattenriß.

Spielbein, in der Ruhestellung des Körpers das unbelastete Bein.

Spruchband, in Bilder und Plastiken eingefügte Schriftbänder mit auf die Darstellung bezüglichem Text.

Stabwerk, siehe Maßwerk.

Staffage, die einem Raumbild (besonders Landschaft) zur Belebung eingefügten Figuren.

Staffelchor, Chorgruppe, deren einzelne parallele Chöre sich vom Hauptchor nach dem Querschiff zu staffelförmig verkleinern.
Stalaktitengewölbe, Gewölbe mit herabhängenden Zapfen ähnlich einer Tropfsteinhöhle.
Standbein, in der Ruhestellung des Körpers das belastete Bein.
Stationsweg, Weg mit Darstellungen des Leidens Christi in 12 Stationen.
Statuarisch, standbildhafte Haltung einer Figur.
Stele, Grabstein in Form eines freistehenden Pfeilers.
Sterngewölbe, Gewölbe, dessen Rippen ein sternförmiges Muster bilden.
Stifterfigur, Darstellung des Stifters eines Kunst- oder Bauwerkes.
Stil, das einheitsschaffende Formprinzip im Einzelkunstwerk, im Gesamtwerk eines Künstlers oder einer Kunstepoche.
Stilleben, Darstellung lebloser Dinge als nacherlebbare menschliche Situation.
Strebepfeiler, Pfeiler an der Außenwand eines Gebäudes, zum Auffangen des Gewölbeschubes.
Strigiliert, vertiefter Streifenschmuck an Sarkophagen.
Stuck, plastisch formbare Masse aus Sand, Kalk und Gips.
Stufenportal, Portal, dessen Seitenpfosten oder -wände nach der Tiefe abgestuft sind.
Stundenbuch, Gebetssammlung für den Privatmann, nach den Andachtsstunden des Tages geordnet.
Supraporte, Zierfläche über einer Tür.
Symbol, Sinnbild.
Synagoge siehe unter Ecclesia.
Synkope, betonter Einhalt an unerwarteter Stelle in einer rhythmischen Folge.
***T**abernakel*, baldachinartiger Raum für einen verehrungswürdigen Gegenstand.
Tafelbild, Gemälde auf einem transportablen Grund (Holztafel oder Leinwand). Gegensatz zu Wandbild.
Tambour, zylinderförmiger Bau zwischen Kuppel und Kuppelträger.
Tauschierarbeit, Einlegearbeit von Metall in Metallflächen.
Tempietto, Tempelchen.
Tonnengewölbe, Gewölbe in Form eines Tonnenausschnittes.
Totentanz, Darstellung des Todes, welcher Gestalten der verschiedenen Lebensalter oder -stände im Tanz zum Tode führt.
Transfiguration, Verklärung Christi.
Travée, durch architektonische Form gekennzeichneter Raumabschnitt; *rhythmische Tr.*: durch wechselnde architektonische Formen, z. B. Wechsel von Pfeiler und Säule, rhythmisch gegliederter Raumabschnitt.
Trecento, 14. Jahrhundert.
Triforium, offene oder Blendarkatur zwischen Erdgeschoßarkaden und Fensterwand einer Kirche.
Triglyphe, dreigeschlitzte Zierplatte am Fries eines antiken Gebälkes.
Triptychon, dreiteiliges Tafelbild.
Triumphbogen, Ehrenpforte. In der mittelalterlichen Kirche Eingangsbogen zum Chor.
Triumphsäule, Denkmal in Form einer Säule mit Darstellung zur Verherrlichung historischer Ereignisse.
Trompe, Überbrückung von Winkeln rechteckiger Räume in Form eines halben Trompetenrohrs zur Überführung in den runden Kuppelraum.
Tumba, der die Leiche bergende Kasten eines Grabdenkmals.
Tympanon, Bogenfeld eines Portales oder Giebelfeld.
***V**aleurs*, Tonabstufungen der Farben.
Verismus, Darstellung mit krasser Betonung der Wirklichkeitstreue.
Verkröpfung (eines Gebälkes), Vorspringen eines Gebälkes über einem aus der Wand hervortretenden Träger.
Vertikalordnung, an einem Bau System der senkrechten Stützen.
Vesperbild, siehe Pietà.
Vestibül, Vorraum (wörtlich: Kleiderablage).
Vielpaß, aus vielen Bögen zusammengesetztes Maßwerk.
Vierpaß, aus vier Bögen kleeblattförmig zusammengesetztes Maßwerk.
Vierung, der durch die Durchschneidung von Haupt- und Querschiffen einer Kirche gebildete Mittelraum.
Volute, Ornament in Form einer Spirale.
***W**anddienst*, siehe Dienst.
Wimperg, gotischer Ziergiebel über einem Bogen.
Wirtel, siehe Schaftring.
***Z**äsur*, Einschnitt, Pause.
Zellenverglasung, Glaseinlagen in zellenartig aufgeteilten Metallflächen.
Zentralbau, Bau mit gleichmäßig um eine Mitte herumgelagerten Räumen und Baumassen (Gegensatz zum Richtungsbau).
Zopfstil, Versteifung der geschwungenen Formen des Rokoko, besonders in Deutschland.
Zwerggalerie, kleinsäulige Ziergalerie als Abschluß oder Schmuckband der Außenmauer eines Gebäudes.
Zwickel, in der Baukunst: dreieckige Fläche zwischen zwei sich begegnenden Bögen.

QUELLENNACHWEIS DER VORLAGEN

Die überwiegende Anzahl aller Abbildungen ist nach eigenen Aufnahmen des Kunstgeschichtlichen Seminars der Universität Marburg hergestellt. Die Vorlagen für die übrigen Abbildungen entstammen:

I. ORIGINALPHOTOGRAPHIEN: Akadem. Verlag Dr. Fritz Wedekind & Co., Stuttgart: *1108, 1109.* — Alinari, Florenz: *8, 30, 39, 40, 74, 434, 444, 445, 446, 447, 448, 450, 453, 468, 481, 493, 509, 519, 526, 538, 594, 595, 596, 597, 608, 609, 611, 612, 621, 626, 627, 632, 633, 646, 652, 653, 656, 658, 661, 806, 809, 810.* — Anderson, Rom: *3, 50, 57, 59, 61, 66, 75, 433, 455, 476, 478, 483, 497, 499, 500, 507, 517, 529, 540, 541, 551, 552, 591, 599, 600, 620, 624, 630, 634, 639, 649, 659, 662, 679, 817, 818, 819.* — Archives Photographiques d'Art et d'Histoire, Paris: *615, 708, 977.* — Bauatelier Poelzig, Charlottenburg: *1105.* — Mit Genehmigung des Verlages A. v. d. Becke, Charlottenburg: *1048.* — Mit Genehmigung der Galerie Dr. Becker & Newmann, Köln: *1065.* — Bernheim Jeune, Paris: *1084.* — R. Bong, Verlag, Berlin W: *43, 746, 755, 899.* — Braun & Cie., Paris-Dornach: *472, 629, 742, 748, 1041.* — Brogi: *29, 494, 512.* — F. Bruckmann A.-G., München: *460, 492, 535, 601, 682, 732, 745, 747.* — Mit Genehmigung der F. Bruckmann A.-G., München: *992, 993.* — I. E. Bulloz, Paris: *1019.* — Mit Genehmigung des Verlages Bruno Cassirer, Berlin: *1046, 1050.* — Mit Genehmigung der D. A. A., Paris: *1054, 1089.* — Dresden, Galerie: *625, 831.* — B. F. Eilers, Amsterdam: *820.* — Prof. A. Feulner, Frankfurt a. M.: *924.* — Benno Filser-Verlag, Augsburg: *249, 282* (Osthausarchiv). — Mit Genehmigung der Galerien Flechtheim, Berlin und Düsseldorf: *48, 1073, 1075, 1079, 1086, 1087, 1091, 1095, 1096, 1097, 1100, 1102.* — Frankfurt a. M., Städelsches Kunstinstitut: *460, 723, 726, 965, 967.* — Prof. Ganz, Basel: *928.* — Hanfstaengl: *33, 34, 42, 44, 45, 454, 469, 471, 488, 518, 534, 575, 576, 578, 583, 593, 598, 613, 636, 654, 672, 674, 678, 693, 695, 700, 701, 715, 724, 725, 759, 807, 900, 902, 963.* — Fritz Henschkel, Schwerin: *729.* — Karlsruhe, Kunsthalle: *1027.* — Köln: Kunstgewerbemuseum: *972.* — W. Kratt, Karlsruhe: *681.* — Kopenhagen, Museum: *667, 711.* — M. Lang (Hoefle Nachf.), Augsburg: *580.* — London, National Gallery: *480, 614, 962, 1022, 1023.* — J. Löwy, Wien: *664, 675.* — Manelli & Co.: *451, 456.* — Christoph Müller Verlag, Nürnberg: *532, 580.* — München, Bayr. Staatsgemälde-Sammlung: *6, 477, 531, 549, 584, 690.* — Freya Nitsche, Berlin, Nationalgalerie: *991, 992, 1044, 1091, 1100.* — Österreichische Lichtbildstelle: *882.* — Oslo, Universitätsmuseum: *99.* — Paris, Editions des Musées Nationaux: *472, 610, 698.* — Photographische Gesellschaft, Berlin: *473, 474, 993, 994, 1044, 1045.* — Photographische Union, München: *1013, 1014, 1015.* — Prag, Rudolphinum: *579.* — Mit Genehmigung des Verlages Rascher & Cie. AG., Zürich und Leipzig: *1080, 1081, 1082.* — Rheinisches Bildarchiv, Köln: *685.* — Atelier Robertson, Berlin W: *1075, 1079.* — Franz Rompel, Hamburg: *485, 952, 953, 974, 984, 986, 1026.* — Rothier: *17, 19, 176.* — Sachsen, Provinzialkonservator: *684.* — Edwin Scharff: *1078.* — Frau Lotte Schmalhausen: *1087.* — Schroll & Co., Wien: *920.* — Schwartzkopff, Berlin SW: *1086.* — Ernst Seeger, Berlin: *1025.* — R. Stickelmann, Bremen: *1016, 1052, 1064.* — Dr. Stoedtner, Berlin (Photo Hamann): *111, 177, 198, 208, 210.* — Dr. Stoedtner, Berlin: *951, 961, 968, 969, 985, 987, 989, 1017, 1106.* — Stuttgart, Galerie: *921, 940, 1018, 1050.* — Marc Vaux, Paris: *1101.* — Mit Genehmigung des Verlages Velhagen & Klasing, Bielefeld: *1045.* — Mit Genehmigung des Verlages R. Wagner, Berlin: *991.* — I. Waitz, Darmstadt: *459.* — Weimar, Staatliche Kunstsammlungen: *946.* — Wien, Bibliothek der kunsthistorischen Sammlungen: *227.*

II. AUS DEN WERKEN: Biermann, Deutsches Barock und Rokoko, Leipzig 1914: *903, 946.* — Biermann, Max Pechstein: *1088.* — „Blaue Bücher", Verlag K. R. Langewiesche, „Das Haus in der Sonne": *1068.* — A. Boeckler, Die Regensburg-Prüfeninger Buchmalerei des 12. Jh., Verlag A. Reusch, München, 1924: Taf. IV. — F. Bruckmann, Giovanni Segantini, 1923: *1055.* — Chantilly, Le cabinet des livres, I. 1900: *452.* — Chantilly, Notices des peintures, école française, Paris 1900: *834.* — O. M. Dalton, East Christian Art, Oxford 1925: *70.* — Dehio, Kirchliche Baukunst des Abendlandes: *78, 124, 256.* — Mela Escherich, Konrad

---

Die kursivgedruckten Zahlen sind die Abbildungsnummern im vorliegenden Werke

Witz: *32*. — Figdor, Versteigerungskatalog, Wien-Berlin 1930: *546*. — Fröhlich-Bum, Parmeggianino, Wien 1921: *687*. — Fuchs, Der Maler Honoré Daumier, 1927: *1009*. — Gall, Karolingische und Ottonische Kirchen, Burg 1930: *225*. — P. Ganz, Hans Holbein d. J., Des Meisters Gemälde, 1912: *586*. — Hans Gerstinger, Die Wiener Genesis, Wien 1931: *84*. — Giesau, Der Chor des Domes zu Magdeburg in: Jahrbuch der Historischen Kommission für die Provinz Sachsen und Anhalt: *308*. — A. Goldschmidt, Die deutsche Buchmalerei I, Florenz-München 1928: *232, 233*. — A. Goldschmidt, Die deutsche Buchmalerei II: *236, 237, 238*. — A. Goldschmidt, Elfenbeinskulpturen I: *23, 228, 229, 230*. — Goya, Los Desastros de la Guerra, Hugo Schmidt Verlag, München 1921: *929*. — R. Hamann, Die deutsche Malerei vom Rokoko bis zum Expressionismus, Leipzig-Berlin 1925: *922, 945, 954, 1047, 1088*. — O. Hamdy-Bey-Reinach, La nécropole royale à Sidon, Paris 1892: *14*. — E. Hancke, Max Liebermann, Berlin 1923: *1045*. — A. Haseloff, Vorromanische Plastik in Italien, Berlin-Florenz 1930: *107*. — M. Hauttmann, Geschichte der kirchlichen Baukunst in Bayern, Schwaben und Franken, 1550—1780, München, Berlin, Leipzig 1921: *870*. — M. Herzfeld, Leonardo da Vinci, Jena, Diederichs 1906: Taf. IX. — Villard de Honnecourt, Bibl. Nat., Paris: *332*. — Gustave Kahn, Auguste Rodin, Berlin: *1040*. — Klassiker der Kunst: Band 4, Dürer: *564*; Band 5, Rubens: *697*; Band 13, van Dyck: *705*. — Bau- und Kunstdenkmäler: Thüringen: *260*. Regierungsbezirk Kassel: *353*. Württemberg, Bd. II: *261*. — Kunsthistorische Gesellschaft für Photographische Publikationen, 5. Jahrg. 1899: *487*. — Kunstwart-Mappe: *750, 982*. — Lippmann, Die Zeichnungen von Albrecht Dürer: *559, 581, 587, 589*. — Loosli, Ferdinand Hodler, Zürich 1919—20: *1080, 1081, 1082*. — Louvre, Paris, Catalogue des vases antiques, Paris 1929: *10*. — Louvre, Paris, Catalogue des sculptures: *943*. — J. A. Lux, Otto Wagner, München: *1043*. — Marillier, The early work of Aubrey Beardsley: *1060*. — H. Mebes, Klassizismus und Klassik der Baukunst um 1800, Leipzig 1931: *950*. — I. Meier-Graefe, Hans v. Marées: *1028, 1029*. — H. Nasse, Jacques Callot, Meister der Graphik Bd. I: *836*. — Nemeš, Versteigerungskatalog, Paris 1913: *663*. — R. Oldenbourg, P. P. Rubens, München-Berlin 1929: *689*. — Pier della Francesca (L'Opera dei grandi artisti italiani Bd. I): *464, 470*. — Pinder, Die deutsche Plastik des 14. Jh., München 1925: *369*. — Pinder, Die deutsche Plastik des 15. Jh., München 1924: *545*. — Raoul-Rochette, Peintures antiques inédites, Paris 1863: *21*. — F. Roh, Nach-Expressionismus, Leipzig 1925: *1104*. — L. Rosenthal, Géricault, Paris: *960*. — M. Sauerlandt, Die deutsche Plastik des 18. Jh., Florenz-München 1926: *872, 883*. — Scheibler-Aldenhoven, Geschichte der Kölner Malerschulen, Lübeck 1893—1903: *482, 521, 544*. — A. Schmarsow, Masaccio-Studien, 1900: *468*. — Seemann Verlag, Leipzig: „Die Galerien Europas“: *484, 520, 570, 901, 1024*. — Sigmund Soldau, Die Gemälde von A. Dürer und M. Wolgemut: *617*. — Max Sonnen, Die Weserrenaissance, Münster 1918: *686*. — W. Spemann-Verlag: „Das Museum“: *31, 536, 692, 948, 975, 1021*. — Jaro Springer, H. Holbein, Der Totentanz: *567, 568*. — H. v. Tschudi, Die deutsche Jahrhundertausstellung in Berlin, München, Bruckmann 1906: *966, 971, 983*. — Uhde-Bernays, Carl Spitzweg, München 1922: *988*. — Velhagen & Klasing, Künstler-Monographien: *1042, 1053*. — A. Venturi, Die Malerei des 15. Jh. in der Emilia, Florenz-Berlin 1931: *550*. — K. Voll, Frankreichs klassische Zeichner im 19. Jh., München 1914: *1010, 1011, 1012*. — Waldmann, Die Kunst des Realismus und Impressionismus im 19. Jh., Berlin 1927: *1066*. — G. Wasmuth, Lexikon der Baukunst: *605*. — W. Weisbach, Rembrandt, Berlin 1926: *735*. — H. Wendland, Konrad Witz, Basel 1924: *462*. — Willich-Zucker, Die Baukunst der Renaissance in Italien II, Berlin-Potsdam 1914: *606*. — J. Wilpert, Die Malerei der Katakomben Roms, Freiburg i. Br. 1903: *1, 51, 53*. — J. Wilpert, Die römischen Mosaiken und Malereien der kirchlichen Bauten vom 4.—13. Jh., Freiburg i. Br. 1916: *67, 68*. — Friedr. Wolff, Michael Pacher, Berlin 1909: *537*. — E. H. Zimmermann, Vorkarolingische Miniaturen, Berlin 1916: *9, 100, 101, 102, 103, 104*.

III. UNBEKANNTER HERKUNFT: *7, 105, 359, 435, 669, 683, 710, 748, 867, 868, 881, 937, 949, 959, 996, 1035, 1063, 1099*.

REGISTER

Gerade Ziffern bezeichnen die Erwähnung des betreffenden Stichworts im Text; *schräggedruckte* geben die Seiten an, auf denen eine dazugehörige Abbildung steht. **Fettgedruckte** Ziffern kennzeichnen die hauptsächliche Erwähnung eines Stichwortes. In eckigen Klammern stehen die Hinweise auf die Erwähnung im Verzeichnis der wichtigsten Künstler und Werke; die hochgestellten kleinen Ziffern geben die entsprechende Zeilenzahl an, wobei die Zeilen zu je 5, von unten nach oben gerechnet, zusammengefaßt sind. Zum Beispiel: Altdorfer ist Seite 60 erwähnt, Seite **470** hauptsächlich besprochen, Seite *470* steht eine Abbildung; Seite [925 Zeile ^{35}] steht die Erwähnung im Verzeichnis der wichtigsten Künstler und Werke mit den entsprechenden Lebensdaten.